Politisches Lexikon Schwarzafrika

Herausgegeben

von

Jürgen M. Werobèl – La Rochelle, Rolf Hofmeier

und Mathias Schönborn

VERLAG C.H.BECK MÜNCHEN

CIP-Kurztitelaufnahme der Deutschen Bibliothek

Politisches Lexikon Schwarzafrika / hrsg. von
Jürgen M. Werobèl – La Rochelle . . . – 1. Aufl. –
München: Beck, 1978.
  (Beck'sche Schwarze Reihe; Bd. 166)
  ISBN 3 406 06766 2
NE: Werobèl – La Rochelle, Jürgen M. [Hrsg.]

ISBN 3 406 06766 2

Einbandentwurf von Rudolf Huber-Wilkoff, München
© C.H. Beck'sche Verlagsbuchhandlung (Oscar Beck) München 1978
Gesamtherstellung: C.H. Beck'sche Buchdruckerei, Nördlingen
Printed in Germany

Beck'sche Schwarze Reihe
Band 166

Inhalt

Vorwort

Dieses Buch wendet sich vornehmlich an den politisch interessierten Leser, der über die politischen Systeme Schwarzafrikas nach Informationen sucht, die über das hinausgehen, was Tageszeitungen und Konversationslexika bieten können. Nach einem einheitlichen Gliederungsschema, das jedoch wegen der bedeutenden Unterschiede zwischen den behandelten Ländern und wegen der in einigen Fällen im Umbruch befindlichen Verhältnisse nicht streng eingehalten werden konnte, haben sich die Autoren bemüht, die gegenwärtigen politischen Systeme in ihren historischen Zusammenhang zu stellen. Dem Charakter eines Lexikons entsprechend und bei einer Zahl von sechsundvierzig behandelten Ländern mußte der Umfang der einzelnen Beiträge begrenzt bleiben. Daher wird keine umfassende wissenschaftliche Analyse der behandelten politischen Systeme geleistet, vielmehr ein knapper Überblick über die geschichtliche Entwicklung und die grundlegenden Strukturelemente der vielfältigen politischen Systeme im heutigen Schwarzafrika geboten.

Auf einen wissenschaftlichen Apparat mit Fußnoten etc. wurde im Interesse der Kürze und leichten Lesbarkeit bewußt verzichtet. Zur weitergehenden Information wurde den Länderbeiträgen jeweils eine kurze Literaturliste beigegeben, die sich auf besonders wichtige deutsche und im übrigen einigermaßen zugängliche Titel konzentriert. Der überwiegende Teil der Titelauswahl erfolgte auf Grund der Nachweise in der Dokumentationsleitstelle des Instituts für Afrika-Kunde in Hamburg. Eine Liste der wichtigsten außeruniversitären Bibliotheken mit umfangreichem Literaturangebot zu Politik, Gesellschaft und Wirtschaft Afrikas findet sich im Anhang. Um einen raschen Zugriff zu den gesuchten Informationen zu ermöglichen, ist dem Band ein Abkürzungsverzeichnis der politischen Parteien und Organisationen beigefügt, das sowohl die Abkürzungen erklärt als auch darauf verweist, in welchem Länderartikel die jeweiligen Organisationen behandelt werden. Außerdem sind allen Länderbeiträgen einige wesentliche Basisdaten vorangestellt, um wenigstens einen groben Vergleich im Hinblick auf diese wenigen Indikatoren zu ermöglichen. Um eine einheitliche methodische Erfassung der Zahlen zu gewährleisten, wurden die Angaben über Bevölkerung (Vergleichsjahr 1976) dem monatlichen statistischen Bulletin der UN (Dezember 1977) und die über das Bruttosozialprodukt (Vergleichsjahr 1974) dem Weltbankatlas 1976 entnommen.

Dieser Band wurde von Jürgen M. Werobèl-La Rochelle konzipiert. Er hat nach der Vorgabe des Gliederungsschemas auch die meisten Autoren ausgewählt. Nachdem Jürgen M. Werobèl eine Tätigkeit in Afrika aufgenommen hatte, wurde die Herausgabe von den Unterzeichneten übernommen. Ein Lexikon zu gegenwärtigen politischen Systemen, die – und dies gilt nicht nur für viele der Entwicklungsländer Afrikas – ständig Veränderungen unterworfen sind, ist immer in Gefahr, bereits im Augenblick des Erscheinens in Teilbereichen von den Ereignissen überholt zu sein. Die Gestaltung eines solchen Bandes kann jedoch nicht ausschließlich an der Aktualität orientiert sein. Wir haben es als unsere Aufgabe gesehen, Hintergrundinformationen zu bieten, die helfen können, tagespolitisches Geschehen besser zu verstehen. In diesem Sinne haben wir uns bemüht, den Band auf einen aktuellen Stand zu bringen, der an die Tagespolitik heranführt. Redaktionsschluß war Anfang 1978. Soweit es möglich war, haben die jeweiligen Autoren selbst ihre Beiträge aktualisiert; bei einigen Beiträgen wurde dies jedoch von einem Redaktionsteam vorgenommen, wobei es sich, teilweise wegen des schon länger zurückliegenden Abschlusses der Manuskripte, als notwendig erwies, umfangreichere Überarbeitungen vorzunehmen. Bei der Endredaktion wurden wir von Britta Girgensohn und Hartmut Neitzel unterstützt, denen für diese wichtige Arbeit unser Dank gilt.

Da der Band von insgesamt siebenunddreißig Autoren geschrieben wurde, spiegelt sich diese Vielfalt zwangsläufig auch in den einzelnen Beiträgen wider, die sich somit sowohl nach Stil wie nach politischer Beurteilung der jeweiligen Situation pluralistisch voneinander abheben. Das Anlegen eines strikten einheitlichen Bewertungsmaßstabes war weder möglich noch beabsichtigt.

Unvorhergesehene Schwierigkeiten haben viel Verständnis einerseits von den Autoren, andererseits von Herrn Dr. Günther Schiwy und Frau Elisabeth Hupfeld (Lektorat) und Herrn Rüdiger Halusa (Herstellung) gefordert. Für ihre Geduld, die das Erscheinen des Bandes ermöglicht hat, sei ausdrücklich gedankt.

Wir hoffen, daß dieses weitgehend von Afrika-Experten geschriebene Nachschlagewerk dem politisch interessierten Leser, Politiker, Wirtschaftler, Journalisten, Dozenten, Studenten, Schüler und allen Afrikareisenden hilft, die Zusammenhänge und Hintergründe des aktuellen politischen Geschehens, der Entwicklung der Parteien und der Regime besser zu verstehen.

Hamburg und München, im Frühjahr 1978   *Rolf Hofmeier*
                                              Mathias Schönborn

Äquatorial-Guinea

Grunddaten

Fläche: 28.051 km² (Insel Macías Nguema 2.300 km²).
Einwohner: 320.000 (1976 geschätzt).
Ethnische Gliederung: Fang (span.: Pamúes) ca. 75%, Kombe, Benja
  und Bujeba; wichtige Minorität: Bubi, ca. 10% (I. Macías
  Nguema); bis 1976 ca. 40.000 Plantagenarbeiter aus Nigeria
  (Ibos); ca. 200 Spanier (1976).
Religionen: 3/4 kath.; traditionelle Religionen.
Einschulungsquote: ca.. 90% (1972).
BSP: 90 Mio. US-$ (1974).
Pro-Kopf-Einkommen: 290 US-$ (1974).

1. Historischer Überblick

1469 und 1474 entdeckt Fernando Póo die heute zu Ä.-G. gehörenden Inseln, die erst 1775 bzw. 1778 von Portugal an Spanien abge-
treten werden. (Insel Fernando Póo 1827–32 von Briten besetzt.)
1858 ernennt Span. die ersten Gouverneure und entwickelt in der
Folgezeit auch Interesse am Festland; es fordert große Gebiete zwischen den Flüssen N'tem und Gabun bis zum Ubangi. Das
Deutsche Reich (Kamerun) und Frankreich (Frz. Äquatorialafrika)
schränken jedoch die span. Expansionsmöglichkeiten ein. Zwar
gibt es seit 1843 einige Niederlassungen auf dem Festland, aber das
Hinterland kann erst nach dem 1. Weltkrieg unterworfen werden.
1936 schließt sich die Verwaltung von Span. Guinea General Franco
an. 1938 wird die Kolonie zu ,,Territorios Españoles del Golfo de
Guinea", die 1959 den Status span. Provinzen (1. Fernando Póo,
2. Rio Muni) erhalten. 1964 gewährt Madrid die interne Autonomie
und entläßt das Gebiet am 12. Oktober 1968 in die Unabhängigkeit.

2. Entwicklung der politischen Parteien

2.1. Vor der Unabhängigkeit

Bezeichnend für die span. Kolonialherrschaft ist die Einführung des „Patronato de Indigenas" von 1904, das die einheimische Bevölkerung juristisch in der Minderheit beläßt, d. h. ihr keine Rechte erteilt und nur Pflichten auferlegt (Beschränkung des Vermögens, Überwachungen, Arbeitspflicht auf span. Plantagen, u. a.). Das Dekret von 1938 modifiziert das Patronato leicht, so daß nun ca. 150 Afrikaner (von 200.000) wegen ihrer Schulbildung und ihres Vermögens den Status von Assimilierten erhalten, somit auch span. Bürger werden. Dies zeigt erst allmählich Auswirkungen auf die polit. Evolution, wobei nicht vergessen werden darf, daß das Mutterland selbst nach dem Bürgerkrieg zu polit. Abstinenz verurteilt ist. So kommt es in Ä.-G. erst sehr spät zur Entwicklung von polit. Ideen durch die afrik. Bevölkerung, wobei Einflüsse nicht – wie in den meisten afrik. Staaten – zuerst aus der Metropole, sondern aus den Nachbarländern kommen. Dort entstehen auch die ersten organisierten Widerstandsgruppen gegen die span. Kolonialherrschaft, und zwar ab 1960, dem Jahr der Unabhängigkeit der Nachbarn Kamerun, Gabun und Nigeria. Diese Gruppen nehmen allmählich Organisationsformen polit. Parteien an.

Die älteste Gruppe ist die I.P.G.E., „Idea Popular de la Guinea Ecuatorial"; sie wendet sich gegen jede Zusammenarbeit mit Span. und gilt in der Anfangszeit als „pankamerunisch"; sie wird zunächst von dem Rechtsanwalt Luis Maho geleitet, dann von Francisco Macías Nguema.

1963 werden zwei weitere Parteien gegründet, MUNGE und MONALIGE. Der „Movimiento de Unión Nacional de la Guinea Ecuatorial" ist eine gemäßigtere, konservative Bewegung, die Bonifacio Ondo Edu leitet. Der „Movimiento Nacional de Liberación de la Guinea Ecuatorial" unter Führung von Atanasio Ndongo gilt als Mitte-Links-Bewegung.

Diese Parteien sind zwar den Stämmen des Festlandes besonders verbunden, versuchen aber dennoch supraethnisch zu wirken, um die stärker hispanisierten Inselbewohner für ihre Ziele und Programme zu engagieren, d. h. für die Unabhängigkeit. Als ein solcher pan-guineischer Versuch ist auch die 1965 von MONALIGE und I.P.G.E. gebildete FRENAPO, „Frente Nacional y Popular de Liberación de la Guinea Ecuatorial", zu werten. Allerdings bleibt der gewünschte Erfolg weitgehend aus, denn 1967 bilden sich auf Fernando Póo zwei neue, ihren Stammesinteressen verpflichtete Parteien, die „Unión Bubi" und die „Unión Democrática Fernandina"; die erstere vertritt die Interessen der Bubi, die auf der Insel die Majorität haben, die zweite die ca 4.000 Fernandinos genannten Mischlinge. Hintergrund für diese Neugründungen ist die Volksabstimmung von 1963 über den Autonomiestatus, der zwar insgesamt mit 61% Ja-Stimmen angenommen, auf Fernando Póo aber abgelehnt wird, weil gerade diese Provinz in der Assimilation weit fortgeschritten ist und die Vorherrschaft des Festlandes und der Fang befürchtet. Span. allerdings berücksichtigt dieses Abstimmungsergebnis nicht und setzt auf der Konferenz mit den afrik. Politikern im Juni 1968 in Madrid eine unitarische Verfassung durch.

2.2. Nach der Unabhängigkeit

2.2.1. Mehrparteiensystem

In der ersten Phase der Unabhängigkeit wird die Verfassung eingehalten; die Parteien arbeiten relativ frei. Präsident der Republik ist F. Macías Nguema, der neue, von der I.P.G.E. übergewechselte Chef der MONALIGE (Sieg nach 2. Wahlgang, Sept. 1968, als Koalitionskandidat über MUNGE-Parteiführer Ondo Edu). Im Interesse der nationalen Einheit wird eine Koalitionsregierung gebildet, in der jedoch außer Ndongo kein potenter Parteiführer vertreten ist. (Minister: 6 MONALIGE, 3 Unión Bubi, 2 MUNGE, 1 I.P.G.E.; somit ist die Verfassungsauflage respektiert, daß 2/3 der Minister aus Rio Muni und 1/3 von den Inseln stammen müssen.) Trotzdem bleibt der Dualismus zwischen den beiden Staatsteilen bestehen; außerdem wollen die Inselbewohner keinen Fang als Präsidenten. So kommt es im Februar 1969 zu blutigen Unruhen, die zu einer Krise mit Span. führen, das Macías für den Aufruhr verantwortlich macht. Diese (gewollte) Krise zieht den Exodus der meisten Spanier und die Eliminierung Ndongos nach sich, den Macías der Rassenverhetzung und eines (gescheiterten) Putsches beschuldigt. Diese Ereignisse führen in ihrer letzten Konsequenz zur Aufhebung der Verfassung (März 1969); die Macías nicht genehmen Politiker werden verhaftet und ermordet. (Edu stirbt im Gefängnis, Ndongo endet angeblich durch Selbstmord.) Seither steht das Land praktisch unter Ausnahmerecht.

2.2.2. Einparteiherrschaft

Durch die Ereignisse von 1969 kann sich Macías die absolute Herrschaft sichern. Dabei dient ihm die eben gegründete Jugendtruppe ,,Juventud en marcha con Macías" als wichtiges Werkzeug, für Mord und Terror, Einschüchterung der Bevölkerung und Exekution aller mißliebigen Personen. Im Febr. 1970 werden durch ein Präsidentendekret alle Parteien für illegal erklärt und durch eine Einheitspartei ersetzt, den PUN, ,,Partido Unico Nacional", der sich später PUNT nennt, ,,Partido Unico Nacional de los Trabajadores" (Nationale Arbeiter-Einheitspartei). 1971 ,,regularisiert" Macías seine de-facto-Einmannherrschaft auch verfassungsmäßig durch Suspendierung der entsprechenden Artikel, macht sich damit auch de jure zum Alleinherrscher, indem er Legislative, Exekutive und Jurisdiktion in seiner Hand vereint. Konsequenterweise ernennt er sich dann 1972 auch zum Präsidenten auf Lebenszeit und läßt 1973 eine neue Verfassung ausarbeiten (in Kraft seit 4. 8. 73), die eine von der PUNT gebildete Volksversammlung ,,legalisiert".

3. Merkmale der politischen Struktur

3.1. Elite

Durch Eliminierung bzw. Exekution aller der Opposition verdächtigen Personen und durch den Eifer und die Gefolgschaftstreue der organisierten Staatsjugend ist Macías zum einzigen Führer geworden, in dessen Hand die ganze Macht liegt. Daher kann auch von einer Elite im herkömmlichen Sinne nicht mehr gesprochen werden. Das Regime, genauer gesagt Macías, stützt sich auf die ,,Juventud", die weniger durch spezielle Bildung oder polit. Engagement, als nur durch Terror agitiert (vergleichbar den ,,Tontons Macoutes" des Diktators Duvalier [†] in Haiti). Die ,,Milicia", ca. 2.000 Mann stark, ist das zweite Standbein des Regimes; die Soldaten gehören fast ausschließlich dem Stamm der Fang an und sind, wie die ,,Juventud", ein willfähriges Werkzeug von Repression und Terror.

3.2. Stärke und Rolle anderer Gruppen

Von einer Opposition im herkömmlichen Sinne ist auch hier nicht zu sprechen. Zwar steigt durch Terror und Wirtschaftsmisere auch die Unzufriedenheit, doch ist die Bevölkerung durch Ausschaltung der bisherigen Elite jeder Führung beraubt. Die Zahl der getöteten Politiker und Intellektuellen geht in die Tausende (ihr Tod wird amtlicherseits zumeist als Selbstmord deklariert). Dieses gewaltsam erreichte Fehlen personeller Alternativen begünstigt die ,,Stabilität" des Macías-Regimes.

Die kath. Kirche ist eine mehr ideelle Opposition, da Ä.-G. zu den christianisiertesten Ländern Afrikas gehört und da Macías in seinem Kirchenkampf das zaïrische Vorbild weit übertroffen hat. 1974 wurde erstmals die kath. Oppositionsgruppe ,,Cruzada de liberación por Christo" (Befreiungskreuzzug durch Christus) bekannt, die einen Gefängnisaufstand in Bata organisierte (mindestens 100 Tote durch ,,Selbstmord").

Man schätzt die im Exil lebenden Äquatorialguineer auf ca. 20% der Gesamtbevölkerung (Gabun: 60.000; Kamerun: 30.000; Nigeria: 5.000). Sie sind für das Regime ernstzunehmende Gegner (Invasionsversuch Aug. 1976). Seit 1975 operiert von Gabun aus eine Widerstandsgruppe, ,,Alliance Nationale de Restauration Démocratique", ANDR, eine Sammlungsbewegung geflüchteter Politiker und Intellektueller.

3.3. ,,Programmatik"

Der PUNT hat kein Parteiprogramm erarbeitet. Was als Programm gilt, bestimmt allein Macías. Oberstes Ziel bleibt, seine Allmacht zu wahren; der PUNT ist nur Staffage. Demzufolge erscheint jegliche

Programmatik nur nach außen ideologisch, wie z. B. die Vertreibung der Spanier und die (teilweise) Nationalisierung ihres Besitzes 1969 als Kampagne gegen Kolonialismus und Imperialismus, der Kirchenkampf als Authentizitätspolitik, die Ermordung und Vertreibung nigerianischer Arbeiter (seit 1969) als Kampf gegen Fremdherrschaft und der Bruch mit den USA im März 1976 als Kampf gegen CIA und für den Zusammenbruch des US-Imperiums. Alle diese Kampagnen dienen dabei nicht nur als Ablenkungsmanöver von den zunehmenden wirtschaftlichen Schwierigkeiten, sondern immer wieder zur Ausschaltung der letzten politischen Gegner. Gegenwärtig ist der Stamm der Bubi Verfolgungen ausgesetzt, die die Ausmaße eines Genozids annehmen und von Macías als Kampf gegen Sezessionismus und für die Einheit des Staates deklariert werden.

3.4. Aufbau der Partei

Ab dem 17. Lebensjahr ist jeder verpflichtet, PUNT-Mitglied zu werden. In den größeren Orten, hauptsächlich im Gebiet der Fang, existieren mit Sektionen und Komitees gewisse Strukturen; eine echte polit. Funktion kommt ihnen aber nicht zu.

3.5. Wahlen

Demokratische Wahlen gab es nur in der Anfangsphase nach der Unabhängigkeit.
 – Volksentscheid über den (span.) Verfassungsentwurf vom 11. 8. 68:
   63% Ja-Stimmen, 35% Nein-Stimmen.
 – Präsidentenwahl:
   Erster Wahlgang, 22. 9. 68: 36.716 Stimmen für Macías; 31.941 für Edu. Zweiter Wahlgang, 29. 9. 68: 38.200 Stimmen für Macías; 23.900 für Edu.

3.6. Einflüsse

Macías bezeichnet sich seit gut einem Jahrzehnt als militant antikolonialistisch, linksstehend und revolutionär. Andererseits ist er als

16

Beamter der span. Verwaltung nie Verfolgungen ausgesetzt gewesen und wechselte opportunistisch von einer Partei zur anderen. Zweifelsohne ist er heute mehr vom sowjetischen als vom chinesischen Modell des Kommunismus beeinflußt. In der Praxis fehlt aber jegliche ideologische Basis und Zielsetzung. Die SU, Kuba (Militärausbildung), die DDR und die VR China sind fast die einzigen diplomatischen Vertretungen in Malabo, sie zeichnen sich aber mehr durch bloße Präsenz oder finanzielle Zuwendungen als durch direkten Einfluß oder Beratung aus, paralysieren sich vielmehr gegenseitig. Wie weit der chinesische Einfluß auf die „Juventud" geht, ist unklar. Wesentlich klarer hingegen wird der Einfluß der zaïrischen Authenticité sichtbar.

4. Politische Begriffe

Neben Kampfparolen für Sozialismus, gegen Kolonialismus, etc., werden nur wenige polit. Begriffe als Schlagwörter gebraucht. Auffallend dagegen ist der exzessive Personenkult um Macías, der eine echte Politisierung offensichtlich ersetzen soll.

Offizielle Titel des Staatschefs: „Präsident auf Lebenszeit, Generalmajor der Streitkräfte, Großmeister der Erziehung, Wissenschaft und Kultur, Präsident des PUNT und einziges Wunder Ä.-G.s". Weitere Bezeichnungen sind „Oberster Genosse" (camarada supremo) und „Heiland" (salvador). In den Kirchen müssen die Geistlichen nach Vorschrift beten: „Immer wollen wir Macías folgen. Nie ohne Macías! Nieder mit dem Kolonialismus!"

Unidad: Unter diesem Schlagwort „Einheit" laufen Aktionen gegen den Sezessionismus. Gegenwärtig erleben die Bubi auf Macías Nguema gegen sie gerichtete Kampagnen. Die Methoden von Macías und der latente Sezessionismus bilden den Circulus vitiosus, so daß das Schlagwort und der mit ihm verbundene Terror weiterhin typisch für Äquatorial-Guinea sein werden.

Autenticidad: Unter dem Begriff laufen Aktionen zur Rückbesinnung auf traditionelle afrik. Werte und gegen koloniale Relikte, zu denen die christlichen Religionen gezählt werden. Ein Höhepunkt ist das Dekret vom 26. 7. 73, durch das die Authentizität auch dem

Personenkult dienen konnte. (Umbenennung von Fernando Póo in Macías Nguema Biyogo; Santa Isabel = Malabo; Annobón = Pigalu.) Im Rahmen dieser Kampagnen ist der Kirchenkampf verstärkt worden durch Beschränkung der Religionsausübung, nationale Schulpolitik, Verfolgung und Vertreibung von Priestern und Gläubigen, Umwandlung von Kirchen in Kakao-/Kaffee-Depots. (In den noch geöffneten Kirchen hängen nun Photos von Macías neben dem Kruzifix.)

Emblem des PUNT: Tiger mit geöffnetem Rachen.

Jürgen M. Werobèl-La Rochelle

Literatur

Dilg, K. G., ,,Die Verfassung der Republik Äquatorialguinea unter besonderer Berücksichtigung der politischen und verfassungsmäßigen Entwicklung bis zu Unabhängigkeit im Jahre 1968", in: Verfassung und Recht in Übersee, 2. Jg., Nr. 3, Hamburg 1969, S. 291–303.

,,Equatorial Guinea", aus: International Monetary Fund (Hrsg.), Surveys of African Economies, Vol. 5, Washington 1973, S. 314–353.

Pélissier, R., Etudes Hispano-Guinéennes, Paris 1969.

ders., ,,Equatorial Guinea", in: Africa South of the Sahara 1977–78, London 1977, S. 300–305.

Werobèl-La Rochelle, J. M., ,,Zur Entwicklung des politischen Systems in Äquatorial-Guinea", in: Internationales Afrikaforum, 12. Jg., Nr. 2, München 1976, S. 146–151.

Äthiopien

Grunddaten

Fläche: 1.221.900 km^2.
Einwohner: 28.680.000 (1976).
Ethnische Gliederung: Galla 40%, Amhara 15%; Tigre 15%; kleinere Gruppen (Danakil, Somali, Niloten).

Religionen: Traditionelle Religionen: 10%; Moslems: 40%; Christen: 50% (Kopten 48%, 1% r.k., 1% ev.); andere: Falascha (afrik. Juden) ca. 50.000.
Alphabetisierung: 5% (1970).
BSP: 2660 Mio US-$ (1974).
Pro-Kopf-Einkommen: 100 US-$ (1974).

1. Historischer Überblick

Das historisch faßbare Kerngebiet der zumindest 2000-jährigen Geschichte Ä.s liegt im Hochland von Eritrea und Tigre. Das Königreich Axum übernahm um das 1. Jh. die dominierende Stellung in diesem Raum. Es orientierte sich wirtschaftlich und politisch einerseits nach Süd-Arabien, andererseits über Ägypten am Mediteraneum, insbesondere Griechenland. Im 4. Jh., unter der Herrschaft von Ezana, übernahm es das monophysitische Christentum. Die persische Eroberung Süd-Arabiens und das Vordringen des Islam in Nord-Afrika und entlang der Küste des Roten Meeres isolierte das axumitische Reich. Es war gezwungen, sich nun verstärkt nach dem Süden zu orientieren. Während der Herrschaft der Zagwe-Dynastie (11.–13. Jh.) wurde Roha (Lalibela) das politische Zentrum des Reiches. Yekuno Amlak (1270–1285) sah sich als Nachfolger des axumitischen Reiches und stellte die salomonidische Dynastie „wieder" her, die sich auf Menelik I., den legendären Sohn von Salomo dem Weisen und der Königin von Saba, zurückführte. Bis ins 15. Jh. erlebten der äthiop. Staat und die koptische Kirche eine Blütezeit. Unter dem Imam Ahmed ibn Ibrahim, genannt Grañ, eroberten Moslems, ausgehend vom Sultanat Adal, große Teile des äthiop. Reiches. Erst 1542 besiegte sie Kaiser Gelawdews mit Hilfe portugiesischer Soldaten. Doch die Kriege gegen die islamischen Zentren Adal und Harar dauerten an. Daneben bedrohten ab der zweiten Hälfte des 16. Jh. (bis ins 19. Jh.) die aus dem Süden vordringenden Galla (Eigenbezeichnung „Oromo") das äthiop. Reich. Unter dem Einfluß der Jesuiten konvertierte 1626 Kaiser Susenyos zur röm.-kath. Kirche. Der Widerstand des Volkes zwang ihn, 1632 seinen Entschluß zu revidieren. Nach seiner daraufhin erfolgenden Abdankung stellte sein Sohn Fasilidas (1632–67) die alte Einheit von Staat, Kirche und Monarchie wieder her und wies die Jesuiten 1633 aus dem Land. Um 1635 gründete er die neue Hauptstadt Gondar. Die zunehmende Schwäche der Zentralgewalt führte jedoch im 18. Jh. dazu, daß das Reich in unabhängige Provinzen zerfiel.

Die moderne Geschichte Ä.s. wird von vier Kaisern beherrscht: Tewodros II. (1855–68), Yohannes IV. (1872–89), Menelik II. (1889–1913) und Haile Selassie (1916–1975). Tewodros begann das äthiop. Reich wieder zu einigen und versuchte vergeblich, in Anlehnung an europ. Vorbilder Staat und Kirche in Ä. zu reformieren. Yohannes verteidigte den Norden des Reiches gegen die eindringenden Ägypter, Mahdisten und Italiener. Er fiel in einer Schlacht gegen die Mahdisten und Menelik, bisher König von Shoa, übernahm die Nachfolge. Menelik suchte eine Einigung mit Italien und überließ ihm in den Verträgen von 1899 und 1896 das nunmehr Eritrea genannte Gebiet als neues ital. Territorium. Ein weiteres Vordringen der Italiener konnte er verhindern, als er 1896 deren Expeditionscorps bei Adua entscheidend schlug. Neben der Sicherung seines Reiches gegen die Kolonialmächte Frankreich, Großbritannien und Italien eroberte er im Wettlauf mit diesen gegen Ende des 19. Jh. die vor allem von Somali und Oromo bewohnten Gebiete im Süden und Osten und verleibte sie dem äthiop. Reich ein. Der noch heute lebendige Widerstand gegen diese Annektion zeigt sich in den Forderungen der OLF (Oromo Liberation Front) und der WSLF (Western Somali Liberation Front). Die Innenpolitik Meneliks war insbesondere geprägt durch Reformen der Verwaltung. Als neue Hauptstadt wurde Addis Abeba gegründet.

Haile Selassie, zuerst als Ras Tafari 1916 Regent im Auftrag von Meneliks Tochter, wurde 1930 zum Kaiser gekrönt und versuchte, durch polit. und rechtliche Reformen Ä. zu einem modernen Staat mit rechtsstaatlichen Institutionen zu machen. 1935/36 erfolgte die Invasion des faschistischen Italien, das Ä. mit den anderen Kolonien Eritrea und Somalia vereinigte (Ital. Ostafrika). 1941 kehrte Haile Selassie aus dem Exil (London) zurück, nachdem mit brit. Hilfe Ä. befreit worden war. Er versuchte, sein Reformwerk fortzusetzen. 1960 scheiterte der Putschversuch der kaiserlichen Leibwache. Eri-

trea, das noch unter brit. Besatzung stand, wurde 1962 gegen den
Beschluß der UN-Vollversammlung (1950) als 14. Provinz Ä.s
annektiert. Im Januar 1974 kam es aufgrund der Hungerkatastrophe
und der allgemeinen wirtschaftlichen Verschlechterung zu Unruhen, die schließlich zur Revolution führten. Am 12. 9. 74 wurde der
Kaiser abgesetzt und verhaftet; er starb am 27. 8. 75. Am 12. 9. 74
hatte eine provisorische Militärregierung (Derg) die Regierungsmacht übernommen. Im Frühjahr 1975 wurde Ä. zur sozialistischen
Republik erklärt.

2. Entwicklung der politischen Parteien

Obwohl unter der Verfassung von 1931 wie auch unter der revidier-
ten Verfassung von 1955 ein Parlament errichtet worden war und
Wahlen zu diesem Parlament stattfanden, bildeten sich in Ä. weder
unter dem Kaiser noch unter der provisorischen Militärregierung
polit. Parteien. Die Forderung nach freier Parteiengründung war
mit ein Teil der revolutionären Forderungen im Frühjahr 1974. Die
Militärregierung hat jedoch die Grundrechte der Verfassung aufgehoben und Vereinigungs- und Versammlungsfreiheit ausdrücklich
suspendiert (Proklamation Nr. 1 und 2 vom 12. 9. 74). Ein neuer
Verfassungsentwurf wurde im Aug. 74 dem Kaiser vorgelegt; er
sah Parteienfreiheit als Grundrecht vor, wurde aber nie Recht.
Gesamtgesehen war der Verfassungsentwurf ein weiterer Versuch,
die Interessen des alten Regimes mit denen der neuen nicht formel-
len Machtträger auszugleichen.

  Gewisse Ansätze zur Parteienbildung zeigten sich bei den äthiopischen Gewerkschaften CELU (Confederation of Ethiopian Labour
Unions). Diese Entwicklung war aber offenkundig dem provisori-
schen Militärrat – PMAC (Provisional Military Administrative
Council); häufig wird das PMAC auch Derg (amharisches Wort für
Komitee) genannt – zu unkontrolliert. Wiederholt intervenierte der
PMAC in die Gewerkschaftspolitik und beeinflußte durch Verhaf-
tungen die Wahl der Gewerkschaftsführer. Offizielle Kundgebun-
gen des provisorischen PMAC deuteten darauf hin, daß man eine
Massenpartei sozialistischer Struktur in absehbarer Zeit ins Leben

rufen will (Ansatzpunkte für eine freie Parteienbildung hätten sich auch aus den Lehrervereinigungen ergeben können).

Die Organisation von Massenkundgebungen in Addis Abeba, auf welchen regelmäßig bis zu 200.000 Menschen erscheinen, läßt auf bestimmte parteiähnliche Strukturen schließen. Die genossenschaftlichen Organisationen in Stadt und Land, die sogenannten Kebelles, sind der Schnittpunkt von demokratischer Selbstorganisation und machtpolitischem Dirigismus geworden.

3. Merkmale der politischen Struktur

3.1. Elite

Aufgrund der Revolution von 1974 ergab sich eine völlige Umstrukturierung der Institutionen wie der Rekrutierungsbasis der Elite; daher muß kurz auf den Prozeß der Zerstörung der alten Strukturen wie auf den Aufbau von Zwischenstrukturen eingegangen werden.

Durch die Hungerkatastrophe in Wollo kam es im Febr. 1974 zu weitreichenden Streiks. Die Bewegung, die zum Umsturz führte, ging von Asmara aus (Besetzung am 1. März) und erfaßte die Truppen an der Somalia-Grenze. Das Kabinett Wolde trat zurück. Schon zu diesem Zeitpunkt trat das „Armed Forces Joint Committee" – wenigstens hinter den Kulissen – als neuer Machtträger hervor. Es war wohl ein Koordinierungskomitee der Eliteeinheiten aus der Militärakademie Harar und der Guenetmilitärschule. Andere Einheiten schlossen sich diesem Komitee an, das erst später „Derg" genannt wurde.

Ein neues Kabinett stimmte einer Verfassungsversammlung zu, die am 6. Aug. 1974 einen neuen Verfassungsentwurf vorlegte, der aber nicht Recht wurde. Eine zweite Institution, die eine wichtige Rolle spielen sollte, war die Untersuchungskommission, die später wegen der Vertuschung der Hungerkatastrophe Ermittlungen aufnahm. Im Juli und Aug. 1974 wurden alle alten Institutionen einschließlich des kaiserlichen Gerichtshofes aufgehoben und der Kaiser selbst am 12. Sept. abgesetzt und verhaftet. Während in der Verfassungsversammlung wie auch im Untersuchungsausschuß

Vertreter der modernen Intelligenz aus den bürgerlichen Kreisen saßen, sammelten sich die militär. Anführer der Revolution im „Derg". Dieser verdrängte mit Proklamation Nr. 1 und 2 am 12. 9. nicht nur alle bisherigen Institutionen, sondern schaltete auch die moderne äthiop. Bildungsschicht als weiteren Faktor in der Revolution aus. Zwar wurde im Herbst 1974 ein Beratungsorgan repräsentativer Natur geschaffen, der „Civilian Advisory Body", doch hatte dieses Organ keinen Einfluß auf die weitere Entwicklung.

Von größerer Bedeutung sind dagegen die Kebelles, die Genossenschaften, in welchen die Bevölkerung zusammengefaßt wird. Ihre Vorsitzenden, die übrigens bewaffnet wurden, haben auch die polit. Aufgabe, Massenkundgebungen zu organisieren.

Stärke der Armee. Die Mitgliederzahl der Streitkräfte belief sich 1977 auf 53.500 (Armee 50.000, Marine 1.500, Luftwaffe 2.000). Daneben gibt es eine Miliz mit 75.000 Angehörigen (Beteiligung der Streitkräfte an der polit. Führung s. 3.4). Die amerikanische Militärhilfe soll offenbar wegen der Radikalisierung im Februar 1977 nicht mehr fortgesetzt werden. Die Exekutionen vom Juli 1976 und Februar 1977, denen Sesie Habte und der Erste Vorsitzende Teferi Bante zum Opfer fielen, waren nicht nur Ergebnis eines ideologischen Kampfes zwischen den radikalen Vertretern der Militärakademie von Holeta, wie Mengistu Haile Mariam, und jener von Harar, wie Teferi Bante, sondern auch Ausdruck des persönlichen Machtstrebens von Mengistu Haile Mariam, der durch stärkere rechtsstaatliche Organisation des Derg im Dezember 1976 geschwächt werden sollte. Mengistu Haile Mariam wurde zum Ersten Vorsitzenden gewählt, während Major Atnafu Abate, der auch aus der Militärakademie von Holeta hervorgegangen sein soll, in seiner bisherigen Stellung als Zweiter Vorsitzender belassen wurde. Der Zuschnitt der polit. Führung ist offenbar jetzt mehr denn je auf die Person Mengistu Haile Mariam abgestimmt.

Im November 1977 wurde der zweite Mann des Staates, Major Atnafu Abate, ohne Gerichtsverfahren wegen politischer Differenzen hingerichtet. Die ihm nahestehende MESON-Gruppe der marxistisch-leninistischen Partei wurde verhaftet oder entzog sich durch Flucht. Die von ihr abgespaltene Ethiopian People's Revolutionary Party (EPRP) wird blutig verfolgt. Im Mai und Dezember 1977 kam es zu Massenhinrichtungen von Studenten und Schülern.

3.2. Andere Gruppen

Neben dem Militär waren die einflußreichsten sozialen Gruppen die orthodoxe äthiopische Kirche und die CELU, die äthiop. Gewerkschaftsorganisation. Während die Kirche noch gegen den Verfassungsentwurf vom August 1974 protestierte, wurden ihre Einwände gegen die Absetzung des Kaisers 1974 zum Schweigen gebracht. In späteren Ansprachen stellte sich der Patriarch der orthodoxen äthiopischen Kirche auf die Seite der Militärregierung. Diese wiederum unterdrückte Revolten der breiten armen Priesterschicht gegen die kirchliche Hierarchie und stützte somit das Establishment der orthodoxen Kirche. Ende 1975 wurde bekannt, daß Priester angeblich Propagandaaktionen gegen das Militärregime auf dem Lande organisierten. Ein ,,Church-Derg" wurde eingesetzt, um die vom Staat getrennte orthodoxe Kirche zu reformieren und zu kontrollieren. Der Patriarch wurde Anfang 1976 der Korruption beschuldigt, abgesetzt und an unbekanntem Ort gefangen gehalten. Ein neugewählter Patriarch hat jedoch die Anerkennung des alexandrinischen Patriarchen und der anderen orthodoxen Schwesterkirchen nicht erlangen können, da das Verfahren gegen den abgesetzten Patriarchen nicht den kanonischen Vorschriften entsprach. Die orthodoxe Kirche Ä.s, die durch die Landreform ihre finanzielle Grundlage verloren hatte, ist somit auch in eine kirchenpolitische Isolation geraten.

Die äthiopischen Gewerkschaften (CELU) gerieten im Sommer 1975 in eine heftige Konfrontation mit dem PMAC. Die Opposition der Studenten und Lehrer konnte teilweise durch die ,,Zemecha", eine Kulturrevolutionskampagne, abgeblockt werden, da alle Studenten ab 10. Schuljahr der Oberstufe einschließlich aller Universitätsstudenten an einer Alphabetisierungskampagne auf dem Lande teilzunehmen hatten.

Die CELU-Führung ist nunmehr offenbar völlig vom Staat kontrolliert. Die Ermordung eines ihrer führenden Mitglieder Anfang 1977 durch Mitglieder der EPRP ist hierfür signifikant.

3.2.1. Befreiungsbewegungen

Die Revolution von 1974 war der Ausdruck des anwachsenden Widerstandes großer Teile der Bevölkerung gegen das durch Haile Selassie repräsentierte System. Durch die Unfähigkeit des PMAC, die in die Revolution gesetzten Erwartungen zu erfüllen, stieg die Zahl der Widerstandsbewegungen sprunghaft an. Seine zunehmende Kompromißlosigkeit und rigorose Verfolgung oppositioneller Vorstellungen erzwang den Aufbau neuer Befreiungsbewegungen bzw. wachsende Aktivität bereits bestehender Organisationen.

Bewaffneten Widerstand leisten auf überregionaler Basis sowohl die reaktionäre EDU (Ethiopian Democratic Union), als Vertreter des alten Systems, als auch die marxistisch-leninistische EPRP, deren Wurzel in den zivilen Oppositionsgruppen der 60er Jahre zu suchen ist. Der Kampf des eritreischen Volkes um seine Unabhängigkeit begann bereits vor der Annektion durch Ä. Auf bestehende Organisationen aufbauend wurde 1961 die ELF (Eritrean Liberation Front) gegründet. Interne Auseinandersetzungen führten 1970 zu einer Spaltung und zur Bildung der EPLF (Eritrean People's Liberation Front). Die sich verschärfende militärische Auseinandersetzung seit der Regierungsübernahme durch den Derg veranlaßte jedoch 1975 beide Parteien, unabhängig von den weiter bestehenden ideologischen Differenzen, ihre militärischen Aktionen zu koordinieren.

Weiter bildeten sich in verschiedenen Landesteilen Befreiungsorganisationen, wie z. B. die Tigre People's Liberation Front und die Afar Liberation Front, deren Aktivität die Aktionen des äthiopischen Militärs, besonders von und zur Küste des Roten Meeres, beträchtlich einengten.

Im Osten des Landes einigten sich 1976 die oppositionellen Gruppen der Somali zur WSLF (Western Somali Liberation Front) und traten 1977 zur Offensive im Ogaden an, die das PMAC 1978 mit einer Gegenoffensive beantwortete, massiv unterstützt durch sowjetische Waffenlieferungen und kubanische Kampfeinheiten.

In ihrem Kampf gegen den äthiopischen Militärrat haben sich die Oromo zur OLF (Oromo Liberation Front) zusammengeschlossen bzw. kämpfen, wie Teile der östlichen Oromo, auf Seiten des WSLF.

3.3. und 3.4. Programmatik und Ansätze einer Parteistruktur

Bisher bestehen in Ä. noch keine polit. Parteiorganisationen. Am Aufbau einer Massen-Einheitspartei wird offenkundig gearbeitet. Als Grundlage für die Ausarbeitung eines Parteiprogramms kann jedoch die Erklärung des PMAC vom 20. Dez. 1974 gelten. In dieser Erklärung wird die neue polit. Theorie (Philosophie) dahingehend erläutert:

1. Alle Äthiopier sollen ohne Rücksicht auf Religion, Sprache und Geschlecht oder Heimat in Gleichheit und Brüderlichkeit, in Harmonie und Einheit unter dem Schutze des Staates leben. Ä. soll ein Land werden, in welchem Gerechtigkeit, Gleichheit und Freiheit herrschen.

2. Der Götzendienst privaten Gewinnstrebens soll ausgetilgt werden.

3. Das Recht zur Selbstverwaltung auf der Ebene der Distrikte und Regionen soll wieder hergestellt werden.

4. Jeder soll arbeiten. Ausbeutung und Parasitentum sollen beseitigt werden.

5. Über all diesen Grundsätzen soll die Einheit Ä.s ein heiliges Bekenntnis des ganzen Volkes sein.

Danach werden die Prinzipien kurz zusammengefaßt: ,,*Ethiopia Tikdem*" bedeutet ,,Äthiopien vorwärts" und wird verstanden als ,,*Hibrettesebawinet*" (äthiopischer Sozialismus). Darunter wird Gleichheit, Selbstverantwortung und Selbstgenügsamkeit, Würde der Arbeit, Höherrangigkeit des Gemeinwohls und Unteilbarkeit der Einheit Ä.s verstanden.

Im letzten Abschnitt dieser Erklärung wird die Sozialpolitik erläutert. Es finden sich Hinweise auf die Kulturrevolution und die im Jahre 1975 eingeleitete Agrarreform, derzufolge alles Land enteignet und Bauernkollektive eingeführt wurden. Eine ähnliche Landenteignung vollzog sich wenig später in den Städten. Über den Aufbau der Partei läßt sich z. Z. noch nichts sagen. Es ist zu vermuten, daß sich aus der Organisation des PMAC (oder Derg) eine

Staats- oder Massenpartei entwickeln wird (Ende 1975 gewisse Fortschritte, wohl auch auf Druck der Studentenschaft).

Ende 1975 gab es Informationen, wonach ein Unterausschuß des Derg errichtet worden sei, mit der Aufgabe, eine polit. Plattform zu schaffen, um dadurch die Voraussetzungen für einen Einparteistaat zu erarbeiten. Ein sozialistischer Staat mit einem repräsentativen Komitee soll entstehen. Im Komitee sollen Vertreter des herrschenden Militärs, der Intellektuellen, der Studenten, Bauern und Arbeiter sowie Delegierte der Frauenorganisation repräsentiert sein. Danach würde dem Derg nur eine vorübergehende Rolle zur Mobilisierung des Volkes zukommen. Andere Berichte sprechen davon, daß sich ein Oberster Revolutionsrat mit 7 Offizieren und 4 Zivilisten an der Spitze gebildet habe. Zu den militärischen Repräsentanten gehörten 1976 Oberstleutnant Mengistu Haile Mariam, Sesie Habte, der Vorsitzende des polit. Unterkomitees des Derg und Kapitän Moges Wolde-Michael, Vorsitzender des Wirtschaftsunterausschusses. Unterhalb des Obersten Revolutionsrates (SRC) soll ein polit. Büro mit 12 Zivilisten amtieren, das im wesentlichen die ministeriellen Aufgaben erfüllen soll.

3.5. Wahlen

Allgemeine Wahlen haben nicht stattgefunden. Es ist auch ungewiß, wann und unter welchen Voraussetzungen die ersten Wahlen abgehalten werden.

3.6. Einflüsse

An der Spitze des Staates steht nach der Liquidierung seiner beiden Vorgänger, Aman Michael Andom im November 1974 und Teferi Bante, nunmehr Oberstleutnant Mengistu Haile Mariam, den Kenner der Situation schon immer als den starken Mann hinter den Kulissen angesehen hatten. Er wurde kurz nach der Ausschaltung von Teferi Bante, der aus der ursprünglichen Rolle einer reinen Gallionsfigur zu einem mäßigenden, einflußreichen Faktor erstarkt war, zum Ersten Vorsitzenden des Derg gewählt. Major Atnafu Abate, der während der Liquidation am 3. 2. 1977 nicht in Addis Abeba war, blieb Zweiter Stellvertretender Vorsitzender. Dieser

„zweite Mann", der ebenfalls aus der Militärakademie Holeta hervorgegangen ist und zum radikalen Flügel gehört, soll jedoch zu Mengistu Haile Mariam ein starkes Spannungsverhältnis haben. Ihre Politik ist pragmatischer Marxismus. Im Laufe des Jahres 1974, vor allem nach den Hinrichtungen vom 23. 11., wurde es klar, daß der marxistische Einfluß immer größer wurde, doch blieb offen, ob sich Ä. stärker an der SU oder an der VR China orientieren werde. Die Durchführung der Kulturrevolution und die Alphabetisierungskampagne, sowie die Landreform, zeigen stärkere rotchinesische Akzente. Die Notwendigkeit der weiteren Belieferung mit amerikanischen Waffen hat wohl bewirkt, daß anfangs keine entscheidende Wendung zur VR China oder zur SU eingetreten ist.

Nach dem Besuch Castros (März 1977) wuchs die Zahl der cubanischen Militärberater ständig an, während die amerikanischen Militäreinrichtungen geschlossen wurden. Auch das Personal westlicher Kultureinrichtungen sowie die westlichen Korrespondenten wurden ausgewiesen. Der im Mai 1976 mißglückte „Rote Marsch" wurde im Frühjahr 1977 erneut organisiert. Berichte sind im Umlauf, wonach die SU nach dem Besuch Mengistus in Moskau (Juli 1977) schwere Waffen liefern wolle und im Austausch dafür einen Marinestützpunkt in Massawa erhalte. Neben der SU und Cuba verstärkt auch die DDR ihren Einfluß auf Ä.

4. Politische Begriffe

„Derg" = Komitee; amharische Bezeichnung für den Provisorischen Militärischen Verwaltungsrat (PMAC).

„Ethiopia Tikdem" gilt als „Grundnorm" der äthiop. Militärregierung und bedeutet wörtlich „Ä. vorwärts"; es wird auch verstanden als Volksregierung, Regierung durch das Volk und für das Volk. Durch spätere Erklärungen wurde „Ethiopia Tikdem" mit äthiop. Sozialismus gleichgesetzt, doch trug es ursprünglich mehr nationale Züge.

„Hibrettesebawenet" bedeutet äthiopischer Sozialismus = polit.-wirtschaftliche Unabhängigkeit, Würde der Arbeit, Vorrang des Gemeinwohls, Unteilbarkeit der äthiop. Einheit.

„Hizbawi Mengist" = Volksregierung: bedeutet Zivilregierung durch allgemeine Wahlen anstelle der Monarchie oder einer Militärregierung.

„Idget Behibret": Bezeichnung der Alphabetisierungskampagne durch Studenten: Fortschritt durch Zusammenarbeit und Aufklärung (auch Zemecha genannt).

Heinrich Scholler

Literatur

Funke, M., Sanktionen und Kanonen. Hitler, Mussolini und der internationale Abessinienkonflikt, Düsseldorf 1970.

Haefs, H., „Abschaffung der Monarchie in Äthiopien durch einen Staatsstreich mit sozialistischer Zielsetzung", in: Weltgeschehen. Internationales Europaforum, München 1975, S. 203–251.

Heinzlmeir, H., „Das ‚Horn von Afrika': Konfliktkonstellationen", in: Afrika Spectrum Jg. 12, Nr. 1, Hamburg 1977, S. 5–15.

Janssen, V., Politische Herrschaft in Äthiopien, Freiburg 1976.

Matthies, V., „Militär, Gesellschaft und Gewalt in Äthiopien", in: Vierteljahresberichte Nr. 54, Bonn-Bad Godesberg 1973, S. 355–378.

ders., „Politische Konflikte in der Dritten Welt. Beispiel Äthiopien", in: Gegenwartskunde Jg. 23, Opladen 1974, S. 261, 271.

ders., Das ‚Horn von Afrika' in den internationalen Beziehungen. Internationale Aspekte eines Regionalkonflikts in der Dritten Welt, München 1976.

ders., Der Grenzkonflikt Somalias mit Äthiopien und Kenya. Analyse eines zwischenstaatlichen Konflikts in der Dritten Welt. Hamburg 1977.

Perham, M., The Government of Ethiopia, London 1969.

Potyka, C., Haile Selassie. Der Negus Negesti in Frieden und Krieg. Zur Politik des äthiopischen Reformherrschers, Bad Honnef 1974.

ders., „‚Schatten' über Äthiopien. Revolution auf Raten durch die Führung der Streitkräfte", in: Das Parlament, 27. Jg. Nr. 9, Bonn, 1977, S. 18.

Scholler, H., „Ethiopian Constitutional Development", in: Jahrbuch des öffentlichen Rechts der Gegenwart, Bd. 25, Tübingen 1976, S. 499 ff.

ders., und Brietzke, P., „Law and Politics in Revolutionary Ethiopia", in: Verfassung und Recht in Übersee, 8. Jg., Nr. 2, Hamburg 1975, S. 183–199.

dies., Ethiopia: revolution, law and politics, München 1976.

Stötzel, M., „Nach dem Tod des Löwen", in: 3. Welt Magazin, Bonn, 1977, Nr. 10, S. 12–15

Angola

Grunddaten

Fläche: 1.246.700 km².

Einwohner: 5.500.000 (1976).

Ethnische Gliederung: (Schätzungen von 1975): Afrikaner: ca. 100 Bantu-Stämme (in 8 Hauptgruppen untergliedert); die 3 größten sind: Ovimbundu (2,1 Mio.), Akwambundu (1,4 Mio.), Bakongo (700.000, zusätzlich einer unbekannten Anzahl Flüchtlinge in Zaïre), die anderen: Lunda-Chokwe, Nganguela, Nyaneka-Humbe, Herero, Ambo. Europäer: 30-50.000, hauptsächlich Portugiesen (1973: 350.000). Mischlinge: ca. 70.000.

Religionen: Traditionelle Religionen 47%, Christen 53% (kath. 40%, ev. 13%).

Alphabetisierung: 10–20% (1974).

Einschulungsquote: 60% (1974) (kath. Missionsschulen).

BSP: 4.290 Mio. US-$ (1974).

Pro-Kopf-Einkommen (geschätztes jährliches Durchschnittseinkommen 1974): 710 US-$.

1. Historischer Überblick

Im 13. Jh. hatte sich im Nordwesten das Königreich Kongo (2–3 Mio. Einwohner) gebildet, das eine hochentwickelte Kultur und etwa den gleichen Entwicklungsstand wie das damalige Portugal aufwies. Südlich davon lag das Ndongo-Reich. Der Name für die spätere port. Kolonie geht auf den Titel ,,N'gola'' der Herrscher dieses Reiches zurück. Im Osten grenzte der Staat Lunda an das Ndongo-Reich; im Süden gab es nur Nomaden. Erst Ende des 17. Jh. begannen sich hier staatliche Einheiten herauszubilden.

Diago Cão landete 1483 in der Mündung des Kongo-Flusses. Die sich entwickelnden Beziehungen zwischen P. und dem Königreich Kongo waren zuerst friedlicher Natur, verwandelten sich aber bald aufgrund der waffenmäßigen Überlegenheit P.s in Beziehungen der Ausbeutung und Abhängigkeit. P. exportierte vor allem Sklaven aus dem Kongo. Mit der wachsenden Nachfrage nach Arbeitskräften auf seinen Plantagen in Brasilien wandte sich P. nach 1550 dem Süden zu. (1576 Hauptstadt Luanda gegründet.)

Die effektive Kolonisierung Angolas gestaltete sich äußerst schwierig. Zum Zeitpunkt der Berliner Konferenz 1884 kontrollierte P. nur die Hafenstädte und kleinere Gebiete in deren Hinterland. Obwohl 1846 in A. nicht mehr als 1832 Portugiesen lebten, hatte das katastrophale Folgen für die einheimische Bevölkerung: Zwischen 1580 und 1836 wurden 3–4 Mio. Sklaven nach Übersee verschifft. (Auswirkungen dieses Aderlasses zeigen sich noch heute in der äußerst geringen Bevölkerungsdichte.)

Nach der Berliner Konferenz begann P. mit der ,,Pazifizierung'' des Landes, die jedoch erst 1921 mit der Niederschlagung des letzten Aufstandes abgeschlossen werden konnte. Die Geschichte der port. Herrschaft in Angola ist die des Widerstands der afrik. Völker, vor allem der Akwambundu und Bakongo: Von 1579 bis 1921 gab es lediglich 50 Jahre ohne militärische Auseinandersetzungen.

Mit dem Ende der 20er Jahre begann sich die Kolonie erstmals wieder zu rentieren: Port. Siedler betrieben landwirtschaftliche Großplantagen (Kaffee, Zucker, Sisal und Baumwolle). A. wurde zur Siedlerkolonie, zum Auffangbecken überschüssiger port. Arbeitskräfte. Eine systematische wirtschaftliche Erschließung und Ausbeutung konnte P. nicht durchführen, da es selbst ein ökonomisch schwaches Land der europäischen Peripherie war. Erst in den 60er Jahren wurde dies mit Hilfe des ausländischen Kapitals in Angriff genommen. Hauptinteresse der multinationalen Konzerne waren die reichen angolan. Bodenschätze (Erdöl, Eisenerz, Diamanten etc.). Vor allem aus diesem Grund wurde der port. Kolonialkrieg 1961–1974 von den westlichen Industriestaaten und der NATO teilweise massiv unterstützt.

Am 11. Nov. 1975 wurde A. als ,,Volksrepublik Angola'' (VRA) unabhängig. Die Regierung wird von der MPLA gestellt, die seit 1961 den Befreiungskrieg gegen P. geführt hatte.

2. Entwicklung der politischen Parteien

2.1. Vor der Unabhängigkeit

2.1.1. Vor dem Putsch in Portugal (April 1974)

Der angolan. Nationalismus des 20. Jh. ist durch zwei große Strömungen gekennzeichnet:

– der Protest der städtischen Assimilados seit Beginn dieses Jh., der seinen Ursprung in den nationalistischen Bestrebungen der afrik. Handelsbourgeoisie im 19. Jh. und der Bewegung des ,,Kritischen Journalismus" in Luanda und Benguela hatte;

– die Bewegung der Bakongo im Norden A.'s und im Leopoldviller Exil zur Wiederherstellung des alten Kongo-Reiches, die ihren Ursprung im langen Protest der Bakongo-Landbevölkerung gegen die Kolonialherrschaft hatte.

Zur ersten Strömung: Die Assimilados waren eine kleine Schicht afrik. Intellektueller (1960 nur 1,5% der Bevölkerung), deren Status dem der Portugiesen angeglichen (port. assimilado) wurde. Trotz ihrer Ausbildung und ihrer Privilegien war ihnen der Aufstieg in die obersten Kreise der Kolonialgesellschaft verwehrt, was einige dazu bewegte, über ihre Entfremdung von der angolan. Kultur nachzudenken. In literarischen Zirkeln und durch die Herausgabe afrikan. Zeitungen begannen sie, diese Kultur neu für sich zu entdecken, und versuchten, sich den unterdrückten Massen stärker zu verpflichten. Diese kulturellen Vereinigungen dienten sehr bald zur Diskussion über die weitere Organisierung des Widerstandes; man verstand sich nun ausdrücklich als polit. Kraft (etwa 1948–1950).

1956 entstand als Zusammenschluß mehrerer nationalistischer Gruppierungen die MPLA (,,Movimento Popular de Libertação de Angola"). Unter ihren Gründungsmitgliedern befanden sich u. a. A. Neto (heutiger Präsident der MPLA und VRA), L. Lara (heutiger Sekretär des Politbüros der MPLA) und A. Cabral (vgl. Guinea-Bissao).

Innerhalb der MPLA gab es zunächst höchst unterschiedliche Strömungen. Neben einer starken Gruppe, die von Anfang an den bewaffneten Kampf befürwortete, gab es Vertreter eines friedlichen

32

Verhandlungsweges und einer föderativen Lösung mit P. Die Erfahrungen von 1958 jedoch, als Hunderte von Widerstandskämpfern durch port. Truppen gefoltert oder getötet wurden, führten zur Radikalisierung der MPLA.

Sie bereitete sich nunmehr systematisch auf den bewaffneten Kampf vor.

Auslösendes Moment für den Beginn des Befreiungskampfes wurde der Angriff auf das Gefängnis von Luanda am 4. Feb. 1961, um inhaftierte Widerstandskämpfer zu befreien. Die Provinz Luanda war die erste Militärregion der MPLA. Die zweite Front wurde 1964 in Cabinda eröffnet. Nach der Unabhängigkeit Sambias begann die MPLA 1966, auch von Osten her anzugreifen; 1968 bereits konnte sie ihr Hauptquartier in befreite Gebiete Ostangolas verlegen.

Die MPLA erhielt militärische und humanitäre Unterstützung aus dem Ostblock, Jugoslawien und Kuba, von fortschrittlichen afrik. Staaten, von westlichen Solidaritätsgruppen und den Regierungen der skandinavischen Länder und Hollands. 1971 war sie die einzige von der OAU anerkannte Befreiungsbewegung A.'s.

Es gelang ihr in den befreiten Gebieten (1972 etwa 1/3 des Landes hauptsächlich im Südosten), die zukünftige Gesellschaft ansatzweise zu verwirklichen. Die UNTA („União Nacional dos Trabalhadores Angolaos") brachte den Bauern verbesserte Anbaumethoden bei und machte sie durch die Einrichtung von Volksläden von den port. Händlern unabhängiger. Der Gesundheitsdienst SAM („Serviço de Assistência Medica") garantierte ein Minimum an medizinischen Hilfsleistungen, die Alphabetisierungskampagnen der MPLA waren oft die einzigen Bildungsmöglichkeiten. Weitere wichtige Institutionen in den befreiten Gebieten waren die Organisation der Frauen OMA („Organisação das Mulheres Angolanas") und die Zentren zur Ausbildung der Befreiungskämpfer CIR („Centros da Instrucção Revolucionária").

1972/73 erlitt der Befreiungskampf einen schweren Rückschlag. Er war 1972 zum Stillstand gekommen angesichts einer großen port. Gegenoffensive, die mit dem Einsatz aller P. zur Verfügung stehenden Vernichtungswaffen (u. a. Napalm-Bombardements) geführt wurde. Erschwerend kam hinzu, daß es der MPLA nicht gelang, den Kampf nach Westen und Nordwesten auszudehnen und damit die Verbindung zur ersten Front herzustellen. Außerdem war ihr noch immer der Kampf von Zaïre aus untersagt, das eine 2.600 km lange Grenze mit A. besitzt. Der MPLA fehlte ein verläßliches Hinterland wie es die FRELIMO mit Tansania und die PAIGC mit Guinea-Conakry hatten.

In dieser Situation gab es Zerfallserscheinungen in der Bewegung und Tendenzen, zu einem Kompromiß mit P. zu kommen. Ende 1972 wurden alle Organisationsstrukturen der MPLA aufgelöst und der weitere Weg wurde auf Vollversammlungen der Befreiungskämpfer diskutiert. April 1973 drang dieser Konflikt zwischen der „Revolte des Ostens" unter Daniel Chipenda und der MPLA unter Neto erstmals an die Öffentlichkeit. Sambia entschied sich für die Unterstützung der Chipenda-Fraktion und die SU stellt ihre Hilfe für die MPLA fast völlig ein. Es gelang den port. Truppen, einen Großteil der befreiten Gebiete zurückzuerobern.

Noch verschärft wurde die Krise, als sich kurz nach dem Putsch in P. (April 1974) eine weitere Dissidentengruppe um die Brüder Andrade bildete. Sie warf der MPLA-Führung „autoritäre Amtsführung" und „Unfähigkeit" vor und forderte die Einheit der angolan. Parteien. Diese Fraktion, die sich „Aktive Revolte" nannte, wurde von der VR Kongo unterstützt.

Die Spaltung der MPLA in drei Flügel konnte erst Ende 1974 durch die erneute Zusammenarbeit eines Teils der „Aktiven Revolte" mit der MPLA von A. Neto und den Ausschluß Chipendas aus der Bewegung beendet werden. (Von Chipenda wurde später bekannt, daß er Agent der port. Geheimpolizei PIDE war. Anfang 1975 trat er der FNLA bei und leitete deren Kontaktaufnahme mit der R. S. A.)

Zur zweiten Strömung: Nach dem Tod von Pedro III. im April 1955, dem damals nur noch spirituelle Macht besitzenden König im Kongo, verlangten Bakongo-Kreise im Leopoldviller Exil die Einsetzung eines eigenen Kandidaten und die Wiederherstellung des alten Kongo-Reiches. Sie forderten 1955/56, das Kongo-Reich unter amerik. Schirmherrschaft zu stellen. 1957 gründeten diese Exil-kreise die UPNA („União das Populações do Norte de Angola") und entsandten ihren Thronanwärter, den damals 33jährigen Holden Roberto, 1958 zum Studium nach Ghana. Im Land Kwame Nkrumahs knüpfte Roberto Kontakt mit Vertretern moderner nationalistischer Ideen und gelangte zu der Überzeugung, daß die auf den Norden A.s und die Bakongo beschränkte Perspektive der UPNA geändert werden müsse, um internationale Anerkennung zu erhalten. Ihr Name wurde in UPA („União das Populações de Angola") umgeändert, die Politik blieb die alte (Nov. 1958). Die UPA wurde damals von Guinea-Conakry, Algerien, Tunesien, Ghana und dem „American Committee on Africa" unterstützt, einer Organisation amerik. Wirtschaftskreise, die gemäßigte nationalistische Führer unterstützten.

1961 (März) kam es zu einem Aufstand der Kaffeebauern in Nord-A., in dessen Verlauf Massaker an Europäern und Wanderarbeitern der Ovimbundu verübt wurden. Der Aufstand war schlecht organisiert und ohne klare polit. Orientierung, wofür die UPA durch die Ausgabe der Parole, alle Weißen, Gebildeten und Mitglieder der MPLA zu töten, mitverantwortlich war. Als Reaktion auf den Aufstand führte die Kolonialarmee ein Blutbad durch (30–50.000 Tote). Um von der Mitverantwortung der UPA an dieser Tragödie abzulenken, gründete Roberto 1962 nach einer weiteren Namensänderung die FNLA („Frente Nacional de Libertação de Angola"). Wenig später wurde die GRAE („Governo Revoluçionário Angolano no Exil") gebildet, die 1964 von der OAU anerkannt wurde.

Die FNLA war durch ihre Vergangenheit und ideologische Orientierung westlicher Einflußnahme zugänglich. Seit 1962 erhielt sie finanzielle Zuwendungen durch die CIA. Ihr ständiges Hauptquartier lag im US-abhängigen Zaïre.

Anfänglich führte die FLNA im Norden A.s kleinere militärische Aktionen gegen die port. Kolonialarmee durch. Es gelang ihr jedoch nicht, größere zusammenhängende Flächen unter Kontrolle zu bringen und dort administrative Strukturen aufzubauen. Die MPLA versuchte seit 1960 mehrfach zu einer Einheit mit UPA bzw. FLNA zu kommen. Alle geschlossenen Bündnisse wurden aber

– teils auf amerikan. Druck – nach kurzer Zeit durch die FLNA aufgekündigt. Tausende MPLA-Guerillas wurden bis 1974 von FLNA-Einheiten ermordet. 1971 wurde der GRAE die OAU-Anerkennung wieder entzogen, da sie nicht mehr als Befreiungsbewegung betrachtet wurde. Ihre zunehmende Inaktivität gegenüber den Kolonialtruppen, ihre starke Anlehnung an Zaïre bzw. die USA und ihre feindselige Haltung gegenüber der MPLA führten immer wieder zu massiven Protesten der FLNA-Basis. Am bekanntesten sind die Aufstände im größten Ausbildungslager der FLNA, Kinkuzu, im Sommer 1964 sowie von Nov. 71 bis April 72 geworden. In beiden Fällen konnte die Ordnung nur mit Hilfe der zaïrischen Armee wiederhergestellt werden; blutige Säuberungen in der FLNA folgten.

Ab Mitte 1973 wurde die FLNA überraschend wieder aufgerüstet, Ausbilder aus Nordkorea und der VR China trafen in Kinkuzu ein. Diese Reaktivierung der FLNA trug den sich ankündigenden Veränderungen in P. Rechnung und sollte der Organisation für den Fall des Sturzes der port. Diktatur eine bessere Ausgangsposition schaffen.

Neben MPLA und FLNA gab es zwei weitere politische Gruppierungen: UNITA und FLEC.

Die UNITA („União para a Independência Total de A."): 1964 verließ Jonas Savimbi, Außenminister der GRAE seine Organisation und warf ihr enge Kontakte zur CIA vor, an denen er jedoch selbst beteiligt war. Nach einer kurzen Mitgliedschaft in der MPLA gründete Savimbi 1966 die UNITA, die 1967 durch Angriffe auf die Benguela-Bahn an die Öffentlichkeit trat. Über spätere militärische und politische Aktivitäten der UNITA ist nur wenig Verläßliches bekannt. Ihr Operationsgebiet lag irgendwo in der Moxico-Provinz, nahe der Ostfront der MPLA. Nach einigen Aussagen verfügte sie über große befreite Gebiete in Zentralangola. Kenner der damaligen Verhältnisse konnten jedoch mehrfach nachweisen, daß UNITA-Kommuniqués falsche bzw. übertriebene Angaben enthielten. Eine nachträgliche Erhärtung dieser Zweifel kann in der Tatsache gesehen werden, daß UNITA Anfang 1974 nur über wenige hundert Mann verfügte.

Vermutungen, daß UNITA Kontakte zur Kolonialarmee unterhielt, wurden bestätigt (Briefwechsel Savimbis mit port. Offizieren von 1972). Erklärtes Ziel dieser Zusammenarbeit war die Vernichtung der MPLA.

Die ideologische Linie der UNITA war ständigen Schwankungen unterworfen. Anfänglich schrieb sie einen verbalradikalen Sozialismus auf ihre Fahnen, der sich auf Che Guevara und Mao Tsetung berief. Sie erhielt in dieser Phase einige Unterstützung aus der VR China. Später verfocht sie einen ,,christlichen Nationalismus" mit dem Ziel, Hilfe von westlichen Kirchenkreisen zu erhalten.

Die FLEC (,,Frente de Libertação do Enclave de Cabinda"): In der erdölreichen Enklave Cabinda, die erst 1950 zu A. kam (vorher port. Kolonie mit eigenem Gouverneur), gab es sehr früh separatistische Bewegungen, die immer Werkzeuge der Nachbarländer Kongo-Brazzaville und Zaïre, bzw. verschiedener Erdöl-Konzerne waren. 1963 wurde als Sammlungsbewegung mehrerer Organisationen die FLEC gegründet. Ihren Vorsitz führte L. R. Franque. Sie war bis 1974 militärisch nicht aktiv; ihr Antrag auf Anerkennung durch die OAU wurde bereits 1964 abgelehnt.

2.1.2. Nach dem Putsch in Portugal

Die Dekolonisierung in A. gestaltete sich ungleich schwieriger als in den beiden anderen port. Kolonien Mosambik und Guinea-Bissao. Dort standen P. mit FRELIMO und PAIGC starke Befreiungsbewegungen gegenüber; konkurrierende Bewegungen, die einen realen Machtfaktor darstellten, gab es nicht. So wurde Guinea-Bissao bereits im Sep. 74 in die Unabhängigkeit entlassen und im gleichen Monat in Mosambik eine Übergangsregierung gebildet.

In A. demgegenüber war die Position der Kolonialarmee nach wie vor sehr stark; die MPLA als FRELIMO und PAIGC vergleichbare Kraft durchlebte eine schwere innere Krise; mit FLNA und UNITA machten zwei weitere nationalistische Bewegungen ihren Herrschaftsanspruch geltend.

Die port. Dekolonialisierungspolitik gegenüber A., die unter persönlicher Leitung des rechtsgerichteten General Spínola stand, zielte darauf ab, den Unabhängigkeitstermin so lange als möglich hinauszuschieben (1976 bzw. 1978) und bis dahin eine stabile neo-koloniale Lösung zur Sicherung der port. Interessen auszuarbeiten – unter Ausschluß der MPLA.

Diesem Plan diente einmal die Förderung der UNITA. Bereits im Juni 74 schloß sie einen Waffenstillstand mit P. und erhielt damit lange vor MPLA und FLNA (beide erst im Oktober) die Möglichkeit legal zu arbeiten. Sie konnte ihren Einfluß unter den Ovimbundu und port. Siedlern im Zentralen Hochland rasch vergrößern. Sie präsentierte sich als gemäßigte, pro-kapitalistische Kraft („Afrikanischer Sozialismus") und mobilisierte tribalistische Vorurteile, die sie besonders auf die MPLA konzentrieren konnte. 1974 wurde sie erstmals von der OAU anerkannt. Sie erhielt in dieser Phase vor allem Unterstützung aus Uganda.

Auch die FLNA konnte mit port. Unterstützung rechnen. Noch vor einem Waffenstillstand schickte sie von Zaïre aus im Sept. 74 starke Truppenkontingente nach A., die sich – von der port. Armee nur halbherzig bekämpft – in Luanda festsetzen konnten. Als ausdrückliche Ermutigung dieses Vorgehens muß das Geheimtreffen Spínolas mit Präsident Mobutu im gleichen Monat auf den Kapverdischen Inseln gewertet werden.

Als weiteres Element der port. Strategie unterhielt Spínola Kontakte zu zahlreichen Kleinstgruppierungen, die nach dem 25. April in A. entstanden waren und keine Legitimation für eine Teilnahme an einer Übergangsregierung durch eine Beteiligung am anti-kolonialen Kampf besaßen. Die MPLA konnte diesen Manövern nicht in ausreichendem Maße entgegenwirken. Erst nach dem Sturz Spínolas gelang es ihr, die innere Krise zu überwinden und mit Hilfe des 2. Hochkommissars nach dem Putsch, R. Coutinho (Exponent des linken Flügels im MFA), ihre Position gegenüber den rivalisierenden Organisationen wieder zu stärken, so daß an den Unabhängigkeitsverhandlungen mit P. schließlich MPLA, FLNA und UNITA teilnahmen. (Die FLEC war nicht vertreten, da man sich geeinigt hatte, daß Cabinda ein integraler Bestandteil A.s bleiben müsse). Das Abkommen von Alvor, daß die Unabhängigkeit für den 11. Nov. 75, die Vorbereitung allgemeiner Wahlen und die Bildung einer gemeinsamen Armee vorsah, war ein Ausdruck der damaligen

Kräfteverhältnisse. Weder war es P. gelungen, die MPLA auszubooten, noch war die MPLA bereits wieder so stark, daß sie die Übergangsregierung alleine stellen konnte.

Ein dauerhafter Kompromiß konnte das Abkommen nicht sein, dafür waren die Differenzen, vor allem zwischen FLNA und MPLA, zu schwerwiegend. Febr./März 75 eröffnete die FLNA den Krieg gegen die MPLA durch Einschüchterung der Bevölkerung Luandas mit Massakern und Terroranschlägen (bis Juli 75 mehrere Tausend Tote). Die bis zu diesem Zeitpunkt als Vermittler aufgetretene UNITA gab ihre ,,Neutralität" im Aug. 75 auf und schloß ein militärisches Bündnis mit der FLNA. Die Kampfhandlungen dehnten sich auf ganz A. aus. Erstmals griff die RSA in den Konflikt ein. Über die Ursachen und Hintergünde dieses Krieges hat es die unterschiedlichsten Interpretationen gegeben. Am weitesten verbreitet war die Auffassung, es handle sich in dieser ersten Phase um eine rein innerangolanische Auseinandersetzung, um einen ,,Bürgerkrieg rivalisierender Befreiungsbewegungen". Oberflächlich betrachtet mag das zutreffen, der eigentliche Kern der Ereignisse war jedoch ein anderer. Der ,,Bürgerkrieg" muß insgesamt als der Versuch westlicher Regierungen und multi-nationaler Konzerne interpretiert werden, die MPLA militärisch zu vernichten bzw. zu einer neo-kolonialen Politik zu zwingen, ohne selbst durch die Entsendung von eigenen Interventionsstreitkräften direkt in Erscheinung treten zu müssen.

Unter dem Deckmantel der ,,Befreiungsbewegung" FLNA fand bereits zu einem sehr frühen Zeitpunkt eine zaïrische Okkupation Nordangolas statt, die zumindest die stillschweigende Billigung der USA und anderer westlicher Staaten fand. Ein Großteil der FLNA-Verbände bestand aus regulären zaïrischen Armeeinheiten, aufgefüllt mit in europäischen Ländern angeworbenen Söldnern. Das Engagement der SU und des Ostblocks auf Seiten der MPLA kam demgegenüber nur zögernd (Waffenlieferungen erst ab Mai 75, Jugoslawien ab April 75) und erst als Reaktion auf die westliche Unterstützung für FLNA/UNITA. Die Unterstützung der FLNA durch die VR China muß im Rahmen der sino-sowjetischen Rivalität gesehen werden. Sie wurde offiziell als Unterstützung gegen den port. Kolonialismus gegeben, jedoch auch nach der Unabhängigkeit im Nov. 75 fortgesetzt.

Im Sept. 75 kontrollierte die MPLA 12 von 16 Provinzen des Landes. Ihr endgültiger Sieg schien klar, bis im Okt. RSA-Truppen zum zweiten Mal nach A. eindrangen und gleichzeitig FLNA-Verbände und die zaïrische Armee eine Offensive von Norden starteten. Die Invasion Südafrikas war allem Anschein nach mit den USA abgesprochen und fand auf ausdrücklichen Wunsch der UNITA statt. Sie wurde auch von Sambia und anderen konservativen afrik. Staaten unterstützt.

Diesem mit modernstem Kriegsgerät und südafrik. Elitesoldaten vorgetragenen Angriff konnten die in konventioneller Kriegsführung unerfahrenen MPLA-Einheiten nicht standhalten. Erst in dieser Situation entschied sich die MPLA, Kuba um die Entsendung von Hilfstruppen und die SU um die Lieferung schwererer Waffen zu bitten.

In der bedrohten Hauptstadt Luanda rief Neto am 11. Nov. 75 die „Volksrepublik Angola" aus.

2.2. Nach der Unabhängigkeit

Die von FLNA/UNITA ausgerufene Gegenrepublik in Huambo löste sich wegen interner Zwistigkeiten und ausbleibender internationaler Anerkennung nach wenigen Wochen auf. Die MPLA konnte den Krieg Anfang 1976 endgültig für sich entscheiden. Zu diesem Zeitpunkt befanden sich ca. 15.000 kubanische Soldaten in A., obwohl offizielle Angaben hierzu fehlen. März 76 zogen sich die RSA-Verbände zurück. Die MPLA hat ihre Autorität 1976–78 in ganz A. gefestigt, ihre Verwaltungsstrukturen erfassen alle Provinzen des Landes. Sie streitet jedoch nicht ab, daß UNITA-Verbände in Zentral- und Südost-Angola noch immer Widerstand leisten und vereinzelte Terror- und Sabotageaktionen durchführen (wiederholte Überfälle auf Dörfer mit Massakern an der Zivilbevölkerung, Angriffe auf MPLA-Posten und die Benguela-Bahn). Nach Angaben des angolan. Verteidigungsministeriums vom Nov. 77 operiert die UNITA vor allem in den Provinzen Huambo, Bie und Cuando-

Cubango. Nach Berichten unabhängiger Journalisten zählen diese Einheiten jedoch nur noch wenige hundert Mann, die aufgrund der geographischen Bedingungen und der großen Ausdehnung des Gebiets noch nicht zum Aufgeben gezwungen werden konnten. Der Großteil der UNITA-Waffenbestände stammt noch aus dem von Südafrika 1975/76 zurückgelassenen Arsenal.

Den durch tribalistische Propaganda 1974/75 gewonnenen Einfluß konnte UNITA nur in geringem Umfang aufrechterhalten, da die MPLA durch ihre Aufklärungsarbeit klarmachen konnte, daß der desolate Zustand in Wirtschaft, Gesundheits- und Erziehungswesen nicht ihr anzulasten ist und durch aktive Teilnahme der Bevölkerung am Wiederaufbau überwunden werden kann. Die augenblicklichen Sabotageaktionen der UNITA gegen diesen Wiederaufbau tragen zu ihrer weiteren Isolierung in erheblichem Maße bei.

Ab Mitte 77 hat UNITA wiederholt Pläne bekanntgegeben, eine „Sozialistische Republik" in Südangola auszurufen. Angesichts ihrer realen Verankerung sind diese Äußerungen, die große Gebiete unter UNITA-Kontrolle vorspiegeln, mit Skepsis aufzunehmen. Sie müssen wahrscheinlich im Kontext der südafrikanischen Absichten gesehen werden, eine erneute Invasion der VRA vorzubereiten und hierfür einen Hilferuf der proklamierten, real aber überhaupt nicht existenten UNITA-Republik als Vorwand und Legitimation zu verwenden. UNITA ist nach wie vor stark mit Südafrika liiert. Ihre in Nord-Namibia stationierten Truppen sind in Zusammenarbeit mit dem südafrikanischen Heer verantwortlich für verschiedenste Grenzverletzungen und Angriffe auf SWAPO-Basen in Südangola. Das schwarzafrikanische Hauptquartier der UNITA befindet sich gegenwärtig in Dakar/Senegal.

Auch die FLNA ist in Nordangola noch immer vereinzelt aktiv, ebenfalls jedoch mit rückläufiger Tendenz. Das mehrfach gegebene Versprechen des zaïrischen Regimes, die Unterstützung der FLNA einzustellen, ist bislang nicht eingelöst worden.

Zur FLEC hat sich 1976, wahrscheinlich als Abspaltung, die MOLICA („Movimento de Libertação de Cabinda") gesellt, über deren Aktivitäten nichts bekannt ist. Als weitere Abspaltung folgte im Oktober 77 das CMLC („Comando Militar para a Libertação de Cabinda"). Der FLEC-Flügel unter dem historischen Vorsitzenden Franque „proklamierte" am 16. Okt. 77 einen sogenannten „Unabhängigen Staat der befreiten Gebiete Cabindas". Cabinda allerdings befindet sich unter fester Kontrolle der MPLA-Streitkräfte. 1976/77 schickte FLEC wiederholt Guerilla-Einheiten nach Cabinda, die Menschen kidnappten und nach Zaïre deportierten. Politisches Hauptangriffsziel der FLEC ist die Gulf Oil, der Sympathien für die MPLA-Regierung vorgeworfen werden. Anfang 1978 machte die FLEC ihren Wunsch bekannt, angesichts der aussichtslosen militärischen Lage Friedensverhandlungen mit der MPLA zu führen. Es ist unklar, um welchen Flügel der FLEC es sich hierbei handelt.

3. Merkmale der politischen Struktur

3.1. Elite

Die Führungsschicht der MPLA rekrutiert sich mehrheitlich aus kleinbürgerlichen Intellektuellen, unter ihnen ein hoher Prozentsatz *Mestiços* (Mischlinge). Daneben gibt es in den höchsten Gremien der Partei eine Reihe von Kadern, die aus dem Befreiungskampf in den ländlichen Gebieten hervorgingen. Einige europäisch-stämmige Angolaner bekleideten Ministerposten. Obwohl auf unterer Führungsebene in den letzten drei Jahren viele neue Kräfte zur MPLA gestoßen sind, bleiben auch hier vorläufig Parteikader bestimmend, die im antikolonialen Kampf politische Erfahrung gewonnen haben. Ein Beispiel hierfür ist die Zusammensetzung des 1. MPLA-Kongresses vom Dezember 77: 41% der Delegierten gehörten den Guerillaverbänden zur Zeit des Befreiungskampfes an, die mehrheitlich aus Bauern bestanden.

Zukünftig soll eine Mehrheit der Parteimitglieder der Arbeiterklasse angehören. Es darf der MPLA nur noch beitreten, wer „ausschließlich von den Früchten der eigenen Arbeit lebt" (neues Statut) und ein persönliches Vorbild revolutionärer Lebensführung gibt. Diese im neuen Programm und Statut der MPLA enthaltenen Bestimmungen (vgl. 3.3) sollen den Einfluß des Kleinbürgertums in der Partei zurückdrängen und das Entstehen einer neuen bürokratischen Elite in Staat und Gesellschaft verhindern helfen. Präsident Neto hat wiederholt warnend auf die Bestrebungen des Kleinbürgertums hingewiesen, Privilegien aus der Kolonialzeit zu erhalten und auszubauen. Daraus leitete er die Notwendigkeit ab, den Klassenkampf auf ideologischem Gebiet verstärkt fortzusetzen, um koloniale Mentalität zu überwinden und das Kleinbürgertum für eine Arbeit an der Seite der Arbeiterklasse und im Interesse des ganzen Volkes zu gewinnen. Es sollte jedoch keine gewaltsame Konfrontation heraufbeschworen werden.

Die kleinbürgerlichen Intellektuellen sind bei dieser Auseinandersetzung nicht unbedingt in der schwächeren Ausgangsposition, da die Inanspruchnahme ihrer Dienste in Verwaltung und Wirtschaft angesichts des Massenexodus port. Fachkräfte 1975 für die MPLA-Regierung gegenwärtig unverzichtbar ist und sie zu erheblichen Zugeständnissen zwingen könnte. Der Ausgang dieser Kraftprobe wird nicht unwesentlich davon abhängen, welche Kontrollmöglichkeiten über die Bürokratie den Organen der *Poder Popular* (Volksmacht) zukünftig zugestanden werden und inwieweit sie Verwaltungsfunktionen in eigener Regie übernehmen können. (Vgl. 3.2.) Zur ,,Elite" in der VRA zählen sicherlich auch die zahlreichen kubanischen Fachkräfte in Wirtschaft, Verwaltung, Gesundheits- und Erziehungswesen (nach angolan. Angaben 1977 etwa 3.500). Die Wichtigkeit dieser Hilfe und ihre objektive Notwendigkeit für die Aufrechterhaltung lebenswichtiger Funktionen des ökonomischen Lebens der VRA sowie die Inangriffnahme neuer infrastruktureller Projekte kann nicht bestritten werden. Es bleibt jedoch zu analysieren, welche langfristigen Auswirkungen im nicht-materiellen Bereich, etwa auf die psychologische Bereitschaft der angolanischen Bevölkerung zu Eigeninitiative und Self-Reliance sie zur Folge haben könnte.

Mögliche Gefahren liegen auch in dem von der MPLA-Führung beschlossenen Aufbau der FAPLA-Streitkräfte zu einer der größten Armeen Schwarzafrikas. In den meisten afrik. Ländern ist das Militär zum Träger einer pro-kapitalistischen Politik geworden. Einer solchen Entwicklung will die MPLA durch eine intensive politische

Bildung der Offiziere und Soldaten und ihre Einbeziehung in die von der MPLA beschlossenen Kampagnen, z. B. Ernteeinsätze etc., begegnen.

3.2. Stärke und Rolle anderer Gruppen

Eine bedeutende Rolle in der Entwicklung ab Juli 74 haben die Komitees der ,,*Poder Popular*" (Volksmacht) gespielt, die in den Elendsvierteln Luandas als Selbstverteidigungskomitees gegen Mordanschläge weißer Angolaner entstanden. In einigen Fällen gingen sie auf Untergrundstrukturen der MPLA vor dem 25. April 74 zurück, der größte Teil der Komitees scheint jedoch unabhängig von der MPLA entstanden zu sein. Die *Poder Popular*-Bewegung übernahmen in den Stadtteilen rasch weitere Funktionen, die von der kolonialen Verwaltung nicht oder nur mangelhaft wahrgenommen wurden (Müllbeseitigung, Schaffung sanitärer Einrichtungen, Verbesserung des Schul- und Gesundheitswesens, Aufbau eigener Versorgungsstrukturen, unabhängig von den Händlern, durch Konsumgenossenschaften und Volksläden, u. a.). Gleichzeitig entstanden auch als Teil der Bewegung Kommissionen in Fabriken, Krankenhäusern, Büros, Schulen und Universitäten. Diese Basisbewegung griff 1974/75 auch auf andere Städte und die ländlichen Gebiete über.

In der militärischen Auseinandersetzung der MPLA mit FLNA von Febr.–Juli 77 (Vertreibung der FLNA aus Luanda) war das Eingreifen der Komitees zugunsten der MPLA ein entscheidender Faktor für den Sieg der MPLA. Dennoch war ihr Verhältnis zur MPLA nicht ohne Konflikte. Teilweise bewegten sich die Komitees links von der MPLA, in einigen Fällen unter dem Einfluß einiger studentischer Gruppen, vor allem den maoistisch inspirierten Comités Amilcar Cabral (CACs).

Gemeinsam war allen Komitees, daß sie den Anspruch entwickelten, die Verwaltungsbürokratie politisch zu kontrollieren und die Entstehung von Korruption und elitistischen Verhaltensweisen in der Bürokratie zu bekämpfen. Die MPLA hat sich seit ihrem Regierungsantritt bemüht, der spontanen Bewegung institutionelle Formen zu geben, so durch das Anfang 1976 verabschiedete Gesetz zur Poder Popular oder die im Juni 1976 durchgeführten Wahlen für Vertretungsorgane der Stadtteilkomitees in Luanda (vgl. 3.5). Ohne Zweifel geschah dies auch in der Absicht, hiermit eine bessere Kontrolle der Poder Popular zu erreichen. Ähnliche Bestrebungen standen im Mittelpunkt des 1. MPLA-Kongresses im Dez. 77. Hier wurde endgültig eine Unterordnung der Komitees unter die Richtlinien und Anweisungen der MPLA und eine Revision des Gesetzes zur Poder Popular beschlossen. Aus dem Rechenschaftsbericht Präsident Netos für den Kongreß:

,,In seiner Gesamtheit drückt das Gesetz, welches in einer bestimmten Phase unseres historischen Prozesses gebildet worden war, eine Konzeption der Staatsmacht aus, die kleinbürgerlich und wenig korrekt ist, mit illusorischen Ideen über Demokratie und über die Art, wie die arbeitenden Massen ihre politische Macht sicherstellen und konsolidieren müssen. Das Gesetz ermöglicht eine Loslösung von der führenden Macht der MPLA, obwohl es Beziehungen zur MPLA vorsieht. Es fehlen vollständig konkrete Definitionen, daß die Partei den leitenden Kern der Volksmacht darstellt und daß die Organe der Volksmacht auf der Basis der Parteibeschlüsse arbeiten. Im Gesetz ist die Volksmacht dargelegt als ein spontaner Kampf der Massen, was auch *gegen* die Partei benutzt werden kann. Die Organe der Volksmacht werden nicht behandelt, als seien sie integrierte Bestandteile der Staatsmacht, sondern getrennt und gleichsam entgegengesetzt den Organen des Staatsapparates und darüber hinaus den zentralen staatlichen Organen ... Teilweise ist den Kommissionen die Kompetenz erteilt worden, über Regierungsorgane zu wachen (was in der Praxis gegen das Prinzip des demokratischen Zentralismus ist und den Organen der lokalen Macht die Möglichkeit gibt, die Zentralmacht zu bewachen) mit der Gefahr, daß sich neben dem revolutionären Staatsapparat ein zweiter Machtapparat erhebt in Form der ‚Organe der Volksmacht'."

Mit diesen Sätzen ist das Spannungsverhältnis zwischen Poder Popular und MPLA gekennzeichnet. Es scheint, als sollten die von Poder Popular beanspruchten Kontrollmöglichkeiten in Zukunft ausgeschlossen werden. Inwieweit diese Unterordnung der Poder Popular unter die MPLA eine Unterbindung von Kritik aus der Bevölkerung an möglichen bürokratischen Entartungen der MPLA-Regierung zur Folge haben wird, bleibt abzuwarten.

Eine der wichtigsten Begründungen für diese Maßnahme liegt in der teilweisen Übernahme von Poder Popular-Strukturen durch fraktionistische Kräfte, die am 27. Mai 1977 mit einem Putsch versucht haben, die Regierung Präsident Netos zu stürzen.

Der Putschversuch vom 27. Mai 77: Die Geschichte der MPLA ist reich an heftigen Fraktionskämpfen. Noch vor der Beilegung der Chipenda-Affäre Ende 74 (vgl. 2.1) zeichnete sich ein neuer Konflikt in der MPLA ab, der seinen Höhepunkt im Putschversuch einer Gruppe um den ehemaligen Innenminister Nito Alves vom 27. Mai 77 fand. Blutige Bilanz dieses Tages: Über hundert Tote, darunter zwei Minister und mehrere Mitglieder des Generalstabs der Armee. Die Anführer des Putsches wurden verhaftet, unter ihnen Binnen-handelsminister Machado, und aus der MPLA ausgeschlossen. In ganz A. fanden umfangreiche Säuberungen statt: Mehrere Provinz- und Distriktsgouverneure wurden abgesetzt, einige Stadtviertelkomitees in Luanda abgelöst, bedeutende Umstrukturierungen in den MPLA-Massenorganisationen vorgenommen. Nach Angaben der MPLA hatten die Putschisten großen Einfluß in den Streitkräften FAPLA, der Gewerkschaftsorganisation UNTA, in der Jugendorganisation JMPLA und der Frauenorganisation OMA.

Über die soziale Basis der Putschisten können keine verläßlichen Aussagen getroffen werden. Die MPLA bezeichnet sie als „kleinbürgerlich". Die Motive der Gruppe lagen wohl eher im Bereich des persönlichen Ehrgeizes und Machtstrebens, denn in politisch begründeter Kritik an der MPLA-Führung und dem Wunsch, ein Alternativprogramm durchzusetzen. Ursprünglich mit einigen maoistischen Studentengruppen verbunden (Comités Amilcar Cabral), setzte Alves ab Mitte 1975 verstärkt auf angolan. Anhänger der port. KP. Er galt bald als Hauptvertreter einer extrem prosowjetischen Fraktion innerhalb der MPLA. Es kann in der Tat nicht ausgeschlossen werden, daß die SU von den Putschvorbereitungen in Kenntnis gesetzt war und sie unterstützte.

Über die gegenwärtige Rolle wichtiger gesellschaftlicher Gruppen in A. liegen nur spärliche Informationen vor. Als oppositionelle gesellschaftliche Kraft tritt immer mehr die *Katholische Kirche* in Erscheinung, die fürchtet, ihre Vorrechte aus der Kolonialzeit zu verlieren. Am 14. Dez. 1977 veröffentlichte sie einen von allen Bischöfen des Landes unterzeichneten Hirtenbrief, in dem der Marxismus-Leninismus als unvereinbar mit der christlichen Auffassung von Menschen bezeichnet wird. Ein offenbarer Konflikt entstand Ende Dez. um die von der Kirchenleitung angeordnete Ausweisung einer Gruppe baskischer Priester und des Paters von Burgos aus Malanje, der bereits während des Befreiungskampfes die MPLA unterstützte. Die angolan. Regierung akzeptierte die Ausweisung nicht und nahm die Affäre zum Anlaß, noch einmal auf ihr grundsätzliches Verhältnis zur Kath. Kirche hinzuweisen. Die MPLA garantiert die Religionsfreiheit, besteht aber auf einer strikten Trennung von Staat und Kirche, was die längerfristige Übernahme der zahlreichen Missionsschulen in staatlicher Regie zur Folge haben dürfte. Anfang 78 wurde ein großer katholischer Privatsender enteignet und in das staatliche Rundfunkwesen eingegliedert.

3.3. Programm der MPLA

3.3.1. Politische Ziele und Ideologie

Der 1. Kongreß der MPLA im Dez. 77 hat die Umwandlung der nationalen Befreiungsbewegung MPLA, die ein breites Spektrum antikolonialer Kräfte umfaßte, in eine Partei der Arbeiterklasse, die „MPLA-Partei der Arbeit" beschlossen.

Die neue Partei orientiert sich am Marxismus-Leninismus und versteht sich als Avantgarde der Arbeiterklasse, im weitesten Sinne ein Bündnis der Arbeiter, Bauern und der revolutionären Intelligenz, im engen Sinne das städtische Industrieproletariat. Mit der Konstituierung der MPLA als Partei ist die Phase der nationalen Befreiung offiziell abgeschlossen und der Aufbau der Volksdemokratie als Vorstufe des Sozialismus beginnt. Die Allianz aus Arbeitern und Bauern soll in dieser Phase unter Führung der Partei eine demokratisch-revolutionäre Diktatur gegen die interne und externe

Reaktion als Vorstufe der Diktatur des Proletariats im Sozialismus ausüben. Aufgrund der Lage der Arbeiterklasse (städtisches Proletariat und Arbeiter der großen Plantagen), die durch eine Konfrontation mit moderner Technik, die kollektive Arbeitssituation und das Vorhandensein von Organisationstalent gekennzeichnet ist, wird ihr von der MPLA eine besondere Fähigkeit zur Entwicklung von Klassenbewußtsein und damit trotz ihrer zahlenmäßigen Begrenztheit (städtisches und ländliches Proletariat insgesamt ca. 500.000) die Rolle als *führende* Kraft der Revolution zuerkannt. Die Bauern, die absolute Mehrheit der Bevölkerung, werden als *hauptsächliche* Kraft bezeichnet. Die führende Rolle kann ihr aufgrund bewußtseinsmäßiger Beschränkungen (Verhaftung im traditionellen Lebensbereich, isolierte Lebens- und Produktionsweise) nicht zukommen.

Der auf dem Kongreß verabschiedete neue Programmentwurf definiert den angestrebten Sozialismus als eine ,,Gesellschaft ohne Klassen, in der eine gerechte Sozialordnung, eine unabhängige und geplante Wirtschaft und größtmögliche Demokratie in Kraft treten und in der die Bedürfnisse des Volkes befriedigt werden". Die MPLA ist laut Programmentwurf ,,die führende Kraft der Volksrepublik Angola. Sie definiert die Richtlinien und Orientierungspunkte für alle Lebensbereiche der Nation". Sie tritt für eine breite und effektive Beteiligung der gesamten Bevölkerung an der Ausübung der politischen Macht ein. In Programm und Verfassung der MPLA ist die Volksversammlung als oberstes Staatsorgan vorgesehen (vgl. 3.5). Weitere wesentliche Bestandteile ihrer Politik sind der Kampf gegen Rassismus und Tribalismus sowie die Forderung nach der vollen Gleichberechtigung der Frauen. Ebenfalls in Programm und Verfassung verankert ist das Prinzip der unabhängigen, blockfreien Außenpolitik. Beide Dokumente untersagen die Errichtung ausländischer Militärbasen in A.

3.3.2. Die praktische Politik

Die Wirtschaftspolitik ist bislang pragmatisch. Aus einsichtigen Gründen (extremer Mangel an Fachkräften; Notwendigkeit, die Produktion aufrechtzuerhalten bzw. zu steigern, um Devisen zu erhalten etc.) hat die MPLA die großen multinationalen Konzerne im Extraktionsbereich bislang nicht verstaatlicht. Am Diamantenkonzern DIAMANG hat die Regierung eine Aktienmehrheit von 60% erworben. In Vorbereitung von Verstaatlichungen hat die MPLA ein umfangreiches Programm für die Ausbildung angolanischer Fachkräfte und den Aufbau staatseigener Gesellschaften in Angriff genommen. Bereits 1976 wurde für den Erdölsektor die PETRANGOL gegründet, die eng mit den entsprechenden Firmen Algeriens und Nigerias kooperiert. Bereits verstaatlicht wurden die Banken, die von ihren port. Besitzern verlassenen Großplantagen und zahlreiche Betriebe der verarbeitenden Industrie.

Gegenwärtig wird eine „Koexistenz" unterschiedlicher Wirtschaftsformen propagiert, die einen kapitalistischen Sektor (ausländische Investitionen) und einen staatskapitalistischen Sektor (gemischte Gesellschaften) umfassen. Der sozialistische Wirtschaftsbereich (verstaatlichte Unternehmen) soll allmählich die Oberhand gewinnen. Die MPLA kritisierte wiederholt „linksextreme" Vorstellungen einer überhasteten Verstaatlichungspolitik, ohne hierfür die Grundlagen gelegt zu haben. Die Landwirtschaft wird als Basis, die Industrie als entscheidender Faktor der wirtschaftlichen Entwicklung A.'s angesehen. Als Garant einer tatsächlichen ökonomischen Unabhängigkeit soll eine Schwerindustrie aufgebaut werden. Als Globalziel bis 1980 wird die Erreichung des Produktionsniveaus von 1973 angegeben. Besondere Bedeutung wird der Selbstversorgung A.s mit Nahrungsmitteln beigemessen, 1978 wurde zum „Jahr der Landwirtschaft" erklärt. Alle wirtschaftlichen Anstrengungen sollen der unmittelbaren Verbesserung der Lebensbedingungen der Mehrheit der Bevölkerung dienen (Gesundheit, Kleidung, Bildung, Erziehung). Besonders soll darauf geachtet werden, daß die industrielle Entwicklung nicht auf Kosten der natürlichen Umwelt A.s betrieben wird.

3.4. Aufbau der MPLA

Die Grundeinheit der MPLA ist die Zelle, die in Fabriken, Schulen, Krankenhäusern etc. und Wohngebieten gebildet wird, sobald dort mindestens drei Parteimitglieder zusammen sind. Die maximale Größe einer Zelle ist auf 30 beschränkt, mehrere Zellen im selben Bereich werden zu Aktionskomitees gruppiert. Die Zellen bzw. Komitees werden für jeden Sektor (z. B. alle Schulen oder Krankenhäuser einer Stadt) und Stadtteil zu einer administrativen Einheit zusammengefaßt. Die Sektoren und Stadtteile sind die unterste Ebene einer pyramidenförmig aufsteigenden Parteistruktur, die weitere Ebenen entsprechend der verwaltungsmäßigen Gliederung der VRA nach Städten, Distrikten, Provinzen und schließlich der Nationalebene aufweist. Höchste beschlußfassende Organe dieser Ebenen sind die Mitgliederversammlungen in den Sektoren und Stadtteilen, die Delegiertenkonferenzen auf den anderen Ebenen und der Nationale Kongreß an der Spitze der Pyramide, der sich aus auf den Konferenzen gewählten Delegierten zusammensetzt. Der Nationale Kongreß ist das höchste beschlußfassende Organ der MPLA und tritt in der Regel alle 5 Jahre zusammen. Er bestimmt die Grundlagen der Politik, wählt den Präsidenten, das ZK (100 Mitglieder), das ein 14-köpfiges Politbüro bestimmt, sowie die Zentrale Kontrollkommission, ein Gremium zur Überwachung der Parteidisziplin. Die Versammlungen und Konferenzen wählen Exekutivkomitees, die ebenso wie das Zentralkomitee rechenschaftspflichtig sind, jedoch während ihrer Amtszeit gemäß den Prinzipien des Demokratischen Zentralismus bindende Beschlüsse fassen, die auch von einer nicht einverstandenen Minderheit ausgeführt werden müssen.

Zwischen den Nationalkongressen bestimmt das ZK gemäß den dort getroffenen Grundsatzentscheidungen sämtliche Richtlinien der nationalen Politik, nachdem es die Meinung der unteren Parteigliederungen angehört hat. Es tritt alle 6 Monate zusammen. Diese Arbeitsweise der MPLA setzt eine umfassende innerparteiliche Demokratie und Diskussionsfreiheit voraus, wenn sich die Führungsgremien nicht verselbstständigen sollen. Das wird auch von der MPLA-Führung gesehen, die diesen Punkt mehrfach hervorgehoben hat. Allerdings soll in Zukunft stärker darauf geachtet werden, daß neue Fraktionsbildungen verhindert werden. Der MPLA sind mehrere Massenorganisationen angeschlossen, die die Politik der

MPLA in breiteren Bevölkerungskreisen verankern und deren aktive Beteiligung am nationalen Aufbau sicherstellen sollen. In den Massenorganisationen, die bereits während des Befreiungskampfes gegründet werden, können auch Nicht-Mitglieder der MPLA tätig sein. Die wichtigsten unter ihnen sind die Gewerkschaftsorganisation der UNTA, die Frauenorganisation OMA und die Jugendorganisation JMPLA.

3.5. Wahlen

Im Juni 1976 fanden Wahlen für die Vertretungsorgane der Stadtteilkomitees in Luanda statt. Es handelte sich um die ersten und bisher einzigen Wahlen im Bereich der *Poder Popular* (vgl. 3.2). Wahlbeteiligung offiziell nur 10%. Die Durchführung der Wahlen stand unter der Leitung des damaligen Innenministers Nito Alves (vgl. 3.2). Es ist vorgesehen, ähnliche Wahlen in ganz A. als Grundlage der Volksversammlung durchzuführen. Allerdings ist der Zeitpunkt ihrer Bildung noch völlig ungewiß. Der jüngste MPLA-Kongreß bestätigte die Entscheidung des ZK vom Okt. 76, nach der weitere Wahlen nur noch in Bereichen stattfinden dürfen, in denen die MPLA politisch und ideologisch ausreichend verankert ist. Damit bleibt der Revolutionsrat vorläufig oberstes Staatsorgan in A. (Art. 34, Verfassung der VRA)

3.6. Einflüsse

Die seit Dez. 77 von der MPLA vertretene ideologische Linie (Marxismus-Leninismus) steht nicht im Widerspruch zu den von ihr im Befreiungskampf gemachten Erfahrungen. Bereits sehr frühzeitig orientierten sich führende MPLA-Politiker an marxistischen Denkmodellen. Es ist deshalb falsch, die Entscheidung für die Übernahme des Marxismus-Leninismus als Zeichen einer ,,pro-sowjetischen" Haltung der MPLA oder gar als Ergebnis sowjetischen Drucks zu werten. Die MPLA betont die Notwendigkeit, den Marxismus-Leninismus kreativ anzuwenden, d. h. mit den konkreten Bedingungen A's zu konfrontieren und außerdem aus den revolutionären Erfahrungen anderer Länder, vor allem der Dritten Welt, zu lernen. Sie lehnt dabei Vorstellungen eines sogenannten ,,Dritten

Wegs" zwischen Kapitalismus und Sozialismus etwa in Form des „Afrikanischen Sozialismus" entschieden ab. Die konkrete Gestalt des angolanischen „Marxismus-Leninismus" wird auch von den auf der VRA lastenden ausländischen Einflüssen mitgeprägt werden.

Es kann nicht bestritten werden, daß der Sowjetunion und Kuba hierbei vielfältige Möglichkeiten offenstehen, und es gibt Anzeichen z. B. in der angolanischen Außenpolitik, daß diese auch genutzt werden. Hier ist trotz der nach wie vor strikt blockfreien Politik eine wesentlich stärkere Anlehnung der MPLA an sowjetische Positionen festzustellen als vergleichsweise bei der FRELIMO, die ebenfalls einen Freundschaftsvertrag mit der SU unterzeichnet hat. Ein Beispiel hierfür ist die vorbehaltlose Stellungnahme A.s für das äthiopische Regime im Konflikt am Horn von Afrika.

Es muß allerdings von einer Überbetonung dieser Einflußmöglichkeiten und der vorschnellen Behauptung einer angolanischen Abhängigkeit von der Sowjetunion gewarnt werden. Die augenblicklichen Informationen reichen für eine solche umfassende Bewertung nicht aus. Außerdem wird meist übersehen, daß viel unmittelbarere Gefahren für die angolanische Unabhängigkeit in Form massiver militärischer Bedrohung gegenwärtig von den Nachbarstaaten Zaïre und RSA ausgehen, deren erneuter Einmarsch in A. keinesfalls ausgeschlossen werden kann.

4. Politische Schlagwörter

Die bekannteste Parole der MPLA ist „A Vitória è Certa!" („Der Sieg ist gewiß!") Mit diesen Worten schließen viele Kommuniqués und Reden der MPLA; auch ihr Zentralorgan trägt den Titel „vitória certa". Besonders im antikolonialistischen Kampf hatte dieser Slogan eine wichtige Funktion. Er sollte verdeutlichen, daß der endgültige Sieg auf Seiten des angolan. Volkes sein wird, egal wie lange der Krieg dauern und welche Rückschläge es geben mag.

In der jetzigen Phase des Befreiungskampfes hat die Parole nichts von ihrer Bedeutung verloren, da die äußere Bedrohung nicht verschwunden und der Kampf für den Sozialismus noch nicht gewonnen ist. Daher steht die Parole auch häufig zusammen mit einer anderen: *„A Luta Continua!"* („Der Kampf geht weiter!")

Reinhard Krämer

Literatur

Zur Dekolonialisierung:

AKAFRIK (Aktionskomitee Afrika), Der Angola-Konflikt und das Südliche Afrika, Bielefeld 1976.

Brönner, G., Ostrowsky, J., Die angolanische Revolution, Frankfurt 1976.

Heimer, F. W., Der Entkolonialisierungskonflikt in Angola: Machtkampf und ideologische Konfrontation, in: Afrika-Spectrum, Hamburg, 10 (3), 1975.

ders., Der Entkolonialisierungsprozeß in Angola: Eine Zwischenbilanz, Freiburg 1976.

Legum, C., Hodges, T., After Angola – The War Over Southern Africa, London 1976.

Allgemeines:

Boavida, A., Angola. Zur Geschichte des Kolonialismus, Frankfurt 1970.

Davidson, B., In the Eye of the Storm – Angola's People, 1975 (revised edition).

Heimer, F. W., Social Change in Angola, München 1973.

Informationsstelle Südliches Afrika, Anti-Apartheidbewegung (Hrsg.), „Angola die soziale Revolution", erschienen als Informationsdienst Südliches Afrika Nr. 2, Bonn, Febr. 1978.

„Kuba, Afrika und Angola", in: 3. Welt Magazin, Bonn 1977, Nr. 2, S. 21–23.

Pélissier, R., „Origines du mouvement nationaliste moderniste en Angola", in: Revue française d'études politiques africaines, Nr. 126, Paris 1976, S. 14–47.

Schümer, M., Die Wirtschaft Angolas 1973–1976. Ansätze einer Entwicklungsstrategie der MPLA-Regierung, Institut f. Afrika-Kunde, Hamburg 1977.

ders., Angola- innenpolitische Machtkonsolidierung und außenpolitischer Handlungsspielraum, Institut f. Afrika-Kunde, Hamburg 1978.

Stut, D., Angola. Grenzen und Möglichkeiten der Befreiung, Amsterdam 1977 (Anansi Presse).

Benin

Grunddaten

Fläche: 112.600 km².

Einwohner: 3.200.000 (1976).

Ethnische Gliederung (1961): Fon, Adja 450.000; Yoruba 160.000; Goun 140.000; Bariba, Boko 140.000; Mina, Aizo 100.000; Somba, Pila-Pila 100.000.

Religionen: Traditionelle Religionen 65%; Moslems 15%; Christen 17% (röm.-kath. 15%).

Alphabetisierung: 11% (1970).

Einschulungsquote: 33% (1972).

BSP: 370 Mio. US-$ (1974).

Pro-Kopf-Einkommen: 120 US-$ (1974).

1. Historischer Überblick

Das Gebiet des heutigen Benin (bis 1975: Dahomey) wurde bekannt, als um 1580 Portugiesen in der Nähe der Stadt Ouidah eine Handelsniederlassung gründeten. 1774 entstand das berühmte Königreich Dahomé (Hauptstadt Abomey). Im 18. und 19. Jh. war der Süden des Landes Zentrum des Sklavenhandels. Zahlreiche nach Nord- und Südamerika verschleppte Familien kehrten nach 1850 zurück, ließen sich, ohne sich um Rückgliederung in die traditionelle Gesellschaft zu bemühen, an der Küste nieder und repräsentieren seitdem einen großen Teil der intellektuellen Elite. Zwischen 1868 (erster Vertrag zwischen König Glélé und der frz. Kolonialmacht über die Aufgabe der Souveränität Cotonous) und 1898 fiel das Land an Frankreich, nach zahlreichen Kämpfen um Abomey (1890–94). Mit aktiver Unterstützung der ,,Brasilianer" – so wurden die zurückgekehrten Sklaven genannt – konnten die Frz. in kurzer Zeit ihre Kolonialverwaltung etablieren und ihre ,,politique de l'élite" gezielt einsetzen.

Eine aktive nationale Politik beginnt nach 1945 und führte 1960 zur Unabhängigkeit. Seitdem kennzeichnet diesen Staat polit. Unstabilität mit den meisten Regierungswechseln und Militärputschen Afrikas.

2. Die Entwicklung der politischen Parteien

2.1. Vor der Unabhängigkeit

Aus Wählervereinigungen für die Wahl zur frz. Nationalversammlung ging 1946 die erste Partei die ,,Union Progressiste Dahoméenne'' (UPD) hervor (Führung: Sorou Migan Apithy). Schon 1947 kam es zu ersten Absplitterungen von der UPD durch die Gründung des ,,Bloc Populaire Africain'' (BPA) unter Justin Ahomadegbe in Abomey. Mit der Entstehung des ,,Groupement Ethnique du Nord'' (GEND) 1951 unter Hubert Maga wird die Entwicklung in Richtung polit. Regionalismus definitiv. Die Namen Ahomadegbe, Apithy und Maga stehen von da an als Symbole für die regionale Dreiteilung des Landes, wobei jeder eines der drei bedeutenden traditionellen polit. Systeme (ehemals Königreiche) vertritt: Ahomadegbe die Region um Abomey, Apithy die um Porto Novo im Süden und Maga den Norden des Landes. Diese Dreiteilung ist für B. von 1950 an eine polit. Realität gewesen, die erst 1972 durch den Militärputsch Kérékous formal überwunden wurde. Sie trat als zusätzliche Belastung neben die ökonomische Zweiteilung des Landes, die im Nord-Süd-Gefälle deutlich wird, und verhinderte von Anfang an Vorbereitung und Aufbau eines polit. stabilen, funktionsfähigen Staates. In den 50er Jahren war eine auf die Unabhängigkeit des Landes gerichtete Politik nicht möglich, da die polit. Szene von den permanenten Machtkämpfen der drei Führer beherrscht wurde. Die Parteien, die sie nach außen repräsentierten, hatten lediglich die Funktion, polit. Rollen legal übernehmen zu können; sie hatten keine Programme, die irgendwie verbindlich gewesen wären, oder andere Möglichkeiten, auf den polit. Prozeß im ganzen Land Einfluß zu nehmen. Die Anzahl der Parteineugründungen und -umbenennungen zwischen 1946 und 1960 (ca. 10) ist daher nicht erstaunlich, da sie einmal nur Mittel zur Machtdurchsetzung waren und außerdem bei Wahlen nicht Parteien und ihre Ziele, sondern der Kandidat einer Region für den Wahlausgang ausschlaggebend war.

2.2. Nach der Unabhängigkeit

Im Gegensatz zu anderen afrik. Staaten gab es in B. 1960, im Jahr der Unabhängigkeit, weder eine nationalistische Bewegung noch die Dominanz eines polit. Führers. Die Gründe dafür liegen in der Konkurrenz der drei etablierten polit. Führer, die verhinderte, daß einer allein seine Position stabilisieren konnte; darüberhinaus in dem geringen frz. Interesse, das sich u. a. an keiner bevorzugten Unterstützung eines Politikers durch Frankreich äußerte.

2.2.1. Entwicklung zum Einparteisystem

Kurz nach der Unabhängigkeit schlossen sich die drei bestehenden Parteien (Rassemblement Démocratique Dahoméen – RDD; Parti des Nationalistes du Dahomey – PND; Union Démocratique Dahoméen – UDD) zu einer parlamentarischen Gruppe in der Nationalversammlung zusammen, darüberhinaus bildeten RDD und PND (Maga und Apithy) anläßlich der Wahlen Ende 1960 eine Koalition gegen die UDD (Ahomadegbe) und gründeten die gemeinsame Partei PDU (Parti Dahoméen d'Unité), die als einzige nach den Wahlen in der Nationalversammlung vertreten war. Die UDD wurde 1961 verboten, das dahomeyische Einparteiensystem somit auch nach außen hin eindeutig. Die Regierung Maga/Apithy wurde im Okt. 1963 durch einen Militärputsch gestürzt, nachdem es ihr nicht gelungen war, die gesetzten politischen und ökonomischen Ziele zu erreichen, vor allem Konsolidierung der Macht, Interessenausgleich sowohl zwischen den Politikern wie den Regionen, die sie vertraten, und Forcierung der wirtschaftlichen Entwicklung.

2.2.2. Militärregierungen (1963–1968)

Zwischen 1963 und 1972 gab es in B. 6 Putsche. Das Militär begann in der Politik B.s eine Rolle zu spielen, als offensichtlich wurde, daß eine stabile Entwicklung auf Grund der Machtkämpfe unter den

rivalisierenden Politikern nicht mehr zu erwarten und der den Auseinandersetzungen zugrundeliegende Regionalismus nicht auf ,,de-
mokratische'' Art zu bewältigen war. 1963 kam das Militär zu der
Auffassung, daß der dahomeyische Regionalismus weniger Ausdruck unüberbrückbarer Stammesgegensätze, sondern mehr Zeichen persönlicher Rivalität zwischen den drei Führern war, die die
Betonung sozio-ethnischer Interessen als Mittel persönlichen
Machtstrebens einsetzten. Dieses Mittel ,,Regionalismus'' schuf
eine permanente polit. Krise, da der von der Macht ausgeschlossene
regionale Repräsentant die Bevölkerung gegen das jeweils bestehende Regime mobilisieren konnte.

Diese Faktoren bestimmen die militärischen Interventionen weitaus stärker als persönliches Machtstreben hoher Offiziere, Rivalitäten innerhalb des Militärs oder Interventionen von außen. Das
ursprüngliche Desinteresse des Militärs an der Übernahme der
Macht zeigt sich deutlich in der Art der militärischen Interimsregie-
rungen (1963 und 1965 übernahm General Soglo jeweils nur für
wenige Wochen die Regierung), die ausschließlich darauf hinarbeiteten, Stabilität unter ziviler Regierung wiederherzustellen. Das
Militär verstand es dabei jedoch nicht, die alte polit. Führungsschicht mit Maga, Apithy und Ahomadegbe durch eine neue zu
ersetzen. Die bestehenden Rivalitäten ließen sich nicht beseitigen,
so daß alle Militärregierungen entgegen ihren Zielsetzungen einen
wesentlichen Beitrag dazu leisteten, die Unstabilität fortzuschrei-
ben und die Konflikte zu verschärfen.

Ab 1966 traten innerhalb des Militärs entscheidende Veränderungen ein. Die bis dahin unpolitische militärische Führungsschicht,
die nur schlichtend, nicht offensiv in den polit. Prozeß eingegriffen
hatte, wurde von jungen Offizieren mit offen artikuliertem Macht-
anspruch – deutlich sichtbar beim Putsch im Dezember 1967 unter
Kouandété und Kérékou – stark kritisiert, und es gelang den sog.
,,jeunes cadres'', die Führungspositionen selbst zu übernehmen, die
sie allerdings auf Regierungsebene auf Grund ihrer Unerfahrenheit
und inneren Zerstrittenheit nicht lange halten konnten. Schon
6 Monate nach dem Dezemberputsch wurde die Macht an eine neue
Zivilregierung unter Emile Zinsou zurückgegeben.

2.2.3. Zivilregierung (1968–70) und Triumvirat (1970–72)

Mit Zinsous Machtübernahme bahnte sich für B. ein neuer Konflikt an: statt durch die gewohnte Rivalität zwischen den drei polit. Führern wurde eine stabile Regierungspolitik nun verhindert durch Konkurrenzkämpfe zwischen Militär (jeunes cadres) und der Regierung Zinsous, dem es als erstem Staatspräsidenten seit der Unabhängigkeit gelang, durch stabile Wirtschafts- und Außenpolitik Unterstützung und Vertrauen der Bevölkerung zu gewinnen. Als Gegenreaktion ließ Kouandété die im Exil lebenden Politiker Ahomadegbe, Apithy und Maga zurückholen, die nach dem Sturz Zinsous 1970 in Form eines Präsidialrates (,,Triumvirat'') die Regierung übernahmen. Von nun an sollte jeder im 2-Jahres-Turnus die Präsidentschaft übernehmen. Am 26. 10. 1972 wurde dieses Triumvirat durch den Putsch Mathieu Kérékous gestürzt.

2.2.4. Militärregime Kérékou (ab 1972)

Durch diesen Putsch übernahmen die ,,jeunes cadres'' die Macht. Äußerer Anlaß war ein bedeutender Korruptionsskandal, der die Glaubwürdigkeit der Zivilisten endgültig zerstörte. Anfangs gemäßigt nationalistisch, radikalisierte sich das Regime 1974 erheblich und verkündete als Staatsdoktrin den Marxismus-Leninismus. Die Junta hat verschiedene Putschversuche aus den eigenen Reihen (vor allem 1975 und 1977) überstanden und kann heute als die stabilste Regierung in der Geschichte des Landes bezeichnet werden.

Durch ein System von Reformen wurden in kurzer Zeit tiefgreifende Veränderungen bewirkt. Der Staat wurde nach einem Modell des ,,demokratischen Zentralismus'' reorganisiert, die alten Interessenverbände aufgelöst oder in neue Institutionen integriert. Der Einfluß der feudalistischen traditionellen Führer wurde zurückgedrängt, die Intellektuellen wie die ökonomische Mittelschicht der Städte aus der polit. Willensbildung ausgeschlossen. Großen Wert legt das Regime auf eine Aktivierung des nationalen Selbstbewußtseins durch Rückbesinnung auf die eigene vorkoloniale Geschichte. In diesem Zusammenhang ist auch die Umbenennung des Staates in VR-Benin zu sehen, da der Name Dahomey kolonial wie postkolonial belastet ist.

Die modernen Sektoren der Wirtschaft wurden verstaatlicht, der ausländische Einfluß zurückgedrängt.

Gestützt wird die derzeitige polit. Entwicklung außer von den Militärs vor allem von der ländlichen Bevölkerung, die zum ersten Mal das Gefühl hat, daß sich eine Regierung wirklich um ihre Belange kümmert.

3. Merkmale der politischen Struktur

3.1. u. 3.2. Elite und wichtige politische Gruppen

Benin ist ein klassisches Beispiel für die Besonderheit der westafrik. Patronat-Klientel-Struktur, die hier die Politik entscheidend bestimmte.

Bis zum Putsch von Kérékou rekrutierte sich die polit. Elite größtenTeils aus den Königsfamilien von Porto-Novo, Abomey und der verschiedenen kleinen Königtümer des Nordens (Borgou, Nikki, Djougou). Nicht Programme und Effektivität einer Partei bestimmten den Erfolg eines Politikers, sondern seine Verbindung zu den traditionellen Autoritäten und deren Unterstützung. Die polit. Führungsschicht war daher auch sehr klein: sie bestand aus ca. 35 Personen. Der einzige Präsident, der mit einem fundierten Programm die Regierungsmacht erlangte, war Emile Zinsou; bezeichnenderweise wurde er von den Militärs auf das Schild gehoben.

Die an regionale und Claninteressen gebundenen Politiker sahen sich bei der Notwendigkeit, eine moderne Wirtschaft zu führen, häufig konfrontiert mit einer anderen mächtigen sozialen Gruppe, den Gewerkschaften. Der Staat leidet und litt unter einer aufgeblähten Administration, die zwar den Überfluß an hochqualifizierten Intellektuellen absorbiert, aber ebenso zwischen 60 und 70% des Staatshaushaltes verschlingt. Jeder Versuch einer Regierung, die stagnierende Wirtschaft, die mit 1,4% das geringste Wachstum Westafrikas aufweist, durch Sparmaßnahmen wie Lohnkürzungen zu sanieren, rief die Gewerkschaften auf den Plan. Die meisten Regierungen sind endgültig durch große Streiks gestürzt worden. Als Verbände einer schon privilegierten Gruppe von Bürgern mit festem Einkommen handelten die Gewerkschaften oft recht eigennützig und verstärkten die negative Entwicklung der polit. Strukturen.

Das Regime Kérékou hat die vier Gewerkschaftsverbände aufgelöst und einen Einheitsverband mit den Führern der ehemals kommunistischen Gewerkschaft an der Spitze gegründet.

Die nationalistische und sozialistische Selbstbesinnung, die schließlich einfloß in die Politik Kérékous, ging aus von den Zirkeln der Intellektuellen Porto Novos und von Studentengruppen. Diese beiden Gruppen suchten Mitte der 60er Jahre, als offensichtlich wurde, daß regionale Gegensätze jede Zivilregierung handlungsunfähig machten, das Gespräch mit den Militärs.

Das Militär war in der Anfangszeit des Staates wenig angesehen, und kaum ein Sohn einer bedeutenden Familie wählte diese Berufslaufbahn. Daher gehörte es zu einem der wenigen Bereiche, in denen Begabte unterer Schichten aufsteigen konnnten. Die ersten Jahre versuchte es sich aus der Politik herauszuhalten. Jedoch blieb mit der Erfahrung, immer wieder Regierungsgeschäfte führen zu müssen, eine Politisierung nicht aus. Anfang der 70er Jahre wurden zwei Gruppen deutlich sichtbar: einerseits die ,,alte Garde", die immer engere Koalitionen mit den bisherigen Politikern einging und sich ebenfalls nach dem Muster der klassischen Dreiteilung zerstritt, und andererseits eine Generation junger Offiziere, auf den frz. Universitäten und Militärakademien erzogen, die eine radikale Wende forderte. Kérékou gehörte nicht zu den ideologischen Wortführern dieser Gruppe, nahm jedoch die wichtigste militärische Position ein.

Im wirtschaftlichen Leben spielen die eingewanderten und oft schon seit einigen Generationen ansässigen Libanesen eine wichtige Rolle. Sie kontrollieren den Zwischenhandel.

3.3. Parteiprogramm

An jedem Jahrestag der Revolution wird die Weiterentwicklung der polit. Option in progammatischen Reden des Staatspräsidenten bekanntgegeben. (Unbestrittener Chefideologe ist der Informationsminister Martin Dohou Azonhiho.) Die wichtigsten polit. Zielvorstellungen sind:

- Befreiung von Fremdherrschaft und kultureller Entfremdung
- Entwicklung aus eigener Kraft
- Mobilisierung und Aktivierung der Bevölkerung für die Belange des Landes
- Kampf gegen Korruption und Nepotismus
- Aufnahme außenpolit. Beziehungen zu allen Ländern auf der Basis der Respektierung der nationalen Souveränität und ohne Diskriminierung
- Entwicklung des nationalen Bewußtseins.

Überzeugt, daß nur eine Politik der Entwicklung aus eigener Kraft langfristig Erfolg verspricht, legen die neuen Machthaber besonderen Wert auf die Förderung der Landwirtschaft und der ländlichen Bevölkerung. Es wird versucht, die feudalistischen Herrschaftsstrukturen allmählich zu zerstören. Entwicklungshemmende traditionelle Bräuche, Sekten, Geheimgesellschaften und feudale Institutionen (wie Königtum) sind verboten worden und werden bekämpft.

Die Wirtschaftspolitik zielt zuerst auf eine Befriedigung der Primärbedürfnisse für alle, Abbau von Unterschieden in den Besitzverhältnissen und Verringerung des Nord-Süd-Gefälles im Lande. Der noch gering ausgebildete moderne Sektor (Banken, Ölfirmen, Versicherungen, Transportunternehmen, kleinere Verarbeitungsbetriebe) wurde verstaatlicht oder zu genossenschaftlichen Zusammenschlüssen gezwungen.

Große Bedeutung wird dem Ausbildungswesen zugemessen. Das Schulsystem wurde grundlegend reformiert und den konkreten Bedürfnissen des Landes angepaßt. Dem Schüler sollen außer allgemeinem Wissen über seine Gesellschaft und Umwelt vor allem praktische Kenntnisse vermittelt werden, die ihn befähigen, sich auf dem Lande eine eigene Existenz aufzubauen.

Fremde, vor allem europ. Einflüsse werden so weit wie möglich zurückgedrängt. Eine intensive Propaganda, das übliche Szenarium an Aufmärschen, Massenversammlungen, aber auch Kulturfestivals und eine allgemeine Rückbesinnung auf die eigene afrik. Geschichte sollen das nationale Selbstbewußtsein des Volkes heben.

Die Richtlinien und weitere Entwicklung dieser Politik wurden bisher von einem kleinen Kreis, der Junta und dem Conseil National de la Révolution, einer Art Politbüro, bestimmt und manchmal recht autoritär durchgesetzt. Es gibt sicherlich eine beträchtliche Anzahl polit. Gefangener; viele von der alten Führungsschicht haben das Land verlassen.

Durch die neue Verfassung vom August 1977 wurde der nationale *Revolutionsrat* abgeschafft. An seine Stelle soll eine Nationalversammlung treten, der die direkt gewählten Volkskommissare angehören. Diese Versammlung wird in Zukunft auch den Präsidenten wählen. Die Verabschiedung der neuen Verfassung wird in der offiziellen Ideologie als ,,demokratische Revolution des Volkes" bezeichnet und bildet die zweite von drei Stufen in der Entwicklung zu einem marxistisch-sozialistischen Staat afrikanischer Prägung; als erste Stufe gilt der Putsch 1972, die ,,revolutionäre Bewegung der nationalen Prägung". Mit der ,,sozialistischen Revolution" wird dieser Prozeß abgeschlossen werden.

In dieser kurzen Zeit ist noch nicht zu beurteilen, ob sich die Junta ebenfalls von den wirklichen Anliegen der Bevölkerung entfremden wird oder sich Ansätze einer Partizipation entwickeln.

3.4. Aufbau der Partei

Um die Bevölkerung für sozialistische Ideen zu mobilisieren und die polit. Kräfte der Zeit vor 1972 in ihrem Einfluß zu beschneiden, hat das Regime allmählich neue Organisations- und Partizipationsstrukturen aufgebaut.

Nach dem bedeutenden Linksrutsch im November 1974 wurden im Dezember desselben Jahres in allen Arbeitseinheiten (Betrieben, Genossenschaften, Verwaltung, etc.) sog. Komitees zur Verteidigung der Revolution (Comités de défense de la révolution) gegründet, die ein Mitspracherecht der polit. Aktivisten, aber auch ideologische Kontrolle der Führungsschicht ermöglichen sollen.

Als Artikulationsbasis für die ländlichen Massen und Mobilisierungsinstrument wurde 1975 eine komplizierte Struktur von Komitees auf allen Ebenen geschaffen. Auf Dorfebene wählen die Bauern einen Conseil Révolutionnaire Local (CRL), in dem nach einer festgelegten Quote 13 junge Menschen (in Afrika bis 40 Jahre), 7 Frauen, aber nur 5 Dorfälteste vertreten sein dürfen. Um sicherzustellen, daß keine polit. als unzuverlässig geltenden Leute eine Position erhalten, werden die Wahlen von den Parteikadern kontrolliert und bestätigt. Diese CRL delegieren ihre Abgeordneten in einen Conseil Révolutionnaire de District (CRD), der die Interessen der Bauern gegenüber dem Chef de District, einem Verwaltungsbeamten, vertritt. Nach dem gleichen Muster wurde auf der nächsthöheren administrativen Ebene, der Provinz, ein Conseil Provincial de la Révolution konstituiert.

Den Wahlen zu den verschiedenen Organen hat die Regierung große Aufmerksamkeit geschenkt. Sämtliche Regierungsmitglieder und polit. Kader reisten Wochen durch das Land, um sich über die Ziele und Aufgaben der verschiedenen ,,Conseils" zu informieren.

Die ,,Conseils" verfügen über eigene Budgets, mit deren Hilfe sie lokale Entwicklungsvorhaben durchführen können. Die Möglichkeit, über diese Gremien ihre eigenen Belange auszudrücken und gleichberechtigt, beratend und auch kontrollierend und kritisierend neben den Staatsfunktionären aufzutreten, hat zu einer bemerkenswerten Mobilisierung der Bevölkerung geführt. Die Fälle sind nicht mehr selten, wo korrupte oder wenig aktive Staatsfunktionäre auf Grund der Beschwerden der Bauern gemaßregelt werden. Außerdem bietet diese Struktur der Regierung Ansatzpunkte für gezielte polit. Schulung, aber auch für verschiedene Entwicklungsmaßnahmen wie Alphabetisierungskampagnen.

Die am 30. 11. 75 gegründete Parti de la Révolution Populaire du Bénin (P.R.P.B.) spielt bis heute im polit. Leben nur eine untergeordnete Rolle, besteht sie doch aus einem exklusiven Zirkel mit ca. 100 Mitgliedern. Sie soll jedoch ständig um verdiente und zuverlässige polit. Kader erweitert werden, die von den ,,Conseils" vorgeschlagen werden können. Jeder Kandidat muß 12 Kriterien erfüllen, von denen die wichtigsten sind: gute Kenntnis des Marxismus-Leninismus, niemals Mitglied einer früheren Partei, kein großer Privatbesitz, nicht mehr als 10 ha Land, kein Mitglied einer Sekte oder Geheimgesellschaft.

Die vorsichtige Mitgliederpolitik wird damit begründet, daß die einschneidende Umstrukturierung der Gesellschaft erst eine lange Erziehungsarbeit erfordere. Es ist wohl auch zu vermuten, daß die Partei vorerst eine kleine zuverlässige Kaderorganisation bleiben soll, aus der sich die neue Führungsschicht rekrutiert, und keineswegs als Ansatzpunkt einer neuen Demokratisierung zu werten ist.

3.5. Wahlen

Mehr als in jedem anderen westafrik. Land ist die polit. Sphäre nicht von sozialen und persönlichen Beziehungen abgegrenzt und finden die polit. Willensbildungsprozesse vor allem über Primärbeziehungen und nicht über Interessengruppen statt. Insofern hat sich das parlamentarisch-wahldemokratische System seit 1960 von selbst erledigt, da der Kraftakt der Parlaments- und Präsidentschaftswahlen das Land stets in eine selbstmörderische regionale Polarisierung und infolgedessen in eine formalisierte bürokratisch-militärische Herrschaft trieb. Als Beispiel dafür, daß das von Europa übernommene demokratische Legitimationsschema in manchen Situationen zum polit. Unsinn wurde, seien die Ereignisse vom Sommer 1968 angeführt: Die Militärregierung Alley will eine neue Zivilregierung vorbereiten. Die Verfassung wird vom Volk angenommen, an den Präsidentschaftswahlen beteiligen sich jedoch nur 26% der Bevölkerung, da die drei Führer Maga, Apithy und Ahomadegbe, deren polit. Macht nicht auf Parteien und Programmen beruht, aus dem Exil zum Boykott aufrufen. Die Wahl muß annulliert werden.

3.6. Einflüsse

Die fremdenfeindliche Politik richtete sich naturgemäß zuerst gegen die ehemalige Kolonialmacht, Frankreich. Die frz. Militärberater sowie privaten Unternehmer mußten das Land verlassen. Da jedoch die Hilfe aus dem Ostblock im erhofften und benötigten Maß ausbleibt, ist Kérékou gezwungen, 1976 den Staatsvertrag mit F. zu erneuern. Außer F. werden die USA als imperialistisches Feindbild aufgebaut, die diplomatischen Beziehungen eingefroren.

Die Haltung gegenüber der übrigen westlichen Welt ist distanziert, aber kooperativ, da das Land auf Unterstützung angewiesen ist.

Für Moskau wie für die VR-China scheint dieses Land strategisch wie polit. zu uninteressant zu sein, um ein größeres Engagement ins Auge zu fassen. China gewährt lediglich einen größeren Kredit, jedoch keine technische Hilfe. Bedeutender ist der Einfluß Nordkoreas. Nach einer Reise Kérékous nach Pjöngjang 1975 kamen Dutzende von Experten in das Land, die beratende Funktionen in der Administration des Präsidenten und in den verschiedenen Ministerien einnehmen.

Gegenüber seinen kapitalistischen Nachbarländern verfolgt das Regime einen pragmatischen Kurs. Auf die Länder Niger und Nigeria ist B. angewiesen, da der größte Teil seiner Staatseinnahmen aus seiner Funktion als Hafen und Transitweg für diese Länder herrührt. Gemeinsame wirtschaftliche Vorhaben werden ideologisch nicht angetastet, und bei keinem Putschversuch wurden Niger oder Nigeria der Verschwörung beschuldigt. Anders verhält es sich mit Togo. In dessen Hauptstadt Lomé sammelt sich die geflüchtete Opposition. Die Grenzen wurden mehrmals geschlossen und die togoische Regierung der subversiven Unterstützung der „Feinde des beninischen Volkes" angeklagt. Zeitweiliger Ausgleich wurde nur unter dem Druck Nigerias erreicht, das an offenen Grenzen für seine Importe interessiert ist.

Den größten Einfluß auf das Regime übt Guinea aus, das einige Male in außenpolit. Konflikten vermittelte. Auf vielen Gebieten der Politik, vor allem der polit. Schulung, der Methoden der Mobilisierung der Massen, der Ausbildung der Staatsdoktrin orientiert sich B. an den Erfahrungen Guineas. (Der Chefideologe Guineas, Prinz Behanzin, aus der Königsfamilie von Abomey stammend, gehört zu den engsten Beratern des Präsidenten.)

4. Politische Begriffe

Eine eigenständige Begriffswelt für die Doktrin ist noch nicht entwickelt worden. Die polit. Mobilisierungsarbeit wird gekennzeichnet durch Schlagwörter, die einen Wandel aufzeigen und Kampfgeist wachhalten sollen, z. B. ,,prêt pour la révolution" (bereit zur Revolution), ,,la lutte continue" (der Kampf geht weiter), Ehuzu (,,alles wird sich ändern" – ein Fon-Wort), ,,le socialisme scientifique est notre voie de développement" (der wissenschaftliche Sozialismus ist unser Entwicklungsweg), ,,le Marxisme-Léninisme est notre guide philosophique" (der Marxismus-Leninismus ist unser philosophischer Führer").

Margret Flues und Herta Friede

Literatur

Bebler, A., Military Rule in Africa; Dahomey, Ghana, Sierra Leone and Mali, N.Y. 1973

Cornevin, R., Coups d'Etat en chaîne au Dahomey, in: Revue Française d'Etudes Politiques Africaines, 9/99, mars 1974, S. 52–65.

Glélé, M. A., Naissance d'un état noir: L'Evolution politique et constitutionelle du Dahomey, de la colonisation à nos jours, Paris 1969

Gutteridge, W. F., Military Regimes in Africa, London 1975

Reuke, L., Die Eingriffe des dahomeischen Militärs in die Politik, in: Vierteljahresberichte, Nr. 48, Juni 1972, S 141–155, (Fr. Ebert Stiftung)

Ronen, D., Dahomey. Between Tradition and Modernity, London 1975 (im Anhang sehr gute Bibliographie)

Zimmer, B., Dahomey, Bonn 1969 (Die Länder Afrikas Bd. 39).

Botswana

Grunddaten

Fläche: 581.730 km^2 (2/3 Kalahari-Steppe),

Einwohner: 690.000 (1976).

Ethnische Gliederung (Schätzungen 1975): Bamangwato 38%; Bakwena 11%; Bangwaketse 10%; Batawana 6%; Bakgatla 5%; Batlokwa, Bamalete und Barolong, Buschmänner (San, Basarwa), Asiaten und Europäer.

Religionen (1973): Traditionelle Religionen 87%; Christliche Religionen 12% (prot. 9%, röm.-kath. 3%).
Alphabetisierung: ca. 30%.
BSP: 190 Mio. US-$ (1974) (Aug. 76 eigene Währung: Pula).
Pro-Kopf-Einkommen: 290 US-$ (1974).

1. Historischer Überblick

Seit dem frühen 18. Jh. siedelten im heutigen Botswana, das bis dahin von den Buschmännern (Basarwa) und den Khoikhoin bewohnten Kalahari und ihren Randgebieten, zumeist Tswana-Gruppierungen. Die bedeutendsten Stämme waren die Bakwena, Bamangwato und Bangwaketse. Die Bamangwato entwickelten sich unter dem Häuptling Khama III. (1872-1923) zum führenden Stamm.

Während der brit.-burischen Auseinandersetzungen in Bedrängnis geraten, ersuchten die Häuptlinge der Region, angeführt von Khama III., 1876 G.B.. um Schutz. 1885 wurde B. unter dem Hochkommissar der Kap-Kolonie zum Protektorat Bechuanaland erklärt. Dieser Schritt hatte für G.B.. auch die strategische Bedeutung, einen Keil zwischen die Buren (Transvaal) und die mit ihnen verbündeten Deutschen (Namibia) zu schieben, und bot außerdem eine wichtige Verbindung nach Norden. Der geplanten Unterstellung des Protektorats unter die ,,British South African Company" von Rhodes widersetzten sich die drei führenden Häuptlinge 1895 bei Königin Viktoria erfolgreich.

B. galt als ökonomisch uninteressant und wurde während der Kolonialzeit bewußt vernachlässigt; die traditionellen Strukturen blieben deshalb weitgehend erhalten. Wichtige polit. Institutionen während der Kolonialzeit waren die Afrikanische Beratende Versammlung (African Advisory Council) ab 1920 für afrik. Angelegenheiten und die Europäische Beratende Versammlung (European Advisory Council) ab 1921 als Interessenverband der Weißen mit starker Ausrichtung auf Südafrika. 1950 gestand die brit. Kolonialverwaltung eine Gemeinsame Beratende Versammlung (Joint Advisory Council) zu, in der die Weißen überrepräsentiert waren.

Aus ihr ging 1961 der Legislativrat (Legislative Council) hervor. Nach heftigen Auseinandersetzungen einigte man sich 1965 auf eine Verfassung für die innere Selbstverwaltung. Am 30. 9. 66 (Nationalfeiertag) folgte der nächste Schritt, die formale Unabhängigkeit als Republik B. Damit fand die Diskussion über die Eingliederung B.s in die RSA definitiv ein Ende.

2. Entwicklung der politischen Parteien

2.1. Vor der Unabhängigkeit

Durch die weitgehende Erhaltung der traditionellen Strukturen und die starke Stellung der Häuptlinge kam der Prozeß der Politisierung erst spät in Gang. Die parteipolit. Entwicklung wurde von den traditionellen Kräften und der brit. Kolonialverwaltung zunächst keineswegs gefördert.

Die ersten Parteigründungen fanden in den 50er Jahren statt: zunächst die Congress Party und 1959 die Bechuanaland Protectorate Federal Party. Die Federal Party stützte sich sehr stark auf die Stammesstrukturen und gab sich 1962 den weniger konservativ klingenden Namen Liberal Party. Beide Parteien verschwanden noch vor der Unabhängigkeit von der polit. Bühne. 1960 kam es unter Motsete zur Gründung der Bechuanaland People's Party, BPP, der ersten Partei, deren Ziel die Unabhängigkeit B.s war. Starken Einfluß auf die Ideologie der Partei hatte die Welle der Unabhängigkeit in Afrika und der Strom von polit. Flüchtlingen aus der RSA nach B. nach dem Verbot des African National Congress (ANC) und des Pan-Africanist Congress (PAC). Es kam auch sehr bald zu innerparteilichen ideologischen Gegensätzen zwischen den Fraktionen des ANC und des PAC. Mpho, ein früheres ANC-Mitglied, zog die Konsequenz und gründete 1964 die Bechuanaland Independence Party, BIP. Die Gründung der Bechuanaland Democratic Party BDP unter Seretse Khama 1962 war teilweise eine Reaktion auf die als radikal empfundenen Forderungen der BPP. Der sehr gemäßigte S. Khama konnte mit dem Wohlwollen der konservativen Kräfte und der Häuptlinge und der vollen Unterstützung der Briten rechnen. Gestützt auf diese breite Basis wurde die BDP schon vor 1966 zur führenden polit. Kraft. Als jüngste Partei wurde 1966 unter Koma die Botswana National Front, BNF, gegründet, deren Ziel die wirkliche Unabhängigkeit ist.

2.2. Nach der Unabhängigkeit

Bis heute hat die vom westlichen Ausland unterstützte BDP ihre dominierende Stellung behalten und gefestigt, während die drei Oppositionsparteien auf nationaler Ebene momentan keine wirkliche Alternative darstellen. Einerseits fehlt es der Opposition teilweise an einer straffen Organisation und an einem für die Mehrheit der Wähler attraktiven Programm, obwohl alle Parteien vom Programm her progressiver sind als die BDP. Andererseits verfügen sie über sehr knappe Finanzmittel und über eine nur regionale Anhängerschaft. Allerdings begünstigt das brit. Westminster-Modell des absoluten Mehrheitswahlsystems die BDP als stärkste Partei. Bisher war eine deutliche Tendenz zum de facto Einparteiensystem zu beobachten. Der polit. Einfluß der Oppositionsparteien ist noch gering, eine spürbare Stärkung der Opposition zeichnet sich noch nicht ab. Es bleibt allerdings abzuwarten, ob sich diese Entwicklung fortsetzt. S. Khamas Gesundheitszustand hat sich in letzter Zeit merklich verschlechtert. In den Reihen der BDP zeigte sich bisher noch kein möglicher Nachfolger, der ähnlichen Rückhalt in der Bevölkerung hätte. Außerdem ist zu beobachten, daß sich die BNF wachsender Unterstützung erfreut.

3. Merkmale der politischen Struktur

3.1. Elite

Die brit. Schutzmacht hat B. problemlos in die Unabhängigkeit entlassen, für die seine Führer nicht wirklich gekämpft haben. Die Führungsschicht B.s setzt sich zusammen aus den Eliten der 8 Stammesgruppierungen, früheren Kolonialbeamten und z. T. auch aus Flüchtlingen aus der RSA und Zimbabwe. Dabei bildete sich eine bürgerliche Klasse, deren Mitglieder teils der dörflichen Mittelschicht und teils den Häuptlingsdynastien entstammen, nebst einigen Vertretern der weißen Siedler. Ihre Schul- und Ausbildung genossen sie meist in Südafrika, teilweise auch in Europa und Nordamerika.

Präsident Sir Seretse Khama, der auf seine Häuptlingswürde verzichten mußte, genießt nicht nur wegen seiner Persönlichkeit und gemäßigt konservativen Politik ein gewisses Charisma, es spielt auch eine Rolle, daß er als Enkel Khamas III. Repräsentant des größten Stammes, der Bamangwato, ist. Dennoch kann man nicht allgemein von einer ausgesprochenen Vorherrschaft der Bamangwato sprechen, denn es wird darauf geachtet, unter den drei dominierenden Gruppen, Bamangwato, Bakwena und Bangwaketse, einen gewissen Proporz einzuhalten. Khamas ältester Sohn übernahm 1977 offiziell die Funktion des Häuptlings der Bamangwato, sicherlich vor allem beeinflußt durch Überlegungen zur Sicherstellung einer politischen Kontinuität.

3.2. Andere Gruppen

In der Unabhängigkeitsverfassung wurde die polit. Macht der Häuptlinge zugunsten der Zentralregierung stark beschnitten und damit der Einfluß der traditionellen Kräfte auf das polit. Leben eingeschränkt. Auf nationaler Ebene sind diese im House of Chiefs (15 Mitglieder), dem Oberhaus, vertreten, das aber nur beratende Funktion hat. Die Kgotla auf Stammes- und Dorfebene ist die letzte noch wirksame Institution der Stammesstruktur. Sie ist die unterste Ebene der Gerichtsbarkeit und hat einige soziale Funktionen, die jedoch von untergeordneter Bedeutung sind, da die polit. Aufgaben beim Distriktkommissionär liegen.

Als echte Randgruppe steht die ursprüngliche Bevölkerung, die etwa 30.000 Basarwa der Kalahari, außerhalb der Gesellschaft. Ebenfalls nicht als Teil der Gesellschaft können die ausländischen Fachkräfte und Geschäftsleute sowie die weißen Farmer betrachtet werden. Diese verfügen aber durch die vielen wichtigen Posten, die sie in der Verwaltung besetzen, oder durch ihre wirtschaftliche Stellung über ein erhebliches Maß an Einfluß und Macht.

Die Aktivitäten der Kirchen konzentrieren sich auf die Dörfer, sowie auf das Gesundheits- und Erziehungswesen. Obwohl die katholische Kirche nach Mitgliedern die größte Einzelkirche ist, werden die meisten Missionsstationen von protestantischen Religionsgemeinschaften, oft von der RSA aus verwaltet, unterhalten. Die Gewerkschaften waren bisher mit wenigen Ausnahmen relativ unbedeutend. Das liegt einmal an der staatlichen Reglementierung des Gewerkschaftswesens durch Gesetz und zum andern an der örtlichen und branchenmäßigen Zersplitterung. Der am 1. 4. 77 mit deutscher Beratung gegründete Gewerkschaftsbund soll der Arbeitnehmervertretung mehr Gewicht geben.

3.3. Parteiprogramm

Die Regierungspartei BDP beherrscht so eindeutig das polit. Geschehen in B., daß ihr Parteiprogramm, das ,,1974 Manifesto", weitgehend dem Programm der Regierung entspricht. Nach diesem Programm soll die Bevölkerung an der Planung der Entwicklung B.s beteiligt werden; in Realität betrifft dies jedoch nur die Dorf- und Distriktebene. Bei Entscheidungen auf nationaler Ebene gibt es keine echte Beteiligung des Volkes. Die Entwicklungsstrategie für B. lautet: Konflikte zwischen dem sog. modernen, städtischen Bereich und dem traditionellen, ländlichen Bereich verhindern. Es ist deshalb eine Umverteilung der Einnahmen aus dem Bergbausektor für ländliche Entwicklungsvorhaben vorgesehen. Ein beschleunigter Abbau der in jüngerer Zeit entdeckten Bodenschätze durch ausländische Konzerne auf der einen Seite und eine stetige Verbesserung der Fleischproduktion auf der anderen sollen die Deviseneinnahmen sicherstellen. Trotzdem will man die Wirtschaft nicht ausschließlich auf diese beiden dominierenden Sektoren stützen. Diversifizierung heißt die Devise im Programm der BDP; das soll gelten für Produktion, Investoren und Handelspartner. B. soll mittelfristig nicht nur seine Nahrungsmittel selbst produzieren, sondern auch einen Handwerks- und Industriesektor aufbauen. In Ermangelung nationaler Unternehmer werden ausländischen Investoren besonders günstige Investitionsbedingungen geboten; dabei ist man verstärkt auch an nichtsüdafrikanischen Firmen interessiert. Die Außenhandelsabhängigkeit von der RSA soll durch verstärkte Handelsbeziehungen zur EG abgebaut werden. Die Partei will sich auch auf den Ausbau des in der Kolonialzeit vernachlässigten Erziehungs- und Ausbildungssektors konzentrieren.

Außenpolitisch ist sich die Partei der exponierten polit. und ökonomischen Lage B.s im südlichen Afrika bewußt; sie vertritt deshalb eine betont neutrale Politik, stellt sich aber in ihrem Programm voll hinter die Politik der OAU. Die Rolle B.s bei der Lösung der Probleme Zimbabwes und Namibias soll eine vermittelnde sein; es wird eine friedliche Lösung befürwortet. Man läßt auch keine militärischen Stützpunkte von Befreiungsbewegungen im Lande zu, was deren Anerkennung jedoch nicht ausschließt.

3.4. Parteistruktur

Die herrschende Partei, die BDP, ist in ihrem Aufbau stark auf die Person ihres Präsidenten ausgerichtet. Durch die traditionelle Stellung und die charismatischen Eigenschaften Seretse Khamas tritt dies besonders hervor. Bei der dominierenden BDP wird die enge Verbindung zwischen Partei und Regierung dadurch deutlich, daß der Staatspräsident laut Parteiverfassung automatisch Parteipräsident ist; der Generalsekretär der Partei, Q. Masire, ist zugleich Vizepräsident des Landes.

Vor allem in ländlichen Gebieten auf engen Kontakt zur Bevölkerung bedacht, ist die Partei gewissermaßen hierarchisch in regionale und Bezirksverbände untergliedert. In den Parteigremien der verschiedenen Ebenen, die mindestens einmal in zwei Jahren zusammentreten müssen, sind die jeweiligen gewählten Vertreter der Distriktparlamente und der Nationalversammlung ex officio Mitglieder mit Sitz und Stimme. Trotz ihrer relativen Selbstständigkeit sind alle untergeordneten Verbände letztlich den obersten nationalen Parteigremien verantwortlich, dem ,,National Executive", das für die Parteipolitik verantwortlich ist, und dem ,,National Executive Committee", das für die tägliche Arbeit der Parteiverwaltung zuständig ist.

Die Struktur der BDP ist insgesamt die einer polit. Partei westlicher Prägung. Sie erhebt weder den Anspruch, noch ist sie eine wirkliche Massenbewegung.

3.5. Wahlen

Wie oben beschrieben, hat B. im Prinzip das brit. Wahlsystem. Nach längstens fünf Jahren finden Wahlen für die Nationalversammlung (Unterhaus) und die 9 Distrikt- und 5 Stadtparlamente statt. Der Präsident, der Staatsoberhaupt und Regierungschef ist, wird indirekt gewählt; er muß die Unterstützung der Mehrheit der 32 gewählten Wahlkreisvertreter der Nationalversammlung haben, der er jedoch keine Rechenschaft schuldet. Seretse Khamas BDP, die 1965 bei den ersten Wahlen 28 der damals 31 Sitze gewann, konnte 1969 nur noch 24 erringen. In der 1974 gewählten Nationalversammlung (32 Sitze) ist sie mit 27 Sitzen wieder stärker vertreten. Die 5 Sitze der Opposition teilen sich BPP (2), BNF (2) und BIP (1). Zusätzlich sitzen im Parlament noch 4 gesondert gewählte Abgeordnete, die Minderheitsgruppen repräsentieren sollen. Bei den Wahlen auf Distriktebene zeigte sich eine ähnliche Übermacht der BDP; sie gewann 1974 149 der 176 Sitze.

3.6. Einflüsse

Dadurch, daß 3/4 aller Importe und ein großer Teil der Investitionen aus der RSA kommen, ist die ökonomische Abhängigkeit, auch nach Einführung der eigenen Währung (Pula), sehr stark. Es besteht auch nach wie vor ein nicht zu unterschätzender brit. Einfluß in vielen Bereichen; teils bedingt durch noch wirksame koloniale Strukturen, teils aufgrund von intensiver Entwicklungshilfe. Der Einfluß der Entwicklungshilfe, vor allem von westlichen Ländern, ist allgemein bedeutend. B. erhält eine der höchsten Pro-Kopf-Raten an Entwicklungshilfe überhaupt. Auch im Rahmen der bundesdeutschen Entwicklungspolitik ist B. Schwerpunktland.

Aber auch die Entwicklungen der Nachbarländer bleiben nicht ohne Einfluß: Die große Zahl der Wanderarbeiter und die Flüchtlinge aus den weißregierten Nachbarländern bilden durch ihre Erfahrungen einen Grundstein für eine Politisierung. Seit den häufigen Übergriffen auf botswanisches Territorium und den Flüchtlingsentführungen tritt Khamas Regierung verstärkt für eine Ablösung der weißen Minderheitsregime in den Nachbarstaaten ein. Bezeichnend für das polit. Klima, besonders in bezug auf Zimbabwe, ist z. B. der Entschluß, eine eigene Armee aufzubauen (März 1977). Die Unabhängigkeit Angolas und Mosambiks zeigte zwar keine direkten Wirkungen auf B., jedoch wurde dadurch die Stellung der 5 schwarzafrikanischen „Front-Staaten" (Angola, Botswana, Mosambik, Sambia, Tansania), innerhalb derer Khama eine gemäßigte Haltung vertritt, deutlich gestärkt.

4. Politische Begriffe

Als nationale Prinzipien gelten: Demokratie, Entwicklung, Selbstbewußtsein und Einheit, die alle gemeinsam im Rahmen von *Kagisano* = soziale Harmonie und Frieden erreicht werden sollen.

Kutlwano = gegenseitiges Verstehen, Toleranz, gilt als Leitmotiv für eine Politik ohne Rassengegensätze im Zeichen des Zebras im Staatswappen.

Mit dem Thema *Lefatse La Rona* wurde durch eine landesweite Kampagne das Volk mit der Landreform (Tribal Grazing Land Policy) vertraut gemacht.

Die *One Man - One Beast* Kampagne fordert jeden Bürger auf, seinen Verhältnissen entsprechend, durch einen Beitrag in Geld oder einem Stück Vieh zum Ausbau der Universität in Gaborone beizutragen. Durch diesen eigenen Entwicklungsbeitrag soll das nationale Selbstbewußtsein gestärkt werden.

Theo Mutter

Literatur

„Botswana – ‚Wohlstandsinsel' in Schwierigkeiten", in: Internationales Afrikaforum, Jg. 11, Nr. 9/10, München 1975, S. 474 – 476.

Breutz, P. L., „Botswana und Bophuthatswana", in: Internationales Afrikaforum, 8. Jg. Nr. 7/8, München 1972, S. 440 – 444.

Cervenka, Z. u. a., Botswana – Lesotho – Swaziland, Bonn 1974.

Donat, C., ,,Botswana braucht Pula. Wo die Gewerkschaft auf- und die Urgesellschaft abgebaut wird", in: Der Überblick, 13. Jg., Nr. 1, Hamburg 1977, S. 53–55.

Jenny, H., ,,Botswana – ein Reisebericht", in: Internationales Afrikaforum, Nr. 12, München 1974, S. 713–717.

Jeske, J., Botswana – Lesotho – Swaziland. Agrargeographische Struktur und wirtschaftliche Verflechtung im südlichen Afrika, München 1977.

Neue Staaten Afrikas. Botswana und Lesotho, Hamburg 1966 (Afrika Spectrum, Heft 1/1966).

Parson, J., ,,A note on the 1974 general election in Botswana and the U. B. L. S. election study", in: Vierteljahresberichte Nr. 63, Bonn – Bad Godesberg 1976, S. 39 – 48.

Sillery, A., Botswana – A short political history, London 1974.

Stephens, C., Speed, J., ,,Multi-partyism in Africa: The case of Botswana revisited", in: African Affairs 76. Jg., Nr. 304, London 1977, S. 381–387.

Stevens, R. P., Lesotho, Botswana and Swaziland. The former high commission in southern Africa, London 1967.

Wiseman, J. A., ,,Multi-partyism in Africa: The case of Botswana", in: African Affairs, 76. Jg., Nr. 302, London 1977, S. 70 – 79.

Burundi

Grunddaten

Fläche: 27.384 km².

Einwohner: 3.860.000 (1976).

Ethnische Gliederung (Schätzungen von 1975): Hutu 85%; Tutsi 14%; Twa (= Ureinwohner) 1%.

Religionen: Traditionelle Religionen 50%; Moslems unter 1%; Christen 50% (kath. 45%, ev. 5%).

BSP: 330 Mio US-$ (1974).

Pro-Kopf-Einkommen: 90 US-$ (1974).

1. Historischer Überblick

Anfang des 16. Jh. vereinigt der Tutsi-Fürst Ntare I. fünf kleinere Fürstentümer zu einem Königreich; es kommt zu lang andauernden Kämpfen mit dem nördl. Nachbarn Ruanda, wobei erst um 1800 nach einer militärischen Niederlage Bur.s die endgültige Grenze zwischen beiden Staaten gezogen wird.

Mitte bis Ende des 19. Jh. gibt der Mwami (erblicher König) Ntare IV. dem Land eine juristische und verwaltungstechnische Ordnung. 1884 wird es Teil des Schutzgebietes Deutsch-Ostafrika; doch gelingt es dem Deutschen Reich nie ganz, seinen Herrschaftsanspruch durchzusetzen. Nach der Ermordung deutscher Kuriere 1899 geht die Kolonialmacht militärisch vor. Erst nach einem schwierigen Feldzug wird 1903 eine vertragliche Regelung des Verhältnisses mit dem Reich getroffen. Anfang des 1. Weltkrieges besetzen aus dem Belg. Kongo kommende Truppen das Territorium Ruanda-Urundi, das 1919 durch Beschluß des Völkerbundes belg. Mandatsgebiet wird. 1925 gliedert B. das Land Belg.-Kongo an, jedoch bleibt es verwaltungsmäßig ein eigenes Gebilde. Gemäß einem Beschluß der UNO-Vollversammlung endet das Treuhandschaftsverhältnis am 1. Juli 1962; Bur. erhält die Unabhängigkeit.

2. Entwicklung der politischen Parteien

2.1. Vor der Unabhängigkeit

Im Dez. 1946 wird durch die UNO ein „Conseil de Tutelle" (Vormundschaftsrat) gebildet, der 1952 (Juli) durch eine Verordnung der Bevölkerung stärkere Beteiligung am öffentlichen Leben ermöglicht. Dazu werden (analog zur dt. Verwaltungsgliederung) Gemeinde-, Kreis- und Bezirksräte, sowie ein „Oberer Landesrat" gebildet. Allerdings werden erst 1959 die Gemeinderäte (Conseils de Sous-Chefferies) gewählt; alle männlichen Bewohner über 21 sind wahlberechtigt. Mitglieder höherer Gremien werden nur von Gemeinderäten gewählt. Ebenfalls 1959 läßt man im Rahmen der allgemeinen Demokratisierung, die Bur. auf die Unabhängigkeit vorbereiten soll, Parteien zu. Von den zahlreichen Gründungen erweisen sich alsbald zwei als bedeutsam, die aus rivalisierenden Gruppen des Hochadels entstanden sind:

– UPRONA (Parti de l'Unité et du Progrès National du Burundi) unter der Führung des Mwami-Sohnes Prinz Louis Rwagasore; die Partei lehnt sich anfänglich gegen den Widerstand der Mandatsbehörden an das neutralistische Ausland (Ghana, Jugoslawien) und den Lumumbismus (s. Zaïre) an. Bei den Gemeindewahlen von 1960 erreicht sie 19% der abgegebenen Stimmen.

– PDC (Parti Démocrate Chrétien); in ihm dominieren die Nachkömmlinge des Mwami Ntare – im Gegensatz zu denen des Mwami Mwezi Gisabo in der UPRONA – um den Chief Baranyanka. Die Partei tritt für eine progressistische Erneuerung des Landes ein und wird von Belgien gefördert. Parteichef ist Prinz Joseph Biroli. Der PDC geht aus den Gemeindewahlen von 1960 mit 32% der Stimmen als die bei weitem stärkste Gruppe hervor.

Von den diversen kleinen Parteien sind zu nennen: – PDR (Parti Démocrate Rural), entstanden um den Clan der Bézi, unterscheidet sich nicht wesentlich vom PDC, legt aber starken Nachdruck auf eine Bodenreform. 1960: 17% der Wählerstimmen.

Bei den Parlamentswahlen von 1961 schließen sich PDC, PDR und zahlreiche kleine Parteien zum „Front Commun" zusammen. – PP (Parti du Peuple), gegründet von Hutu-Politikern; setzt sich für einen Ausgleich zwischen Hutu und Tutsi ein; zunächst ohne Bedeutung.

Im Okt. 1960 ernennt die Mandatsverwaltung eine provisorische Regierung, wobei sie sich auf die Ergebnisse der Gemeindewahlen stützt. Der PDC-Chef Biroli, Baranyankas Sohn, wird Ministerpräsident, sein Bruder Innenminister. Die Machtverhältnisse ändern sich jedoch grundlegend, als im Sept. 1961 Parlamentswahlen abgehalten werden: Die UPRONA hat es verstanden, sich in ihrem Wahlkampf als „Partei des Mwami" darzustellen und damit 85% der Wählerstimmen gewonnen. Neuer Premier wird Prinz Rwagasore, der nach dem Sieg der UPRONA nun einen gemäßigten Kurs steuert und sich für eine Annäherung an B. („respektvolle Sympathie") einsetzt. Jedoch wird der Prinz bereits im Okt. 1961 auf Betreiben der PDC-Spitze ermordet.

Mit dem Prinzen hat die UPRONA ihre Integrationsfigur verloren, es kommt zu heftigen Flügelkämpfen in der Partei (Pragmatiker contra Ideologen), die ihren Zerfall befürchten lassen.

2.2. Nach der Unabhängigkeit

2.2.1. Die Tutsi-Monarchie (bis 1966)

Der erste bedeutende Einschnitt in der Innenpolitik Burundis nach der Unabhängigkeit ist die Wiederaufnahme des Verfahrens gegen den Mörder Rwagasores und seine Hintermänner. Unter dem Druck der ,,Falken" in der UPRONA endet der Prozeß mit der Hinrichtung der Brüder Biroli (Jan. 1963). Die PDC hört somit de facto auf zu existieren. Durch die Zerrissenheit der UPRONA bleibt aber die polit. Lage in den nächsten Jahren äußerst instabil; die Regierung wechselt häufig. Jan. 1965 wird Premierminister Ngendandumwe – ein Hutu – ermordet. Mitte Okt. 1965 versuchen Hutu-Angehörige in Gendarmerie und Armee die Macht zu ergreifen, scheitern aber: sie werden von der Leibgarde des Mwami und von loyalen Truppen unter Hauptmann Micombéro niedergekämpft. Als Folge dieses Putschversuches der Hutu kommt es zu blutigen Ausschreitungen der Tutsi gegen diese Bevölkerungsgruppe; insbesonders die Hutu-Elite, speziell in der Armee, wird dabei weitgehend eliminiert. Da der Mwami keinen Versuch unternimmt, zwischen den beiden verfeindeten Gruppen zu vermitteln, gerät er bald selbst ins Kreuzfeuer der Kritik.

Die Schwäche von Mwami und Regierung erleichtert es Kronprinz Charles Ndizeye, im Juli 1966 selbst die Macht zu ergreifen. Unterstützt wird er dabei von Micombéro, den er zum Regierungschef macht. Charles Ndizeye wird als Ntare V. neuer Mwami, er hebt die Verfassung auf und versucht, das Land zu stabilisieren. Am 24. Nov. 1966 wird die UPRONA durch königliches Dekret zur Einheitspartei.

2.2.2. Republik (Micombéro 1966-76; Bagaza seit 1976)

Ntare V. bleibt nur wenige Monate auf dem Thron; bereits Ende Nov. 1966 setzt Micombéro den König ab und wird republikanischer Staatschef. Zumindest nach außen scheint Micombéros Herrschaft relativ gefestigt, bis es 1972 zu einem neuerlichen Putschversuch der Hutu kommt. Der Umsturz scheitert; dem Gegenschlag der Tutsi fällt nahezu die ganze Hutu-Elite, bis hinab zu Studenten und Oberschülern, zum Opfer. Da somit jeder potentielle Gegner ausgeschaltet sein dürfte, ist es nicht verwunderlich, daß sich die polit. Lage unter Micombéro weiterhin als „stabil" erweist. Von 1966 bis 1974 regiert Micombéro (später Generalleutnant) vermittels Dekreten. Eine verfassungsmäßige Ordnung existiert nicht. Zwar ist die Regierung überwiegend mit Zivilisten besetzt, doch liegt die tatsächliche Macht beim „Obersten Rat der Republik" bzw. bei Micombéro selbst. Die erste Verfassung der Republik wird 1974 verkündet, sie erweist sich jedoch als rein juristische Staffage des Micombéro-Regimes: Die UPRONA wird als Einheitspartei bestätigt, die die Grundlinien der Politik festlegt und von der die Anleitungen zur Führung des Staates ausgehen. Dennoch bleibt alle Macht bei Micombéro. Als Generalsekretär der Partei ist er automatisch der einzige Kandidat für das Präsidentenamt, als Präsident hat er zugleich legislative Gewalt. Eine gesetzgebende Versammlung sieht diese Verfassung nicht vor, neben dem Präsidenten hat praktisch nur der aus Militärs bestehende „Oberste Rat der Republik" polit. Bedeutung. Der Nationalkongreß der UPRONA, der den Generalsekretär der Partei und somit den Präsidenten der Republik wählt, ist reines Akklamationsorgan.

Micombéros nahezu unbegrenzte Machtfülle führt zu wachsender Unzufriedenheit in der Armeespitze. Der Führer des Putsches vom November 1976, Oberstleutnant Bagaza (geb. 1946) erklärt, eine einzelne Person wäre außerstande, sämtliche Ämter gewissenhaft zu versehen, die Micombéro angehäuft habe. Micombéro hätte den Sinn für die wirklichen Probleme des Landes verloren, die UPRONA zu einer „Folklorepartei" herunterkommen lassen und zudem eine Art neuer Monarchie geschaffen.

3. Merkmale der politischen Struktur

3.1. Elite

Im 15. Jh. unterwerfen die aus dem Nilgebiet kommenden Tutsi die Hutu, ein Bantuvolk, und errichten ein feudalistisches Königreich.

Das ethnische Konfliktpotential wird jedoch dadurch entschärft, daß die Söhne der Tutsi-Häuptlinge Töchter aus der Hutu-Elite heiraten; aus diesen Mischehen rekrutiert sich im Laufe der Zeit – und bis heute – der weitaus größte Teil der Führungsschicht. Tatsächlich bewahren diese Mischehen das Land lange Zeit vor blutigen Auseinandersetzungen zwischen beiden Bevölkerungsgruppen: Während in Ruanda schon 1959 Massaker stattfinden, spielt sich in Bur. der Konflikt innerhalb der Elite ab, wobei insbesondere Clans oder regionale Bindungen eine Rolle spielen. Micombéro z..B. stützte seine Macht auf junge Offiziere und Intellektuelle aus dem Hima-Clan und der Provinz Bururi, während die neuen Machthaber um Bagaza das Vertrauen der Balima- und Muramya-Clans genießen.

3.1.1. Die neuen Machthaber

Nachdem Hutus und potentielle Gegner Micombéros keinerlei Chance hatten, verantwortliche Schlüsselpositionen zu besetzen, kann das neue Regime nur aus Tutsi der Umgebung des Ex-Präsidenten bestehen. Tatsächlich unterscheidet sich das neue Kabinett personell nur wenig vom alten; der neue Premier z. B., Oberstleutnant Edouard Nzambiabana, war bereits seit 1974 Minister. Bagaza, der eigentliche starke Mann, hat bezeichnenderweise den gleichen Werdegang wie sein Vorgänger (Studien am Collège du Saint Esprit bei Bujumbura, die gleichen Militärschulen in B., die gleiche Karriere in der Armee).

3.2. Andere Gruppen

Die polit. Bedeutung der Hutu entsprach nie ihrem Anteil an der Bevölkerung. Wenn sie auch in den ersten Kabinetten nach der Unabhängigkeit die Hälfte aller Ressortchefs stellten, so verringerte sich ihr Anteil mit jeder nachgeordneten Dienststelle immer mehr zugunsten der Tutsi. Diese permanente Benachteiligung mag ein Grund für die Hutu-Erhebungen von 1965 und 1972 gewesen sein, wobei insbesondere 1972 die Hutu-Elite systematisch abgeschlachtet und den Überlebenden seitdem jeder Aufstieg erst recht versperrt wurde. Eine beträchtliche Zahl von Hutu flüchtete auch bei den verschiedenen Verfolgungen in die Nachbarländer, nach den Massakern von 1972 vor allem nach Tansania, wo sie in mehreren großen Lagern angesiedelt wurden. Bedeutsam ist hingegen der Einfluß der Kirchen auf und über den Erziehungssektor. (1970 z. B. besuchten nur ca. 6% der eingeschulten Kinder staatliche, aber 94% kirchliche Grundschulen: bei den Sekundarschulen hält der Staat einen Anteil von lediglich 24%.) Erwähnenswert ist, daß Micombéro praktizierender Katholik ist.

3.3. Programmatik

Bagazas Ankündigungen zufolge sind kaum bedeutsamere Änderungen in der Politik des Landes zu erwarten. In der Außenpolitik will man die bisher gültigen Richtlinien beibehalten, d. h. Respektierung aller internationalen Verpflichtungen sowie „strikte Beachtung der OAU- und der UN-Charta". Innenpolit. sollen bestimmte Mißstände beseitigt werden, die als direkte Auswüchse der Ein-Mann-Herrschaft Micombéros anzusehen sind. Bagaza will „einen demokratischen Zentralismus schaffen, eine gesunde Verwaltung errichten, Höflingsunwesen, Intrigen und Bereicherung auf Kosten der Allgemeinheit aus dem Lande verbannen" – was sich mit dem von Micombéro 1966 verkündeten Konzept deckt. Was das Hutu-Tutsi Problem angeht, so wurde bislang nicht mehr verlautbart, als daß man „das Land von der Geißel des Tribalismus" befreien will. Als versöhnliche Geste gegenüber der Hutu-Bevölkerung ist die Entmachtung von Arthemon Simbananiye durch die neuen Machthaber zu verstehen. Simbananiye, bereits unter dem Mwami und unter Micombéro mehrfach Regierungsmitglied, gilt als einer der hartnäckigsten Verfechter der privilegierten Stellung der Tutsi.

3.4. Aufbau der Partei

1970 wurde die UPRONA nach dem Muster einer kommunistischen Einheitspartei umorganisiert. Oberstes Organ ist seither das ZK (Comité Central), doch werden die eigentlichen Parteigeschäfte vom elfköpfigen Politbüro (Bureau Politique National) geführt; allerdings lag zumindest unter Micombéro die Bedeutung dieser Parteiführungsgremien unter der des Obersten Rates der Republik.

Eigentliche Vollversammlung der Partei ist der Nationalkongreß. Ihm gehören als ordentliche Mitglieder an: die Mitglieder der Zentralkomitees von Partei und Parteiorganisationen, sowie Vertreter der Provinzial-, Bezirks- und Gemeindeausschüsse; als außerordentliche Mitglieder: die Angehörigen des Obersten Rates der Republik, die Generaldirektoren der Ministerien und halbstaatlichen Einrichtungen, die Präsidenten und Richter der Obersten Gerichte sowie zehn Notabeln aus den Provinzen.

Da die neuen Machthaber eine Demokratisierung der Partei angekündigt haben, sind Änderungen ihrer Organisation wahrscheinlich.

3.5. Wahlen

Parlamentswahlen fanden nur 1961 und 1965 statt:

1961: UPRONA erhielt 85% der Stimmen und 58 von 64 Parlamentssitzen, 6 Sitze gingen an den PDC.

1965: UPRONA erringt 21 von nunmehr 33 Mandaten, 10 gingen an den PP, 2 an Unabhängige

3.6. Einflüsse

Zaïre: Die Anlehnung an Zaïre erfolgte hauptsächlich in der Absicht, die Abhängigkeit von Belgien zu verringern; jedoch ist Zaïre nicht in der Lage, Wirtschaftshilfe zu gewähren. Trotzdem ist der polit. Einfluß Zaïres relativ stark: 1974 entsandte Mobutu Truppen, um einen Putsch gegen Micombéro zu verhindern (1976: neutral).

Ruanda: Nach Bur. geflüchtete Tutsi konnten lange Zeit freundschaftliche Beziehungen zwischen den beiden Staaten verhindern; Hutu und Tutsi in Flüchtlingslagern beiderseits der Grenze versuchten, die neue Heimat als Aktionsbasis gegen die alte zu verwenden, was das Verhältnis der beiden Staaten belastete. Diese Konfliktquelle scheint jedoch dadurch entschärft worden zu sein, daß man die

Flüchtlingslager ins Hinterland verlegte. Die Beziehungen Bur.-Ruanda sind nunmehr, zumindest auf höheren Ebenen, überaus gut.

(4. *Politische Begriffe:* entfällt)

Andreas J. Werobèl-La Rochelle

Literatur

,,Burundi – end of an ‚idle king‘ ", in: West Africa, Nr. 3098, London 1976, S. 1717–1719.

Hanf, T., Die politische Bedeutung ethnischer Gegensätze in Ruanda und Burundi, Freiburg 1964.

Hausner, K.-H.; Jezic, B., Rwanda. Burundi, Bonn 1968 (Die Länder Afrikas Bd. 36).

Holtz, B., Burundi. Völkermord oder Selbstmord? Freiburg 1973.

Lemarchand, R., ,,Social change and political modernisation in Burundi", in: The Journal of Modern African Studies, 4. Jg., Nr. 4, London 1966, S. 401–433.

ders., Rwanda and Burundi, London 1970.

ders., ,,Burundi", aus: Lemarchand, R. (Hrsg.), African kingships in perspective, London 1977, S. 93–126.

Rozier, R., ,,Structures sociales et politiques du Burundi", in: Revue française d'études politiques africaines Nr. 91, Paris 1973, S. 70–87.

Djibouti

Grunddaten

Fläche: 23.000 km².
Einwohner: 200.000 (1976).
Ethnische Gliederung (Zählungen/Schätzungen von 1966): Issa:

58.200 (auch Somali genannt); Afar: 48.200 (auch Danakil genannt); Araber: 8.300 (1972: 3.000); Europäer: 10.250.

Religionen: hauptsächlich Moslems; Christen: Minderheit (vor allem Katholiken).

BSP: 180 Mio. (1974).

Pro-Kopf-Einkommen: 1.720 US-$ (1974).

1. Historischer Überblick

Am 8. Mai 1977 entschieden sich mehr als 98% von 105.000 eingeschriebenen Wahlberechtigten des „Territoire Français des Afars et des Issas" (TFAI) für die Unabhängigkeit von F., die am 27. Juni 1977 endgültig erlangt wurde. Die historische Entwicklung dieses bereits viel umworbenen, aber auch bedrängten afrik. Zwergstaates am polit. brisanten „Horn von Afrika" stand unter dem Einfluß von F., G.B. und Italien. Das Gebiet erhielt unter der Bezeichnung Französisch Somaliland nach Abwehr einer vorübergehenden Einflußnahme Ägyptens wachsende Bedeutung. 1884 wurde F. in Obock ein Flottenstützpunkt eingeräumt. Mit dem Bau der Eisenbahn Djibouti–Addis Abeba wurde das Territorium wichtige Zwischenstation zum Fernen Osten, nach Madagaskar, und entwickelte sich zum Tor für Äthiopien. Nach dem 2. Weltkrieg wurde auf der Grundlage innerer Autonomie das Territorium neu organisiert, das sich 1958 mit 75% der Stimmen für die von General de Gaulle vorgeschlagene Verfassung und damit für das Verbleiben bei Frankreich entschied.

2. Entwicklung der politischen Parteien

2.1. Der Volksabstimmung vom 8. Mai 1977 gingen zwei Referenden (1958 und 1967) voraus.

2.2. In der Zeit vom 1. bis zum 3. Referendum gab es folgende polit. Gruppierungen bzw. Parteien: Die „Demokratische Union der Afar" (Union Démocratique Afar, UDA), die „Demokratische Sammlungsbewegung der Afar" (Rassemblement Démocratique d'Afar, RDA), welche sich demonstrativ an F. anlehnte, und die

„Partei der Volksbewegung" (Parti du Mouvement Populaire, PMP), die sich im wesentlichen auf die Somalis stützte, aber für eine strikte Unabhängigkeit von allen anderen Nachbarstaaten eintrat. Die Verbindungen zwischen den Stämmen und den polit. Parteien sehen ungefähr wie folgt aus: UDA und RDA stützen sich im wesentlichen auf die Volksgruppe der Afar, während die PMP ihre Unterstützung von Somalia erhält. Das gilt auch für die Splitter- und Separatisten-Partei der Demokratischen Union der Issa. Die führenden Politiker der beiden frankreichfreundlichen Parteien waren zu diesem Zeitpunkt Mohamed Kamil (UDA) und Ali Aref Bourhan (RDA). Es bildete sich eine neue, außerhalb des Parlaments agierende Partei, die „African Popular Independence League" (LPAI), die mit Dissidenten von Ali Aref Bourhans Partei zusammenarbeitete und nach dem Sturz des letzteren 1976 unter der Führung von Abadalla Mohamed Kamil die Regierungsverantwortung übernahm. Die neue Regierung nahm gegenüber F. wie auch gegenüber den Nachbarn Äthiopien und Somalia eine gemäßigte Haltung ein. Hauptziel der neuen Regierung war es, den mit F. geschlossenen Vertrag vom 8. Juni 1976, der das Land in die Unabhängigkeit führen sollte, möglichst bald zu verwirklichen. Mit der Demissionierung Ali Aref Bourhans (16. 7. 1976) nahm somit das gesamte polit. Leben eine Wendung. Am 19. 3. 1977 wurde zwischen Frankreich und der LPAI eine Einigung herbeigeführt, auf deren Grundlage am 8. 5. 77 ein Referendum stattfand, an dem sich 77,7% der Stimmberechtigten beteiligten. Am 27. 6. erfolgte die Proklamation der Unabhängigkeit. Entsprechend der Zusammensetzung der am 8. Mai zur Wahl gestellten Einheitsliste wurde Hassan Gouled Aptidon Staatspräsident und Ahmed Dini Ahmed Premierminister. Die LPAI verfügt über 6 Mandate; ferner sind die UNI, die FLCS und die MPL im Parlament vertreten. Djibouti wurde 148. Mitglied der UNO. Aufgrund eines gegenseitigen Übereinkommens hat Frankreich weiterhin ca. 4.000 Soldaten in Djibouti stationiert. Im Dezember 1977 kam es zu folgenreichen Attentaten, die den Premierminister zum Rücktritt veranlaßten. Hierdurch schien die Balance zwischen Afar und Issa erneut bedroht. Die Unterbrechung der Eisenbahnlinie Djibouti – Addis

Abeba im Rahmen der Sezessionsbewegung Eritreas hatte schwere wirtschaftliche Auswirkungen auf D. Der Aufstand im Ogaden durch die WSLF und die gespannte Situation zwischen Somalia und Äthiopien führten im Laufe des Jahres 1977 zu einer weiteren Verschlechterung der Situation Djiboutis.

3. Merkmale der politischen Struktur

3.1. und 3.2. Gruppen

Die Somalis im Territorium sind zwar die größte ethnische Gruppe, stellen aber dennoch eine Minderheit gegenüber den anderen Gruppen und Stämmen dar. Sie machen 43% der Gesamtbevölkerung aus. Die Danakils oder Afars stellen 40% der Gesamtbevölkerung. Die restlichen 17% entfallen auf Einwanderungsgruppen (Araber, Inder und Europäer). Die Somalis und Danakils haben gleiche Lebens- und Charakterzüge. Sie sind Nomaden, bekennen sich zum Islam und sind wohl Abkömmlinge einer gemeinsamen semitischen Urbevölkerung. Die Hauptstadt Djibouti wird von der Hälfte der Bevölkerung des Landes bewohnt. Die polit. Parteien gruppieren sich hauptsächlich aus den Afars und den Somalis. Die Verbindung von Referendum und Wahl am 8. Mai 1977 brachte eine heftig diskutierte und umstrittene Verschiebung zugunsten der Issas.

3.3. Parteiprogramme

Die Parteiprogramme in den letzten zwei Jahrzehnten differierten nicht unerheblich. Schon die Union Républicaine unter Mahmoud Harbi sprach sich für eine Loslösung von F. aus, scheiterte aber am 1. Referendum 1958. Nach diesem Referendum zogen 7 Parteien in die Volksvertretung ein. Die Parteien waren stark stammesmäßig orientiert. Doch kam es zu einer Somali-Danakil-(= Afar)Koalition zwischen Hassan Gouled und Mohamed Kamil einerseits und zu einer Gegenkoalition zwischen Mahmoud Harbi und Abu Bekr andererseits. Harbi, der eine starke Orientierung nach Ägypten zeigte, war ein Anhänger des Nasserismus in Ostafrika und verfolgte eine verfrühte Politik des Pan-Somalismus. Im Verlauf der 70er

Jahre hatten sich jedoch alle Parteien mehr oder weniger deutlich für die Unabhängigkeit von F. ausgesprochen, so daß die Parteiprogramme nicht mehr wesentlich in diesem Punkt differierten.

(3.4. Aufbau der Parteien und 3.5. Wahlen entfallen)

3.6. Einflüsse

Hinsichtlich des ausländischen Einflusses konnte man sowohl von einem starken prowestlichen frz. über den gestürzten Ali Aref Bourhan (RDA) und Mohamed Kamil (UDA) einerseits, als auch einem proöstlichen Einfluß über Kontakte mit Somalia sprechen. 1960 fand das erste Treffen einer separatistischen Issa-Bewegung in Zeila statt. Schon 1966 wurde die Vermutung ausgesprochen, daß die PMP von Mogadishu aus gesteuert werde und von der dort ansässigen Befreiungsfront der Frz. Somaliküste (Front de Libération de la Côte Française des Somalis [FLCS]) unter Ali Sabih unterstützt wurde. Der Einfluß Ägyptens hatte inzwischen wesentlich nachgelassen. Zu erwähnen ist noch das Mouvement de Libération de Djibouti (MLD), das von Addis Abeba aus gesteuert wird. Diese Bewegung, die einen stärkeren Einfluß Äthiopiens erreichen möchte oder sogar eine äthiopische Annektion der Republik ideologisch vorbereiten soll, hat jedoch keinen Rückhalt in der Bevölkerung.

Für die Unabhängigkeit der Republik D. sind neue Gefahren entstanden, die sowohl aus der sich verschärfenden Lage in Eritrea als auch aus der wachsenden Spannung zwischen Äthiopien und Somalia, der Präsenz kubanischer Soldaten in Äthiopien und dem wachsenden sowjetischen Einfluß herrühren. Der Hafen von D. wird trotz der wiederholten Zerstörung der Eisenbahnlinie Djibouti – Addis Abeba von lebenswichtiger Bedeutung für Äthiopien, da über ihn mehr als 60% der Importe und mehr als 40% der Exporte Äthiopiens abgewickelt werden. Die Bedeutung der Republik und des Hafens muß für Äthiopien in einer Zeit zunehmen, in welcher die Benutzung der beiden einzigen in Eritrea gelegenen Häfen Assab und Masawa wegen der militärischen Lage unsicher ist. Wenn sich auch die beiden eritreïschen Befreiungsbewegungen ELF und PLF für die Unabhängigkeit Djiboutis ausgesprochen haben, so bleiben doch Äthiopien und Somalia unkalkulierbare Größen. Die Anerkennung der Republik D. durch die OAU und die Aufnahme in die Arabische Liga können diese Unsicherheit nur ungenügend kompensieren. Die starke Linksorientierung in Äthiopien stellt für die immer noch westlich orientierte Republik D. ein weiteres Problem dar und bringt das Land näher an Somalia heran, dessen Staatschef eine langsame, aber stetige Annäherung an den Westen vollzieht. Nachdem eine Groß-Ostafrikanische Föderation zwischen Äthiopien, Somalia einschl. Eritrea und der Republik D. nicht zustandekam, ist eine Föderation mit Somalia die wahrscheinlichere Lösung.

Die Rolle F.s in der Republik D. darf auch nach Erlangung der Unabhängigkeit nicht als unbedeutend veranschlagt werden. Die sicher auch ernstgemeinte frz. Garantieerklärung ist ein wichtiges Instrument in der Politik der Neutralität. Gleichzeitig bildet der Islam ein verbindendes Element zwischen den ethnischen Gruppen und führt auch offenbar zu einer gemäßigten Haltung der jeweiligen Opposition.

4. Politische Schlagwörter

„Unabhängigkeit" (Indépendance) ist ein gemeinsames Schlagwort der Regierungs- wie der Oppositionsgruppe. Darüber hinaus zeigt sich der Einfluß Somalias auch in der Übernahme bestimmter polit. Schlagwörter. (s. Somalia, 4.)

Heinrich Scholler

Literatur

Heinzlmeir, H., „Das ‚Horn von Afrika‘: Konfliktkonstellationen", in: Afrika Spektrum, 12. Jg., Nr. 1, Hamburg 1977, S. 5–15.
Matthies, V., Das ‚Horn von Afrika‘ in den internationalen Beziehungen. Internationale Aspekte eines Regionalkonflikts in der Dritten Welt, München 1976.
ders., Der Grenzkonflikt Somalias mit Äthiopien und Kenya. Analyse eines zwischenstaatlichen Konflikts in der Dritten Welt, Hamburg 1977.

,,Republik Djibouti – Nicht Unabhängigkeit von Frankreich, sondern mit
Frankreich", in: Internationales Afrikaforum, 13. Jg., Nr. 3, München
1977, S. 231–233.

Scholler, H., ,,Republik Djibouti im Spannungsfeld der Weltpolitik", in:
Internationales Afrikaforum, 13. Jg., Nr. 2, München 1977, S. 160–164.

Stewen, Ul., ,, ,Ein unmöglicher Ort'. Zur Unabhängigkeit des Französischen Territoriums der Afar und Issa", in 3. Welt Magazin, Bonn 1977,
Nr. 6, S. 15–17.

Thompson, V.; Adloff, R., Djibouti and the Horn of Africa, Stanford/Cal.
1968.

Vazeilles, B., ,,L'évolution politique du TFAI depuis 1967", in: Revue
française d'études politiques africaines, Nr. 124, Paris 1976, S. 36–53.

Elfenbeinküste

Grunddaten

Fläche: 322.463 km^2.

Einwohner: 6,67 Mio (Zählung 1975).

Ethnische Gliederung: Akan 1,1 Mio (Baoulé 0,8 Mio); Kru 0,8 Mio;
Senoufo 0,5 Mio; Malinké 0,7 Mio; Mande 0,4 Mio; verschiedene Küstenstämme; ca. 1 Mio Afrikaner (zumeist Wanderarbeiter
aus Obervolta, Guinea, Mali); 50.000 Nichtafrikaner (insbes.
Franzosen u. Libanesen).

Religionen: Traditionelle Religionen: 60%; Moslems: 25%; Christen: 15%.

Einschulungsquote: 45% (1970).

BSP: 2.930 Mio. US-$ (1974).

Pro-Kopf-Einkommen: 460 US-$ (1974).

1. Historischer Überblick

Ab dem 15. Jh. bestanden Handelsbeziehungen zwischen Portugiesen und Küstenstämmen (Handel mit Gold, Elfenbein, Gewürzen).
Zunehmender frz. Einfluß ab Mitte des 17. Jh. (Missionstätigkeit)

und insbes. ab 1843 durch Abschlüsse von „Schutzverträgen" zwischen Vertretern frz. Handelshäuser und Stammesfürsten im Küstengebiet. Deren Gebiete waren von da ab nur noch frz. Einflußnahme zugänglich.

Im Zuge des Aufbaus eines frz. Kolonialreichs in Afrika ab Mitte des 19. Jh. wurde die E. 1893 frz. Kolonie und nach der Niederschlagung von Aufständen im Norden und Gefangennahme des Anführers Samory Touré Teil der Föderation Frz.-Westafrika (AOF, 1902). Es folgte eine kulturelle, infrastrukturelle und ökonomische Erschließung des Landes, insbes. der Aufbau von Exportkulturen (Kaffee, Kakao). Bei der Wahl zur ersten Verfassunggebenden Nationalversammlung F.s nach dem 2. Weltkrieg wurde Félix Houphouet-Boigny einziger afrik. Vertreter der E.; er gründete 1946 die „Parti Démocratique de la Côte d'Ivoire" (PDCI). 1952 wurde Houphouet-Boigny Präsident der Territorialversammlung in der E. und – nachdem das Land 1958 den Status einer Republik innerhalb der frz. Communauté (Gemeinschaft) bekam und schließlich 1960 unabhängig wurde – Präsident der Republik. Seine Wiederwahl erfolgte auch 1975.

2. Entwicklung der politischen Parteien

2.1. Vor der Unabhängigkeit

Der Hintergrund für die Entstehung eines antikolonialen Widerstands lag im kolonialen System selbst begründet: Zwangsarbeit (seit 1908), Aberkennung polit. Rechte für die einheimische Bevölkerung und die Privilegierung insbes. der frz. Pflanzer u. a. führten schließlich 1944 zur Gründung des Afrik. Landwirtschaftlichen Syndikats durch einheimische Plantagenbesitzer.

Vorsitzender wurde der Arzt und Plantagenbesitzer Houphouet-Boigny. Neben eigennützigen Forderungen erhob das Syndikat jedoch bald auch allgemeine polit. Forderungen, so z. B. Abschaffung der Zwangsarbeit bei privaten und öffentlichen Arbeiten, Verbesserung der Lebens- und Arbeitsbedingungen der afrik. Saisonarbeiter. Durch eine breite Unterstützung durch die einheimische Bevölkerung kam es Ende 1946 in Bamako zur Gründung der „Afrik. Demokratischen Sammlungspartei" (Rassemblement Démocratique Africain, RDA), die auch in anderen frz. Kolonien in Afrika vertreten war. Ebenfalls 1946 gründete Houphouet-Boigny die „Parti Démocratique de la Côte d'Ivoire" (PDCI), eine Unterorganisation der RDA in der E. Daneben existierte die ebenfalls neugegründete „Parti Progressiste" (PP). Ziel der RDA war die Herstellung der territorialen Selbständigkeit. Houphouet-Boigny, auch Vorsitzender der RDA, der 1945 als Abgeordneter in die Verfassungsgebende Versammlung F.s gewählt wurde, schloß sich dort der Kommunistischen Partei (PCF) an und erreichte u. a. mit deren Unterstützung die Abschaffung der Zwangsarbeit und die Erlangung des französischen Bürgerrechts für die Einheimischen in der E.

Nachdem sich 1946 zudem alle Parteien der E. mit dem Ziel eines effektiven polit. Widerstandes zur RDA-PDCI zusammengeschlossen hatten und diese bei der Wahl zur Territorialversammlung erfolgreich abschnitt, gewann die RDA-PDCI in den folgenden zwei Jahren wesentlichen Einfluß auf die Kolonialverwaltung. In einer Phase der Restauration der Macht der frz. Verwaltung und Plantagenbesitzer kam es 1948/49 zu einer Verhaftungswelle und schließlich zu einem Verbot der RDA-PDCI, dem Houphouet-Boigny 1950 durch seinen Austritt aus der Fraktionsgemeinschaft mit der PCF und seine Unterwerfung unter die frz. Kolonialpolitik begegnete. Schon 1952 wurde er nach einem Wahlsieg der RDA-PDCI Präsident der Territorialversammlung.

Erst mit dem Rahmengesetz von 1957, an dessen Vorbereitung Houphouet-Boigny als frz. Minister beteiligt war, und der Annahme der Integration in die Frz. Gemeinschaft (Communauté) war der Weg für eine polit. Unabhängigkeit der Kolonien geebnet. Trotz des Bestrebens Houphouet-Boignys und der PDCI nach enger Zusammenarbeit mit F. waren sowohl die AOF als auch die Communauté gescheitert, als nach dem Austritt der Sudanischen Republik (heute: Mali) und des Senegal 1959/60 auch die E. am 7. 8. 1960 die polit. Unabhängigkeit erlangte.

2.2. Nach der Unabhängigkeit

Die Präsidialverfassung von 1960 entstand in Anlehnung an die amerikanische und die der V. Republik F.s. Aufgrund des Einparteisystems ist die in der Verfassung durchgeführte Gewaltenteilung jedoch weitgehend formaler Natur. Die wichtigste Rolle fällt der Partei und der Staatsführung unter dem seit 1960 amtierenden Präsidenten und Regierungschef Houphouet-Boigny (geb. 1905) zu.

Das Ende der Kolonialherrschaft ließ auch Gegensätze innerhalb der PDCI wieder aufbrechen. Dies äußerte sich Anfang der 60er Jahre in einem Nachlassen der Parteiarbeit und einer Schwächung der Partei. Aber auch Militärputsche und Verschwörungen in den Jahren 1962–1964 sowie Studentenunruhen zwischen 1968 und 1971 konnten die Regierung Houphouet-Boigny nicht gefährden.

Die grundlegende Bedeutung des Vorrangs der wirtschaftl. Entwicklung in der E. kommt besonders im Investitionsgesetz von 1959 zum Ausdruck, in dem großzügige Steuer- und Zollvergünstigungen und freier Kapital- und Gewinntransfer für ausländische Investoren gewährt werden. Hohe Steigerungsraten des BSP mußten aber mit fortdauernder wirtschaftlicher Abhängigkeit (insbes. von F.), Spannungen zwischen dem ,,reichen" Süden und dem ,,armen" Norden, rapide anwachsender Verstädterung, Vernachlässigung des Bildungswesens, Auseinandersetzungen zwischen ethnischen Gruppen u. a. erkauft werden.

Obwohl es schon zu Zusammenstößen zwischen ivorischen Arbeitslosen und Saisonarbeitern aus Mali und Obervolta (größter Teil der Lohnempfänger in der Landwirtschaft der E.) kam, scheiterte Houphouet-Boignys Versuch, den Mossi aus Obervolta und anderen in der E. arbeitenden Ethnien die Bürgerrechte zu verleihen, vor Jahren am Widerstand der eigenen Partei.

Obgleich Houphouet-Boigny auf erfolgreiche Versuche der Vermittlung und des Ausgleichs zwischen der ehemaligen Kolonialmacht und dem neuen unabhängigen Staat, zwischen den verschiedenen Stämmen und Volksgruppen innerhalb der E. und zwischen den afrik. Staaten untereinander zurückblicken kann, gelang es ihm bislang nicht, insbes. die bereits erwähnten schwelenden innenpolit. Probleme zufriedenstellend zu lösen. Ob z. B. verschärfte Gesetze gegen die Kriminalität oder das 1977 erlassene Gesetz gegen die Korruption – auf das er sogar in überregionalen ausländischen Zeitungen hinwies – hier einen grundsätzlichen Wandel bringen können, bleibt fraglich. Mit der allgemeinen Begründung des Kampfes gegen die Korruption erfolgte Mitte 1977 auch eine umfassende Kabinettsumbildung, bei der einige altgediente Politiker fallengelassen wurden.

3. Merkmale der politischen Struktur

3.1. Elite

Die Tatsache, daß fast alle Industrie- und die großen Handelsunternehmen sowie Banken in ausländischem (überwiegend frz.) Besitz sind und bis hinab zur mittleren Führungsschicht fast ausschließlich von ausländischen Führungskräften geleitet werden, erklärt, warum in diesem Bereich bislang keine nennenswerte ivorische Elite entstehen konnte. Aber auch in Ministerien und Verwaltung sind u. a. im Rahmen der technischen Hilfe noch über 3.000 frz. Experten tätig.

Die Größe der ivorischen Oberschicht ist daher relativ gering: Sie beschränkt sich auf ca. 1.500 höhere Funktionäre, Regierungs- und Verwaltungsbeamte, Militärs, daneben einige wenige Industrielle, Unternehmer im Handels-, Transport- und Immobiliensektor sowie auf ca. 20.000 Großpflanzer. Die polit. Elite rekrutiert sich weitgehend aus der Verwaltung und verwaltungsnahen Bereichen. Darunter befinden sich neben langjährigen Weggefährten Houphouet-Boignys, wie z. B. Philippe Yacé, designierter Nachfolger des Präsidenten, auch zahlreiche jüngere Minister.

Regierung und Partei stützen sich auf die polit. Basis der Akan-Gruppe (insbes. der Baoulé) und der Lagunenstämme, während andere ethnische Gruppen wie Agni oder Senoufo im Regierungs- und Parteiapparat unter- bzw. nur kurzfristig repräsentiert sind. Dies wirkt sich augenscheinlich z. T. auch in der infrastrukturellen Förderung der jeweiligen Stammesgebiete entsprechend aus.

3.2. Andere Gruppen

Schien die Konzeption einer Einheitspartei zunächst am geeignetsten zur Lösung der Probleme eines jungen Entwicklungslandes (Nationbildung, wirtschaftl. Entwicklung u. a.), so wurde doch bald die Gefahr eines solchen Systems deutlich.

Die Ausschaltung demokratischer Grundsätze zeigte sich insbesondere in der Unterdrückung jeglicher Opposition, die nicht in die Einheitspartei integriert werden konnte. Neben dem Verbot der „Parti du Regroupement Africain" (PRA) bereits im Jahre 1958 sowie der Unterdrückung von Sezessionsbewegungen 1959 kam es besonders 1963 zur Niederschlagung oppositioneller Studenten, Gewerkschaftler und Vertreter regionaler und rassischer Gruppen. Dabei wurden auch führende Mitglieder der JRDACI, der Jugendorganisation der PDCI, unter Anklage gestellt. Die Studenten und ihre Organisationen spielen eine wesentliche Rolle innerhalb der Oppositionsgruppen: Nach dem Verbot der Einheitsstudentenunion UGECI 1966 kam es 1968 auch zur Auflösung der von der Regierung an deren Stelle gesetzten Studentenorganisation UNECI. Trotz der Gründung der MEECI (Mouvement des Etudiants et Elèves de Côte d'Ivoire) 1969, der sich die ivorischen Studenten anzuschließen haben, waren auch 1971 und 1976 Unruhen an der Universität Abidjan nicht zu verhindern. Während die Gewerkschaften nach 1963 ihre Bedeutung innerhalb der Opposition fast völlig verloren – es besteht heute eine an der Spitze loyal mit der Regierung zusammenarbeitende Einheitsgewerkschaft –, kam es zwischen 1962 und 1964 sowie 1973 zu Putschversuchen aus dem Kreis der Armee, die jedoch alle scheiterten.

Trotz dieser Widerstände gelang des Houphouet-Boigny immer wieder, Gegensätze zu überbrücken und damit die Stabilität des Systems aufrechtzuerhalten. So ist es unwahrscheinlich, daß die Regierung Houphouet-Boigny durch oppositionelle Gruppierungen gefährdet werden könnte, zumal auch Studenten und Armee heute als regierungskonform gelten können.

3.3. Parteiprogramm

Ohne Zweifel steht im Vordergrund aller Bemühungen der Regierung die wirtschaftliche Entwicklung. Insbesondere das Investitionsgesetz von 1959, das dem ausländischen Investor weitgehende Steuer- und Zollfreiheit, freien Gewinntransfer und Schutz vor Verstaatlichungen bietet, führte zusammen mit dem stabilen innenpolitischen Klima, Streikverboten und niedrigen Löhnen zu einer in Afrika fast beispiellosen Investitionstätigkeit ausländischer Unternehmer. Diese kapitalistische Entwicklung wurde jedoch mit starken sozialen und regionalen Ungleichgewichten, Landflucht und zumindest wirtschaftlicher Abhängigkeit erkauft. Auch die besonders seit 1973 intensivierten Bemühungen um eine Ivorisierung von Verwaltung und Wirtschaft, d. h. um mehr nationalen Einfluß, zeigen kaum Fortschritte.

Der Ausbau der Infrastruktur (Verkehr, Versorgung, Tourismus), dem die Regierung Vorrang einräumt, führte zusammen mit hohen Investitionen im Bildungs- und Industriesektor zudem zu einer hohen Auslandsverschuldung.

Der Leitspruch der Republik – Einheit, Disziplin, Arbeit – verdeutlicht weitere innenpolitische Ziele. Die Außenpolitik Houphouet-Boignys basiert dagegen auf folgenden Grundsätzen: Gleichheit der afrik. Staaten, Nichteinmischung in innerstaatliche Angelegenheiten, Achtung der Souveränität der Staaten und Verzicht auf polit. Integration.

3.4. Aufbau der Partei

Die PDCI gliedert sich seit 1959 in folgende Organisationseinheiten:

Wichtigstes Organ ist der Generalsekretär und Sprecher der Partei, z. Z. Philippe Yacé. Er ist zudem Präsident der Nationalversammlung. Yacé leitet auch das Politbüro. Dieses hat im wesentlichen die vom Parteikongreß und Direktionskomitee gefaßten Beschlüsse auszuführen. Das aus 14 Mitgliedern bestehende Politbüro gilt auch als wichtiges Beratungsorgan des Regierungspräsidenten.

Das 60 Mitglieder umfassende Direktionskomitee soll die Verbindung zwischen lokaler und zentraler Parteiführung aufrechterhalten.

Der Parteikongreß stellt die ordentliche Generalversammlung der Führungskader dar und wurde bis 1975 zehnmal einberufen. Die darunterliegende Parteiebene bilden seit 1964 die ,,Sections Départementales" (Bezirke), die wiederum in ,,Sous-sections" (Unterbezirke) aufgeteilt sind. Diese gliedern sich schließlich noch in das einzelne ,,Comité de Village" (Dorfkomitee), ,,Comité de Quartier" (Stadtteilkomitee) oder das ,,Comité Ethnique" (Stammeskomitee).

Die Struktur unterhalb der Bezirksebene wird dabei weitgehend durch den alten Funktionsapparat beherrscht, so daß die innerparteiliche Durchlässigkeit schon an der Basis eingeschränkt ist.

Neben den genannten Organen ist noch das Exekutivkomitee der JRDACI zu nennen, die sich um einen Abbau der Privilegien der Parteifunktionäre bemüht. Houphouet-Boigny, der auch die Funktion des Ehrenpräsidenten der PDCI innehat, verstand es, die jüngere Generation durch die Berufung junger Politiker in Führungspositionen stärker in die Partei zu integrieren (insbesondere beim Parteikongreß 1970).

Die aufgezeigte Verflechtung von Partei- und Regierungsposten verdeutlicht die beherrschende polit. Rolle der PDCI, deren Struktur die Gefahr einer Konservierung der polit. Macht in den Händen weniger in sich birgt (,,Vormundschaftsdemokratie").

3.5. Wahlen

Die Verfassung vom 31. 10. 1960 bestimmt, daß die Abgeordneten der Nationalversammlung (Assemblée Nationale) für 5 Jahre in allgemeiner und direkter Wahl bestimmt werden; d. h. Wahl auf einer nationalen Liste (Einheitsliste). Die gleichzeitige Funktion als Abgeordneter und Minister ist ausgeschlossen.

Houphouet-Boigny wurde 1960, 1965, 1970 und 1975 ebenfalls durch allgemeine und direkte Wahl Staatspräsident.

Nach dem Ende der Kolonialherrschaft blieb der Einfluß F.s vorrangig, auch heute noch sind zahlreiche wichtige Positionen in der Verwaltung – insbes. aber in Industrie und Handel – mit Franzosen besetzt. Die Ursache für diese Anlehnung an die ehemalige Kolonialmacht ist neben dem erklärten Willen Houphouet-Boignys zu einer guten Zusammenarbeit mit F. vor allem in dessen wirtschaftlicher Vormachtstellung zu sehen (größter Geber von bilateraler „Entwicklungshilfe", wichtigster Handelspartner). Insbes. außenpolit. ist ein weitgehender Gleichlauf von frz. und ivorischen Interessen nicht zu übersehen, E. unterscheidet sich jedoch gegenüber F. durch einen zunächst strikten Antikommunismus. Innerhalb der OUA setzte sich die E. daher, zusammen mit weiteren, meist frankophonen afrik. Staaten, für ein „neutrales" Verhalten („Dialog") gegenüber der R. S. A. ein.

Der dieser Haltung zugrundeliegende Antikommunismus dürfte neben wirtschaftlichen Gesichtspunkten ebenfalls für die bis Ende 1973 besonders guten Beziehungen zu Israel und Taiwan verantwortlich gewesen sein.

Die außenpolit. Prinzipien Houphouet-Boignys (s. 3.3.) haben auch wesentlich die Politik der OUA sowie einiger Staatenbündnisse – insbesondere wirtschaftlicher Art (z. B. OCAMM und neuerdings der CEDEAO) – in Westafrika beeinflußt, insbesondere auch durch das wirtschaftliche Gewicht der E. in diesen Organisationen. Dies gilt sowohl für den 1959 von der E. angeregten „Conseil de l'Entente", dem neben der E. auch Dahomey (seit 1975 VR Benin), Niger, Obervolta und ab 1961 Togo angehören, als auch für die 1965 gegründete „Organisation Commune des Etats Africains et Malgache" (OCAM, nach der Aufnahme von Mauritius OCAMM). In diesen Zusammenschlüssen wurde die ablehnende Haltung der E. gegenüber einer panafrik. Politik und die Bevorzugung loser Staatenbündnisse deutlich. Dabei zeigte sich auch die Diskrepanz zwischen der ivorischen Theorie der Nichteinmischung und der z. T. durch diese Bündnisse betriebenen Politik (z. B. 1965 gegen Ghanas Zusammenarbeit mit „subversiven" Staaten, insbes.

mit der VR China, oder 1970 gegen die Wahl des Linkspolitikers Ki-Zerbo in Obervolta).

Was die Beziehungen zu den Nachbarstaaten betrifft, so ist das seit der Unabhängigkeit gespannte Verhältnis zum sozialistischen Guinea hervorzuheben. So beschuldigte Sékou Touré Ende 1976 – nicht zum ersten Male – die E. der versuchten Invasion in Guinea. Das Verhältnis zu Ghana verbesserte sich jedoch seit dem Sturz Nkrumahs 1966 wesentlich.

4. Politische Begriffe

Von nach wie vor aktueller Bedeutung sind zwei Begriffe, die jeweils ein wesentliches innen- bzw. außenpolit. Ziel umschreiben:

Dialog (dialogue): Die Politik des Dialogs mit der Republik Südafrika basiert auf der Annahme, daß nur durch Verhandlungen die Haltung der herrschenden Minderheit in Südafrika geändert werden kann, eine Konfrontation jedoch nur die Unterdrückung verschärfe und keine positiven polit. Ergebnisse bringe. Diese auch von Gabun, Madagaskar und anderen afrik. Staaten vertretene Politik, die innerhalb der PDCI auf deren Parteikongreß 1970 angeregt wurde, führte in der OUA zu heftigen Spannungen. Hinter dieser Position sind im Falle der Politik Houphouet-Boignys jedoch die Furcht vor kommunistischer Einflußnahme und nicht zuletzt wohl wirtschaftliche und polit. Abhängigkeiten von Südafrika und von der Politik F.s zu sehen. Vor diesem Hintergrund wird auch die Haltung Houphouet-Boignys zur jüngsten Entwicklung im südlichen Afrika verständlich, wenn er sagt, diese erfülle ihn mit einem ,,Alptraum des Chaos".

Ivorisierung, Afrikanisierung (ivorisation): Unter diesem Schlagwort sind die Bemühungen der Regierung zu verstehen, Ivorer mit leitenden Stellungen in Staat und Privatwirtschaft zu betrauen. Dies ist in der Tat erforderlich, da 1970 die Ivorer lediglich 7% der leitenden Angestellten und 14% der mittleren Angestellten im Handel stellten. Dem Versuch, diese Situation zu ändern, steht jedoch nach wie vor der Mangel an geeigneten Personen und ausreichenden Ausbildungskapazitäten, aber auch teilweise mangelnde Konsequenz in der Durchführung sowie der Widerstand der ausländischen Unternehmen entgegen, die diese Bemühungen durch die Anhebung freiwilliger sozialer Leistungen u. a. zu unterlaufen versuchen.

H. Jürgen E. Lewak

Literatur

Ahlers, I., u. a., Elfenbeinküste, Ländermonographien – Neue Reihe, Bonn 1973.

Amin, S., Le développement du capitalisme en Côte d'Ivoire, Paris 1967.

Ders., Neo-Colonialism in West Africa, London 1973 (= L'Afrique de l'Ouest Bloquée, Paris 1971).

Ansprenger, F., Politik im Schwarzen Afrika, Köln/Opladen 1961.

Binder-Krauthoff, K., Phasen der Entkolonialisierung, Berlin 1970.

Burrack, D., Afrika – Entwicklung eines Kontinents; dort: Afrik. ,,Kapitalismus". Republik Elfenbeinküste: Wirtschaftswachstum ohne Entwicklung. Frankfurt 1974, S. 110–15.

Kühn, R., u. Schweers, R., Entwicklungsbedingungen der Elfenbeinküste im Rahmen des kapitalistischen Weltmarktes seit 1960, Wentorf 1974.

Zeller, C., Elfenbeinküste. Ein Entwicklungsland auf dem Wege zur Nation, Freiburg 1969.

Zolberg, A., One-Party Government in the Ivory Coast, Princeton (N. Y.) 1964.

ders., ,,Muster nationaler Integration: die Fälle Mali und Elfenbeinküste", aus: Berg-Schlosser, D., Die politischen Probleme der Dritten Welt, Hamburg 1972, S. 59–73.

Gabun

Grunddaten

Fläche: 267.667 km².
Einwohner: 530.000 (1976).
Ethnische Gliederung (Zählungen/Schätzungen von 1974): Fang

(Pangwe) ca. 20%; Bapounou (Eschira) ca. 16%; Myéné (Ebete)
ca. 12%; Bakota ca. 4%.
Religionen: Traditionelle Religionen ca. 35%; Moslems ca. 5%;
Christen ca. 60% (davon 230.000 kath., 60.000 ev.).
Alphabetisierung: 87,6% (1976).
Einschulungsquote: 100% (1974).
BSP: 1.030 Mio. US-$ (1974).
Pro-Kopf-Einkommen: 1.960 US-$ (1974).

1. Historischer Überblick

Um 1470 entdeckten port. Seefahrer das Land (Name Gabun wahrscheinlich von port. ,,gabâo", Überrock), dessen Küste vom 16. bis
18. Jh. ein Zentrum des Sklavenhandels wurde. 1839 wurde zu
dessen Bekämpfung der frz. Major Bouët-Willaumez entsandt, der
mit den Königen Louis und Denis erste Verträge abschloß. 1849
wurde Libreville für befreite Sklaven gegründet (Ausgangspunkt
für die anschließende frz. Expansion in Äqu. Afrika). 1888 entstand
der ,,Congo Français" als Verwaltungseinheit von ,,Gabon" und
,,Moyen Congo". 1910 vereinigte die Kolonialmacht Gabun, Mittelkongo, Ubangi-Schari und Tschad zum Frz. Äquatorial-Afrika
(A. E. F.). Diese Reorganisation änderte aber nichts an der Macht
verschiedener privater Kolonialgesellschaften, die das Land fast
unbeschränkt ausbeuten konnten. Die polit. Entwicklung setzte
nach dem 2. Weltkrieg ein. 1957 wurde nach den Wahlen zu einer
gesetzgebenden Versammlung die erste Landesregierung gebildet.
Am 17. 8. 1960 erlangte G. die Unabhängigkeit.

2. Entwicklung der politischen Parteien

2.1. Vor der Unabhängigkeit

Die Konferenz von Brazzaville 1944 kann als erster Schritt zur
Unabhängigkeit bezeichnet werden; den Völkern des frz. Kolonial-
reiches wurde größere Beteiligung bei der Regelung ihrer internen
Belange versprochen.

Das Ergebnis war die Gründung der Frz. Union 1946 und des Großen Rates von Frz.-Äqu. Afr. 1947. Wesentliche Errungenschaften dabei waren die Bildung von örtlichen Vertretungskörperschaften in den vier Gebieten, sowie die Beauftragung von je 5 Vertretern aus jedem Gebiet, die beim frz. Hochkommissar beratende Funktionen innehatten.

1946 bildeten sich auch die beiden größten Parteien des Landes:
– die UDSG (Union Démocratique et Socialiste Gabonaise), an deren Spitze der Politiker Jean-Hilaire Aubame stand, der G. 1946 bis 1959 in der frz. Nationalversammlung vertrat;
– der BDG (Bloc Démocratique Gabonais), dessen Vorsitzender Léon Mba 1957 zum 1. Vizepräsidenten der Landesregierung und 1961 zum Staatspräsidenten gewählt wurde.

1956 wurde das allgemeine, persönliche Wahlrecht für alle Männer und Frauen über 21 Jahre und ein einheitliches Wahlkollegium aus Europäern und Afrikanern geschaffen. An den Wahlen zur gesetzgebenden Versammlung 1957 in Gabun nahmen Vertreter der beiden großen Parteien teil. 1958 bildeten sie erstmalig eine Allianz.

2.2. Nach der Unabhängigkeit

2.2.1. Mehrparteiensystem

Die UDSG wirkte zusammen mit dem BDG an der Verfassung mit, die am 21. 1. 1961 von der Nationalversammlung gebilligt wurde. Auch die im Jan. 1961 gebildete Regierung stellte eine Allianz zwischen den beiden großen Parteien dar. Im Feb. 1963 zeigte sich ein starker Trend zur Einheitspartei.

Die UDSG wurde in die Rolle der Oppositionspartei gedrängt, als vier ihrer Minister von der Regierung ausgeschlossen wurden. Einerseits entwickelte die UDSG einen marxistischen Ansatz, der dem immer noch sehr starken Interesse Frankreichs an Gabun sehr entgegenstand, andererseits duldete Léon Mba mit seinem autoritär-repressiven Regierungsstil keine politische Auseinandersetzung innerhalb der Regierung. Der fünfte Minister der UDSG wechselte zum BDG über. Aubame, bis dahin Außenminister der Regierung, wurde mit dem Posten des Präsidenten des Obersten Gerichtshofes abgefunden.

Léon Mba löste am 20. 1. 64 das Parlament auf und verkündete für den 23. 2. 64 Neuwahlen mit einer Einparteiliste. Am 18. 2. 64 putschten in Libreville Anhänger der UDSG zusammen mit den Militärs; Aubame bildete eine vorläufige Regierung. Noch am gleichen Abend landeten frz. Truppen in Libreville, die auf Grund der frz.-gabunischen Vereinbarungen von 1960 um Hilfe gerufen worden waren. Sie schlugen den Putsch nieder und setzten die F. genehme Regierung Mba wieder ein.

An den Parlamentswahlen vom 12. 4. 64 nahmen noch beide große Parteien teil; der BDG ging daraus knapp als Sieger hervor und fühlte sich damit ausreichend legitimiert, die Opposition durch Verurteilung der führenden UDSG-Persönlichkeiten zu zerschlagen.

2.2.2. Einparteisystem

Nach Mbas Tod wurde sein engster Mitarbeiter und Vizepräsident Albert-Bernard Bongo am 28. 1. 67 verfassungsgemäß neuer Staatschef. Er begründete die Ära der „Erneuerung" (s. 3.3. u. 4.), deren Anfang durch die Gründung einer neuen Einheitspartei gekennzeichnet ist. Als Nachfolgepartei des BDG schuf er 1968 den „Parti Démocrate Gabonais" (PDG), in den nur genehme polit. Kräfte aufgenommen wurden. Nachdem das polit. System bereits 7 Jahre existiert hatte, war diese Gründung für den Fortbestand des Regimes nicht notwendig. Als systemstabilisierend und als Mittel zur Eliminierung (bzw. durch Verweigerung der Mitgliedschaft) oppositioneller, überhaupt kritischer Gruppen war sie durchaus konsequent.

3. Merkmale der politischen Struktur

3.1. Elite

Die bedeutendsten Volksgruppen G.s sind Fang, Bapounou, Myéné und Bakota, die sich alle in harter Rivalität gegenüberstehen. Die Fang sind die größte Gruppe; entsprechend ist auch ihr

Einfluß in Politik und Wirtschaft. Nicht zu übersehen ist auch der Einfluß der kleinen Mpongwé-Gruppe (Untergruppe der Myéné), die die traditionelle Aristokratie des Landes stellt und seit alters her auf dem Gebiet des jetzigen Libreville und des Ogooué ansässig ist. Die moderne Elite studierte fast ausnahmslos in F. (90% der Minister).

3.2. Andere Gruppen

Die kath. Kirche, bisher eine der einflußreichsten Kräfte, verliert zunehmend an Bedeutung. Diese Entwicklung wurde mit dem Übertritt Bongos zum Islam 1973 deutlich (seither: Omar Bongo), der damit die bisher äußerst bedeutungslose islamische Minorität aufwertete.

Da eine institutionalisierte Opposition fehlt, kann sich Unzufriedenheit nur im Untergrund artikulieren. Seit dem gescheiterten Putsch von 1964 hat sich auch kein nennenswerter Widerstand gezeigt. Trotz starker Einkommensunterschiede ermöglichte doch der anhaltende Wirtschaftsaufschwung einen relativen Wohlstand, gerade im Vergleich mit den Nachbarstaaten. Dies wiederum führte zu einem hohen Identifikationsgrad der Bevölkerung mit dem Regime. Wie weit aber die Domestizierungsfunktion der 1969 gegründeten Gewerkschaft FE. SY. GA. (Fédération Syndicale) ausreicht, bleibt abzuwarten. Jedenfalls änderte sich das Verhalten der Arbeiterschaft zusehends seit dem Beginn der Erdölförderung (etwa ab 1973). Die Zahl der Unzufriedenen stieg mit der Zahl der Arbeiter. Schlechte Arbeitsbedingungen und ein niedriges Lohnniveau führten mehrfach zu wilden Streiks, die von der FE. SY. GA. – trotz strikter Anweisung von Bongo – nie ernsthaft unterbunden werden konnten.

3.3. Parteiprogramm

Ein ausgearbeitetes Parteiprogramm des PDG existiert nicht, jedoch ist das Regierungsprogramm auch Parteiprogramm, ebenso wie die Staatsdevise „Einigkeit, Arbeit, Gerechtigkeit" auch Parteidevise ist. Programmatisch sind auch die Schlagwörter „rénovation" und „dialogue" (s. 4.). Der „Dialog" mit allen Gruppen und Richtungen ist die Methode, die „Erneuerung" das Ziel, das durch den Einsatz aller den wirtschaftlichen und sozialen Fortschritt bringen soll.

3.4. Aufbau der Partei

Die Regierung versteht den PDG als Schmelztiegel nationaler Einheit, in dem ca. 260.000 (off. Angaben) Gabuner organisiert sind. Im Landesinneren stützt sich die Partei auf traditionelle Institutionen (Dorfchefs), um auch hier ihren Einfluß und ihre Macht zu vertiefen. Die Parteikongresse dienen dem Präsidenten als Akklamationsorgan.

3.5. Wahlen

Präsident und Parlament (70 Abgeordnete) werden in allgemeiner, direkter, geheimer Wahl für 7 Jahre bestimmt. (Wahlrecht für Männer und Frauen über 21 Jahre). Die ungewöhnlich hohe Alphabetisierung hat hier auch eine hohe Wahlbeteiligung (annähernd 90%) zur Folge. Die Gabuner sind inzwischen selbstbewußte Staatsbürger, die wie selbstverständlich mit Demokratie umgehen, auch wenn eine institutionalisierte Opposition fehlt.

3.6. Einflüsse

Die ersten 15 Jahre der Unabhängigkeit sind durch starke frz. Präsenz gekennzeichnet. G. bietet deutliche Parallelen zur Elfenbeinküste. Auch wenn der frz. Einfluß seit 1974 schwindet, sind die frz. Experten nach wie vor in vielen Schlüsselpositionen, als Berater in Ministerien, als Ausbilder von Armee und Polizei, als Manager der prosperierenden Wirtschaft. Ein Großteil der Lehrerschaft stammt aus F.; die Organisation des staatl. Sicherheitsdienstes liegt in frz. Hand; F. unterhält nach wie vor eine Garnison in Libreville.

Ab 1974 begann Bongo, sich vorsichtig aus der starken Ausrichtung auf F. zu lösen. Entgegen seinem antikommunistischen Vorgänger Mba nahm er Beziehungen zu sozialistischen Staaten auf (z. B. VR-China, Rumänien). Weitere Schritte folgten: Austritt aus der Luftfahrtgesellschaft „Air Afrique" (de facto Tochtergesellschaft der Air France) und aus der westlich orientierten, sehr gemäßigten OCAM (Zusammenschluß francophoner Staaten unter Führung der Elfenbeinküste). Bongos Politik des „heraus aus zu engen Beziehungen" zeigte somit erstmals konkrete Ergebnisse. Die bisher gültige Wirtschaftspolitik, daß die Entwicklung des Landes und die Steigerung des Wohlstands mit der starken Abhängigkeit von F. unmittelbar zusammenhängen, ist offensichtlich im Wandel begriffen.

In gleicher Weise wie sich der Einfluß von F. verringert, verringert sich auch der der Elfenbeinküste, die zusammen mit G. als sicherster Partner galt. (Identische Positionen in der UNO, der OUA, gegenüber dem Westen und dem Ostblock, z. B. auch Anerkennung der Sezession Biafras, u. a. m.) Demnach wird sich auch die Position von G. innerhalb Afrikas ändern und durch größere Eigenständigkeit bemerkbar machen.

4. Politische Schlagwörter

Grand Camarade, Père de la Rénovation: Titel des Staatschefs.

Rénovation („Erneuerung") bedeutet: Mobilisierung aller Energien, Einigkeit aller Bewohner, aller Stämme und aller polit. Gesinnungen, Entwicklung eines gabunischen Nationalbewußtseins, um in Eintracht und Frieden für die Entwicklung und die Größe des Landes zu arbeiten.

Dialogue (s. auch Elfenbeinküste): Durch „Verständigung" sollen auch andere polit. Meinungen auf das nationale Ziel der „Rénovation" gerichtet werden. Dennoch gibt es polit. Gefangene (Amnesty-International-Meldung).

Ingrid Hahn

Literatur

Binet, J., La République Gabonaise, Paris 1970.
Comte, G., „Treize années d'histoire", in: Revue française d'études politiques africaines, Nr. 90, Paris 1973, S. 39–57.

Duhamel, O., „Le Parti Démocratique Gabonais: étude des fonctions d'un parti unique africain", in: Revue française d'études politiques africaines, Nr. 125, Paris 1976, S. 24–67.

Neuhoff, H. O., Gabun, Bonn 1967 (Die Länder Afrikas Bd. 35).

Remondo, M., L'administration gabonaise, Paris 1974.

Weiland, H., Erziehung und nationale Entwicklung in Gabun. Fallstudie zu einem abhängigen Kleinstaat, München 1975.

ders., Abhängigkeit und peripherer Kapitalismus am Beispiel eines schwarzafrikanischen Kleinstaates, München 1975.

Gambia

Grunddaten

Fläche: ca. 10.500 km^2.

Einwohner: 540.000 (1976).

Ethnische Gliederung (1963): Mandingo 41%; Fulbe (Peulh) 14%; Wolof 13%; Dyola 7%; Sarakole 7%; Aku 6%; andere: Tukulör, Serer, sowie Europ., Syrer und Libanesen.

Religionen: Traditionelle Religionen: 29%; Moslems: 64%; Christen: 7% (röm.-kath. 3%; prot. 4%).

BSP: 90 Mio US-$ (1974).

Pro-Kopf-Einkommen: 170 US-$ (1974).

1. Historischer Überblick

Im 13. Jh. war das Reich Mali in diesem Raum beherrschend; sein Einfluß dauerte bis in das 18. Jh.; Portugiesen entdeckten im 15. Jh. die Gambiamündung; im 16. und 17. Jh. erforschten Engländer den Fluß und schufen 1695 die Kolonie Senegambia, die jedoch nur bis 1783 bestand, da der Senegal nun an F. überging. G. wurde weiterhin von G.B. verwaltet; es wurde 1888 endgültig brit. Kolonie. Ab 1902 war das gesamte Gebiet des heutigen G. unter engl. Herrschaft: Bathurst (seit 1973: Banjul) und Umgebung, Georgetown und kleinere Gebiete als Kolonie, die übrigen Landesteile als Protektorate.

Seit 1843 hat G. eine Gesetzgebende Versammlung, in die 1883 erstmals ein Afrikaner (J. D. Richards) berufen wird.

Ab 1947 besteht die Mehrheit der Gesetzgebenden Versammlung erstmals aus nichtbeamteten Mitgliedern. Ein Repräsentant der Kolonie wird durch Wahl bestimmt. Durch Verfassungsänderungen 1951, 1954, 1960 und 1962 wird die Zahl der gewählten Repräsentanten erhöht, 1960 wird das allgemeine Wahlrecht auf das ganze Gebiet ausgedehnt. 1963 erlangt G. die innere Autonomie und wird 1965 unabhängig, eine konstitutionelle Monarchie (aufgrund eines Referendums, bei dem als Alternative eine republikanische Regierungsform zur Wahl stand) mit der engl. Königin als Staatsoberhaupt, selbständiges Mitglied des Commonwealth.

2. Entwicklung der politischen Parteien

2.1. Vor der Unabhängigkeit

Um 1951, im Zusammenhang mit einer anstehenden Wahl, entstanden die ersten Parteien:

– Die ,,United Party" (UP) wurde 1951 von P. S. N'Jie, einem zum kath. Glauben übergetretenen Rechtsanwalt, gegründet. Zunächst stützte sie sich auf den kath. Bevölkerungsteil, wurde aber bald zur beherrschenden Partei in Banjul. Sie verfolgte eine Politik der engen Bindung an England.

– Die ,,Democratic Party" (DP) hatte ihre Hauptanhängerschaft unter den Protestanten, die sich um den anglikan. Geistlichen J. C. Faye gruppierten (Gründung 1951).

– Die ,,Muslim Congress Party" (MCP) wurde 1952 von I. M. Garba-Jahumpa gegründet mit dem Ziel, für die Rechte der Mohammedaner einzutreten.

Bei den Wahlen 1951 und 1954 wurden die Führer der DP und der MCP, 1954 auch der der UP in die Gesetzgebende Versammlung gewählt und 1954 zu Ministern berufen.

– Die ,,Gambian National Party" (GNP), eine Partei geringerer

Bedeutung, entstand 1957 (Leitung: A. Joberteh, S. M. Jones – anglikan. Kirche).

– Aus einer Interessenvertretung der Protektoratsbevölkerung geht 1959 die ,,Protectorate People's Party" hervor (Gründer: der Gewerkschaftler S. Bojang, D. K. Jawara und dessen Frau A. D. Mahoney), die bald zur ,,People's Progressive Party" (PPP) wird. Die Führer der PPP rekrutieren sich vorwiegend aus den Reihen der Mandingo; so auch ihr erster Generalsekretär Sherif Sisay. Bald schon wurde D. K. Jawara zum unumstrittenen Führer der PPP. Diese Parteigründung erfolgte angesichts der Wahl 1960, vor der die Verfassung weiter demokratisiert wurde: Die Gesetzgebende Versammlung wird zum Repräsentantenhaus (House of Representatives), von dessen 34 Mitgliedern 19 in allgemeiner Wahl bestimmt werden (außerdem: 8 von den Häuptlingen gewählte, 3 ernannte Mitglieder sowie 4 Häuptlingsvertreter).

Anläßlich dieser Wahl vereinigen sich DP und MCP zur ,,Democratic Congress Alliance" (DCA).

Im Zeitraum von 1960 bis zur Unabhängigkeit gab es kaum wesentliche Ereignisse im gamb. Parteienspektrum; es wurde lediglich von den Führern der ehemaligen GNP und Dissidenten der PPP die ,,Gambian National Union" (GNU) gegründet. Die Vorherrschaft der beiden großen Parteien, PPP und UP, blieb unbestritten.

2.2. Nach der Unabhängigkeit

Bei Erlangung der Unabhängigkeit 1965 bildeten PPP, UP und DCA eine Koalitionsregierung. Nach wenigen Monaten kündigte die PPP die Koalition wegen mangelnden Kooperationswillens der UP auf; die DCA schloß sich nun vollständig der PPP an.

1966 standen die PPP *einerseits,* die UP sowie die ,,Gambian Congress Party" (GCP), Nachfolgepartei der MCP, die sich der UP angenähert hatte, *andererseits,* zur Wahl, aus der die PPP als überragender Sieger hervorging.

1968 schließt sich die GCP mit ihrem Führer I. M. Garba-Jahumpa der PPP an. – Im gleichen Jahr gründet Sherif Sisay (aus der PPP ausgeschlossen) mit einigen weiteren Dissidenten die ,,People's

Progressive Alliance" (PPA), die jedoch vor den Wahlen 1972 wieder in der PPP aufgeht.

1975 (Okt.) werden zwei neue Parteien gegründet: 1. die „National Liberation Party" (NLP), deren erklärtes Ziel der Kampf gegen die Unterbeschäftigung und die Verteuerung der Lebenshaltung ist (Führer: P. C. Secka); 2. die „National Convention Party", deren Gründer, der ehemalige Vizepräsident S. Dibba, die Regierung wegen der steigenden Lebenshaltungskosten kritisiert und ihr Tribalismus vorwirft.

Die NCP kann bei den Parlamentswahlen 1977 auf Anhieb 5 Sitze erringen. Dagegen hat die Bedeutung der früher größten Oppositionspartei, die unter Führungsschwäche leidet, weiter abgenommen (vgl. 3.5.).

3. Merkmale der politischen Struktur

3.1. Elite

Bis zum Ende der 50er Jahre stammte die polit. Elite G.s im wesentlichen aus der „Kolonie" (Region Banjul), dem intellektuellen und wirtschaftl. Zentrum des Landes. Dort waren die Engländer bemüht, eine „moderne" Elite von Einheimischen zu fördern, die sie zunehmend am öffentlichen Leben, am Unterrichtswesen und am Handel beteiligten. Im „Protektorat" dagegen, also im Landesinnern, stützten sie sich auf das traditionelle System der Häuptlinge (Seyfolu), ohne die übrige Bevölkerung zur polit. Verantwortung heranzuziehen. Diese Politik hinterließ tiefe und anhaltende Spuren. (Ende des 2. Weltkrieges gab es in Banjul, in dem ca. 1/10 der gamb. Bevölkerung lebt, ungefähr ebensoviele Schulen wie im gesamten übrigen Land.)

Eine wichtige Gruppe, aus der die polit. Elite hervorging, sind die Akus, Abkömmlinge ehemaliger Sklaven, die für Amerika bestimmt gewesen, jedoch von einer engl. Befreiungsbewegung abgefangen und in G. angesiedelt worden waren. Auf sie gehen die Gründungen von Hilfs- und Wohltätigkeitsorganisationen („Friendly Societies") Mitte des letzten Jhs. zurück. Einer der Mitbegründer der DP, E. Small, entstammt dieser Gruppe.

Eine weitere wichtige Gruppierung, die die erstere mit der Zeit in ihrer Bedeutung in den Hintergrund drängte, sind die Wolof aus der Region Banjul. Zu ihnen ist der Gründer der MCP, I. M. Garba-Jahumpa, sowie der Führer der UP, P. S. N'Jie, zu rechnen. Die Führer und zunächst auch die Anhänger der PPP kamen aus dem Stamm der Mandingo, der stärksten ethnischen Gruppe G.s. Hier besteht eine Verbindung zu den traditionellen Kräften, denn viele der wichtigen Persönlichkeiten der PPP entstammen Beamtenkreisen und aristokratischen Familien der Mandingo.

3.2. Stärke und Rolle anderer Gruppen

Die Häuptlinge (Seyfolu). Die vier Divisionen (das ehemalige Protektorat) G.s, denen Verwaltungsbeamte vorstehen, sind in 35 Distrikte eingeteilt, die von den Seyfolu verwaltet werden. (Wahl eines Seyfolu ist meist eine Formsache.) Um ihre Macht auszuweiten, bemühten sich die Seyfolu – vergeblich –, über die allgemeine Wahl als Abgeordnete ins Repräsentantenhaus zu gelangen (1965 sah die Verfassung dort 8, 1970 nurmehr 4 Sitze für sie vor). Offensichtlich nimmt die Bedeutung dieser traditionellen Kraft ab, was auch im Sinne der Regierung ist, die bestrebt ist, die Macht der Seyfolu zu verringern und zu kontrollieren.

Die gewerkschaftlichen Kräfte. Aufgrund der vorwiegend landwirtschaftlichen Struktur G.s beschränkt sich der Einfluß der drei Gewerkschaften im wesentlichen auf die Hauptstadt:
– „Gambia Labour Union" (gegr. 1928, Mitglied des Weltgewerkschaftsbundes, verhältnismäßig geringer Einfluß).
– „Gambia Workers' Union" (GWU; gegr. 1959 von M. E. Jallow), die einflußreichste Gewerkschaft G.s, organisierte 1960 einen Streik in den Erdnußhäfen Banjul, Kuntaur und Kaur und erreichte damit Verhandlungen mit der Regierung und den Handelsgesellschaften. M. E. Jallow trat als unabhängiger Kandidat bei den Wahlen 1966 und 1972 auf, jedoch ohne Erfolg. Dagegen spielt er in der pan-afrikan. Gewerkschaftsbewegung eine wichtige Rolle. Der anfängliche Schwung der GWU läßt inzwischen nach (geringer Erfolg eines Streikaufrufs 1970).

– ,,Gambia Trades and Dealers' Union" (gegr. 1960, stützt sich auf die Angestellten der großen ausländischen Firmen in Banjul, Basis und Einfluß sind begrenzt).

Die kirchlichen Kräfte. Dem kirchlichen Einfluß kommt eine gewisse Bedeutung zu, schon deshalb, weil die Rolle der Konfessionsschulen in Gambia nicht zu übersehen ist. Die kirchlichen Kräfte manifestieren sich in den Parteien (s. Abschn. 2.).

Sonstige Gruppen: Militär existiert in Gambia nicht. Der oberste Polizeikommissar wird vom Präsidenten berufen. Seitens der Polizei, einer potentiellen Kraft, ist keinerlei polit. Einflußnahme bekannt.

3.3. Programmatik

Die gamb. Parteien sind pragmatisch orientiert; keine von ihnen beruft sich auf afrikan. Sozialismus, Négritude, Marxismus, etc.

Da keine Parteiprogramme veröffentlicht sind, werden die wesentlichen Tendenzen und programmatischen Inhalte der beiden großen Parteien am deutlichsten an ihren Differenzen sichtbar. Die beiden Hauptprobleme, die bis heute die Parteien trennen, sind die Beziehungen zum Senegal und die Art der Verbindung mit G.B.

Den Senegal betreffend, verfolgte die PPP immer das Ziel, eine enge Union mit dem mächtigen Nachbarn zu schaffen. Da jedoch ein beträchtlicher Teil der Bevölkerung dem Senegal gegenüber großes Mißtrauen hegt, forcierte die PPP das Projekt ,,Senegambia" nicht in dem von ihr gewünschten Ausmaß. Die UP, deren Anhängerschaft noch immer im wesentlichen in Banjul zu finden ist, lehnt die polit. Union mit dem Senegal ab. Dem engl. Gedankengut verbunden, fürchtet sie die Frankophonie.

Was die Relationen mit G.B. (und damit verknüpft die konstitutionelle Entwicklung) angeht, entsprechen die Standorte den obigen: Die PPP strebte schon 1965 die Republik an, konnte sich aber erst 1970 gegen die UP, Verfechterin der konstitutionellen Monarchie, durchsetzen.

Das Problem des Tribalismus tritt in G. nur in Anklängen auf. Zwar warf die UP der PPP – zunächst nicht ganz unberechtigt

– vor, nur den Stamm der Mandingo zu vertreten. Der PPP gelang es jedoch, ihre Basis tatsächlich zu erweitern. Sie ist heute keine Stammespartei. Die neuerlichen Vorwürfe dieser Art seitens des Führers der NCP sind wohl mehr persönlich als politisch begründet.

Wichtig für die beiden wesentlichen gamb. Parteien sind die Führerpersönlichkeiten sowie deren enge Umgebung. Besonders das polit. Geschick und die Führungseigenschaften von K. D. Jawara sind hier zu erwähnen. Der eigenen Partei gegenüber handelt er mit großer Bestimmtheit, jedoch mit Flexibilität gegenüber der Opposition und mit Offenheit, wenn ein ehemaliger Gegner mit ihm zusammenarbeiten will (vgl. 2.2., Aufnahme Garba-Jahumpas und Wiederaufnahme Sisays in die PPP). Außerdem hat Jawara das Vertrauen der Seyfolu gewonnen, indem er die geplante Reform des Häuptlingswesens entschärfte und ihnen eine gewisse Macht beließ. Die Außenpolitik Jawaras zielt heute auf die Entwicklung der Beziehungen – insbesondere der wirtschaftlichen – mit dem Senegal, jedoch unter Wahrung der gamb. Eigenständigkeit und Souveränität. Seit einem Grenzzwischenfall 1971, den senegalesische Grenzbeamte verursacht haben sollen, hat er Dakar gegenüber eine sehr zurückhaltende Position bezogen und betont den Wunsch G.s, im Commonwealth zu verbleiben. Der Kontakt zwischen Dakar und Banjul ist jedoch rege. Auch die weltweiten Beziehungen hat Jawara in jüngerer Zeit intensiviert (Kontakte mit China, der UdSSR und Libyen).

3.4. Aufbau der Parteien

Die Parteien sind in G. wenig organisiert und strukturiert. Ohne Zweifel ist die PPP die progressivere der beiden großen Parteien und die einzige, die ein Minimum an Organisation aufweist. Über die Mitgliederzahlen ist nichts zu erfahren. Daraus, daß die UP bei den Wahlen 1972 nur 14 Kandidaten aufstellen konnte, ist zu schließen, daß ihre organisierte Anhängerschaft gering ist.

3.5. Wahlen

Vor der Unabhängigkeit:

Ab 1946 wird das polit. System langsam demokratisiert (vgl.
2.1.), bis 1960 das allgemeine Wahlrecht in ganz G. eingeführt ist.

a) Parlamentswahlen *1960:* PPP: 8 Sitze, UP: 7, DCA: 3, Unabh.:
1.

b) Parlamentswahlen *1962* (angesichts der bevorstehenden Erlangung der inneren Autonomie; Verfassungsänderung: jetzt 32
gewählte Abgeordnete): PPP: 18, DCA: 1, UP: 13.

Nach der Unabhängigkeit:

c) Volksentscheid über die Regierungsform *1965* (PPP propagiert
ein republikanisches Regime, die UP die konstitutionelle Monarchie). Ergebnis: Knappe Mehrheit für konstitutionelle Monarchie.

d) Parlamentswahlen *1966:* PPP: 24, UP-GCP: 8.

e) Weiterer Volksentscheid über die Regierungsform *1970:* Überwiegende Mehrheit für Republik (84.969 Stimmen f. Republik,
35.638 Stimmen f. konst. Monarchie).

f) Parlamentswahlen *1972:* PPP: 28, UP: 3, Unabh.: 1.

g) Parlamentswahlen *April 1977:* PPP 28, NCP (National Convention Party) 5, UP 2, NLP (National Liberation Party) O.

h) Nachwahl *Juni 1977:* PPP gewinnt erstmals in Banjul, der
Hochburg der UP, einen Parlamentssitz; neue Sitzverteilung:
PPP 29, NCP 5, UP 1.

3.6. Einflüsse

Zum einen ist G. durch seine englische Kolonialgeschichte geprägt.
Das politische Leben ist stark durch den engl. Einfluß gekennzeichnet, da die Rechts- und Verfassungsstrukturen in Anlehnung an die
engl. entwickelt worden sind (was eine entscheidende Hürde für das
Projekt ,,Senegambia" darstellt). Zudem haben fast sämtliche
gamb. Führungskräfte ihre Ausbildung in G.B. absolviert und der
akademische Nachwuchs studiert vorwiegend in England. Das
engl. ,,fair play" gilt auch in der Politik G.s. – Hinzu kommt der
Einfluß durch den Nachbarn Senegal. Die beiden Länder haben

wichtige ökonomische Beziehungen; zwischen ihren Bevölkerungen bestehen verwandtschaftliche Bindungen; die Landesgrenzen stellen keine Stammesgrenzen dar; die Verständigung erfolgt meist nicht in den (verschiedenen) Amtssprachen, sondern in den Stammesdialekten.

Im ideologischen Bereich ist kein Einfluß von Bedeutung.

4. Politische Schlagwörter

Typisch gambische Schlagwörter sind nicht zu nennen, das Land rühmt sich jedoch seiner polit. Stabilität und Toleranz sowie seiner Friedfertigkeit. Außerdem betonen die gamb. Politiker, in ihrem Lande eine wahre Demokratie realisiert zu haben.

Kerstin Bernecker

Literatur

Armand-Prévost, M., La Rép. de Gambia, Paris 1973.

Coulon, C., Les partis politiques gambiens, in: Rév. Fr. d'Etudes Polit. Afric., vol. 89 (Mai 1973), S. 31–49.

Deschamps, H., Le Sénégal et la Gambie, Paris 1968.

Gailey, H. A., A History of the Gambia, London 1964.

Gray, J. M., A History of the Gambia, Cambridge 1940.

Nyang, M. S. S., ,,Histoire du développement des partis politiques en Gambie", in: Revue française d'études politiques africaines, Nr. 129, Paris 1976, S. 86–103.

Nyang, S. G., ,,Ten Years of Gambia's Independence. A political Analysis", in: Présence Africaine. Revue Culturelle du Monde Noir, Nr. 104, Paris 1977, S. 28–45.

Ghana

Grunddaten

Fläche: 238.537 km².
Einwohner: 10.310.000 (1976).
Ethnische Gliederung (1975): Akan (Fanti, Ashanti, Brong) 44%;
  Ewe 13%; Ga-Adangbe 8%; Mole-Dagbani 16%.
Religionen: Traditionelle Religionen ca. 40%; Moslems 15–20%;
  Christen ca. 40% (davon 20% prot., 10–12% röm.-kath., zahl-
  reiche christl. Freikirchen).
Alphabetisierung: 35% (1970).
Einschulungsquote: 80% (1970).
BSP: 4.130 Mio. US-$ (1974).
Pro-Kopf-Einkommen: 430 US-$ (1974).

1. Historischer Überblick

1470 erreichen portugiesische Seefahrer die westafrik. Küste in
Höhe des heutigen Ghana. Durch befestigte Stützpunkte gesichert
handeln Portugiesen (bis 1642), Briten (seit 1553), Niederländer
(1612–1872), Dänen (1658–1850) und Brandenburger (1612–1717)
vor allem Textilien, Schmuck, Feuerwaffen und Schnaps gegen
Gold, Sklaven und Elfenbein.

Nach dem Verbot (1807) des im Vordergrund stehenden Sklavenhandels beginnen während des 19. Jh. Missionierung und Eindringen des engl. Handelskapitals. 1821 übernimmt die Krone den
Anteil privater brit. Handelsgesellschaften.

1874 erklärt G.B. das südliche G. zur Kolonie mit Accra als Sitz
der Kolonialverwaltung. Zur polit. und wirtschaftlichen Durchdringung des Hinterlandes muß die Kolonialmacht den Widerstand
des Aschantireiches brechen, zu dieser Zeit einer der wenigen
durchorganisierten Staaten Westafrikas. Nach mehreren Kriegen
und der vollständigen Zerstörung der Aschantihauptstadt Kumasi
erfolgt bis 1901 die Niederwerfung der Aschantis und des Nordens.

Die Kolonisierung hat vor allem die Ausnützung billiger Arbeitskraft für Kakaoanbau (Monokulturen), Gold- und Holzgewinnung zum Ziel. Man bedient sich der Häuptlinge („chiefs") zur Ausübung der „indirect rule" (mittelbare Herrschaft).

Als erstes schwarzafrik. Land wird G. unter Einschluß Britisch-Togos (Westteil der ehemaligen dtsch. Kolonie Togo) am 6. 3. 1957 aus eigener Kraft von der europ. Kolonialherrschaft unabhängig.

Am 1. 7. 1960 wird G. unter Verbleib im Commonwealth zur Republik erklärt.

2. Entwicklung der politischen Parteien

2.1. Vor der Unabhängigkeit

1947 entsteht als erste größere nationale Sammlungsbewegung unter J. K. B. Danquah und Kwame Nkrumah (Generalsekretär) die Vereinigte Sammlungsbewegung der Goldküste, United Gold Coast Convention, UGCC, unter erheblicher Beteiligung der nationalen Bildungsschichten („intelligentsia"). Zielsetzungen sind Selbstverwaltung gegenüber G.B. und der Versuch, den Einfluß der traditionellen „chiefs" als kolonialer Handlanger zurückzudrängen.

Nach Demonstrationen, Boykott ausländischer Geschäfte und Plünderungen kommt es 1948 zur Abspaltung des Jugendorganisations-Komitees unter Nkrumah, aus dem die 1949 gegründete Volks-Sammlungs-Partei, Convention People's Party, CPP, hervorgeht. In ihr formieren sich vor allem gebildete Zwischenschichten (Lehrer, kleine Geschäftsleute, Angestellte etc.), die sich im polit. Gegensatz zur teilweise der Kolonialmacht verbundenen oder verpflichteten UGCC sehen. In Opposition zu einem offiziösen Verfassungsentwurf fordert die CPP sofortige Selbstregierung, durchzusetzen per „positive action", was nach einem Generalstreik zur Verhaftung Nkrumahs und anderer CPP-Führer als Anstifter und zu deren Verurteilung führt.

Die ersten ghan. Wahlen 1951 bringen einen überwältigenden Wahlsieg der CPP und führen zur Haftentlassung Nkrumahs. Bei der „Regierungs"-Bildung erfolgen weitgehende Zugeständnisse an die Kolonialmacht; in der Folgezeit bleibt vor allem die Kakao-verkaufsbehörde (Cocoa Marketing Board) als Hauptausbeutungs-instrument der Engländer unangetastet. Der Reservefonds – eigentlich in Notjahren für Ausgleichszahlungen an die ghan. Produzenten vorgesehen – wird zur Deckung des brit. Haushaltsdefizits mißbraucht.

Die Kolonialmacht sieht in Nkrumahs Popularität auch einen Stabilitätsfaktor. Sog. ,,community development teams" vor allem für ländliche Entwicklungsprojekte führen zur Verbesserung der Lebensbedingungen und zu einer Mobilisierung der Bevölkerung. In diese Phase fällt auch die Einrichtung einer Kakao-Einkaufsgesellschaft zur Vertretung der Belange der einheimischen Kakaobauern, die allerdings auch der Finanzierung der CPP und der Versorgung ihrer Mitglieder mit Posten dient.

Kurz vor den Wahlen 1954 finden sich in Kumasi mehrere oppositionelle Gruppen zur ,,Nationalen Befreiungsbewegung", National Liberation Movement, NLM, zusammen. Ihre Führungskader (u. a. Dr. Kofi Busia) gehen großenteils aus der Schicht wohlhabender Geschäftsleute, Juristen, Verwaltungsangestellter und traditioneller ,,chiefs" hervor, während die CPP vor allem arbeitslose Schulabgänger, Handwerker, Lehrer, Kleinhändler und die Dorfopposition gegen die ,,chiefs" mobilisieren kann.

Das Wahlergebnis, bei dem sich die CPP durchsetzt, zeigt Gewinne der NLM lediglich im Aschantigebiet, bei den ,,chiefs" im Norden und im Bürgertum der Hauptstadt Accra. Im Wahlkampf 1956 setzt sich die NLM für ein föderalistisches Verfassungskonzept ein, während die CPP für eine zentralisierte Regierungsgewalt plädiert. Trotz verschlechterten Kontakts zur Basis entscheidet die CPP die Wahlen für sich.

2.2. Nach der Unabhängigkeit

2.2.1. Nkrumah-Regierung (1957–1966)

Kurz vor dem Unabhängigkeitstag (6. 3. 1957) brechen blutige Unruhen im ehemaligen brit. Völkerbundsmandat Togoland (Volta-Region) aus; es folgen Demonstrationen von Arbeitslosen und zahllose Konflikte um Marktrechte und Einflußgebiete der „chiefs". Die Regierungspartei CPP unter Nkrumah reagiert mit zunehmend autoritären Maßnahmen zur Machtabsicherung und innerparteilichen Säuberung.

Die Programmatik der CPP mit dem Anspruch einer Volkspartei bleibt mit der Umsetzung theoretischer (sozialistischer) Vorstellungen in die Praxis unklar; die Besitzverhältnisse in Landwirtschaft und Gewerbe werden nicht entscheidend angetastet. Es bildet sich ein linker Flügel um die Parteizeitschrift „Spark". Nkrumahs panafrikanische Politik bringt eine Union mit Guinea (1959) und deren Ausdehnung auf Mali (1961) zustande. Mit weitergehenden Vorstellungen kann sich Nkrumah in der Folgezeit innerhalb der OAU nicht durchsetzen. Wirtschaftliche Schwierigkeiten (sinkende Kakaopreise, Streiks in den Industriegebieten an der Küste) lösen nach 1961 eine Wende in der Innen- und Wirtschaftspolitik aus. Mit teils per Gesetz, teils gewaltsam erreichter Machtausweitung, die in der Verhaftung von 43 oppositionellen Parlamentariern und dem Verbot der NLM (1964) gipfelt, führt Nkrumah ein dirigistisches Einparteiregime herbei. Bereits durch das Verfassungsplebiszit von 1960 sichert er sich im Rahmen der republikanischen Staatsverfassung weitestgehende Rechte als Premier. Die Gewerkschaften, Jugendorganisationen und Frauenverbände werden in die CPP eingegliedert. Das „Charisma" Nkrumahs verstärkt sich zu einer ausgeprägten Führerorientierung. Nkrumah bekennt sich zum Prinzip des „demokratischen Zentralismus" und hält eine diktatorische Übergangsphase für angemessen.

Im Wirtschaftsbereich kommt es zu folgenden Veränderungen:
– strikte Importkontrollen
– Wirtschaftsplanung nach sowjetischem Vorbild (Außenhandelsanteil des Ostblocks 35% (heute 10%)
– Ausweitung des Staatssektors in der Wirtschaft
– stürmische Industrialisierung mit Hilfe von Auslandskapital (Voltadamm, neue Hafen- und Industriestadt Tema).

Eine kostenlose Grundschulerziehung wird eingeführt. Die Besitz- und Produktionsverhältnisse bleiben weiterhin unangetastet; weitergehende Veränderungen werden von den besitzenden

Schichten, aber auch von einem Teil der Elite um Nkrumah verhindert. Die Korruption stellt ein erhebliches Problem dar. Zahlreiche Attentate auf Nkrumah haben in den letzten Jahren des Regimes polizeistaatliche Methoden als Gegenreaktion zur Folge (Amtsenthebungen, Streikverbot, Vorbeugehaft etc.).

Mitte der sechziger Jahre steht G. mit einer Staatsverschuldung von rund 4 Mrd. DM vor dem Bankrott. Der Import von lebensnotwendigen Lebensmitteln ist nicht mehr zu finanzieren und führt zu Versorgungsengpässen; die Arbeitslosigkeit wächst rapide.

2.2.2. Militärregierung Afrifa (1966–1969)

Im Februar 1966 wird das Nkrumahregime durch den ,,Nationalen Befreiungsrat" (National Liberation Council, NLC) aus Armee- und Polizeioffizieren unter Brigadier Afrifa, General Ankrah und Polizeioffizier Harley gestürzt. Mit dem CPP-Verbot endet der (ohnehin ohnmächtige) Parlamentarismus.

Obwohl überwiegend aus kleinbürgerlichen Schichten stammend, unterstützen die Militärs zunehmend die Interessen der ,,nationalen Bourgeoisie". Staatsbetriebe werden reprivatisiert und multinationale Unternehmen erlangen größeren Einfluß. Das Regime wird von westlichen Staaten unterstützt (u. a. USA und G.B.). Ca. 800.000 Ausländer aus den Nachbarstaaten werden vertrieben (Ausnahme: Geschäftsleute mit über 200.000 DM Geschäftskapital).

2.2.3. Zivilregierung Busia (1969–1972)

1969 übergeben die Militärs – nach Wahlen im August – die Macht an eine Zivilregierung unter Wiedereinführung eines parlamentarischen Mehrparteiensystems.

Bei den überwiegend von den westlichen Industriestaaten finanzierten Wahlen stehen sich folgende Parteien gegenüber:
– die Progressive Party (Fortschrittspartei, PP) unter Dr. Kofi Busia; sie erringt 75% der Sitze und stellt mit der westlich orientierten ,,intelligentsia", den Traditionalisten (,,chiefs") und der Geschäftswelt die neue Machtelite; ihre Stimmhochburgen sind die

Aschanti-, Brong/Ahafo- und die Central-Region (Akan-Sprach-
gebiet)
– die „National Alliance of Liberty" (nationale Freiheitsallianz,
NAL) unter Gbedemah mit Schwerpunkt im Ewe-Gebiet (dort
77% der Stimmen), die insgesamt 21% der Sitze erreicht,
– u. a. nkrumahfreundliche Splitterparteien (PAP/PPP).

Die programmatischen Unterschiede sind unbedeutend, das
Wahlergebnis eher tribalistisch zu bewerten; sozialistische Vorstellungen bleiben tabuisiert.

Die westlich orientierte Politik des Afrifa-Regimes wird im wesentlichen fortgesetzt. 1971 spitzt sich die wirtschaftliche Lage zu:
der Gewerkschaftskongreß wird aufgelöst, die opponierende Indu-
striearbeiterschaft unterdrückt; wirtschaftliche Mißerfolge zwingen
zu Cedi-Abwertungen; die Unpopularität des Regimes wird durch
verweigerte Offenlegung von Privatguthaben der Minister und
Parlamentarier (entgegen den Verfassungsvorschriften) verstärkt;
Militärs und Studenten beziehen dagegen Stellung.

2.2.4. Militärregierung Acheampong (ab 1972)

Unter Oberst Ignatius Kutu Acheampong wird das Busia-Regime
1972 ohne Widerstand der Bevölkerung durch einen unblutigen
Militärputsch des „National Redemption Council" (Nationaler
Erlösungsrat, NRC) abgelöst. Die neue Regierung ist am Prinzip
des „self-reliance" orientiert, versucht auf die breite Skala politischer und wirtschaftlicher Grundvorstellungen integrierend zu wirken, ohne über pragmatische – meist wirtschaftliche – Maßnahmen
hinaus eine eigene Programmatik zu entwickeln. Die Verfassung
wird suspendiert, die Parteien werden verboten.

Im Oktober 1973 scheitert ein bereits früh entdeckter Putschversuch von CPP-Veteranen (u. a. Kojo Botsio, langjähriger Außenminister Nkrumahs).

Eine in Aussicht gestellte und zunehmend diskutierte Beteiligung
von Zivilisten an der Regierung blieb bisher ohne praktische Auswirkungen.

3. Merkmale der politischen Struktur

3.1. Elite

Bereits in der Phase des Befreiungskampfes zeigt sich eine Polarisierung in den Bildungsschichten, der Geschäftswelt und der „intelligentsia" im engeren Sinne, die aus kolonialem Zwischenhandel und Administration hervorgegangen und teilweise in G.B. ausgebildet war. Diese Spaltung drückt sich auch in der Trennung von UGCC und Nkrumahs CPP aus:
– die CPP mit einer Rekrutierungsbasis u. a. aus Absolventen der „primary schools" (Grundschulen), kleinen Händlern und Angestellten, der Dorfopposition gegen die „chiefs" und lokalen Jugendorganisationen; diese Gruppen mit fortschrittlichen, teils sozialistischen Ansätzen waren in späteren Phasen häufig nicht immun gegen lockende Privilegien, „Verwestlichung" und Korruption;
– die UGCC (später NLM) als Sammelbecken vermögender Geschäftsleute, freiberuflicher Akademiker, „chiefs" etc. („Petty-Bourgeoisie").

Durch diese Pole ist auch die heutige Bandbreite zwischen strukturveränderndem Reformwillen und dem Widerstand der Besitzenden in G. gekennzeichnet.

Neben einer sehr schmalen Oberschicht von einigen tausend Personen (25.000 nach vorsichtigen Steuerschätzungen) existiert heute eine wachsende Mittelschicht aus Verwaltungs- und Privatangestellten, Händlern und größeren Marktbauern, die ca 300.000 Personen umfaßt (107.000 angestellt im Staatsdienst, davon 18.000 im Militärbereich).

Die wesentlichen Entscheidungs- und Machtpositionen werden heute von Militärs eingenommen, insbesondere seit der Regierungsumbildung vom Okt. 1975. Damals wurde der „Nationale Versöhnungsrat" (NRC) durch den „Obersten Militärrat" (Supreme Military Council, SMC) als oberstes Legislativ- und Administrationsorgan abgelöst. Fast die Hälfte der ehemaligen Regierungsmitglieder, die großenteils mit Acheampong den Coup vom 13. 1. 1972 gegen Busia durchführten, wurden entlassen. Unter den Verbleibenden erfolgte eine völlige Umgruppierung. Acheampong als Vorsitzender des SMC berief einen Zivilisten als Wirtschaftsminister (,,High Commissioner" Dr. R. K. Gardiner) in die Regierung.

Der SMC stützt sich auf Militär, Polizei und loyale Staatsangestellte; zwei der drei großen Zeitungen des Landes (,,Daily Graphic", ,,Ghanaian Times") gehören der Regierung ebenso wie Funk und Fernsehen. Der SMC versucht, auch in seiner personellen Zusammensetzung stammesmäßige, regionale und politische Differenzen zu integrieren.

Das gleiche gilt für den Beamtenapparat, dessen bürokratische Elite Mitglieder sämtlicher Parlamente, Regierungen und ehemaliger Parteien (seit 1951) wie auch Intellektuelle verschiedenster Couleur umfaßt. Die Säuberungen nach dem Sturz Nkrumahs betrafen nicht einmal 2% der staatlichen Angestellten. Gegenüber den Mitarbeitern des Busiaregimes wird eine versöhnliche Haltung eingenommen.

Die wirtschaftliche Oberschicht befindet sich aufgrund der Wirtschaftsstruktur in starker Abhängigkeit von den westlichen Industriestaaten. Ihre polit. meist konservative Grundhaltung und ihre Einflußnahme werden durch Staatsinterventionen nur zögernd eingeschränkt.

Die Herrschaftsabsicherung des Acheampong-Regimes erfolgt durch:
– möglichst weitgehende Beteiligung der ,,intelligentsia", der verschiedenen Stämme, der Gewerkschaft und sonstiger Zivilisten auf unterer und mittlerer Ebene;
– Gewährung (bzw. Nichteinschränkung) von Privilegien an systemstabilisierende Mittelschichten, z. B. durch finanzielle Förderung des Kleinunternehmertums und den Ausbau des Verwaltungsapparates (über 60% des Budgets sind Personalkosten);
– direkte Zwangsmaßnahmen sind selten, abgesehen von Übergriffen bei Studentenprotesten und gegenüber den Sezessionisten in der Voltaregion (s. 3.2.3.).

Bereits 1972 machte der NRC Vorschläge zur Beteiligung von Zivilisten an der Regierung (Einführung eines nationalen ,,Beratungsausschusses"). Über Form und Intensität dieser Beteiligung gibt es bis heute unterschiedliche Auffassungen. Während Beamte der älteren Generation und Wirtschaftskreise lokale und berufsständische Interessenvertretungen anstreben, betont vor allem die ,,intelligentsia" die Notwendigkeit einer demokratischen Legitimation der zivilen Beteiligung.

Die Anfang 1976 erfolgte Ankündigung des SMC, ein Programm zur Wiederherstellung einer Zivilregierung sei in Vorbereitung, mündete nach Streiks und heftigen Demonstrationen, an denen fast alle Berufsorganisationen beteiligt waren, Mitte 1977 in das 9-Punkte-Programm zur Wahl eines Parlaments und einer Zivilregierung am 15. Juni 1979. Vorher sollen am 30. März 1978 ein Referendum über die zukünftige Regierungsform abgehalten sowie bis März 1979 eine neue Verfassung ausgearbeitet werden. Die Militärregierung forciert stark die Idee eines ,,Union Government" (s. u. 3.5. Wahlen), das nicht auf Parteien beruht und sich angeblich an spezifisch afrikanischen Formen der Demokratie orientiert. Potentielle Gegnerschaft zu diesem Konzept, speziell unter Studenten und Intellektuellen, wird von der Regierung recht massiv bekämpft.

3.2. Stärke und Rolle anderer Gruppen

3.2.1. Innerhalb der Armee

Die Regierungsumbildung vom Okt. 1975 betraf zuvor nicht in polit. Entscheidungspositionen befindliche Militärs. Neu war ferner die Besetzung oberer und mittlerer Verwaltungsposten mit Offizieren der mittleren Ränge. Bereits 1974 war ein 15köpfiger Militärbeirat für verteidigungspolit. Fragen geschaffen worden.

Acheampong sah (und sieht) sich dem Druck jüngerer Offiziere ausgesetzt, wobei folgende Faktoren eine Rolle spielen:
– Unmut über ältere Offiziere in Regierung und staatlichen Unternehmen, Korruptionsvorwürfe und schwindender Kontakt zur Armee selber,
– das warnende Beispiel des Militärputsches in Nigeria 1975,
– latente wirtschaftliche Schwierigkeiten (Versorgungsengpässe, Verteuerung der Grundnahrungsmittel um derzeit 55% pro Jahr).

Acheampong spricht zwar selbst von „frischem Blut für ein neues Programm", polit. Veränderungen zeigten sich jedoch nicht. Die personellen Veränderungen kennzeichnen die Stärke der oberen und mittleren Militärränge, ohne daß hieraus eine neue Programmatik resultiert.

3.2.2. Opposition

Oppositionelle Vorstellungen in der „intelligentsia" – auch der Studentenschaft – bleiben meist unter der polit. Oberfläche und sind deshalb schwer einzuschätzen. Bis zu den Studentenrevolten 1974/75 an der Universität Accra/Legon unterstützte der NRC (loyale) Studentenorganisationen. Anlaß der studentischen Aktionen waren zunächst Auseinandersetzungen über sinkende Stipendien und zunehmende akademische Arbeitslosigkeit. Ein Übergreifen der Ereignisse auf andere Bevölkerungsgruppen wurde unterbunden (Armee-Einsatz, Schließung der Universität).

Proteste von Slumbewohnern gegen ihre Vertreibung an den Stadtrand wurden ebenfalls mit Gewalt unterdrückt. Verbindungen kleinerer studentischer Oppositionsgruppen – die sich u. a. auf Nkrumahs theoretische Schriften berufen – zur Bevölkerung werden systematisch unterbunden.

Der lose Gewerkschaftsdachverband TUC verhält sich der Regierung gegenüber loyal und wirkt eher abwiegelnd auf die 17 Einzelgewerkschaften (insg. 400.000 Mitglieder). Unter Nkrumah spielte der gh. Gewerkschaftsverband eine führende Rolle in der panafrik. Arbeiter- und Gewerkschaftsbewegung. Lohnverhandlungen – sofern über die staatlich festgesetzten Mindestlöhne hinausgehend – werden von Betriebsgewerkschaftsgruppen geführt.

Die Kirchen verhalten sich weitgehend unpolitisch.

Insgesamt läßt sich festhalten, daß eine „unorganisierte Unzufriedenheit" zwar zu finden ist, diese jedoch weder über eine ideologische Basis noch über personelle Führungsalternativen verfügt. Einer ausgleichenden Regierungspolitik ist es bisher gelungen, Konfrontation und Polarisierung zu verhindern oder abzuschwächen.

124

3.2.3. Tribale Minderheiten

Die heutige Führungsschicht der Aschanti – hervorgegangen aus der traditionellen Aschanti-Elite mit dem Asantehene („König") an der Spitze – zeigt ein deutlich ausgeprägtes Stammesbewußtsein, hat erheblichen Einfluß im gh. Geschäftsleben (insb. Kakaoanbau und -handel) und verfügt in der privaten Tageszeitung „Pioneer" über ein eigenes Sprachrohr.

Im Siedlungsgebiet der Ewe (Voltaregion) existieren in letzter Zeit zunehmende Sezessionsbestrebungen mit dem Ziel eines Anschlusses an den Nachbarstaat Togo, angeführt von einem im togolesischen Exil lebenden ehemaligen Busia-Minister. Kritisiert wird unter anderem eine infrastrukturelle Benachteiligung der Volta-Region. Die Zentralregierung geht strikt gegen die Sezessionisten vor; es gab zahlreiche Prozesse und Verurteilungen.

3.3. Regierungsprogramm

Der regierende Oberste Militärrat (SMC) verfügt über keine Parteistruktur und vertritt keine konsistente Programmatik. Ein idealistischer Überbau, der Appelle an afrik. Traditionalismus und Nationalismus mit wirtschaftlichen Versprechungen verknüpft, hat keine konsequente Verbindung zu den meist wirtschaftlichen Einzelmaßnahmen. Eine Beteiligung der Bevölkerung, die solche Programme mitformulieren, unterstützen und mit durchführen könnte, ist bislang noch nicht eingeleitet worden.

Die Regierungspolitik versteht sich als überwiegend pragmatisch. Sie versucht, möglichst alle gegenwärtigen Strömungen aufzunehmen und auszugleichen (polit., personell, wirtschaftlich), ohne das westlich geprägte gh. Wirtschaftssystem grundsätzlich in Frage zu stellen.

1974 deklariert der „Nationale Versöhnungsrat" (NRC) die „Charter of Revolution", angelehnt an die tansanische Arusha-Deklaration von 1967:

1. Nationale Sicherheit und Gleichheit
2. Befreiung von Unterentwicklung und Außenabhängigkeit durch Entwicklung des Menschen als Produktivkraft

3. Revolutionäre Disziplin und harte Arbeit

4. Entwicklung der materiellen und menschlichen Ressourcen durch eigene Anstrengungen („self-reliance", s. 4.)

5. Patriotismus, „positive Neutralität" in der Außenpolitik und Anti-Neokolonialismus

6. Verpflichtung der Führungskader zum Dienst am Volk und zu sozialer Vorbildhaftigkeit

7. Kulturelle Mobilisierung des Volkes gegen westliche Über-fremdung für die Erhaltung lebensfähiger traditioneller Werte.

Insbesondere das Prinzip der „self-reliance" (Vertrauen in die eigene Kraft) verbunden mit der „operation feed yourself" (Selbst-versorgungsaktion) prägt eine Politik des sparsamen Einsatzes der Ressourcen mit Schwerpunkt in der Landwirtschaft. Die neu hinzu-gekommene „operation feed your industries" soll Schlüsselpro-dukte wie Baumwolle, Zucker und Ölpalmen zum Aufbau einer eigenen Verarbeitungsindustrie fördern.

Eine seit Jahren zu beobachtende Renaissance der Gedanken- und Personenverehrung Nkrumahs wird von Acheampong geschickt zur Durchsetzung seiner Politik ausgenutzt. In den Medien wird häufig auf Nkrumah Bezug genommen, teils werden auch einzelne Elemente seiner Politik wie etwa die Förderung nationaler Bil-dungsinhalte aufgegriffen. Häufig wird der „Nkrumahismus" je-doch aus Opportunismus vorgeschoben; andererseits wurde eine freiere Diskussion auch sozialistischer Vorstellungen möglich.

Der westliche Parlamentarismus und ein Parteiensystem sind von Acheampong wiederholt für G. abgelehnt worden; vereinzelt wurde in loyalen Medien eine Popularisierung seiner Person ver-sucht, etwa durch Bezeichnung seiner Person als „Kutu" (einer seiner Vornamen).

Importsubstitution und -restriktion sind tragende Maßnahmen der gh. Wirtschaftspolitik. Im Rahmen der „operation feed your-self" unterstützt der SMC die Landwirtschaft mit immerhin 15% des Budgets 1976/77. Die Subsistenzfarmer sollen zum Ausgleich der Importabhängigkeit bei Nahrungsmitteln (1973 noch 21% der Einfuhren) ein „surplus" erwirtschaften. Seit 1976 ist G. Selbst-versorger bei Mais und Reis.

Andererseits kooperiert man aber seit einigen Jahren auch mit Experten multinationaler Unternehmen, die einheimischen Farmern Technologieimpulse vermitteln sollen; auch die Einrichtung eines Kakaoministeriums 1975 weist auf eine nicht konsequent binnenmarktorientierte Wirtschaftpolitik hin. Für Schüler und Studenten ist ein Dienstjahr mit schwerpunktmäßigen Einsätzen in der Landwirtschaft vorgesehen.

Bereits 1972 wurde eine ,,Ghanaisierung" der wirtschaftlichen Führungspositionen durchgeführt. Verstärkt betriebene ,,joint ventures" gewähren ausländischem Kapital einerseits 5 Jahre Steuerfreiheit, andererseits Gewinnbeschränkungen und staatliche Kontrolle der Geschäftspraktiken. Der vom SMC nur zögernd ausgedehnte Staatssektor umfaßt ca. 35% der Beschäftigten in Industrie, Bergbau und Bauwesen.

Maßnahmen gegen die Korruption werden zumindest versucht. 1976 mußten Dr. Busia und zwei ehemalige Minister mehrere Mio. DM ungerechtfertigt erworbener Gelder zurückzahlen.

Der Versuch, das hohe Einkommensgefälle durch gestaffelte Lohnerhöhungen und Anhebung des Mindestlohnes auf ca. 80 DM auszugleichen, wird u. a. durch die Inflation beeinträchtigt. Gegen Klein- und Zwischenhändler, die durch überhöhte Gewinnspannen die Erfolge der ,,operation feed yourself" vernichten, wird z. Z. eine Kampagne durchgeführt.

Die Politik Acheampongs und des SMC krankt in ihren fortschrittlichen Ansätzen an nicht kontrollierbarer Durchführung. Intern behindern u. a. Schmuggel und Korruption (mindestens bis in mittlere Regierungsinstanzen), extern G.s Weltmarktabhängigkeit eine Lösung aus den entwicklungshemmenden Strukturen.

(3.4. Aufbau der Parteien entfällt.)

3.5. Wahlen

1951	CPP (Convention People's Party)	34
	UGCC (United Gold Coast Convention)	2
	andere	2
		38

1954	CPP	72
	Opposition	32
		104

1956	CPP	71
(Wahlbet. ca. 30%)	NLM (National Liberation Movement)	12
	andere	21
		104

1969	PP (Progressive Party)	105
	NAL (Nat. Alliance of Liberty)	29
	andere	6
		140

Das zur Zeit diskutierte ,,Union Government" soll nicht über Parteien gewählt werden, sondern neben Militärs berufsständische Abordnungen (Gewerkschaften, Akademiker, ,,chiefs" etc.) enthalten. Für 1978 ist ein Plebiszit über die Regierungsform vorgesehen, im Juni 1979 sollen dann allgemeine Wahlen stattfinden.

3.6. Einflüsse

G. verfolgt offiziell eine neutrale Politik mit diplomatischen Beziehungen zu den westlichen Ländern, zum Ostblock und seit dem Militärputsch auch wieder zur VR China (1966–1972 unterbrochen).

Die nach Nkrumahs Sturz verstärkte Abhängigkeit von den westlichen Industriestaaten im Bereich des Außenhandels und der Entwicklungshilfe schlägt sich auch in der Wirtschaftspolitik nieder. G. empfängt von den westlichen Industrieländern überproportional hohe Entwicklungshilfeleistungen, wenn es auch nicht mehr wie in den Jahren nach der Unabhängigkeit als ,,Musterentwicklungsland" angesehen wird.

Dank einer harten Verhandlungstaktik und der Ablehnung des westlichen ,,Schuldendiktats" ist es der Regierung gelungen, für die enorm hohen bis 1972 aufgelaufenen Auslandsschulden sehr günstige Rückzahlungs- und Verzinsungsbedingungen zu erreichen. G. erhält vom Internationalen Währungsfonds inzwischen wieder weiche Kredite.

Militärische Stützpunktinteressen von Ost und West wurden im Sinne der Neutralitätspolitik abgelehnt.

In der ECOWAS (Economic Community of West African States, Westafrik. Wirtschaftsgemeinschaft) ist G. seit 1975 erstmals mit fast allen westafrik. Staaten verbunden, während vorangegangene Bündnisse in der Regel an gesellschafts- und wirtschaftspolitischen Gemeinsamkeiten orientiert waren.

Die westafrik. Kooperation ist noch gering (4% des gh. Außenhandels, u. a. Stromexport nach Togo und Obervolta aus dem Voltastaudamm). Spektakuläre Zusammenarbeit findet hingegen im Bereich von Kultur und Sport statt.

Der erhebliche Devisen- und Importgüterschmuggel belastet die gh. Wirtschaft und die Beziehungen zum Nachbarland Togo, das G. bei der Bekämpfung in der Praxis kaum unterstützt.

Innerhalb der OAU unterstützt G. die nationalen Befreiungsbewegungen (u. a. seit 1975 die MPLA), ohne hierbei wie unter Nkrumah in vorderster Linie zu stehen.

4. Politische Begriffe

„Self-reliance": Das „Vertrauen auf die eigene Kraft" soll die Entwicklung der menschlichen und materiellen Ressourcen durch eigene Anstrengungen ermöglichen. Hierzu beitragen sollen angepaßte Technologie und Schwerpunktsetzung in der Landwirtschaft;

Konkretisiert wird der dem tansanischen Modell entstammende Begriff durch die *„operation feed yourself":* Die „Selbstversorgungsaktion" dient der Verringerung der Lebensmittel-Importabhängigkeit, einer Mobilisierung der Bevölkerung (einschließlich Oberschüler und Studenten) und wird staatlicherseits u. a. durch günstige Kredite für Landwirte unterstützt.

Hinzugekommen ist neuerdings die *„operation feed your industries",* die Schlüsselprodukte wie Baumwolle, Zucker und Ölpalmen zum Aufbau einer eigenen Verarbeitungsindustrie fördern soll.

Gegenüber Nkrumah's „consciencism" (Bewußtseinstheorie) ist „self-reliance" eine Pragmatisierung, ohne den bei Nkrumah wesentlichen Bezug zu einem sozialistischen Gesellschaftsbild.

Hans B. Sternberg

Literatur

Ansprenger, F. u. a., Die politische Entwicklung Ghanas von Nkrumah bis Busia, München 1972.

Apter, D. E., „Nkrumah, Charisma und der Coup", aus: Berg-Schlosser, D., Die politischen Probleme der Dritten Welt, Hamburg 1972, S. 218–229.

ders., „Konstante und variable Faktoren in der neueren Politik Ghanas", aus: Vianney, J. J. (Hrsg.), Politische Perspektiven Afrikas, Bonn 1972, S. 67–120.

Büse, J. E., Gewerkschaften im Prozeß des sozialen Wandels in Entwicklungsländern. Versuch einer historisch-genetischen und strukturell-funktionalen Analyse der Rolle der Gewerkschaften in Ghana, Bonn 1974.

Gutteridge, W. F., Military Regimes in Africa, London 1975.

Hanisch, R., Der Handlungsspielraum eines Landes der Peripherie im internationalen System. Das Beispiel Ghana, Saarbrücken 1975.

Price, R. M., Society and Bureaucracy in Contemporary Ghana, Berkeley 1975.

Prouzet, M., „Vie politique et institutions publiques ghanéennes" in: Révue française d'études politiques africaines, Nr. 145: Paris 1978, S. 51–85.

Reuke, L., Befreier und Erlöser? Militär und Entwicklung in Ghana, Bonn – Bad Godesberg 1977[2].

Rubin, L., „Ghana 1966–1972: A study in African constitutional change", in: Jahrbuch des öffentlichen Rechts der Gegenwart, 25. Jg., Tübingen 1976, S. 477–498.

Spittler, G., (Hrsg.), Regierungspolitik und sozialer Wandel in Ghana. Eine Kritik des Modells: modernisierende Elite – traditionale Massen, Freiburg 1971.

Tetzlaff, R., „Ghana – Fehlgeschlagene Versuche der Befreiung", aus: Grohs, G.; Tibi, B. (Hrsg.), Zur Soziologie der Dekolonisation in Afrika, Frankfurt/M. 1973, S. 219–264.

Timmler, M., „Ghana – Zehn Monate nach dem zweiten Militär-Putsch", in: Internationales Afrikaforum, 8. Jg., Nr. 11/12, München 1972, S. 631–639.

Guinea

Grunddaten

Fläche: 245.957 km².

Einwohner: 4.530.000 (1976).

Ethnische Gliederung: Fulbe/Peulh/Foulah: 1,2 Mio.; Malinké: 650.000; Soussou: 275.000; Kissi: 160.000; Kpelle: 145.000; Toma: 83.000. (Die Schreibweise von guineischen Eigennamen ist nicht einheitlich.)

Religionen: Traditionelle Religionen: 35%; Moslems: 62%; Christen: 1,3% (meist röm.-kath.).

Alphabetisierung: Einschulungsquote: bei 80% (1970).

BSP: 630 Mio. US-$ (1974).

Pro-Kopf-Einkommen: 120 $ (1974).

1. Historischer Überblick

Guinea hat ein Staatsgebiet mit sehr heterogenen Regionen: Resultat einer willkürlichen kolonialen Gebietsbildung am Ende des 19. Jh.

Den natürlichen Strukturunterschieden einzelner Regionen entsprechen unterschiedliche polit. Verfassungen in vorkolonialer Zeit. Im Bergland Fouta-Djallon war die Staatenbildung der Fulbe (frz. Peulh) vor der Kolonialisierung am weitesten gediehen: praktisch eine theokratisch-militärische Konföderation mit ,,Almamis" an der Spitze, mit einer Aristokratie und einem auf Ausbeutung eines Teils der Bevölkerung (vor allem der Sklaven) beruhenden Wirtschaftssystem. In dem zum Sudangürtel gehörenden Teil G.s (Oberguinea) gab es nach dem Untergang der großen Mali-Reiche neben dörflichen Organisationen (Föderationen) vereinzelt größere Militärstaaten. Im Waldgürtel G.s und in der Küstenregion war eine dörfliche Gemeinschaft die Basis der polit. Ordnung in vorkolonialer Zeit.

Die koloniale Eroberung durch die Franzosen setzte ab 1850 ein.

Sie eroberten das Gebiet militärisch oder bedienten sich des Instruments der Schutzverträge mit lokalen polit. Institutionen (Häuptlingen).

Widerstand gegen die Eroberung: Im heutigen Oberguinea organisierte Samory Touré (der ,,Bonaparte des Sudan") von 1891 bis 1898 einen Wanderkrieg; in der Waldregion konnten die Guerzé und Manon im Süden G.s bis 1911/12 Widerstand leisten.

Ergebnis der Kolonialpolitik: Ausrichtung der Wirtschaft auf Exportprodukte; Régime d' indigénat und justice indigène stufen den Afrikaner als Untertan und nicht als Bürger ein; in der ,,Chefferie" etabliert sich ein Korps von Erfüllungsgehilfen der Kolonialverwaltung.

2. Entwicklung der politischen Parteien

2.1. Vor der Unabhängigkeit

Die frühe parteipolit. Entwicklung in G. vor der Unabhängigkeit nahm einen ähnlichen Verlauf wie in den anderen Gebieten des frz. Kolonialreiches, wo fortschrittliches Bürgertum, Agrarmittelstand und eine kleine Gewerkschaftsbewegung das Rassemblement Démocratique Africain (RDA) bildeten, eine parteiähnliche Institution, in der die junge intellektuelle Elite ihre Vorstellung von nationaler Unabhängigkeit und Gleichberechtigung artikulierte. Nach dem historischen Kongreß des RDA im Okt. 1946 in Bamako entstand im Mai 1947 die noch heute regierende Parti Démocratique de Guinée (PDG) als Sektion des RDA. Richtungweisend für die spätere Politik der PDG ist ihre Herkunft aus der PPG (Parti Progressiste de Guinée), die ihrerseits aus der Groupe d'Etudes Communistes (GEC) hervorgegangen war. Innerhalb der PDG gelang es, übergeordnete, stammesneutrale polit. Programme herauszuarbeiten und Peulh, Malinké, Soussou und die anderen kleineren Stämme gemeinsam auf eine nationale Linie zu fixieren, um das für viele Staaten Afrikas typische ,,nation-building"-Problem zu lösen.

Die Politik der Assimilation (Französisierung der Afrikaner), die den Unabhängigkeitsbestrebungen den Wind aus den Segeln nehmen sollte, war in G. nicht richtig erfolgreich. Polit. Gruppierungen standen bis in die fünfziger Jahre stark unter landsmannschaftlichen Gesichtspunkten: Amicale Gilbert Veillard (Fulbe – sozialistisch orientiert), Union Mandique (Sékou Touré), Union de la Basse Guinée, Union Forestière. Wahlkämpfe waren tribalistische Auseinandersetzungen, bisweilen mit historisch-revanchistischen Aspekten.

Mit dem wirtschaftlichen Aufschwung der fünfziger Jahre (Erzlager/Rohstoffe) entwickelte sich eine neue polit. Kraft: die Gewerkschaftsbewegung, die an die frz. kommunistisch orientierte CGT anknüpfte, und an deren Spitze sich Sékou Touré in verschiedenen Arbeitskämpfen setzte (Generalsekretär). Die Führungsmannschaft von CGT und PDG wurde weitgehend identisch. Mit seiner sozialpolit. Popularität stieg auch Sékou Tourés allgemeine polit. Legitimation. Während die PDCI der Elfenbeinküste sich auf einen agrarischen Mittelstand stützte, bezog Sékou Touré als wichtige Trägergruppe die Industrie- und Landarbeiter in seinen polit. Kampf ein. Gewerkschaftliche Arbeit und Unabhängigkeitskampf verknüpften sich. Gewerkschaftliches Vokabular ist für die guineische Führung bis heute charakteristisch. Der Ansatz von polit. Unabhängigkeit und sozialer Revolution brachte aber Sékou Touré in Widerspruch zur „Chefferie" und anderen traditionellen Gruppierungen.

Gegen die Einheitsfront von PDG-RDA schlossen sich 1954 die landsmannschaftlich organisierten Gruppen zum Bloc Africain de Guinée (BAG) zusammen, einer Partei, die im Laufe der Zeit zum Sammelbecken von Konservativen und Traditionalisten wurde. Eine andere Neugründung dieser Zeit war die Démocratie Socialiste de Guinée, die die Reststimmen der Association G. Veillard im Foutah Djallon auf sich vereinte und unter maßgeblicher Beteiligung des Franzosen Jean Paul Alata (Prisons d'Afrique, Paris 1976) eine marxistische Orientierung hatte.

1954 verhinderte die Kolonialregierung durch Wahlbeeinflussung einen sich abzeichnenden Sieg der PDG. Anstelle Sékou Tourés wurde Barry Diawadou (BAG) in die frz. Nationalversammlung entsandt. Die daraus entstehende allgemeine Empörung nutzte Sékou Touré polit. aus: Partei und Programmatik wurden schlagkräftiger, mit dem Ergebnis, daß Sékou Touré 1956 in die frz. Nationalversammlung gewählt wurde. (Wahlsiege auch bei den Kommunalwahlen 1956 und im März 1957 auch bei den Wahlen zum Territorialparlament: 56 von 60 Sitzen.) Im Zuge des Loi-Cadre (dt.: Rahmengesetz) der frz. Kolonialverwaltung von 1956 wurde im Juni 1957 die erste guineische Regierung gebildet – mit Sékou Touré als Vizepräsident.

Nach dieser „Kampfzeit" der PDG trat eine Organisationsphase der nationalen Integration ein: Aufbau eines nationalen Politbüros (BPN) unter Einbeziehung zahlreicher anderer polit. Gruppierungen und Persönlichkeiten, Aufbau eines straffen Parteiapparates, Abbau des Chefferie-Prinzips im lokalen und regionalen Bereich der Verwaltung (Jahresende 1957) zugunsten eines Zentralismus der Verwaltung mit Regierungsbeamten.

In der Abstimmung über das von de Gaulle vorgelegte Konzept einer „Communauté" zwischen der Metropole Paris und den frz. Überseegebieten entschied sich die PDG für Ablehnung (ebenso wie die Oppositionsparteien DSG und BAG). Am 28. 9. 1958 stimmten 1.136.324 Guineer mit Nein und nur 56.981 mit Ja zur „Communauté". Damit wurde der Weg zur Unabhängigkeit frei, sie wurde am 2. Oktober 1958 (Nationalfeiertag) verkündet. Die Assemblée Territoriale konstituierte sich als verfassunggebende Nationalversammlung.

Die frz. Kolonialverwaltung reagierte auf das „Nein" G.s mit einem an eine Politik der verbrannten Erde und an Sabotage erinnernden Rückzug; man war der Überzeugung, daß das unabhängige G. nicht lebensfähig sei und innerhalb kürzester Zeit gezwungen sei (oder gezwungen werden sollte), wieder in die Communauté zurückzukehren.

2.2. Nach der Unabhängigkeit

Mit dem Referendum 1958 endete praktisch das Mehrparteiensystem in G. Die Opposition, DSG und BAG, verschwand aus dem polit. Leben. Etwaige oppositionelle Kerne wurden durch Integration neutralisiert oder zerschlagen. Die Neugründung einer Opposition spartei 1965 scheiterte (vgl. 3.2.).

3. Merkmale der politischen Struktur

Merkmal dieser sich als „état pilote" (Pionierstaat) begreifenden Republik ist eine enge Verbindung von Partei und Staat, die in dem frz. Verbundwort état-parti (Parteistaat) deutlich wird. Im Gegensatz zu manchen anglophonen Staaten Afrikas, in denen die Administration eine eigenständige polit. Größe ist, ist die Republik G. durch die Dominanz der Partei gekennzeichnet. Die PDG sieht ihre wichtigste Aufgabe in einer „révolution populaire", die über andere polit. Ziele der nationalen Aktionen (etwa formale polit. Unabhängigkeit) hinausgeht. Es geht um eine vollständige Dekolonialisierung des staatlichen, kulturellen und wirtschaftlichen Lebens. Die Leitvorstellungen sind: ein revolutionäres System für die Partei, eine revolutionäre Ordnung für den Staat und eine demokratische Volksdiktatur als polit. System.

Vom Wortlaut der Verfassung her ist G. eine Republik mit einer klassischen polit. Organisation: mit einem Einkammersystem der Legislative, einer einköpfigen Exekutivspitze (dem Staatspräsidenten und seit 1972 mit einem assistierenden Ministerpräsidenten nach frz. Vorbild), einer Rechtsprechenden Gewalt und einem Katalog von Grundrechten, zu denen das Rede-, Versammlungs- und Koalitionsrecht gehört. Es wäre allerdings falsch, anzunehmen, es könne nach Artikel 40, der die Koalitionsfreiheit fixiert, eine irgendwie geartete weitere Partei gegründet werden. Das Einparteiprinzip ist vielmehr eine vorgegebene Größe des Systems. Die PDG spielt die führende Rolle im Staat, sie verfügt über alle Machtmittel.

3.1. Elite

In G. bildete von Anfang an die kleine Gruppe von Arbeitern und Angestellten den Ausgangspunkt und die hauptsächliche Basis der polit. Arbeit der PDG. Die zweite wesentliche Gruppe, die Sékou Touré stützte, waren die Intellektuellen, die in der Allianz mit ihm die Chance der Verwirklichung von Fortschritt gegen etablierte Interessen und konservative Notablen sahen. Keita Fodeba, Literat, Schöpfer der Nationalhymne, Initiator des G.-Nationalballetts, zeitweise Innenminister (ein guineischer Fouché), ist der Prototyp dieser Gruppe.

Die dritte und entscheidende Gruppe, auf die sich Sékou Touré stützen konnte und für die er große soziale Errungenschaften (Gleichberechtigung) durchsetzte, sind die Frauen unter der Führung von Hadja Mafary, der Vorsitzenden der PDG-Frauenorganisation. Im Gegensatz zur allgemeinen Beschränkung händlerischer Freiheit beließ Sékou Touré im speziellen Fall der Frauen die große, für westafrikanische Gesellschaften typische wirtschaftliche Macht (Kleinhandel) in ihren Händen; im Gegenzug konnte er sich auf die Mobilisierung der Frauenorganisation zu seinen Gunsten verlassen.

Die polit. Struktur ist ungeachtet der folgenden Darstellung der Organisationen ein personales Regime, dessen Institutionen ganz auf Sékou Touré zugeschnitten sind. Er ist Egalitarist und duldet keine Elitenbildung innerhalb und außerhalb der Partei. Die Intellektuellen, die er für elitebildungsverdächtig hält, werden durch die Partei streng kontrolliert. Bilden sich Gruppen und zeichnen sich elitäre Tendenzen in der Umgebung von bestimmten Personen ab (z. B. Keita Fodeba), werden diese Gruppen oder Personen isoliert und im rechten Augenblick unter Zustimmung der Partei und der Massen kaltgestellt. Es ist ein polit. Phänomen erster Ordnung, daß sich Sékou Touré mit diesem Konzept praktisch 20 Jahre an der Macht halten und seine Position festigen konnte.

Im Hinblick auf die ethnische Zusammensetzung versuchte die PDG, eine ausgeglichene Politik der Beteiligung aller Ethnien am polit. Prozeß durchzusetzen (z. B. gleichmäßige Verteilung der Sitze im Zentralkomitee). Dennoch sind die Malinké (zu denen auch Sékou Touré gehört) in der Partei überrepräsentiert, während die zahlenmäßig stärksten Fulbe beträchtlich unterrepräsentiert sind.

3.2. Stärke und Rolle anderer Gruppen

Sékou Touré stieß mit dem Konzept einer grundlegenden polit. und sozialen Revolution auf zahlreiche Gegner, deren polit. Organisation er nach und nach durch die Aufdeckung von tatsächlichen und vermeintlichen Komplotten zerschlug (These des permanenten Komplotts).

1. Komplott (April 1960) ,,französischen Ursprungs" (S. Touré) eines Komitees zur Wiederherstellung demokratischer Freiheiten in G.: ein konterrevolutionäres Netz im Inneren (unter Beteiligung von Fulbe-Notablen) habe in Zusammenarbeit mit gaullistischen Organisationen gegen das unabhängige G. konspiriert.

2. Komplott (Nov. 1961) ,,der Lehrer", einer marxistischen Gruppe im Vorstand der Lehrergewerkschaft.

3. ,,Coup d'Arrêt" vom 8. Nov. 1964: Auseinandersetzung mit dem guineischen Kleinbürgertum im Zusammenhang mit dem Loi-Cadre (= Rahmen-Gesetz, das die grundsätzlichen Reformen beinhaltete).

4. Komplott (Okt. 1965) der Händler: Versuch der Einführung einer Oppositionspartei in das Verfassungssystem.

5. Komplott (Febr./März 1969) der Militärs: Ausschaltung Keita Fodebas, der zum Drahtzieher des Händlerkomplotts von 1965 erklärt wurde.

6. Komplott (Nov./Dez. 1970) der ,,5. Kolonne": imperialistisch-konterrevolutionäre Invasion nach Conakry, bei der auch die BRD involviert sein sollte.

7. Komplott: geplant für den 5. April 1973 von Exil-Guineern, aber von Sékou Touré vorzeitig aufgedeckt.

8. Komplott vom 13. Mai 1976, in das Angehörige der Volksmiliz und Fulbe-Notable verstrickt sein sollen. Insbes. wurde der frühere Generalsekretär der OAU und Justizminister Diallo Telli verhaftet und der Beteiligung beschuldigt (vermutlich hingerichtet).

Vom ersten Komplott, in dem sich tatsächlich (oder vermeintlich) Exil-Guineer, Franzosen, Oppositionelle in Partei und Verwaltung sowie Fulbe-Notable innerhalb des Landes sammelten, über die verschiedenen Komplotte von rechts und links bis hin zum Militärkomplott im Jahre 1969 setzten sich die PDG und Sékou Touré mit bürgerlichen Wirtschaftskreisen, Technokraten, Notablen und Traditionalisten und vor allem mit entstehenden elitären Gruppen auseinander. In Anbetracht der großen Anzahl von Guineern im Exil (etwa 1 Mio. Menschen, d. h. ca. ein Fünftel der Bevölkerung) sind die Möglichkeiten eines Regimesturzes mit Beteiligung von außen nie ganz ausgeschlossen. Allerdings waren die bisherigen Komplotte eher dilettantisch und naiv angesetzt und konnten das Regime nicht eigentlich gefährden.

3.3. Parteiprogramm

Das Parteiprogramm der PDG, niedergelegt in den verschiedenen Entschließungen auf Parteitagen, in Reden von Sékou Touré und deutlich geworden in administrativen Maßnahmen, geht über die Erringung der polit. Unabhängigkeit G.s hinaus und fordert in Abgrenzung zur dogmatischen Klassendiktatur marxistischer Orientierung eine demokratische Volksdiktatur: eine totalitäre Praxis im ausschließlichen Interesse des guineischen Volkes. Im Bereich der Wirtschaftspolitik kann man als Kernaussage des PDG-Programms den ,,nicht-kapitalistischen Entwicklungsweg" festhalten. Das bedeutet:

1. Beseitigung aller Spuren des ,,Pacte Colonial" (Koloniale Verklammerung) aus der Wirtschaftsstruktur: Verlassen der Franc-Zone, Diversifizierung der Abnehmer-/Lieferstruktur im Außenhandel und dergl.

2. Verhinderung des Entstehens eines guineischen Kapitalismus: Kontrolle der Bourgeoisie Nationale, z. B. im Loi-Cadre von 1964.

3. Alleinzuständigkeit der Partei und des Staates (wobei der Staat als Instrument der Souveränität des Volkes und als Emanation der Partei aufgefaßt wird) für Kontrolle und Lenkung der Wirtschaft. Das gilt nicht nur für den staatlichen und gemischt-wirtschaftlichen Sektor, sondern auch für den privaten Bereich.

4. Einengung der individuellen Gewinnmöglichkeiten zugunsten der Akkumulation von kollektiven Produktionsmitteln.

5. Schaffung der Voraussetzung für eine nationale Kapitalakkumulation für Investitionsfonds mit dem Ziel des Abbaus der ausländischen Wirtschaftshilfe.

6. Schonung der nationalen natürlichen Ressourcen, kontrollierte Entwicklung.

Diese wirtschaftspolitischen Ziele haben sich u. a. in dem Aufbau von landwirtschaftlichen und Handwerker-Genossenschaften niedergeschlagen, in einem Sektor „d'Economie Mixte", in dem Unternehmen mit 49% Auslands- und 51% Kapitalbeteiligung des guineischen Staates arbeiten, und in den Wirtschaftsplänen 1960/63, 1964/71 und 1973/78.

Außenpolitische Maximen der PDG: eine militante Außenpolitik, die dem positiven Neutralismus und dem antikolonialen und antiimperialistischen Kampf verpflichtet ist. G. unterstützte die Befreiungsorganisationen der ehemals portug. Kolonien und setzt sich heute für die Ablösung weißer Minderheitenregime im südlichen Afrika ein. Aktive Mitarbeit in der OAU (Generalsekretär Diallo Telli 1964–72).

In Separations- und Sezessionsfragen im afrik. Raum klare Absage an alle Abspaltungstendenzen (vor dem Hintergrund des ethnisch labilen inneren Gleichgewichts zu interpretieren: alle Stämme leben miteinander, aber nicht integriert).

In jüngster Zeit sind zwei Schritte für die außenpolit. Orientierung G.s bedeutsam: eine Wiederannäherung an F. in diplomatischer und investitionspolit. Hinsicht und eine Hinwendung zur Europäischen Wirtschaftsgemeinschaft insgesamt durch die Unterzeichnung des Abkommens von Lomé, einem Assoziationsabkommen neuer Art zwischen Afro-karibisch-pazifischen Staaten (AKP) und der EG im Jahre 1975. Verbesserungen auch der Beziehungen zu den westafrik. Nachbarstaaten.

3.4. Aufbau der Partei

Die Organisation der PDG beruht auf dem Prinzip des „Demokratischen Zentralismus": strenge Parteidisziplin und Prinzip der innerparteilichen Demokratie bei der Wahl von Mandatsträgern und bei der Meinungsäußerung bis zur Beschlußfassung. Das oberste Organ der Parteiorganisationspyramide ist der Nationalkongreß der PDG, dessen Machtbefugnisse unbegrenzt sind (Art. 43 des Parteistatus) und der alle vier Jahre zusammentritt.

Das seit dem 8. Parteitag bestehende und seit 1972 25 Mitglieder umfassende ZK der Partei entscheidet Grundsatzfragen zwischen den Parteitagen. Den Mittelbau der Partei bilden etwa 30 Föderationskongresse und etwa 200 Sektionskongresse. Der Sockel der Organisationspyramide sind die mehr als 10.000 Basiskomitees, die nach Art. 31 des Parteistatuts mindestens einmal wöchentlich zusammentreten sollen. An der Basis im Dorf sind parteiliche und staatlich-administrative Funktionen seit dem 7. Parteitag (August 1963) identisch. (Der gewählte Basiskomiteevorsitzende bekleidet das Amt des Bürgermeisters oder andere hoheitliche Funktionen.)

Auf dem 8. Parteitag 1968 wurde dieser Identität der Funktionen durch die Schaffung einer Basisorganisationseinheit ,,Pouvoir Révolutionnaire Local" (PRL) Rechnung getragen. Heute existieren etwa 7.780 PRL (offizielle Zahl), die die Bürger auf lokaler Ebene im Umkreis von ca. 10 km organisieren und zwischen 500 und 2.000 Bürger umfassen. Jede dieser PRL hat eine Volksmiliz von etwa 100 Milizsoldaten. Das Jahr 1973 wurde von Sékou Touré zum Jahr der revolutionären Lokalverwaltungen erklärt; er wies ihnen neben den polit. Funktionen auch wirtschaftliche Aufgaben zu: gemeinsame Landbewirtschaftung, Vermarktung, Handel etc. Auf der oberen und mittleren Ebene bleibt eine Trennung von Partei und Administration vorerst bestehen. Kompetenzstreitigkeiten auf regionaler Ebene, in denen die Parteisekretäre den Primat der Politik durchsetzen wollen, wurden neutralisiert: die Parteisekretäre wurden als ,,Emanation des Volkes", die Gouverneure als ,,Emanation der Zentralgewalt" eingestuft.

Exekutive Spitze der Partei ist das ,,Bureau Politique National" (Art. 25 ff.), das 7 Mitglieder umfaßt und dessen Generalsekretär Sékou Touré ist. Damit wird der Primat der Politik gegenüber dem Kabinett durchgesetzt; es ist eigentlich die wichtigste exekutive Institution G.s.

Die PDG ist eine Massenpartei mit hohem Mobilisierungspotential. Nicht nur eine allgemein hohe Mitgliedschaft ist dafür kennzeichnend; jeder zehnte Bürger ist Mandatsträger einer Basisgruppe. Der Aspekt der Massenpartei wird auch in den Ergänzungsorganisationen für Jugend und Frauen deutlich.

Die PDG ist eine der bestorganisierten Parteien Afrikas.

3.5. Wahlen

Auf dem 9. Parteikongreß 1972 wurden Präsident Sékou Touré sowie die Parteistruktur ohne Gegenstimme bestätigt. Die letzten allgemeinen Parlamentswahlen fanden im Dezember 1974 statt. Alle 150 Sitze der Nationalversammlung wurden von der PDG gewonnen. (Legislaturperiode: 7 Jahre.)

3.6. Einfluß

Der radikale Populismus in der guineischen Politik rührt u. a. von der als Entfremdung vom eigenen Volk empfundenen soziokulturellen Situation der Elite her. In dieser Situation ist Populismus das klassische Mittel der intellektuellen Eliten gegen Fremdüberlagerung und Traditionalismus.

Der Marxismus hat, entgegen weitverbreiteter Auffassung, kaum Einfluß auf die ideologische Ausrichtung der PDG genommen. Wichtiger ist in Sékou Tourés Politik die gewerkschaftliche Praxis: Pragmatismus, Realismus, Aversion gegen Abstraktion und Theorie zeugen hiervon. Bisweilen wird darauf verwiesen, daß Sékou Touré nicht Afrika marxistisch machen, sondern den Marxismus afrikanisieren wolle (Césaire). Insbesondere lehnt Sékou Touré den Materialismus und Utilitarismus in der marxistischen Ideologie ab. Der Kopf ist für den Menschen wichtig, nicht der Reichtum oder die materiellen Bedingungen der Konsumwelt. ,,Dignité dans la pauvreté" (Würde in Armut). Daher große Anstrengungen in der Volksbildung (allerdings keine westlichen Bildungsinhalte).

Eine weitere Grundströmung des polit. Systems G.s ist die Rückbesinnung auf die kommunokratischen Prinzipien der afrikanischen Gesellschaft. Das Dorf, die Gemeinde, ist auch heute noch die lebendige Grundzelle der polit. Willensbildung.

4. Politische Schlagwörter

Dictature Démocratique Populaire (Demokratische Volksdiktatur): totalitäre Praxis mit einem Maximum an direkter Demokratie durch ein Einheitsparteisystem und durch die Verknüpfung von Staat und Partei. Abgrenzung zum marxistischen Konzept der Diktatur des Proletariats und zur Diktatur des Kapitals in der bürgerlichen Welt. Charakteristikum: absolute Souveränität der Massen. Organisationsmittel ist die Partei: ,,Die Partei ist der Ausdruck des Volkswillens." ,,Die Partei ist das organisierte Volk." Der Staat, die Regierung verwalten lediglich die von der Partei beschlossenen Ziele.

Communaucraté: Vorstellung, wonach die afrik. Gesellschaft im wesentlichen durch den dörflichen Verband strukturiert ist. ,,L'Afrique est essentiellement communaucratique" (S. Touré). Grundmotiv ist die unmittelbare und spontane Solidarität, die Persönlichkeit ist definiert durch ihre Zugehörigkeit zu einer Gruppe. Antagonistische Klassen und entgegengesetzte Interessen gibt es demnach in der dörflichen Gemeinde nicht. Willensbildung im Dorf geschieht durch Diskussion der Aspekte und endet im Konsens.

Pouvoir Révolutionnaire Local (revolutionäre, örtliche Macht): Basisorganisation von Partei und Staat mit polit. und wirtschaftlichen Aufgaben. Sékou Touré: ,,Die ideale Form, die eine sozialistische Gesellschaft annehmen kann." ,,Der richtige Weg, ein glückliches Afrika aufzubauen."

Responsable suprême de la Révolution (Oberster Verantwortlicher für die Revolution): Ehrentitel, der Sékou Touré von der Partei verliehen wurde.

Klaus-Peter Treydte

Literatur

Ademolekun, L., Sékou Touré's Guinea, London 1976.

Ameillon, B., La Guinée, bilan d'une indépendance, Paris 1964.

Ernst, J., ,,Parlament und Verfassung im progressistischen Guinea", in: Afrika Spectrum, Hamburg 1969, Nr. 1, S. 18–30.

Hutschenreuter, K.; Schmidt, U., ,,Volk, Partei und Staat in der politischen Ideologie Ahmed Sékou Tourés", in: Asien, Afrika, Lateinamerika, 4. Jg., Nr. 5, Berlin/DDR 1976, S. 739–750.

Kaba, L., ,,Guinean Politics: a Critical Historical Overview", in: The Journal of Modern African Studies, 15. Jg., Nr. 1, London 1977, S. 25–45.

Kapferer, R., Sozialismus in Afrika – Ägypten und Guinea, in: Das Parlament, Beilage Aus Politik und Zeitgeschichte B 25/1972, S. 35–53.

La Guinée. Sujet du mois, in: Revue française d'études politiques africaines, Vol. 10, No. 35, Juni 1975.

Rivière, C., Guinea. The Mobilization of a People, Ithaca/N. Y. und London 1977.

Veit, W., Guinea, in: Handbuch der Dritten Welt (Nuscheler/Nohlen Hrsg.), Band 2, 1. Halbband, Hamburg 1976, S. 196–209.

Voß, J., Die Verfassungssysteme der Republiken Mali und Guinea, in: Vierteljahresberichte, Nr. 30, Dez. 1967, S. 417–439.

ders., Guinea – Die Länder Afrikas Nr. 37, Deutsche Afrika-Gesellschaft, Bonn, 1968.

ders., Guinea – zehn Jahre Selbstbehauptung, in: Vierteljahresberichte, Nr. 34, Dez. 1968, S. 417–432.

ders., Die Republik Guinea, Staat des ,,Complot Permanent", in: Das Parlament, Beilage Aus Politik und Zeitgeschichte, B 29/1971, vom 17. 7. 1971, S. 3–33.

ders., Der progressistische Entwicklungsstaat – Das Beispiel der Republik Guinea, Hannover 1971.

Guinea-Bissao und Kap Verdische Inseln

Grunddaten

Fläche: Guinea-Bissao 36.125 km^2; Kap Verden 4.033 km^2.

Einwohner: Guinea-Bissao 530.000 (1976); Kap Verden 300.000 (1976).

Ethnische Gliederung: Guinea-Bissao: Balante (30%); Fulbe (20%); Mandiako (14%); Mandingo (12,5%); Pepel (7%).
 Kap Verden: 30% Schwarzafrikaner; 70% Mischbevölkerung.

Religionen: Guinea-Bissao: Traditionelle Religionen: 64%; Moslems: 35%; Christen: 1–5%.
 Kap Verden: Traditionelle Religionen: ca. 5%; Christen 95% (davon 80% kath., 15% protest.).

Alphabetisierung: Guinea 35% (1976).

BSP: Guinea Bissao 210 Mio. US-$ (1974); Kap Verden 140 Mio.
US-$ (1974).
Pro-Kopf-Einkommen: Guinea-Bissao 390 US-$ (1974); Kap Verden
470 US-$ (1974).

1. Historischer Überblick

Die Geschichte Guinea-Bissaos und der Kap Verdischen Inseln ist
gekennzeichnet durch die fünfhundertjährige koloniale Unterdrük-
kung und Ausbeutung durch Portugal.

P. expandierte Mitte des 15. Jh. nach Afrika und hatte gegen Ende
des 16. Jh. einen ausgedehnten Handel mit Gold, Elfenbein und
insbesondere Sklaven an der Westküste Afrikas aufgebaut. Während dieser Zeit hatten die Kap Verdischen Inseln – 1456 von portugiesischen Seefahrern entdeckt und in der Folge von port. Händlern
und afrik. Sklaven besiedelt – Verteilerfunktion für die an der
westafrik. Küste erbeuteten Sklaven, die auf die Plantagen Ameri-
kas und nach Europa verschifft wurden. 1884/85 bekam P. auf der
Berliner Konferenz die Gebiete des heutigen Gui-B. und der KV
zugesprochen. Dies führte in den folgenden Jahren zum Ausbau
port. Handelsniederlassungen in Gui-B., mittels derer P. – nach
dem internationalen Verbot des Sklavenhandels – die Ausbeutung
Guineas vor allem durch Zwangsanbau von Erdnüssen weiterbe-
trieb.

Wegen ihrer geographischen Lage wurden die Kap Verdischen
Inseln gegen Ende des 19. Jh. zum Knotenpunkt transatlantischer
Telegraphenlinien ausgebaut; im 20. Jh. bekamen sie für P. und die
NATO militärische Bedeutung als Kontrollstation der westafrik.
Küste und des transatlantischen Luft- und Schiffahrtsverkehrs.

2. Entwicklung der politischen Parteien

2.1. Vor der Unabhängigkeit

Die Etablierung der faschistischen Diktatur in P. durch Salazar 1930
bedeutete für die port. ,,Überseeprovinzen" ebenfalls totale politi-

144

sche Entrechtung. So billigte z. B. das Eingeborenenstatut, 1930 in der port. Verfassung verankert, formal nur den sog. „assimilados" (ca. 1% in Gui–B.; ca. 25% in KV) die port. Staatsbürgerrechte zu. Die überwiegende Mehrheit der afrik. Bevölkerung besaß keinerlei Rechte zur Bildung eigener Interessenvertretungsorgane. Einzige Partei war die Uniâo Nacional, die Einheitspartei Salazars; die Gründung anderer Parteien, Gewerkschaften oder auch nur afrik. Sportvereine war verboten. Die Absicherung der kolonialen Herrschaft und der Ausbeutung menschlicher und natürlicher Ressourcen in den Kolonien wurde durch die port. Geheimpolizei PIDE gewährleistet, die alle Emanzipationsbestrebungen mit faschistischen Methoden unterdrückte.

Unter der Führung des Kap Verdianers Amilcar Cabral organisierte sich 1956 im Untergrund der Widerstand gegen die Kolonialherrschaft. In Bissao gründeten Teile des Kleinbürgertums und einige Arbeiter die PAIGC (Partido Africano da Independência de Guiné-Bissao e Cabo Verde), die in den folgenden Jahren an die port. Kolonialregierung Petitionen und Forderungen nach Selbstbestimmungsrecht stellte. Da Lissabon auf keine dieser Forderungen einging, im Gegenteil die koloniale Repression noch verstärkte und 1959 einen Streik der Hafenarbeiter in Bissao blutig niederschlug (50 Tote), entschloß sich die PAIGC zum bewaffneten Kampf. Auf Grund ihrer Gemeinsamkeit von Ursprung und Geschichte wurde der Kampf für die Unabhängigkeit von Kap Verdianern und Guineanern gemeinsam geführt. Da auf den KV Inseln die Organisierung eines Guerillakampfes äußerst schwierig war und sich deshalb die PAIGC hier auf polit. Mobilisierungsarbeit im Untergrund beschränkte, gingen viele Kap Verdianer nach Gui-B., um am antikolonialen Kampf teilzunehmen. Das Ziel des Befreiungskampfes war die Unabhängigkeit und die Übernahme der polit. Macht. Mit dem militärischen Kampf ging die Zerschlagung der kolonialen Sozial- und Wirtschaftsstrukturen einher mit dem Ziel, eine Gesellschaft aufzubauen, die „frei von Ausbeutung des Menschen durch den Menschen" sein soll.

1973 hatte die PAIGC trotz P.s militärischer Überlegenheit – P.s Kolonialkrieg in Afrika wurde massiv von den NATO-Verbündeten unterstützt – 2/3 des Landes befreit. Von 1971 bis 1972 wurden in den befreiten Gebieten Gui-B.s freie und geheime Wahlen zur Konstituierung einer Nationalen Volksversammlung, der Assemblea Nacional (ANP), durchgeführt und 120 Volksvertreter (davon 80 aus dem Volk, vornehmlich Bauern, und 40 aus den Reihen der Partei) gewählt.

Am 24. 9. 1973 proklamierte die ANP einseitig die Unabhängigkeit, rief den Staat „Republik Guinea-Bissao" aus und verabschiedete die von ihr ausgearbeitete Verfassung.

Nach dem Umsturz in P. 1974 wurde auch auf den KV Inseln offen der Kampf gegen das Kolonialregime geführt. Am 30. 6. 1975 wählten die Kap Verdianer die Vertreter der ANP, die am 5. 7. 75 die unabhängige „Republik Cabo Verde" proklamierte.

2.2. Nach der Unabhängigkeit

Gui-B. und KV sind heute zwei souveräne Staaten unter der Führung einer gemeinsamen Partei, der PAIGC.

Wie schon während des Befreiungskampfes, so ist auch heute die Einheit Gui-B.s und der KV Inseln eine der wichtigsten polit. Zielsetzungen der PAIGC. Konkrete Schritte zur Vereinigung der beiden Republiken sind auf mehreren Ebenen eingeleitet worden; so arbeitet seit 1976 eine guineisch-kapverdische Juristenkommission an einem für beide Staaten gültigen Straf-, Zivil- und Öffentlichen Rechtssystem; so wurden im Mai 76 von den Nationalen Volksversammlungen beider Staaten jeweils sechs Delegierte für einen „Conselho da Unidade" (Einheitsrat) gewählt, der im Januar 77 seine Arbeit, eine Verfassung für die Vereinigung der beiden Schwesterrepubliken zu formulieren, aufgenommen hat.

3. Merkmale der politischen Struktur

3.1. Elite

Die polit. Führungskräfte in Partei und Regierung setzen sich aus jenen Leuten zusammen, die Ende der 50er Jahre den Widerstand organisiert und den Befreiungskampf aktiv geführt haben, wie z. B.

146

der jetzige Präsident Gui-B.s, Luiz Cabral, der Präsident KVs, Pedro Pires, oder auch Aristides Pereira (PAIGC-Generalsekretär). Die polit. Führungspositionen werden zum überwiegenden Teil von Personen ausgefüllt, die aus dem revolutionären Kleinbürgertum kommen. Die mittleren polit. und administrativen Kader sind hingegen vor allem Bauern oder deren Söhne und Töchter, die während des Kampfes mobilisiert, in den Parteischulen ausgebildet wurden und aktiv am Kampf teilgenommen haben. Dies trifft insbesondere für Gui-B. zu. Da der port. Kolonialismus auf den KV eine stärkere Assimiladopolitik betrieben hatte als in Gui-B., d. h. mehr Kap Verdianern eine höhere Schulbildung zukommen ließ, rekrutieren sich hier die polit. und administrativen Kader zu einem höheren Anteil aus dem Kleinbürgertum.

Neben den in der Partei organisierten Kadern arbeiten in den unteren Verwaltungsstellen Beamte, die auch schon unter der Kolonialregierung tätig waren, wobei darauf geachtet wird, daß sie ausschließlich mit technischen Funktionen betraut sind.

3.2. Stärke und Rolle anderer Gruppen

Oppositionelle Bewegungen, die sich gegen die Politik der PAIGC wendeten, wurden bisher immer von den besitzenden Schichten und dem Großgrundbesitz getragen. Dies trifft insbes. für die KV zu, wo Angehörige der einheimischen Bourgeoisie und des Großgrundbesitzes nach der Unabhängigkeit Gui-B.s 1973 versuchten – mit Unterstützung General Spinolas – eine Gegenkraft gegen die revolutionäre Politik der PAIGC zu formieren.

Sie gründeten die Parteien UDC (Uniâo Democrática de Cabo Verde) und UPICV (Uniâo Popular da Independência de Cabo Verde), die, unterstützt von Teilen der port. Streitkräfte und der PIDE, einen neokolonialen Anschluß an Portugal propagierten. Im Gegensatz zur PAIGC konnte aber weder UDC noch UPICV einen Rückhalt bei der kapverdischen Bevölkerung finden. Beide Parteien wurden von der PAIGC bekämpft; ihre Führer verließen nach und nach das Land. Zur Wahl der Nationalen Volksversammlung im Juni 1975 stellten sie keine Kandidaten mehr auf.

Einen bedeutenden Einfluß auf den KV hat die kath. Kirche. Im Verein mit Händlern, Großgrundbesitzern und einigen Kräften der UDC führte sie zwischen 1973 und 75 große antikommunistische Kampagnen gegen die Politik der PAIGC. Der Einfluß der kath. Kirche nimmt jedoch in dem Maße ab, wie die politische Mobilisierungsarbeit und die konkreten sozialen und wirtschaftlichen Neustrukturierungsmaßnahmen von Partei und Regierung (Gründung von Genossenschaften, Festsetzung der Preise, Aufbau einer dezentralen Gesundheitsversorgung, Alphabetisierungskampagnen, etc.) der Bevölkerung neue Perspektiven zur Verbesserung ihrer Lebenssituation aufzeigen.

Einige Padres, die sich allzu offen gegen die Partei gewendet hatten, wurden des Landes verwiesen; ansonsten versucht die Regierung, „unnötige Konflikte mit der Kirche zu vermeiden".

In Gui-B. ist die FLING (Frente da Libertaçâo da Independência Nacional de Guiné) die einzige Partei, die mit ihrer neokolonialistisch ausgerichteten Politik zur PAIGC in Opposition steht. Während des Befreiungskampfes agierte sie mit Unterstützung des Senegal im Norden Gui-B.s gegen die port. Kolonialverwaltung. Heute hat sie in Gui-B. keine Bedeutung mehr.

Zusammenfassend läßt sich sagen, daß die Politik der PAIGC von jenen Teilen der Bevölkerung – einige Händler, Beamte, Angestellte, traditionelle Dorfchefs und Vertreter der Kirche –, die von der port. Kolonialverwaltung gelebt und profitiert haben, nicht unterstützt wird, denn sie beschneidet ihre früheren Privilegien.

3.3. Parteiprogramm

Die „demokratischen, antiimperialistischen und antikolonialistischen" Republiken KV und Gui-B. orientieren ihre Innen- und Außenpolitik an den im Parteiprogramm der PAIGC von 1956 festgeschriebenen Richtlinien.

Die unter Punkt II des Parteiprogramms geforderte „Einheit von Gui-B. und KV" wird auf verschiedenen Ebenen vorbereitet. Die „Einheit Afrikas" ist als langfristig angestrebtes Ziel formuliert. Zu den afrik. Staaten, die eine bewußte Haltung gegen Kolonialismus und Imperialismus einnehmen, sind wirtschaftliche und diplomatische Beziehungen aufgenommen worden. Die Beziehungen zur MPLA und FRELIMO, die mit der PAIGC in der CONCP (Conferência das Organisações Nacionais das Colónias Portuguêsas) zusammengeschlossen sind, sind seit jeher eng und freundschaftlich. Dies gilt auch für die Beziehungen zu den Befreiungsbewegungen Namibias, Zimbabwes, Südafrikas und der Westsahara.

Wirtschaftliche Unabhängigkeit, Ziel der Politik der PAIGC, ist derzeit weder in KV noch in Gui-B. gegeben und realisierbar; im Gegenteil, beide Staaten sind von Nahrungsmittellieferungen aus dem Ausland abhängig (Dürreperioden auf den KV; Produktivitätsrückgang durch den Kolonialkrieg und die allgemein unterentwickelte landwirtschaftliche Technologie). Um einseitige ökonomische Abhängigkeiten zu vermeiden, bemühen sich die Regierungen um Wirtschaftshilfe sowohl aus sozialistischen (vor allem DDR und UdSSR) als auch aus kapitalistischen Ländern, hier an erster Stelle den skandinavischen Ländern, die z. T. während des Befreiungskampfes die PAIGC unterstützt haben.

Wegen der ungenügenden Produktion landwirtschaftlicher Güter hat die Produktivitätsteigerung im landwirtschaftlichen Sektor bei gleichzeitiger Auflösung monokultureller Strukturen und dem Aufbau von Kooperativen den Vorrang. Gemäß Punkt IV des Parteiprogramms wurde der Großgrundbesitz enteignet und zum Teil in Staatskooperativen umgewandelt; die Banken wurden verstaatlicht, ebenso einige der wenigen kleinen guineischen und kapverdischen Industrien (Holz-, Erdnuß-, Fischverarbeitende Industrie), wobei die Verstaatlichungen in dem Maße vorgenommen werden, wie eigene qualifizierte Leute die Leitung übernehmen können.

Ziel der Partei ist die ,,größtmögliche Beteiligung der Massen auf allen Ebenen der nationalen Führung", und, nach dem Prinzip: ,,auf die eigene Kraft vertrauen", die Neue Gesellschaft und den Aufbau der Länder anzupacken. Diesen Zielen stehen koloniale und paternalistische Denk- und Verhaltensformen der Bevölkerung gegenüber, die erst nach und nach überwunden werden können.

Im November 1977 fand der erste Parteikongreß der PAIGC seit der Erlangung der Unabhängigkeit statt. Das langfristige Ziel der

Vereinbarung von Gui-B. und KV wurde erneut bestätigt. Als Entwicklungsmodell wird weder eine Volksdemokratie nach östlichem Vorbild noch eine Demokratie westlichen Typs angestrebt, sondern eine eigene nationale Demokratie, in der alle sozialen Gruppen sich angemessen beteiligen können. Die Partei soll allmählich von einer Befreiungsbewegung zu einer Avantgarde-Partei umgewandelt werden.

3.4. Aufbau der Partei

Als „offene Massenpartei" praktiziert die PAIGC einen intensiven Kommunikations- und Willensbildungsprozeß zwischen politischer Führung und der Basis, dem Volk. Daraus ergibt sich u. a., daß die politischen Führungskräfte die Interessen der bäuerlichen Massen und der kleinen Schicht des Industrieproletariats kennen und ihre politischen Entscheidungen an den Bedürfnissen des Volkes orientiert sind. So hat z. B. in Gui-B. die Entwicklung der Landwirtschaft und die Schaffung von Kooperativen absolute Priorität, da über 90% der guineischen Bevölkerung Bauern sind.

Die enge Verbindung zwischen nationaler Führung und dem Volk wird durch die polit. und administrative Struktur von Partei und Staat ermöglicht.

Kleinste administrative Einheiten, wie Dörfer oder Stadtteile, haben gewählte Dorf- bzw. Verwaltungskomitees, die wöchentliche Versammlungen abhalten sollen. Wo diese Komitees noch nicht existieren, bemüht sich die Partei um Aufklärung und Motivierung der Bevölkerung, solche Volkskomitees zu gründen. Diskussionsergebnisse, Entscheidungen und Anfragen dieser Komitees werden an die nächsthöheren Verwaltungseinheiten, die Sektorenkomitees, weitergeleitet; diese wiederum geben ihre Anfragen und Entscheidungen an Regionenkomitees weiter.

Die Partei nimmt, was die Komitees und deren Willensbildungsprozesse betrifft, kontrollierende, mobilisierende und erzieherische Aufgaben wahr. Sie ist z. B. bei der Bildung von neuen Dorfkomitees, bei der Durchführung von Alphabetisierungskampagnen oder der Gründung eines sogenannten Volksladens aktiv. Sie ist auch in den unterschiedlichen Staats- und Verwaltungsorganen vertreten. Der neue demokratische Staatsaufbau, der in Gui-B. und KV derzeit im Entstehen ist, wurde von der PAIGC schon während des Befreiungskampfes in den befreiten Gebieten geschaffen und nach der Unabhängigkeit auf das ganze Land ausgeweitet. Der volksdemokratische Aufbau von Partei und Staat schafft die strukturellen Voraussetzungen eines polit. Willensbildungsprozesses, der von unten nach oben und umgekehrt verläuft. In welchem Umfang der Volkswille der bäuerlichen Massen in die Entscheidungen höchster Partei- und Staatsorgane eingeht, hängt davon ab, ob die PAIGC ihre programmatischen Ziele der ,,Mobilisierung der Massen'' und der ,,Entwicklung aus eigener Kraft'' zukünftig in der Praxis realisiert.

Auf dem Parteikongreß im Nov. 1977 wurde ein 8-köpfiges Führungskomitee gewählt; an der Spitze stehen Aristide Pereira (KV) als Generalsekretär und Luiz Cabral (Gui-B.) als sein Stellvertreter. Insgesamt scheint die Balance der Machtverteilung etwas zu Gunsten von KV auszuschlagen.

3.5. Wahlen

Höchstes Entscheidungsgremium mit gesetzgebender Funktion ist die Nationale Volksversammlung, deren Vertreter alle drei Jahre vom Volk gewählt werden (vgl. Kap. 2.1.). 1/3 der 120 Vertreter der ANP sind Parteimitglieder, 2/3 unabhängige Volksvertreter, zumeist Bauern. Die 2. Wahl der ANP in Gui-B. ist vorbereitet, aber noch nicht durchgeführt worden.

3.6. Einflüsse

Gui-B. und KV unterhalten Beziehungen zu den westl. Industrienationen; in geringem Umfang bestehen Kontakte zur VR China, während die intensiven wirtschaftlichen und polit. Beziehungen mit den Staaten des Ostblocks bestehen. Der Staatsbesuch von Präsident Cabral im Jan. 1978 in Portugal deutet auf eine Wiederannäherung an die ehemalige Kolonialmacht hin.

4. Politische Begriffe

Die polit. Leitbegriffe der PAIGC sind „Einheit", „Kampf", „Arbeit" und „Fortschritt"; sie beinhalten das Bestreben beider Staaten, gemeinsam in Wachsamkeit gegenüber neokolonialen und imperialistischen Einflüssen unter Einsatz aller Arbeitskräfte eine neue fortschrittliche Gesellschaft aufzubauen.

Uta Gerweck

Literatur

Andrade, E., The Cape Verde Islands. From Slavery to Modern Times. Dakar/USA 1974.

Andréini, J.-C.; Lambert, M.-C., La Guinée-Bissau. D'Amilcar Cabral à la reconstruction nationale, Paris 1978.

Cabral, A., Die Revolution der Verdammten, Berlin 1974.

Davidson B., Die Befreiung Guineas, Frankfurt 1970.

Gerweck, U., Guinea-Bissao. Nationaler Befreiungskampf und Kollektiver Fortschritt. Stein/Nürnberg 1974.

Rudebeck, L., Guinea-Bissao. A study of political mobilization. Uppsala 1974.

Vereinigung Internationaler Kulturaustausch, Arbeitsmappe Kap Verdische Inseln. Stuttgart 1976.

Werobèl-La Rochelle, J. M., Ein Beitrag zur Geschichte Guinea-Bissaos, in: Internationales Afrikaforum, vol. 10 (1974), 449–53.

Zeitschriften: Informationszentrum Dritte Welt, Blätter des Iz3w, Nr. 58 (Dezember 1976).

Journal of Modern African Studies, vol. X. I, Mai 1972.

Kamerun

Grunddaten

Fläche: 474.000 km^2 (Ost-K.: 432.000; West-K.: 43.000).
Einwohner: 6.530.000 (1976).

Religionen: Traditionelle Religionen: 40%; Moslems: 25%; Christen: 35% (20% röm.-kath., 15% ev.).

BSP: 1.760 Mio. US-$ (1974).

Pro-Kopf-Einkommen: 250 US-$ (1974).

1. Historischer Überblick

Die Geschichte Kameruns im europ. Sinne ist seit dem 15. Jh. bekannt. Portugiesische Seefahrer erreichten gegen 1472 die Küste und trafen auf dort fest angesiedelte und organisierte Gemeinschaften. Die Portugiesen fanden dort Flußkrebse, die sie fälschlich für Garnelen hielten und daher dem Landstrich den späteren Namen „Camaroes" gaben. Die folgenden drei Jahrhunderte waren durch wechselnden Einfall port., span., engl., frz. und schließlich deutscher Händler, bzw. Sklaventreiber oder Missionare gekennzeichnet. Im Süden des Landes entwickelten sich eine Reihe von Städten, in denen einheimische Herrscher und Händler vom 16. Jh. an durch Menschen-, Elfenbein- und Palmölhandel reich wurden.

Die Geschichte des Nordens, des Hochplateaus und des Sahel war vom 11. bis 18. Jh. von den Kämpfen zwischen den großen islamischen Emiren geprägt. Unter Führung der Fulani-Herrscher von Bornu und Kanem, die ihre Autorität über die Emirate von Dikwa, am Benue-Fluß und auf der Adamawa-Hochebene ausdehnten, drang die islam. Kultur vom Norden her ins Landesinnere vor. Seit 1869 entwickelte sich im Süden K.s eine immer stärkere Konkurrenz zwischen deutschen und brit. Händlern. Deutsche Forscher und Agenten stießen immer weiter ins Landesinnere vor, um polit. und kommerzielle Stützpunkte für sich und das Reich zu erobern. 1884, auf der Berliner Konferenz, erhielt das Deutsche Reich das Protektorat über das K.-Gebiet; später wurde es bis zum Tschad-See ausgeweitet und 1911 durch Zufügung eines Teils von Frz. Äquatorialafrika (A.E.F.) erweitert (Marokkokrise!). Nach der deutschen Niederlage im 1. Weltkrieg wurde die Kolonie in das brit. K. (1/5 des Landes) und das frz. K. (4/5) aufgeteilt. G.B. und F. wurden später Mandatsträger des Völkerbundes; in Wirklichkeit behandelte F. seinen Teil K.s jedoch wie die anderen Kolonien der

A.E.F., ebenso wie G.B. West-K. der Nachbarkolonie Nigeria gleichstellte.

2. Entwicklung der politischen Parteien

2.1. Vor der Unabhängigkeit

Vor der Unabhängigkeit gab es in den beiden Teilen K.s zeitweise über 100 Parteien bzw. polit. Gruppierungen. Eine der ersten Gründungen, die auch relativ lange überlebte, war die ,,Union des Populations du Cameroun", UPC, die 1948 vornehmlich von Gewerkschaftlern gegründet wurde. Sie verlangte als erste die Vereinigung der beiden Landesteile und die Unabhängigkeit von F. Da es ihr auf Grund der Manöver der frz. Kolonialregierung nicht gelang, im Rahmen der einsetzenden beschränkten Selbstverwaltung die Macht auf legale Weise zu erlangen, versuchte sie 1955, in den größeren Städten die Revolte gegen die Kolonialmacht zu organisieren.

Die größtenteils von der Kolonialmacht provozierten Zwischenfälle forderten den Tod von hunderten von Kamerunern. (Die Zahl der von Polizei und Armee Getöteten wird auf 10.000 bis 20.000 geschätzt.) Die UPC wurde bereits in den fünfziger Jahren verboten; ihre Führer wurden entweder im Exil ermordet, gingen in den Untergrund oder liefen zur Regierung über. Der letzte ,,historische" Führer der kamerunischen Guerilla, Ernest Quandié, wurde erst 1970 aufgegriffen (1971 erschossen).

Von den mit F. kollaborierenden Politikern wurde bereits 1958 die ,,Union Camérounaise" gegründet, deren Führer Ahmadou Ahidjo wurde.

Der 1924 im Norden des Landes geborene gläubige Mohammedaner Ahidjo (wie viele seiner Kollegen im ehemals. frz. Afrika früher Beamter) durchlief seit 1947 alle polit. Stufen, die einem Afrikaner innerhalb des frz. Kolonialsystems und des metropolitanen Systems offenstanden und zeigte sich in dieser Zeit als besonders kooperationswillig. Seit 1957 regiert er das Land mit ständig wachsender Machtfülle.

West-Kamerun: Die polit. Entwicklung im anglophonen Teil verlief langsam, entsprechend der Entwicklung im benachbarten Nigeria. Obwohl auch hier die engl. Armee, in Zusammenarbeit mit der frz., gegen die Guerilleros der UPC zum Einsatz kam, war die radikalisierende Wirkung von Guerilla und Repression hier wesentlich geringer.

Die meisten Parteien wiesen enge Bindungen zu denen Nigerias auf und begnügten sich lange Zeit mit dem Verlangen nach regionaler Autonomie. Die wichtigsten Parteien waren die ,,Kamerun National Democratic Party", KNDP, geführt von John F. Foncha, und die ,,Kamerun National Convention", KNC, geführt von Dr. Endeley. Die KNDP trat für eine Trennung von Nigeria und eine Verschmelzung mit dem francophonen Teil K.s ein; sie unterhielt Kontakt zur UPC bis zu deren Verbot. Nach dem Wahlsieg der KNDP 1959 wurde Foncha Premier der Region. Er und Endeley, der seinerseits für eine Vereinigung mit Nigeria eintrat, einigten sich schließlich auf eine Volksbefragung unter UN-Aufsicht. Im Referendum vom 11. und 12. 2. 1961 entschieden sich die Bewohner des südl. Teiles von W.-Kamerun für die ,,Wiedervereinigung", während die Bewohner des nördl. Teils für eine Verschmelzung mit Nigeria stimmten. (Als ,,Sardauna"-Provinz wurde dieser Teil in die damalige nigerianische Nord-Region integriert.) Foncha übernahm die Vize-Präsidentschaft unter Ahidjo.

2.2. Nach der Unabhängigkeit

Unter dem autoritären Einfluß Ahidjos und des zentralen Staatsapparates im francophonen Ost-Kamerun (Hauptstadt Yaoundé) vereinigten sich 1966 die in den beiden Teilen vorherrschenden Parteien, die ,,Union Camérounaise" und die KNDP, sowie mehrere kleine Parteien, die bis dahin überlebt hatten, zur Einheitspartei ,,Union Nationale Camérounaise", UNC. Der föderalistische Standpunkt – im Gegensatz zum regionalistischen oder ,,separatistischen" – wurde 1968 weiter gestärkt, als der Ahidjo ergebene Solomon T. Muna den damaligen Vize-Präsidenten Foncha ersetzte.

Eine wesentliche Stärkung erfuhr das Ahidjo-Regime 1970 durch die Festnahme des letzten Führers des historischen Maquis der UPC und des Bischofs Ndongo, der mit einer Reihe anderer Personen der Unterstützung der Guerilleros und eines Attentatsplanes gegen Ahidjo beschuldigt wurde.

1971 lösten sich die bis dahin bestehenden drei Gewerkschaftsverbände „selbst" auf und bildeten sich als Einheitsgewerkschaft unter dem Dach der Einheitspartei wieder. Mit der Volksabstimmung vom 20. Mai 1972 wurde die Machtfülle des Präsidial-Regimes endgültig durch die Ausrufung des Einheitsstaates bei gleichzeitiger Abschaffung aller noch den beiden Bundesteilen verbliebenen legislativen und administrativen Rechte und der totalen Zentralisierung in Yaoundé besiegelt.

3. Merkmale des politischen Systems

3.1. Elite

Wie auch in anderen ehemaligen frz. Kolonien wurde die kamerunische polit., wirtschaftliche und soziale Elite frühzeitig durch Anbindung an die koloniale Administration, aber auch an die Pariser Politik und Verwaltung, an frz. Wertvorstellungen und Verhaltensweisen „herangebildet". Im Rahmen des spätkolonialen Konflikt-Managements gab man den Forderungen der neuen afrik. Elite zur Wahrung der eigenen wirtschaftlichen Interessen schrittweise nach. Die sozial-revolutionäre Elite der UPC, die nicht bereit war, sich mit der bloßen „nationalen" Unabhängigkeit zufriedenzugeben, wurde in den Untergrund getrieben, umgebracht (vgl. Chaffard), ins Exil getrieben und zum Teil selbst dort noch von den Geheimdiensten verfolgt. Auf diese Weise wurde K. bereits früh einer zahlenmäßig wichtigen intellektuellen Elite beraubt. (Das Buch des im frz. Exil lebenden Schriftstellers Mongo Beti über das Ahidjo-Regime, „Mainmise sur le Caméroun", wurde auf Betreiben der kam. Regierung 1976 in F. verboten.)

Im Innern des Landes bildete sich eine völlig dem Präsidenten verpflichtete polit., wirtschaftliche und administrative Elite heraus.

Wie auch in anderen francophonen „Neo-Kolonien" ist diese Elite ihrer Ausbildung nach völlig an F. orientiert und denkt zentralistisch; sie richtet ihre Wertvorstellungen und Lebensweise nach der ehemaligen Metropole aus, so daß selbst der Präsident gelegentlich ihr Bürokratentum und ihren Mangel an Dynamik und Mut zur Innovation kritisiert.

3.2. Andere Gruppen

Eine Opposition kann es unter diesen Umständen im Lande selbst nicht geben. Soweit es diese in der kath. Kirche und in der Kirchenpresse gab, ist sie mit dem Prozeß gegen Bischof Ndongo 1970 zum Schweigen gebracht worden. An Versuchen, die Opposition der Exilanten und Intellektuellen in F. und anderswo zu bekämpfen, fehlt es auch heute nicht.

Nach den geschilderten Maßnahmen 1968 und 1972 ist es nicht verwunderlich, daß in kaum einem Land Afrikas die Gleichschaltung aller sozialen Gruppen und Organisationen perfekter ist. Gewerkschaften, Frauenorganisationen und Jugend-Organisationen sind völlig der Einheitspartei untergeordnet. Die islamischen Würdenträger des Nordens unterstützen voll den „Sohn des Nordens" Ahidjo, und die Chiefs im Süden schlossen, wie auch anderswo in Afrika, ihren Frieden mit den „powers that be".

Die Militärs haben in den 18 Jahren der Regentschaft Ahidjos bislang nie Putschabsichten erkennen lassen. Sie sind mit einer Fülle von Privilegien versehen; die Offiziere werden, ebenso wie die leitenden Verwaltungsbeamten, nach dem Rotationsprinzip ständig versetzt. Vertrauensposten in Armee und Polizei sind mit getreuen Gefolgsleuten Ahidjos besetzt. Ein aus der Zeit des Kampfes gegen die Guerilla von F. ererbtes System militärischer und polizeilicher Bespitzelung, das personell selbst bis in das kleinste Dorf hinein vertreten ist, sowie eine große Zahl bezahlter oder freiwilliger „informateurs" im ganzen Land sorgen für die ständige nachrichtendienstliche Versorgung einer technisch und personell gut ausgerüsteten Zentrale in Yaoundé, die zudem auch heute noch von F. gestützt wird.

3.3. Parteiprogramm

Wie wenig ein Parteiprogramm auf dem Papier über die Realität K.s aussagt, erhellt am besten ein Artikel (,,Jeune Afrique"), in dem Ahidjo als ,,l'homme-action" bezeichnet wird. Die Machtfülle des Präsidenten und der totalitäre, polizeistaatliche Charakter des Systems machen auch in K. eine eigentliche Programmatik überflüssig. Sie wird ersetzt durch Schlagwörter, die zum Teil ähnlich wie ,,l'homme-action" enthüllend sind, bzw. als verbale Kraftakte oder als Voluntarismus interpretiert werden können (s. 4.).

3.4. Aufbau der Partei

Seit Bestehen der UNC hat es erst zwei Parteikongresse gegeben; der letzte – ,,congrès de la maturité" genannt – fand Anfang 1975 statt.

3.5. Wahlen

Präsidentschaftswahlen werden alle 5 Jahre abgehalten, zuletzt 1975. Sie bringen das übliche 99%-Ergebnis.

3.6. Einflüsse

Nach regierungsoffizieller Version gibt es keine äußere Beeinflussung; außenpolit. behauptet das Ahidjo-Regime, eine Politik der Blockfreiheit zu verfolgen.

Sowohl im Regierungs- wie im Verwaltungsapparat, in Armee und Polizei, vor allem aber im Wirtschaftsleben bleiben die frz. Einflüsse stark. Im Rahmen der außenwirtschaftlichen Diversifizierung haben sich als Rückwirkung jedoch zunehmende wirtschaftliche Einflußmöglichkeiten der EG und der USA ergeben.

Kontakte zur SU und zur VR China werden ,,ideologiefrei" gepflegt; sie sollen der ,,Entwicklung" des Landes und als Beweis der ,,Blockfreiheit" dienen.

4. Politische Schlagwörter

„Démocratie gouvernante": gilt als „mittlerer Weg" „zwischen den Normen des Westens und denen Osteuropas". Dieser „originale Weg", diese „genau definierte Option" sei gekennzeichnet durch die „participation continue" eines jeden Kameruners an den „valeurs de son milieu" und den „modèles de son héritage humain". Die Behauptung eines eigenen authentisch-afrik. Weges steht in deutlichem Gegensatz zur völligen Ausrichtung an Paris. *„Etat fort":* gewünscht ist ein „starker Staat", gleichzeitig aber eine „aktive Teilnahme des Volkes" (participation active du peuple), und zwar angeblich durch eine „kollektive Zusammenarbeit". Diese aber müsse „von der Partei aufgeklärt und von der Autorität des Staates geführt sein" („éclairée par le parti et conduite par l'autorité de l'état"). Daraus ergibt sich als logische Folge die Notwendigkeit eines „Präsidial-Regimes", „wie das Volk es sich gewählt hat". Die „démocratie gouvernante" ist „auf der Suche nach dem Gleichgewicht", das nach Ahidjo durch den Dialog zwischen der Exekutive und der Legislative, in der Verfolgung der nationalen Ziele, durch den Dialog innerhalb der Partei „hergestellt werden soll". Auf diese Art und Weise soll eine „authentische Entwicklungsdemokratie" verwirklicht werden.

Außenpolitische Schlagwörter: Originär ist das Schlagwort von der Außenpolitik in *„konzentrischen Kreisen"* („cercles concentriques"), womit gemeint ist, daß K. zunächst einmal eine Außenpolitik im regionalen Bereich, dann im gesamtafrik., danach darüber hinaus im Bereich der Dritten Welt und erst dann in der übrigen Welt betreibt. Konkret bedeutet dies, daß K. tatkräftig die Kooperation mit den Staaten der Zoll- und Wirtschafts-Union zentralafrik. Staaten, UDEAC, pflegt. Dies liegt im wohlverstandenen Eigeninteresse des Staates, weil das im Vergleich zu den anderen Ländern relativ stark bevölkerte Küstenland bereits über eine weiter entwickelte verarbeitende Industrie verfügt und hierfür Absatzmärkte benötigt. *Blockfreiheit:* Nicht zuletzt um das Image als frz. „Neo-Kolonie" zu konterkarieren, hat sich Ahidjo bei der UNO und der OAU stets einer progressiven Sprachgebung befleißigt,

Apartheid und Rassismus verbal stets eindeutig verdammt (wobei jedoch F. als wichtigster militärischer Ausrüster stets ausgespart blieb). Seit 1970 war er zudem bestrebt, den Eindruck fortgesetzter Abhängigkeit von F. zu verwischen, und zwar durch Austritt aus der OCAM, Revision der Kooperationsverträge mit F. und Diversifizierung der außenwirtschaftlichen Beziehungen.

Wirtschaftliche Schlagwörter: Zentrales Schlagwort ist die *„liberale Planwirtschaft"* („libéralisme planifié"), nach der „die Aussicht auf legitimen Profit den unternehmerischen Geist anfeuert und Freiheit die Phantasie befruchtet". Ahidjo behauptet, „mehr an die günstigen psychologischen Effekte der Freiheit und des Vertrauens als an die Erfolge von Aktion, die auf Zwang beruht", zu glauben, eine Behauptung, die deutlich im Gegensatz zum lähmenden Zwangscharakter der „démocratie gouvernante" steht. „Private Investitionen sind willkommen", was jedoch nicht „die Möglichkeit, ja sogar die Notwendigkeit eines öffentlichen oder halböffentlichen Sektors ausschließt". (Nur so können auf Dauer die Interessen der administrativen Bourgeoisie befriedigt werden.) Nach einer Phase relativen Wachstums machten sich seit Beginn der siebziger Jahre die strukturellen Schwierigkeiten der Wirtschaft und der weltwirtschaftlichen Krisenerscheinungen in K. verstärkt bemerkbar. Aus diesem Grunde betrieb die Regierung einerseits die Kamerunisierung der Wirtschaft durch Beteiligung der nationalen Bourgeoisie und zu deren Befriedigung, versuchte aber gleichzeitig, die ineffizienten staatlichen oder halb-staatlichen Betriebe durch teilweise Reprivatisierung, Hereinnahme ausländischen Kapitals und know-hows zu sanieren. Die bereits vor Jahren gleichgeschalteten Gewerkschaften wurden zu totaler Lohndisziplin bei sich beschleunigender Inflation gezwungen. Dies führte erstmals im Jahre 1975 zu spontanen Streiks in der Industrie- und Hafenstadt Douala.

Gerd Meuer

Literatur

Bayart, J.-F., „Les catégories dirigeantes au Cameroun", in: Revue française d'études politiques africaines, Nr. 105, Paris 1974, S. 66–90.

Beti, M., Mainmise sur le Cameroun, Paris 1976.

Beuth, H.-W., Bestimmungsfaktoren der Außenpolitik Kameruns, Bern u. Frankfurt/M. 1975.

Eyongetah, T.; Brain, R., A history of the Cameroon, London 1974.

Illy, H. F., (Hrsg.), Kamerun. Strukturen und Probleme der sozioökonomischen Entwicklung, Mainz 1974.

ders., Politik und Wirtschaft in Kamerun. Bedingungen, Ziele und Strategien der staatlichen Entwicklungspolitik, München 1976.

Jouve, E., ,,Cinq ans d'Etat unitaire", in: Revue française d'études politiques africaines, Nr. 140/141, Paris 1977, S. 42–65.

Mongory, J., ,,Genèse et contradictions du syndicalisme camerounais", in: Revue française d'études politiques africaines, Nr. 132, Paris 1976, S. 74–89; Nr. 133, Paris 1977, S. 56–83; Nr. 134, S. 90–118.

Prouzet, M., Le Cameroun, Paris 1974.

Kenia

Grunddaten

Fläche: 582.646 km².

Einwohner: 11 Mio. (Zählung 1969) bzw. 13.850.000 (Schätzung 1976).

Ethnische Gliederung: Kikuyu 20%; Luo 14%; Luyia 13%; Kamba 11%; Kalenjin 11% (insges. 40 verschiedene Völker). – Asiaten 140.000; Europäer 40.000 (1969).

Religionen: Traditionelle Religionen: 30%; Moslems: 6%; Christen: 60% (30% röm.-kath., 30% ev.).

Einschulungsquote: ca. 90% (1975).

BSP: 2.610 Mio. US-$ (1974).

Pro-Kopf-Einkommen: 200 US-$ (1974).

1. Historischer Überblick

An der Küste gab es schon zu Christi Zeiten Handel nach Arabien, Persien und bis nach China. Der Höhepunkt der arab. dominierten

Küstenkultur lag zwischen 1200 und 1500. Im 19. Jh. wurde dann der Sklavenhandel immer weiter ins Landesinnere ausgeweitet. Die meisten afrik. Volksgruppen erlitten beträchtliche Bevölkerungsverluste, und die Entwicklung ihrer gesellschaftlichen und ökonomischen Strukturen wurde empfindlich behindert und zurückgeworfen. Im 19. Jh. traten nun zusätzlich europ. Missionare, Händler und Militärs auf den Plan, die gegen den Widerstand fast aller afrik. Gruppen die Gesamtsituation in diesem Raum völlig veränderten. Gegen das massive Auftreten dieser neuen Machtfaktoren konnten die bestehenden Gesellschaftsstrukturen der Völker nicht lange bestehen. Der Großteil des heutigen K. kam 1895 als Ostafrika-Protektorat an G.B., war jedoch zunächst von keinem besonderen Interesse (lediglich Durchgang von Küsten-Stützpunkten zu den reichen Gebieten Ugandas). 1902 bzw. 1926 mußte Uganda beträchtliche Gebiete an K. abtreten. Erst 1904 fiel die grundlegende polit. Entscheidung, die Hochländer von K. für europäische Siedler zu bestimmen. Dies war der Grundstein für die weitere Entwicklung der nächsten Jahrzehnte. Große Teile des besten Landes wurden ausschließlich den Europäern zur Verfügung gestellt, während sich bei der wachsenden und in Reservate abgedrängten afrik. Bevölkerung eine immer stärkere Landknappheit herausbildete. Die weißen Siedler übten beträchtlichen Einfluß auf die brit. Protektoratsverwaltung aus; die Wirtschaftspolitik begünstigte eindeutig die Interessen der Siedler gegenüber denen der afrik. Bauern und der asiatischen Händler, die eine Mittelschicht zwischen Europäern und Afrikanern bildeten. Infolge der Stellung und des Einflusses der Siedler entwickelte sich K. zum wirtschaftlichen Zentrum der drei ostafrik. Länder. Trotz starken Drängens der Siedler ließ G.B. nicht zu, daß sie ihre politische Dominanz zur Kontrolle von Tanganyika und Uganda ausweiten konnten. Es entwickelte sich jedoch auf vielen Gebieten eine immer engere Zusammenarbeit, was schließlich 1948 zur Gründung der ,,East African High Commission", des Vorläufers der Ostafrik. Gemeinschaft, führte.

1952 brach als Protest gegen die Kolonialherrschaft der Mau-Mau-Aufstand aus, der vorwiegend von dem Volk der Kikuyu getragen wurde. Er konnte erst nach Jahren erbitterter Auseinandersetzung durch brutalste Polizeimaßnahmen und Militäraktionen niedergeschlagen werden. Auf dem Verhandlungswege wurden schließlich die Durchgangsstadien zur Unabhängigkeit des Landes festgelegt. Am 12. 12. 1963 wurde K. endlich, später als seine ostafrik. Nachbarn, eine unabhängige Nation.

2. Entwicklung der politischen Parteien

2.1. Vor der Unabhängigkeit

Die formelle Gründung der beiden wichtigsten polit. Parteien erfolgte zwar erst 1960 relativ kurz vor der Unabhängigkeit, doch geht die Entstehung von afrik. Gruppen mit mehr oder weniger ausgeprägten polit. Zielsetzungen sehr viel weiter in die Zeit unmittelbar nach dem 1. Weltkrieg zurück.

Das größte und am härtesten von der Landwegnahme betroffene Volk, die Kikuyu, begann am frühesten sich polit. zu betätigen und leistete den energischsten Widerstand gegen die Kolonialherrschaft. Schon 1919 entstand als erste polit. Organisation die ,,Kikuyu Association". 1921 gründete der heute legendäre Harry Thuku als Gegenorganisation die ,,Young Kikuyu Association". Nach der Verhaftung von Thuku und ersten politischen Demonstrationen (zahlreiche Tote) entstand 1924 die ,,Kikuyu Central Association" (KCA), die in den Folgejahren zum Sammelpunkt des polit. Protests der Kikuyu wurde. Hier betätigte sich auch schon früh der heutige Präsident K.s, Jomo Kenyatta, der für die KCA 1929 erstmals nach G.B. ging und dort 1931–46 als Vorkämpfer für die afrik. Interessen tätig war. Auch bei den meisten anderen Volksgruppen waren in dieser Zeit ähnliche quasi-politische Organisationen entstanden, so bereits 1921 bei den Luo, dem zweitgrößten Volk, die ,,Young Kavirondo Association". Im Gegensatz zu den bereits sehr viel stärker dem Einfluß der Hauptstadt Nairobi und den Problemen der Landknappheit ausgesetzten Kikuyu war die Struktur im Luo-Gebiet zu dieser Zeit noch vorwiegend traditional geprägt. Der Effekt der neuen Organisation wurde bald durch Missionare abgeschwächt und diese in einen ziemlich harmlosen Wohlfahrtsverein, die „Kavirondo Taxpayer's Welfare Association", umgewandelt.

Gerade als Ende der 30er Jahre sich bei den ersten zaghaften Versuchen zu einer Kooperation der verschiedenen Organisationen der einzelnen Volksgruppen ein Erfolg andeutete, wurden sie alle mit dem Vorwurf der Subversion und aus Sicherheitsüberlegungen anläßlich des 2. Weltkriegs verboten. Schon bald aber mußte die Kolonialverwaltung einsehen, daß sie auf ein gewisses Einvernehmen mit den Afrikanern angewiesen war. So ließ sie schließlich zu, daß am 1. 10. 1944 33 Vertreter verschiedener afrik. Völker eine neue Organisation gründeten, die ab 1946 „Kenya African Union" (KAU) hieß; Präsident wurde 1947 Kenyatta nach seiner Rückkehr aus England. Obwohl vielfach als Nachfolgerin der KCA angesehen, kann diese Gruppierung als Beginn einer gesamt-kenian., über die Abgrenzung der einzelnen Völker hinausgehenden polit. Betätigung betrachtet werden. Die Führung lag noch vorwiegend bei den Kikuyu, doch hatte die KAU 1951 bereits rund 150.000 Mitglieder im ganzen Lande.

Doch nun gab es eine Unterbrechung der sich anbahnenden graduellen polit. Entwicklung: Vorwiegend jüngere und radikalere Kikuyu fühlten sich, auf Grund der totalen Unfähigkeit der Kolonialverwaltung zu echten Veränderungen, dazu gedrängt, härteren Widerstand zu leisten. Auf ihre Geheimbünde, Streiks etc. reagierte die Verwaltung mit harten Repressalien. So entstand die Mau-Mau-Bewegung mit ihrem Terror, der sich gegen weiße Siedler und Verwaltung und deren afrik. Kollaborateure richtete. 1952 wurde im ganzen Land der Ausnahmezustand erklärt; Kenyatta und alle anderen Führer der KAU wurden verhaftet. Die Verbindung zwischen den polit. Führern der KAU und der Mau-Mau-Bewegung konnte allerdings nie einwandfrei nachgewiesen werden. Der Terror der Mau-Mau und die brutalen und rücksichtslosen Bekämpfungsmaßnahmen der Kolonialorgane führten zu einer totalen Verhärtung der polit. Entwicklung, vor allem im Gebiet der Kikuyu. Rund 90.000 Afrikaner wurden zeitweise inhaftiert und der überwiegende Teil der Führungsschicht praktisch lahmgelegt. Zunächst wurden alle polit. Organisationen generell verboten; ab 1955 durften sie dann wieder operieren, allerdings nur auf Distriktebene. Die Zäsur in diesen wichtigen Jahren hatte noch weitreichende Folgen: Es konnte sich nicht, wie in anderen Ländern, eine das gesamte Land umfassende Partei oder Nationalbewegung herausbilden.

Dennoch veränderte sich durch die Einwirkung des Mau-Mau-Krieges die Situation nun schnell und grundlegend. Besonders durch die Aktivität von Tom Mboya, einem jungen Luo, war die Gewerkschaftsbewegung vor allem in Nairobi und Mombasa zu einer Art polit. Ersatzorganisation geworden. Die Kolonialverwaltung mußte in schneller Folge immer mehr polit. Zugeständnisse machen. Mehrere Verfassungen wurden durchgeprobt; an den Wahlen zum Gesetzgebenden Rat 1957 durften bestimmte qualifizierte Afrikaner erstmals teilnehmen. Erst 1959 wurde Kenyatta aus dem Gefängnis entlassen, aber noch in Verbannung gehalten; der Ausnahmezustand wurde aufgehoben. In diesem Jahr wurde dann auch in London zwischen allen beteiligten Gruppierungen die Konferenz abgehalten, auf der die Grundlage für den Prozeß der Dekolonisierung und der Übergang zur Unabhängigkeit gelegt wurde.

Jetzt durften wieder gesamtkenian. Parteien operieren, allerdings mußten sie nun ,,multi-rassisch'' sein. Es entstanden zwei Gruppierungen: die ,,Kenya National Party'', die sich vor allem als Vertretung der meisten kleineren Volksgruppen des Landes verstand, und der ,,Kenya Independence Movement'', der vor allem von Luo und einigen Kikuyu dominiert wurde, vorwiegend auf städtische Mitgliedschaft orientiert war und nun für sofortige Unabhängigkeit und Freigabe der weißen Siedlergebiete eintrat.

Die in London verabredete Gründung einer gemeinsamen Partei aller afrik. Interessen kam allerdings nicht zustande. Im Mai 1960 wurde die ,,Kenya African National Union'' (KANU), die heute die einzig verbliebene Partei in K. ist, in Anlehnung an die alte KAU aus der Taufe gehoben; Kenyatta wurde in Abwesenheit zum Präsidenten gewählt, Mboya zum Generalsekretär und Odinga (ein führender Luo) zum Vizepräsidenten. Die Befürchtungen über eine zu starke Dominanz der Kikuyu und Luo führten dann im Juni 1960 zur Gründung der ,,Kenya African Democratic Union'' (KADU), einer Allianz der bis dahin bestehenden polit. Organisationen der kleineren Völker. Während die KANU von Anfang an ihren Rückhalt mehr in den Städten hatte, war die KADU eher ländlich orientiert.

Die ersten allgemeinen Wahlen 1961 gewann die KANU, doch konnte die KADU als Minderheitsregierung vorläufig die, wegen der noch bestehenden Macht der Kolonialverwaltung stark eingeschränkte, Regierungsverantwortung übernehmen. Die KANU hatte sich geweigert, ohne die Freilassung von Kenyatta in die Regierung einzutreten; seine Freilassung erfolgte schließlich im August 1961. Kenyatta übernahm die für ihn freigehaltene Position des Präsidenten der KANU. Seine Versuche zu einer Vereinigung mit der KADU blieben ohne Erfolg. Während die KANU für ein zentralistisches Regierungssystem eintrat, verfocht die KADU die Interessen der kleineren Völker und die Idee einer föderativen Verfassung mit einem relativ starken Grad von Autonomie für die Regionen.

Die Wahlen im Frühjahr 1963 gewann wieder die KANU; Kenyatta übernahm im Juni 1963 das neugeschaffene Amt des Premierministers und führte das Land am 12. 12. 1963 in die Unabhängigkeit. Auf Grund der Vorgeschichte war die Verfassung mit zwei Kammern des Parlaments, einer Zentralregierung und starken föderativen Elementen bezüglich der Provinzregierungen außerordentlich kompliziert.

2.2. Nach der Unabhängigkeit

Die KANU-Regierung unter Kenyatta veränderte in gut einem Jahr die Grundzüge der Unabhängigkeitsverfassung, indem ein sehr viel stärker zentralistisches Staatskonzept durchgesetzt wurde. Nach dem Überlaufen von Ngala zur Regierung mußten die Reste der KADU die Aussichtslosigkeit ihrer Opposition einsehen. Im Nov. 1964 löste sich die KADU auf; alle ihre Mitglieder traten geschlossen zur KANU über. Damit war K. de facto zu einem Einparteistaat geworden. Am 12. 12. 1964 erhielt K. den Status einer Republik mit Kenyatta als erstem Präsidenten.

Bald kam es zu erheblichen Gegensätzen und Kämpfen innerhalb der KANU. Hierbei ging es sowohl um persönliche Rivalitäten (speziell zwischen Odinga und Mboya) als auch um echte Differenzen zwischen Konservativen und radikaleren Gruppen über grundsätzliche Ziele (z. B. Rückgabe von weißem Farmland an afrik. Kleinbauern). Odinga wurde als Kommunist verdächtigt, während Mboya als Freund der ausländischen Kapitalisten und der Amerikaner hingestellt wurde. Bei einer von Mboya als Generalsekretär der Partei im März 1966 initiierten Neuorganisation der KANU verloren Odinga und seine Anhänger sämtliche Parteiämter. Damit hatte die konservative Richtung volle Kontrolle über die Partei gewonnen.

Odinga trat daraufhin im April 1966 aus der KANU aus und gründete eine neue, linksorientierte Partei, die ,,Kenya People's Union" (KPU). Ihm folgten zunächst 30 weitere Parlamentsmitglieder (darunter Kaggia als prominentester Kikuyu), doch bis zur offiziellen Etablierung als formelle Opposition im Parlament verblieben nur noch 13 Anhänger. Per Verfassungsänderung wurden alle übergetretenen Abgeordneten gezwungen, ihre Parlamentssitze aufzugeben und sich Nachwahlen zu stellen. So fanden im Juni 1966 Nachwahlen um 29 Mandate statt, bei denen die KPU nur mit 9 Vertretern ins Parlament zurückkehren konnte. Es zeigte sich, daß ihre Gefolgschaft weitgehend auf das Gebiet der Luo beschränkt blieb. So erhielt die KPU fortan den Anstrich, vorwiegend eine tribalistische Partei der Luo zu sein. Im Wahlkampf hatte sie gegen die übermächtige Regierungspartei ohne allzu großen Erfolg versucht, mit sozialistischen Vorstellungen an die ärmeren und ausgebeuteten Elemente der Bevölkerung zu appellieren. Es gab für ca. 3 Jahre wieder eine Opposition, deren Handlungsspielraum aber stark eingeschränkt war und die schließlich 1969 nach Unruhen (Demonstrationen gegen Kenyatta) verboten wurde. Odinga und seine wichtigsten Gefolgsleute wurden inhaftiert und teilweise erst nach Jahren wieder freigelassen. Odinga trat 1972 wieder der KANU bei, aber er blieb bisher ohne Einfluß. Seit 1969 ist K. damit faktisch wieder zum Einparteistaat geworden, obgleich dies nirgendwo juristisch festgelegt ist.

Doch damit war keineswegs Ruhe in die polit. Entwicklung gekommen. Immer wieder kam es in den letzten Jahren zu heftigen

Auseinandersetzungen und Eruptionen, wobei oft persönliche Elemente und Sachfragen aufs engste miteinander verbunden waren. Mitte 1969 war Mboya unter noch heute ungeklärten Umständen in Nairobi erschossen worden: er war einer der wenigen polit. Führer mit einer Gefolgschaft unter den städtischen Angehörigen aller Volksgruppen gewesen und häufig als ein potentieller Nachfolger Kenyattas bezeichnet worden. Erst nach seinem Tod wurde er als besonderer Held der Luo empfunden, die sich immer stärker in eine Außenseiterposition auf der polit. Szene K.s gedrängt sahen und sich auch ökonomisch erheblich benachteiligt fühlen. Die vor der Unabhängigkeit bestehende spezielle Allianz zwischen Kikuyu und Luo existiert nicht mehr. Sie wurde teilweise ersetzt durch ein Bündnis der Kikuyu mit mehreren der kleineren Völker, deren Führer aus früheren KADU-Tagen heute in Regierungspositionen sitzen.

Höchst explosiv gestaltete sich die Szenerie 1975, doch konnte Präsident Kenyatta, bei oberflächlicher Betrachtung, die gefährliche Entwicklung voll unter Kontrolle halten. Der profilierteste Kritiker der offiziellen Regierungspolitik, J. M. Kariuki, selbst Kikuyu, und bis zur Wahl im Herbst 1974 Junior-Minister in der Regierung, wurde im März 1975 unter höchst mysteriösen Umständen ermordet. Er hatte in den letzten Jahren in scharfer Form inner- und außerhalb des Parlaments die immer stärker werdenden sozialen Gegensätze im Lande, Korruption und Bereicherung der Führungschicht und vor allem die Politik der Regierung in bezug auf die Landfrage angeprangert. Er war damit offensichtlich zu einer potentiellen Bedrohung der polit. Führung geworden. Im Wahlkampf war er durch vollständiges Redeverbot systematisch behindert worden. Kariukis Ermordung, die offensichtlich hatte vertuscht werden sollen, wurde von der öffentlichen Meinung im ganzen Lande mit allerhöchsten Regierungskreisen in Verbindung gebracht. Ein Untersuchungsbericht des Parlaments brachte keine Aufklärung; die zuständige Kommission war erheblich behindert. Andere regierungskritische Abgeordnete wurden in der Folgezeit unter verschiedenen Anschuldigungen für unterschiedlich lange Zeiträume und unter Verlust ihres Mandats zu Gefängnis verurteilt.

Der stellvertr. Parlamentssprecher und ein Abgeordneter wurden aus dem Parlament heraus verhaftet; im Mai 1977 wurde nochmals ein kritischer Abgeordneter im Parlamentsgebäude in Haft genommen. Seither ist das kenian. Parlament, lange eines der lebendigsten und (innerhalb gewisser Grenzen) kritischsten in Afrika, ruhig geworden. Durch sein hartes Vorgehen gegen alle kritischen Elemente hat Kenyatta das Land vorläufig wieder fest im Griff, doch können die strukturellen Gegensätze jederzeit noch stärker aufbrechen. Sicherlich wird es nach Kenyatta (über 80 Jahre alt) zu erheblichen Problemen für die Kontinuität des Systems kommen.

3. Merkmale der politischen Struktur

Die Sozialstruktur K.s ist heute durch eine immer stärker sich herausbildende soziale Differenzierung und das deutliche Entstehen einer ,,Klassengesellschaft" gekennzeichnet. Der größte Teil der Bevölkerung lebt noch heute von der Subsistenzlandwirtschaft (ca. 1,2 Mio. Haushalte). Eine Schicht moderner Kleinbauern (sog. ,,progressive Bauern", ca 250.000 Haushalte) produziert für den Markt. 300.000 landlose Personen müssen sich in der Landwirtschaft verdingen. In den Städten gibt es über 100.000 Arbeitslose. Die Gruppe mit einer festen Beschäftigung beläuft sich auf ca. 800.000, davon 300.000 im öffentl. Sektor. Der afrik. Mittelstand (Handwerker, freie Berufe) umfaßt ca. 50.000 Personen. Der einheimischen Oberschicht, d. h. Politiker, leitende Beamte und Großfarmer, gehören rund 5.000 Personen an. Daneben haben nahezu alle Europäer und Asiaten einen privilegierten ökonomischen Status.

Die seit der Unabhängigkeit entstandene kleine einheimische Oberschicht arbeitet eng mit den nach wie vor starken ausländischen Wirtschaftsinteressen zusammen. Typisch ist die enge Verflechtung von polit., administrativen und ökonomischen Funktionen. (Nahezu alle führenden Politiker und Beamten haben beträchtliche Ländereien erworben und sich an Industrien beteiligt.) Damit übt diese Gruppe häufig auch, sozusagen im Gegenzug zu ihrem Eigeninteresse, Hilfsfunktionen des ausländ. Kapitals aus, innerhalb eines Systems mit hohem Grad staatl. Protektion. Durch die Politik der Landkonsolidierung konnte, im Gegensatz zum traditionellen Recht, persönliches Eigentum an Grund und Boden eingetragen werden; dies trug zum Entstehen einer ländlichen Mittelklasse (progressive Bauern) und auch von solchen Großbauern bei, die ihr Land bewirtschaften lassen.

3.1. Elite

Während die KANU zur Zeit der Unabhängigkeit als eine Koalition von kleinbürgerlichem Nationalismus, radikaler Bauernbewegung, städtischen Arbeitern und Intellektuellen bezeichnet werden konnte, so haben sich seitdem die Gewichte innerhalb des Systems beträchtlich verschoben. Afrikan. Kleinkapitalisten und bürgerlicher Mittelstand, in Allianz mit den noch dominierenden ausländischen Wirtschaftsinteressen, haben ihre Position gegenüber Arbeiterschaft, kleineren Bauern und Intellektuellen erheblich verstärken können.

Die polit. Macht geht weitgehend mit der ökonomischen Bedeutung Hand in Hand, ist aber eher noch stärker konzentriert. Im Kampf zwischen den ethnischen Gruppen liegt die wirkliche Macht eindeutig in Händen der Kikuyu; innerhalb der drei großen Untergruppierungen der Kikuyu dominiert die Kiambu-Gruppe (aus der Kenyatta stammt) gegenüber denen von Muranga und Nyeri. Die Solidarität der ethnischen Gruppen spielt immer noch eine große Rolle in der Politik. Führungspositionen polit. Natur können nur Leute erringen, die aus der jeweiligen Gegend stammen. Lediglich in Nairobi und Mombasa ist die Zusammensetzung der Wählerschaft gemischt, doch auch hier ist die ethnische Zugehörigkeit bei Wahlen oft noch ausschlaggebend. Als 1969 nach Mboyas Ermordung Unruhen ausbrachen und die Vorherrschaft der Kikuyu bedroht schien, organisierte die Führerschaft im Kikuyuland traditionelle Eideszeremonien, die an Praktiken der Mau-Mau-Zeit erinnerten, um auf diese Weise den Zusammenhalt der Kikuyu zu stärken. Durch die Ermordung von Kariuki 1975 wurden zeitweise wieder erhebliche Spannungen innerhalb der Kikuyu sichtbar, die anschließend durch Solidaritätsappelle und neuerliche Eideszeremonien zumindest oberflächlich gekittet wurden. Auch die anderen Völker haben noch ein starkes Zusammengehörigkeitsgefühl. Speziell die Luo halten sich polit. und ökonomisch für ungenügend berücksichtigt und entwickeln von daher die Solidarität der sich unterdrückt Fühlenden. Quasi-politische Organisationen vom Typ sogen. Wohlfahrtsorganisationen ethnischer Gruppen wie die ,,Gikuyu, Embu and Meru Association" (GEMA), die ,,Luo Union" oder die ,,New Akamba Union" haben daher ihre stets latent vorhandene Bedeutung wieder erhöhen können.

Insgesamt ist eine zunehmende Zentralisierung der Macht in den Händen von Exekutive und Staatsbürokratie festzustellen. Die expandierende Machtelite entzieht sich immer stärker der parlamentarischen Kontrolle. Die schon immer geltende starke Personalisierung der Macht bei Kenyatta und den auf ihn direkt Einfluß ausübenden Personen ist im Zuge der Krisen der letzten Jahre, trotz des hohen Alters des Präsidenten, eher noch dominanter geworden. Alle Provinz- und Distriktkommissare werden vom Präsidenten eingesetzt und kontrolliert; da sie Exekutivgewalt ausüben, hat er schon hier ein starkes Machtinstrument. Die militärähnliche General Service Unit (GSU), vorwiegend aus Kikuyu zusammengesetzt, wird von ihm auch direkt als Machtinstrument neben Armee und Polizei eingesetzt. Alle wichtigen Entscheidungen des Staates fallen nicht in Partei, Kabinett oder Parlament, sondern innerhalb des kleinen Zirkels von Freunden und Beratern, viele von ihnen aus der Kiambu-Gruppe der Kikuyu, die den Präsidenten direkt umgeben. Selbst einige Minister, die Junior-Minister und das Parlament haben demgegenüber bei wirklich einschneidenden Entscheidungen keine Möglichkeit der Mitwirkung.

Die Führungselite ist weitgehend identisch mit den Gruppen der afrik. Kleinkapitalisten und des bürgerlichen Mittelstandes. Die Mehrheit der heutigen Führer hat entweder ein vergleichsweise hohes formales Ausbildungsniveau (viele Parlamentsabgeordnete mit Universitätsabschluß) oder hat es als Unternehmer zu Erfolg gebracht. Weder gibt es eine größere Zahl von traditionellen Herrschern (Chiefs) in Führungspositionen, obgleich ein beträchtlicher

Teil der Elite seine heutigen Funktionen u. a. Vorteilen als Angehörige der auch im traditionellen System „besseren" Familien verdankt, noch haben es die Kämpfer aus der Mau-Mau-Zeit verstanden, sich Rang und Prestige im unabhängigen K. zu erwerben. Die zu verschiedenen Phasen hervortretenden Politiker mit breitem populistischem Appeal (wie Odinga und Kaggia zu Zeiten der KPU und später Kariuki und Shikuku) wurden entweder polit. ausmanövriert, verhaftet oder sogar ermordet. Kein Führer dieser Richtung hat bisher einen durchschlagenden Erfolg erringen können.

Der überwiegende Teil der aktiven Politiker auf allen Ebenen ist sowohl von Ausbildung wie von eigener ökonomischer Position und Aspiration her dazu disponiert, das bestehende System mit seinen teilweise enorm großen Chancen zur Verbesserung des eigenen materiellen Wohlstands und zur geschickten Verknüpfung von polit. und wirtschaftlichen Aktivitäten gutzuheißen und daran voll zu partizipieren. Allerdings ist es für den Erfolg aller Politiker und vor allem für die Absicherung ihrer lokalen Machtbasis ausschlaggebend, ihren Wählern handfeste Erfolge und konkrete Vorteile vorzuweisen. Andernfalls – bei zu großer Entfernung von den praktischen Problemen der Bevölkerung an der Basis – droht sehr schnell Mandatsverlust. Insofern liegt die tatsächliche Verankerung der polit. Macht durchaus in den jeweiligen Wahlkreisen und Heimatgebieten, auch wenn die Politiker sich in ihrem Handeln in der Hauptstadt sehr oft davon weit entfernt zu haben scheinen. So beruht das polit. und ökonomische System K.s auf einer sehr delikaten Mischung von tribalistischen Wurzeln, engen persönlichen Beziehungen bis hin zum Nepotismus, Elementen einer freien und in Teilbereichen durchaus effizienten Marktwirtschaft und einer offiziell deklarierten und auch weithin akzeptierten Doktrin von Modernisierung und Wachstum, die mit Entwicklung gleichgesetzt werden.

3.2. Stärke und Rolle anderer Gruppen

Eine reguläre Opposition zur KANU gibt es seit dem Verbot der KPU im Jahre 1969 nicht mehr, obgleich gesetzlich das Aufkommen von neuen Parteien nicht eingeschränkt wird. Allerdings gibt es verschiedene gesellschaftliche Gruppen, die Kristallisationspunkte für eine kritische Haltung zur Regierung darstellen.

Am wichtigsten in dieser Hinsicht sind sicherlich die Studenten, die im Laufe der Jahre immer wieder einen Unruheherd bildeten. Mehrmals wurde die Universität für längere Zeit ganz geschlossen. Mit Anwendung von Gewalt gelang es aber der Regierungsautorität bisher immer, den Widerstand der Studentenschaft zu brechen. Dabei ist zu berücksichtigen, daß nahezu alle Studenten sich in einer mehr oder weniger vollständigen Abhängigkeit vom Staat befinden (Stipendien, spätere Anstellung, Tendenz zu einem Überangebot von Akademikern). Oft beruhten studentische Unruhen auf einer allgemeinen Unzufriedenheit über die eigene spezifische Situation; doch speziell nach der Ermordung von Kariuki dokumentierten sie mehrheitlich eine grundlegende Opposition zur Regierung.

Die Gewerkschaften sind demgegenüber im allgemeinen recht zahm. Die etwa 30 Einzelgewerkschaften sind seit 1966 in der „Central Organization of Trade Unions" (COTU) zusammengeschlossen. Die Besetzung der Führungsposten der COTU unterliegt der Genehmigung des Präsidenten. Während die Gewerkschaftsbewegung unter der Führung von Mboya ein wichtiges Glied im Kampf um die Unabhängigkeit war und auch bis zur Krise von 1966 (Gründung der KPU) sich teilweise noch recht radikal gebärdet hatte, ist sie seitdem unter die Kontrolle der Regierung geraten. Die meisten Gewerkschaftsführer haben viel zu direkte eigene materielle Interessen, als daß sie sich mit der Regierung anzulegen wagten. Streiks können von der Regierung als illegal hingestellt werden, wenn nach ihrer Meinung die Möglichkeiten für Verhandlungen nicht genügend ausgeschöpft wurden. (Die Löhne der untersten Einkommensgruppen sind in den letzten Jahren langsamer als den Inflationsraten entsprechend angehoben worden, während z. B. die höheren Ränge des öffentl. Dienstes durch eine starke Lobby ihre Bezüge erheblich stärker erhöhen konnten.) Die der COTU entgegenstehende „Federation of Kenya Employers" (FKE) erfreut sich recht guter Beziehungen zur Regierung und hat es über die Jahre hinweg immer wieder verstanden, einen deutlich dämpfenden Einfluß auf die allgemeine Lohnpolitik auszuüben.

Andere Gruppen haben als potentielle Gegengewichte zur Regierung erheblich weniger Bedeutung. Die traditionellen Autoritäten (Chiefs) spielen im heutigen polit. Leben keine Rolle mehr. Die in privaten Händen befindliche Presse ist in Einzelfällen Politikern oder Bürokraten gegenüber sehr kritisch und teilweise sogar aggressiv, kann es aber nicht wagen, die grundlegenden Machtinteressen des inneren Zirkels der Führungselite bloßzulegen. So ergibt sich das Bild einer an der Oberfläche lebendigen und innerhalb etablierter Grenzen erstaunlich kritischen Presse. Immerhin haben die Zeitungen durchaus gewisse polit. Artikulationsmöglichkeiten, während Rundfunk und Fernsehen voll als Regierungsinstrumente zu bezeichnen sind. Die Justiz hat im allgemeinen beträchtliche Freiräume und verhält sich im großen und ganzen korrekt und unabhängig, doch gibt es Grenzen bezüglich der vitalen Eigeninteressen der allerengsten Machtelite, die auch von der Justiz nicht angetastet werden können. Die Kirchen halten sich im allgemeinen von einer Erörterung polit. Fragen zurück; in einigen Landesteilen spielen sie immer noch eine relativ wichtige Rolle als Träger von Schuleinrichtungen. Der ,,National Christian Council of Kenya'' (NCCK), der Zusammenschluß der protestantischen Kirchen des Landes, hat sich öfters kritisch zu einigen gefährlichen Tendenzen der gesellschaftspolit. Entwicklung in K. geäußert.

Das Militär ist im polit. Leben an der Oberfläche wenig präsent. Mit rund 8.000 Mann ist es, im Vergleich zu allen Nachbarländern, bisher auch sehr klein; hinzu kommen noch etwa 2.000 Angehörige der Spezialeinheit General Service Unit (GSU). 1964 hatte es eine unpolit. Meuterei gegeben, die mit Hilfe brit. Truppen schnell niedergeschlagen wurde. 1971 gab es den Versuch einer kleinen Gruppe zu einem vage polit. motivierten Militärputsch. Seither hat es keine Anzeichen mehr für Schwierigkeiten mit dem Militär gegeben; es scheint von der Regierung gut unter Kontrolle gehalten zu werden. Gegenüber der Situation vor der Unabhängigkeit, als die Armee vorwiegend aus Kamba und Kalenjin bestand, wurden in den letzten Jahren bewußt sehr viele Kikuyu in die Armee aufge nommen und zu höheren Offizieren befördert. Völlig unabhängig vom Militär steht für interne Sicherheitsprobleme noch die GSU zur Verfügung, die unter Kikuyu-Kommando erst Mitte der 60er Jahre aufgebaut wurde.

3.3. Parteiprogramm

Ein ausgearbeitetes oder sonstwie klar formuliertes Parteiprogramm der KANU gibt es nicht. Soweit man es überhaupt für notwendig ansieht, wird meist zur Kenntlichmachung der vorliegenden Programmvorstellungen auf das KANU-Manifest für die Wahlen von 1963 und vor allem auf das im Mai 1965 von der Regierung vorgelegte Grundsatzpapier „Afrikanischer Sozialismus und seine Anwendung bei der Planung in Kenia" verwiesen. Auch in den Entwicklungsplänen wird darauf Bezug genommen.

Das Grundsatzdokument vom Mai 1965 charakterisiert Afrikanischen Sozialismus wie folgt: polit. Demokratie; gegenseitige soziale Verantwortung; unterschiedliche Formen des Eigentums; eine Reihe von Kontrollen, um sicherzustellen, daß Eigentum im beiderseitigen Interesse der Gesellschaft und ihrer Mitglieder verwendet wird; Verbreitung von Eigentum zur Vermeidung der Konzentration wirtschaftlicher Macht; progressive Besteuerung zur Sicherung einer gleichmäßigen Verteilung von Vermögen und Einkommen.

Die praktische Politik läuft auf die Verfolgung einer liberalen Marktwirtschaft mit einem gewissen Maß heute auch in westlichen Ländern allgemein üblicher staatlicher Kontroll- und Lenkungsmechanismen hinaus (Verstaatlichungen nur in besonderen Fällen geeignetes Mittel der Wirtschaftspolitik). Eine gleichmäßigere Einkommensverteilung wird zwar offiziell angestrebt, ein hohes Wirtschaftswachstum aber als noch wichtiger vorangestellt. Zwecks Erhaltung der notwendigen materiellen Anreize wird daher ausdrücklich das Fortbestehen von Einkommensunterschieden akzeptiert. Das Phänomen des Entstehens einer Klassengesellschaft innerhalb der afrik. Bevölkerung wird nicht als solches anerkannt. In der Praxis, trotz der verbrämenden Verwendung des Begriffes „Afrikanischer Sozialismus", verfolgt daher das Regime ein rein kapitalistisches Konzept der wirtschaftlichen und gesellschaftlichen Entwicklung.

3.4. Aufbau der Partei

Das polit. System K.s ist vielfach als Kein-Parteien-System charakterisiert worden, da die Parteiorganisation schwach und die Partei im allgemeinen kaum präsent ist. Im Gegensatz etwa zur Einheitspartei im benachbarten Tansania ist die KANU als Instrument zur Herausbildung von polit. Grundsätzen praktisch nicht existent und als dauerhafte Institution auf den verschiedensten Ebenen nicht vorhanden. So war etwa jahrelang die Parteizentrale faktisch überhaupt nicht mit Personal besetzt; auch in den unteren Bereichen gibt es keine KANU-Büros. Eine Funktion hat die KANU praktisch nur als Vehikel für die Machtausübung einzelner Politiker; größere Bedeutung erlangte sie daher auch nur zu Zeiten von Wahlen. Viel bedeutender als die Partei ist die staatliche Verwaltung, deren wichtigste Vertreter, die Provinz- und Distriktkommissare, direkt der Kontrolle des Präsidenten unterstehen.

Organisatorisch ist die KANU nach Gebietseinheiten eingeteilt. Im Prinzip werden alle Funktionsträger der Partei in einem demokrat. Wahlverfahren von unten nach oben ausgewählt. Wahlberechtigt bei den Parteiwahlen sind nur Beitragszahler. (Vor Wahlen kaufen die auf ein Amt spekulierenden Kandidaten Beitragsmarken und verteilen sie an ihre Anhänger, um die Stimmenzahl zu erhöhen. Hierbei können die Aussichten bereits sehr stark beeinflußt werden, denn öfters werden Kandidaten am Kauf von Marken gehindert.) Wichtig ist eine Funktion in der Partei vor allem als Basis bei der Aufstellung für das Parlament.

Nationale Parteikongresse fanden seit der Unabhängigkeit erst zweimal statt. Bei dem Kongreß 1966 in Limuru wurde durch geschickte Schachzüge des Generalsekretärs Mboya die radikale Gruppe um Odinga und Kaggia aus allen wichtigen Funktionen herausgedrängt; gleichzeitig wurde die Parteiverfassung dahingehend geändert, daß es unter dem KANU-Präsidenten Kenyatta nun eine Dezentralisierung der Macht durch die Schaffung von 8 Vizepräsidentenposten für jede der Provinzen des Landes gab. Diese Regelung wurde schon einige Jahre später wieder aufgehoben. Die auf dem Kongreß in Mombasa 1971 beschlossenen Parteiwahlen auf allen Ebenen und mit einer etwas veränderten Struktur der Partei wurden jahrelang immer wieder verschleppt, da angeblich die Ausweitung der KANU auf 1 Mio. Mitglieder noch nicht erreicht worden sei. Die Parteizentrale kennt selbst nicht die Zahl der Parteimitglieder. Viel wichtiger dürfte aber der hinhaltende Widerstand gewesen sein, den viele in Parteiämtern befindliche Politiker gegen die Abhaltung der Parteiwahlen leisteten, da sie um ihre Positionen fürchten mußten. Eine machtvolle Parteizentrale, die Forderungen gegenüber den Untergruppierungen durchsetzen könnte, gibt es nicht. Die Position des Generalsekretärs ist seit Jahren mit einem im echten Machtgefüge relativ unbedeutenden Mann (lediglich in amtierender Funktion) besetzt.

Ende 1976 kamen die versprochenen Parteiwahlen doch endlich in Gang. Die ersten Runden auf der unteren und mittleren Ebene (bis zu Distrikten) liefen verhältnismäßig ruhig ab. Meist setzten sich die jeweiligen Parlamentsabgeordneten durch. Es war vorgesehen, im April 1977 auf einem Parteikongreß eine neue Führungsmannschaft der KANU zu wählen. Neben dem Präsidenten und Vize-Präsidenten der Partei (wahrscheinlich mit den entsprechenden Inhabern der Staatsämter identisch) sollte es einen Parteivorsitzenden (Funktion bisher nicht sehr klar definiert) und einen Generalsekretär geben. Doch dann wurden die Wahlen in allerletzter Minute (nach Anreise der Delegierten) ohne irgendeine klare Begründung abgesagt. Seither ist die zeitweise beachtlich lebendige und offene Diskussion über die Positionen in der Partei wieder total verstummt.

Auch an diesen Parteiwahlen durften solche ehemaligen KPU-Politiker, die zeitweise inhaftiert gewesen waren, inzwischen nach ihrer Freilassung aber wieder Mitglieder der KANU geworden waren, nicht teilnehmen. Der polit. Einfluß von Odinga im Luo-Gebiet scheint jetzt endgültig zu Ende zu gehen; er selbst durfte nicht kandidieren, seine Anhänger konnten sich gegen einen neuen

Typ von Luo-Politiker, der unbelastet von der Vergangenheit ist, nicht durchsetzen. In Nairobi wurde Dr. Mungai, der in der Wahl 1974 abgewählte ehemalige Außenminister, zum Vorsitzenden gewählt; er scheint damit ein Comeback zu starten.

3.5. Wahlen

Parlamentswahlen hat es seit der Unabhängigkeit zweimal, 1969 und 1974, gegeben. Die erste dieser Wahlen stand ganz unter dem Eindruck der Ermordung Mboyas, der darauf folgenden Unruhen und des Verbots der KPU als Oppositionspartei. Auf diese Weise konnten die innerparteilichen KANU-Vorwahlen zur Aufstellung ihrer Parlamentskandidaten in Praxis umfunktioniert und direkt mit den Parlamentswahlen verbunden werden, denn die aufgestellten Kandidaten wurden nun automatisch Abgeordnete. Bewerben konnten sich auch Unabhängige. Es fand insofern eine Zirkulation der Eliten statt, als etwa 60% der Angehörigen des vorherigen Parlaments nicht wiedergewählt wurden. Die Wählerschaft gab neuen Männern den Vorzug, von denen sie sich eine effektivere Durchsetzung lokaler Interessen versprach; dies änderte aber nichts an Position und Interessen der im Parlament vertretenen Politiker. Alle Kabinettsmitglieder der Kikuyu und ihrer Hauptverbündeten wurden ohne Probleme wieder ins Parlament entsandt.

Ähnlich liefen auch die Wahlen 1974 ab, doch kam diesmal die beträchtliche Unzufriedenheit der Bevölkerung über die soziale und wirtschaftliche Entwicklung des Landes noch sehr viel deutlicher zum Ausdruck. Wieder waren die partei-internen Vorwahlen der KANU entscheidend, die allerdings von der staatl. Verwaltung durchgeführt und kontrolliert wurden. Kenyatta war der einzige Kandidat sowohl für seinen Wahlkreis wie für das Amt des Präsidenten; für seine Bestätigung war daher keinerlei tatsächliche Wahl erforderlich. Auch 5 weitere Kandidaten (darunter Vize-Präsident Moi und einer der engsten Vertrauten von Kenyatta, der Minister im Präsidentenamt Koinange) hatten keine Gegner. Hart umkämpft mit insgesamt nahezu 750 Kandidaten waren allerdings die restlichen 153 Wahlkreise. 56% der bisherigen Abgeordneten wurden nicht wiedergewählt, darunter 4 Minister und 13 Junior-Minister. Prominentester Verlierer war Dr. Mungai, Außenminister und Mitglied des engeren Machtzirkels um Präsident Kenyatta. Dagegen kehrten eine ganze Reihe von Politikern ins Parlament zurück, die 1969 bei den Wahlen verloren hatten. (Wahlbeteiligung knapp 60% der registrierten Wahlberechtigten).

Die Wahlen in der bisher praktizierten Form bedeuten das Aufrechterhalten einer demokratischen Fassade, hinter der die Regierung die Machtbasis des herrschenden Regimes zu erhalten versteht. Allerdings hat sie nicht so viel Kontrolle in den lokalen Wahlbezirken, als daß nicht doch immer wieder eine gewisse Anzahl von kritischen Abgeordneten ins Parlament kommen könnte. Hier können diese jedoch von jedem effektiven Einfluß auf das System abgeblockt werden. Dies ist auch ein Grund für die außerordentlich hohe Fluktuation der Abgeordneten in den bisherigen Parlamenten, denn die Erwartungen der Wähler sind viel größer als die praktischen Durchsetzungschancen gegenüber den echten Macht- und Entscheidungszentren in Nairobi. Die nahezu zwangsläufige Enttäuschung der Wählererwartungen führt dann zu der hohen Rate von Abwahlen von Parlamentariern.

3.6. Einflüsse

Direkte und in irgendeiner Form in der offiziellen Politik verankerte äußere Einflüsse gibt es nicht. In Praxis besteht aber ein recht enges Verhältnis zu den westlichen Industrieländern in nahezu allen Bereichen. Zu den sozialistischen Ländern bestehen, abgesehen von formalen diplomat. Beziehungen, keine besonderen Verbindungen. Innerhalb der OAU verfolgt K. stets einen unideologischen, sehr pragmatischen Kurs und versucht, sich aus allen Konflikten herauszuhalten. Die gesamte Führungsschicht des Landes ist bezüglich ihrer beruflichen und wirtschaftl. Erwartungen eindeutig an europäisch-westlichen, kapitalistischen Zielvorstellungen orientiert, die sich natürlich auf das gesellschaftl. und polit. Verhalten auswirken. Im Vordergrund steht das Streben nach einem individualistischen materiellen Wohlstand, ausgerichtet an dem recht anspruchsvollen

Konsumverhalten der Oberklasse. Die Ausprägungsformen der westlichen Konsumgesellschaft sind in K. breiten Bevölkerungskreisen zumindest bekannt und wirken als Anreiz, da sie durch die ungehemmten Einflüsse der Medien (Werbung etc.), des Lebensstils der im Land ansässigen Ausländerkolonie, der einheimischen Elite und vor allem auch des stark gewachsenen Massentourismus aus Europa überall leicht sichtbare Verbreitung finden.

4. Politisches Schlagwort

Harambee: heißt soviel wie ,,Laßt uns zusammenarbeiten." Es wurde von Präsident Kenyatta zum wichtigsten politischen Slogan erhoben und soll das Zusammenwirken aller Bürger für eine gemeinsame Politik zum Ausdruck bringen. Unter dem Schlagwort Harambee wurden auch die verschiedensten Selbsthilfeanstrengungen der Bevölkerung angeregt und durchgeführt. So gibt es Harambee-Schulen oder Krankenzentren, die durch Spenden und Eigenleistungen der Bevölkerung erbaut wurden.

Rolf Hofmeier

Literatur

Arnold, G., Kenyatta and the Politics of Kenya, London 1974.

Baumhögger, G., Grundzüge der Geschichte und politischen Entwicklung Ostafrikas. Eine Einführung anhand der neueren Literatur, München 1971.

Baumhögger/Dargel/Führing/Hofmeier/Schieß, Reisehandbuch Ostafrika: Kenya, Tanzania, Frankfurt 1975².

Berg-Schlosser, D., Wahlen in Kenia – Demokratie in einem ,,Entwicklungsland"? In: Afrika Spectrum, Hamburg, 10. Jg., Heft 75/1, S. 55–66.

Bienen, H., Kenya. The Politics of Participation and Control, Princeton 1974.

Cliffe, L., Underdevelopment or Socialism? A comparative analysis of Kenya and Tanzania, in: Harris, Richard (Hrsg.), The Political Economy of Africa, New York 1975.

Georgi, V. E., KANU, KADU, KPU: Ein Beitrag zur Typologisierung afrikanischer Oppositionsparteien am Beispiel Kenias. In: Internationales Afrikaforum, 7. Jg., Nr. 3, München 1971, S. 180–86.

Gertzel, C., The Politics of Independent Kenya, 1963–68, London 1970.

Gertzel/Goldschmidt/Rothschild (Hrsg.), Government and Politics in Kenya. A nation building text, Nairobi 1969.

Kariuki, J. M., ,,Mau-Mau" Detainee. The account by a Kenya African of his experiences in detention camps 1953–60, Harmondsworth 1964.

Leifer, W. (Hrsg.), Kenia (Geographie, Vorgeschichte, Geschichte, Gesellschaft, Kultur, Erziehung, Gesundheitswesen, Wirtschaft, Entwicklung), Tübingen 1977.

Leitner, K., Die Gewerkschaften in Kenia. In: Lewinsky/Otto (Hrsg.): Gewerkschaften und Entwicklungspolitik, Köln 1975, S. 149–58.

Leys, C., Underdevelopment in Kenya. The political economy of neo-colonialism 1964–1971, London 1975.

Murray-Brown, J., Kenyatta, London 1972.

Mutiso, G. C., Kenya, Politics, Policy and Society, Nairobi 1975.

Odinga, O., Not yet Uhuru. The autobiography of Oginga Odinga, London 1967.

Pfister, G., Die Fortsetzung der Abhängigkeit in Kenya, in: Gantzel, K. J. (Hrsg.), Afrika zwischen Kolonialismus und Neokolonialismus, Hamburg 1976.

Rosberg, C. A./Nottingham, J., The Myth of ,,Mau Mau". Nationalism in Kenya, London 1966.

Rothschild, D., Racial bargaining in independent Kenya. A study of minorities and decolonization, London 1973.

Sandbrook, R., Proletarians and African Capitalism. The Kenyan case, 1960–1972, London 1975.

Komoren

Grunddaten

Fläche: 2.171 km^2 (davon Mayotte: 374 km^2).

Einwohner: 310.000 (1976).

Ethnische Gliederung (Prozentzahlen liegen keine vor): meist Mischbevölkerung arabisch-afrikanisch-madegassischer Herkunft, außerdem rund 1.000 Europäer.

Religionen (1974): über 95% Moslems; rund 12.000 Katholiken (auf Mayotte).
Einschulungsquote (1973): ca. 30%.
BSP: 60 Mio. US-$ (1974).
Pro-Kopf-Einkommen: 230 US-$ (1974).

1. Geschichte

Seit über 2.000 Jahren sind die Komoren (sie bestehen aus den vier Hauptinseln Grand Comore, Mohéli, Anjouan und Mayotte [das von den K. und von Frankreich beansprucht wird]) als Brückenkopf zwischen dem afrik. Festland und Madagaskar bekannt. Im 16. Jh. besiedeln Perser die K. und verdrängen die Urbevölkerung (afrik. und arabische Bauern) ins Landesinnere. Im Kampf um die strategisch günstige Insel zwischen England und Frankreich ging 1843 F. als Sieger hervor (1843 Mayotte frz. Kolonie, 1886 Grand Comore und Mohéli, 1909 Anjouan). F. arrangierte sich mit der Feudalherrschaft, den moslemischen Sultansfamilien, und richtete die vor allem an Gewürzen reichen K. (Vanille) an seinen Interessen aus. Nach dem 2. Weltkrieg erhielten die K. von F. durch den Status als frz. Überseeterritorium (TOM) ihre verwaltungsmäßige und finanzielle Autonomie.

2. Entwicklung der politischen Parteien

2.1. Vor der Unabhängigkeit

Das schwache polit. Leben nach dem 2. Weltkrieg wurde von den wenigen aristokratischen islamischen Familienclans beherrscht. Die gesetzgebende Versammlung (Conseil général) wählte 1946 Said Mohamed Sheik zu ihrem langjährigen Präsidenten. Die oberste Exekutivgewalt ging vom frz. Hochkommissar aus.

In der Folge wurden von der einheimischen Aristokratie und den Großkaufleuten verschiedene Parteien gegründet, die Mitglieder für das Kabinett abstellten: Islamische Gemeinschaftspartei (UMMA), ,,Rassemblement démocratique du Peuple Comorien" (RDPC), ,,Union démocratique Comorienne" (UDC).

Anfang der 60er Jahre formierte sich mit dem marxistisch orientierten ,,Mouvement de la Libération nationale de Comores" (MOLINACO) erstmalig eine größere Oppositionsgruppe. Sie mußte sich allerdings in Tansania niederlassen, da sie auf den K. verboten war. Die MOLINACO besaß in der ,,Parti socialiste comorien" (PASOCO) einen legalen Ableger auf den K. Einen Sonderstatus nimmt die separatistische Bewegung ,,Mouvement du Peuple mahorais" (MPM) auf Mayotte ein.

Dem zunehmenden Ruf nach Unabhängigkeit unter der Bevölkerung und der Opposition standen die Regierungsparteien anfangs sehr skeptisch gegenüber, bis sie Anfang der 70er Jahre selbst die Unabhängigkeit der K. forderten. Bei den Wahlen 1972 gewann die ,,Unité" (ein Wahlbündnis aus UMMA, RDPC, UDC und der oppositionellen PASOCO) 80% der Stimmen. Bei dem 1974 im Einvernehmen mit F. abgehaltenen Referendum stimmten ca. 90% der Bevölkerung für die Unabhängigkeit; Mayotte votierte allerdings mit großer Mehrheit dagegen.

2.2. Nach der Unabhängigkeit

Um eine Sezession von Mayotte zu verhindern, erklärte am 6. 7. 1975 der 1972 gewählte Präsident Ahmed Abdallah die einseitige Unabhängigkeitserklärung der Republik K. Einen Monat später wurde Abdallah durch die Oppositionsgruppe der Vereinigten Nationalen Front (UNF) gestürzt. Die UNF (gebildet aus der RDPC, UMMA, PASOCO, MOLINACO) hatte vor allem den ,,autoritären Führungsstil" von Abdallah und dessen überstürzte Unabhängigkeitserklärung scharf verurteilt. Neuer Präsident wurde nach einer Übergangsregierung im Januar 1976 Ali Soilih.

3. Merkmale der politischen Struktur

Soilih (er war schon 1970–72 Minister) bildete als oberste exekutive Spitze einen Nationalen Exekutivrat. Die Abgeordnetenversammlung blieb formal weiter bestehen.

Soilih kündigte eine grundlegende Politik der Revolution an: Beseitigung der feudalen Besitzverhältnisse durch Landreform;

Kampf gegen die Korruption; dezentralisierte Verwaltung; Umstellung der Handelsbeziehungen (obwohl Agrarland, müssen die K. ein Großteil von Lebensmitteln importieren); Kampf gegen die Arbeitslosigkeit.

Der totale Abzug der frz. Beamten, Ärzte und Militärs einschließlich der Sperrung jeder finanziellen Hilfe brachte die K. 1976 an den Rand des wirtschaftlichen Ruins. Soilih, am Prinzip der Self Reliance orientiert, war bemüht, neue Partner für die K. zu gewinnen.

Finanzielle Unterstützung erhielten die K. vor allem durch die arabischen Ölstaaten. Im Juli 1977 wurde ein Aufnahmeantrag in die Arabische Liga gestellt.

Um innenpolitisch sein ,,Revolutionsprogramm" durchzusetzen, räumte Soilih dem ,,Kampf gegen das Feudalsystem" und dem Aufbau einer dezentralisierten Verwaltung absolute Priorität ein. Mit Hilfe kulturrevolutionärer Methoden (Massenmobilisierung der Jugend in Komitees, Aufstellung einer Volksmiliz, Auflösung des bürokratischen Verwaltungsapparats und Versetzung der Beamten auf die Dörfer, Kampf gegen spezielle Bräuche des Islam) versucht die Regierung, die gesellschaftlichen Strukturen zu ändern. Soilihs Programm führte unter Teilen der Bevölkerung wiederholt zu Unruhen. Eine wachsende Zahl von Kritikern wehrte sich u. a. gegen Landenteignungen und forderte die Wiederherstellung der bürgerlichen Freiheiten und die Entlassung politischer Gefangener. Mitte 1977 versprach Soilih eine ,,Versöhnung zwischen revolutionärer Jugend und gemäßigten Bauern" und kündigte für die K. eine Ruhepause an. Doch ein Putsch vom 12./13. Mai 1978, der anscheinend unblutig verlief, stürzte Ali Soilih und brachte ein Direktorium von zivilen Politikern und Militärs an die Macht. Es wird von Said Atthoumani geleitet, der als Minister der von Soilih gestürzten Regierung unter Ahmed Abdallah angehört hatte. Damit scheint insgesamt eine polit. Reorientierung der Komoren bevorzustehen.

3.1. Der Streit um Mayotte

Erstrangiges Problem des neuen Regimes blieb die Auseinandersetzung um das Schicksal von Mayotte. Mayotte, das schon von der

Geschichte her eine Sonderrolle einnimmt (als erste Insel der K. frz. Kolonie; Bevölkerung besteht vorwiegend aus Madegassen und Kreolen und ist katholisch; als reichste Insel besondere wirtschaftl. „Bindungen" zu F.), hatte während der Unabhängigkeitsdebatte immer für den Anschluß an F. plädiert. Nach der einseitigen Unabhängigkeitserklärung erklärte Marcel Henry, Führer der MPM und gleichzeitig Repräsentant der drei beherrschenden Familien auf Mayotte, dieser Schritt sei rechtswidrig und gelte nicht für Mayotte. Er forderte F. auf, Mayotte den Status eines frz. Departements zu geben. Im Feburar 1976 arrangierte F. ein erneutes Referendum, bei dem 99% der Bevölkerung von Mayotte für den Verbleib bei F. votierte. Die frz. Politik stieß auf heftige Kritik der OAU-Staaten (und auch in der UNO), die Mayotte weiterhin als zu den K. zugehörig betrachteten. Im Dezember 1976 wandelte das frz. Parlament Mayotte in eine „collectivité territoriale" um. Auf den Status eines frz. Überseedepartements wurde im Hinblick auf die Weltöffentlichkeit und auf zukünftige Verhandlungen mit den K. über Mayotte verzichtet.

4. Politische Begriffe

Moudiria: Unter diesem Namen errichtet die Regierung technische und administrative Gemeinschaftseinrichtungen für mehrere zu Einheiten zusammengefaßte Dörfer (3–6000 Einwohner). Diese dezentralisierten Einheiten sollen sich selbst verwalten.

Thomas Maier

Literatur

Charpantier, J., „Référendums mahorais, lois françaises et hégémonie politique comorienne", in: Revue française d'études politiques africaines, Nr. 126, Paris 1976, S. 96–118.

Flobert, T., „Histoire et actualité du mouvement mahorais", in: Revue française d'études politiques africaines, Nr. 121, Paris 1976, S. 70–90.

„Komoren. Anhaltender Streit um Mayotte", in: Internationales Afrikaforum, 13. Jg., Nr. 1, München 1977, S. 46–49.

Marquardt, W., ,,Neue Entwicklungen im westlichen Indischen Ozean: II. Die Komoren", in: Internationales Afrikaforum, 10. Jg., Nr. 6, München 1974, S. 350–365.

ders., Seychellen, Komoren und Maskarenen. Handbuch der ostafrikanischen Inselwelt, München 1976.

Saint-Alban, C., ,,Les partis politiques comoriens entre la modernité et la tradition", in: Revue française d'études politiques africaines, Nr. 94, Paris 1973, S. 76–88.

Vallier, A., ,,Les Comores indépendantes: bilan en 1977", in: Afrique Contemporaine, Nr. 92, Paris 1977, S. 14–22.

Kongo

Grunddaten

Fläche: 342.000 km².

Einwohner: 1.390.000 (1976).

Ethnische Gliederung: Bantu-Gruppen (u. a. Bakongo, Bavili, Bateke, im Norden auch Sudan-Gruppen); ca. 10.000 meist frz. Europäer.

Religionen: ca. 50% traditionelle Religionen; 40% Katholiken; 10% Protestanten; 1% Moslems.

Alphabetisierung: Seit 1961 kostenloser Schulbesuch für alle Sechs- bis Sechzehnjährigen obligatorisch. Staatliches Schulsystem nach frz. Vorbild.

BSP: 610 Mio US–$ (1974).

Pro-Kopf-Einkommen: 470 US–$ (1974).

1. Historischer Überblick

Der Raum der heutigen Volksrepublik unmittelbar nördlich des Kongoflusses gehörte im 15. und 16. Jh. zum Kongoreich. Im 19. Jh. wurde dieser Teil Mittelafrikas dann mit anderen Gebieten

von Pierre Savorgnan de Brazza (1852–1905) für Frankreich erobert. 1880 unterzeichnete Brazza mit dem Teke-König einen Pro-
tektoratsvertrag. Das Gebiet erhielt dadurch den Status einer Kolonie, bekam die Bezeichnung Mittelkongo und wurde 1910 mit
Gabun, Ubangi-Schari und Tschad Teil der kolonialen Föderation
Äquatorial-Afrika (A. E. F.).

F. trat 1911 Teile des Territoriums an das Deutsche Reich ab, die
nach dem 1. Weltkrieg aber wieder mit Mittelkongo vereint
wurden.

Im 2. Weltkrieg schloß sich der frz. Teil des Kongo schon 1940 de
Gaulle an, der zeitweilig auch in Brazzaville sein Hauptquartier
hatte und hier 1944 die Reformkonferenz der frz. Kolonialgouver-
neure leitete. Nach dem Krieg wurde das Land dann als Überseeterritorium verwaltet.

2. Politische Entwicklung

2.1. Vor der Unabhängigkeit

Die gaullistische Verfassung der V. Republik schaffte 1958 die
Französische Union ab. Dies hatte auch Auswirkungen auf F.s
Besitzungen in Übersee. Aus A. E. F. entstanden so vier autonome
Republiken, die Mitglieder der Frz. Gemeinschaft (Communauté)
waren.

Als polit. Führer setzte sich 1957/58 zunächst der kath. Priester
F. Youlou durch, der sich auf eine polit.-religiöse Protestbewegung
der 20er Jahre berief. Fulbert Youlou beanspruchte dabei das Erbe
des früheren kath. Katecheten A. Matswa (1889–1942), der nach
1926 als „Heiland" große Teile des K. auch politisch zu einigen
suchte. Matswa starb 1942 im frz. Kolonialgefängnis. Viele seiner
Anhänger glaubten dennoch an seine Wiederkehr. Die vollständige
polit. Unabhängigkeit erlangte Mittel-Kongo am 15. August 1960
unter dem Namen Kongo-Brazzaville. Staatspräsident Youlou
blieb jedoch Garant dafür, daß der K. auch in Zukunft – unabhängig
von der kommenden polit. Organisation des Landes – ein leicht zu
handhabender Satellit F.s blieb.

2.2. Nach der Unabhängigkeit

2.2.1. Die Republik unter Youlou und Massemba-Débat

Die althergebrachten Kolonialstrukturen wurden deshalb auch nach der Unabhängigkeit nicht angetastet. Hinzu kam noch eine ständig zunehmende Korruption Youlous und seiner Umgebung. Als Reaktion auf das korrupte Regime wuchsen Unfrieden und Widerstand im Volk. Youlou verschärfte daraufhin seinen autoritären Kurs, um die im Lande existierenden politischen Gruppierungen in einer Einheitspartei zusammenzufassen. Seine Politik war bestimmt durch einen scharfen, auf das Christentum sich berufenden Antikommunismus.

In der Arbeiterbewegung fand diese Politik ihren Ausdruck darin, daß die wichtigste Gewerkschaftsorganisation die Afrikanische Gewerkschaft Christlicher Arbeiter (CATC = Confédération Africaine des Travailleurs Croyants) war.

Die korrupte, kapitalfreundliche Politik Youlous brachte schließlich aber auch die christl. Arbeiter gegen die Regierung auf. Die oppositionellen Gruppen schlossen sich zusammen, um ihre Interessen gemeinsam zu verteidigen. Sie demonstrierten, riefen den Generalstreik aus und stürmten die Gefängnisse. Youlou nützte nun kein Taktieren mehr; nach drei Tagen, bekannt geworden als ,,les trois glorieuses", mußte er am 15. August 1963 abdanken. Ausschlaggebend für den Sturz zeigte sich die kleine, aber schlagkräftige Armee (rund 4–5.000 Mann), die sich mit den Aufständischen verbündete, die Macht übernahm und an eine provisorische Regierung weitergab.

Neuer Regierungschef wurde Alphonse Massemba-Débat, der sich vornehmlich auf christl. Gewerkschafter und Sozialisten stützte. Im gleichen Jahr noch fanden Wahlen zur Nationalversammlung statt. Kongo-Brazzaville erhielt eine neue Verfassung und Präsident Massemba-Débat machte Pascal Lissouba, einen linken Intellektuellen, zum Premierminister. Ein Jahr später, 1964, konstituierte sich die Einheitspartei ,,Mouvement National de la Révolution" (MNR). Dies war der erste Schritt in Richtung auf eine Umgestaltung des K. in eine Volksrepublik.

188

Auf ihrem Gründungskongreß formulierte die MNR ihre Aufgaben folgendermaßen: ,,Das Ziel der kongoles. Revolution besteht darin, die sozialistische Gesellschaft zu errichten, worunter nicht nur die politische, sondern vor allen Dingen auch die ökonomische Unabhängigkeit zu verstehen ist, die mit dem konsequenten Kampf gegen Imperialismus und Neokolonialismus verbunden ist.'' Unter Massemba-Débat begann nun im K. eine schnelle Differenzierung der sozialen Gruppen. Zum fortschrittlichen Teil gehörten die Gewerkschaften (ohne die christl. Arbeiterbewegung), in denen zu der Zeit etwa 60% der Lohnarbeiter des Landes zusammengeschlossen waren; außerdem die Jugendorganisationen, sowie die Frauenverbände.

Auf der anderen Seite standen die Siedler, die im Land verbliebenen frz. Truppen, sowie die kath. Kirche. Innerhalb der progressiven (linken) kongoles. Gruppen wiederum gab es zwei Flügel, den gemäßigten und den radikalen. Zu letzterem zählten Teile der Gewerkschaften, die Jugendorganisation der MNR sowie Schüler und Studenten. In der Auseinandersetzung zwischen den beiden linken Fraktionen ging es hauptsächlich um Methode und Tempo der Entwicklung in Richtung Nichtkapitalistischer Entwicklungsweg. In der Folgezeit dehnte sich der staatliche Sektor zwar aus und auch der an den vormals privaten Gesellschaften nahm zu, insgesamt verlief diese Entwicklung aber nur sehr langsam und brachte keine tiefgreifenden Veränderungen der bestehenden ökonomischen Abhängigkeiten. In dieser Situation kam den bewaffneten Kräften der Armee und den jugendlichen Volksmilizen eine entscheidende Rolle zu. Massemba-Débat versuchte die linken Kräfte in der Armee zu neutralisieren, erreichte mit seiner Politik aber nur das Gegenteil: Linke Offiziere unter Leitung von Major Marien Ngouabi (an der Militärakademie Saint Cyr ausgebildet) gewannen immer mehr Einfluß und polit. Macht; insbesondere auch in den Jugendbataillonen der Miliz. Als Massemba-Débat 1968 Ngouabi verhaften ließ, war das das Signal zum Aufbruch.

Ngouabi wurde schon zwei Tage nach seiner Verhaftung von Fallschirmjägern befreit. Milizen und linke Offiziere gründeten ein gemeinsames Militärkomitee, das Massemba-Débat absetzte und den nationalen Revolutionsrat (CNR) unter Vorsitz Ngouabis zum obersten Machtorgan erklärte. Die Entmachtung des Regimes war endgültig, als Ngouabi Massemba-Débat auch auf dem Präsidentenstuhl ablöste. Als Hauptgrund für den Putsch bezeichnete der CNR die Sabotage am Wirtschaftsprogramm der MNR durch die alte Regierung.

Im März 1977 wurde die bis dahin weitgehend kontinuierliche innenpolitische Entwicklung unterbrochen. Ngouabi wurde in Brazzaville von einem Mordkommando unter Führung des früheren Geheimdienstchefs Hauptmann Kikidadi erschossen. Wie so vieles im K. blieben auch die polit. Hintergründe des Anschlags im Dunkeln. Der Attentäter konnte zwar entkommen; er hatte aber, wie es scheint, keine polit. machtvolle Gruppe hinter sich, die sich gegen die plötzlich führerlos gewordenen Militärs durchsetzen und damit die Macht hätte übernehmen können. Bekanntgegeben wurde lediglich, daß Hauptmann Kikidadi ein enger Vertrauter des 1968 gestürzten Präsidenten Alphonse Massemba-Débat gewesen sei. Massemba-Débat wurde nach dem Attentat verhaftet und sofort vor ein Sondertribunal gestellt, das ihn der Verschwörung gegen Ngouabi für schuldig befand und kurz darauf hinrichten ließ.

3. Merkmale einer neuen politischen Struktur. Der Weg zur Volksrepublik

3.1. Elite

Zum Programm seiner Regierung erklärte Ngouabi nach dem Machtwechsel 1968 folgendes: ,,Der Reaktion muß der Rückhalt in den gesunden Schichten der Gesellschaft – Arbeiterklasse, Bauernschaft und Armee – entgegengestellt werden. Dieser Rückhalt muß durch die Aktivierung und Festigung der Jugend-, Gewerkschafts- und Frauenorganisationen verwirklicht werden. Demokratie bedeutet für uns die Methode des Kampfes des Volkes für ein besseres Leben, für Überwindung der wirtschaftlichen Rückständigkeit.''

Für diese Zielsetzung reichte den jungen linken Offizieren die überholte Organisationsstruktur der alten MNR jedoch nicht mehr aus. Sie versuchten deshalb gemeinsam mit linken zivilen Führern eine neue revolutionär-demokratische Kaderpartei aufzubauen, die „Parti Congolais du Travail" (PCT, vgl. 3.3.).

Seit der Ermordung Ngouabis wird die VR Kongo im Auftrag des ZK der PCT von einem elfköpfigen Militärausschuß regiert. Alle Mitglieder des Ausschusses stammen aus dem Norden des Landes. Massemba-Débat und Kikidadi gehörten zu den südlichen Volksstämmen.

Zum neuen Staatschef bestimmte die militärische Führung den ehemaligen Verteidigungsminister und engen Vertrauten Ngouabis Oberst Joachim Opango. Opango übernahm weiterhin den Vorsitz im Militärausschuß der Arbeiterpartei und den Vorsitz im Ministerrat. Zu seinem Stellvertreter wurde Major Louis Goma ernannt, der auch wie bisher Premierminister bleibt. Die Militärs setzten außerdem die Grundprinzipien der 1973 verabschiedeten Verfassung außer Kraft und konzentrierten damit die gesamte Macht auf das Militärkomitee unter Präsident Opango.

3.2. Andere Gruppen

Trotz der Bemühungen der PCT, alle polit. und sozialen Kräfte im Lande zu vereinen, blieb ein politisch allerdings nicht klar zu definierender Gegensatz zwischen den Völkern des Nordens und Südens bestehen. Unklar ist auch der Standort der Kirche innerhalb des polit. Systems der Volksrepublik. Als im März 1977 der Erzbischof von Brazzaville, Kardinal Emile Biayenda, kurz nach dem Anschlag auf Ngouabi ermordet wurde, beeilte sich der Militärausschuß, festzustellen, daß der Kardinal immer loyal zur Regierung gestanden und gemeinsam mit der politischen Führung für den Frieden gearbeitet habe. (Die Militärs erklärten dazu, die Ermordung des Kardinals sei nicht von Anhängern Ngouabis verübt worden.)

Die wohl stärkste Opposition gegen Ngouabi hat sich in den vergangenen Jahren innerhalb der Armee selbst formiert. Das beweisen die wiederholten Verschwörungen und Putschversuche, denen der Präsident dann schließlich zum Opfer fiel.

Vor allem linke Kräfte waren es, denen die nach wie vor frankreichfreundliche Politik des Staatschefs mißfiel. Sie sahen denn auch trotz aller sozialistischen Bekenntnisse die alte koloniale Abhängigkeit lediglich unter anderem Vorzeichen zementiert. Für die 1972 fehlgeschlagene Verschwörung machte Ngouabi folgerichtig „opportunistische Kameraden von links" verantwortlich.

3.3. Parteiprogramm der PCT

Der Gründungskongreß der neuen Partei PCT, die sich kongolesische Partei der Arbeit nennt, fand Ende 1969 in Brazzaville statt. Zum ersten Mal beschlossen Delegierte in einem Parteiprogramm für ein afrikanisches Land ausdrücklich, den nichtkapitalistischen Entwicklungsweg auf der Basis des Marxismus-Leninismus einzuschlagen. Damit war die polit. und soziale Entwicklung des K. für die nächsten Jahre festgelegt. Voraussetzung dafür war eine neue Verfassung, die vornehmlich eine Orientierung an den marxistischen Grundsätzen über den Staatsaufbau aufzeigte.

Die höchsten Positionen in der Staats- und Parteihierarchie der neuen Volksrepublik sicherten sich die Anhänger Ngouabis. Er selbst bekam in Personalunion den Vorsitz im ZK der PCT und im Staatsrat. Die Armee war damit endgültig zum entscheidenden Machtträger geworden, der von den Volksmilizen der meist arbeitslosen Jugendlichen Brazzavilles uneingeschränkt unterstützt wurde.

3.4. Aufbau der PCT

Mit der Verfassung verkündete die Volksrepublik gleichzeitig die Nationalisierung des Bodens und bezeichnete drei Eigentumsformen: die dem Staat, den Kooperativen und Privatpersonen gehörenden Produktionsmittel. In Zukunft sollten außerdem Volksräte gewählt werden; die Schaffung eines Parlaments ist jedoch nicht vorgesehen. Ergänzend heißt es dann auch im Statut der Arbeiterpartei: die PCT ist „. . . die fortschrittliche Organisation des kongolesischen Volkes. Ihr Ziel ist der Aufbau einer Gesellschaft, in der alle Formen der Ausbeutung des Menschen durch den Menschen

192

beseitigt sein werden, eine demokratische und sozialistische Gesellschaft". Mitglieder der Partei sind – so heißt es im gleichen Statut – ,,Arbeiter, Bauern, Soldaten oder revolutionäre Intellektuelle . . . die aktiv in Grundorganisationen arbeiten, die Parteibeschlüsse erfüllen, Parteidisziplin halten." Das Statut fordert außerdem von den Bürgern der Volksrepublik, ständig den Marxismus und Leninismus zu studieren und aktiv ins Leben umzusetzen.

3.5. Wahlen

Die polit. Lage blieb weiterhin unruhig. Abgesehen von den chinesisch-sowjetischen Auseinandersetzungen um einen ideologischen Brückenkopf in Afrika, an denen Kuba mit seinen Militärberatern für die kongolesische Volksarmee nicht unwesentlich beteiligt war, gab es in den letzten Jahren wiederholt Putschversuche (März 1970, Februar und Mai 1972). Obwohl diese alle fehlschlugen, wurden gleichzeitig doch gravierende Fehler und Widersprüche deutlich. Als Antwort darauf gab es schon am 14. Juli 1973 wieder eine neue, durch Volksentscheid eingeführte Verfassung, die als wichtigste Neuerung die Wahl einer Volksversammlung vorschreibt, die aus 115 Mitgliedern besteht. Die Kandidaten werden ausschließlich von der Staatspartei PCT gestellt. Rund 700.000 Kongolesen sind wahlberechtigt.

3.6. Einflüsse

Die ständigen Umgestaltungen der für Wirtschaft und Planung verantwortlichen Staatsorgane haben in vielen Bereichen der ökonomischen Entwicklung zu Rückschlägen geführt. Hinzu kommt, daß trotz erklärter sozialistischer Zielsetzung die Abhängigkeit vom nach wie vor größten Handelspartner F. uneingeschränkt bestehen bleibt. Die PCT fordert denn auch immer wieder: ,,. . . dem staatlichen Sektor größere Aufmerksamkeit zu schenken", von daher sei die ,,Übergabe der Schlüsselsektoren der Wirtschaft in die Hände des Staates" dringend erforderlich. Trotz aller Widersprüche und Rückschläge im ökonomischen Bereich arbeiteten 1972 mehr als die

Hälfte aller in der Industrie beschäftigten Lohnarbeiter in staatlichen Betrieben.

Diese Betriebe produzieren etwa 40% der gesamten industriellen Bruttoproduktion. Weniger günstig sieht es, für den gleichen Berechnungszeitraum, in der Landwirtschaft aus; dort lieferten die Staatsbetriebe nur 10–25% der Gesamtproduktion.

Die polit. Organisationsformen spielen in der Volksrepublik K. beim Aufbau des Sozialismus eine zentrale Rolle. Wie die Darstellung der polit. Geschichte deutlich gemacht hat, ist die Armee der entscheidende Faktor im polit. Alltag des Landes, und das, obwohl nach außen hin eine scheinbar totale Verschmelzung von Armee, Staat und Partei stattfindet.

Nach wie vor bleibt ziemlich ungewöhnlich, daß afrik. Offiziere, die an konservativen Kriegsschulen von der europäischen Militärelite ausgebildet wurden, die Armee zu einer Interessenvertretung der Arbeiter und Bauern umfunktionieren. Dieser sogenannte „subjektive Faktor", wie er momentan polit. bestimmend ist, reicht als Erklärung für die im K. eingeschlagene Entwicklung vor allem auf die Dauer bei weitem nicht aus. Es wird daher für die Entwicklung der Volksrepublik in der Zukunft vor allem darauf ankommen, ob die Organisationsprinzipien der Armee über die der Partei oder, umgekehrt, die Organisationsformen der Partei über die der Armee sich letztlich durchsetzen werden.

4. Politische Schlagwörter

Losung der PCT: „Kongo wird sozialistisch sein."

Losung der Gewerkschaft CSC (Confédération Syndicale Congolaise): „Für die Arbeiterklasse – Einheit, Arbeit, Sozialismus".

Klaus R. Metze

Literatur

Amin, S., Histoire économique du Congo 1880–1968, Paris 1969.
Autorenkollektiv, Partei und Staat in den Ländern mit sozialistischer Orientierung, Berlin/DDR 1974.

Gauze, R., The politics of Congo-Brazzaville, Stanford/Cal. 1973.

Varga, I., ,,Sozialismus durch die Armee? Die Volksrepublik Kongo", aus: Grohs, G.; Tibi, B. (Hrsg.), Zur Soziologie der Dekolonisation in Afrika, Frankfurt/M. 1973, S. 265–291.

Woungly-Massaga, La révolution au Congo. Contribution à l'étude des problèmes politiques d'Afrique Centrale, Paris 1974.

Lesotho

Grunddaten

Fläche: 30.355 km².

Einwohner: 1.060.000 (1976).

Ethnische Gliederung: Sothos der Südbantugruppe, rund 2.000 Weiße, etwa 1.000 Asiaten und Mischlinge.

Religionen: traditionelle Religionen 30%; 70% Christen (40% kath.).

Alphabetisierung: 60%.

BSP: 170 Mio. US-$ (1974).

Pro-Kopf-Einkommen: 140 US-$ (1974).

1. Historischer Überblick

Zu Beginn des 19. Jh. gelang es dem Häuptling Moshoeshoe I. (1831–1870), die bis dahin eigenständigen, durch die Abwehrkämpfe gegen die Zulus geschwächten Sotho–Clans zur Basuto-Nation zu vereinigen, die eine einheitliche Sprache, ein einheitliches Rechtssystem, ein differenziertes polit. Institutionengefüge (z. B. in Form der Männerversammlungen [,,pitsos"]) und eine rudimentäre Bürokratie hatte. Durch das ,,Placieren" von Verwandten und Vertrauten entstand eine ausgeprägte Häuptlingsoligarchie (Sons of Moshoeshoe). Bedrängt von den Buren, bat Moshoeshoe I. G.B. um Schutz, den er nach einschneidenden Gebietsverlusten 1868 auch erhielt. 1884 wurde Basutoland brit. Kronkolonie. Die brit.

Politik des „indirect rule" führte zusammen mit anderen Entwicklungen zu einer Deformation des traditionellen Häuptlingssystems; durch koloniale Protektion abgesichert, wurde aus wechselseitiger Verpflichtung von Regierenden und Regierten einseitige Abhängigkeit der letzteren; im Zuge der autokratischen Verselbständigung der Häuptlingsoligarchie degenerierten die demokratischen Elemente des traditionalen Systems. Obwohl Basutoland 1910 nicht in die Südafrik. Union eingegliedert wurde, wurde es jedoch infolge der Wanderarbeit (ab 1900) immer mehr zum Hinterland/Arbeitskräftereservoir Südafrikas. Die bis dahin untätige Kolonialverwaltung führte nach 1938 Verwaltungsreformen durch und richtete nach und nach repräsentative Institutionen ein: 1944 Distriktsräte, die ihrerseits Repräsentanten in den bereits 1910 gebildeten, beratende Funktion ausübenden Nationalrat wählten. 1959 erhielt Basutoland seine erste Verfassung, bereits 1965 eine neue, die nun ein Zweikammersystem vorsah. Der König wurde auf die Rolle eines konstitutionellen Monarchen beschränkt. Am 4. 10. 1966 wurde das Hochkommissariatsgebiet von Basutoland als Lesotho unabhängig.

2. Entwicklung der politischen Parteien

Eine Antwort auf die Deformation des Häuptlingssystems waren die Aktivitäten verschiedener rudimentärer polit. Gruppierungen. Die beiden wichtigsten sind die 1907 gegründete „Progressive Association" und die 1919 gegründete „Lekhotla la Bafo" (Bürgerliga). Die „Progressive Association", eine Organisation der Sotho-Elite aus Lehrern, Beamten, Angestellten und Händlern, übte milde Kritik an Regierung und Häuptlingen. Sie wandte sich gegen deren Machtmißbrauch, nicht so sehr gegen das Häuptlingssystem an sich. Weitaus heftiger wurden die brit. Verwaltung und zunächst auch die Häuptlinge von der „Lekhotla la Bafo" kritisiert. Auch diese ausgesprochen traditionalistische Gruppierung war nicht gegen das Häuptlingssystem an sich, suchte nach 1948 sogar deren Unterstützung. Moderne Parteien entwickelten sich nach dem 2. Weltkrieg. Kristallisationspunkte von Parteibildung und -programmatik sind der König und das Häuptlingssystem, die kath. Kirche, der Einfluß der nationalistischen Parteien Südafrikas und die Beziehungen zur R. S. A. 1952 wurde von Ntsu Mokhehle, einem Lehrer, der zunächst in der „Lekhotla la Bafo" und der Jugendorganisation des südafrik. ANC tätig war, der „Basutoland African Congress" (BAC) gegründet, der 1959 in „Basutoland Congress Party" (BCP) umbenannt wurde. Mokhehle, der panafrik., radikalnationale, z. T. sozialistische aber antikommunistische Auffassungen vertritt, ist die dominierende Persönlichkeit der Partei, die über eine relativ gute Organisationsstruktur verfügt (75.000 Mitglieder; Vorbild: Partei Nkrumahs, s. Ghana, 2.2.). Die BCP erhielt Unterstützung aus Ghana, Ägypten, zeitweise aus Moskau und von brit. Sympathisanten. Durch eine Reihe von Unabhängigkeitskampagnen gelang ihr eine starke Politisierung. Unterstützung findet die BCP vor allem bei der in den Städten und anderen infrastrukturell erschlossenen Gebieten lebenden Bevölkerung, bei jungen und gebildeten Personen, Protestanten, Lehrern, Beamten, Arbeitern, Arbeitslosen und generell bei Personen mit bitteren Erfahrungen in Südafrika. Sie hat gute Verbindungen zu einer Reihe von Vereinigungen und Gewerkschaften (Mokhehle selbst war lange Vorsitzender der Lehrervereinigung). Die BCP übte harte Kritik an der brit. Herrschaft, bis hin zur Anklage, Basutoland in die Südafrik. Union integrieren zu wollen, und plädierte bei den Wahlen von 1960 für sofortige Unabhängigkeit. Sie wandte sich nach anfänglicher Unterstützung gegen das Häuptlingssystem, wollte Status, Funktionen, Autorität und Einkommen der Chiefs begrenzen. Für den König war lediglich eine zeremonielle Rolle vorgesehen. Nach 1965 änderte Mokhehle seine Haltung und ging eine taktische Allianz mit Moshoeshoe II. und Teilen der MFP ein. Kritik übte die BCP auch an der kath. Kirche, insbesondere an ihrem Einfluß auf die Erziehung. Nach anfänglicher Zusammenarbeit mit den 1960 verbotenen südafrik. Organisationen ANC und PAC distanzierte sich Mokhehle zu Beginn der sechziger Jahre mit der Begründung vom ANC, daß dieser sich in die inneren Angelegenheiten Basutolands einmische, hielt aber die Verbindung zum PAC aufrecht. Bei kompromißloser Gegnerschaft zur Apartheid in Südafrika würde sich die BCP bei Regierungsübernahme bemühen, den emanzipatorischen Spielraum so weit wie möglich auszuschöpfen; zur Verringerung von L's Abhängigkeit würde sie auch ein geringeres wirtschaftl. Wachstum akzeptieren.

1955 kam es zur ersten Abspaltung von der BCP. Chief S. S. Matete gründete dann 1957 die ,,Marema-Tlou-Party", die sich für die sofortige Inthronisierung von Bereng Seeiso einsetzte, eine neue Verfassung mit weitgehenden Rechten für den König forderte und die ,,Einheit der Chiefs und Bürger" beschwor. Aus einer zweiten Absplitterung von der BCP, ebenfalls wegen deren ,,radikaler Tendenzen", entstand 1960 die von B. M. Khaketla geführte ,,Basutoland Freedom Party" (BFP), die sich 1962 mit der ,,Marema-Tlou Party" zur ,,Marema-Tlou Freedom Party" (MFP) vereinigte. Die so entstandene extrem heterogene Partei verfügte weder über eine organisatorische Basis noch über gemeinsame Zielvorstellungen. Sie wurde aber langsam zur ,,Partei des Königs", deren 50.000 Mitglieder sich (aus unterschiedlichen Gründen) für eine Erweiterung seiner Rechte einsetzten.

Die ,,Basutoland National Party", nach der Unabhängigkeit ,,Basuto National Party" (BNP, 80.500 Mitglieder), wurde 1959 in direkter Opposition zur BCP, d. h. zur Sicherung des Einflusses der kath. Kirche und der Häuptlinge von Chief Leabua Jonathan, einem Angehörigen der Moshoeshoe-Familie, gegründet. Sie verfügt über keine effektive Parteiorganisation, hat aber über die unteren Chiefs und die kath. Missionen Zugang zur Bevölkerung. Im Interesse der Machterhaltung ist die BNP zur disziplinierten Regierungspartei geworden, mit starker Konzentration der Entscheidungsprozesse beim Premierminister und wenigen Vertrauten. Inspiriert und unterstützt wurde die BNP von der kath. Kirche (die ursprünglich eine christlich-demokratische Partei aufbauen wollte). Die Führer der BNP sind überwiegend katholisch; fast die Hälfte ihrer Parlamentsmitglieder sind ehemalige Lehrer im kath. Schulsystem. Neben der Unterstützung durch die ultrakonservativen Missionen bekam die BNP Hilfe aus der BRD und vor allen Dingen aus der R. S. A. Die BNP versteht sich als antikommunistisch (gegen die BCP), christlich (für die kath. Kirche), konservativ (für die bestehende Gesellschaftsordnung) und realistisch (für die Kooperation mit der R. S. A.). Ihr Ziel ist eine schnelle ökonomische Entwicklung, die sie mit Hilfe privater Investitionen und finanzieller und technischer Hilfe aus der R. S. A. und westlichen Ländern erreichen will.

In den sechziger Jahren wurden eine Reihe kleinerer Parteien gegründet. Die konservative, antikommunistische „Basutoland Labour Party" (BLP) verstand sich als Sprachrohr der in Südafrika lebenden Wanderarbeiter und setzte sich für eine enge Zusammenarbeit mit der R. S. A. (bis hin zur Föderation im Rahmen eines Commonwealth) ein. 1964 erklärte ihr Führer, Eliot Lethata, die Unterstützung seiner Partei für die BNP. Die Gründung einer „Kommunistischen Partei" (CPL) erfolgte 1962, ihre Mitgliederzahl blieb jedoch gering und sie zeigte nur sehr beschränkte Aktivitäten.

3. Merkmale der politischen Struktur

3.1. Elite

Die ökonomisch und polit. dominante Führungsgruppe sind noch immer die Häuptlinge, deren Macht auch durch die Reformen der brit. Kolonialverwaltung nicht grundsätzlich gebrochen worden ist. Der Einfluß der „Principal and Ward Chiefs" ist in der Verfassung von 1965 verankert; die seit 1965 regierende BNP unterstützt die mittleren und unteren Chiefs.

3.2. Stärke und Rolle anderer Gruppen

In den sechziger Jahren verstärkte sich auch die Position der extrem konservativen bis reaktionären kath. Kirche, die über ihre Interessenvertreter in der BNP und über ihre Bildungseinrichtungen und sozialen Dienste bedeutenden Einfluß hat. Zu Beginn der fünfziger Jahre wurden die ersten Gewerkschaften gegründet, 1965 gab es sieben, die als organisierte Gruppen einen zu ihrer Anzahl und Mitgliedschaft disproportionalen Einfluß haben. Daneben gibt es (Berufs-)Vereinigungen, die zwar von direkter polit. Mitwirkung ausgeschlossen sind, aber ihre eigenen Interessen mit Nachdruck vertreten und oft wichtige Verbündete der polit. Parteien darstellen. Ein weiterer Machtfaktor sind die etwa 1.300 Mann starke Polizei und die mit südafrik. Hilfe ausgebaute paramilitärische Bereitschaftspolizei, die, von brit. und südafrik. Offizieren befehligt, bei der Aufrechterhaltung der Macht der BNP eine bedeutende Rolle gespielt haben. Südafrikaner erhielten im Rahmen der technischen Hilfe Spitzenpositionen in L. (z. B. Oberster Richter, Direktor von Radio L., führender Wirtschaftsberater).

3.3. Programm und Politik der BNP-Regierung

Seit 1965 wird L. von der BNP regiert. Jonathan wünschte möglichst enge Beziehungen zur R. S. A. Er wandte sich zwar gelegentlich verbal gegen die Apartheid, begrüßte aber ausdrücklich technische, wirtschaftliche und finanzielle Hilfe sowie private Investitionen aus Südafrika. Man müsse, so Jonathan, die bestehenden Machtverhältnisse ausnützen, statt fruchtlose und selbstzerstörerische Konfrontation zu suchen. Die BCP sah in dieser Politik und den von der BNP erzielten Ergebnissen einen Ausverkauf und Verrat der Basuto; die von der BNP verfolgte Politik eines allmählichen Wandels auf der Basis des status quo mache L. noch abhängiger von Südafrika. Die BCP kritisierte die Regierung als ineffizient, inkompetent und korrupt. Innenpolitisch nutzte Jonathan nach dem Wegfall der kolonialen Kontrolle rigoros die Machtmittel seines Amtes, um seine Machtposition auszubauen. Den König, der mit dem Hinweis auf die traditionale Regierung auf polit. Interventionsrechten bestand, zwang Jonathan zur Unterzeichnung eines Dokuments, das einer Kapitulationsurkunde gleichkam. Als dieser trotzdem ankündigte, weiter für seine polit. Rechte zu kämpfen, wurden ihm auch noch seine verbliebenen Rechte genommen. Die BCP wurde von Anfang an von Jonathan und seinen Anhängern als kommunistisch, als Marionette ausländischer Hintermänner und als außenpolit. Risiko diffamiert. Im Wahlkampf 1970 wurde die BCP behindert; als die Auszählung der Wahlergebnisse einen Sieg der BCP andeutete, annullierte Jonathan unter dem Einfluß seiner Minister und der südafrik. bzw. brit. Kommandanten von Polizei und Bereitschaftspolizei die Wahlen, suspendierte die Verfassung und erklärte den nationalen Notstand. Er ließ die BCP-Führer verhaften und den anschließenden Guerillawiderstand mit südafrik. Hilfe brutal niederschlagen. Er begründete diese Maßnahmen mit der Notwendigkeit, Ruhe und Ordnung aufrechtzuerhalten, und der „Bedrohung durch den internationalen Kommunismus und seine Handlanger in L.". Jonathan erließ eine Verordnung zur Unterdrückung des Kommunismus, deren Text in manchen Abschnitten identisch mit südafrik. Gesetzen ist, und die es der Regierung ermöglicht, jede Opposition zu kriminalisieren. Weitere repressive Gesetze (wie z. B. ein verschärftes Sicherheitsgesetz) folgten. Der König wurde 1970 zeitweilig exiliert und kehrte nach 8 Monaten unter den von Jonathan gestellten Bedingungen zurück. Er unterstützte später dessen Politik und bezeichnete ihn als „unseren hervorragenden Staatsmann". Der Premier kündigte 1970 fünf Jahre „Ferien für die Politik" an, in denen die Wunden des Parteienstreits heilen sollten. Zur Wiedererlangung einer gewissen internationalen Respektabilität und zur Beseitigung außenwirtschaftlicher Schwierigkeiten nahm er Gespräche mit der Opposition auf und machte auch einige Zugeständnisse; die Gespräche scheiterten jedoch wegen zu geringer Konzessionen und der Ablehnung freier Wahlen. 1973 berief er eine Interims-Nationalversammlung ein. Mokhehle lehnte seine Nominierung ab, BCP-Mitglieder, die sie annahmen, wurden aus der Partei ausgeschlossen (inzwischen sind ehemalige BCP-Mitglieder Minister geworden). Die innere Repression ging jedoch weiter, 1974 lieferten Schießereien nach der Verhaftung von 20 BCP-Mitgliedern den Vorwand, um diese Partei wegen angeblichen Putschversuches weiter zu unterdrücken. Mokhehle konnte flüchten und klagt seitdem vom Exil aus die Regierung der Menschenrechtsverletzung an, verhandelt aber mit ihr über Rückkehr und Regierungsbeteiligung.

(3.4. Parteiprogramm entfällt)

3.5. Wahlen

Bei den mit geringer Wahlbeteiligung 1960 durchgeführten Wahlen errang die BCP in den Distriktsräten 73 (29) Sitze, die BNP 22 (1), die „Marema-Tlou Party" 16 (5) und Unabhängige 15 (5), die dann ihrerseits 40 Mitglieder des Nationalrates wählten (Angaben in Klammern). Bei den allgemeinen Wahlen von 1965 und 1970 ergab sich für die wichtigsten Parteien folgende Stimm- und Sitzverteilung (die Ergebnisse von 1970 sind inoffiziell und unvollständig, da nach der Auszählung von 46 Bezirken keine weiteren Ergebnisse mehr bekannt wurden):

	1965	1970	1965	1970
	%		Sitze	
BNP	41,6	43,8	31	23
BCP	39,6	50,3	25	23
MFP	16,6	5,3	4	

3.6. Einflüsse

L. ist existentiell von Südafrika abhängig: 140.000 bis 200.000 Bürger L.s arbeiten in der R. S. A. (L. ist damit trotz staatsrechtlicher Souveränität funktional ein Teil des Bantustan-Systems); L. ist durch Zoll- und Währungsunion mit der R. S. A. verbunden, die auch wichtigster Handelspartner ist und die Kommunikationsverbindungen des Binnenlandes L. beherrscht. Südafrika, das sich bis in die sechziger Jahre um Annektion L.s bemühte, übt einen beherrschenden Einfluß auf dessen Politik aus, der L.s Spielraum stark begrenzt. Die lange Jahre demonstrativ guten Beziehungen gingen aber über den Rahmen existenznotwendiger Kooperation hinaus. So plädierte Jonathan 1970 für weitere enge Kooperation und bot sein Land als Brücke im Dialog mit Südafrika an. Ab 1971 jedoch verschlechterten sich die Beziehungen wegen einseitiger und willkürlicher Maßnahmen Südafrikas. Die Regierung von L. wandte sich in einigen Erklärungen gegen die Détente-Politik der R. S. A. und erklärte ihre moralische Unterstützung für die Befreiungsbewegungen. Im Zuge der neuen Politik des offenen Kontakts bemüht sich L. auch um Beziehungen zu anderen schwarzafrik. Staaten und auch zu sozialistischen Ländern. Ein weiterer Konflikt mit Südafrika entstand mit der ,,Unabhängigkeit" der Transkei, die L. nicht anerkannt hat und auch weiterhin nicht anerkennen will (so der gegenwärtige Außenminister Molapo). Südafrika versucht über verschiedene Maßnahmen, L. dazu zu zwingen.

Renate Wilke

Literatur

Ashton, H., The Basuto. A Social Study of Tradition and Modern Lesotho, London 1967[2].

Cervenka, Z., u. a., Botswana, Lesotho, Swaziland, Bonn 1974.

Halpern, J., South Africa's Hostages, London 1965.

Khaketla, B. M., Lesotho 1970. An African Coup under the Microscope, London 1971.

Lass, H.-D., Lesotho: Hintergründe eines Coups. In: Afrika heute, 12. Jg., Nr. 3, Bonn 1974, S. 8–9.

Spence, J. E., The Politics of Dependence, London 1968.

Stevens, R. P., Lesotho, Botswana & Swaziland, London 1967.

Weisfelder, R. F., The Basotho Monarchy. A Spent Force or a Dynamic Political Factor?, Ohio 1972.

Ders.: Lesotho, in: Potholm, C. P./Dale, R. (Hrsg.), Southern Africa in Perspective. Essays in Regional Politics, New York 1972, S. 125–140.

Liberia

Grunddaten

Fläche: 113.370 km².
Einwohner: 1.750.000 (1976).
Ethnische Gliederung (Zählungen 1962): Kpelle 20%; Bassa 16%; Gio 8%; Kru 8%; Grebo 8%; Mano 7%; Loma 5%; Kran 5%; Mandingo 3%; Americo-Liberianer 3%.
Religionen: Traditionelle Religionen: 67%; Moslems: 25%; Christen: 8% (7% ev., 1% röm.-kath.).

Alphabetisierung: 63% (1970).
BSP: 580 Mio. US–$ (= Lib.-$) (1974).
Pro-Kopf-Einkommen: 390 US-$ (1974).

1. Historischer Überblick

1.1. Vor der Unabhängigkeit

Die Entwicklung und Staatwerdung Liberias hängt eng mit der Sklaverei zusammen: Ende des 18. Jh. erhielten immer mehr Schwarze in Amerika und England ihre Freiheit zurück. Zahlreiche philanthropische Bewegungen bemühten sich um eine ,,Repatriierung", d. h. um ein Wiederansiedeln der ehemaligen Sklaven in Afrika. So entstand 1787 Freetown (Sierra Leone), wo sich die erste Gruppe ehemaliger Sklaven unter engl. Schirmherrschaft ansiedelte. Die USA griffen dieses Modell auf und wählten die Küste des heutigen L. für ihre Initiative aus: 1820 kam die erste Gruppe befreiter Negersklaven an. Weitere folgten, z. T. unterstützt von amerik. Staaten. 1838 schlossen sich die einzelnen Kolonien, außer ,,Maryland in L.", zum ,,Commonwealth of L." zusammen. England, das unter Berufung auf den unklaren rechtlichen Status Zahlungen an L. verweigerte, zwang die USA zu einer eindeutigen Stellungnahme: Die USA wollten keine Kolonie L.; am 26. 7. 1847 erklärte das ,,Commonwealth of L." seine Unabhängigkeit, ausgestattet mit einer den USA gleichenden Verfassung.

1.2. Nach der Unabhängigkeit bis 1944

Zwei innere Hauptprobleme, die im Grunde bis heute noch nicht gelöst sind, kennzeichnen die Republik L.:
– wirtschaftliche/finanzielle Schwierigkeiten
– die Problematik, Einwanderer und Einheimische zu einer Nation zu verschmelzen.

Gegen Ende des 19. Jh. konnte ein Staatsbankrott gerade noch vermieden werden. Trotz der ,,US-Schirmherrschaft" mußte dann L. Anfang des 20. Jh. ca. 1/3 seines (beanspruchten) Territoriums an G.B. und F. abtreten.

L. erlebte um 1930 eine schwere Krise, die bezeichnend war für die Beziehungen zwischen Einwanderern und Einheimischen: Ein durchaus dem Sklavenhandel ähnelndes Geschäft wurde publik; Liberianer wurden als Zwangsarbeiter nach Fernando Póo (port./ heute: Äquatorial-Guinea) verschickt.

2. Entwicklung der politischen Parteien

Obwohl die Verfassung mehrere Parteien zuläßt, ist L. durch ein De-Facto-Einparteisystem gekennzeichnet. Nur in der kurzen Phase von 1869–1880 kann man von einem Zweiparteiensystem sprechen: Die seit der Staatsgründung bestehende und vorherrschende ,,Republican Party" (konservativ, ,,Mulattenpartei" genannt) und die 1869 gegründete ,,True Whig Party" (TWP) rangen um die polit. Vormacht. Die TWP stellte mit E. J. Roye 1870 den ersten schwarzen Präsidenten. Nach einer undurchsichtigen Affäre um Roye (endete mit dessen Tod/Ermordung), kam die Republ. Partei nochmals an die Macht, bis dann 1878 die TWP endgültig die Vorherrschaft errang und bis heute innehat. (L. Afrikas erster Einparteistaat).

Zwar erfolgten immer wieder Parteigründungen; aber es gelang nie, der TWP ernsthaft Konkurrenz zu machen. Zu erwähnen sind dennoch:
– ,,Young Men's Political Association"; gegründet 1915 vom späteren Präsidenten Tubman, löste sich aber bald wieder auf.
– ,,People's Party"; bestand Ende der 20er Jahre; erwähnenswert, weil ihr (unterlegener) Präsidentschaftskandidat T. J. R. Faulkner der Regierung des Präsidenten King und damit der TWP eine Verwicklung in die Fernando-Póo-Affäre vorwarf und diesen Skandal an die internationale Öffentlichkeit brachte (s. 1.2.).
– ,,Reformation Party" und
– ,,Independent True Whig Party" standen 1951 bzw. 1951 und 1955 erfolglos zu Wahlen an.

Derzeit gibt es keine nennenswerten Oppositionsparteien mehr in L., auch wenn Präsident Tolbert 1973 den Vorschlag machte, vom Einparteisystem abzugehen.

3. Merkmale der politischen Struktur

3.1. Elite

Seit Gründung von L. wird die polit. Elite von den Americo-Liberianern gestellt, d. h. von den Einwanderern aus Amerika bzw. deren Nachfahren. Zwar beherrschte anfangs noch eine mulattische Elite die polit. Szene; mit der TWP aber übernahmen dann die schwarzen Americo-Liberianer die Führung. Diese transponierten auch den Lebensstil amerik. Südstaatler nach L., der noch heute im entwickelteren Teil des Landes deutlich zu erkennen ist. Regierungsform, Religion, Sprache, Sitten, Wertvorstellungen und Macht trennten sie von den Eingeborenen. Sie teilten die kulturelle Blindheit der Kolonialisten und wollten „die", d. h. ihre, Zivilisation nach Afrika bringen. Erst unter der Präsidentschaft von W. Tubman (1944–71) wurde die Schaffung der Einheit des Landes forciert.

Heute werden zwar auch Angehörige der Eingeborenenstämme von der Elite akzeptiert, sie müssen dafür aber entweder eine wichtige Position, persönlichen Reichtum oder eine (ausländische) Universitätsbildung vorweisen. Dennoch ist die Macht in den Händen einiger weniger Familien konzentriert, die z. T. verschwägert sind. (Ähnlich ist es mit dem Reichtum, von dem wiederum die Schicht der Americo-Liberianer profitiert.) Erst unter Tolbert, in jüngster Zeit, sind deutliche Anstrengungen zu erkennen, diesen Mißständen entgegenzuwirken.

Eine wichtige Rolle spielen die Kirchen und Freimaurerlogen für die americo-liberianische Elite, da sie eng mit ihr verflochten sind. (Präsident Tolbert wurde 1965 Vorsitzender der Weltmethodistenvereinigung.) Ein besonderer Einfluß wird den Freimaurerlogen auf die TWP nachgesagt (s. 3.5.).

3.2. Stärke und Rolle anderer Gruppen

Konservative: Immer, wenn progressivere Kräfte in die Regierung kamen, wehrten sich die Konservativen der americo-liberian. Elite, die ihre Privilegien gefährdet sahen. Dies geschah um 1870 durch die Gruppierungen, die der Republikanischen Partei nahestanden, als die TWP die Republikaner zu verdrängen begann (s. 2.). Ebenso hatte sich Präsident Tubman lange Zeit gegen die konservativen Kräfte zur Wehr zu setzen. Immer wieder wurden von dieser Seite Komplotte gegen den Präsidenten geschmiedet, deren Erfolglosigkeit hauptsächlich durch den Rückhalt im Volk zu erklären ist, den Tubman aufgrund von (tatsächlich erstmals sichtbaren) Verbesserungen für die Bevölkerung erlangte. Die Hintergründe für die 1973 aufgedeckte Verschwörung gegen Tolbert sind nicht ganz klar – u. a. waren einige Armeeangehörige und ein Kabinettsmitglied beteiligt –; aber möglicherweise wußten auch hier einige Konservative Unzufriedenheit für sich zu nützen.

Militär: Im 5.220 Mann starken Militär (daneben 21.300 Mann in para-militärischen Verbänden) sind immer wieder oppositionelle Strömungen zu finden. Ihrer Motivation nach sind sie jedoch meist anderen Gruppen zuzuordnen (Stämme oder Konservative). Militärs waren in Putschversuche verwickelt (in jüngerer Zeit: 1963, 1973).

Stämme: Das Problem Einheimische-Einwanderer durchzieht die gesamte Geschichte L.s. Um 1856/57, 1875/76 kämpften die Grebo, 1915/16 die Kru, 1918/19 die Gola gegen die Americo-Liberianer. 1923 wurde der letzte große Kru-Aufstand niedergeschlagen. Doch immer wieder lebte dieses prinzipielle Problem auf. Erst unter Tolbert scheint sich eine Konsolidierung abzuzeichnen: Der als progressiv geltende Henry Farnbulleh (ehemal. Botschafter) vom Stamm der Vai, dem 1968 vorgeworfen worden war, einen Putsch geplant zu haben und den Tribalismus zu schüren, wurde 1971 vorzeitig aus dem Gefängnis entlassen. Die Kru distanzierten sich entschieden von einigen Stammesangehörigen, die in das Komplott 1973 verwickelt waren.

Gewerkschaften: Lange Zeit hatte die Arbeiterschaft in L. eine sehr schlechte Stellung (s. 1.2. Fernando-Póo-Skandal). 1949 wird von den Chauffeuren und Angestellten eine Gewerkschaft gegründet, weitere Gewerkschaftsgründungen folgen. Sie schließen sich in dem Congress of Industrial Organization (CIO) zusammen. Partei und Staat gestehen ihnen aber nur begrenzte Rechte zu – sie müssen sich auf berufliche Probleme beschränken. 1966, 1967 gibt es Streiks und Arbeitskämpfe. Der Generalsekretär, James Bass, wird wegen Aufruhr angeklagt. Die CIO zerfällt wieder in Einzelgewerkschaften, die sich 1974 erneut zusammenschließen, zum United Workers' Congress of Liberia. Die Bedeutung der Gewerkschaften als polit. Kraft ist zwar noch gering, nimmt aber mit der Entwicklung des Landes zu.

3.3. Programmatik

Da Partei und Staat in Liberia stark persönlichkeitsorientiert sind, hängt die Zielsetzung der Partei jeweils vom Parteiführer bzw. Staatspräsidenten ab.

Eine konkrete Zielsetzung der TWP und damit der Politik des Landes erfolgte ab 1944, als Tubman Präsident wurde. Zwei innenpolit. Hauptziele wurden verfolgt:

1. die Einheit und Einigkeit des Landes zu erlangen, und

2. die Entwicklung des Landes voranzutreiben, es aus seinen finanziellen und wirtschaftlichen Schwierigkeiten herauszuführen.

Zum ersten Punkt verkündete Tubman, daß die Vergangenheit, der ständige Zwist zwischen Eingeborenen und Americo-Liberianern vergessen und Gleichheit zwischen sämtlichen Bürgern des Landes hergestellt werden solle. – Diese Ziele wurden nun auch zum erstenmal seit Bestehen L.s wirklich verfolgt. Den zweiten Punkt versuchte Tubman zu realisieren, imdem er das Land für ausländische Investitionen öffnete (Open-Door-Policy, s. 4.). Dieses Vorgehen zeitigte Erfolg: Das Land erlebte unter Tubman einen enormen wirtschaftlichen Aufschwung.

Außenpolitisch lag der Schwerpunkt der Zielsetzung auf einem Beitrag zur afrik. Einheit.

Unter Tolbert (Präsident seit 1971) verfolgen Partei und Regierung ähnliche Ziele, das heißt, daß die Einigkeitsbestrebungen weiterhin Priorität genießen. In der Wirtschaftspolitik werden allerdings durch die forcierte „Liberianisierung" neue Tendenzen deutlich. Innenpolitisch scheint eine gewisse, wenn auch vorsichtige Liberalisierung und Demokratisierung einzusetzen.

3.4. Aufbau der Partei

Die TWP ist eine straff organisierte Einheitspartei, ihre wichtige Stütze ist die Beamtenschaft, da die Beamten verpflichtet sind, Parteimitglieder zu sein(Mitgliedsbeiträge werden auch direkt von den Gehältern abgezogen). Die Parteimitglieder sind verpflichtet, an Parteikongressen und an Wahlen teilzunehmen sowie sich Loyalitätskundgebungen zu Ehren des Präsidenten anzuschließen.

3.5. Wahlen

Da andere Parteien immer nur zeitweise existierten, ist es die TWP, die die Kandidaten für eine Wahl bestimmt und deren Erfolg praktisch gesichert ist. Die tatsächliche Wahlauseinandersetzung findet im Rahmen der Vorwahlen (primaries, nach amerik. Vorbild) statt.

Die Freimaurerlogen L.s spielen ebenfalls eine wichtige Rolle: Da die americo-lib. Elite in den Logen überrepräsentiert ist, erleichtert die Mitgliedschaft in einer solchen Loge auch Parteikarrieren. (Es wird sogar behauptet, daß Kandidaten für eine Wahl bereits lange vor den entsprechenden Parteiversammlungen in den Logen bestimmt werden.)

Das seit 1847 geltende Wahlrecht wurde 1944 erstmals modifiziert, so daß auch die männl. Bewohner des Hinterlandes zur Wahl gehen konnten; 1947 erhielten auch die Frauen dieses Recht. Es ist jedoch von einem gewissen Besitzstand abhängig (Landbesitz, Besitz einer Hütte, für die man auch die „Hüttensteuer" bezahlt haben muß!).

Der Präsident wird in direkter Wahl ermittelt (Amtszeit 8 Jahre, Wiederwahl jeweils für 4 Jahre). Das Parlament, bestehend aus Senat (18 M.) und Abgeordnetenhaus (84 M.), wird in seiner Zusammensetzung ebenfalls durch direkte Wahlen bestimmt.

Speziell zu erwähnen sind die Wahlen von
– 1869/70: Die Republikan. Partei wird erstmals seit Bestehen L.s von der neugegründeten TWP abgelöst (s. 2., Präs. Roye).
– 1878 gewinnt die TWP nach einer Interimsphase der Republikaner wieder die Wahlen (Präs. A. W. Gardiner) und bleibt bis heute ununterbrochen an der Macht.

– 1943: Wahl von Tubman, der sechsmal wiedergewählt wird.
– 1975: Wahl von Tolbert, dem langjährigen Vize der Ära Tubman, der nach Tubmans Tod, 1971, zum „acting president" wurde.

3.6. Einflüsse

Stärker noch, als die anderen afrik. Staaten von der jeweiligen Kolonialmacht geprägt sind, prägt das amerik. Erbe L.: Die Elite hat – im Gegensatz zu der anderer afrik. Staaten – zwar heute eine eigene lib. Tradition, aber keine weiter zurückreichende, bewußt gewordene afrikanische. Die Einwanderer des 19. Jh. fühlten sich als Amerikaner, nicht als Afrikaner. Hinzu kommen Rechts- und Verfassungsstrukturen, die sich an das US-Vorbild anlehnen (Überarbeitungen aufgrund der spezifisch lib. Bedingungen erst in den 50er und 60er Jahren), sowie die wirtschaftliche Präsenz der USA (Firestone u. a.).

Liberias Einfluß in Afrika war mehr ideeller Natur, und zwar zu der Zeit, als die anderen Staaten um ihre Unabhängigkeit von den Kolonialmächten kämpften. L. war Beispiel und Beweis, daß Afrikaner sich selbst regieren können.

4. Politische Begriffe

„Unification": Dieses von Tubman geprägte Schlagwort wurde von Tolbert mit neuem Leben erfüllt. Die Schaffung der Einheit einer Nation ist innenpolit. Hauptziel, was wiederum nur durch den Abbau der krassen Unterschiede zwischen Einwanderern und Einheimischen erreicht werden kann. Das Schlagwort beweist auch, daß der Führung in letzter Zeit die Möglichkeit eines Klassen-Konfliktes bewußt wurde.

„Open door" (s. 3.3.): Die „open door policy" zielt auf die wirtschaftliche Entwicklung des Landes durch Öffnung für ausländische Investoren, somit auf einen Abbau der US-Dominanz.

Zu den häufig benutzten Begriffen von Tolbert, die auch im Entwicklungsplan und sogar im Alltag zu Standardausdrücken wurden, gehören „*rally time*", „*total involvement time*" und „*higher heights time*"; dahinter steckt die Idee einer schnellstmöglichen Entwicklung.

Kerstin Bernecker

Literatur

Biarnes, P., u. a., L'Année Politique Africaine, Dakar 1965 ff.

Clapham, C., Liberia and Sierra Leone. An essay in comparative politics, London 1976.

Clower, R., u. a., Growth without development. An Economic Survey of Liberia, Evanston 1966.

Dick, M., Probleme der nationalen Identität in Liberia, Düsseldorf 1970.

Huberich, Ch. H., The political and legislative History of Liberia, N. Y. 1947, 2 Bde.

Marinelli, L. A., The new Liberia, N. Y. 1964.

Richardson, R. R., Liberia's past and present N. Y. 1964.

Schulze, W., Liberia, Darmstadt 1973.

Tixier, G., La république du Liberia, Paris 1970.

Madagaskar

Grunddaten

Fläche: 587.000 km^2.

Einwohner: 8.270.000 (1976).

Ethnische Gliederung: 18 Stämme, davon die größten: Merina (Hova) 26%; Betsimisaraka 15%; Betsileo 12%; Tsimihety 7%; Sakalaven 6%; Antaisaka 5%. Antandroy 5%.

Minderheiten (insges. 1%): Komorianer ca. 40.000 (davon sollen 15.000 binnen kürzester Frist repatriiert werden); Europäer 20.000; Inder 19.000; Chinesen 10.000.

Religionen: Traditionelle Religionen: ca. 55% der Bevölkerung; Christen: 40% (davon etwas mehr als die Hälfte Katholiken); Moslems: 5%.
Alphabetisierung: bei 50% (1974).
Einschulungsquote: zwischen 40 und 60%.
BSP: 1.570 Mio. US-$ (1974).
Pro-Kopf-Einkommen: 180 US-$ (1974).

1. Historischer Überblick

Madagaskar war das bevölkerungsstärkste Land des ehem. frz. Kolonialreiches in Afrika südl. der Sahara; seine Bedeutung erklärt die Hartnäckigkeit, mit der F. auch nach der Unabhängigkeit versuchte, durch neo-koloniale Bindungen das Land zu halten. M. hatte schon in vorkolonialer Zeit eine geschichtliche Tradition mit eigenständiger polit. Organisation und diplomatischer Repräsentation bei den damaligen Weltmächten. Die Ursprünge der Merina-Monarchie, deren Aufstieg wesentlich zur staatlich-polit. Einigung M.s in vorkolonialer Zeit beigetragen hat, gehen auf das 18. Jh. zurück. M. ist ein Land mit einheitlicher Sprache (Malagasy) und trotz ethnischer Vielfalt einheitlicher Kultur und Tradition. Die Insularität (J. Rabemananjara, Dichter u. ehem. Außenminister: M. hat nur „Haie als Nachbarn") hat einen starken Einfluß auf das polit. Leben: Grenzkonflikte können nicht zum Kaschieren innenpolit. Probleme benutzt werden; die Innenpolitik steht unumstritten im Mittelpunkt des polit. Lebens.

Die madagassischen Stämme hatten in vorkolonialer Zeit unterschiedliche Strukturen: Unter den Clans der Tsimihety herrschte eine Urform der Demokratie, bei den benachbarten Sakalaven dagegen ein Königskult. Die Merina, größter Stamm, hatten eine ausgebaute Königsherrschaft mit Aristokratie, Lehenswirtschaft und Beamtentum. Diese fundamentale Unterschiedlichkeit verhinderte lange die nationale Einigung: Beispielhaft ist die alte Rivalität zwischen Merina (Hochplateau) und „Côtiers" (Küstenbewohner), ein Antagonismus der madag. Gesellschaft, der bis heute innenpolit. Brisanz hat. Die Merina mit ihrem Hegemonialanspruch erzeugten als Gegenkraft eine Sammlung der Côtiers; es ist kennzeichnend für die Grundsätzlichkeit dieser Problematik, daß manche Stämme der frz. Kolonialmacht Zugeständnisse einräumten, um diesen Hegemonialanspruch zu begrenzen. Die Unabhängigkeit M.s wurde in zwei Phasen vollzogen: Nach dem Referendum, von de Gaulle 1958 (Aug.) vorgeschlagen, in dem sich die Mehrheit für die Autonomie im Rahmen der ,,Communauté" entschied, wurde eine Verfassung ausgearbeitet. Die Unabhängigkeit wurde am 26. Juni 1960 erklärt (1. Republik). Die Verfassung von 1959 wurde inzwischen mehrfach geändert und hat nach den grundlegenden polit. Veränderungen seit 1972 eine neue Form, die 1975 (21. 12.) in einem Referendum bestätigt wurde. Die 2. Republik setzt mit der Ausrufung der Demokrat. Republik M. mit einer sozialistischen Orientierung ein und ist 2. Phase der Unabhängigkeit.

2. Entwicklung der politischen Parteien

2.1. Vor der Unabhängigkeit

Nach der Zerstörung der Merina-Monarchie durch F. 1895 und nach Niederwerfung von Merina-Aufständen kam das polit. Leben, wenn auch nur kurz, zum Erliegen. Noch vor dem 1. Weltkrieg bildete sich die polit. Geheimgesellschaft ,,VVS" (Vy, Vato, Sakalika = Eisen, Stein, Organisation). Nach dem 1. Weltkrieg löste die inkonsequente und kurzsichtige frz. Kolonialpolitik eine breite Emanzipationsbewegung unter der Bevölkerung aus, zu deren Kern die mit Hilfe frz. Linksparteien gegründete ,,Ligue Française pour l'Accession aux Droits de Citoyens des Indigènes de M." (Frz. Liga zur Erlangung der Bürgerrechte) unter Führung von Ralaimongo und Ravoahangy gehörte. (Ravoahangy Mitglied der frz. Linkspartei SFIO.) Sie konnte besonders in der kurzen Zeit der Pariser Volksfrontregierung (1935/36) eine gewisse polit. Reorientierung in der Kolonialpolitik erreichen.

Die Entwicklung der polit. Parteien M.s nach dem 2. Weltkrieg läßt sich in 4 Abschnitte gliedern:

1. Entwicklung bis zur Niederwerfung des Aufstandes 1947.
2. Einsetzende Liberalisierung von 1954 bis zur Autonomie 1958.

3. 1. Republik und Zeit der Machtkonsolidierung der PSD.

4. Grundsätzliche Restrukturierung des polit. Systems nach 1972 (Kampf für die 2. Unabhängigkeit).

Der erste Abschnitt ist durch die Gründung von vier großen Parteien gekennzeichnet:

– MSM (Mouvement Social Malgache): Gruppierung der polit. aktiven Katholiken.

Bedeutendste Partei dieser Periode, die die Nationalisten alten Typs mit jungen, westlich orientierten Intellektuellen zusammenschloß; trotz ihres Ursprungs im Hochplateau breitete sie sich auf der ganzen Insel aus.

– PADESM (Parti des Déshérités de Madagascar [Partei der Enterbten/Armen]): Ihre Gründung wurde von der frz. Kolonialverwaltung als Gegenpartei zum MDRM gefördert; unter Führung von Tsiranana wurden deutlich die Interessen der in der Entwicklung zurückgebliebenen Küstengebiete vertreten; sie forcierte die soziale, polit. und intellektuelle Emanzipation der Côtiers und kämpfte gegen das Wiederaufkommen eines Merina-Übergewichts.

– MSM (Mouvement Social Malgache): Gruppierung der polit.-aktiven Katholiken.

– PDM (Parti Démocratique Malgache): Merina-Partei; protestantisch, bürgerlich; in ihrer außenpolit. Radikalität Vorbild der späteren Oppositionspartei AKFM (s. 2.2.1.); verlangt die sofortige und vollständige Unabhängigkeit, lehnt de Gaulles Communauté-Projekt ab.

Eine Rebellion, die 1947 (29. 3.) an verschiedenen Punkten der Insel ausbrach, beendete brüsk die polit. Strukturierung in Parteien. Die Kolonialverwaltung schlug die Rebellion mit großer Härte nieder (80.000 Tote nach madag. Quellen). Verantwortlich für diese Rebellion waren die Geheimgesellschaften JINA und PANAMA, für die Kolonialverwaltung aber war es der MDRM in dem anschließenden Prozeß. Für ca. 10 Jahre ruhte jede parteipolit. Entwicklung in M. Erst nach der von der Regierung Mendès-France (1954/55) ermöglichten relativen Freizügigkeit und aus Anlaß verschiedener Wahlen 1956 und 1957 wurden Parteien wieder aktiv. In den Gemeinde- und Kommunalwahlen kandidierten eine Fülle von

Grüppchen und Personen. Ein Politiker verstand es aber, die gemäßigten Nationalisten um sich herum zu gruppieren: der Lehrer
Philibert Tsirana. Anfang 1956 war er für den Wahlkreis M.-
Westküste in die frz. Nationalversammlung eingezogen und hatte
sich in Paris der Linkspartei SFIO angeschlossen. Unter seiner
Führung entwickelte der 1956 gegründete PSD (Parti Social Démocrate) eine Strategie der personenorientierten Integration von anderen polit. Gruppen und Zirkeln. Die von de Gaulle angebotene
,,Autonomie in der Communauté" wurde positiv aufgegriffen;
andere Gemäßigte schlossen sich mit dem PSD zu einem ,,Cartel
des Républicains de Madagascar" zusammen und konnten in dem
Referendum 77% für sich gewinnen (Provinz Tananarive: lediglich
51%). In der folgenden provisorischen Nationalversammlung waren ausschließlich gemäßigte Parteien vertreten; sie wählten im
April 1958 Tsiranana einstimmig zum Präsidenten.

2.2. Nach der Unabhängigkeit

2.2.1. 1. Republik und Machtkonsolidierung des PSD

Tsirananas historische Leistung ist es, M. nicht nur zur Unabhängigkeit geführt, sondern auch durch die Sammlung aller gemäßigten Kräfte im PSD für eine solide parteipolit. Basis gesorgt zu
haben. Führte einerseits die Integration vieler Gruppen in den PSD
zu einer Klärung der innenpolit. Situation auf nationaler Ebene, so
wurde andererseits die innerparteiliche Programmierung erschwert, besonders auf wirtschafts- und gesellschaftspolit. Gebiet:
Eine Analyse des ,,madagassischen Sozialismus" des PSD zeigt
deshalb, daß weder Parteiprogramm noch Regierungspraxis konsi-
stent sind.

Der PSD-Sozialismus war eher eine lockere Sammlung von Leit-
sätzen auf dem Niveau der polit. Praxis als eine theoretisch abgesi-
cherte, ausgefeilte Ideologie; er hat sich im wesentlichen in drei
Bereichen niedergeschlagen:

– ,,Opérations au ras-du-sol": Humaninvestitionen im Rahmen der
Gemeinschaftsarbeit im Dorf, mit Bezugnahme auf traditionelle
gemeinwirtschaftl. Elemente der Dorfgemeinschaft (Fokon'olona)

– Erstellung eines Entwicklungsplanes und sog. ,,Grandes Opérations" im Produktions- und Infrastrukturbereich.
– Beteiligung des Staates an Entwicklungsprojekten, z. B. in Genossenschaften, Großfarmen, ,,Syndicats des Communes", SNI (Société Nationale d'Investissement), die die ,,Malgachisation" der Industrie vorantreiben sollten.

Exponent des rechten Flügels des PSD war Außenminister Rabemananjara, der im wesentlichen für eine pro-westliche Außenpolitik sorgte und dessen Entwicklungskonzept sich am kapitalistischen Modell der Elfenbeinküste orientierte. Der linke Flügel organisierte sich um Generalsekretär André Resampa, der den Klassencharakter der Partei betonte (Partei der Werktätigen, Bauern, Lohnarbeiter). Resampa setzte ,,organismes socialisants" durch, leitete eine vorsichtige Öffnung M.s nach Osten ein (Jugoslawien, Rumänien) und war auch bestrebt, die alten kolonialen Abhängigkeiten zu F. durch Anziehung von anderen Entwicklungsträgern (BRD, skandinavische Staaten) zu reduzieren.

Die Oppositionspartei AKFM (Anton'ny Kongresin'ny Fahaleavantenan'i Madagasikara – Kongreßpartei für die Unabhängigkeit M.s) war Sammelpartei verschiedener nationalistischer und linker Gruppen aus dem Jahre 1958. Sie war auch nicht homogen, entsprechend ihrer Struktur als Sammelpartei: Es gab einen nationalistischen Flügel um den Parteiführer Andriamanjato (prot. Pastor, Bürgermeister von Tananarive), um den sich mehr das konservative Bürgertum des Hochplateaus (Merina) gruppierte, und einen kommunistischen Flügel, der die Funktionäre der kommunist. Gewerkschaft FISEMA und junge Intellektuelle und Mitglieder von Studentenorganisationen umfaßte.

Eine dritte Kraft, MONIMA (madagassisch: M. den Madagassen), von Monja Jaona in der Provinz Tulear gegründet, bekam seit dem Ausbruch der Unruhen im Süden M.s 1971 neues Gewicht. MONIMA gab sich als Partei der Proletarier aus und machte sich den madagass. Bedingungen entsprechend zum Sprachrohr der armen ländlichen Massen, vor allem im Süden des Landes.

2.2.2. Ende des PSD-Regimes und Restrukturierung des politischen Systems seit 1972

Praktisch ein Jahrzehnt (1960–71) bot M. das Bild einer außergewöhnlichen polit. Stabilität: Eine PSD-Regierung mit Wahlerfolgen um 90% und einer verschwindend kleinen Opposition im Parlament (3 AKFM-Abgeordnete) kontrastierte zur polit. Instabilität anderer afrik. Staaten.

Die polit. Ereignisse 1969–71 (Regierungsumbildungen, Wahlgewinne der Opposition in Tananarive und Tamatave, Ausbruch von Unruhen im Süden [Apr. 71], Verhaftung des Vizepräsidenten und Landwirtschaftsministers Resampa [Juni 71]) waren Vorläufer der tiefgreifenden polit. Veränderungen, die von 1972 an einsetzten: Man kann davon sprechen, daß sich M. in einer Phase der polit. Restrukturierung befindet, die erst vorläufig abgeschlossen ist. Stationen dieser Restrukturierung sind:

30. 1. 72: Tsiranana wird für eine dritte Amtszeit eingeschworen (99% der Stimmen, bei 86% Wahlbeteiligung).

13. 5. 72: Ausbruch von Kämpfen zwischen einer Gruppe Studenten, Lehrer, Arbeiter und städt. Arbeitsloser in Tananarive (polit. Gruppierung ZOAM) und den Sicherheitskräften der Regierung. Tsiranana gibt General Ramanantsoa alle Macht zur Wiederherstellung der Ordnung; Ramanantsoa bildet eine Militärregierung. Mit KIM (Föderation des 13. Mai) entsteht aus ZOAM eine neue polit. Gruppierung, die im wesentlichen Ramanantsoa stützt und mit deren Hilfe er das Referendum über eine fünfjährige Militärregierung zugunsten des Militärs gewinnen kann.

1972, 73 und 74 setzen Reorientierungen der madag. Politik ein: Austritt aus der Franc-Zone, Abzug frz. Truppen, Nationalisierungen in Wirtschaft und Bildungswesen, Aufnahme diplomat. Beziehungen mit der VR China, der UdSSR und Tansania, Verfolgen der OAU-Linie bezüglich des Südl. Afrika. Zu Jahresbeginn 1975 kam es erneut zu beträchtlichen Unruhen, die schließlich am 5. 2. 75 zum Zusammenbruch der Regierung Ramanantsoa führten. Die Führung übernahm der bisherige Innenminister, Oberst Ratsimandrava, der seinerseits nach nur einer Woche im Amt ermordet wurde.

Unter Beibehaltung des Kabinetts wurde die Regierung nun von General Andiamahazo geleitet.

Die Restrukturierung fand ihren vorläufigen Abschluß in der Annahme einer neuen Verfassung am 21. 12. 75 (durch Volksabstimmung), mit der Bildung einer im wesentlichen aus Zivilpersonen bestehenden Regierung und durch die Gründung einer neuen polit. Organisation, der A. RE. MA (Avantgarde de la Révolution de Malagasy), am 19. 3. 76. Ab 1975 kristallisierte sich Kapitän Didier Ratsiraka, der frühere Außenminister, immer mehr als die politische Führungsfigur heraus, der seither als Präsident die eindeutig dominante Stellung einnimmt.

3. Merkmale der politischen Struktur

(Bei Redaktionsschluß befand sich das polit. System M.s immer noch in einer Übergangsphase. Daher muß Kap. 3 leicht vom herkömmlichen Schema abweichen. Anm. d. Hrsg.)

3.1. Verfassung – Führungsgremien

Die wichtigsten Organe der 2. Republik sind:
– *Exekutive:* Sie setzt sich aus Präsident, Oberstem Revolutionsrat und Regierung zusammen. Der Präsident bestimmt als oberste Spitze des Staates die Richtlinien der Politik, entsprechend der „Charta der Madagass. Sozialistischen Revolution". Der 14-köpfige Revolutionsrat, dessen Vorsitzender ex-officio der Präsident ist, ist ein Konsultativ-/Überwachungsorgan der Exekutive; es setzt sich zu 2/3 aus vom Präsidenten bestimmten Personen zusammen und zu 1/3 aus Politikern, die der Präsident aus einer ihm von der Nationalversammlung vorgelegten Liste auswählt. Im jetzigen Revolutionsrat hat Ratsiraka eine Reihe von Politikern der alten Parteien integriert. Die Regierung besteht aus dem Premierminister, einer Wiederaufnahme der ehrwürdigen Institution im Königtum der Merina, und dem Kabinett, das der Präsident auf Vorschlag des Premiers ernennt. Letzterer ist ebenfalls ex-officio Mitglied des Obersten Revolutionsrates.

– Nationale Volksversammlung (s. 3.5.).

– Oberster Verfassungsrat: Er setzt sich aus 7 Mitgliedern mit einem erneuerungsfähigen Fünfjahresmandat zusammen, überwacht die verfassungskonforme Politik und regelt Konflikte zwischen den Instanzen. Eine Besonderheit ist in dem militärischen Entwicklungskomitee zu sehen, einem Konsultativ-Gremium, das immer dann beteiligt sein soll, wenn Entwicklungsprojekte im wirtschaftl. oder sozialen Bereich mit Hilfe des Militärs durchgeführt werden sollen. Die Verfassung verweist expressis verbis in Art. 1 auf die sozialstrukturelle Basis M.s: ,,Das madagass. Volk stellt eine organisierte Nation dar, die auf der sozialistischen und demokratischen Gemeinschaft fußt, auf der Fokon'olona." Entsprechend häufig sind die Verweise auf diese Institution. Nach Art. 4 übt das Volk seine Macht entweder direkt in der Fokon'olona aus oder in Form von Volksabstimmungen, sei es durch Delegation an den Präsidenten oder an die Volksversammlung. Auch die Regional- und Lokalverwaltung fußt auf dem Fokon'olona-Prinzip. Auf unterster Ebene, der Gemeinde (Fokontany), werden die Geschäfte durch die Vollversammlung der Wähler und durch ein gewähltes Exekutivkomitee in einer Form direkter Demokratie geführt. Darüberhinaus sieht die Verfassung die Gründung einer ,,Nationalen Front zur Verteidigung der Revolution" (FNDR) vor, in der sich alle bewußten Bürger zusammenschließen, die in den verschiedenen progressiven Organisationen mitarbeiten (Art. 8).

3.2. Verschiedene Gruppen in der Übergangsphase

Offiziell sind alle Parteien seit 1975 verboten, doch sind sie und ihre Persönlichkeiten tragende Kräfte in verschiedenen Unterstützungskomitees für die Regierung Ratsiraka (z. B. beim Referendum zur Verfassung), entsprechend ihrer polit. Orientierung als Befürworter oder Gegner:

– ,,Parti Socialiste Malgache": pro-westliche, gemäßigte Linkspartei mit den beiden PSD-Führern Tsiranana und Resampa an der Spitze; votierte gegen die Verfassung, hat aber inzwischen eine Annäherung an das Regime Ratsiraka durchgeführt.

– KDRSM: Nachfolgeorganisation der AKFM unter Führung von Andriamanjato; pro-sowjetische Tendenz.

– Kamiviomio: MONIMA-Nachfolgeorganisation; pro-chinesische Linkspartei.

– MFM-MFT („Die Macht der kleinen Leute'): extreme Linkspartei; seit Sept. 76 aufgelöst.

– Iray Tsy Mivaky (Vonjy – „Forces Nouvelles"): eine Abspaltung des alten PSD; tritt für das Regime Ratsiraka ein.

Als Vorstufe der in der Verfassung verankerten Einheitspartei FNDR gilt die A. RE. MA. (s. 2.2.2.), zu deren Generalsekretär sich Ratsiraka selbst machte. Diese Partei soll alle diejenigen zusammenführen, die die sozialistische Revolution unterstützen, aber den klassischen Parteien nicht beitreten wollen. Es ist bemerkenswert, daß im Zusammenhang mit der Gründung der A. RE. MA. die alten polit. Kreise der PSD eine Wendung vollzogen haben und von ihrem Nein zur neuen Verfassung zu einer gewissen Annäherung gegenüber dem Regime Ratsiraka gefunden haben. PSD- und PSM-Parteikader haben wieder einen Platz in den Unterstützungskomitees für Ratsiraka gefunden und stellen in dieser Funktion eine wichtige Organisationsstütze für die A. RE. MA. dar. Diese Renaissance eines Teils der alten PSD-Kader in der neuen polit. Struktur stellt eine der Merkwürdigkeiten der madagass. Revolution dar; sie erklärt sich aus der Skepsis, die den alten extremen Linksparteien entgegengebracht wird (auch aus Ratsirakas Umgebung!).

Interessant für die Machtstruktur ist die jetzige Zusammensetzung des Exekutivbüros (s. 3.4.), die von der vorgeschriebenen Zusammensetzung, nämlich 51% Arbeiter und Bauern, weit entfernt ist: Ihm gehören 5 Minister, 4 höhere Beamte aus Ministerien und dem Präsidialamt, 2 Pastoren und 6 Politiker aus dem Obersten Revolutionsrat oder der polit. Umgebung Ratsirakas an. Einige dieser Politiker hatten bereits hohe Funktionen im PSD inne. Von der extremen linken Seite kommt deshalb Kritik, daß die A. RE. MA. eine Attrappe und eine „Reinkarnation" des PSD sei. Ratsiraka sieht in der A. RE. MA eine linke Sammlungsbewegung, eine „Nicht-Partei", für die der gemeinsame Nenner die „Charta der sozialistischen Revolution" ist, ein kleines rotes Buch – in offensichtlicher Analogie –, in dem steht, daß die Bedingungen für eine Einheitspartei in M. noch nicht gegeben seien.

Die Kabinettsumbildung nach dem tödlichen Unfall des Premiers Rakotomalala 1976 (30. 7.) hat erneut die Richtung der polit. Entwicklung M.s deutlich gemacht: Die Wahl des Juraprofessors und ehem. Botschafters Justin Rakotoniaina (geb. 1933, vom Stamm der Betsileo) zum Premierminister und die Zusammensetzung des Kabinetts, das bis auf einen Militär nur aus Zivilisten besteht, zeigt, daß die gemäßigten Kräfte die Oberhand gewonnen haben. Das Regime Ratsiraka ist kaum noch als Militärregime zu bezeichnen und es sind Züge einer Politik zur „Konsolidierung und Ordnung" zu erkennen.

3.3. Programmatik

Bisher sind nur Ansätze für das zukünftige Parteiprogramm sichtbar. Weiterhin wird aber die Malgachisierung wichtig sein. Sie zeigte sich bisher in mehreren Bereichen, angefangen bei der Umbenennung der Hauptstadt in Antananarivo („Ort der tausend Krieger") bis hin zur Übernahme großer Gesellschaften, wie z. B. SOMACODIS, COTANA und COROI. Dies hat jedoch die Kritik linker Gruppen am Regime Ratsiraka nicht beschwichtigt, da sie diese Maßnahmen der Nationalisierung schlicht als Transfer der Macht von ausländischen in die Hände von madagass. Kapitalisten sehen.

3.4. Parteistruktur

Den Statuten entsprechend soll die A. RE. MA nach den Prinzipien des „demokrat. Zentralismus" organisiert sein (ohne daß deutlich wird, was darunter zu verstehen ist). Im dörflichen Bereich (Fokon'olona) sollen die fortschrittlichen Kräfte (Jugendorganisationen, Frauenbewegung und Gewerkschaften) zusammengeführt werden. Sektionen, Unionen und Föderationen bilden den Mittelbau.

Ein Nationalkongreß wählt das ZK und das Exekutivbüro, das zu 51% aus Arbeitern und Bauern bestehen soll (vgl. 3.2.).

3.5. Wahlen

Der Präsident soll für 7 Jahre direkt vom Volk gewählt werden. Die Nationale Volksversammlung, oberste Legislativ-Gewalt, wird in direkter Wahl für 5 Jahre gewählt; ihre Rechte entsprechen denen in klassischen Demokratien. Die Wahlen für die Exekutivausschüsse der Basiskollektive in Dörfern und Stadtteilen („fokontany") im März 1977 brachten der A. RE. MA 56.638 Sitze (von 63.759), die Wähler hatten dabei zwischen 5 Listen zu entscheiden.

Bei den folgenden Wahlen im Laufe des Jahres 1977 konnte die AREMA ihre dominierende Position noch weiter ausbauen:

Ergebnis der Wahlen auf Provinzebene („faritany") Ende Mai – die A. RE. MA. gewann 95% aller Sitze, d. h. 220 von 232. Die AKFM sicherte sich 11 Sitze, alle in der Provinz Tananarive. Der verbleibende Sitz ging an die Vonjy.

Ergebnisse der allgemeinen Wahlen zur gesetzgebenden Nationalversammlung vom 30. 6. 1977: Bei einer Wahlbeteiligung von 88% stimmten 96% für die Liste der Einheitsfront, die sich aus Kandidaten der AREMA, der AKFM, der Vonjy und der UDECMA (Christdemokraten) zusammensetzt. 112 der 137 Sitze sicherte sich die AREMA, die AKFM erhielt 16, 7 gingen an die Vonjy sowie 2 an die UDECMA. Die extreme Linkspartei MONIMA hatte sich aus der Einheitsliste zurückgezogen und ihre Anhänger aufgefordert, sich der Stimmabgabe zu enthalten.

3.6. Einflüsse

Durch Ratsirakas Reise nach Nordkorea im Juni 1976 ist das Gedankengut des nordkorean. Präsidenten Kim Il Sung verstärkt in die madagass.-polit. Diskussion eingeführt worden: außenpolit. Neutralität in bezug auf den Moskau-Peking-Konflikt; möglichst weitgehende Autarkie oder „self-reliance"; Mitarbeit im Rahmen der Blockfreien; Anspruch auf Selbstverteidigung mit eigenen Mitteln.

4. Politische Begriffe

Fokon'olona: Seit der Unabhängigkeit häufig in die Diskussion gebrachtes Leitwort, wonach die madagassische Entwicklung „gemeinwesenorientiert" verlaufen solle. Fokon'olona war in vorkolonialer Zeit die kleinste Gemeindeeinheit (vor allem bei den Merina), in der die einzelnen Mitglieder bestimmte gemeinschaftsbezogene Aufgaben hatten. In der Fokon'olona wurde Nachbarschaftshilfe in Wirtschaft und Sozialleben praktiziert, zugleich hatte die Fokon'olona auch hoheitliche Funktionen (Ahndung von Verstößen gegen Sitte und Ordnung, Schlichten von Streitigkeiten, Administration), und im Rahmen der Lehenswirtschaft der Merina wurden über die Fokon'olona auch die Steuern bzw. Abgaben in Naturalien an die Aristokratie eingetrieben. Dazu kontrastierend wird heute in der Verfassung die Fokon'olona als die polit. und wirtschaftliche Grundeinheit, die nach demokratischen Prinzipien arbeitet (Beteiligung aller Gruppen am Willensbildungsprozeß), dargestellt. Gewisse Nähe zum Ujamaa-Gedanken in Tansania ist deutlich.

Klaus-Peter Treydte

Literatur

Archer, R., Madagascar depuis 1972. La Marche d'une Révolution, Paris 1976.

Bouillon, A., ,,Le M. F. M. malgache", in: Revue française d'études politiques africaines, Nr. 95, Paris 1973, S. 46–71.

Cadoux, C., La République Malgache, Paris 1969.

Heseltine, N., Madagascar, London 1971.

Hepp, G., Erziehung und Politik im unabhängigen Madagaskar (1960–1973). Eine Fallstudie, Frankfurt/M. 1976.

Leymarie, P., ,,L'A. K. F. M. malgache (1958–1968)", in: Revue française d'études politiques africaines, Nr. 98, Paris 1974, S. 71–90.

ders., ,,L'A. K. F. M. malgache (1968–1972)", in: Revue française d'études politiques africaines, Nr. 107. Paris 1974, S. 46–60.

ders., ,,L'armée malgache dans l'attente (1960–1972)", in: Revue française d'études politiques africaines, Nr. 134, Paris 1977, S. 50–64 (Fortsetzung unter dem Titel ,,L'armée malgache et le pouvoir (1972–1976)" für 1978 angekündigt).

,,Madagaskar – Das Ringen um eine neue Struktur", in: Internationales Afrikaforum, 13. Jg., Nr. 2, München 1977, S. 139–147.

Spacensky, A., Madagascar – cinquante ans de vie politique – de Ralaimongo à Tsiranana, Paris 1970.

Stacher, U., ,,Socialist-oriented Models – Madagascar's 'African Socialism'. Introduction and Definition", aus: Voss, J., Development Policy in Africa, Bonn – Bad Godesberg 1973, S. 273–291.

Thompson, V.; Adloff, R., The Malagasy Republic. Madagascar Today, Standford/Cal. 1965.

Treydte, K.-P., ,,Politik, Verfassung und Parteien in Madagaskar", in: Vierteljahresberichte, Nr. 46, Bonn – Bad Godesberg 1971, S. 395–418.

Malawi

Grunddaten

Fläche: 118.485 km².
Einwohner: 5.180.000 (1976).
Ethnische Gliederung: Nyanja (Chichewa) 50%; Lomwe 14%; Yao 14%; Tumbuku 9%.
Religionen (1970): Traditionelle Religionen: 45%; Christen: 40%; Moslems: 15%.
Alphabetisierung: 30–35%.
BSP: 660 Mio. US-$ (1974).
Pro-Kopf-Einkommen: 130 US-$ (1974).

1. Historischer Überblick

Seit dem 14. Jh. bestand im Gebiet des heutigen Malawi (ehem. Nyasaland) das Königreich der Maravi, das im 16. Jh. von den Portugiesen erreicht wurde. Diese und die Araber führten in der Folgezeit Sklavenzüge durch, die die Bevölkerung stark dezimierten. Damit zerfiel das zentrale Reich wieder; eingeleitete sozioökonomische Entwicklungsprozesse wurden unterbrochen. Nachdem David Livingstone (1858–1866) vier Forschungsreisen in das Gebiet unternommen hatte, begann die Missionierung durch schottische protestantische Kirchen. Dadurch wurde auch das Eindringen des engl. Handelskapitals vorbereitet. Nach dem Abschluß von „Verträgen" mit afrik. Häuptlingen wurde Nyasaland 1891 brit. Protektorat.

Da Nyasaland sich weniger für eine weiße Besiedlung eignete, beutete die Kolonialmacht das Protektorat in erster Linie durch Handel aus. Daneben diente es als Reservoir billiger Lohnarbeiter für die engl. Minen und Plantagen Rhodesiens und Südafrikas. Gegen den Widerstand der afrik. Bevölkerung wurde das Protektorat Nyasaland im Jahre 1953 zusammen mit Süd-Rhodesien und dem heutigen Sambia zu einer Föderation zusammengeschlossen. Die weißen Siedler Süd-Rhodesiens dominierten politisch und wirtschaftlich.

2. Entwicklung der politischen Parteien

2.1. Vor der Unabhängigkeit

Organisierten Ausdruck fand der Widerstand im „Nyasaland African Congress" (NAC). Dieser war 1944 aus zahlreichen afrik. Assoziationen hervorgegangen, von denen die erste bereits 1912 als Protestbewegung begründet worden war. Der NAC forderte nun vor allem, die Föderation wieder aufzulösen. Im Jahre 1958 erfolgte die Wahl von Dr. Kamuzu H. Banda zum Präsidenten der Partei. Er hatte M. bereits 1915 als Wanderarbeiter verlassen, danach in den USA und G.B. studiert und später in G.B. und Ghana als Arzt praktiziert. Banda kehrte nach seiner Wahl zurück, und die unter seiner Führung verbesserte Organisation des Widerstandes hatte zur Folge, daß die Kolonialregierung im folgenden Jahre den Ausnahmezustand erklärte, zahlreiche Nationalisten, darunter Banda selbst, inhaftierte und die Partei verbot. Andere Parteimitglieder gründeten daraufhin die „Malawi Congress Party" (MCP), die die Freilassung der Verhafteten und die Auflösung der Föderation sowie einige verwaltungs- und verfassungsmäßige Reformen erkämpfen konnte. Anfang 1960 war bereits ein Sechstel der Bevölkerung als Mitglieder registriert, und bei der Wahl eines gesetzgebenden Rates 1961 gewann die MCP 22 von 28 Sitzen. Die restlichen Sitze fielen der „United Federal Party", die die brit. Interessen repräsentierte, sowie einem unabhängigen Kandidaten zu. Die „Christian Democratic Party" konnte nur wenige Stimmen auf sich vereinen und löste sich daraufhin auf. Auch die Mehrheit der asiat. Einwohner sah die MCP als Vertretung an und hatte daher bereits im Vorjahr ihre eigene polit. Vereinigung, die „Nyasaland Asian Convention", aufgelöst. Die MCP war damit die einzige polit. Organisation der nicht-europäischen Bevölkerung. Mit Banda als Premier konnte Ende 1963 die Auflösung der Föderation durchgesetzt werden. Am 6. 7. 1964 erhielt das Protektorat seine Unabhängigkeit.

2.2. Nach der Unabhängigkeit

Eine verfassunggebende Versammlung der MCP beschloß 1965 eine neue Verfassung, die das Parlament bestätigte. Auf dieser Grundlage wurde M. 1966 als Einpartei-Staat zur Republik erklärt. Zum ersten Präsidenten bestimmte man Banda. 1970 ernannte ihn der Parteitag zum Präsidenten auf Lebenszeit. Die von Oppositionspolitikern im Ausland gegründete „Pan African Democratic Party of Malawi" (PDP) blieb ohne Bedeutung.

3. Merkmale der politischen Struktur

3.1. Elite

Der Befreiungskampf wurde angeführt von Vertretern der Zwischenschichten (kleinen Beamten, Lehrern und wenigen Intellektuellen). Dies ergab sich durch deren – im Vergleich zu der analphabetischen ländlichen Bevölkerung – beträchtlichen Informations- und Ausbildungsvorsprung, den sie sich durch ihre Kontakte mit der Kolonialmacht und deren Institutionen angeeignet hatten. Bei Banda selbst kam hinzu, daß er seine gesamte akademische Ausbildung in den USA und G.B. durchlaufen und den größten Teil seines Lebens außerhalb M.s verbracht hatte. Dabei hatte er die kulturellen und polit. Wertvorstellungen der Kolonialmacht verinnerlicht, die eigene afrik. Identität aber weitgehend verloren. Wie viele andere Vertreter der „assimilierten" afrik. Intelligenz war Banda damit – trotz all seiner Verdienste bei der Erringung der nationalen Unabhängigkeit – prädestiniert, eine neo-koloniale Entwicklung M.s mit fortdauernder wirtschaftlicher Abhängigkeit von der ehemaligen Kolonialmacht und anderen Industrieländern einzuleiten. Bestimmende Merkmale waren dabei seine Überzeugung, daß nur ein kapitalistisches Entwicklungsmodell für M. geeignet sei, ein sich verstärkender kultureller und polit. Konservativismus und ein starrer Antikommunismus. Hinzu kam seine autoritäre Persönlichkeitsstruktur, die keine Kritik an eigenen Entscheidungen zuließ, wodurch M. bald zur Ein-Mann-Herrschaft degenerierte.

Auch die Herausbildung einer polit. Elite vollzog sich unter dem Gesichtspunkt der Absicherung der Herrschaft Bandas und seiner Zielvorstellungen. Er stützte sich dabei nicht auf die Studenten und jungen Intellektuellen der 1965 gegründeten Universität. Jeglicher Ansatz zu kritischer Beschäftigung mit politologischen oder soziologischen Fragestellungen wurde der Obstruktion verdächtigt und führte zu harten disziplinarischen Maßnahmen. Die ausgeprägt antiintellektuelle Haltung Bandas fand Unterstützung bei zahlreichen untergeordneten Beamten und Parteifunktionären. Ausgehend von seinen Vorstellungen, daß der „einfache Mann im Dorf" und die „von ihren Eltern anständig erzogenen Jungen und Mädchen" Leitbilder der Entwicklung sein mußten, schuf Banda sich unter den wenig ausgebildeten Jugendlichen aus den ländlichen Gebieten eine gehorsame, disziplinierte und unkritische Hausmacht, aus der sich zunehmend die polit. Führungskader rekrutieren. Mit Hilfe israelischer Ausbilder wurden diese Jugendlichen zu einer straffen Organisation, den „Malawi Young Pioneers", zusammengeschlossen. Diese paramilitärische, aber auch mit Entwicklungsaufgaben betraute Truppe ist Banda blind ergeben und kann jederzeit zur Sicherung seiner Herrschaft eingesetzt werden. Morde, Plünderungen und Übergriffe aller Art auf Personen, die man auch nur im geringsten der Illoyalität gegenüber Banda verdächtigte, wurden von den „Jungen Pionieren" ausgeübt. Durch Gesetze wurden ihnen polizeiähnliche Rechte zugesprochen, und im Falle von Übergriffen können sie nur mit besonderer Genehmigung des Präsidenten gerichtlich belangt werden.

Eine zweite wichtige Komponente der Herrschaftssicherung und der Rekrutierung von Personen für Führungsfunktionen durch Schaffung einer verläßlichen sozialen Gruppe besteht in der Förderung der Herausbildung von systemstabilisierenden Mittelschichten. Durch die Vergabe von Privilegien wird in einer bislang noch relativ gleichmäßig geschichteten Gesellschaft eine Klasse von Kleinkapitalisten geschaffen, deren elitäre Position bewirken soll, daß sie Änderungen des Systems im Hinblick auf wirtschaftliche und polit. Reformen zugunsten der Mehrheit verhindert.

So ermöglichen Änderungen des Bodenrechtes nunmehr die individuelle Aneignung von Grund und Boden und damit die Herausbildung einer Grundbesitzerklasse. Während das herkömmliche Stammesrecht nur eine individuelle Nutzung kannte und damit eine größere Klassendifferenzierung verhinderte, ist jetzt ein Prozeß in Gang gesetzt worden, der in wenigen Jahren zu einer Aufspaltung der Gesellschaft in Groß- und Mittelbauern, Kleinbauern und landloses Proletariat führen wird.

Zahlreiche wichtige polit. Führungspositionen sind bislang überhaupt noch nicht von Afrikanern eingenommen worden, sondern werden weiterhin von Europäern besetzt, die Bandas Politik unterstützen, durch Unterdrückung der Bevölkerung Ruhe, Ordnung und Stabilität zu gewährleisten.

3.2. Stärke und Rolle anderer Gruppen

Der Kampf um die formale Unabhängigkeit hatte MCP und Bevölkerung vereint. Als es nach Erreichung dieses nationalen Zieles dann aber darum ging, die nicht minder wichtigen wirtschaftlichen und polit. Probleme des bis dahin unterentwickelt gehaltenen Landes zu lösen, mußte die autoritäre Herrschaft Bandas zu Konflikten führen und Opposition hervorrufen.

Kurz nach der Erlangung der Unabhängigkeit kam es zu einer ernsthaften Kabinettskrise. Jüngere Minister, u. a. H. Chipembere,

Y. Chisiza und M. Chiume, kritisierten Banda wegen der langsamen Afrikanisierungspolitik, seiner pragmatischen Einstellung gegenüber den weißen Minderheitsregierungen im südl. Afrika und der sich abzeichnenden Zusammenarbeit mit der herrschenden Klasse dieser Länder. Sie wurden daraufhin ihres Amtes enthoben. 1965 führte Chipembere einen Aufstand an, der aber von den Regierungstruppen niedergeschlagen wurde.

Chipembere und seine Anhänger mußten nach Tansania fliehen. 1967 drang noch einmal eine kleinere Truppe unter Chisiza nach M. ein, wurde jedoch durch das Militär aufgerieben. Im Gefolge dieser Aufstände wurden zahlreiche Todesurteile verhängt und ausgeführt. Es kam zu einer Vielzahl von Verhaftungen und zum Teil langjährigen Deportationen in Gefängnisse und Straflager. Eine Reihe von Gesetzesänderungen ermöglichte Vorbeugehaft und willkürliche Verhaftungen und hob Grundrechte auf. Einige der damals Verhafteten befinden sich noch heute in den Lagern, in denen Folter und unmenschliche Behandlung an der Tagesordnung sind.

Obgleich die ideologischen Positionen der oppositionellen Minister sich nicht grundsätzlich von denen Bandas unterschieden, nützte dieser die Kabinettskrise und die Aufstände zu einer großangelegten Säuberung der Partei von stärker panafrikanisch und tendenziell sozialistisch orientierten Mitgliedern. Auch in den folgenden Jahren gab es regional begrenzte kleinere Aufstände und Unruhen, die aber immer wieder niedergeschlagen werden konnten. Die Zahl der polit. Gefangenen wird auf bis zu 10.000 geschätzt. Erst in jüngster Zeit scheint der innenpolitische Druck etwas geringer zu werden. Im Laufe des Jahres 1977 wurden fast alle der über 2000 politischen Häftlinge, die wegen angeblicher Opposition gegen den Präsidenten im Gefängnis saßen, freigelassen.

Offiziell wurden der frühere Generalsekretär der MCP, Nqumayo, und der Chef für innere Sicherheit, Gwede, für die Exzesse seit 1976 verantwortlich gemacht; Präsident Banda hatte angeblich nichts davon gewußt.

Beide sind die vorläufig letzten Opfer der Politik Bandas, durch Auswechseln führender Mitglieder von Partei und Regierung seine persönliche Machtposition abzusichern – allein im Jahre 1976 wurden 2 Minister sowie der Generalsekretär der MPC aller Partei- und Regierungsämter enthoben und teilweise vor Gericht gestellt.

Obwohl eine organisierte Opposition sich unter diesen Bedingungen nicht entwickeln konnte, besteht verbreitete Unzufriedenheit innerhalb der Bevölkerung. Passiven Widerstand leistet die Sekte der „Zeugen Jehovas". Dies ist allerdings in einer grundsätzlich ablehnenden Haltung dem Staat und seinen Institutionen gegenüber begründet. Die Sekte wird in M. verfolgt.

3.3. Parteiprogramm

Die despotische Herrschaft eines Präsidenten auf Lebenszeit und das Fehlen demokratischer Entscheidungsprozesse auf allen polit. Ebenen machen eine echte Programmatik überflüssig, ja gefährlich. Sie wird ersetzt durch Schlagwörter und Phrasen, die der Bevölkerung und den polit. Kadern zur Orientierung und Disziplinierung vorgegeben werden.

Das tatsächlich verfolgte Programm läßt sich auf wirtschaftlichem Gebiet durch die Prinzipien des freien Unternehmertums kennzeichnen. Dies schließt allerdings staatsinterventionistische Eingriffe und staatliches Eigentum an den Produktionsmitteln in bestimmten Bereichen nicht aus, um damit auch die Volkswirtschaft der Kontrolle durch die polit. Führung zu unterwerfen und dieser überdies Pfründen zu verschaffen. Außenpolit. findet eine enge Zusammenarbeit mit westlichen und antikommunistisch orientierten Ländern statt. Obwohl Banda die Rassentrennung im südl. Afrika grundsätzlich ablehnt und eine formale Unabhängigkeit der unterdrückten afrik. Völker im südl. Afrika befürwortet, hat er dennoch kaum einen Beitrag zum Befreiungskampf dieser Völker – sei es im Rahmen der OAU oder in bilateralen Beziehungen mit den Befreiungsbewegungen – geleistet. Im Gegensatz dazu unterhielt M. enge Beziehungen zu Portugal und seinen Kolonien und unterhält solche heute noch mit Rhodesien und Südafrika. Banda vertritt eine „pragmatische" Haltung und glaubt unrealistischerweise, durch eine Politik des Dialogs und der Kooperation mit den weißen Eliten die Apartheid langfristig aufweichen zu können.

3.4. Aufbau der Partei

Das ,,Westminster-Modell'' parlamentarischer Demokratie, das von G.B. in seinen afrik. Kolonien eingeführt wurde, war nicht geeignet, eine demokratische Entwicklung zu gewährleisten. Demgegenüber bieten aber – ausgehend von den traditionellen polit. Systemen der Stammesgesellschaft – Einheitsparteien durchaus Möglichkeiten demokratischer Beteiligung an Entscheidungsprozessen und Raum für kontroverse Diskussionen. Das Beispiel Tansanias belegt dies eindrucksvoll. Im Ein-Partei-Staat M. hingegen blieb allein die Meinung des Präsidenten und Parteivorsitzenden bestimmend, der beide Ämter auf Lebenszeit innehat.

Wahlen und polit. Diskussionen dienen nur zur Akklamation seiner Entscheidungen. Abweichende Meinungen führen zu Entlassung, Verfolgung und in Einzelfällen zur physischen Liquidierung der Betroffenen. Möglichst jeder Malawier sollte Mitglied der MCP sein, was durch einfachen jährlichen Kauf einer Parteikarte vollzogen und durch die unterschiedlichsten Maßnahmen erzwungen wird. Die zentralistische Organisationsstruktur der Partei erlaubt der Führung eine wirksame Kontrolle. Die Kandidaten für das Parlament werden vom Präsidenten aus den Vorschlägen der Partei selbst ausgewählt. Gegenkandidaten werden bei Wahlen nicht aufgestellt. Das Parlament selbst hat faktisch keine Entscheidungsfunktionen, sondern bestätigt nur die vorbereiteten und letztlich bereits getroffenen Entscheidungen. Bei Ausschluß aus der Partei verliert ein Parlamentsmitglied automatisch seinen Sitz. Der Präsident kann 15 Parlamentsabgeordnete sowie beliebig viele Minister, die keine gewählten Parlamentarier zu sein brauchen, selbst ernennen.

3.5. Wahlen

Parlamentswahlen fanden 1964, 1971 und 1976 statt. 73 Einheitskandidaten der MCP wurden in allen 23 Distrikten ausnahmslos gewählt. Die lokale Selbstverwaltung setzt sich zum Teil aus gewählten Mitgliedern, zum Teil aus traditionellen Häuptlingen zusammen, die vom Präsidenten ab- und eingesetzt werden können.

3.6. Einflüsse

M. unterhält intensive Beziehungen zu westlichen Industrielän-
dern. Von diesen wird über polit. Kontakte sowie Budget- und
Entwicklungshilfe Einfluß auf die Wirtschafts- und Außenpolitik
des Landes genommen. Innerhalb Schwarzafrikas ist M. isoliert.
Erst seit kurzem werden wieder diplomatische Kontakte mit den
Nachbarländern Sambia und Tansania gepflegt.

4. Politische Schlagwörter

Unity, Loyalty, Obedience and Discipline („Einheit, Loyalität, Gehorsam und Disziplin"): Der in der Verfassung niedergelegte Wahl-
spruch der Partei dient der Festlegung der Nation auf Grundsätze
und Politik der Führung. Angebliche Verstöße gegen diese Prinzipien werden zur Begründung von Repressionsmaßnahmen heran-
gezogen.

Rolf D. Baldus

Literatur

Baldus, R. D., Genossenschaften und Genossenschaftspolitik in Malawi, in:
  Zeitschrift für das gesamte Genossenschaftswesen, Bd. 23 (1973). Heft 2.
Harding, L., Afrikanische Politik im südlichen Afrika, München und Mainz
  1975.
Keatley, P., The Politics of Partnership, Harmondsworth 1963.
Malawi Congress Party (Ed.), Political History of Malawi; Some Important
  Aspects, London 1976.
McMaster, C., Malawi – Foreign Policy and Development, London 1974.
Pachai, B., Malawi – The History of the Nation, London 1973.
Pike, J. G., Malawi. A political and economic history, London 1968.
Short, P., Banda, London 1974.

Mali

Grunddaten

Fläche: 1.204.000 km².

Einwohner: 5.840.000 (1976).

Ethnische Gliederung: Bambara 1,7 Mio.; Peulh (Fulbe) 550.000;
Senufu 440.000; Marka 420.000; Malinke 300.000; Songhai
300.000; Dogon 240.000; Tuareg 240.000.

Religionen: Traditionelle Religionen 20%; Moslems 75%; Christen
2% (kath.).

Einschulungsquote: 21% (1970)

BSP: 450 Mio. US-$ (1974).

Pro-Kopf-Einkommen: 80 US-$ (1974).

1. Historischer Überblick

Der Name Mali wurde gewählt, um den Bezug zur eigenen Geschichte herzustellen, die durch Kolonisation und Sklavenhandel
gestört worden war. ,,Mali" erinnert an ein Malinke (Mandingo)-
Königreich des Mittelalters, das Kontakte zur arab. Welt und zum
Mittelmeerraum unterhielt. Im 15. Jh. wurde es durch das Songhai-
Reich um Gao abgelöst, das Ende des 16. Jh. nach einer marokkani-
schen Invasion zerfiel. Bis zum Beginn der Kolonisation bestand in
M. kein festes Reich mehr, sondern wechselnde Einflußsphären,
teils aufgrund von Stammeseinflüssen (Tuareg, Bambara), teils
wegen Kriegszügen, wie sie der Tekruri Omar Saidu Tall (el Hadji
Omar) als heiligen Krieg für den Islam führte. Der frz. Kolonisation
setzte Samory Touré einen dreißigjährigen Widerstand entgegen
(Wanderkrieg), der erst 1898 ein Ende fand. 1892 war die frz.
Kolonie Sudan gegründet und 1895 AOF eingegliedert worden.
1946–1957 war der Sudan Teil der ,,Union Française". Als 1958 die
,,Communauté" gegründet wurde, blieb der Sudan als ,,Républi-
que Soudanaise" Mitglied, bis er zusammen mit Senegal als Mali-
Föderation am 20. Juni 1960 unabhängig wurde.

2. Entwicklung der politischen Parteien

2.1. Vor der Unabhängigkeit

Den Anstoß zur Bildung von Parteien in AOF gaben die Parteien F.s, sowie afrik. Vertreter in der frz. Verfassunggebenden Versammlung 1945 in Paris, die eigene Gruppierungen schufen. Im Sept. 1946 organisierten afrik. Abgeordnete, unterstützt von der KPF – und behindert von den frz. Sozialisten – in Bamako einen Kongreß, als dessen Ergebnis sich der RDA (Rassemblement Démocratique Africain – Demokratische afrik. Sammlungsbewegung) bildete, der zur bedeutendsten interterritorialen Massenpartei werden sollte (Landesverbände in Senegal, Mali, Elfenbeinküste, Guinea). Aufgebaut nach dem Schema des „demokratischen Zentralismus", wurde er, trotz anderslautender Aussagen seiner Führer, des Kommunismus verdächtigt, von den Kolonialbehörden unterdrückt und 1950 nach einer Verhaftungswelle verboten. Die wichtigsten polit. Ziele waren die Erlangung der Unabhängigkeit und der Aufbau einer „sozialistischen" Gesellschaft. Die KPF hielt eine nationale Unabhängigkeit für einen geschichtlichen Rückschritt, was dem RDA-Führer Houphouet-Boigny (s. Elfenbeinküste) den offiziellen Bruch mit ihr erleichterte, aber auch von nun an den Bestand des RDA sicherte und die Zusammenarbeit mit den frz. Kolonialbehörden ermöglichte. Der RDA-Landesverband war bis zur Auflösung 1968 die „Union Soudanaise" (US) unter Mamadou Konaté (bis 1956) und Modibo Keïta. 1946 entstand auch der PSP (Parti Progressiste Soudanais – Fortschrittspartei des Sudan). Im Gegensatz zur US-RDA war er keine Volkspartei, sondern ein Zusammenschluß lokaler und religiöser Führer (unter Filydabo Sossoko). Trotzdem stellte er bis 1956 die gleiche Anzahl Abgeordneter zur frz. Nationalversammlung, verlor später zunehmend an Einfluß und ging schließlich in der US–RDA auf (März 1959), die somit zur Einheitspartei wurde.

Bei der Föderationsbildung zwischen M. und dem Senegal wurde versucht, auf der Basis strikter Parität eine neue Partei zu schaffen, die „Partei der afrik. Föderation" (PFA), als Zusammenschluß von

US-RDA und PRA des Senegal. Ausdruck der panafrik. Idee war die Einbeziehung von Parteiführern aus Niger und Dahomey (als Vizepräsidenten). Grundsätzliche Meinungsverschiedenheiten zwischen den politischen Führern der Parteien ließen die Föderation jedoch nach kurzer Zeit scheitern.

2.2. Nach der Unabhängigkeit

2.2.1. Erste Republik (Modibo Keita *1915, †1977)

Am 22. September 1960 proklamierte M. seine eigenstaatliche Unabhängigkeit. Damit brach die Föderation mit Senegal bereits drei Monate nach der gemeinsam von F. erlangten Aufhebung des Kolonialstatus zusammen. Präsident der Republik und Regierungschef wurde Modibo Keita. Obwohl sich Einheitspartei und Regierung für den Weg des „wissenschaftlichen Sozialismus" („Option Socialiste") entschieden, wurden Atheismus und historischer Materialismus strikt abgelehnt. Auch erschien der Begriff nicht in der Verfassung vom 22. Sept. 1960. Wichtigstes innenpolit. Ziel wurde der Aufbau der Wirtschaft durch „Kollektivfelder" und die Industrialisierung mit Hilfe von Staatsbetrieben, was außenpolit. durch einen gemeinsamen afrik. Markt ergänzt werden sollte. M. blieb mit F. verbündet, wandte sich aber den sozialistischen Ländern zu. 1962 schuf M. eine eigene Währung, blieb aber formal Mitglied der Franc-Zone. Die allgemein schlechte Wirtschaftslage zwang M. ab 1966, die Rückkehr zur „Coopération" mit F. zu betreiben. Die drastischen frz. Bedingungen (z. B. 50% Abwertung der M.-Währung) führten zu Unruhen wegen dieser erneuten Anlehnung an das „imperialistische F.". Um diesem Druck zu begegnen, startete Keita eine revolutionäre Kampagne; er erklärte 1967 zum „Jahr 1 der Revolution", er enthob als Generalsekretär der US-RDA das Politbüro seiner Funktion und löste Anfang 1968 die Nationalversammlung auf. Dafür bildete er das „Nationalkomitee zur Verteidigung der Revolution" (CNDR, mit 12 Mitgliedern) und eine „Gesetzgebende Delegation" (28 Mitglieder). Damit wurden Partei und Regierung von ihm allein beherrscht. Zu dieser Zeit kam es auch zu Übergriffen der zumeist jugendlichen „Volksmiliz", die, ursprünglich eine Unterorganisation der Partei, auf die dreifache Stärke des Militärs angewachsen war und damit die Armee selbst in Frage stellte.

2.2.2. Zweite Republik (Moussa Traoré)

Eine Gruppe junger Offiziere um Yoro Diakité, den Leiter der Militärakademie, und seinen Stellvertreter Moussa Traoré putschte am 19. Nov. 1968. Zwischen den beiden Anführern entwickelte sich ein Richtungsstreit: Traoré wollte die „sozialistischen" Errungenschaften des Keita-Regimes übernehmen und baldmöglichst zur Zivilregierung zurückkehren. Diakité hingegen setzte sich für die Liberalisierung der Wirtschaft, die Abschaffung der Kollektivfelder und eine Festigung der Militärherrschaft ein. Traoré setzte sich als Staatschef durch; Diakité wurde Premierminister einer aus Zivilisten und Militärs bestehenden Regierung, bis ihn 1969 Traoré ablöste. Noch während des Putsches wurde als oberstes Führungsorgan das „Militärkomitee für Nationale Befreiung" (CMLN) aus den eigentlichen Konspiratoren und befreundeten Militärs gegründet, mit Traoré als Vorsitzendem und Diakité als Vizepräsidenten. Ethnische Gründe spielten bei der Zusammensetzung keine Rolle, obwohl die Bambara gemäß ihrem Bevölkerungsanteil dominierten. Die US-RDA wurde aufgelöst, ebenso die Organe der Gesamtgewerkschaft. Sie wurden aber nach Richtungskämpfen 1971 im Sinne der Militärregierung neu aufgestellt. Da sich sowohl das Regime Keita wie auch das Regime Traoré auf die gleiche dünne Oberschicht stützen mußte, verlief der Übergang nahezu reibungslos. Die Militärs versprachen von Anfang an eine Rückkehr zur Zivilregierung; so wurden bereits in der Verfassung vom 28. Nov. 1968 CMLN und Regierung als „provisorisch" bezeichnet. Wichtigstes Ziel war die Verbesserung der Wirtschaftslage durch „Abstinenz von der Politik", d. h. Pragmatismus. Die Dürrekatastrophe 1971–73 brachte schwere Rückschläge, führte aber auch zur weiteren Verbesserung der Beziehungen zu F. und zur EG. 1974 wurde eine Verfassung angenommen, die eine Rückkehr zur zivilen Regierung für 1979 in Aussicht stellt; Voraussetzung dafür ist die Einheitspartei, die seit 1976 im Aufbau ist. Sie soll das Zusammen-

wachsen der Stämme zu einer neuen Nation fördern und gewissermaßen Motor des polit. Lebens sein (insbes. auf dem Land). Sowohl
in ihrem Erscheinungsbild wie in ihrem Aufbau wird sie der
US-RDA sehr ähneln.

Organe des Staates sind gemäß der Verfassung von 1974 die
Partei UDPM („Union Démocratique du Peuple Malien"), der
Präsident der Republik, die Regierung, die Nationalversammlung
und zwei Gerichtshöfe. Die Nationalversammlung wird normalerweise aber nur zweimal im Jahr für jeweils max. zwei Monate tagen.

Da Traoré erklärte, daß im Falle von Korruption oder Unfähigkeit
die Armee bereitstünde, andererseits aber häufig betonte, die Armee wolle keinerlei Einfluß nehmen, ist die weitere Entwicklung
ungewiß.

3. Merkmale der politischen Struktur

3.1. Elite

Wie im gesamten ex-frz. Afrika erhielt ein Teil der polit. Führungsschicht seine Ausbildung während der Kolonialzeit in frz. Schulen
und Universitäten. Offiziere bilden dank ihrer meist frz. Ausbildung ein tragendes Element des Staates. Dieser Stellung sind sie sich
durchaus bewußt, was ein Grund ihres Zögerns ist, die Macht an
eine zivile Regierung abzugeben. Eine andere wichtige Gruppe
bilden die Lehrer, deren Zahl stark anstieg. Sie sind vor allem in der
Hauptstadt Bamako die einzige Gruppe, die sich politisch betätigt.
Zur Führungsschicht zählen auch die Angehörigen des Manage-
ments der staatlichen Betriebe.

An den seit 1963 gegründeten Hochschulen M.s studierten 1971
731 Studenten, weitere 1437 Malier besuchten ausländische Hochschulen.

Eine besondere Vorherrschaft ethnischer Gruppen läßt sich nicht
feststellen, wenngleich die Bambara aufgrund ihres Bevölkerungsanteils eine wesentliche polit. Rolle spielen; die Tuareg sind eher
unterrepräsentiert.

3.2. Stärke und Rolle anderer Gruppen

Man kann in M. nicht von geschlossenen Gruppierungen sprechen, sondern nur von Angehörigen einer dünnen Führungsschicht, die polit. engagiert ist. Dazu zählen Lehrer und Studenten, die kurz nach dem Putsch von 1968 erklärten, es handle sich hierbei um einen Ausdruck des frz. Imperialismus. Ein Teil von ihnen bildete den linken Flügel der US-RDA. Die polit. Bedeutung der Lehrer nahm seit 1963 durch die von der UdSSR geförderte pädagogische Hochschule stark zu. Da zu wenig Fachleute vorhanden sind, arbeitet ein großer Prozentsatz der Lehrer fachfremd in der Verwaltung. Als einzige Gruppe demonstrierten die Lehrer 1971 in Bamako für die Gewerkschaftsbewegung, für verstärkte Sozialisierung und für die Rückkehr zur Zivilregierung.

Die Gewerkschaften wurden bei ihrer Gründung 1936 und danach stark vom frz. kommunistischen Gewerkschaftsverband CGT unterstützt. Wie die US-RDA brach aber 1950 auch der Gewerkschaftsverband mit den frz. Kommunisten. Wegen der Zusammensetzung des Gewerkschaftsverbandes UNTM (,,Union Nationale des Travailleurs Maliens") aus der relativ privilegierten Schicht der Angestellten, Arbeiter, Lehrer etc. ist eine enge Verbindung mit der Einheitspartei die logische Folge. Seine Wirkung im Staat ist die des Bindegliedes zwischen Führung und Bevölkerung. Trotzdem ergaben sich in den Jahren 1970/71 erhebliche Differenzen zwischen dem CMLN und der neuorganisierten Führung des Gewerkschaftsverbandes, welche die ,,Verteidigung der sozialistischen Errungenschaften" und eine Zivilregierung forderte, insbesondere aber die Beibehaltung und Stärkung der Staatsbetriebe. Erst eine erneut umgestaltete Führungsspitze wurde vom CMLN akzeptiert.

1963/64 versuchten ,,weiße" Tuareg in der 6. Region (Gao) einen eigenen Staat zu errichten. Dieser Volksstamm hat sich bis heute nicht ganz in den Staat integrieren lassen. (Unbestätigte frz. Berichte sprachen 1973 von einer bewußten Benachteiligung der Tuareg-Gebiete während der Dürre.)

3.2.1. Putschversuche gegen das CMLN

Mitte August 1969 versuchten Soldaten unter Führung des Hauptmanns Diarra (Militärbefehlshaber der 6. Region/Gao), Modibo Keita wieder an die Macht zu bringen und einen sozialistischen Kurs mit verstärkter Anlehnung an die UdSSR einzuleiten.

Yoro Diakité plante Anfang 1971 einen Staatsstreich, um sein Ziel, eine freie Wirtschaft ohne Staatsbetriebe (was in Mali unrealistisch sein muß) zu verwirklichen. Sein Plan wurde entdeckt und er 1972 zu lebenslanger Zwangsarbeit verurteilt.

Im April 1976 mißlang der Versuch von 30 Angehörigen der Polizei und der Armee, die Führung zu stürzen. (Offensichtlich keine polit. Ziele.)

3.3. Parteiprogramm

Anläßlich der Unabhängigkeitsfeier 1976 (Sept.) gab Staatschef Traoré die Gründung der neuen Einheitspartei UDPM bekannt. ,,Gegründet auf den demokratischen Zentralismus, wird die UDPM das Sammelbecken aller lebendigen Kräfte des Landes sein, im Hinblick auf eine Erziehung zur neuen Gesellschaft des Fortschritts und der Freiheit. Ziel der Partei soll es sein, die arbeitenden Massen zu erziehen, die nationale Einheit zu festigen und die Entwicklung einer unabhängigen, nationalen Wirtschaft zu beschleunigen." Damit wird die Partei zum Bindeglied zwischen Regierung und Bevölkerung. (Nähere Angaben stehen aus.)

3.4. Aufbau der Partei

Oberstes Organ der Partei soll ein ,,Nationalrat" (Conseil National) werden, der ein gewähltes ,,Zentrales Exekutivbüro", bestehend aus 17 Mitgliedern, kontrolliert. Letzteres soll alle Aktivitäten der Partei koordinieren und wird somit die eigentliche Führungsfunktion innehaben. Neben dem Exekutivbüro sind vier ständige Arbeitskreise vorgesehen. Die Basisorganisation soll aus Zellen, Untergruppen, Orts- und Provinzgruppen gebildet werden; mit ihrem Aufbau will Traoré ,,geeignete Persönlichkeiten" betrauen.

239

3.5. Wahlen

Im Juni 1974 nahmen die Malier in einem Referendum die neue Verfassung mit 99,7% Ja-Stimmen an. 1979 soll erstmals der Präsident in allgemeiner direkter Wahl auf Vorschlag des ,,Nationalrates" der Partei auf 5 Jahre gewählt werden; *eine* Wiederwahl ist möglich. Die Abgeordneten der ,,Nationalversammlung" sollen über eine Einheitsliste in allgemeiner direkter Wahl gewählt werden, ihr Mandat soll 4 Jahre dauern. Verantwortliche Aktive aus der Keita-Zeit, wie Partei- und Regierungsmitglieder sowie Gewerkschaftsfunktionäre, dürfen bis 1984 keine neuen polit. Funktionen übernehmen, was den Kreis der neuen Parteikader stark einschränkt.

3.6. Einflüsse

Das Gebiet der Republik M. liegt sowohl in Schwarzafrika als auch im ,,weißen" (arabisch-berberischen) Afrika; weiter läuft durch M. die Grenze zwischen dem ,,Haus des Islam" und dem ,,Haus des Krieges", d. h. den nicht-islamischen Gebieten. Die ,,weißen" Tuareg konnten daher bis heute nicht voll in den Staat integriert werden.

Staatsaufbau und Wirtschaftssystem wurden von der Idee des ,,wissenschaftlichen Sozialismus" geprägt, obwohl seine grundlegenden philosophischen Thesen nicht übernommen wurden. Bildungssystem, Finanzen und Amtssprache sowie ein Teil der Infrastruktur sind Vermächtnis des frz. Kolonialregimes, das auch die heute gültigen Grenzen zog.

China und die UdSSR sind nach F. und der EG heute die wichtigsten Handelspartner und Kreditgeber; Militärverträge bestehen mit der UdSSR und der VR China.

4. Politische Schlagwörter

,,*Option Socialiste*" bezeichnet die Übernahme des wissenschaftlichen Sozialismus unter M. Keita als Gesellschaftsidee. Allerdings beschränkte sich der ,,Sozialismus" auf ,,Kollektivfelder", ,,Volksmilizen" und Staatsbetriebe.

Walter Herglotz

Literatur

Amin, S., Trois expériences africaines de développement: le Mali, la Guinée et le Ghana, Paris 1965.

Ansprenger, F., ,,Mali – eine Militärregierung sucht Abstinenz von der Politik", in: Afrika Spectrum, Hamburg 1971, Nr. 1, S. 56–70.

Bebler, A., Military Rule in Africa. Dahomey, Ghana, Sierra Leone, Mali, New York 1973.

Bennett, V. P., ,,Military Government in Mali", in: The Journal of Modern African Studies, 13. Jg., Nr. 2, London 1975, S. 249–266.

Jouve, E., La République du Mali, Paris 1974.

ders., ,,Le Mali de l' ,option socialiste' au gouvernement des militaires (1968–1976)", in: Revue française d'études politiques africaines, Nr. 134, Paris 1977, S. 24–29.

Snyder, F. G., One-party Government in Mali: Transition Towards Control, London 1965.

Wolpin, M. D., ,,Dependency and Conservative Militarism in Mali", in: The Journal of Modern African Studies, 13. Jg., Nr. 4, London 1975, S. 585–620.

Zolberg, A. R., ,,Muster nationaler Integration: die Fälle Mali und Elfenbeinküste", aus: Berg-Schlosser, D. (Hrsg.), Die politischen Probleme der Dritten Welt, Hamburg 1972, S. 59–73.

Mauretanien

Grunddaten

Fläche: 1.030.700 km^2 (+ 96.000 km^2 West-Sahara).

Einwohner: 1.350.000 (1976).

Ethnische Gliederung (Schätzungen von 1970): Mauren 81% (davon 13% mit schwarzafrikanischem Einschlag); Schwarzafrikaner 19% (insbesondere Tukulör, sowie Sarakole, Wolof und Bambara).

Religionen: Moslems: 99% Muslim sunnitischer Richtung (Anhänger der hauptsächlichen Richtung im Islam, der Sunna); Christen: 1%.

BSP: 380 Mio. US–$ (1974).

Pro-Kopf-Einkommen: 290 US–$ (1974).

1. Historischer Überblick

Vom heutigen Marokko aus schufen die Almoraviden im 11. Jh. ein Großmauretanisches Reich von Spanien bis Mali, das jedoch in der Folgezeit nie wirklich beherrscht werden konnte. Im 14. Jh. wanderten arab. Stämme nach M., deren Nachkommen (Hassani) im 17. Jh. die ansässigen Berber zu Vasallen machten.

1448 erreichten die Portugiesen als erste Europäer die Küste von M. Vom 16. bis 18. Jh. wechselten die Handelskontore zwischen Spanien, Holland und Frankreich, die an der Kontrolle des Gummihandels interessiert waren, um dessen Monopol insbes. Holl. und F. rivalisierten. 1817 sicherte F. durch die Besetzung der Küste des Senegal endgültig seinen Einfluß auf den Handel. In der letzten Hälfte des 19. Jh. war keine europ. Macht an der Besetzung M.s interessiert. Erst ab 1901 machte F. ernsthafte Versuche, eine Verbindung von A. O. F. nach Marokko herzustellen und die Bedrohung des Senegal durch mauret. Stämme zu beenden. Zunächst verlief die Besetzung, auf Initiative und unter Führung von X. Coppolani, friedlich; nach seiner Ermordung kam es 1905–09 zu Aufständen im ganzen Land. Der Widerstand im Norden (Razzien der nomadischen Reguiebat gegen Franzosen und seßhafte Bevölkerung) konnte erst 1934 gebrochen werden. 1920 wurde M. Kolonie.

2. Entwicklung der politischen Parteien

2.1. Vor der Unabhängigkeit

M. war als Teil von A. O. F. zunächst verwaltungsmäßig und ökonomisch von Senegal abhängig; 1946 erfolgte die polit. Trennung, während die Administration weiterhin vom Senegal ausging. Der jahrzehntelange Widerstand der mauretanischen Stämme hatte F.

vorsichtig werden lassen, so daß Wehrdienst und ,,Code civil"
nicht eingeführt wurden, sondern Koran- und Stammesrechte
großenteils bestehen blieben.

Bei den ersten Wahlen zur frz. Nationalversammlung 1946 wurde
Horma Ould Bambana, Vertreter der antikolonialistischen Bewegung in M., gegen den frz. Kandidaten gewählt, der von der frz.
Administration und der mit ihr kollaborierenden Chefferie (Gruppe
der traditionellen Stammesführer) unterstützt worden war. Horma
erhielt seine Unterstützung von jenen Stämmen, die Kollaboration
mit der Kolonialmacht als Verrat ansahen und die noch unter dem
Eindruck ihres antikolonialen Kampfes standen. Horma ging aus
der ,,Entente Mauritanienne" (E. M.) hervor, die sich sozialistisch
nannte. Sie wurde 1946 von antikolonialistischen Kräften gegründet. Als ihr Gegenstück entstand 1948 die ,,Union Progressiste
Mauritanienne" (UPM), eine Union der traditionellen und mit F.
kollaborierenden Chefferie.

Bei den Wahlen 1951 gewann die UPM einen Parlamentssitz in
Paris, weil sie durch die Unterstützung der frz. Administration
einen besseren Wahlkampf führen konnte (de Gaulle: Ehrenpräsi-
dent der UPM). Nach dieser Niederlage der E. M. exilierte Horma
in den Senegal, ging 1956, nach einer erneuten Niederlage, nach
Marokko und arbeitete dort für den Anschluß M.s an Marokko,
was in M. aber keine Resonanz fand.

1955 gründeten junge UPM-Mitglieder eine eigene Organisation, die ,,Association de la Jeunesse Mauritanienne" (AJM); sie
forderten, im Gegensatz zur UPM, die Unabhängigkeit von F. Eine
gewisse panarab. Richtung in der E. M. und die berechtigte Meinung der E. M., daß F. einen künstlichen Staat M. schaffe, um
besser wirtschaftl. Interessen wahrnehmen zu können, führten im
schwarzafr. Süden zu Befürchtungen über zu großen arab. Einfluß.
So wurde in der südl. Region Gorgol als Gegengewicht zum arab.
Einfluß der ,,Bloc Démocratique du Gorgol" (BDG) gegründet,
der bei der Wahl Ende März 1957 allerdings nur 5.000 Stimmen
(von 272.000) errang.

1957 fanden die Wahlen zur mauret. Legislativversammlung
statt, bei denen die UPM außer einem alle Sitze gewann. Die

Parteiführung übernahm Moktar Ould Daddah. Er kommt aus einem einflußreichen, mit F. kollaborierenden Stamm. Nach einer traditionellen islamischen Ausbildung und dem Besuch der Schule der Häuptlingssöhne in Dakar studierte er in F. und arbeitete als Anwalt in Dakar. 1957 wird er als Mitglied der UPM zum Vizepräsidenten des Ministerrates von M. gewählt (Präsident bleibt ein Franzose). 1959 wird die „Islamische Republik Mauretanien" proklamiert. Sie erhält die innere Autonomie, Moktar Ould Daddah wird ihr Premierminister.

Die Anschlußbestrebungen Marokkos führten 1957 zu einem Einmarsch der marokk. „Befreiungsarmee" mit Unterstützung nördlicher Stämme und Exilmauretanier. Nur durch einen Geheimvertrag mit Spanien konnte F. diese Truppen zurückdrängen. Auf Betreiben der Franzosen, die aus wirtschaftlichen Gründen an einem unabhängigen Mauretanien interessiert waren, konnte Daddah alle politischen Parteien und Strömungen vorübergehend zu einer Einheitspartei, dem PRM (Parti du Regroupement Mauritanien), zusammenfassen. Nur die AJM widersetzte sich dieser „Kollaboration mit Frankreich".

Junge Mitglieder der PRM gründeten die „Mauretanische Nationale Erweckung" „An-Nahda", die jeden Kolonialismus zurückwies und eine Annäherung an Marokko forderte. Sie wollten „den Willen des Volkes durchsetzen und nicht die Meinung der Leute, die ihr Leben lang mit den Imperialisten kollaboriert hatten". Nachdem die PRM alle Verwaltungsstellen besetzt hatte (bis 1959) und eine weitere Annäherung an F. forderte, ging die Nahda zum bewaffneten Kampf über und wurde deshalb von der PRM-Regierung verboten (1960).

1960 entstand aus der PRM eine neue Partei, die UNM, „Union Nationale Mauritanienne", die mit senegalesischer Unterstützung den Anschluß an Mali forderte. Sie ging aber bald wieder in der PRM auf. 1960 wurde die USMM, „Union Socialiste des Musulmans Mauritaniens" gegründet, die gemäßigte Nahda-Positionen vertrat, allerdings gegen einen Anschluß an Marokko war. Am 28. 11. 1960 verkündete Moktar Ould Daddah die Unabhängigkeit M.s.

In der Verfassung wurde zunächst sehr viel Wert auf formale demokratische Rechte gelegt, so ist z. B. die Bildung von Parteien nicht verboten gewesen. 1961 berief Ould Daddah eine Konferenz aller Parteiführer ein, auf der eine Einheitspartei, der PPM („Parti du Peuple Mauritanien"), gegründet wurde. Alle bestehenden Parteien gingen in ihr auf; sie sollte ein Auffangbecken für alle Mauretanier werden. Auch alle anderen Gruppierungen unterstützten sie.

Diese Vereinigung gab Ould Daddah (Premier, Oberbefehlshaber, Außenminister und Parteichef) noch mehr Macht. Im April 1962 gestand die Nationalversammlung dem Präsidenten spezielle Macht zu, um die „Einheit der Nation" zu wahren. Anlaß zu diesem Zugeständnis war, daß einige Regierungsoffizielle der Disloyalität oder der Zusammenarbeit mit Marokko beschuldigt und daraufhin entweder entlassen oder sogar zum Tode verurteilt worden waren.

Nach und nach beschnitt Ould Daddah die Rechte der Nationalversammlung; das Politbüro („Bureau Politique National", BPN) der PPM übernahm die Überwachung der Exekutive. Der äußere Druck durch die Annektierungsbestrebungen Marokkos nahm zu: Ould Daddah nutzte die Möglichkeit, die Stellung „seiner" Einheitspartei zu stärken. Ould Daddahs Besuch in Guinea 1963 (Okt.) und die Wirkung des guineischen Einparteisystems auf ihn scheinen sich 1964 (Jan.) auf die Beschlüsse der BPN-Konferenz ausgewirkt zu haben: die Kontrolle über die polit. Funktionen der Nationalversammlung und über sämtliche Verwaltungsstellen ging auf den Präsidenten und das BPN (Generalsekr.: Ould Daddah) über.

Zwei Oppositionsparteien wurden 1964 sofort nach ihrer Gründung für illegal erklärt. Seit Feb. 1965 ist nur noch die PPM verfassungsgemäß.

Entscheidende Bedeutung für die polit. Entwicklung der letzten Jahre hatte der Streik der Minenarbeiter 1968, dem die Armee begegnete. Die Gewerkschaft spaltete sich, Schüler und verbotene Gruppen schlossen sich mit dem einen Teil der Gewerkschaft in der „Nationalen Demokratischen Bewegung" zusammen. Der Druck dieser antiimperialistischen Kräfte auf die Regierung wurde so stark, daß sie 1973 die Sonderbeziehungen zu F. abbrach, aus dem frz. orientierten CFA-Währungsblock austrat und bis 1975 alle Grundindustrien (Kupfer, Eisen) verstaatlichte. 1973 schlossen sich beide Gewerkschaften wieder zusammen; sie wurden in der Einheitspartei integriert.

3. Merkmale der politischen Struktur

3.1. Die Elite

Das polit. System in M. kann zwar nicht als Diktatur bezeichnet werden, aber die Stellung von Ould Daddah ist quasi-diktatorisch. Auf dem letzten Kongreß ,,seiner" Einheitspartei erhielt Ould Daddah den Titel ,,Vater der Nation".

In der in Verwaltung und Regierung bestimmenden Einheitspartei PPM entscheidet das Politbüro, in dem die Männer der ersten Stunde z. T. noch immer in den einflußreichsten Positionen sind.

Für das polit. Leben nach der Unabhängigkeit war der Kampf zwischen den traditionalistischen und den fortschrittlichen Kräften entscheidend. Das sich bildende Proletariat und die junge Intelligenz haben aber immer mehr den Einfluß der traditionellen Chefs zurückdrängen können. Ould Daddah und seinen Weggefährten ist es gelungen, gegen sie gerichtete Strömungen entweder zu unterdrücken oder in der PPM zu integrieren (z. B. durch Postenvergabe).

3.2. Stärke und Rolle anderer Gruppen

Von einer Opposition im Sinne eines parlamentarischen Systems kann in M. nicht gesprochen werden. Nach der Bildung der Einheitspartei durch Unterdrückung der bestehenden oppositionellen Parteien wurde der Gegensatz zwischen den Traditionalisten, die mit F. kooperiert hatten, und den jungen antikolonialistischen und sozialistischen Kräften bestimmend für die polit. Situation der nächsten 15 Jahre. Ould Daddah stand immer zwischen beiden Richtungen. Durch geschicktes Lavieren hat er sich seine Macht bis jetzt bewahren können.

1963 beschloß die Partei, dem alten System der Chefferie ein Ende zu machen, das bis dahin mit frz. Hilfe alle polit. Entscheidungen bestimmt hatte. Alle verstorbenen traditionellen Chefs sollten nicht wieder ersetzt werden. Damit wollte man Korruption und Vetternwirtschaft verhindern und eine Identifizierung aller Mauretanier mit dem Staat bewirken.

Je weiter M. industrialisiert wurde, je mehr sich ein Proletariat (besonders aus dem Süden) bildete, und je stärker die junge antikolonialistische Intelligenz wurde, um so mehr ging der Einfluß der Traditionalisten zurück. Nach dem Streik der Minenarbeiter 1968 und nach Erstarken der Opposition im Lande wurde die Regierung gezwungen, die Grundindustrien zu verstaatlichen (bis 1973) und eine stärker antikolonialistische Politik einzuschlagen.

M. war schon zur span. Kolonialzeit am Südteil der Span. Sahara interessiert, um die dort gelegenen Eisenerzvorkommen mit den eigenen im Norden des Landes verbinden zu können. Nach der Aufteilung der Span. Sahara Ende 1975 zwischen Marokko und M. kommt es deshalb immer wieder zu Kämpfen zwischen der Frente Polisario (Befreiungsarmee der ehem. Span. Sahara) und der mauret. Armee.

Entgegen der offiziellen Ideologie der PPM besteht ein Gegensatz zwischen dem maur. Norden und den schwarzen Minderheiten im Süden. 1964 wurden Schwarzafrikaner systematisch von ihren Posten im Innenministerium enthoben und durch weniger kompetente Mauren ersetzt. Als 1966 Arabisch zur Schul- und Amtssprache gemacht werden sollte, kam es zu Unruhen in der Hauptstadt.

Seither hat es keine Unruhen im Süden des Landes mehr gegeben, obwohl M. Anschluß an die arab. Länder suchte (1973 Beitritt zur Arab. Liga).

3.3. Parteiprogramm/Programmatik der PPM

Auf sehr vorsichtige Art versucht Ould Daddah, die feudale Struktur der Mauren zu zerstören und eine Art „mauretanisches Bewußtsein" herzustellen. Eine große Rolle spielt dabei der Islam, der zur Staatsreligion geworden ist. Gleichwohl gilt nicht mehr nur Koranrecht, besonders die Stellung der Frau scheint rechtlich verbessert worden zu sein (Daddahs Frau ist Französin).

PPM-Programm

a) Erreichen von wirtschaftl. Unabhängigkeit durch Auferlegung unerläßlicher Opfer.

b) Fortsetzung der Bemühungen des Landes für eine wirtschaftliche Entwicklung, ausgedrückt im Geist der ,,Vier-Jahres-Pläne".

c) Sozialer Fortschritt in allen Bereichen.

d) Unnachgiebige Verteidigung der nationalen Unabhängigkeit und Souveränität gegen jede Bedrohung.

e) Verdammung des Kolonialismus in jeder Form.

f) Verwirklichung einer Politik der Nichteinmischung in die inneren Angelegenheiten anderer Staaten.

g) Beilegung aller Streitigkeiten durch Schiedsspruch und Verhandlungen.

h) Verdammung von Rassendiskriminierung und Diskriminierung jeglicher Art; von Regionalismus, Tribalismus, Privilegien und Ungleichheiten aller Art.

Die PPM bekennt sich zum Sozialismus.

3.4. Aufbau der Partei

Die Macht in der Einheitspartei liegt praktisch bei Ould Daddah; er ist Parteiführer und Generalsekretär des Politbüros, das die gesamte Politik des Landes kontrolliert und bestimmt.

Laut Statut wird das BPN (Politbüro) von einem ,,Nationalrat" kontrolliert, der aber bisher nur einmal zusammentrat. Der Nationalrat wird vom Kongreß der Partei gewählt, der wiederum entscheidend vom Parteiführer (Daddah) und vom Politbüro beeinflußt wird. Alle Verwaltungsstellen sollen nur noch von der Partei besetzt werden.

3.5. Wahlen

Bei den Wahlen zur ersten Nationalversammlung 1959 gewann die damalige Einheitspartei PRM alle 40 Sitze. Bei den ersten Wahlen nach der Unabhängigkeit 1961 wurde Daddah als Kandidat der

Einheitspartei zum Staatspräsidenten gewählt. 1964 beschloß das Politbüro, daß die Wahllisten zur Nationalversammlung vom BPN verändert werden konnten. Außerdem bedurften alle gewählten Abgeordneten der Zustimmung des Präsidenten. Die späteren Wahlen wurden so von der Partei kontrolliert und waren nur noch Formsache.

3.6. Einflüsse

In den ersten Jahren war der frz. Einfluß sehr stark. Im Grunde ist das Bestehen M.s auf neokolonialistische Überlegungen F.s zurückzuführen. Frz. ,,Berater" kontrollierten in Regierung, Verwaltung und Wirtschaft die Politik. Gedrängt von antiimperialistischen Kräften, löste sich Ould Daddah allmählich von F. und brach 1973 endgültig alle Sonderbeziehungen ab. Nach der Unabhängigkeit suchte Daddah Anschluß an die arab. Staaten, um den marokkanischen Anschlußbestrebungen ein Gegengewicht setzen zu können. Er scheiterte aber zunächst, weil diese in M. ein echtes Erbe des frz. Kolonialismus sahen. Mit der Loslösung von F. begann Daddah eine Politik der Offenheit nach allen Seiten (ausgenommen: Israel, RSA, Rhodesien).

Heute scheint die Sympathie für China ziemlich stark zu sein. (Der Nationalhymne liegt ein Mao-Zitat zugrunde.) Zusammenarbeit mit westlichen Staaten besteht, während sie mit der SU relativ gering ist.

Mauretanien versucht, einen ihm eigenen, sozialistisch genannten Weg zu gehen. Die historischen Bindungen zwischem dem schwarzen Süden und dem arab. Norden des Landes werden immer wieder betont, um ein gemeinsames Bewußtsein aller Mauretanier herzustellen.

Sehr wichtig blieb das Bemühen um Anschluß an die arab. Staaten. Seit 1973 ist M. Mitglied der Arabischen Liga. 1969 kam es zur Anerkennung M.s durch Marokko, wodurch dieses seine immer wieder erhobenen und historisch begründeten Ansprüche auf weite Gebiete des Nordens von M. endgültig aufgab. In dem Zusammenhang mit dem Konflikt um das Gebiet der ehemaligen Span.Sahara ergaben sich für M. neue Konstellationen und Abhängigkeiten.

1975 teilten Marokko und M. das Westsahara-Gebiet, in stillem Einvernehmen mit Spanien als ehemaliger Kolonialmacht, mit militärischen Machtmitteln unter sich auf. Dabei ignorierten sie die Rechtsprechung des Internationalen Gerichtshofs und Beschlüsse der UN-Vollversammlung. Mit Algerien bahnte sich dadurch trotz verwandter ideologischer Linie ein Konflikt an, da Algerien die in der Befreiungsbewegung POLISARIO für einen eigenen Staat kämpfenden Sahauris voll unterstützt. Durch die Besetzung der Westsahara und die Abwehr der ständigen Angriffe der POLISARIO geriet das militärisch und wirtschaftlich schwache M. in eine sehr starke Abhängigkeit von Marokko und F., so daß die alte Kolonialmacht entgegen den Entwicklungen in den ersten Jahren der Unabhängigkeit ihren Einfluß wieder sehr verstärken konnte.

4. Politische Schlagwörter

Es gibt wenige polit. Schlagwörter, da die Politik Ould Daddahs zu sehr auf Machterhaltung und Pragmatismus ausgerichtet ist.

Einheit der Nation: Kampfparole, unter der die Einheitspartei gegründet wurde, und die gegen die Anschlußbestrebungen Marokkos gerichtet war.

Demokratisierung: ,,islamisch, national, zentralistisch, sozialistisch" genannte Demokratie. Keine formale in unserem Sinn, sondern eine ,,wahre, gerechte, egalitäre". Sie soll in etwa dem polit. System der ersten Kalifen des Islam entsprechen, also dem die größte Verantwortung zusprechen, der sich am meisten für das Volk einsetzt.

Wirtschaftliche Unabhängigkeit: Das Land soll durch die Eisenerzvorkommen im Norden und die Landwirtschaft im Süden von ausländischen Einflüssen unabhängig werden.

Authentifikation: soll Ausdruck einer kulturellen Eigenständigkeit sein, einer ,,mauretanischen" Kultur, die sowohl aus der arabo-berberischen Mischkultur (Mauren) wie auch aus deren Verbindung mit dem afrikanischen Süden entstanden ist. Feudale Elemente werden jedoch abgelehnt.

Ulla Neuhaus-Schwermann/Georg Klute

Literatur

Balans, J.-L., ,,La Mauritanie entre deux mondes", in: Revue française d'études politiques africaines, Nr. 113, Paris 1975, S. 54–64.

ders., ,,Mauretanien", in: Nohlen/Nuscheler (Hrsg.): Handbuch der Dritten Welt, Band 2, Hamburg 1976, S. 376–85.

Bonte, P., ,,Operation MIFERMA. Multinationale Gesellschaften und nationale Entwicklungen in Mauretanien", in: 3. Welt Magazin, Bonn 1976, Nr. 3/4, S. 8–14.

Clausen, U., ,,Der Konflikt um die Spanische Sahara", in: Orient, Nr. 4, Hamburg 1975, S. 21–38.

dies., ,,Die afro-asiatische Komponente in der mauretanischen Außenpolitik", in: Orient, Nr. 2, Hamburg 1977, S. 67–86.

Fessard de Foucault, B., ,,Le Parti du Peuple Mauritanien", in: Revue française d'études politiques africaines, Paris 1973, Nr. 94, S. 33–60; Nr. 95, S. 72–98.

ders., ,,Le quatrième congrès du Parti du Peuple Mauritanien", in: Revue française d'études politiques africaines, Nr. 125, Paris 1976, S. 68–78.

Gerteiny, A. G., Mauritania, London 1967.

Knapp, W., ,,Mauretania and the Southern Sahara", aus: Knapp, W. (Hrsg.), North West Africa. A political and economic survey, Oxford 1977, S. 234–251.

Reichhold, W., Islamische Republik Mauretanien, Bonn 1964.

Werobèl-La Rochelle, J. M., ,,Die Teilung der Westsahara", in: Internationales Afrikaforum, 12. Jg., Nr. 2, München 1976, S. 152–156.

Mauritius

Grunddaten

Fläche: 2.045 km^2 (mit Rodrigues).

Einwohner: 870.000 (1976).

Ethnische Gliederung (1974): Indo-Mauritier 65%; ,,Allgemeine Bevölkerung" 31% (davon Kreolen franz.-afrik. Abstammung 29%, Franko-Mauritier 2%); Chinesen 3%.

251

Religionen (1972): Hindu 51%; Moslem 16%; Christen 32% (29% röm.-kath., 3% ev.); Buddhisten 0,6%.
Einschulungsquote: 90% (1976).
BSP: 510 Mio. US-$ (1974).
Pro-Kopf-Einkommen: 580 US-$ (1974).

1. Historischer Überblick

M. liegt etwa 800 km östlich von Madagaskar im Indischen Ozean. Die ursprünglich unbewohnte, von dichten Ebenholzwäldern bedeckte Insel war schon arab. Seefahrern bekannt. 1507 betraten sie Portugiesen, hatten aber kein Interesse an einer Annektierung. 1598 nahm sie die Holländische Ostindische Handelskompanie in Besitz und benannte sie nach dem Statthalter Moritz von Nassau ,,Mauritius". Die Kompanie interessierte sich nur für die Ausbeutung der Ebenholzwälder und gab ihren Stützpunkt nach deren fast vollständiger Abholzung wieder auf. 1710 verließ sie mit den wenigen Siedlern dieser Jahre die Insel. Nur einige entlaufene Sklaven blieben zurück.

1715 übernahm Frankreich die Insel und taufte sie ,,Ile de France". 1722 kamen die ersten frz. Siedler vom heutigen Réunion, und nacheinander erlebte M. die Verwaltung durch die Franz. Ostindische Kompanie, durch Repräsentanten des frz. Königs, durch eine revolutionäre Kolonialversammlung und durch Funktionäre Napoleons. Die größte Autonomie besaßen die Siedler zur Zeit der revolutionären Kolonialversammlung (1790–1803), die mit 80 gewählten Mitgliedern die Legislative ausübte und dem Gouverneur nur die Exekutive überließ. Die Kolonialversammlung wollte u. a. den Sklavenhandel und die unterschiedliche Rassenbehandlung abschaffen. Die Funktionäre Napoleons (1803–1810) unterbanden dies alles.

Im ganzen 18. Jh. blieb die Zahl der frz. Siedler und Kaufleute gering. Da man auf den Plantagen (Anbau u. a. von Kaffee, Baumwolle, Indigo, Gewürzpflanzen und Zuckerrohr) Arbeitskräfte brauchte, importierte man Sklaven aus Südost-Afrika und Madagaskar für Feldarbeit und aus West-Afrika als Handwerker. Deren

frz.-afrik. Umgangssprache wurde in der Folgezeit als „Kreolisch"
zur Lingua Franca der Insel (heute sprechen es 51% der Bevölkerung als Umgangssprache und weitere 44% fließend). Während des
18. Jh.s wanderten auch die ersten Inder als Händler und „freie"
Handwerker ein.

1810 eroberte England die Insel und benannte sie wieder „Mauritius". Der erste engl. Gouverneur versicherte, daß es keinerlei
Abänderung geben werde, weder in Gesetzen und Gebräuchen der
Insel, noch in der Rechtspflege und der Polizeiorganisation. Dieses
Desinteresse an einer Anglisierung der Inselbevölkerung bewirkte,
daß nach 160 Jahren engl. Kolonialherrschaft nur 0,3% der Bevölkerung Englisch als Umgangssprache benutzt. Als wesentlich erwies sich aber vor allem, daß die Besitzverhältnisse der frz. Planta-
genherrscher unangetastet blieben und die Nachkommen dieser
„Grandes Familles" noch heute die Wirtschaft von M. kontrollieren
und völlig im frz. Kulturkreis integriert sind.

Der erste engl. Gouverneur erkannte die günstigen Anbaumög-
lichkeiten für Zuckerrohr (bisher nur eine unter vielen Anbaupflan-
zen) und begründete die Entwicklung zur Monokultur (Zucker und
seine Nebenprodukte machen heute über 90% des jährlichen Ex-
portwertes und ein Drittel des Volkseinkommens aus; 90% der
Ackerbaufläche werden mit Zuckerrohr bepflanzt, das sind 42%
der gesamten Inselfläche).

1835 erklärten sich nach zähen Verhandlungen die Plantagenbesitzer bereit, gegen Entschädigung ihre Sklaven freizusetzen. Diese
mußten noch vier Jahre als Lohnarbeiter auf den jeweiligen Plantagen bleiben und konnten danach ihren Wohnort frei bestimmen. Ab
1839 verließen die ehemaligen Sklaven fluchtartig die Plantagen und
verschwanden vollständig aus dem Bereich der landwirtschaftlichen Arbeit.

Ab 1840 (bis etwa 1922) importierte man in großem Ausmaß als
neue Plantagenarbeiter Kontraktarbeiter aus Indien und leitete damit einen erheblichen Wandel in der Bevölkerungsstruktur ein.
1830 zählte die Insel etwa 100.000 Einwohner: etwa 75% Sklaven
afrik. Herkunft; etwa 20% „Freie Farbige" (hellhäutige Nachkommen der Plantagenbesitzer mit ihren Sklaven, die, vor 1835 freige-

lassen, später die Kreolen-Elite bildeten und sich voll an der frz. Kultur ihrer ehemaligen Besitzer orientierten); und etwa 5 % Franko-Mauritier (die Plantagenaristokratie) und engl. Kolonialbeamte (damals noch relativ zahlreich, später auf Gouverneur, Kolonialsekretär, einige Oberste Richter und Beamte beschränkt). 1871 war die Bevölkerung auf 317.069 angewachsen: zwei Drittel Inder (hauptsächlich Hindu); ein Drittel „allgemeine Bevölkerung" (Franko-Mauritier und Kreolen, letztere in M. „Personen gemischter Herkunft mit kath. Religion"); außerdem gab es noch eine chinesische Minderheit, überwiegend Händler.

Die brit. Verwaltung spiegelte die Dominanz der franko-maurit. Oberschicht wider. Die Verfassung von 1831 schuf einen Regierungsbeirat ohne Exekutivfunktion, der aus 7 brit. Beamten und 7 maurit. Notabeln bestand. Der Gouverneur wählte die Notabeln aus den Franko-Mauritiern. 1843 wurden nach einer Bittschrift einige Kreolen zugelassen. Die Verfassung von 1885 bedeutete den Beginn eines polit. Lebens, da der Regierungsbeirat nun aus 8 beamteten, 9 ernannten und 10 gewählten Mitgliedern bestand. Wählen durften nur Männer mit einem festgelegten Mindesteinkommen oder gleichwertigem Landbesitz. Die meisten Inder und Kreolen wurden dadurch ausgeschlossen. Diese Verfassung blieb bis 1947 in Kraft.

Während des 2. Weltkrieges änderte sich das brit. Verhalten gegenüber der indischen Bevölkerung, da die strategische Bedeutung von M. japanische Angriffe befürchten ließ und man die Unterstützung der Inder brauchte. Hatte man noch 1937 nach Aufruhr unter ind. Arbeitern die Gewerkschaften verboten, ließ man sie jetzt wieder zu und versprach bei Meldung zum Wehrdienst das Wahlrecht.

Von 1948 bis 1968 ging die Insel durch eine Reihe von Verfassungsänderungen. Nach und nach wurden die Rechte des Gouverneurs zugunsten der Gesetzgebenden Versammlung und schließlich auch eines Kabinetts abgebaut.

1948 schuf die Verfassung eine repräsentative Versammlung (22 von 34 Mitgliedern wurden gewählt) und eine Ausweitung des Wahlrechts (alle Männer und Frauen, die lesen und schreiben konnten, Landbesitzer waren oder im Krieg gedient hatten). 1958 wurde das Wahlrecht auf alle Erwachsenen über 21 Jahre ausgedehnt und der Beginn einer verantwortlichen Regierung geschaffen (ein Exekutivrat, dessen 12 Mitglieder sich Minister nennen konnten und zu 75% auf Vorschlag der Gesetzgebenden Versammlung vom Gouverneur ernannt wurden). 1961 schuf man den Posten des Regierungschefs, ,,Chief Minister" wurde der Führer der größten Partei. Die Verfassung von 1964 nannte den Exekutivrat in Ministerrat um, den Chief Minister in Premierminister, beließ aber neben den 40 gewählten Mitgliedern in der Gesetzgebenden Versammlung noch 15 ernannte und verpflichtete das Kabinett, sich aus Repräsentanten aller Parteien zu bilden.

Erst die Verfassung von 1966 garantierte die volle innere Autonomie: Machtübergabe an ein Kabinett ohne brit. Beamte, Abschaffung der ernannten Parlamentsmitglieder. Vor der Annahme dieser Verfassung war es wegen Änderungen des Wahlrechts zu Unruhen gekommen. Das brit. Verwaltungsprinzip, ethnische Loyalität zu fördern, um die Formulierung gemeinsamer polit. Interessen zu behindern, hatte zu dem maurit. Phänomen des ,,Kommunalismus" (Polit. Einheiten = kulturelle, religiöse und/oder sprachliche Einheiten – anderswo in Afrika in ähnlicher Form als ,,Tribalismus") geführt, indem Wahlkreise nach ethnischen Gesichtspunkten geschaffen wurden und jeder Kandidat verpflichtet war, Herkunft, Sprache und Religion zu nennen. Dieser Kommunalismus hatte zur Begünstigung der Hindu-Bevölkerung geführt, und die Partei der Franko-Mauritier/Kreolen (PMSD, s.2.1.) fürchtete deren Dominanz. Daher wollte die PMSD die Unabhängigkeit durch ein Referendum verhindern. Dieses wurde von London abgelehnt; die Parteien-Koalition, die die Unabhängigkeit befürwortete, wurde 1967 gewählt, und nach einer sechsmonatigen Probezeit mit voller innerer Autonomie erlangte M. am 12. 3. 1968 die Unabhängigkeit.

2. Entwicklung der politischen Parteien

2.1. Vor der Unabhängigkeit

Polit. Vereinigungen gab es schon vor der eigentlichen Gründung von Parteien. Seit der Verfassung von 1885 (einige gewählte Mitglieder im Regierungsbeirat) standen sich die „Oligarchen" und die „Demokraten" gegenüber, erstere, die franko-maurit. Plantagenbesitzer, in der „Parti de l'Ordre", letztere, eine kleine Gruppe kreolischer Intellektueller aus der städtischen Mittelschicht, in der „Action Libérale". Als die Action Libérale im Stadtrat von Port Louis zwei Sitze gewann, schickten die Franko-Mauritier Prügelkommandos gegen den Führer, Dr. Laurent (einen Arzt von vermutlich teilindischer Abstammung; damals mußten sich soziale Aufsteiger aus der indischen Bevölkerung noch einer kreolischen Maskierung bedienen). Unruhen folgten, die aber schnell niedergeschlagen wurden, da alle höheren Polizeioffiziere und ernannten Mitglieder des Regierungsbeirats Franko-Mauritier bzw. sich mit ihnen identifizierende Kreolen waren.

Während und nach dem 1. Weltkrieg bildete sich eine Bewegung „Wiedervereinigung mit Frankreich". Die Führer dieser Bewegung hatten außerhalb von M. die Erfahrung gemacht, daß im brit. Südafrika die farbige Bevölkerung diskriminiert wurde, Kreolen aus dem franz. Réunion dagegen als Abgeordnete in der franz. Nationalversammlung saßen. Dazu drängten Teile der indischen Bevölkerung zunehmend in lukrativere Berufe und Landbesitz und bedrohten damit die polit. Vorherrschaft der Kreolen. Bei einem Zusammenschluß von M. mit Réunion und Madagaskar würde sich die indische Majorität in eine Minorität verwandeln. Diese Bewegung scheiterte u. a. an der fehlenden Unterstützung der Franko-Mauritier, deren beste Zuckerabsatzmärkte in England und Indien lagen.

Ab 1936 mobilisierten einige radikal gesinnte Kreolen Massenunterstützung für eine Mischung aus Gewerkschaft, Arbeiterwohlfahrtsverband und polit. Partei, für die „Parti Travailliste" (später überwiegend „Labour Party" genannt). Diese Organisation fand zunehmend Unterstützung bei den indischen Zuckerarbeitern, und auch in die Parteiführung hielten allmählich Inder, die sich nun zu ihrer ethnischen Zugehörigkeit bekannten, Einzug. Nachdem die Labour Party das Aufbegehren der Zuckerarbeiter 1937/38 unterstützt hatte, wurde sie verboten. Vor den Wahlen von 1948 erlaubte die brit. Administration dem indischen Arzt Dr. Ramgoolam, die Partei neu zu formieren. Die Labour Party der 40er und 50er Jahre war durchaus keine reine Inder-Partei; einer ihrer kreolischen Gründer und verschiedene kreolische Intellektuelle und Arbeiterführer besetzten wichtige Posten in ihr. Das Wählerpublikum rekrutierte sich aus den indischen wie kreolischen Arbeitern und Kleinbauern, die sich zum ersten Mal gegen die frz.-kreolische Oberschicht und die brit. Administration vertreten sahen. Später führte polit. Druck zu immer stärkerer kommunalistischer Polarisierung. Durch ihr Wählervolk war die Labour Party in der Lage, in den Wahlen von 1948 und 1953 die Kandidaten der Franko-Mauritier zu schlagen, aber nur für die zur Wahl stehenden Sitze. Durch die vom Gouverneur ernannten Kandidaten dominierten weiterhin die Franko-Mauritier.

Deren Interessen vertrat das „Ralliement Mauricien", das mit der ultrarechten „Action Française" in Frankreich verbunden war. Da diese Partei aber ein zu offensichtliches Werkzeug der Plantagenoligarchie darstellte, wurde sie durch die „Parti Mauricien Social-Démocrate" (PMSD) ersetzt. In ihrer Anfangszeit fand die PMSD kaum Unterstützung in der Bevölkerung. Erst 1963 schaffte ihr neuer Führer, der kreolische Rechtsanwalt Gaëtan Duval, den Paternalismus und die Traditionalität in der Partei ab und führte einen wirksamen populistischen Stil mit Massenveranstaltungen in kreolischer Sprache ein. Als Kampfthema diente die „zunehmende Gefahr einer Hindu-Domination". Die PMSD fand danach wachsende Unterstützung bei der kreolischen Stadt- und Vorstadtbevölkerung und den Fischern und Hafenarbeitern (den traditionellen kreolischen Berufen der Unterschicht).

In den polit. Formierungsjahren vor der Unabhängigkeit brachte die Zuspitzung der Auseinandersetzung auf kommunalistische Themen zunehmend Zündstoff in die Diskussion zwischen den ethnischen Einheiten. Das „Muslim Committee of Action" (MCA) und der „Independent Forward Bloc" (IFB) organisierten sich, ersteres zur Verteidigung der Interessen der moslemischen Händler, letzterer, um in Annahme der Herausforderung der PMSD gegen die „Domination der Kreolen" die Werte der Hindu-Kultur herauszustellen. Die Labour Party hielt sich von dieser Diskussionsebene fern, auf Grund ihrer gemischten Zusammensetzung und um ihr immer noch gemischtes Wählerpublikum nicht zu verlieren. 1963 gelang es ihr daher auch, in der Wahl eine einfache Mehrheit zu erhalten und damit den ersten „Chief Minister", Seewoosagur Ramgoolam, zu stellen. Die aufgeheizte kommunalistische Auseinandersetzung führte 1965 zu „Rassenunruhen" zwischen Hindu- und Kreolen-Arbeitern. Das nahm Duval für seine PMSD als Argument, M. als noch nicht reif für die Unabhängigkeit zu bezeichnen. Sein Wahlkampfthema für die entscheidende Wahl von 1967 lautete daher auch: Verbleib bei England als Schutz vor Hindu-Domination. Ramgoolam konnte mit seiner Forderung nach Unabhängigkeit die Labour Party, das MCA und den IFB zu einer Koalition, der „Independence Party", zusammenschließen.

Die Independence Party gewann 39 Sitze, die PMSD 23; dazu kamen für jede Partei noch einmal je 4 Sitze der „best losers". Die „best losers" sind die 8 Kandidaten, die in der Mehrheitswahl ihres Wahlkreises am knappsten (= mit der höchsten Stimmenzahl) unterlagen. Dank einer Verfassungsklausel zum Minderheitenschutz durften auch sie ins Parlament einziehen.

Durch den Wahlsieg der Independence Party wurde die Unabhängigkeit für M. gegen den Willen der PMSD im März 1968 erreicht.

2.2. Nach der Unabhängigkeit

Als Premierminister des neuen M. sah sich Ramgoolam mit Unruhen und Streiks konfrontiert, die ihre Ursache vor allem in der hohen Arbeitslosigkeit hatten. 170.000 Arbeitnehmern (ca. ein Drittel in der Landwirtschaft und ein Viertel im Dienstleistungsgewerbe) standen bei einer arbeitsfähigen Bevölkerung von 250.000 etwa 50.000 Arbeitslose gegenüber (1970). Mehr als die Hälfte aller Jugendlichen im Alter von 15–19 Jahren und etwa ein Viertel der 20–24jährigen waren ohne Beschäftigung.

Nachdem der IFB in die Opposition abwanderte, einige Mitglieder der PMSD auf die Regierungsseite überwechselten, andere eine eigene Partei gründeten (die „Union Démocratique Mauricienne"), beschloß Ramgoolam 1970, die PMSD Duvals in die Koalition mit der Labour Party und dem MCA einzureihen, um kostbare polit. Energien für die Bekämpfung der Schwierigkeiten freizustellen. Duval bekam dabei den Posten des Außenministers (drei weitere PMSD-Mitglieder erhielten ebenfalls Ministerposten).

Inzwischen hatte sich 1969 eine neue Partei, das ,,Mouvement Militant Mauricien" (MMM), unter der Führung von Paul Bérenger gebildet. Bérenger, ein Franko-Mauritier, hatte während seiner Ausbildung in England und Frankreich die Pariser Maiunruhen 1968 miterlebt und war von ihnen geprägt worden. Nachdem die Labour Party ihre Wahlversprechen von 1967 (Nationalisierung der Banken und Zuckerfabriken, Politik sozialer Gerechtigkeit etc.) nicht eingehalten hatte, fing das MMM auf diesem Gebiet zu agitieren an. Bei einer Nachwahl im Sept. 70 in Triolet-Pampelmousse, einem ,,sicheren" Labour-Party-Wahlkreis, gewann das MMM 70% der Stimmen, trotz Behinderung durch die bestehenden Notstandsgesetze (seit den Rassenunruhen 67/68) und massiver Einschüchterungsversuche der PMSD-Schlägergruppen. Am 31. 12. 1970 wurde der Notstand beendet und durch den ,,Public Order Act" ersetzt, der dem Chef der verschiedenen Polizeiorganisationen große Vollmachten gab.

Das MMM begann, in den wichtigsten ökonomischen Bereichen von M. Gewerkschaften zu gründen, die sich gegen den ,,Mauritius Labour Congress", den Gewerkschafts-Dachverband der Labour Party, wandten. Da nach engl. System immer nur eine Gewerkschaft pro Branche anerkannt werden durfte, erzwang das MMM durch Streiks eine immer umfassendere Anerkennung seiner Verbände und ihres Dachverbandes, der ,,General Workers' Federation".

Ein Streik, von der Hafenarbeitergewerkschaft im Sept. 1971 begonnen, weitete sich allmählich so aus, daß die Wirtschaft von M. fast völlig lahmgelegt wurde. Trotz zunehmender Not in den Familien der Streikenden (unter dem Public Order Act konnte jeder Streikende sofort entlassen werden) und Terror der PMSD brach im Dez. 71 nach dem gewaltsamen Tod eines MMM-Mitgliedes der Generalstreik aus. Darauf rief Ramgoolam den Ausnahmezustand aus, der bis 1976 bestehen blieb. Versammlungen und Gewerkschaften wurden verboten, die bisher sehr liberal behandelten Zeitungen streng zensiert und die Führer des MMM verhaftet. Bérenger kam nach einer zweiten Verhaftung endgültig erst im Dez. 72 wieder frei.

Die 1972 fällige Parlamentswahl wurde auf 1976 verschoben; auch fällige Nachwahlen, durch die schon ein MMM-Mitglied ins Parlament gelangt war, vertagte man, bis sie 1973 in einem schnellen Koalitions- und Oppositionsbeschluß ganz abgeschafft und durch Nachrücken der ,,best losers" von 1967 ersetzt wurden.

1973 brach die Koalition zwischen Independence Party und PMSD auseinander, nachdem es schon länger wegen Duvals wirtschaftlicher und polit. Bevorzugung von Frankreich und der RSA zu Reibungen gekommen war. Äußerer Anlaß war eine Anhebung der Einkommenssteuer und die höhere Besteuerung der Zuckergesellschaften, gegen die die PMSD Einspruch erhob.

Da sich insgesamt in M. wegen guter Zuckerernten und hoher Zuckerpreise ein wirtschaftlicher Aufschwung bemerkbar machte, lockerte Ramgoolam 1976 die Bestimmungen des Ausnahmezustandes und kündigte, im Vertrauen auf seine Wohlfahrtspolitik, für Dez. 1976 die fällige Parlamentswahl an (s. 3.5.).

3. Merkmale der politischen Struktur

Nach seiner Verfassung ist M. eine parlamentarische Monarchie mit der engl. Königin als Oberhaupt (vertreten durch einen General-Gouverneur), ein Einkammern-Parlament als Legislative und ein Kabinett, bestehend aus dem Premierminister und 20 Ministern. Neben dem Speaker des Parlaments gibt es 62 direkt gewählte und 8 zusätzliche Mitglieder (die ,,best losers", s. 2.2.), den Generalstaatsanwalt und den Justizminister. M. ist in 20 Wahlkreise aufgeteilt, die je 3 Abgeordnete wählen; 2 Abgeordnete werden von der Insel Rodrigues gewählt. Offizielle Parlamentssprache ist Englisch, Französisch kann aber ebenso benutzt werden. Für polit. Veranstaltungen setzt sich immer mehr Kreolisch durch, das von dem MMM als Nationalsprache propagiert wird. Polit. Veranstaltungen besitzen große Popularität und waren vor der Einführung des Fernsehens (TV und Rundfunk sind Regierungsmonopol) die Hauptunterhaltungsquelle. Zur Zeit (1977) gibt es 12 Tageszeitungen.

3.1. Elite

Bis in die 50er Jahre trafen Klassen- und ethnische Grenzen weitgehend zusammen. Polit. und ökonomisch dominierten die Franko-Mauritier, dann kam die kreolische städtische Mittelschicht, dann die kreolischen Arbeiter, Fischer und Handwerker und zuunterst die indischen Plantagenarbeiter. Chinesen und indische Moslem standen als Händler außerhalb dieser Schichtung und wurden erst kurz vor der Unabhängigkeit als kommunalistische Gruppen polit. aktiv. In den letzten 30 Jahren erlangte die indische Bevölkerung allmählich ökonomische Macht und polit. Einfluß. Die besserverdienenden Plantagenarbeiter (Vorarbeiter u. ä.) kauften Land und wanderten z. T. in die Städte. Heute gibt es keinen Beruf, der nicht von ihnen ausgeübt wird, aber sie stellen vor allem die Kleinbauern. 1970 besaßen sie fast die Hälfte des bebauten Landes (84.000 Kleinbauern gehören 45% des Landes, während 55% den 25 großen Zuckerplantagen der ,,Grandes Familles" und Internationalen Firmen untersteht).

Durch das polit. dominierende Prinzip des Kommunalismus stellte bisher, dank ihres hohen Prozentsatzes, die indische Bevölkerung die regierende polit. Elite (während die Franko-Mauritier die ökonomische Macht im Hintergrund besaßen). Seit der Wahl von 1976 (s. 3.5.) stellt das MMM die größte Partei, bisher aber, wegen der Koalition zwischen ,,polit. Erbhöfen und wirtschaftlichen Interessen" (Labour Party und PMSD), noch nicht die Regierung. Ihre Führung gehört zum Kleinbürgertum (Rechtsanwälte, Lehrer, Gewerkschaftsführer), ihre Gefolgschaft stützt sich vor allem auf die Gewerkschaften, die Arbeitslosen und die Jugend. Das MMM sieht sich als die neue Elite der ,,Habenichtse" im Kampf gegen die ,,Kaste der Politiker" und die ,,Zuckeroligarchie". Seit der Gründungszeit der Labour Party besteht damit zum ersten Mal wieder der Anspruch auf polit. Elitenbildung durch Klassenzugehörigkeit statt durch kommunalistische Zugehörigkeit.

3.2. Stärke und Rolle anderer Gruppen

Ein eigenes Militär existiert praktisch nicht. Die aus 7.800 Mann bestehende Armee steht unter brit. Kommando. Auch die Polizei, die formal einem Franko-Mauritier unterstellt ist, wird von brit. Offizieren trainiert, ebenso die Anti-Aufruhreinheiten. M. steht im Verteidigungsbündnis mit G.B. und kann bei Bedarf brit. Truppen anfordern.

Da die etablierten Parteien keine Basis in der Bevölkerung haben, bilden die Gewerkschaften die einzige organisierte Kraft auf der Insel. Zu Wahlzeiten wurden sie von allen Parteien umworben. Das MMM hatte schon ein Jahr nach seiner Gründung einen Keil zwischen Regierung und Gewerkschaften getrieben und stützt sich seitdem in seinem Kampf um polit. Einfluß auf sie.

3.3. Programm der drei großen Parteien

Labour Party: Der Führer der Labour Party, Ramgoolam, sieht sich als der Mann des Consensus, der die verschiedenen Strömungen auf M. in seiner Partei zusammenfaßt und zum Wohle aller leitet. Daraus erklärt sich als Programm auch die Ausrichtung auf „Fortschritt" und auf einen Wohlfahrtsstaat mit ausgeprägter wirtschaftlicher Liberalität. Als wirtschaftliche Projekte betrieb er seit 1969 ein *Arbeitsbeschaffungsprogramm* (Travail pour Tous), um die Arbeitslosigkeit durch Notstandsarbeiten für die Gemeinschaft (Straßenbau u. ä.) zu lindern; er gründete Ende 1970 eine *Freihandelszone,* wo große ausländische Firmen mit zehnjähriger Steuerfreiheit u. ä. investieren können (der einzige Gewinn für die Wirtschaft von M. liegt in den Arbeitsplätzen für die 11.000 meist weiblichen Beschäftigten (1975), die unterbezahlt und ohne die in M. sonst üblichen Arbeitsrechte waren); auch der *Tourismus* schuf etwa 9.000 Arbeitsplätze (1974), aber 75% des investierten Kapitals stammt von Franko-Mauritiern und Südafrikanern und der Gewinn wird außerhalb von M. investiert.

Der Wahlschlager für 1976 war der Regierungsbeschluß über den kostenlosen Besuch von höheren Schulen und Hochschulen.

Außenpolit. richtet sich die Labour Party vor allem nach Westen (enge Beziehung zum Commonwealth); aber durch ihr Programm des friedlichen Consensus gehört sie auch der OCAM an, ist an die EG assoziiert, unterhält ein Kultur- und Fischereiabkommen mit der SU, gute Beziehungen zur VR China und protestierte gegen den militärischen Stützpunkt der USA auf Diego Garcia (bis zur Unabhängigkeit zu M. gehörig): der Indische Ozean ein Meer des Friedens.

Nach dem Wahlergebnis von 1976 wird Ramgoolam vermutlich einige Anleihen beim Programm des MMM machen müssen, wenn er an der Macht bleiben will.

PMSD: Das Programm der PMSD ist ebenfalls etwas unklar formuliert, im Vertrauen auf die alten Wahlloyalitäten und die Wirtschaftsmacht hinter ihr. 1967 stand noch der Verbleib bei G.B. im Zentrum des Wahlkampfes. In seiner Zeit der Regierungsbeteiligung hat Duval vor allem die Beziehungen zur RSA sehr erweitert, was die Regierung inzwischen bei der Kontaktsuche zu den afrik. Ländern in Schwierigkeiten bringt. Bei der Wahl 1976 vertraute Duval auf sein populistisches Appeal, ohne weitere Programmformulierung.

MMM: Sein Programm wurde 1970 aufgestellt und 1973 und 1975 präzisiert. Es umfaßt Maßnahmen gegen den Neokolonialismus auf M. (Nationalisierung eines Teils der Zuckerindustrie, der Versicherungsgesellschaften u. ä.), für eine kooperative Gesellschaft, für Selbstverwaltung in den Betrieben, für mehr soziale Gerechtigkeit. Nationalisierung bedeutet für das MMM nicht Bürokratisierung, sondern mehr Selbstverwaltung (Autogestion).

Bei den Forderungen nach Distanzierung von den wirtschaftlichen Beziehungen zum Westen und der RSA werden die Zwänge der internationalen Wirtschaftsbeziehungen falsch eingeschätzt; merkwürdig ist auch, daß keinerlei Bezug auf afrik. Befreiungsbewegungen genommen wird.

3.4. Aufbau der Parteien

Die Labour Party begann auf gewerkschaftlicher Basis mit Mitgliedern verschiedener Klassen und ethnischer Gruppen. Inzwischen umfaßt sie überwiegend Hindu der oberen Mittelschicht (höhere

Verwaltungsbeamte, Ärzte, größere Landbesitzer u. ä.). Unter der Führung von Ramgoolam hat sie kein Interesse an einer ,,grassroot-level"-Organisation der Bevölkerung, sondern will sie verwalten. Als Regierungspartei besitzt sie das TV- und Rundfunkmonopol.

Die PMSD besteht aus der städtischen kreolischen Mittelschicht. Sie wird durch die wirtschaftliche Macht der Franko-Mauritier gestützt und kann bei Bedarf Schlägergruppen gegen polit. Gegner aktivieren.

Labour Party wie PMSD haben sich durch polit. Polarisierung auf kommunalistischer Basis organisiert.

Die einzige straff organisierte Partei ist das MMM, eine sozialistische Partei, die ,,einige marxistische Konzepte verwendet". Da sie ihre Struktur vom Auftrag des Klassenkampfes herleitet und von der historischen Situation in M. (Dominanz der Zuckeroligarchie und der Politikerkaste), sieht sie als die zu ihr gehörigen Klassen nicht nur die Arbeiter, sondern auch Kleinbürger und Mittelklasse. Nach der Gefängnisentlassung der Führungsmitglieder wurde das MMM 1973 reorganisiert: Die unterste Ebene bilden 65 lokale Gruppierungen auf M.; von ihnen wird die nächste Ebene für 3 Regionen gewählt; Delegierte dieser 3 Regionen wählen die 15 Mitglieder des Zentralkomitees, das wieder das Politbüro bestimmt (zur Zeit bestehend aus 2 Lehrern, 2 Gewerkschaftlern, 2 Rechtsanwälten). Die Struktur wird durch den Gegensatz zwischen Selbstbestimmung und zentraler Administration bestimmt. Die Gewählten sollen stets abrufbar sein, dazu wurden auf allen Ebenen verschiedene ,,comités de vigilance" als Überwachungsmechanismen eingeführt. Die Gewerkschaften gelten als die Schule der ,,autogestion", der Selbstbestimmung. In ihnen hat die polit. Arbeit des MMM zuerst Fuß gefaßt. Bei den Gewerkschaften hatten bisher auch der Generalsekretär Bérenger und das MMM die größten Erfolge.

3.5. Wahlen

Die erste Wahl nach der Unabhängigkeit sollte verfassungsgemäß 1972 stattfinden, wurde aber wegen des Ausnahmezustandes auf den 20. Dez. 1976 verschoben, als sich die Independence Party (Labour Party und MCA) nach einer Phase wirtschaftlicher Prosperität eines Wahlerfolges einigermaßen sicher fühlte.

Abgesehen von Splitterparteien (u. a. die Union Démocratique als Abspaltung von der PMSD und das MMM Social Progressiste als Abspaltung vom MMM) stellten sich zur Wahl:

– die Independence Party, die den Wahlkampf mit ihrer Rolle in der Entwicklung zur Unabhängigkeit, ihrer Wohlfahrtspolitik und dezenten Hinweisen auf indische Loyalität bestritt;

– die PMSD, die Duval als Kennedy-Typ darstellte und eine Persönlichkeitswahl provozieren wollte, mit vorsichtigen Hinweisen auf kreolische Loyalität (wenn das Veranstaltungspublikum aus Kreolen bestand);

– das MMM, das den Klassenkampf anstatt der kommunalistischen Parolen in den Wahlkampf einbrachte.

Das Mindestwahlalter war auf 18 gesenkt worden, daher betrug die Zahl der Wahlberechtigten 462.000. 90% von ihnen stimmten ab. Independence Party und PMSD hielten sich gegenseitig für die Hauptgegner, da sie nicht daran glaubten, ein Franko-Mauritier wie Bérenger könne genügend Unterstützung finden. Damit unterschätzten sie die Sprengkraft seines Programms erheblich. Das Wahlergebnis: von den 62 Abgeordneten und 8 „best losers" stellten das MMM 34, die Independence Party 28, die PMSD 8.

Duval fiel im eigenen Wahlkreis durch und schied damit aus dem Parlament aus, ebenso viele maßgebende Politiker der Independence Party.

Obwohl Bérengers MMM die größte Partei geworden war, beauftragte der General-Gouverneur Ramgoolam mit der Regierungsbildung und vor Ablauf des Jahres 1976 hatten sich Independence Party und PMSD auf eine Koalition geeinigt. Im Parlament sitzen sich nun 36 Koalitionsmitglieder, fast alle über 60 Jahre, und 34 Oppositionsmitglieder, fast alle unter 30 Jahre, gegenüber. Beide Seiten haben schon beim Obersten Gerichtshof die Ergebnisse einiger Wahlkreise angefochten, um die Mehrheitsverhältnisse zu ihren Gunsten zu beeinflussen.

Der Erfolg des MMM hält an. Nach Gemeindewahlen im April

1977 in den 5 wichtigsten Städten, bisher Domänen der Franko-Mauritier und Kreolen, gewann das MMM die Vorherrschaft in drei von ihnen u. a. auch in Port Louis. Inzwischen propagiert Bérenger Neuwahlen für 1978, um aus der weitgehend künstlichen Opposition herauszukommen. Offensichtlich plant er nicht, außerhalb des parlamentarischen Systems an die Macht zu gelangen.

3.6. Einfluß

Direkten polit. Einfluß hat über das Commonwealth und die Independence Party vor allem GB. Starken kulturellen und auch polit. Einfluß übt F. über die Franko-Mauritier und die kreolische Elite, die polit. in der PMSD organisiert sind, aus.

Die RSA ist wirtschaftlich präsent durch die Investitionsinteressen der Franko-Mauritier in Südafrika, die starke Stellung der RSA im Im- und Export von M. (1974 an 2. Stelle im Import, an 4. Stelle im Export) und den hohen Anteil der RSA an der Tourismusindustrie von M.

Durch den hohen Anteil der indischen Bevölkerung, die ihre kulturelle Identität glühend verteidigt, behält Indien eine starke Stellung in der außenpolit. Orientierung. Indira Ghandi versuchte während ihrer Amtszeit, durch häufige Besuche diese Tendenz zu unterstützen.

In den letzten Jahren öffnete sich M. vor allem nach Afrika. Mit Ostafrika bestehen allerdings wenig Beziehungen; stärker sind die Verbindungen zum frankophonen Teil. Bérenger scheint sich, nach seinen häufigen Besuchen zu urteilen, vor allem an Madagaskar zu orientieren; er hat keinerlei Beziehungen zu den afrik. Befreiungsbewegungen. 1976 fand die Gipfelkonferenz der OAU in M. statt und Ramgoolam war dann turnusgemäß 76/77 Präsident der OAU. Trotz aller Hinwendung von M. nach Afrika und seiner Akzeptierung durch die afrik. Länder hat M. aus seiner Bevölkerungsstruktur heraus eine Sonderstellung. Ein frankophoner Staatschef formulierte es nach den Begrüßungsfeiern zur Eröffnung der OAU-Gipfelkonferenz so: ,,C'est magnifique, mais ce n'est pas l'Afrique.''

4. Politische Schlagwörter

„Kommunalismus": Ethnische, religiöse und/oder kulturelle Gruppen, die als polit. Einheiten agieren. Durch die brit. Wahlkreis-Aufteilung gefördert und vom MMM als Verschleierung der Klassengegensätze vollständig abgelehnt.

„Autogestion": Wesentliches Organisationsprinzip des MMM = die Selbstbestimmung an der Basis; soll vor allem im Rahmen von Gewerkschaften durchgeführt werden.

Britta Girgensohn

Literatur

Durand, J.-P., Le Mouvement Militant Mauricien. In: Revue Française d'Etudes Politiques Africaines 138/39, Paris 1977: 72–93.

Durand, J.-P. und J., L'Ile Maurice, Quelle Indépendance? Paris 1975.

Favoreu, L., L'Ile Maurice. Encyclopedie politique et constitutionelle. Paris 1970.

Leymarie, P., L'Ile Maurice ou l'indépendance difficile. In: Revue Française d'Etudes Politiques Africaines 77, Paris 1972: 51–76.

Marquardt, W., Mauritius: In: Internationales Afrikaforum 13, München 1977: 236–40.

Ders., Seychellen, Komoren und Maskarenen. München 1976.

Simmons, A., Class or Communalism? A study of the politics of Creoles in Mauritius. In: M. L. Kilson/R. I. Rotberg (eds.), The African Diaspora, Cambridge, Mass. 1976: 366–90.

Tinker, H., Between Africa, Asia and Europe: Mauritius, cultural marginalism and political control. In: African Affairs 304 (76), London 1977: 321–38.

Mosambik

Grunddaten

Fläche: 784.032 km².

Einwohner: 9.440.000 (1976).

Ethnische Gliederung (Schätzungen von 1972): Makua-Lomwe 2,3 Mio.; Thonga 1,5 Mio.; Shona 1,2 Mio.; Chopi (Thonga) 240.000; Nyanya und Chewa 200.000; Makonde 200.000; Yao 130.000; Europäer 230.000 (Ende 1976 noch ca. 20.000); Mischlinge 120.000; Asiaten ca. 60.000.

Religionen: Traditionelle Religionen mindestens 70%; Moslems ca. 750.000; Christen 800.000 (davon 650.000 röm.-kath.; verschiedene prot. Bekenntnisse).

Alphabetisierung: 10% (1975).

BSP: 3.030 Mio. US-$ (1974).

Pro-Kopf-Einkommen: 340 US-$ (1974).

1. Historischer Überblick

Schon vor der Eroberung Mosambiks durch die Portugiesen existierte in der Region eine hochentwickelte Kultur mit weiträumigen Handelsbeziehungen und Bergbau: das Monomotapa-Reich. Ab 1505 etabliert Portugal Stützpunkte an der Küste, vernichtet nach und nach (bis 1629) dieses Großreich. Aber erst 1752 wird M. offiziell portug. Kolonie; das Landesinnere ist erst zu Beginn des 20. Jh. voll unter portug. Kontrolle. Das Kolonialsystem ist in einer 1. Phase gekennzeichnet durch Einsetzung von ,,prazos", Lehnsgebieten für portug. Bürger, die als kleine Könige in ihren Gebieten walten konnten, sich zudem oft als Sklavenverkäufer betätigten. Dieses System wurde erst im 19. Jh. durch das System der Konzessionen abgelöst, die ausländischen und portug. Gesellschaften zur Ausbeute des landwirtschaftlichen Potentials zugesprochen wurden. Erst im späten 19. Jh. entwickelt sich das Kolonialsystem voll: eine zentrale, von Lissabon gesteuerte Verwaltung, Einheit von

Staat und Kirche, die neben zahllosen Privilegien auch das Monopol für die Bildung der Afrikaner erhält, die Vergabe von Konzessionen an ausländische Gesellschaften in allen wirtschaftlichen Bereichen, der Export überschüssiger Arbeitskraft in die Bergbaugebiete Südafrikas und Rhodesiens, die Verschärfung der Zwangsarbeit, die Entwicklung von Verkehrsverbindungen, die M. zu einem Transitland für südafrik. und rhodesische Im- und Exporte machen. 1951 wird M. Überseeprovinz; 1971 wird dieser Status modifiziert, ohne daß sich an den Beziehungen der Dominanz und Abhängigkeit etwas ändert.

2. Entwicklung der politischen Parteien

2.1. Vor der Unabhängigkeit

Erste politisch orientierte Organisationen von Afrikanern (z. B. „Gremio Africano"), getragen im wesentlichen von Intellektuellen, bilden sich schon Anfang der 20er Jahre, vor dem Ende der Periode des „Liberalismus" in P. Nach dem 2. Weltkrieg schließen sich vornehmlich Studenten zusammen, um nationalistische Ideen und nationale Kultur zu fördern. Erst als sich Hafenarbeiter und Landarbeiter in mehr oder minder organisierter Form regelmäßig treffen, kommt es zu ersten politisch relevanten Aktionen; die Antwort des Kolonialregimes auf Streiks und friedliche Massendemonstrationen ist indes brutaler Terror – das Massaker von Mueda 1960 wird zum Katalysator für die Widerstandsbewegung. 1960 gründen mosambikanische Arbeiter in Rhodesien die UDENAMO (Nationaldemokratische Union von M.); Anfang 1961 vereinigen sich mosambikanische Arbeiter in Tanganjika und Kenia mit Bauernvereinigungen wie der „Makonde Mozambique Union" zur „Afrikanischen Nationalunion von M." (MANU), die sich stark an der TANU (s. Tansania, 2.1.) orientiert. Bald darauf gründen in Malawi arbeitende Mosambikaner aus dem Distrikt Tete die „Afrik. Union des Unabhängigen M." (UNAMI). Alle drei Organisationen richten unabhängig voneinander ihre Hauptquartiere in Dar-es-Salaam ein.

1962 (25.6.) kommt es auf Druck von Tanganjika und Ghana (Nyerere und Nkrumah) zur Vereinigung der drei Organisationen unter dem Namen FRELIMO (Frente de Libertaçao de Moçambique), deren erster Präsident wenige Monate später, ebenfalls auf tanganjikanische Empfehlung, der Soziologe Dr. Eduardo Mondlane wird. Als Programm setzt sich eine gemäßigte Linie durch: die totale Liquidation der portug. Kolonialherrschaft und aller Elemente des Kolonialismus und Imperialismus, die Erreichung der sofortigen und vollständigen Unabhängigkeit, die Verteidigung und Verwirklichung der Interessen des mosambikanischen Volkes, das vom portug. Regime ausgebeutet und unterdrückt wird. Es fehlen Hinweise auf panafrik. Bestrebungen, auf sozialistische Lösungen der ökonomischen Probleme, auf die Rolle von Arbeitern und Bauern, die Rolle der Bewegung als Avantgarde des Widerstands, wie sie noch in der UDENAMO-Verfassung enthalten waren. Trotzdem waren bereits bei der Gründung in der Organisation zwei Linien vorhanden: die eines progressiven Kerns von Intellektuellen, die das Bündnis mit Arbeitern und progressiven Elementen der bäuerlichen Bevölkerung herzustellen suchten, und die einer nationalistischen Gruppe, die z. T. sogar feudalistische Elemente umfaßte, die die nationale Unabhängigkeit als vorrangiges und alleiniges Ziel anstrebte.

In der Zeit von 1961 bis 1965 bilden sich mehr als ein Dutzend nationalistischer mosambikanischer Organisationen, die z. T. die FRELIMO von links kritisieren, auch wenn sich dahinter oft nur Auseinandersetzungen zwischen verschiedenen Fraktionen der Elite der Exil-Politiker verbergen, die gleichermaßen von den nur schwer faßbaren und kontrollierbaren Aspirationen der anpolitisierten bäuerlichen Massen entfernt waren. 1962 (Sept.) findet in Dar-es-Salaam der 1. Parteitag der FRELIMO statt, auf dem die Hauptaufgaben festgelegt werden: Entwicklung und Festigung des organisatorischen Aufbaus, Ausbildung von Kadern, Beschaffung aller für die Selbstverteidigung und den Widerstand des Volkes benötigten Mittel und Ausrüstungen, Zusammenarbeit mit den Befreiungsbewegungen der anderen portug. Kolonien sowie mit anderen nationalen afrik. Organisationen, Mobilisierung der Weltöffentlichkeit für die Sache des Volkes von M., Erlangung diplomatischer, moralischer und materieller Unterstützung für den bewaffneten Kampf. Bereits kurz nach dem Parteitag begeben sich die ersten Kader zur militärischen Ausbildung nach Algerien; in Tanganjika wird eine Mittelschule für mosambikanische Flüchtlinge gegründet, die sogar amerikanische Mittel (Ford-Foundation) erhält; Tanganjika erlaubt ein Militärlager der FRELIMO (Bagamoyo). 1963 wird die FRELIMO als repräsentativ für das mosambikanische Volk von der OAU anerkannt.

1964 (25.9.) nimmt FRELIMO nach intensiven Vorbereitungen den bewaffneten Kampf auf (Angriff auf den Militärposten von Mueda). Schon bald kann die FRELIMO-Offensive erste Erfolge vermelden: weite Teile der nördlichen Provinzen werden als ,,befreite Gebiete" bezeichnet, in denen die Portugiesen sich nur noch auf dem Luftwege zu einzelnen befestigten Stützpunkten bewegen können, FRELIMO hingegen neue Strukturen der staatlichen Verwaltung und der polit. Organisation aufbauen kann. Wesentliches Element der ,,befreiten Gebiete" ist die Errichtung von Schulen und Gesundheitsstationen; von langfristiger Bedeutung aber ist, daß hier die polit. Prinzipien der FRELIMO in die Praxis umgesetzt werden: Die Bevölkerung verläßt sich auf die eigenen Kräfte; der Unterschied zwischen Kopf- und Handarbeit wird abgeschafft; Situationen der Ausbeutung von Menschen durch Menschen werden nicht mehr geduldet; neue Formen der Zusammenarbeit und des Zusammenlebens der Menschen werden eingeübt; öffentliche Kritik und Selbstkritik als Grundformen demokratischer Gesellschaft werden zur Selbstverständlichkeit.

Der Zustrom an Guerrilleros aus den ,,befreiten Gebieten" nimmt bis 1967 ständig zu; bald umfaßt die FRELIMO rd. 6.000 Kämpfer, zumeist einfache Bauern. Aber die Kluft zwischen der kleinbürgerlich-intellektuellen Führung und der Masse der Bauern, die in der Regel nicht lesen und schreiben können, muß überwunden werden, wenn FRELIMO eine Massenbewegung mit höherer polit. Relevanz als ihre Rivalen bleiben will: Der Krieg muß zum Volkskrieg werden, schon allein, damit eine starke Volksmiliz die ,,befreiten Gebiete" gegen port. Übergriffe verteidigen kann. Diese

Logik des bewaffneten Kampfes zwingt FRELIMO auf eine „Massenlinie", was ein Austauschen der alten weißen Herren durch neue schwarze Herrscher ausschließt. Demgemäß verlieren auch die verschiedenen anderen Organisationen, typische Produkte der Exil-Situation, an Bedeutung. Freilich liebäugeln zu dieser Zeit nicht wenige FRELIMO-Kader noch mit einer nationalen Unabhängigkeit, die ihnen in einer neokolonialen Situation pseudobürgerliche Privilegien bringen könnte, wie es in vielen afrik. Ländern vorexerziert worden war. Da P. aber eine neokoloniale Lösung nicht herbeiführen kann – vor allem wegen seiner starken Abhängigkeit von den Kolonien –, die progressive FRELIMO aber starke Unterstützung aus den sozialistischen Ländern erhält, verstärkt sich der revolutionäre Flügel, der die Problematik begreift, „die Revolution zu verraten oder als Klasse Selbstmord zu begehen" (Cabral, Die Revolution der Verdammten). Dieser Kampf zweier Linien bricht offen aus, nachdem durch bisher ungeklärte Umstände 1969 (Febr.) der FRELIMO-Führer Mondlane im Exil in Dar-es-Salaam durch ein Attentat getötet wird.

Auf dem 2. Kongreß im Sommer 1968 – abgehalten in „befreiten Gebieten" der Provinz Niassa – setzt sich die „Massenlinie" durch, ohne daß damit indes die Gegenkräfte bereits erlahmt sind, zumal sie z. T. führende Positionen bekleiden; der protestantische Pfarrer Uria Simango z. B. ist Vizepräsident unter Mondlane und bildet mit Machel und dos Santos nach der Ermordung Mondlanes bis zu seinem Ausschluß das Präsidium. Aus der Krise um die Ermordung Mondlanes geht indes die FRELIMO gestärkt hervor, bis im Mai 1970 der ehemalige Krankenpfleger Samora Moises Machel, Oberbefehlshaber der Volksarmee, zum neuen Präsidenten gewählt wird (Entscheidung erst 1977 auf dem 3. Kongreß formell bestätigt). Vizepräsident und Beauftragter für Außenbeziehungen wird Marcelino dos Santos, ein Intellektueller, Sicherheitchef und Beauftragter für das wichtige Hinterland Tansania wird Joaquin Chissano: eine Mannschaft, die FRELIMO bis in die Unabhängigkeit führt. Die Auseinandersetzungen charakterisiert FRELIMO selbst wie folgt:

„Die Widersprüche kamen jetzt offen ans Tageslicht. Diejenigen, die sich der Revolution angeschlossen hatten, um reich zu werden, motiviert durch ihre persönlichen Interessen, wollten, daß das System im Grunde gleich bleiben sollte – wir sollten nur die Kolonialisten hinauswerfen, die von den Portugiesen geschaffenen Strukturen erhalten, an ihre Stelle bei der Kontrolle treten. Die revolutionären Genossen nahmen eine diametral entgegengesetzte Position ein. Sie wußten, daß es keine Rechtfertigung für den Kampf geben würde, wenn dieses geschähe. Warum kämpfen, wenn alles so weitergeht wie vorher? Sie wollten ein total anderes System, in dem alle Überreste des Kolonialismus und des kapitalistischen Einflusses abgeschafft wären. Sie wollten ein System, das wirklich den Interessen des Volkes diente und das auch nicht entfernt dem System der Ausbeuter und Unterdrücker ähneln dürfte. Danach wurde die Spaltung deutlicher. Ein Kampf entwickelte sich zwischen den Gruppen, die verschiedene Linien vertraten. Und alle Probleme und Schwierigkeiten, die wir hatten, waren Ergebnis dieser Spaltung ... der Kampf in unserer Mitte geht weiter. Es ist ein langer und harter Kampf ... denjenigen, die sagen, daß es eine Krise gibt, weil Leute die FRELIMO verlassen, sagen wir: nein, es gibt keine Krise. Es handelt sich um Widersprüche, die durch den Kampf selbst gelöst werden: die Revolution selbst stellt sicher, daß die unreine Last, die sie mit sich führt, abgeworfen wird." (Mozambique Revolution, No. 41, Okt./Dez. 1969.)

Auch die großangelegte Operation ,,Gordischer Knoten" im Jahre 1971, mit der die Kolonialmacht die FRELIMO militärisch zu besiegen hofft, kann nicht mehr verhindern, daß der bewaffnete Kampf systematisch fortschreitet und neue Fronten bis weit in die Mitte des Landes eröffnet werden. Der politisch-militärische Erfolg der FRELIMO ist so eindeutig, daß Samora Machel ohne Anmaßung sagen kann, daß der Putsch in Portugal am 25. 4. 1974 Ergebnis der polit. Veränderungen in M. ist: Zum erstenmal in der Geschichte hat eine Befreiungsbewegung in der Peripherie auch Veränderungen der Machtverhältnisse in der Metropole bewirkt.

Wiewohl in der Zeit nach dem Putsch in P. zahlreiche polit. Organisationen gegründet werden oder wieder auftauchen (wie z. B. die COREMO, die bereits 1965 als Konkurrenz zur

FRELIMO von z. T. tribalistischen Politikern gegründet worden war und z. T. durch die VR China unterstützt wurde), die mit dem Anspruch auftreten, als Gesprächspartner der Portugiesen über die Dekolonisation zu verhandeln, beginnt P. Gespräche nur mit der FRELIMO, die von den neuen Machthabern in Lissabon als einzig entscheidende polit. Kraft betrachtet wird. Erste Verhandlungen im Juni 1974 scheitern, weil P. nicht bereit ist, das Recht auf Unabhängigkeit M.s voll anzuerkennen. Im Sept. 1974 kommt es dann zum Abkommen über die vollständige Dekolonisation und zur Bildung einer Übergangsregierung, der 6 von der FRELIMO und 3 von P. ernannte Minister angehören (Amtsantritt am 20. 9. 1974). Eine Rebellion weißer Mosambikaner (zumeist portug. Mittelstand) gegen dieses Abkommen von Lusaka, das sie als ,,Ausverkauf ihrer Interessen" ansehen, scheitert nach wenigen Tagen.

2.2. Die Phase des Übergangs zur Unabhängigkeit

Der nach Einsetzung der Übergangsregierung beginnende Exodus der Portugiesen stellt die FRELIMO nicht nur vor schwerwiegende ökonomische Probleme (vor allem im Handel), sondern bestärkt sie wegen der damit verbundenen ökonomischen Sabotage (Zerstörung von Fabrikanlagen, Kapitalflucht) in ihrer Vorstellung, daß nur eine grundlegende Strukturänderung eine unabhängige Wirtschaft hervorbringen kann, die für die große Masse der Landbevölkerung grundlegende Verbesserungen bedeutet. Zudem steht FRELIMO vor zwei großen Problemen: vor der Übergangsregierung war sie im Gegensatz zum Norden, wo sie jahrelange polit. Mobilisierungsarbeit hatte leisten können, im Süden, vor allem in den Städten von der Kolonialmacht verteufelt, politisch quasi nicht präsent. Mit der Unabhängigkeit verbanden zudem viele Menschen im modernen Sektor die Vorstellung, daß jetzt alles anders würde, alles erreichbar wäre, was für viele vor allem mehr Lohn bedeutete. Das andere Problem war, daß FRELIMO im Grunde für die Städte, für die wenn auch nicht stark entwickelte Industrie, für den modernen Sektor noch keine ausgeprägte Programmatik hatte entwickeln können. Damit FRELIMO als polit. Organisation überhaupt in Erscheinung tritt, werden in allen Stadtvierteln, auf dem Lande, in den Betrieben und Dienststellen auf allen Ebenen „Dynamisierungsgruppen" („grupos dinamizadores") gegründet, die sich zu Transmissionsriemen der Revolution, zu polit., sozialen und kulturellen Mobilisierungsinstrumenten entwickeln. Aus den „militantes" dieser „grupos dinamizadores" soll sich dann später die Partei FRELIMO entwickeln. Eine wichtige Rolle spielen diese Dynamisierungsgruppen in der Übergangszeit vor allem auch, weil sich durch sie der Wille der Bevölkerung artikuliert, zumal die Strukturen der Volksmacht („poder popular") noch nicht etabliert sind. Außerdem wirken sie mit bei den großen Konferenzen mit bis zu 5.000 Teilnehmern, die während der Übergangszeit für viele Bereiche (Erziehung, Information, Landwirtschaft, etc.) abgehalten werden, auf denen nicht nur eine Bestandsaufnahme der kolonialen Situation unternommen wird, sondern vor allem diskutiert wird, in welcher Weise Änderungen möglich und wünschenswert sind.

Am 25. Juni 1975 wird die *Volksrepublik Mosambik* ausgerufen, die Verfassung verkündet und der Präsident der FRELIMO Samora Machel zum Präsidenten der Republik bestimmt.

3. Merkmale der politischen Struktur

Zwar spricht die Verfassung nicht explizit vom Aufbau des Sozialismus (Art. 2: „Aufbau einer neuen Gesellschaft, die frei ist von der Ausbeutung des Menschen durch den Menschen"), aber der Geist der Verfassung kann nur als das Bestreben verstanden werden, aus dem antikolonialistischen und anti-imperialistischen Kampf heraus den Aufbau einer sozialistischen Gesellschaft zu betreiben. Dabei verankert die Verfassung den Primat der Partei FRELIMO über den Staat (Art. 2 und 3). Die Zielsetzungen der Verfassung sind weit gefaßt, entsprechen der Programmatik der FRELIMO:
– Beseitigung der herkömmlichen kolonialen Strukturen der Unterdrückung und Ausbeutung und der ihnen zugrundeliegenden Mentalität;
– die Ausweitung und Festigung der volksdemokratischen Gewalt;
– Aufbau einer unabhängigen Wirtschaft und Förderung des kulturellen und sozialen Fortschritts;

– Wahrung und Festigung der nationalen Unabhängigkeit und Einheit;
– Herstellung und Vertiefung von Beziehungen der Freundschaft und Zusammenarbeit mit anderen Völkern und Staaten;
– Fortführung des Kampfes gegen Kolonialismus und Imperialismus.

Der FRELIMO wird in der polit. Praxis bereits eine Avantgarde-Funktion zuerkannt: ,,Die FRELIMO ist eine Massenorganisation, die sich heute den Aufbau des Sozialismus zur Aufgabe gemacht hat ... Die Veränderung der kolonialistischen Gesellschaft in eine sozialistische Gesellschaft wird nicht eine Angelegenheit von einigen Monaten sein, sondern von einigen Jahren. Wir sind keine hysterischen Revolutionäre, denn der lange Krieg von 10 Jahren hat uns gedämpft. Wir haben gelernt, zu warten und einen Schritt nach dem andern zu tun, um den Willen des Volkes zu respektieren und die vorrangigen Aufgaben, die es sich gestellt hat; kurz, der Fortschritt auf dem sozialistischen Wege hängt von dem Kampf der Massen ab, der tatsächlich ein Klassenkampf ist. Er hängt von der Richtigkeit der Linie ab, die seine Avantgarde eingenommen hat, die das Zentralkomitee der FRELIMO darstellt ... Die politische Praxis der FRELIMO geht von unten nach oben. Sie geht dann von oben an die Basis, zum Volk, der Quelle der Macht.'' (Samora Machel)

Folgerichtig wurde auf dem 3. Kongreß der FRELIMO im Februar 1977 die Umwandlung der breiten Befreiungsfront, in der es im Grunde nur aktive Kämpfer, aber keine ,,Mitglieder'' gab, in eine marxistisch-leninistische Kaderpartei beschlossen.

3.1. Elite

Während des Befreiungskampfes stützt sich die FRELIMO auf eine relativ kleine Schicht von kleinbürgerlichen Intellektuellen und eine breite Masse von Bauern und Arbeitern. Mit der Unabhängigkeit verliert die kolonial-kapitalistische Klasse – überwiegend Portugiesen und nur wenige Mosambikaner – ihre Macht, zieht sich zudem physisch aus dem Territorium zurück. Die Gefahr indes, daß die Kader der FRELIMO und die verbleibende kleinbürgerliche Klasse, definiert nicht durch Hautfarbe, sondern durch administrativ-technische Fertigkeiten, sich des Staatsapparates bemächtigen und eine neue Elite bilden können, wird von der FRELIMO-Führung früh gesehen. In einer Gesellschaft mit über 90% Analphabeten übernehmen diejenigen, die lesen, schreiben, und über technokratische Fertigkeiten auch bescheidenen Umfangs verfügen, notgedrungen Funktionen, die ihnen Herrschaft über andere möglich machen. Der Kampf gegen den Elitismus, gegen das Entstehen einer herrschenden Klasse neuen Charakters, gegen die traditionelle Trennung von Kopf- und Handarbeit, der überwiegend mit dem Mittel der Verantwortung und Rechenschaft gegenüber den Interessen der breiten Bevölkerung („poder popular") geführt wird, wendet sich indes zugleich gegen die „linksradikale" Politik des „alles oder nichts", gegen die Feinde eines Pragmatismus der Revolution. Die Klasse der Kleinbürger, die nach dem Weggang der meisten Portugiesen nur etwa 30.000 Mosambikaner umfaßt, wird daher besonders kritisch von den Organen der Volksmacht kontrolliert, ähnlich wie die zahlenmäßig geringen Intellektuellen, die z. T. von den „grupos dinamizadores" in Umerziehungslager eingewiesen werden oder als Studenten in ihren Ferien in der Produktion, zumeist auf dem Land, arbeiten müssen. Der neu geschaffene Geheimdienst stellt dabei keine „autonome" Größe dar, sondern kooperiert eng mit den Organen der Volksmacht. In der ersten Phase nach der Unabhängigkeit eingetretene Übergriffe unterer Organe gegen vermeintliche und tatsächliche Anhänger des „Elitismus", gegen Funktionäre, die sich persönlich bereicherten oder ihre Vollmachten mißbrauchten, gegen Missionare und Mitarbeiter von Kirchen (Art. 19 der Verfassung: Kirche und Staat völlig voneinander getrennt; aber Freiheit der Religionsausübung) wurden in der Regel durch höhere Instanzen den Bestimmungen entsprechend korrekt gehandhabt.

3.2. Stärke und Rolle anderer Gruppen

In den westlichen Massenmedien, die unzulängliche Informationen erhalten, stattdessen sich auf südafrik. und rhodesische Quellen verlassen, werden im wesentlichen zwei Gruppen als mehr oder minder offene oppositionelle Gruppen nach der Unabhängigkeit dargestellt: die Kirchen und die mit den Stämmen der Makua und Makonde (die früher die FRELIMO unterstützten) verbündeten polit. Organisationen, besonders die FUMO (Demokratische Einheitsfront M.s), die auch unter dem Namen ‚‚Partido da Coligaçao National de Moçambique‘‘ auftritt.

Es gab in den Volksbefreiungsstreitkräften (FPLM) 1975 (Dez.) eine ‚‚Rebellion‘‘ von einigen hundert unzufriedenen Polizisten und Soldaten nach einer Verschärfung der Disziplin durch die Armeeführung; dieses Ereignis blieb isoliert. Berichte über heftige Auseinandersetzungen im Kabinett zwischen einer auf China (dafür soll Innenminister Guebuza stehen) und einer eher auf Moskau ausgerichteten Linie (angeführt vorgeblich von Präsident Machel selbst) entsprechen zudem wohl eher dem Wunschdenken westlicher Interessenten an M.. Die Auseinandersetzungen über den gesellschaftspolit. Kurs der VR-M. finden indes im Rahmen des Programms der FRELIMO statt, die sich auf ihrem 3. Kongreß im Februar 1977 zudem als geeint und pragmatisch darstellte, so daß selbst Umbildungen im Kabinett (z. B. Febr. 1977) nicht berechtigen, von Machtkämpfen innerhalb der Partei zu sprechen.

Die Bedrohung der inneren Sicherheit zusätzlich zur äußeren Bedrohung durch Rhodesien (bis Juni 1977 gab es insgesamt 143 Übergriffe durch rhodesisches Militär z. T. gegen Zivilbevölkerung) auf Grund der mosambikanischen Unterstützung des Befreiungskampfes von Zimbabwe wird jedoch auch nicht von der FRELIMO-Führung geleugnet. Immer wieder ruft sie zur Wachsamkeit gegen ‚‚reaktionäre Elemente‘‘ auf, ohne dabei immer konkrete Namen zu nennen. Der Anspruch einer ‚‚Befreiungsfront im Norden‘‘ gegen die ‚‚sowjetisch ausgerichtete FRELIMO-Terrorherrschaft‘‘, wie er von der von Domingos Arouca aus dem Lissaboner Exil geführten FUMO erhoben wird, ist bisher kaum glaubwürdig: Diese politische Gruppe möchte zurückkehren zu einem ‚‚nationalen‘‘ Programm, wie sie es bei Mondlane gesehen zu haben glaubt, und führt mit rhodesischer und südafrik. Unterstützung einen eifrigen Propaganda-Krieg per Radio, während ihre militärischen Aktivitäten bisher nicht belegt werden. Sie beansprucht, sich auf die mit der FRELIMO-Führung unzufriedenen Makua und Makonde zu stützen und unter Führung von Lazaro Kavandame (nach der Ermordung Mondlanes und seiner eigenen Entmachtung aus der FRELIMO ausgetretener Stammespolitiker) einen Guerillakrieg zu führen. Die FUMO ist bei der Bevölkerung durch ihre Zusammenarbeit mit Rhodesien und RSA diskreditiert. Auch die Rolle der gegenüber der Regierung teilweise kritisch eingestellten Kirchen, die auf Grund der Trennung von Staat und Kirche ihre vormaligen Privilegien (besonders die Katholische Kirche) verloren haben, kann nicht als ernstzunehmende Opposition begriffen werden: Die Katholische Kirche hat ihre Bereitschaft zur Zusammenarbeit mit dem Staat und der Partei beim Aufbau einer neuen Gesellschaft wiederholt bekräftigt.

3.3. Parteiprogramm

Während das 1. Programm der FRELIMO (1962) sich noch auf die Erringung der nationalen Unabhängigkeit beschränkt, in den gesellschaftspolit. Zielen aber vage bleibt, geht der 2. Kongreß der FRELIMO (1968) einen Schritt weiter: Aber auch hier stehen überwiegend Probleme des bewaffneten Kampfes und der bereits befreiten Gebiete im Vordergrund, während die Frage der zukünftigen mosambikanischen Gesellschaft eher in allgemeiner Form angesprochen wird. Beide Programme machen deutlich, daß sie weitgehend – angewandt auf die mosambikanische Situation – den Analysen des bedeutendsten Theoretikers des afrik. Befreiungskampfes, Amilcar Cabral (s. Guinea-Bissao), folgen. Aber immerhin boten beide Programme genügend Klarheit für die Auseinandersetzung mit denjenigen, die den nationaldemokratischen Kampf lediglich als einen Kampf um formale Unabhängigkeit verstanden.

Nach der Einschätzung des 3. Kongresses der FRELIMO im Februar 1977 wurden die Ziele des 1. und 2. Kongresses voll erreicht, so daß die Voraussetzungen bestünden, zur nächsten Etappe, der der volksdemokratischen Revolution, überzugehen. Dazu beschloß der Kongreß die Umwandlung der Befreiungsfront in eine marxistisch-leninistische Avantgarde-Partei der Arbeiter und Bauern mit dem demokratischen Zentralismus als Arbeitsprinzip. Die Betonung des Industrieproletariats als der Träger der mosambikanischen Revolution, wiewohl dieses z. Zt. zahlenmäßig noch gering ist, im Gegensatz zu den bäuerlichen Massen, trägt der Absicht der Verfassung Rechnung, wonach die Landwirtschaft die Basis der neuen Gesellschaft ist, während die Industrie ihr dynamisierender Faktor ist. Die Phase des nationalen Wiederaufbaus stütze sich auf die Landwirtschaft, wobei erst bis 1980 das Produktionsniveau von 1973 erreicht werden wird. Dann soll in einer 2. Phase die Industrie entwickelt werden, während erst die 3. und „entscheidende" Phase die Entwicklung einer Schwerindustrie mit sich bringe, die erst „Bedingungen wirklicher Gleichheit" bedeute und die polit. Bewußtheit der Massen zum höchsten Niveau führe. Während dieses Prozesses aber dürfe M. nicht die Verpflichtung vergessen, weiterhin am Kampf gegen den Imperialismus teilzuhaben, der besonders im südlichen Afrika geführt werden müsse. Trotz aller Betonung der Einheit und Einzigkeit des Marxismus-Leninismus, wie ihn das Parteiprogramm hervorhebt, kann aber nicht übersehen werden, daß er in typisch mosambikanischem Gewande und mit klarem Pragmatismus auftritt.

3.4. Parteistruktur

Abgesehen von den bisherigen Mitgliedern der FRELIMO ist die Aufnahme von neuen Mitgliedern an strenge Kriterien gebunden, wozu u. a. auch ein strenges moralisches Leben gehört, das die Anerkennung der Emanzipation der Frau einschließt. Oberstes Beschlußorgan der Partei ist der alle 5 Jahre stattfindende Partei-Kongreß, der ein ZK (66 Mitglieder) und ein Ständiges Polit. Komitee (9 Mitglieder) wählt, das zwischen den Partei-Kongressen – im Sinne des Demokratischen Zentralismus – die Linie der Partei bestimmt. Die Zelle ist die kleinste Einheit, die wiederum in Sektionen, Distrikte, Provinzen und ihre jeweiligen Komitees und Sekretariate hineinwirkt, wobei jedes gewählte Gremium dem Wahlgremium rechenschaftspflichtig ist, während einmal getroffene Entscheidungen für alle Mitglieder und Gremien bindend sind. Wer die strengen Aufnahme-Kriterien für die Partei nicht erfüllt, soll in von der FRELIMO geschaffenen Massenorganisationen mitarbeiten, die z. T. schon lange bestehen, aber bisher keine Massenbasis gefunden hatten. Die Mitglieder sind darüberhinaus verpflichtet, in den Organen der Volksmacht tätig zu werden.

3.5. Wahlen

Mit den Wahlen für die Volksversammlung am 4. 12. 1977 wurde die Serie der ersten Wahlen nach der Unabhängigkeit, die Präsident Machel auf dem 3. Parteikongreß angekündigt hatte, abgeschlossen.

Zwischen Ende September und Mitte November wurden in den mehr als 1.000 Gemeinden die von der FRELIMO nominierten Kandidaten gewählt – da über 90% der Bevölkerung Analphabeten sind, in öffentlichen Versammlungen. Danach fanden die Wahlen auf Distrikts- sowie auf Provinzebene statt. Für die Volksversammlung stellte das ZK der FRELIMO eine Liste mit 226 Kandidaten auf und legte diese den 10 Provinzversammlungen vor. Die Wahl der 226 Mitglieder erfolgte fast einstimmig.

In der Eröffnungssitzung am 23. 12. 1977 erklärte sich die Volksversammlung einstimmig zum obersten Staatsorgan Mosambiks.

3.6. Einflüsse

Die ideologische Linie der FRELIMO speist sich eindeutig und in erster Linie aus den Erfahrungen eines nationalen Befreiungskampfes gegen eine von den imperialistischen Mächten unterstützte Kolonialmacht. Die aus der Schule der afrik. Revolution und der Abwehr der Gefahr des Neokolonialismus gewonnenen Prinzipien stellen daher auch für andere Befreiungsbewegungen (so ausdrücklich die ZANU) eine wichtige Bereicherung dar. Wenn auch die VR-M. mit der UdSSR einen Freundschaftsvertrag über Zusammenarbeit in vielen Bereichen abgeschlossen hat und bereits während des Befreiungskampfes sich eine enge Zusammenarbeit mit anderen sozialistischen Ländern entwickelte, läßt sich doch nicht sagen, daß M. in ideologischer Hinsicht ein Satellit Moskaus geworden ist, geschweige denn in praktischer Politik. Einerseits sind Einflüsse der Gedankengänge Maos (z. B. Umerziehungslager statt Gefängnisse) erkennbar, andererseits betont die FRELIMO immer wieder ihre Nicht-Pakt-Gebundenheit (non-alignment) und ihre enge Kooperation auch mit Ländern anderer Gesellschaftsordnungen im afrik. Raum im Rahmen der OAU. Eindeutig sind bestimmte Elemente der Gesellschaftsanalyse der FRELIMO marxistischen Ursprungs, wie es auch in der Benennung der Partei als marxistisch-leninistisch zum Ausdruck kommt. Aber dahinter sind deutlich auch die Abgrenzungsbemühungen gegenüber anderen afrik. ,,Sozialismen" erkennbar, die zu bloßen Herrschaftsideologien staatsbürokratischer Klassen geworden sind. Samora Machel erklärt das ,,Geheimnis der FRELIMO", ihren beispiellosen Erfolg, denn auch eher mit einer Mischung aus Disziplin und Volksverbundenheit, mit der Einsicht in die jeweils im Augenblick, in der historischen Etappe des Kampfes notwendige korrekte Linie und ihre konsequente Durchsetzung, und nicht mit der Berufung auf eine importierte Ideologie.

4. Politische Begriffe

,,*Aldeias comunais*" – Gemeinschaftsdörfer; Grundform der landwirtschaftlichen Organisation, die einerseits anknüpft an z. T. verschüttete Formen des Zusammenlebens und -arbeitens in der traditionalen bäuerlichen afrik. Gesellschaft, andererseits eine effektivere Form der Ausnutzung von infrastrukturellen Investitionen und der polit. Mobilisierung darstellt. Geplant ist die Einrichtung von ,,aldeias comunais" im ganzen Land, die die größeren landwirtschaftlichen Produktionseinheiten (Kollektivfarmen im Staatsbesitz) ergänzen sollen.

,,*Poder popular*" – Volksmacht, Einrichtungen der Mitbestimmung der breiten Bevölkerung, die direkt Einfluß nehmen soll auf Entscheidungen in den Bereichen Wohnen, Produktion, Distribution, Politik, soziale Einrichtungen etc.; sie sind seit der Unabhängigkeit im Aufbau begriffen und sollen langsam die spontan gebildeten Komitees von Arbeitern und Angestellten (z. T. mit Leitungsaufgaben) ablösen.

„A Luta Continua" – Der Kampf geht weiter!; Kampfruf der FRELIMO, der die Einsicht verdeutlicht, daß der Kampf um nationale Unabhängigkeit weitergeführt werden muß als Kampf um wirtschaftliche, kulturelle und ideologische Unabhängigkeit, als Kampf gegen Imperialismus und Neokolonialismus.

Peter Ripken

Literatur

Ansprenger, F. u. a. (Hrsg.), Wiriyamu. Eine Dokumentation zum Krieg in Mozambique, München u. Mainz 1974.

Couto, F., Mozambik und Frelimo. Darstellung einer Befreiungsbewegung, Stein b. Nürnberg u. Freiburg/CH 1974.

Ferreira, E., de Sousa, Portugiesischer Kolonialismus zwischen Südafrika und Europa. Wirtschaftspolitische Analysen über die portugiesischen Kolonien, Südafrika und Namibia, Freiburg i. Br. 1972.

ders., Strukturen der Abhängigkeit, Frankfurt/M. 1975.

Hastings, A., Wiriyamu, Stein b. Nürnberg u. Freiburg/CH 1974.

Kuder, M., Moçambique. Eine geographische, soziale und wirtschaftliche Länderkunde, Darmstadt 1975.

Meyns, P., Mozambique im Jahre 2 der Unabhängigkeit, Berlin 1977.

Mondlane, E., Kampf um Moçambique, Berlin/DDR 1973 (= The Struggle for Mozambique, Harmondsworth 1969).

„Mosambik – Der Kampf geht weiter", in: 3. Welt Magazin, Bonn 1975, Nr. 5/6, S. 1–38.

„Mosambik: Lernen, Produzieren, Kämpfen", in: Informationsdienst Südliches Afrika, Bonn 1977, Nr. 9, S. 3–24.

Murupa, M. A., „Nationale Integration in einer multirassialen Gesellschaft – das Beispiel Mozambique", aus: Grohs, G.; Neyer, H. (Hrsg.), Die Kirchen und die portugiesische Präsenz in Afrika, München 1975, S. 36–44.

Saul, J. S., „FRELIMO and the Mozambique revolution", aus: Arrighi, G.; Saul, J. S. (Hrsg.), Essays on the political economy of Africa, New York 1973, S. 378–405.

Treydte, K.-P., Mosambik, Politisch-wirtschaftliche Hintergrundanalyse zur Unabhängigkeit (25. Juni 1975), Bonn-Bad Godesberg 1975.

Namibia (Südwestafrika)

Grunddaten

Fläche: 823.145 km^2 (ohne Walfischbucht).

Einwohner: 888.000 (1975 geschätzt).

Ethnische Gliederung: Ovambo 46,6%; Weiße 11,4% (deutschsprachige 2,8%); Damara 8,8%; Herero 6,6%; Kavango 6,6%; Nama (Hottentotten) 4,3%; Coloureds (Mischlinge) 3,8%; kleinere Gruppen (u. a. Ost-Caprivier, Buschmänner, Rehobother Baster, Kaokoländer, Tswana).

Religionen: Traditionelle Religionen 20%; Christen 80% (überwiegend ev.).

Alphabetisierung der nichtweißen Bevölkerung: 56% (1960).

BSP: 690 Mio. US-$ (1974).

Pro-Kopf-Einkommen: 800 US-$ (1974).

Vorbemerkung der Herausgeber

Wegen der derzeitigen polit. Situation Namibias liegt der Schwerpunkt auf Kap. 2.1. (Entwicklung der polit. Parteien vor der Unabhängigkeit). Dabei werden die Parteien, die an der Verfassungskonferenz (Turnhallenkonferenz) teilnahmen, eigens dargestellt. Die weitere Untergliederung betrifft die anderen Parteien (2.1.2.) und die Dachorganisationen (2.1.3.).

1. Historischer Überblick

Im 16. Jh. wanderten die Ovambos und Hereros aus dem zentralafrikan. Seengebiet nach Südwestafrika. Während die Ovambos im Norden seßhaft blieben, drang ein Teil der Hereros um 1800 weiter nach Süden. Bis zum Beginn des 19. Jh. wurden die Buschmänner als Urbevölkerung und die Damaras von den ab 1760 vom Süden eingewanderten Hottentotten (Nama) dezimiert oder versklavt. 1884/90 wurde das semi-aride Gebiet zwischen Atlantik und Kalahari, Oranje und Kunene zum deutschen Protektorat erklärt. Nach der Niederwerfung von Herero- und Hottentottenaufständen 1904/07 begann ein wirtschaftlicher Aufschwung der Kolonie: Besiedlung durch Deutsche, Erschließung durch Eisenbahnen, Entdeckung von Diamantvorkommen, Einführung der Karakulzucht. Fünf Jahre nach der Kapitulation der Truppen Deutsch Südwestafrikas 1915 wurde das Territorium vom Völkerbund Südafrika als C-Mandat übertragen. Südwestafrika erhielt 1925 eine Verfassung. Die polit. Leitung wird heute nur von Weißafrikanern (die Weißen verstehen sich selbst überwiegend als ,,Afrikaner'', nicht als ,,Europäer'') ausgeübt (Landesrat [Parlament] mit 18 gewählten Abgeordneten und Ausführender Rat als Exekutive, seit 1977: General-Administrator).

Seit 1946, als die R. S. A. sich weigerte, SWA dem UN-Treuhandsystem zu unterstellen, eskalierte die internationale Auseinandersetzung über das Gebiet. Der Internationale Gerichtshof in Den Haag wurde mehrfach (Gutachten 1950, 1955, 1956, 1971; Urteil 1966) damit befaßt. Nach dem für die entkolonisierten Völker enttäuschenden Urteil 1966 beschloß die UN-Generalversammlung am 27. 10. 1966, der R. S. A. – da sie ihre Verpflichtungen wegen der Anwendung der südafrikan. Apartheidpolitik verletzt habe – das Mandat zu entziehen. Die UNO benannte das Land 1968 in ,,Namibia'' und übertrug die Verwaltungsbefugnisse einem ,,Rat der Vereinten Nationen für Namibia''. Da die R. S. A. die Rechtmäßigkeit dieser Maßnahmen bestritt, blieben sie im wesentlichen ineffektiv. Sicherheitsrat, Generalversammlung wie Internationaler Gerichtshof bezeichneten die weitere Anwesenheit der R. S. A. in N. als unrechtmäßig und forderten die Zurücknahme ihrer Verwaltung. Darüber hinaus legitimierte die Generalversammlung 1973 den ,,Kampf mit allen Mitteln'' gegen die Verwaltungsmacht.

Südafrika indes integrierte N. (SWA) durch Verfassungsänderungen 1949, 1968 und 1969 weitgehend; bis 1976 forciert: Übertragung der Apartheid auf N. (SWA) (Odendaalbericht 1962/64) durch Errichtung von zehn ,,Heimatländern'' (homelands) – bereits mit Selbstregierung für die Ovambos, Kavangos, Ost-Caprivier und Rehobother Baster. Diese Politik wurde 1975 durch die Einsetzung einer Verfassungskonferenz („Turnhallenkonferenz") geändert. Die elf Bevölkerungsgruppen wählten oder ernannten ihre Delegation selbst. Dadurch sind die Parteien oder Gruppierungen, die ethnische Unterteilungen nicht anerkennen – insbesondere die SWAPO (South West Africa People's Organization of Namibia) – dort auch nicht vertreten. So konnte die „Turnhalle" auch keine volle Repräsentativität vorweisen. Zu den im Konsensverfahren gefundenen Entscheidungen zählen: Unabhängigkeit spätestens am 31. 12. 1978; Abschaffung der Rassendiskriminierung (wesentliche Bestimmungen seit 1976 geändert); Bildung einer multirassischen Übergangsregierung mit Vertretung möglichst aller Bevölkerungsgruppen.

Nach dem von der Konferenz am 18. 3. 1977 beschlossenen Verfassungsentwurf (bei einem Referendum der Weißen zu 95% angenommen) heißt der Landesname vorerst Südwestafrika/Namibia. Der Staatsaufbau der Republik mit freier Marktwirtschaft sollte dreistufig und relativ zentralisiert sein. Das zentrale Parlament sollte 60 vermittelt gewählte Abgeordnete (12 Ovambo, 6 Weiße, die anderen Gruppen je 5 oder 4) umfassen. Die Einhaltung eines Grundrechtskatalogs gewährleistet ein Verfassungsgerichtshof. Nach einer Intervention der fünf westl. Sicherheitsratsmitglieder, u. a. der BR Deutschland, im Juni 1977 wurde die Verabschiedung der Verfassung im südafr. Parlament zurückgestellt. Im September 1977 wurde ein neutraler General-Administrator, der Richter M. Steyn, in Windhoek ernannt, der durch „Proklamation" regiert und Verwaltungsaufgaben von der R. S. A. übernimmt. Die UNO soll daneben einen Beobachter stellen; die Befugnisse der beiden sind nicht fest abgegrenzt. Allgemeine und freie Wahlen für eine neue Verfassunggebende Versammlung sind für 1978 vorgesehen. Das Wahlsystem – evt. eine Listenwahl nach deutschem Vorbild – steht noch nicht fest. Die SWAPO hat noch keine endgültige Entscheidung über ihre Teilnahme getroffen. Seit Frühjahr 1977 fanden mehrere Runden intensiver Gespräche zwischen der sogenannten Kontaktgruppe der fünf westlichen Mitglieder des Sicherheitsrats (CDN, D, F, GB, USA) und der südafrik. Regierung einerseits sowie der SWAPO andererseits statt, um zu einem gemeinsamen Kompromiß bezüglich der Abhaltung von Wahlen und des Übergangs zur Unabhängigkeit zu kommen. Auch nach Gesprächen auf der Ebene der Außenminister in New York im Febr. 1978 war noch keine Klärung der voraussichtlichen weiteren Entwicklung zu erkennen.

2. Entwicklung der politischen Parteien

2.1. Entwicklung der politischen Parteien vor der Unabhängigkeit

Gegenwärtig gibt es rund 20 Parteien und 10 weitere polit. Gruppierungen und Dachorganisationen. Das starke tribalistische Denken sowie persönliche Rivalitäten führten seit 1958 zu einer Vielfalt von Parteigründungen und Abspaltungen. Die Parteien sind überwiegend ethnisch strukturiert und westlich orientiert. Der für Afrika typische Konflikt von traditioneller (Stammeshäuptlinge) und moderner Elite, von Stammespartikularismus und schwarzem Nationalismus, prägt auch das polit. Leben dieses bevölkerungsarmen Landes. Der farbigen Bevölkerung fehlt – anders als in der R. S. A. – noch ein charismatischer Führer. Die beiden dominanten Kräfte im polit. Spektrum werden jeweils von einem großen Teil der Bevölkerung heftig abgelehnt: Die Nationale Partei (N. P.), die weiße Regierungspartei, hatte die stärkste Machtposition; die SWAPO hingegen als radikale Unabhängigkeitsbewegung gebietet wohl über den relativ stärksten Rückhalt in der Gesamtbevölkerung, besonders unter jugendlichen und gebildeten Schwarzafrikanern. (Zuverlässige Angaben über Mitglieder oder Anhängerschaft der Parteien der Schwarzafrikaner und Farbigen gibt es wegen der fehlenden allgemeinen Wahlen bisher kaum.) Während im nördlichen Heimatland Owambo bis Ende 1977 Versammlungs- und Redefreiheit empfindlich eingeschränkt waren, ist jetzt im gesamten Territorium die polit. Aktivität verhältnismäßig frei – keine der unten erwähnten Parteien ist verboten – und das Ausmaß der polit. Bewußtwerdung in den letzten Jahren erheblich gestiegen; führende SWAPO-Mitglieder wurden allerdings besonders 1966 und 1974 inhaftiert oder flüchteten in afrikanische Länder, vor allem nach

Sambia. Fast allen Parteien der Schwarzafrikaner und Farbigen ist gemeinsam das Streben nach Selbstbestimmung, Unabhängigkeit und einem einheitlichen Staatswesen ohne Heimatländer, die Einbeziehung der südafrik. Exklave Walfischbucht nach N. (SWA) (von der R. S. A abgelehnt), sowie die Ablehnung der Diskriminierung, ethnischen Differenzierung und weißen Vorherrschaft.

Die ca. 25.000 Deutschsprachigen, früher meist politisch inaktive N. P.-Wähler, wollen durch die 1977 gegründete ,,Interessengemeinschaft deutschsprachiger Südwester" ihre Minderheiteninteressen (Sprache, Kultur) artikulieren und zwischen Turnhalle und Mittelgruppe vermitteln. Daneben spielt Kurt Dahlmann (Chefredakteur der deutschsprachigen Windhuker Tageszeitung ,,Allgemeine Zeitung") eine bedeutende Rolle.

Die Parteien können in drei grobe Gruppierungen eingeteilt werden: diejenigen, die an der Verfassungskonferenz (,,Turnhalle") mitarbeiteten, sind – obwohl teils Gegner der Regierungspolitik – an kooperativen, evolutionären Lösungen interessiert; die stärksten außenstehenden bevorzugen dagegen eine Konfliktstrategie. Erst in jüngster Zeit gewinnt die Mittelgruppe (NNF, Föderale Partei) erheblich an Boden.

2.1.1. Parteien bei der Turnhallenkonferenz

Die *,,Nationale Party van Suidwes-Afrika"* (N. P.), seit 1950 Regierungspartei, hat nur weiße Mitglieder und Wähler. Die SWA-Sektion der N. P. wurde 1926 und erneut 1938 gegründet und stand bis 1977 im föderalen Verband mit der N. P. der R. S. A. Bei der Wahl 1974 zum Landesrat und zum südafrikan. Parlament errang sie bei ca. 70% der Stimmen durch das Mehrheitswahlrecht alle Mandate. Früher trat sie für einen Zusammenschluß mit der R. S. A. ein. Ihre Abgeordneten übertrugen die Apartheid-Gesetzgebung auf N. (SWA). Sie befürworteten: starkes Nationalbewußtsein und getrennte gesellschaftliche, territoriale und polit. Entwicklung aller Bevölkerungsgruppen. Durch die Abspaltung der Republikanischen Partei dürfte sie nach der Wahl jeglichen Einfluß verlieren, da sie – in falscher Einschätzung der polit. Lage – versucht, grundlegende Änderungen der Gesellschaftsstruktur hinauszuschieben.

Die „Republikanische Partei von Südwestafrika" (R. P.) wurde Ende 1977 gegründet von dem gemäßigt-konservativen Flügel der N. P., nachdem bei einer Wahl der erzkonservative Flügel knapp die Oberhand behielt. Die Hälfte der Mandatsträger im Landesrat trat zu ihr über. Ihr Vorsitzender ist der flexible Dirk Mudge, als Initiator und Leiter der Verfassungskonferenz und früherer „starker Mann" in der Landesexekutive der bedeutendste weißafrik. Politiker des Landes. Sie fordert beherzteren Abbau der Rassendiskriminierung und mehr Funktionen für die künftige gemischtrassige Zentralregierung als die N. P. und lehnt die „Heimatland"-Politik ab.

Die „*National Unity Democratic Organization*" (NUDO), 1964 von dem im März 1978 ermordeten Häuptling Clemens Kapuuo gegründet, vertritt die große Mehrheit der Hereros. Sie ist nahezu identisch mit dem Häuptlingsrat der Hereros, der diese unter den Schwarzafrikanern dominierende Bevölkerungsgruppe offiziell bei den Verfassungsgesprächen repräsentierte. Die Heimatlandpolitik der Regierung lehnt sie strikt ab. Der ihr nahestehende frühere SWANU-Präsident F. Kozonguizi, aus dem Exil zurückgekehrt, dürfte eine bedeutende Rolle spielen.

„*National Democratic Party*" (N. D. P.). Die Regierung des Heimatlandes Owambo (Landesname: Owambo; Volk: Ovambo) erklärte sich vor der Wahl zur Gesetzgebenden Versammlung Owambos 1973 selbst zur Owambo Independent Party (O. I. P.); andere Parteien ließ sie nicht zu. Bei Boykottaufruf der SWAPO und wenigen Gegenkandidaten gab es nur eine Wahlbeteiligung von 2,5%. Auch aus der Wahl 1975 – nunmehr bei Zulassung aller Parteien und einer Wahlbeteiligung von 55% (76% in Owambo und 4% bei den Ovambo-Wanderarbeitern im Süden) trotz erneuten Boykottaufrufs durch die SWAPO – ging eine der O. I. P. verbundene Regierung hervor. Die Umstände in Owambo lassen aber keine zuverlässige Schätzung darüber zu, welchen Rückhalt in der Bevölkerung Regierungsprogramm und Stammesobrigkeit haben. Vermutlich dürften über 80% der Ovamboarbeiter außerhalb Owambos sowie der gebildeteren Ovambos die Apartheid und ihre eigene Regierung ablehnen.

Ende 1976 wurde die Owambo Democratic Party als multirassische Nachfolgepartei gegründet und bald darauf in National Democratic Party umbenannt. Auch die N.D.P. dürfte aber wenig Unterstützung finden außerhalb der traditionellen Elite der mit Abstand größten Bevölkerungsgruppe; diese Elite beruht teilweise auf Familienerbschaft (Häuptlingswesen) und genießt nur geringes Bildungsniveau. Bis 1976 unterstützte sie im wesentlichen die Politik der Nationalen Partei, da durch die indirekte Herrschaft der Weißen auch die Vormacht der traditionellen Elite gesichert blieb; seitdem lehnt sie die Heimatlandpolitik ab und strebt einen unitarischen Staat und Mehrheitsherrschaft an.

Die Vertreter der N.D.P. bei der Turnhalle werden von der äußerst einflußreichen lutherischen Ovambokavangokirche unter Bischof L. Auala nicht als repräsentativ für die Mehrheit der Ovambos angesehen.

Die *,,(Coloured)Labour Party"* – bis 1975 hieß sie Federale Kleurlingsvolksparty – unter ihrem Leiter Kloppers sowie die National Independence Party (,,Südliche Gruppe") unter Hartung vertreten die Mehrheit der Farbigen im Coloured Council sowie bei der Verfassungskonferenz.

Die *,,Rehobother Bastervereniging"* unter Leitung von Dr. B. J. Africa errang bei einer Ergänzungswahl zum Basterraad (Gesetzgebender Rat des homelands) 1975 in einem Bündnis mit einer kleineren Partei sechs der sieben Sitze. Daraufhin wurde im Mai 1976 im Rahmen der Heimatlandpolitik die Selbstregierung für das Rehobother Gebiet proklamiert. Die Bastervereniging befürwortet Selbstverwaltung innerhalb eines unabhängigen, multirassischen und föderalen N. (SWA).

Die Damaras werden bei den Verfassungsgesprächen nur von einer Splittergruppe vertreten, da andere Damaragruppen wie Damara Advisory Council, Damara Tribal Executive und Voice of the People eine Teilnahme ablehnten.

2.1.2. Nonkonformistische Parteien

Die *,,South West Africa People's Organization"* (SWAPO of Namibia) wurde 1958 als Ovamboland People's Congress in Kapstadt gegründet. Über ihren ursprünglichen Status als Stammespartei der Ovamboarbeiter wuchs sie zu der wohl einflußreichsten Gruppierung unter den Schwarzafrikanern und Farbigen heran. Ihre Basis hat sie vorwiegend unter den jugendlichen und polit. bewußteren Ovambos und den Ovambo-Kontraktarbeitern im Süden, zunehmend aber auch unter anderen Bevölkerungsgruppen, während etwa die Hereros unter Kapuuo sie heftig ablehnen. Neben der SWAPO-intern, die auch eine militantere ,,SWAPO Youth League" umfaßt, gibt es eine radikale Exil-SWAPO, die offen Gewaltanwendung bejaht und sich als Befreiungsbewegung versteht, sowie deren militärischer Flügel.

Die SWAPO lehnt die Einbeziehung ethnischer Prinzipien in die nationale Politik strikt ab und strebt sofortige Unabhängigkeit in einem Einheitsstaat sowie Wahlen (,,one man – one vote") unter UNO-Aufsicht an. Andere Bevölkerungsgruppen befürchten davon Dominanz durch Ovambos und SWAPO sowie mangelnden Minderheitenschutz. Nach gemäßigteren Verfassungsvorschlägen 1975 verabschiedete die Exil-SWAPO im Juli/Aug. 1976 eine neue Parteiverfassung und ein polit. Programm. Demzufolge bekämpft sie ,,alle reaktionären Tendenzen des Individualismus, Tribalismus, Rassismus, Sexismus und Regionalismus". Sie strebt eine (volks-)demokratische und säkulare Regierung an, sowie eine ausbeutungsfreie klassenlose Gesellschaft aufgrund der Prinzipien des wissenschaftlichen Sozialismus, soziale Gerechtigkeit und Fortschritt. Sie bekräftigte ihre ,,revolutionäre Solidarität" mit befreundeten Unabhängigkeitsbewegungen und dankte dem Ostblock für ,,konkrete Hilfe" (Waffen). Während die SWAPO bis 1976 blockfrei bleiben wollte, sogar einen Eintritt N.s (SWA) in den Commonwealth erwog, vollzog die Exil-SWAPO nun formell eine ,,russische Option". Diese wurde allerdings bisher nur von dem Exekutivkomitee beschlossen, nicht aber von einem (seit Jahren überfälligen) Parteitag oder der SWAPO-intern. Wegen des Vorranges der SWAPO-intern hat das Programm daher noch keine verbindliche Kraft (entsprechender Vorteil: ein Verhandlungsspielraum bleibt noch gewahrt).

Während der Exil-Flügel eher nationalrevolutionär orientiert ist (teils marxistische Grundlage), ist der interne Flügel – obwohl es sich noch immer um eine einheitliche Organisation handelt – eher eine pragmatische nationalistische Bewegung ohne straffe Parteiorganisation. Der Organisationsgrad wurde weiter geschwächt durch den politisch motivierten Massenexodus von 5.000 Ovambos nach Angola/Sambia und eine Verhaftungswelle gegen führende SWAPO-Politiker 1974/75. Ende 1976 traten die meisten Mitglieder der Rehobother Volksparty, der kleinen Namib African People's Democratic Organization (NAPDO) – die sich beide selbst auflösten – sowie von vier Namastämmen der SWAPO bei. Als Vertreter der modernen Elite genießt die SWAPO auch Unterstützung durch die Ovambokavangokirche und die Anglikaner. Da die SWAPO weiß, daß sie ohne Unterstützung aus der lutherischen Kirche um Auala und de Vries keine Mehrheit erringen kann, folgt daraus ein Zwang zur Mäßigung von staatssozialistischen und atheistischen Zielsetzungen. Der innere Flügel hat sich zwar stets (abstrakt) gegen Gewaltanwendung ausgesprochen, zugleich aber nie von den Guerillatätigkeiten der Exil-SWAPO distanziert. In letzter Zeit versuchten auch Weiße vergeblich, den gemäßigteren internen Flügel der SWAPO unter Führung von Daniel Tjongarero zur Teilnahme an der Turnhalle zu bewegen.

Sowohl in der internen wie in der Exil-SWAPO scheint es derzeit erhebliche Richtungskämpfe zu geben. So wurden etwa 1976 der Informationssekretär der SWAPO, A. Shipanga, und andere führende Mitglieder der SWAPO und der SWAPO Youth League aus ihrer Partei ausgeschlossen und ohne Verfahren in Sambia und Tansania verhaftet. SWAPO-Präsident Sam Nujoma – nach dem in Südafrika inhaftierten Mitgründer Herman Toivo ja Toivo (,,Die Welt weiß, daß wir nicht an Ideologien interessiert sind") derzeit der wohl einflußreichste Funktionär – erklärte daraufhin, ,,gegnerische Kräfte, das südafrikanische Regime und seine imperialistischen Verbündeten, besonders Westdeutschland" hätten in einem ,,finsteren Komplott" versucht, Agenten zu organisieren, die Kader zu verwirren und zu demoralisieren und die SWAPO zu zerstören. Weitere SWAPO-Dissidenten (Nujoma-Gegner) wurden im Sommer 1977 in Sambia verhaftet.

Die Exil-SWAPO befürwortet den bewaffneten Kampf. Ihr militärischer Flügel, die ,,People's Liberation Army of Namibia" (PLAN oder PLENC) mit der Organisationsbasis in Lusaka und Dar es Salaam, soll aus drei Hauptgruppen – teils russisch, teils chinesisch, teils nationalistisch orientiert – bestehen mit einigen tausend Mann, die mit MPLA, Kubanern und Vietnamesen zusammenarbeiten. Seit 1965 gab es vier kürzere Phasen von gewaltsamen Übergriffen (1965/66, 1971/72, 1973, 1976/77). Nach der Parteireform vom Aug. 1976 gewann PLAN größeres Gewicht innerhalb der SWAPO, sicher keine Erleichterung für eine polit. Lösung des Konflikts. PLAN muß regelmäßig an den Befreiungsausschuß der OAU berichten.

Vor der Einstellung des bewaffneten Kampfes fordert die Exil-SWAPO Vorbedingungen (Anerkennung des Prinzips der Unabhängigkeit und absoluten Unteilbarkeit des Landes durch die R. S. A.; Freilassung aller polit. Gefangenen; freie Rückkehrmöglichkeit für alle Exilierten (vom General-Administrator angeboten); Abzug der südafrik. Streitkräfte und der Polizei; Aufhebung des Ausnahmezustandes in Owambo (1977 erfolgt); freie Wahlen unter UN-Aufsicht und -Kontrolle; Anerkennung der SWAPO als authentischem Repräsentant der Bevölkerung), die zum Teil von der R. S. A. keinesfalls anerkannt werden. Unter diesen Umständen würde die SWAPO einer Konferenz mit Südafrikanern auf neutralem Boden zustimmen. Unter den derzeitigen Voraussetzungen ist eine volle Einbeziehung der SWAPO in das polit. System N.s nur schwer vorstellbar. Die Bereitschaft, sich einer freien Wahl zu stellen, erscheint zweifelhaft; sie hängt vor allem von der Frage des Abzugs der südafrik. Truppen vor der Abhaltung der Wahlen ab.

Der Einfluß der SWAPO beruht, neben der Unterstützung durch die Bevölkerung, auf geschickter internationaler polit. Aktivität sowie den eher mittel- als unmittelbaren Auswirkungen der Guerillatätigkeit. Von der OAU wurde sie 1965, von der UNO 1973 als ,,authentischer Repräsentant des Volkes von Namibia" anerkannt. Bei der UN-Konferenz in Maputo Mai 1977 wurde dies – ein Rückschlag für die SWAPO – abgemildert in ,,einzige und authentische nationale Befreiungsorganisation". Auch der politische Ausschuß der OAU erkannte bald darauf an, daß es in N. auch andere gewichtige Kräfte gibt. 1976 erhielt die SWAPO bei der UNO Beobachterstatus. Während sie sich bislang erfolglos um eine Anerkennung als Exilregierung bemühte (danach könnte sie ihrer Meinung nach legal andere Staaten um militärisches Eingreifen bitten), bestreiten die meisten anderen Parteien und Dachorganisationen ihren Alleinvertretungsanspruch.

Der Begriff „SWAPO" ist vielschichtig. Neben der militärischen Aktivität und dem Eintreten für Gewaltlosigkeit; dem Anstreben eines Staatssozialismus, eines tansanischen Modells des Sozialismus oder dem Offenlassen der Option für das künftige Wirtschaftsmodell; der Ausrichtung nach dem Westen oder der „russischen Option"; dem Programmsatz einer säkularen Regierung und der tiefen kirchlichen Verbundenheit vieler SWAPO-Führer (Toivo ja Toivo, Tjongarero); neben diesen tiefgreifenden ideologischen Differenzen und persönlichen Rivalitäten gibt es ein einigendes Band, das bisher eine Parteispaltung vermieden hat (die aber nach einer möglichen Machtübernahme oder -beteiligung zu einer solchen führen könnte): Den Mythos der Freiheit, Unabhängigkeit, des Abbaus der Rassendiskriminierung, der Selbstbestimmung verbindet ein erheblicher Teil der Bevölkerung mit der SWAPO. Einen wesentlichen Teil der Unterstützung – etwa 40% der Bevölkerung als Obergrenze dürften realistisch sein – genießt daher eher, ohne ideologischen Hintergrund, die „Idee der SWAPO" als deren konkrete Organisation.

Die *„Demokratiese Kooperatiewe Ontwikkelingsparty"* (DEMKOP) wurde 1970 gegründet. Mitgründer waren einige der Führer des erfolgreichen Streiks der Ovambo-Arbeiter 1971/72. Wie die SWAPO, mit der sie programmatisch in mehreren Punkten übereinstimmt (gegen Heimatlandpolitik, für Einheitsstaat), stützt sie sich im wesentlichen auf gebildete Ovambos sowie die Kirchen. Bei der Wahl 1975 in Owambo kandidierten einige DEMKOP-Mitglieder als Unabhängige; bei einer Nachwahl wurde ihr Führer in den Gesetzgebenden Rat gewählt. DEMKOP propagiert einen gewaltfreien Widerstand.

Die *„South West Africa National Union"* (SWANU) wurde 1959

ursprünglich als nationaler Dachverband über den verschiedenen polit. Organisationen der Schwarzafrikaner und Farbigen von den SWAPO-Gründern mitgegründet; diese verließen sie aber aus persönlicher und Stammes-Rivalität bald. Das Befreiungskomitee der OAU rief nach seiner Gründung 1963 SWAPO und SWANU zur Einigung auf; als die SWANU damals den bewaffneten Kampf ablehnte, erkannte das Befreiungskomitee nur die SWAPO an. Die neuerdings wieder zunehmende internationale Aktivität dieser China-orientierten Gruppe, die den Dialog mit Weißafrik. ablehnte, aber auch die SWAPO bekämpft, scheint stärker zu sein als der polit. Rückhalt in der Bevölkerung, der vorwiegend von Herero-Jugendlichen kommt. Die militant-radikale Haltung scheint sich in letzter Zeit etwas zu mäßigen (gemäßigter Flügel), wenn sie auch im Sommer 1976 noch ,,die Unausweichlichkeit des revolutionären Krieges zur Beendigung der repressiven Gewalt anerkennt". Sie strebt einen eigenständigen afrikanischen Sozialismus an. Auch der Inlandsflügel der SWANU will sich an der Wahl zur Verfassunggebenden Versammlung 1978 beteiligen.

Die ,,*Federal Party of South West Africa*" gehört zu den kooperativen Parteien, obwohl sie – wegen des Vertretungsmodus bei den Weißen – an den Verfassungsgesprächen nicht direkt beteiligt ist. 1927 wurde sie gegründet als ,,United National South West Party" und war bis 1950 Regierungspartei. Sie trat ein für einen föderativen Zusammenschluß mit der R.S.A. bei größerer Autonomie. 1975 brach sie unter ihrem neuen Vorsitzenden, dem Advokat Bryan O'Linn, ihre formalen Bindungen zur ,,United Party" der R.S.A. ab. Ihre Mitgliedschaft war bis Ende 1976 auf weiße Südwester beschränkt. Seitdem bemüht sich die Partei um eine breitere, vielrassige Basis sowie um eine Allianz mit anderen Parteien. Trotz 30% der Stimmen bei der Wahl zum Landesrat und südafrikan. Parlament 1974 stellt sie wegen des Mehrheitswahlrechts keine Abgeordneten mehr. Da O'Linn unter Schwarzafrikanern und Farbigen – ähnlich wie Mudge von der R.P. – ein recht hohes Ansehen besitzt, könnte seine Rolle als Vermittler nach der Unabhängigkeit steigen. Die Föderale Partei tritt ein für eine freie, unabhängige, demokratische Republik von SWA mit einer föderativen Verfassung (2–5 Regionalparlamente und ein Zentralparlament), freie Marktwirtschaft, Abschaffung der Rassendiskriminierung, Wahrung der Minderheitenrechte und einen Grundrechtskatalog.

2.1.3. Dachorganisationen

Die „Demokratische Turnhallenallianz" bildete sich im Nov. 1977 nach der Auflösung der Turnhallenkonferenz durch den General-Administrator aus der Republikanischen Partei und den 10 anderen an der Verfassungskonferenz beteiligten Parteien/Delegationen. Nicht einbezogen wurde die N.P. Präsident war bis zu seiner Ermordung 1978 Kapuuo (NUDO), Vorsitzender ist Mudge (R.P.). Sie verwirft Rassendiskriminierung und erstrebt Gleichberechtigung aller Einwohner. Den Verfassungsentwurf der Turnhalle will sie mit kleineren Änderungen (weniger Betonung auf Ethnizität) übernehmen.

Die „*National Convention (of Freedom Parties)*" (NC) wurde 1971 gegründet, auch wegen des damals bevorstehenden Besuches von UN-Generalsekretär Waldheim im Südlichen Afrika. Sie umfaßte bis zu zehn Gruppierungen: u. a. SWAPO, SWANU (jeweils interner Flügel), NUDO und DEMKOP. Sie trat ein für vollständige Freiheit und Unabhängigkeit und gegen jede Untergliederung nach Stämmen, Gruppen oder Rassen. Die NC beschloß mehrfach – entgegen dem Alleinvertretungsanspruch der Exil-SWAPO –, sie sei die einzige Vertretung des Volkes von N. Da die SWAPO sich an diesen Beschluß nicht halten wollte, kam es Ende 1974 zum Austritt der SWAPO, später auch weiterer Parteien. In der NC verblieben unter der Leitung von Kapuuo die NUDO, der Herero-Häuptlingsrat, einige Namahäuptlinge und einige kleinere Parteien.

Die „*Namibia National Convention*" (NNC) wurde von den aus der NC ausgetretenen Parteien (u. a. SWAPO und SWANU) 1975 gegründet. Die NNC lehnte, obwohl grundsätzlich für eine friedliche Lösung, die Turnhallengespräche ab. Nach dem Austritt der SWAPO Ende 1976 ging sie in der NNF auf.

Die „*Namibia National Front*" (NNF) bildete sich im April 1977. Sie setzt sich aus 9 überwiegend kleineren Parteien (SWANU, Damara, Nama und Hererogruppen, National Independence Party,

Voice of the People) zusammen und empfindet sich als ,,dritte Kraft" im Land, als Mittler zwischen Turnhalle und SWAPO, die Aussöhnung und Kooperation aller ,,Namibianer" herbeiführen möchte. Sie ist eine Fusion aus dem 1975 gebildeten ,,Okahandja Summit" (unter Leitung von Justus Garoeb), der sich bald darauf in National Council of Namibia umbenannte, und der NNC. Durch ihren Kampf gegen ,,Kolonialismus, Imperialismus und Neo-Kolonialismus" bezeichnet sie sich als ,,progressive Befreiungsbewegung". Zwischen der radikaleren SWANU und den übrigen, gemäßigteren Parteien soll es jüngst Spannungen geben. Die lutherischen Kirchen haben sich der NNF angenähert. In jüngster Zeit scheint die Mittelgruppe um NNF, Föderale Partei und die Interessengemeinschaft deutschsprachiger Südwester stark an Boden zu gewinnen.

2.2. Zusammenfassende Wertung

Die Zersplitterung und Vielfalt der Parteien und Dachorganisationen – neben den erwähnten gibt es noch weitere unbedeutendere – sowie ständige Änderungen der Parteienstruktur, besonders seit 1975, zeigen die ethnische Heterogenität des Landes und die polit. Polarisierung, sind zugleich aber Übergangssymptome zur Profilierung einzelner Persönlichkeiten. Die Fluktuation in der Parteienlandschaft dauert an.

Welche Parteien das Geschick des Landes nach der Unabhängigkeit leiten, ob der radikale Flügel um die SWAPO oder eine Koalition von Demokratischer Turnhallenallianz und Mittelgruppe – in einer Koalition dürfte die Turnhalle von ihren noch zu stark ethnisch geprägten Verfassungsvorschlägen abrücken –, ist noch offen; der Rückhalt der beiden letzteren wird auf mindestens 55% geschätzt.

(*3. Merkmale der politischen Struktur:* entfällt)

4. Politische Begriffe

Apartheid: Südafrik. Politik der ,,getrennten (multinationalen) Entwicklung" (,,plurale Demokratie"): weitgehende Rassentrennung im politischen, gesellschaftlichen und territorialen Bereich; Schaffung von ,,Heimatländern" mit Selbstverwaltung oder -regierung für die schwarzafrik. und in SWA auch farbigen Bevölkerungsgruppen; in SWA seit 1966 forciert, seit 1975 abgebaut; international und national heftig befehdet.

Robert von Lucius

Literatur

Bley, H., ,,Politische Probleme um Namibia seit Ablaufen des Sicherheitsrats-Ultimatiums vom 31. 8. 1976", in: Afrika Spectrum, 11. Jg., Nr. 3, Hamburg 1976, S. 255–273.

Dekker, L. D. u. a., ,,Case studies in African labour action in South Africa and Namibia (South West Africa)", aus: Sandbrook, R.; Cohen, R. (Hrsg.), The development of an African working class, London 1975, S. 207–238.

Dugard, J. (Hrsg.), The South West Africa/Namibia dispute. Documents and scholary writings on the controversy between South Africa and the United Nations, Berkeley u. Los Angeles 1973.

Evangelische Akademie Bad Boll (Hrsg.), Die Zukunft Namibias und die Kirchen. Bericht einer Tagung vom 3. bis 5. Oktober 1975, Bad Boll 1976.

Hubrich, H. G.; Melber, H., Namibia – Geschichte und Gegenwart. Zur Frage der Dekolonisation einer Siedlerkolonie, Bonn 1977.

Jenny, H., Südwestafrika. Land zwischen den Extremen, Stuttgart 1972[5].

Lee, F. J. T., Südafrika vor der Revolution? Frankfurt/M. 1973.

Lucius, R. v., ,,Die verfassungs- und völkerrechtliche Entwicklung Südwestafrikas", in: Vereinte Nationen, 21. Jg., Nr. 3, Koblenz 1973, S. 88.

ders., ,,Südliches Afrika (RSA, Namibia, Rhodesien)", aus: Handbuch Vereinte Nationen, München 1977, S. 441–447.

Nachtwei, W., Namibia. Von der antikolonialen Revolte zum nationalen Befreiungskampf. Geschichte der ehemaligen deutschen Kolonie Südwestafrika, Mannheim 1976.

Ropp, K. v. d., ,,Perspektiven der politischen Entwicklung Süd- und Süd-
westafrikas", in: Internationales Afrikaforum, 10. Jg., Nr. 5, München
1974, S. 296–307.
ders., ,,SWA/Namibia vor der Unabhängigkeit?", in: liberal, 19. Jg.,
Nr. 8/9, Bonn 1977.
Tötemeyer, G., ,,Namibia. Political Parties, Groupings and Semi-Political
Bodies in South West Africa", in: Internationales Afrikaforum, 13. Jg.,
Nr. 4, München 1977, S. 374–380.

Niger

Grunddaten

Fläche: 1.267.000 km².
Einwohner: 4.730.000 (1976).
Ethnische Gliederung (Schätzungen von 1976): Haussa 45%; Djerma
u. Songhai 20%; Peulh 10%; Tuareg 8%.
Religionen: Traditionelle Religionen 15%. Moslems 85%; Christen
1%.
Alphabetisierung: 5% (1970).
BSP: 540 Mio. US-$ (1974).
Pro-Kopf-Einkommen: 120 US-$ (1974).

1. Historischer Überblick

Das Gebiet des heutigen Niger gehörte im 14. Jh. zum Songhai-
Reich. Im Osten und in Nigeria bildeten die Haussa Stadtstaaten,
die manchmal lose Konföderationen untereinander bildeten oder
sich auch bekämpften; bis zum 13. Jh. waren sie dem Kanem-Reich
tributpflichtig. Erst unter Usman dan Fodio wurden sie um 1800 in
einem ,,heiligen Krieg" besiegt und endgültig islamisiert. (Fulani/
Peulh bildeten die Herrscherschicht, die auch heute noch in Nord-
nigeria die Emire stellt.)

Die ersten Europäer, die den N. bereisten, waren Mungo Park (1805–6), Barth (1850–55) und Nachtigall (1870). (Barth gab detaillierte geographische, ethnologische und polit. Informationen über diesen Teil Afrikas.)

1890 stießen die Franzosen von Westen und die Briten von Süden in N. vor. Beide Mächte legten daraufhin die Südgrenze des N. fest. Fast 30 Jahre dauerte es, bis F. das Land unterworfen hatte, da vor allem die Tuareg erbitterten Widerstand leisteten. Um 1900 wurde der Militärdistrikt N. errichtet, 1922 wurde N. frz. Kolonie. Am 3. August 1960 erhielt der N. die Unabhängigkeit von F.

2. Entwicklung der politischen Parteien

2.1. Vor der Unabhängigkeit

1946 gründete Houphouet-Boigny (s. Elfenbeinküste, 2.1.) im damaligen A.O.F. den ,,Rassemblement Démocratique Africain'' (R.D.A.), in dessen Spitzengremium N. durch Djibo Bakary vertreten wurde. Bakary gründete noch im gleichen Jahr im N. die ,,Union Démocratique Nigérienne'', U.D.N., während Hamani Diori den ,,Parti Progressiste Nigérien'', P.P.N., gründete. Der P.P.N. errang bei den frz. Parlamentswahlen von 1946 einen Erfolg und konnte Diori in das Parlament schicken. Da aber beide nigerischen Parteien sich auf den R.D.A. beriefen, kam es zu ständigen Konflikten, bis 1955 die U.D.N. aus dem R.D.A. ausgeschlossen und Hamani Dioris Partei als die einzige R.D.A. – Vertretung anerkannt wurde.

Inzwischen aber hatte sich Bakary dem ,,Mouvement Socialiste Africain'', M.S.A., angeschlossen und war so erfolgreich, daß er Bürgermeister der Hauptstadt Niamey geworden war. Unter dem Namen ,,Sawaba'' (Freiheit) errang seine Partei bei den Territorialwahlen 1957 41 von 60 Sitzen. Bakary wurde dadurch Ministerpräsident und Vizepräsident des ,,Conseil du Niger''. Als seine Partei beim Referendum 1958 über den Verbleib in der Communauté sich dagegen aussprach (78% stimmten für einen Verbleib), mußte er als Ministerpräsident zurücktreten und verlor kurz darauf auch sein

Bürgermeisteramt. Bei den Neuwahlen von 1959 verlor die ,,Sawaba" fast ihr gesamtes Wählerpotential; die Partei wurde verboten, Bakary floh nach Mali.

2.2. Nach der Unabhängigkeit

2.2.1. 1. Republik (1960–74)

Nach der Unabhängigkeit (3. 8. 60) wurde der P. P. N. – R. D. A. Einheitspartei, die durch Besetzung aller Schlüsselpositionen das ganze Land kontrollierte. Unter Präsident Hamani Diori wurde die Republik N. eine Präsidialrepublik (Verfassung vom 8. 11. 1960). Da der Staatspräsident gleichzeitig auch Generalsekretär der Partei war, existierte keine Trennungslinie mehr zwischen Staat und Partei.

Im April 1974 wurde Hamani Diori gestürzt; ein Militärregime unter Oberstleutnant Kountché übernahm die Regierungsgewalt.

Die 1. Republik scheiterte vor allem wegen folgender Mißstände: 1. Der Staatspräsident vernachlässigte die Innenpolitik zugunsten einer prestigesüchtigen Außenpolitik. 2. Die Korruption nahm groteske Formen an und verhinderte die Entwicklung des Landes. (Frau Diori war die reichste Frau des N. und besaß Luxusvillen und die fruchtbarsten Felder längs des N.-Flusses; sie war außerdem in den teuren Verkauf von Nahrungsmitteln verwickelt, die kostenlos von internationalen Organisationen bereitgestellt waren, um das Elend zu verringern. Hamani Diori selbst soll Millionenbeträge in die Schweiz transferiert haben.) 3. Die Verschmelzung von Partei und Staat hatte eine Oligarchie geschaffen, die ihre Basis im Volk verloren hatte. Dies beweist auch, daß, entgegen den Bestimmungen des Parteistatuts, kein Nationalkongreß mehr einberufen wurde; Kritik konnte sich demnach nur geheim und im Untergrund artikulieren.

2.2.2. Militärregime (seit 1974)

Seit dem Staatsstreich der Militärs vom April 1974 ist der P. P. N.–R. D. A. verboten. Das Parlament wurde aufgelöst, Hamani Diori und die meisten Minister stehen unter Hausarrest (Vorwurf der Hinterziehung von Staatsgeldern).

Die Ministerposten sind seit 1974 hauptsächlich von Militärs besetzt; erst ab dem Rang des Staatssekretärs wurden Zivilisten zugelassen. Die neuen Regierungsmitglieder sind gleichzeitig im „Conseil Militaire Suprême", CMS, dem wichtigsten Organ der neuen Republik. Um das Vertrauen der Bevölkerung zu gewinnen, wurde die vorkoloniale Jugendorganisation „Samaria" wieder ins Leben gerufen, die vom Sport- und Jugendministerium zentral gelenkt wird und als Parteiersatz die notwendigen Beziehungen zur Basis schaffen soll.

Die F. A. N. (Forces Armées Nationales) sehen sich als die Retter des Vaterlandes, werden vom Volk auch als solche betrachtet, da Korruption und Ämterpatronage unter der Regierung Hamani Diori unvorstellbare Ausmaße angenommen hatten. Der neue Staatschef Kountché ist bemüht, die Bevölkerung für sein Regime zu gewinnen. Er konnte 1975 einen Putschversuch von Bakary (und Sani) ebenso erfolgreich überstehen wie jenen von Militärs im März 1976.

3. Merkmale der politischen Struktur

3.1. und 3.2. Gruppen

Nach dem Staatsstreich 1974 wurden sämtliche Schlüsselpositionen von Militärs besetzt; seit dem zweiten Putschversuch vom 15. 3. 76 sind mehr Zivilisten in der Regierung vertreten.

Das oberste polit. Organ der neuen Republik ist der „Conseil Militaire Suprême", CMS, an dessen Spitze Kountché steht. Ein anderes wichtiges Organ ist der „Conseil National du Développement", der bis zum Putschversuch von 1975 vom Vizepräsidenten des CMS, Sani Souna Sido, geleitet worden war. Dieser Rat umfaßt alle technischen Ministerien und koordiniert die Entwicklungspolitik des Landes.

Mangels Kader konnte die Verwaltung nicht von den Anhängern Dioris gesäubert werden; man hat sich pragmatisch entschlossen, diese größtenteils im Amt zu belassen. Dies ist auch eines der Hauptprobleme des gegenwärtigen Regimes; die Ablösung unzuverlässiger Parteigänger Dioris scheitert an der Rekrutierung und

Ausbildung von Kadern. Ganz allgemein ist festzustellen, daß viele der höheren Funktionäre nicht den ihrem Posten entsprechenden Bildungsstand haben.

Die stärkste Gruppe im Staat ist zweifellos die Armee (ca. 2000 Mann). Die höheren Militärs, die größtenteils in F. (Fréjus) ihre Ausbildung absolvierten und im Einsatz für F. (Indochina, Algerien, etc.) ihre Grade erhielten, bilden einen in sich geschlossenen Zirkel. Eine bedeutende Rolle spielen auch die „anciens combattants" (Veteranen), die von F. ihre Pensionen beziehen.

Die „Chefferie", das traditionelle Häuptlingswesen, ist seit dem Staatsstreich aufgewertet und nimmt verstärkt Funktionen im traditionellen Bereich wahr.

Die Gewerkschaften sind nach wie vor vom Staat abhängig und in das Entwicklungsprogramm des Landes integriert; sie sind aber nach den Putschversuchen 1975 und 76 in Mißkredit geraten, da Anhänger der Gewerkschaften daran beteiligt gewesen sein sollen.

Die Oppositionspartei „Sawaba" spielt seit 1965 überhaupt keine Rolle mehr; seit den Putschversuchen von Sani und Bakary 1975 geht man drastisch gegen potentielle Überreste vor.

Der Islam wird als einigendes Element betrachtet und erhielt als Institution eine größere Bedeutung, auch durch die Anwesenheit Kountchés bei allen religiösen Feierlichkeiten (Einfluß Libyens). Demzufolge ist die Rolle der islamischen Geistlichen gestärkt.

Ein Manko des jetzigen Regimes ist es, daß fast ausschließlich Djermas die verantwortlichen Posten innehaben, so daß die nationale Einheit dadurch nicht unbedingt gefördert wird. Obwohl die Djermas nur ca. 20% der Bevölkerung ausmachen, sind sie überproportional in der Akademikerschicht und bei den hohen Militärs vertreten. Dies ist auf die Entwicklung in der Kolonialzeit ebenso zurückzuführen wie auf das städtische Ballungsgebiet Niamey und seine wirtschaftliche Bedeutung, sowie auf die Tatsache, daß der größte Teil des fruchtbaren Landes im Djerma-Gebiet liegt.

3.3. Programmatik

Die Militärs haben Parlament und Partei aufgelöst und alle wichtigen Funktionen übernommen. Als eigene Regierungsprogrammatik werden Ordnung, soziale Gerechtigkeit und Solidarität herausgestellt. Der Hauptakzent dieser Programmatik liegt ferner auf der Entwicklungspolitik „kraft eigener Mittel", der stärkeren staatlichen Beteiligung an der Urangewinnung (ca. $\frac{1}{3}$) und der Nigerisation sämtlicher Direktionsstellen in Verwaltung und Industrie.

Die Bereitschaft der Bevölkerung, zur Entwicklung des Landes sich mehr auf die eigenen Mittel als auf fremde Hilfe zu verlassen, hat entsprechend zugenommen. Diese Bereitschaft wird gefördert durch die Institutionalisierung der „Samaria" (Jugendbewegung auf örtlicher Basis, unter Hamani Diori der Partei unterstellt). Die Funktionsträger der „Samaria" haben beträchtlichen Einfluß, organisieren lokale und regionale Hilfsaktionen und Feste und sind nach dem Bürgermeister bzw. Ortsvorsteher die mächtigsten Leute in ihrem Bezirk. Die Führer der „Samaria" werden von ihrem Bezirk gewählt und in Anwesenheit von Regierungsmitgliedern nach traditionellen Riten in ihr Amt eingeführt. Die neue Regierung gebraucht diese Jugendorganisation, um einen intensiven Kontakt mit der Bevölkerung zu pflegen. Es gibt Anzeichen dafür, daß die „Samaria" die Funktion einer neuen Partei übernehmen könnte.

Außer dem Einsatz der „Samaria" für Regierungsziele werden weitere entwicklungspolit. Faktoren mobilisiert in Form von landwirtschaftlichen Förderungskampagnen, Alphabetisierungskampagnen, Schulfernsehprogramm, Gründung von Genossenschaften etc.

Die Regierung erwägt ferner, nach tansanischem Modell eine der Nationalsprachen (Djerma oder Haussa) als Staatssprache einzuführen und das Französische allmählich abzulösen und dann als erste Fremdsprache erlernen zu lassen. Tendenzen werden deutlich, durch intensive Alpabetisierungskampagnen und schriftliche Fixierung das bisher nur als Umgangssprache benutzte Djerma zur Landessprache zu erheben, obwohl Haussa aufgrund des größeren Bevölkerungsanteils, der seit Ende des 19. Jh. erfolgten schriftlichen Fixierung in lateinischen Buchstaben und der sprachlichen Weiterentwicklung im Nachbarstaat Nigeria sicher als Landessprache geeigneter wäre. (Haussa wird in West-Afrika von ca. 10 Mio Menschen gesprochen und dient als Handels- und Verkehrssprache.)

(3.4. Aufbau der Parteien entfällt).

3.5. Wahlen

Die 50 Abgeordneten der Nationalversammlung wurden in der 1.
Republik alle 5 Jahre über eine Einheitsliste gewählt.

3.6. Einflüsse

Der frz. Einfluß ist nach wie vor groß, auch wenn in den letzten
Jahren während der Verhandlungen über die Uranförderungen N.
eine selbständigere Position gegenüber F. einnahm. Fast in allen
Ministerien befinden sich europäische, insbes. frz. Experten (,,con-
seillers techniques"), die den Präsidenten und die Minister beraten.

Die Beziehungen zu Libyen sind mittlerweile abgekühlt, da der 2.
Putschversuch von Tripolis initiiert worden sein soll. Bis dahin war
der libysche Einfluß unübersehbar, nicht nur über islamische Institutionen und wegen der Finanzierung von Moscheebauten.

4. Politische Begriffe/Schlagwörter

,,*Recours à l'authenticité*": Wiederbesinnung auf typisch afrik. Werte
(s. Zaire, 4.).

,,*Africanité*": Afrikanität bedeutet Ebenbürtigkeit (mindestens)
des Afrikanischen mit dem Europäischen (s. Senegal, 4.).

,,*Nigérisation*": Besetzung aller Führungspositionen in Wirtschaft
und Verwaltung mit Nigerern.

,,*Solidarité*": Solidarität des Volkes als Gegenpol zu Partikularinteressen; Reaktion auf die Praxis des Regimes von Hamani Diori.

,,*Ordre*": diszipliniertes Verhalten nach militärischem Vorbild.

,,*Construction nationale*": Aufbau eines Nationalbewußtseins
und Zusammengehörigkeitsgefühls der verschiedenen Ethnien
(Haussa, Djerma, etc.).

,,*Justice sociale*": gleiches Recht für alle; Unbestechlichkeit.

Hartmut Brie

Literatur

Beuchelt, E., Niger, Bonn 1968 (Die Länder Afrikas Bd. 38).

Comte, G., ,,Niger: Examen am 3. August", in: Afrika heute, Nr. 16, Bonn 1971, S. 336–337.

Higgott, R.; Fuglestad, F., ,,The 1974 Coup d'Etat in Niger: Towards an Explanation", in: The Journal of Modern African Studies, 13. Jg., Nr. 3, London 1975, S. 383–398.

Hinkmann, U., Niger, München u. Wien 1968.

Lancrenon, F., La République du Niger, Paris 1973 (Notes et Etudes Documentaires No. 3994/3995).

Meyer, R., ,,Niger: Koloß von Frankreichs Gnaden", in: Afrika heute, 11. Jg., Nr. 2, Bonn 1973, S. 26–31.

Séré de Rivière, E., Histoire du Niger, Paris 1965.

Nigeria

Grunddaten

Fläche: 923.768 km^2.

Einwohner: 64.750.000 (1976).

Ethnische Gliederung (Census von 1963): Haussa 20,9%; Yoruba 20,3%; Ibo 16,6%; Fulbe 8,6%; Kanuri 4,1%; Ibibio 3,6%; Tiv 2,5%; Edo 1,7%.

Religionen (1973): Traditionelle Religionen 15–20%; Moslems 45–50%; Christen 35%.

BSP: 20.810 Mio. US-$ (1974).

Pro-Kopf-Einkommen: 280 US-$ (1974).

1. Historischer Überblick

Auf dem Gebiet des heutigen Nigeria waren einige der ältesten Kulturen Afrikas südlich der Sahara entstanden. Einmal die Nok-

Kultur auf dem Jos-Plateau, deren älteste datierte Funde aus dem 5. Jh. v. Chr. stammen. Die nächste bedeutende Kultur ist die von Igbo-Ukwu (südöstlich Onitsha), in das 7. nachchristliche Jh. datierbar. Verschiedentlich werden Beziehungen zwischen den Kulturen von Nok und Igbo-Ukwu und den Funden von Ife im Yoruba-Gebiet (9. Jh.) angenommen. Von Ife aus wurde das Königreich von Benin beeinflußt, über das wir die ersten Nachrichten von Portugiesen im 15. Jh. haben. Im Norden entstand im 8. Jh. n. Chr. aus dem Reich der Zaghawa das von Kanem. Um das 11. Jh. drang der Islam ein. Unabhängig von Kanem hatten sich weiter im Westen seit dem 11. Jh. die Hausa-Staaten entwickelt.

Ende des 15. Jh. kamen die ersten Portugiesen an die Westküste Afrikas; damit begann die Umorientierung des Handels vom Transsahara-Handel zum Handel nach der Küste und eine Zunahme des Sklavenhandels über den Atlantik, der weitreichende Folgen für die wirtschaftliche und polit. Entwicklung der westafrik. Staaten haben sollte. Wirtschaftliche Interessen führten G.B. dazu, 1849 einen Konsul für die Buchten von Benin und Biafra einzusetzen, der bald in die Politik der Staaten an der Küste eingriff. So setzte er 1851 Kosoko, den König von Lagos, ab. 1861 wurde Lagos brit. Protektorat, 1885 das Küstengebiet zwischen Lagos und dem Rio del Rey (Kamerun) und hinauf bis zur Mündung des Benue in den Niger. 1893 beendete G.B. den Bürgerkrieg der Yoruba und öffnete das Land für den Handel. 1897 wurde das Königreich von Benin erobert.

1914 wurden die Gebiete des ,,Protectorate of Northern Nigeria", des ,,Protectorate of Southern Nigeria" sowie der Kronkolonie Lagos zu einer Verwaltungseinheit Nigeria zusammengeschlossen. Im Norden wurde das System der ,,indirect rule", die Verwaltung des Landes mit Hilfe der traditionellen Herrscher, eingeführt. Das gleiche System der Verwaltung ließ sich in großen Teilen des Südens nur sehr schwer verwirklichen, da dort andere politische Strukturen herrschten; es kam zu Aufständen und Unruhen (Aufstand der Frauen von Aba 1929).

2. Entwicklung der politischen Parteien

2.1. Vor der Unabhängigkeit

Schon bald nach 1914 entwickelte sich ein nigerianischer Nationalismus, der Formen der Selbstverwaltung von der brit. Kolonialregierung verlangte. 1920 wurde in Accra der ,,National Congress of British West Africa" gegründet, der u. a. einen gesetzgebenden Rat für jedes Territorium forderte. Für Nigeria wurde dann 1923 (Lagos) die Möglichkeit gegeben, vier von 46 Mitgliedern ins Legislative Council zu wählen.

Die erste Partei in der Geschichte Nigerias war die ,,Nigerian National Democratic Party" (DEMOS) von Herbert Macaulay. 1933 folgte das ,,Nigerian Youth Movement", dem einige Jahre nach seiner Gründung Nnamdi Azikiwe vorstand. 1940 brach es auseinander. Obofami Awolowo kümmerte sich um den Rest und baute ihn im Yoruba-Gebiet weiter aus. Später übernahm er den polit. Flügel der Yoruba-Kulturgruppe ,,Egbe Omo Oduduwa" und machte ihn zur ,,Action Group", (A. G.).

N. Azikiwe gründete 1944 eine neue Partei, den ,,National Council of Nigeria (and of the Cameroon)", NCNC, welcher die meisten Anhänger bei den Ibo hatte. Im Norden entstand die erste polit. Gruppierung 1943 mit der ,,Bauchi General Improvement Union", Anfang der fünfziger Jahre der ,,Northern People's Congress" (NPC), hinter dem vor allem die Haussa standen. Es formierten sich noch eine Reihe anderer regionaler polit. Parteien, die jedoch keinen großen Einfluß gewannen.

2.2. Nach der Unabhängigkeit

2.2.1. Zivilregierung (1960–66)

Nach mehreren Verfassungsänderungen erhielt N. am 1. 10. 1960 die Unabhängigkeit. Der NPC des Nordens gewann die meisten Stimmen im Bundesparlament, jedoch nicht die Mehrheit, und schloß deshalb eine Koalition mit dem NCNC. Sir Abubakar Balewa vom Norden wurde der erste Premier. Die engl. Königin blieb Staatsoberhaupt, vertreten durch den Generalgouverneur N.

Azikiwe. Am 1. 10. 1963 wurde N. Republik, bestehend aus vier Bundesländern, nachdem am 9. 8. 1963 die Midwest-Region ins Leben gerufen worden war; in ihr leben vor allem Edo-sprechende Völker mit dem Zentrum Benin-City.

Obwohl N. nach außen hin als Musterbeispiel für die Überführung aus der Kolonialzeit in eine Demokratie galt, war es im Innern nicht ganz so ruhig, und es bereiteten sich die Unruhen von 1966 vor. Vor allem in der Western Region kam es immer wieder zu Auseinandersetzungen; die ,,Action Group'' hatte sich gespalten, und O. Awolowo wurde unter den Anschuldigungen eines geplanten Sturzes der Zentralregierung gefangengesetzt, was zu ständigen Unruhen unter seinen Anhängern führte. Die Parteien entwickelten sich immer stärker zu Interessenvertretungen von Ethnien, und es kam zu einer wachsenden Konfrontation zwischen dem Norden und dem Süden, vor allem auch durch die starke Ibo-Präsenz in der Verwaltung des Nordens. Die Kompetenzen zwischen den Regionen und der Zentralregierung waren nicht immer klar abgegrenzt; das trug zu den Auseinandersetzungen bei. Da die Sitze im Parlament nach der jeweiligen Bevölkerungszahl einer Region vergeben wurden, kam es durch einen ungenauen Census zu Wahlmanipulationen. Dazu kamen Proteste der Bevölkerung gegen Korruption, Uneffektivität und mangelnde Fürsorge der Behörden für das Wohl des Volkes.

2.2.2. Militärregierung (seit 1966)

All das führte zum 1. Putsch am 15. 1. 1966 unter Major Nzeogwu. Da ihm kaum Ibo zum Opfer fielen, machte er den Eindruck einer Ibo-Verschwörung. Ironsi, der Chef der Armee, übernahm die Macht, zwang Nzeogwu zur Aufgabe und setzte eine Militärregierung mit vier Militärgouverneuren in den Regionen ein, unter ihnen Ojukwu für den Osten. Ironsi versuchte aber, eine zentralistische Regierungsform einzuführen (,,Unification''), welche auf starken Widerstand, vor allem im Norden, stieß. Es kam zu Pogromen im Norden gegen Ibo und am 29. 7. 1966 zum Gegenputsch gegen Ironsi. Yacubu Gowon, ein Angehöriger einer Minderheit aus dem Norden, wurde der starke Mann in N. Er befürwortete wieder das föderalistische System. Trotzdem kam es zu weiteren Unruhen im Norden, vor allem durch eine Falschmeldung über Pogrome gegen Haussa im Osten durch Radio Cotonou (Benin). Die Auseinandersetzungen zwischen dem Osten und dem Norden sowie der Zentralregierung verschärften sich.

Nachdem Y. Gowon am 27. 5. 1967 N. in zwölf Staaten gegliedert hatte, welche z. B. die Eastern Region in drei Staaten aufteilte, erklärte Ojukwu am 30. 5. 1967 die Sezession der ganzen ehemaligen Ostregion als „Biafra". Waren die Pogrome gegen die Ibo auch der äußere Anlaß für eine Loslösung der Ostregion, so hatte doch Ojukwu jegliche Versöhnung und Vermittlung ausgeschlagen, die „Unabhängigkeit Biafras" systematisch vorbereitet. Dahinter standen vor allem die reichen Erdölvorkommen entlang der Südküste im Nicht-Ibo-Gebiet, deren Einkünfte er behalten wollte.

Nach einer anfänglichen Blockade kam es zu kriegerischen Auseinandersetzungen, in denen die Armee Ojukwus Anfangserfolge hatte; so wurde Benin-City erobert. Doch dann wandte sich das Kriegsglück mehr der Zentralregierung zu. Dazu trug bei, daß die Armee auf 300.000 Mann verstärkt wurde, Waffenlieferungen aus G.B. und der SU eintrafen, daß Biafra Waffen nur in geringem Maße aus Frankreich und wahrscheinlich auch aus Portugal erhielt, jedoch diplomatisch weitgehend in Afrika isoliert war (nur Sambia, Tansania, Gabun und die Elfenbeinküste hatten es diplomatisch anerkannt), und daß die Minoritäten in Biafra (Ijo, Ibibio und Efik u. a.) sich immer stärker gegen die Ibo wandten.

Am 15. 1. 1970 kapitulierte die Armee Biafras. Der Sezessionskrieg forderte über 1 Mio. Tote, davon 50.000 Soldaten, und brachte einen Stop in der wirtschaftlichen Entwicklung, zumal noch hohe Kosten für den Wiederaufbau verwendet wurden. Es kam aber nach der Beendigung des Krieges nicht zu der befürchteten Rache an den Ibo, sondern sie wurden wieder voll in die nigerianische Nation integriert. Dieser Geist der Versöhnung war entscheidend für den Fortbestand der nigerianischen Nation. Allerdings gelang es der Regierung nicht, mit anderen Problemen fertig zu werden, so vor allem nicht mit der Korruption und den sozialen Spannungen.

Am 29. 7. 1975 wurde die Regierung Gowon in einem unblutigen Putsch gestürzt. Der neue starke Mann war Brigadier Murtala Mohammed aus dem Norden. Die neue Regierung setzte sich aus Militärs und ,,Technokraten" zusammen; die alten Politiker wurden nicht wieder mit Regierungsaufgaben betraut. Alle Militärgouverneure wurden abgesetzt und neue für die Posten gefunden; diese waren nicht mehr Mitglieder des Supreme Military Council, sondern unterstehen direkt dem Chief of Staff, Supreme Headquarters. Neben dem Supreme Military Council, dem eigentlichen Machtzentrum, gibt es noch das Federal Executive Council, dem 25 Mitglieder (13 Militärs, 1 Polizeioffizier und 11 Zivilisten) angehören, und den National Council of States, in dem auch Vertreter der Bundesstaaten sitzen.

Neben der Neuordnung der Regierungsgewalt und der Entfernung aller korrupten und unfähigen Offiziere und Zivilisten verkündete die neue Regierung die Ungültigkeit des Census von 1974 (es wird nun auf den Census von 1963 zurückgegriffen) und die Verlegung des kostspieligen FESTAC (2nd World Black and African Festival of Arts and Culture). Außerdem wurde eine Untersuchung darüber angekündigt, ob es weitere Staaten in Nigeria geben sollte, und wie die Hauptstadt des Landes von Lagos nach Mittelnigeria, in die Nähe von Abuja, verlegt werden kann. Im Okt. 1975 kündigte dann Brigadier M. Mohammed die Übergabe der Regierungsgewalt an die Zivilisten für den Okt. 1979 an.

Man brachte der Regierung viel Vertrauen entgegen, vor allem wegen des rigorosen Vorgehens gegen Korruption, Amtsmißbrauch und Unfähigkeit. Am 13. 2. 1976 wurde M. Mohammed bei dem Versuch einer kleinen Gruppe, die Macht wieder an Y. Gowon zurückzugeben, ermordet. General Obasanjo, ein Yoruba, wurde sein Nachfolger. Nur wenig nach ihm an praktischer Macht steht Brigadier Yar'adua als Chief of Staff, Supreme Headquarters, der aus dem Norden kommt und damit ein Gegengewicht zum Präsidenten Obasanjo als Vertreter des Südens bildet. Die neuen Machthaber versprachen, an den eingeleiteten Veränderungen der vorherigen Regierung festzuhalten. Dazu wurde der Entwurf einer Verfassung fertiggestellt (7. 10. 1976), die Federal Election Commission nahm ihre Arbeit auf, aus den zwölf Staaten wurden neunzehn, die sich in der Größe etwa gleichkamen und allzu große Bevölkerungsunterschiede ausmerzten (Febr. 1976). Ein neues System der Local Governments wurde ausgearbeitet (Aug. 1976) und Wahlen dafür abgehalten (28. 12. 1976), FESTAC lief mit großem Erfolg für N. im Jan. und Febr. 1977 ab. Die Wahl einer Konstituierenden Versammlung fand am 31. 8. 1977 statt.

3. Merkmale der politischen Struktur

3.1. Elite

Die polit. Elite setzt sich augenblicklich aus drei Gruppen zusammen: Die entscheidende ist die der Militärs, deren Angehörige in hohen Ämtern oft sehr jung sind und die häufig auch aus kleinen ethnischen Gruppen stammen. Diese Tatsache wird als Garantie dafür angesehen, daß nicht eines der großen Völker, wie das der Yoruba, Ibo oder Haussa, dominiert. Mit ca. 300.000 Mann (nach Beendigung des Biafra-Krieges, z. Z. immerhin noch ca. 230.000, doch weitere Demobilisierung ist geplant) ist sie auch wirtschaftlich ein wichtiger Faktor.

Ebenfalls mit polit. Macht betraut sind Zivilisten, die in der Zentralregierung als ,,Technokraten" Ministerposten innehaben, vor allem aber auch in der Regierung der 19 Bundesstaaten, wo nach der Ausweitung der Anzahl der Staaten (Febr. 1976) Mangel an geeigneten Personen bestand. Beamte, die während der Regierung von Y. Gowon korrupt waren, kamen nicht mehr für Regierungsposten in Frage. Aber auch die ,,alten Politiker" nicht mehr, die für die Unabhängigkeit gekämpft hatten, bis zum 1. Militärputsch die polit. Szene beherrschten und z. T. unter Y. Gowon Minister geworden waren, um dadurch weitere Sezessionen zu verhindern, indem man sie in die Regierungsverantwortung einband (Awolowo, Enahoro, Tarka, u. a.). Sie wurden deshalb nicht mehr in die Regierung aufgenommen, auch wenn sie integer waren, da man den Einfluß der alten Parteien so weit wie möglich vorerst ausschalten wollte.

Die traditionelle Gruppe der Elite, die Chiefs und Emire, hatte ihren starken Einfluß aus der Kolonialzeit verloren, und das auch im Norden, wo die Verwaltungsleute lange Zeit aus den Familien der Emire kamen, im Gegensatz zum Süden, wo durch die christl. Missionen eine gebildete Schicht entstanden war, die sich auch aus dem Volk rekrutierte, und die zuerst die untere und dann ab Mitte der 50er Jahre auch die obere Verwaltungsschicht stellte. Welchen Einfluß solche Gruppen hatten, zeigte der hohe Anteil von Ibo in der Verwaltung, vor allem auch im Norden Nigerias. Die Ibo hatten besonders von der christl. Schulausbildung profitiert. Wie die polit. Elite im Süden N.s auch heute noch eng mit den christl. Kirchen verbunden ist, so ist sie im Norden mit dem Islam verbunden.

Die starke Bindung der Angehörigen der polit. Elite an ethnische Gruppen, welche vor den Militärputschen zum ,,Tribalismus" geführt hat, versuchten die Militärs abzubauen; die meisten der augenblicklichen Militärgouverneure in den 19 Staaten stammen nicht aus dem Staat, in dem sie eingesetzt sind. Ob diese Bestrebungen Erfolg haben werden, wird sich erst bei den Wahlen von 1979 zeigen. Daß der ,,Tribalismus" noch nicht verschwunden ist, offenbaren auch nach der Schaffung der 19 Staaten die weiteren Wünsche nach noch mehr Staaten auf der Grundlage der Zusammenführung einer ethnischen Gruppe.

3.2. Stärke und Rolle anderer Gruppen

Während der britischen Kolonialzeit hatten die Chiefs und Emire vor allem im Norden des Landes nach Einführung der ,,indirect rule" (ab 1914) eine wichtige Rolle gespielt. Auch bei den Völkern des Südens, die eine zentralistische polit. Struktur hatten, wie etwa bei den Yoruba, den Bini oder Itsekiri, war ihre Bedeutung ähnlich stark. Zwar hatte die brit. Kolonialverwaltung auch bei solchen Völkern und Gesellschaften, die keine zentralen polit. Strukturen kannten, wie etwa bei der Mehrzahl der Ibo, versucht, traditionelle Herrscher ausfindig zu machen oder aufzubauen, was jedoch häufig mißlang.

Die Stellung der traditionellen Chiefs festigte sich während der Kolonialzeit aber auch durch wirtschaftliche Faktoren: Sie besaßen das Land oder konnten darüber verfügen.

Nach der Unabhängigkeit hatten sie, wenn sie nicht als Mitglieder von polit. Parteien an die Macht gelangten, noch Einfluß durch den Senat. Nach dem 1. Militärputsch ging ihr offizieller Einfluß zurück, blieb jedoch durch die Angehörigen ihres Volkes oder ihrer ethnischen Gruppe in der Regierung erhalten. Die augenblickliche Regierung ist sehr an der Erhaltung des Status der Chiefs, Obas und Emire interessiert, ließ häufig bei der Reform der lokalen Verwaltung traditionelle Chiefs-Councils bestehen oder bot die Möglichkeit, daß sie über Sitze, welche die Regierung in den neuen Local Governments besetzen konnte – bis zu 25% der Sitze –, in die Local Governments kamen.

In dem Verfassungsentwurf (Draft Constitution) ist keine zweite Kammer der Chiefs mehr vorgesehen. Sie werden damit von der Legislative ausgeschlossen. Bei der Neuformulierung der Local Governments wurden sie bewußt von den polit. Parteien getrennt, die für die Wahlen dazu nicht zugelassen waren.

Eng verbunden mit den Chiefs bzw. Emiren sind die christlichen Kirchen im Süden bzw. der Islam im Norden. Häufig bekleiden die Angehörigen dieser traditionellen Elite hohe Posten in beiden Religionssystemen, wodurch sie dann auch in Fällen von Korruption vor zu starkem Durchgreifen von seiten der Regierung geschützt wurden.

Neben den Chiefs und den Parteien waren die Gewerkschaften die dritte polit. Kraft am Vorabend der Unabhängigkeit. Die nigerianische Gewerkschaftsbewegung war 1919 entstanden. Als im Sept. 1976 die großen zentralen Gewerkschaften zur Registration nicht zugelassen wurden, gab es von ihnen vier: die ,,Labour Unity Front", den ,,Nigerian Trade Union Congress", das ,,Nigerian Workers Council" und den ,,United Labour Congress of Nigeria". Dafür sollte nun eine Einheitsgewerkschaft mit 33 Einzelgewerkschaften gegründet werden.

1970 waren Streiks von der Regierung verboten worden. Zur Zeit der Militärregierung war das Verhältnis zu den Gewerkschaften und damit auch zu den Arbeitern nie sehr gut. Ende Febr. 1977 wurde 11 führenden Gewerkschaftsfunktionären die aktive Gewerkschaftsarbeit verboten. Am 21. 3. 1977 gab die Regierung einen Code für das Verhalten von Gewerkschaftsfunktionären bekannt, der ihnen u. a. polit. Aktivitäten verbot, eine Regelung, die später wieder aufgehoben wurde. Bei der augenblicklichen Vorbereitung der Verfassung sind die Gewerkschaften und damit die Arbeiter kaum vertreten.

Eine wichtige Gruppe, in der sich außerhalb der Gewerkschaften Kritik formiert, ist die ,,National Union of Nigerian Students" (NUNS). Sie hat im März 1977 bei einem Treffen mit dem Chief of Staff, Supreme Headquarters, Brigadier Shehu Yar'adua, die zunehmende Einschränkung der Pressefreiheit und das häufig schlechte Verhältnis zwischen der Armee und der Zivilbevölkerung kritisiert. Sie setzt sich auch kritisch mit dem Verfassungsentwurf auseinander.

3.3. Programmatik

Die Programmatik der augenblicklichen Regierung zeigt sich in zwei Programmen, in dem für die Local Governments, für die Wahlen am 28. 12. 1976 stattfanden, und in der Draft Constitution, für welche die Verfassunggebende Versammlung Ende August 1977 gewählt wurde.

Als einen Schritt auf dem Wege zur Übergabe der Regierungsgeschäfte an Zivilisten schlugen die Militärs im August 1976 die Einrichtung neuer Local Governments vor. Sie sollten die alten Provinz- und Divisionsverwaltungen abbauen und ,,demokratische Selbstregierung stimulieren sowie Initiativen und das Potential an Führungseigenschaften fördern". In ihrer Ausformung den einzelnen Staaten überlassen, sollten sie die organische Einheit der traditionellen Institutionen und Gesellschaften mit modernen Anforderungen an die Verwaltung verbinden. Ein Viertel der Mitglieder kann von den Regierungen ernannt werden; es können also auch traditionelle Chiefs sein. Der Rest wird gewählt, wobei keine polit. Parteien am Wahlkampf teilnehmen durften. Neben diesen Local

Governments können vor allem im Norden – auch in den nördlichen Yoruba-Staaten (wie Kwara) – die traditionellen Councils der Chiefs und Emirate weiterbestehen, denen aber Repräsentanten der Local Governments oder anderer Institutionen beigeordnet werden. In Fällen, in denen das Gebiet der traditionellen Councils mit dem des Local Government übereinstimmt, kann der Chief oder Emir Präsident des Local Government sein.

Um die Selbstverwaltung wirksam zu machen – sie soll sich nicht nur mit Aufgaben wie der Ausstellung von Kraftfahrzeugbriefen beschäftigen, sondern auch mit Fragen der Grundschulerziehung, landwirtschaftlicher Genossenschaften und dem Ausbau des Gesundheitswesens – wurden von der Zentralregierung für das Jahr 1976 100 Mio. Naira zur Verfügung gestellt. – Fraglich ist, ob die Absicht der Militärs, polit. Parteien fernzuhalten, in Zukunft zu verwirklichen ist, da diese Local Governments durch höhere Mittel auch eine höhere Anziehungskraft für etwaige polit. Aktivitäten besitzen. Im Dez. 1976 gelang es auch einigen früheren Politikern, in die LG gewählt zu werden.

3.3.1. Verfassung

Am 7. 10. 1976 wurde die Draft Constitution der Öffentlichkeit zur Diskussion übergeben. Sie sollte bis Mitte 1977 diskutiert werden und dann nach der Wahl der Konstituierenden Versammlung Ende August 1977 von dieser weiter behandelt und verabschiedet werden. Die Draft Constitution sieht die Direktwahl des Präsidenten und des Vizepräsidenten sowie der Gouverneure der einzelnen 19 Staaten vor. Der Präsident wählt dann seine Minister außerhalb des Kreises der Abgeordneten, wobei darauf zu achten ist, daß jeder Staat vertreten ist. Dies ist einer der Punkte, die garantieren sollen, daß dem föderativen Charakter N. entsprochen wird. Auch in einem anderen Punkt muß darauf geachtet werden: bei der Zulassung von Parteien. Sie müssen national sein, d. h. zwei Drittel aller Staaten müssen im Executive Board der Parteien vertreten sein. Während die Zentralregierung zwei Häuser hat, wobei für den Senat je fünf Mitglieder aus jedem Staat entsandt werden, haben die 19 Bundesländer keine zweite Kammer.

In der Draft Constitution sind die elementaren Freiheiten des Menschen verankert. Dazu kommt noch die Möglichkeit der gleichen Erziehung, wobei die augenblicklich freie Grundschul- und Universitätserziehung auf die Erwachsenenbildung ausgedehnt werden soll. Die Mitglieder des Draft Constitution Committee haben sich gegen die Festlegung auf Sozialismus oder Kapitalismus entschieden. Sie wünschen eine ,,mixed economy". Dieser Punkt hat zu heftigen Diskussionen geführt und wird bei der weiteren Behandlung der Verfassung von entscheidender Bedeutung sein, da damit die Weichen für das zukünftige Wirtschaftssystem N.s gestellt werden. Augenblicklich sieht es so aus, als würde durch die Verfassung der kapitalistische Weg N.s gefördert. Ein anderer wichtiger Punkt bei der Diskussion – die vor allem in der Presse geführt wurde – war die Freiheit der Presse, die nicht besonders im Verfassungsentwurf verankert ist. Nachdem die Militärregierung im September 1975 60% aller Zeitungen übernommen hat, sind die Journalisten an einer Änderung dieses Zustandes sehr interessiert.

Als außenpolit. Grundsatz ist der Einsatz für die Einheit Afrikas und die Befreiung des Kontinents von allen polit., wirtschaftlichen und kulturellen Unterdrückungen im Verfassungsentwurf verankert.

(3.4. Aufbau der Parteien entfällt.)

3.5. Wahlen

Die letzten Wahlen fanden 1965 in der damaligen Western Region statt. Nach dem 1. Militärputsch 1966 wurden die polit. Parteien verboten. Für den Übergang zur Zivilregierung wurde von Y. Gowon 1976, von M. Mohammed (im Okt. 1975) 1979 als Termin genannt. In der Zwischenzeit sind Vorbereitungen dafür getroffen worden. Die Selbstverwaltung auf örtlicher Ebene wurde neu gestaltet. Am 28. 12. 1976 fanden Wahlen zu den Local Governments statt; polit. Parteien waren von der Beteiligung ausgeschlossen und die einzelnen Kandidaten durften keine Kampagnen durchführen. 25% der Mitglieder der entsprechenden Gremien wurden von den Regierungen in den Bundesländern ernannt, die übrigen gewählt.

In fast allen nördlichen Staaten und in einem südlichen wurde indirekt durch Wahlmänner gewählt, in den übrigen Staaten direkt. Das Wahlergebnis erbrachte eine weite Palette von Berufen, aber auch eine Reihe von ,,old politicians". (Viele von ihnen, die sich zur Wahl gestellt hatten, fielen jedoch auch durch.) Ein Novum war die Möglichkeit, daß sich in den islamischen Staaten des Nordens Frauen aufstellen lassen konnten und auch gewählt wurden.

Diese Wahlen zu den Local Governments sind auch deshalb von großer Bedeutung für die Übergabe der Regierungsgewalt an Zivilisten, weil die Mitglieder dieser Local Governments Ende August 1977 die 203 Mitglieder der Konstituierenden Versammlung wählten. Die Parlamentswahl ist für Okt. 1979 geplant.

3.6. Einflüsse

Auch wenn N. nicht die Absicht hätte, eine Führungsrolle in Afrika zu übernehmen, geben ihm seine Bevölkerung von etwa 65 Mio. Menschen, seine reichen Bodenschätze, vor allem Erdöl, sowie die größte Armee in Schwarzafrika ein besonderes Gewicht, in dessen Sog andere afrik. Staaten geraten. Von N. wird argumentiert, daß die Rolle des Landes in Afrika deshalb so gewachsen sei, weil die OAU zu schwach ist.

Außenpolit. gibt sich N. als nicht zu einem der großen Blöcke gehörend. So nimmt es seine Rolle innerhalb des Commonwealth ernst, versucht die während der Sezession Biafras gestörten Beziehungen zu Frankreich und zur Elfenbeinküste wieder zu verbessern und hat enge Verbindungen zur SU. Innerhalb Afrikas nimmt es zunehmend eine progressive Rolle ein; so unterstützte es von Anfang an die MPLA in Angola, wendet sich radikal gegen die Politik der R.S.A. und tritt dort für den bewaffneten Kampf ein. International wird diese Haltung noch dadurch verstärkt, daß das ,,UN-Committee against Apartheid" von einem Nigerianer geleitet wird. Bei seinem Engagement für die Befreiung Südafrikas nimmt N. auch eine Verschlechterung seiner Beziehungen zu westlichen Staaten in Kauf, so etwa zu den USA, zu F. und der BRD, aber auch zu arab. Staaten, denen N. zu wenig Engagement vorwirft. Sehr zurückhaltend ist N. seit der versuchten Sezession Biafras in Fragen von Sezessionsbewegungen (etwa in Eritrea).

Wirtschaftlich versucht N., seine Macht nicht zu stark auszuspielen. So war es bei der Gründung des AKP-Abkommens beteiligt und ist Mitbegründer der ,,Economic Community of West African States" (ECOWAS), deren Hauptquartier Lagos ist.

4. Politische Begriffe und Schlagwörter

Bei den augenblicklich in N. gebrauchten Schlagwörtern handelt es sich nicht um rein politische. Ein polit. Schlagwort war *,,Unification"* unter General Ironsi (1966), der einen zentralistischen Staat einrichten wollte, um die Gefahren des Tribalismus zu überwinden. Unter Y. Gowon wurde diese Absicht wieder aufgegeben und N. durch die Schaffung von 12 Staaten (27. 5. 1967) dezentralisiert.

Ein Schlagwort, das unmittelbar vor der Unabhängigkeit und unmittelbar danach eine wichtige Rolle spielte, ist *Nigerianisation*. Damit war ursprünglich vor allem die Verwaltung gemeint. Sie ist aber auch heute noch von Bedeutung, wohl nicht mehr für polit. Ämter, aber z. B. für Universitäten. So wurde im Oktober 1976 erneut für die Ahmadu Bello University in Zaria die Nigerianisation für alle Verwaltungspositionen gefordert.

Ein Gegenstück zu Nigerianisation ist in der Wirtschaft die *Indigenisation*. 1972 wurde das Enterprises Promotion-Decree erlassen, welches bestimmte Bereiche in Handel und Industrie für nigerianische Staatsangehörige reservierte. Am 29. 6. 1976 kam ein Weißbuch über die bisherigen Fortschritte heraus, das auch Vorschläge über ein weiteres Dekret machte. So sollen in einer 2. Stufe alle Produkte, die in N. hergestellt werden, nur von nigerian. Firmen vertrieben werden und importierte Güter von solchen, die zu 60% in nigerian. Händen sind. (Das neue Dekret ist aber noch nicht erlassen.)

Zwei Schlagwörter dienen dazu, Schwierigkeiten im Erziehungswesen und in der Versorgung mit Grundnahrungsmitteln zu überwinden. Die *Universal Primary Education* (UPE) wurde Anfang September 1976 eingeführt, was von seiten der Regierung die Bereitstellung von Schulräumen und Lehrern bedeutet. So wurden allein 74 neue Teacher Training Colleges gebaut, um die 160.000 Extra-Lehrer auszubilden, die notwendig sind. Alle Kinder ab 6 Jahre sollen die Möglichkeit erhalten, Schulen zu besuchen. Man hofft, damit auch die Unterschiede im Erziehungsstand zwischen dem Norden und dem Süden zu überwinden. – Ab 1977 soll auch das Universitätsstudium kostenfrei werden.

Ende Mai 1976 wurde nach dem Vorbild Ghanas die Kampagne *Operation Feed the Nation* (OFN) ins Leben gerufen. Obwohl das National Youth Service Corps (NYSC) mit 27.000 Universitätsabgängern eingesetzt wurde, war sie im ersten Jahr kein Erfolg. Es wurde deshalb vorgeschlagen, die Farmer in Kooperativen zusammenzuschließen und nur solche Studenten dafür zu verwenden, die dazu ein Training erhalten haben (es sind nun 10.000 vorgesehen). Von seiten der Regierung wurde für die zweite Phase Kunstdünger zur Verfügung gestellt sowie 87 Agro-Service-Centers, in denen auch Lehrgänge abgehalten werden.

Seit Juni 1975 ist es Pflicht aller Studenten, nach Abschluß des Studiums ein Jahr im NYSC zu arbeiten; sie werden in der Landwirtschaft, im Gesundheits- und im Erziehungswesen sowie in Kooperativen eingesetzt.

Herbert Ganslmayr

Literatur

Arnold, G., Modern Nigeria, London 1977.

Cohen, R., Labour and Politics in Nigeria. 1945–1971, London 1974.

Ekundare, R. O., An Economic History of Nigeria 1860–1960, London 1973.

Herskovits, J., „Nigeria: Africa's new power", in: Foreign Affairs, 53. Jg., Nr. 2, Washington 1975, S. 314–333.

Köhler, H., „Nigeria auf dem Weg zur afrikanischen Führungsmacht". aus: Krämer, M. (Hrsg.), Afrika Wirtschaft 1976/77, Hamburg 1977, S. 58–74.

Miners, N. J., The Nigerian Army 1956–1966, London 1971.

Ojo, J. D., ,,The Future of Parliamentary Democracy in Nigeria", in: Vierteljahresberichte – Probleme der Entwicklungsländer, Nr. 60, Bonn – Bad Godesberg 1975, S. 161–173.

Ollawa, P. E., ,,Militärherrschaft und politische Stabilität: der Fall Nigeria", in: Aus Politik und Zeitgeschichte, B 22/1976, Bonn 1976, S. 15–29.

Pawelka, P., ,,Die Funktion der Eliten im Desintegrationsprozeß Nigerias", in: Politische Vierteljahresschrift, 11. Jg., Nr. 2–3, Opladen 1970, S. 287–313.

Post, K.; Vickers, M., Structure and Conflict in Nigeria 1960–1966, London 1973.

Ukpabi, S. C., ,,The Changing Role of the Military in Nigeria, 1900–1970", in: Afrika Spectrum, 11. Jg., Nr. 1, Hamburg 1976, S. 61–77.

Williams, G. (Hrsg.), Nigeria. Economy and society, London 1976.

Obervolta

Grunddaten

Fläche: 274.122 km^2.

Einwohner (1976): 6.170.000.

Ethnische Gliederung (1970): Mossi 48,4%, andere Volta-Völker 23,7%, Mandé-Stämme 17,2%, Peul, Tuareg und andere Nomaden 10%.

Religionen: Traditionelle Religionen 75%, Moslems 20%, Christen 5%.

Alphabetisierungsquote (1970): 10%.

BSP (1974): 520 Mio. US-$.

Pro-Kopf-Einkommen (1974): 90 US-$.

1. Historischer Überblick

Wahrscheinlich in der 2. Hälfte des 12. Jahrhunderts drangen Mossi-Gruppen aus dem Norden des späteren Ghana in das Zentrum des heutigen Staatsgebietes von Obervolta vor, unterwarfen die dort ansässigen Völker und errichteten mehrere Staatswesen, die zu einer monarchischen Konföderation unter dem in Ouagadougou (der heutigen Hauptstadt) residierenden Mogho Naba (König) zusammengefaßt waren. Die Ureinwohner wurden in die Sozialordnung und das Volkstum der Mossi integriert. Bis zum Vordringen der französischen Kolonialmacht Ende des 19. Jahrhunderts konnte dieses Staatensystem erfolgreich dem islamischen Druck widerstehen.

Das französische Eindringen ab 1893 wurde durch Bürgerkriege in einigen Mossi-Staaten erleichtert. Mit der Absetzung des den bewaffneten Widerstand anführenden Mogho Naba und dem Abschluß eines Protektoratsvertrages mit dem gefügigeren Nachfolger war die Unterwerfung O.s unter frz. Herrschaft 1897 praktisch beendet, auch wenn der entmachtete König noch gut fünf Jahre lang seinen Kampf im Hinterland fortsetzte.

Wie auch in den anderen frz. Kolonien erfolgte die wirtschaftliche Inwertsetzung O.s in einem engen Zusammenspiel zwischen Kolonialverwaltung und Privatwirtschaft. Die Besteuerung der Subsistenzwirtschaft treibenden Bevölkerung hatte zum Ziel, eine verkaufsorientierte Produktion von Baumwolle, Erdnüssen etc. zu initiieren. Eine andere Maßnahme war die Zwangsarbeit nicht nur für öffentliche Projekte wie Straßen, sondern auch für Pflanzungen frz. Firmen an der Elfenbeinküste – jedes Jahr arbeiteten zehntausende Voltaer für einige Monate siebenhundert Kilometer von ihrer Heimat entfernt an der Küste.

Obervolta wurde nicht als politisch und wirtschaftlich lebensfähige Einheit betrachtet, sondern als natürlicher Ergänzungsraum anderer Kolonien, in erster Linie als scheinbar unerschöpfliches Reservoir billiger Arbeitskräfte. Diese Einstellung spiegelt sich auch in der wechselnden Form der Territorialverwaltung wider: Bis 1904 wurde O. militärisch verwaltet, danach bildete es gemeinsam mit Mali die ,,Kolonie des oberen Senegal und Niger", in der Zeit von 1919 bis 1932 wurde O. als eigene Kolonie innerhalb des Generalgouvernements ,,Afrique Occidentale Française" verwaltet. 1932 wurde dieses Gebilde zerschlagen und das Gebiet drei anderen Kolonien angegliedert. 1947 wurde dann wieder eine eigene Kolonie O. geschaffen, deren Grenzen auch die des 1960 die volle Souveränität erlangenden Staates sind. Dieses „Wechselbad" ist u. a. Ursache für den im Dezember 1974 bis an den Rand kriegerischer Auseinandersetzungen zugespitzten Grenzkonflikt mit dem nördlichen Nachbarn Mali.

2. Entwicklung der politischen Parteien

„Die politische Geschichte Obervoltas sowohl vor als auch nach der Unabhängigkeit gleicht einem bunten und verwirrenden Kaleidoskop, das bei Betrachtung mit bloßem Auge benommen macht." (Skurnik 1970, S. 62)

2.1. Vor der Unabhängigkeit

Die 1946 verabschiedete Verfassung der IV. Republik räumte der Bevölkerung in den Kolonien erstmals das aktive und passive Wahlrecht für die frz. Nationalversammlung ein. Daneben wurden in den Kolonien Territorialversammlungen gewählt, die aber nur über die Kontrolle des Budgets einen gewissen Einfluß ausüben konnten. Damit wurde der entscheidende Anstoß für das Entstehen politischer Parteien gegeben.

Zwei Leitlinien bestimmten die polit. Entwicklung O.s in den folgenden Jahren: (1) die aus dem Versuch der traditionellen Mossi-Hierarchie, ihre einstige Autorität und Macht wiederherzustellen, resultierenden Konflikte; (2) die Auseinandersetzungen mit dem 1946 u. a. von Houphouët-Boigny, heute Präsident der Elfenbeinküste, gegründeten und schnell im gesamten frz. Westafrika wachsenden „Rassemblement Démocratique Africain" (RDA), der von Beginn an enge Beziehungen zur frz. kommunistischen Partei unterhielt.

1947 initiierten die Mossi-Herrscher die Gründung der ersten Partei in O. zur Durchsetzung ihrer Interessen. Tatsächlich konnte diese „Union Voltaïque", die auch von der frz. Kolonialverwaltung unterstützt wurde, bis 1957 alle Mandate für die Nationalversammlung in Paris gewinnen. Doch wegen des Mangels an politischen Perspektiven und der latent vorhandenen ethnischen Spannungen brach diese Partei 1953 auseinander. Der polit. Einfluß der Mossi-Hierarchie ging stark zurück. Es entwickelte sich eine zersplitterte, an ethnischen und regionalen Gesichtspunkten orientierte Parteienlandschaft, die vom voltaischen Zweig des RDA dominiert wurde. Der RDA vertrat jetzt eine sehr gemäßigte politische Richtung, die ihm bald die Unterstützung der traditionellen Oberschicht eintrug. Insgesamt gab es zwischen 1947 und 1959 ca. 10 meist kurzlebige Parteigründungen und -zusammenschlüsse; praktisch jede Partei ging in diesem Zeitraum mit jeder anderen Gruppierung ein Bündnis ein. In der Mehrzahl waren sie gegen den RDA gerichtet, es gab aber auch Koalitionen mit dieser Partei.

Bei den Wahlen 1957 zur Territorialversammlung nach Erlangung der inneren Autonomie gewann der RDA im Bündnis mit einer anderen Partei 37 der 70 Sitze und stellte den ersten Regierungschef. Zwei Jahre später konnte der RDA, u. a. mit Hilfe von manipulativen Wahlgesetzen und Wahlkreiseinteilungen, seine Führung auf 62 von 75 Mandaten ausbauen. Kurz nach der Wahl traten die Abgeordneten zweier „oppositioneller" Parteien zum RDA über, der damit über 70 Sitze verfügte.

2.2 Nach der Unabhängigkeit

2.2.1 Einparteiensystem 1960–1965

Der Vorsitzende des RDA, Maurice Yaméogo, wurde Regierungschef. Noch vor Erlangung der vollen Souveränität O.s am 5. August 1960 verbot seine Regierung die einzig verbliebene Oppositionspartei und ließ ihre führenden Köpfe verhaften. Der RDA wurde unter dem Namen „Union Démocratique Voltaïque" (UDV-RDA) offizielle Einheitspartei. Da fast alle aktiven Politiker in den öffentlichen Verwaltungen tätig waren, konnte Yaméogo leicht politische Gegner und persönliche Konkurrenten ihres Einflusses berauben, indem er sie in entlegene Verwaltungszentren versetzen ließ oder als Botschafter nach Übersee entsandte.

Im Herbst 1965 ließ sich Präsident Yaméogo mit 99,97% der abgegebenen Stimmen in seinem Amt bestätigen, einen Monat später wurde die Einheitsliste der UDV-RDA ebenfalls mit 99,97% gewählt.

In den Jahren ab 1960 dehnte die UDV-RDA ihre Organisation beträchtlich aus, um möglichst große Teile der Bevölkerung einzubeziehen und den Kontakt zwischen Basis und Führung zu verstärken. Tatsächlich wurde aber die Mitwirkung der Parteibasis immer stärker eingeschränkt, der Entscheidungs- und Meinungsbildungsprozeß verlief entgegen den erklärten Absichten von oben nach unten. Jede wirkungsvolle Opposition auf parteipolitischer Ebene wurde im Keime erstickt. Der Versuch, auch die Gewerkschaftsbewegung in das System der Einheitspartei einzubeziehen, mißlang dagegen trotz beträchtlicher Anstrengungen völlig. Die drei seit der Unabhängigkeit bestehenden Dachverbände konnten nicht nur ihre Selbständigkeit bewahren, sondern vielmehr ihren Einfluß noch verstärken.

Ende 1965 bildete die einschneidende Finanzpolitik der Regierung, die Steuererhöhungen und Gehaltskürzungen für den gesamten öffentlichen Sektor vorsah, den Anstoß für den offenen Konflikt zwischen Gewerkschaften und Regierung. Die breite Unterstützung, die die Proteste in der Bevölkerung fanden, muß im Zusammenhang mit anderen Bereichen der Regierungspolitik gesehen werden. So stieß vor allem die von den engen persönlichen Beziehungen zwischen Yaméogo und Houphouët-Boigny bestimmte Politik gegenüber der Elfenbeinküste auf Ablehnung, weil z. B. die Interessen der dort arbeitenden Voltaer (ca. 0,5 Mio.) nicht ausreichend vertreten wurden sowie die wirtschaftlichen Beziehungen zu anderen Nachbarstaaten darunter litten. Empörung löste auch der unproduktive Einsatz der frz. Entwicklungsgelder aus, mit denen u. a. der Bau moderner Verwaltungsgebäude und einer Fernsehstation zur Versorgung der nur 300 Empfangsgeräte finanziert wurde.

Am 3. Jan. 1966 entsprach Yaméogo der Forderung von ca. 25.000 Teilnehmern einer von den Gewerkschaften organisierten Demonstration und gab die Regierungsgewalt an das Militär ab, das in diesem Konflikt strikte Neutralität gewahrt hatte.

2.2.2. Erste Militärregierung 1966–1970

Oberstleutnant Sangoulé Lamizana, als Chef des Generalstabes ranghöchster Offizier, führte die neue Regierung an, die sich aus

7 Offizieren in den wichtigsten Ressorts und 5 Zivilisten zusammensetzte. Die Verfassung wurde außer Kraft gesetzt und die Nationalversammlung aufgelöst, so daß Lamizana sowohl über die Befugnisse der Exekutive als auch der Legislative verfügte. Er regierte durch Verordnungen und Dekrete, die Gesetzeskraft hatten. Gewissen Einfluß konnte ein beratendes Gremium aus 16 führenden Mitgliedern politischer Parteien, 5 Vertretern der Gewerkschaften und 10 Militärs ausüben, das mit allen wichtigen Vorschlägen und Entscheidungen der Regierung befaßt wurde.

Die Aktivität der Parteien war im ersten Jahr der Militärherrschaft nicht eingeschränkt. Vier Parteien wurden wieder oder neu gegründet, auch die UDV-RDA blieb – allerdings unter Ausschluß des gestürzten Yaméogo – legal. Dieser wurde 1969 zu fünf Jahren Zwangsarbeit und dem Verlust aller bürgerlichen Ehrenrechte verurteilt, aber schon wenige Monate später aus der Haft entlassen. Aber auch noch Ende 1977 ist ihm jede aktive oder passive politische Betätigung untersagt und er unterliegt einem allerdings locker gehandhabten Hausarrest.

Neben der großen UDV-RDA, die aber durch die Spaltung in einen orthodoxen und einen auf ,,Erneuerung" drängenden Flügel geschwächt wurde, entstanden die ,,Parti du Regroupement Africain" (PRA), die sich vor allem auf die Minorität der Bobo im Westen stützen konnte, sowie der seit 1958 illegal tätige ,,Mouvement de Libération National" (MLN) wieder. Der MLN verfügte als einzige Partei über ein weitreichendes und relativ konkret ausformuliertes Programm, konnte aber wegen seines intellektuellen Anstrichs nur Unterstützung bei der städtischen Bevölkerung finden. Neu wurde der ,,Groupement d'Action Populaire" (GAP) gegründet, der in erster Linie von der islamischen Minderheit getragen wurde.

Insgesamt waren die Auseinandersetzungen zwischen diesen Parteien nicht von unterschiedlichen Zielvorstellungen, sondern von persönlichen Konflikten der Führungskader bestimmt. So konnte bei den von Lamizana im Okt. 1966 initiierten Gesprächen zwischen den 4 Parteien über die zukünftige politische Entwicklung im innen-, außen- und wirtschaftspolitischen Bereich schnell Einigung erzielt werden. Über die Frage eines zukünftigen Ein- oder Mehrparteiensystems brach dann ein so heftiger Konflikt zwischen den Beteiligten aus – weil daran auch ihr persönliches Schicksal geknüpft war –, daß die Gespräche abgebrochen wurden und die Regierung von ihrem ursprünglichen Plan einer schnellen Rückkehr zu einer Zivilregierung abrückte. Im Dez. 1966 erklärte Lamizana, daß das Militär die Macht für weitere vier Jahre ausüben werde; gleichzeitig wurden alle öffentlichen Aktivitäten der Parteien untersagt. Das Vertrauen in Lamizana war groß genug, um alle Parteien diese Entscheidung akzeptieren zu lassen und sich in der Folgezeit auf den Ausbau ihrer inneren Organisationstrukturen zu konzentrieren. Ende 1969 wurde dieses Verbot wieder aufgehoben.

Tatsächlich ergriff die Militärregierung knapp vier Jahre später die Initiative zur Machtübergabe in zivile Hände: Im Febr. 1970 berief sie ein Gremium aus 50 Personen, die alle politisch und gesellschaftlich relevanten Gruppen repräsentierten, zur Beratung und Verabschiedung eines Verfassungsentwurfes ein. Man einigte sich auf einen Text, der im wesentlichen der Verfassung der frz. V. Republik entsprach. Außerdem wurde festgelegt, daß während einer vierjährigen Übergangszeit der dienstälteste und ranghöchste Offizier, d. h. Lamizana, das Amt des Staatspräsidenten innehaben und ein Drittel der Kabinettsmitglieder durch die Armee bestimmt werden sollten. Dieser von allen politischen Kräften unterstützte Entwurf wurde am 14. Juni 1970 in einer Volksabstimmung mit 98,5% der abgegebenen Stimmen bei einer Wahlbeteiligung von knapp 80% angenommen.

2.2.3. Rückzug der Armee aus der Politik 1970–1974

Für die Wahl zur Nationalversammlung am 20. Dez. 1970 stellten die UDV-RDA, die PRA und der MLN Kandidaten in allen Wahlbezirken auf; daneben bewarben sich einige ehemalige Mitglieder der UDV-RDA als Unabhängige. Der GAP rief gemeinsam mit zwei Splitterparteien zum Wahlboykott auf. Es wurde nach dem Verhältniswahlrecht mit Listen in 11 Wahlbezirken gewählt. Die UDV-RDA, die in ihrem Wahlkampf auf inhaltliche Aussagen weitgehend verzichtete und auf die Zugkraft ihrer bekannten Führer baute, gewann 68% der Stimmen und konnte 37 Abgeordnete ins Parlament entsenden. Die PRA wurde durch die Wahl als ausgesprochene Regionalpartei der im Westen ansässigen Bobo und Lobi bestätigt; sie erreichte 17% der Stimmen und brachte 12 Kandidaten durch. Dagegen wurde das Image des MLN als „Intellektuellenpartei" mit Schwerpunkt in den Städten widerlegt, denn er erzielte seine größten Erfolge bei den Nomaden im Nordosten des Landes. Insgesamt brachten die 11% auf ihn entfallenden Stimmen 6 Mandate ein. Außerdem gelang zwei unabhängigen Kandidaten der Sprung ins Parlament.

Die UDV-RDA bildete mit der PRA eine Koalition. Das Kabinett setzte sich aus 8 Abgeordneten der UDV-RDA, 2 Abgeordneten der PRA sowie 5 Offizieren zusammen. Zum Premierminister wurde der Präsident der stärksten Partei, Gérard Kango Ouédraogo gewählt. Sein wichtigster innerparteilicher Rivale, Generalsekretär Joseph Ouédraogo (nicht miteinander verwandt), erhielt das Amt des Präsidenten der Nationalversammlung. Der Premierminister entstammte einer einflußreichen Mossi-Familie im Nordosten des Landes und war der Repräsentant der traditionellen Hierarchie, während sein Konkurrent enge Beziehungen zu den Gewerkschaften unterhielt.

Das empfindliche Gleichgewicht zwischen Zivilisten und Militärs im Kabinett sowie zwischen den verschiedenen Fraktionen innerhalb der UDV-RDA bestimmte die polit. Entwicklung der folgenden Jahre. Mitte 1972 konnte der Ausbruch eines offenen Konflikts zwischen Militärs und Zivilisten nur mühsam verhindert werden. Im Kabinett und in der Nationalversammlung wurden bei der Verabschiedung des Budgets die Anträge der Offiziere niedergestimmt. Diese boykottierten daraufhin mehrere Wochen die Kabinettssitzungen. Erst durch ein Treffen des gesamten Offizierskorps mit der Parteiführung wurde diese Krise beigelegt, übrigens ohne daß die Nationalversammlung ihre Beschlüsse revidierte.

Die innerparteilichen Rivalitäten vor allem zwischen den beiden Ouédraogos um die Kandidatur zum ersten zivilen Staatspräsidenten brachte das Experiment eines kontinuierlichen Übergangs von der Militärherrschaft zu einer Zivilregierung Anfang 1974 zu Fall.

Auf Betreiben Joseph Ouédraogos sprach das Politbüro der UDV-RDA dem Premierminister sein Mißtrauen aus. Als sich dieser nicht dem Votum beugte, verweigerten die UDV-Abgeordneten dem vom Premierminister in der Nationalversammlung eingebrachten Haushaltsentwurf ihre Zustimmung und machten so die Regierung handlungsunfähig.

Lamizana beendete deshalb am 8. Febr. 1974 diese Übergangsphase, um „die Lähmung des Staatsapparates und die Blockierung seiner Institutionen zu verhindern" sowie aus der Angst heraus, daß „die Rivalität der Parteigruppen eine unwiderrufliche Teilung des voltaischen Volkes in dem Moment bewirken könnte, wo die Mobilisierung aller Energien der Nation unbedingt erforderlich ist"; die Dürre in der Sahel-Zone hatte zu einer katastrophalen Verschlechterung der Lebensbedingungen in weiten Teilen O.s geführt, die es zu bekämpfen galt.

2.2.4. Zweite Militärregierung 1974–1978

Präsident Lamizana setzte die Verfassung von 1970 außer Kraft und löste die Nationalversammlung auf. Die zivile Regierung wurde durch ein vorwiegend aus Offizieren bestehendes Kabinett der „nationalen Erneuerung" unter Leitung des sowohl die Geschäfte des Präsidenten, des Premierministers wie auch des Justizministers wahrnehmenden Lamizana ersetzt; die vier zivilen Minister in diesem Kabinett waren reine Technokraten ohne parteipolitische Bindungen. Widerstand gegen diese erneute vollständige Machtübernahme durch die Militärs regte sich nicht.

3 Monate später wurden die Parteien verboten und alle parteipolit. Aktivitäten untersagt. Gleichzeitig wurde ein beratendes Organ („Conseil consultatif national pour le Renouveau") ins Leben gerufen, das praktisch die Nationalversammlung ersetzte, aber keine bindenden Beschlüsse fassen konnte. Dem Rat gehörten 12 Offiziere, 11 Vertreter des ländlichen Raumes, 8 Gewerkschaftsführer sowie andere Interessenvertreter an; die insgesamt 65 Mitglieder wurden von Lamizana ernannt.

Die Freiheit der Gewerkschaften blieb ungeschmälert. Lamizana warnte sie zwar davor, unter ihrem Deckmantel die verbotene

Parteipolitik sich fortsetzen zu lassen, doch hatte dies keine Konsequenzen. Tatsächlich entwickelte sich die Gewerkschaftsbewegung, die in vielfältiger Weise mit den alten Parteien verbunden blieb, zur wichtigsten polit. Kraft, die immer stärker die Regierungspolitik zu beeinflussen vermochte.

Nach eineinhalb innenpolit. ungewöhnlich ruhig verlaufenen Jahren vermochten die Gewerkschaften Ende 1975 eine Wende in der Politik Lamizanas zu erzwingen, als sie energisch für Lohnerhöhungen und Steuersenkungen eintraten, ihren Kampf aber auch mit der Forderung nach einer schnellen Rückkehr zur Zivilherrschaft verbanden. Höhepunkt dieser Auseinandersetzungen bildete Mitte Dez. ein zweitägiger Generalstreik, der fast geschlossen befolgt wurde und zu einer völligen Lähmung des Landes führte. Lamizana beugte sich nicht nur weitgehend der Forderung nach Steigerung der Kaufkraft, sondern er zeigte sich auch über die künftige polit. Entwicklung gesprächsbereit.

Als Ergebnis intensiver Kontakte mit allen wichtigen wirtschaftlichen, berufsständischen und traditionellen Interessengruppen stellte Lamizana im Febr. 1976 ein neues Kabinett mit einer Zweidrittelmehrheit der Zivilisten zusammen, dem auch der Generalsekretär der wichtigen Gewerkschaft „Union des Travailleurs Voltaïques" (USTV) angehörte, kündigte die Ausarbeitung einer neuen Verfassung an und versprach den baldigen Rückzug der Militärs aus der Politik in die Kasernen.

Damit war auch der Plan zur Gründung einer Art Einheitspartei, des „Mouvement National pour le Renouveau" (MNR) hinfällig. Lamizana hatte im Nov. 1975 den MNR als den ausschließlichen Rahmen aller politischen, wirtschaftlichen, sozialen und kulturellen Aktivitäten vorgestellt, dessen organisatorischer Aufbau mit dem Beginn des Jahres 1976 in Angriff genommen werden sollte. Dieses Projekt, das die alte Parteienvielfalt beenden sollte, wurde dann nicht weiterverfolgt.

Im Mai 1976 nahm die „Commission spéciale", deren 32 Mitglieder die Regierung, den öffentlichen Dienst, die Armee, die Gewerkschaften sowie Berufsgruppen repräsentierten, ihre Tätigkeit auf, um den Entwurf einer Verfassung sowie Leitlinien der

künftigen polit. Entwicklung zu erarbeiten. Die Regierung Lamizana machte sich die Vorschläge der Kommission im Nov. d. J. zu
eigen, verschob aber den vorgelegten Zeitplan zum Rückzug der
Militärs aus der Regierungsverantwortung um ein gutes halbes Jahr.

Der Verfassungsentwurf entspricht in seinen wesentlichen Zügen
dem der frz. IV. Republik. Legislative, Exekutive und Justiz sind
getrennt. Der direkt gewählte Staatspräsident ist Hüter der Verfassung, überläßt die Regierung jedoch einem von ihm vorgeschlage-
nen und von der Nationalversammlung bestätigten Ministerpräsidenten. Die Nationalversammlung übt die Kontrolle über die Regierung aus und kann diese durch ein Mißtrauensvotum zum Rücktritt zwingen. Die Mitglieder des Parlaments mit 57 Sitzen werden
in einem Wahlgang nach dem Verhältniswahlrecht über Listen gewählt. Die Zahl der polit. Parteien wird auf drei begrenzt, d. h. nach
der ersten Parlamentswahl müssen sich die anderen Parteien den
drei stärksten anschließen oder sich auflösen. Im Unterschied zum
ersten Rückzugsversuch der Militärs aus der Politik 1970 ist keine
Übergangsregelung vereinbart.

Alle Parteien, deren Verbot im Okt. 1977 aufgehoben wurde, um
ihnen die Teilnahme an der Kampagne für das Verfassungsreferen-
dum zu ermöglichen, unterstützten unbeschadet einer Kritik einiger
Details diesen Entwurf, ebenso alle anderen gesellschaftlich relevanten Interessengruppen und -verbände. Am 27. Nov. 1977
wurde die Verfassung in einer Volksabstimmung mit 98,7% der
abgegebenen Stimmen bei einer Beteiligung von knapp 70% angenommen.

Bereits im Jan. 1977 wurde eine neue Regierung der ,,nationalen
Einheit" gebildet, die die Rückkehr der offiziell noch verbotenen
Parteien in die politische Arena ermöglichte: Elf der insgesamt
20 Minister wurden von der UDV-RDA, der PRA und der UNI
nominiert, nur 4 Kabinettsmitglieder gehörten der Armee an. Völlig wird die Kontrolle des Staates und der Regierung durch zivile
Politiker nach der am 30. April 1978 stattfindenden Wahl zur Nationalversammlung, um deren Sitze sich 8 Parteien bewerben (vgl.
3.3.) und nach der Direktwahl des Staatspräsidenten im Mai wiederhergestellt sein.

3. Merkmale der politischen Struktur

3.1. Rekrutierungsbasis der politischen Elite

Die politische Elite rekrutiert sich im großen und ganzen aus Angehörigen der öffentlichen Verwaltung und der staatlichen Unternehmen mit höherer Schul- bzw. Universitätsbildung und konzentriert sich im Einzugsgebiet der Hauptstadt. Eine kleine Gruppe von Berufspolitikern, die „Männer der ersten Stunde", halten in fast allen Parteien immer noch die Führungspositionen besetzt, ein Generationswechsel hat bisher nicht stattgefunden. Die dominierenden Personen sammelten ihre ersten Erfahrungen zum großen Teil noch vor der Unabhängigkeit als Abgeordnete oder Senatoren in den zahlreichen gewählten Gremien der frz. IV. Republik und der Kolonialverwaltung, als frz. Beamte oder als Minister der halbautonomen Territorialverwaltung ab 1957.

Diese Situation determiniert nicht nur innerparteiliche Konflikte, sondern ist auch wesentliche Ursache der Auseinandersetzungen einer Honoratiorenpartei wie der UDV-RDA oder der PRA mit der „Union Progressiste Voltaïque" (UPV), der Nachfolgerin des ebenfalls von Ki-Zerbo gegründeten und geführten „Mouvement de Libération National" (MLN), deren Führungskader alle der mittleren Generation angehören, in Paris oder Dakar studiert haben und bisher auf die Mitarbeit in einer Regierung weitgehend verzichteten.

Ethnische Bindungen haben zwar an Bedeutung verloren, doch rekrutieren sich die führenden Mitglieder wie auch die Anhängerschaft der UDV-RDA immer noch überwiegend aus den Mossi-Völkern im Zentrum und Osten des Landes, während die anderen Parteien den verschiedenen ethnischen Minderheiten im Westen und in der Hauptstadtregion zuzuordnen sind.

3.2. Stärke und Rolle anderer Gruppen

In O. existiert das in Afrika mittlerweile seltene System mehrerer freier, voneinander unabhängiger *Gewerkschaften*. Obwohl es nur 32.000 Lohn- und Gehaltsempfänger gibt, haben sich eine Unzahl

Gewerkschaften (wahrscheinlich über 100) gebildet, die fast alle einer der vier Dachorganisationen ,,Confédération Nationale des Travailleurs Voltaïques" (CNTV), ,,Organisation Voltaïque des Syndicats Libres" (OVSL), ,,Union des Travailleurs Voltaïques" (USTV) und ,,Confédération Syndicale Voltaïque" (CSV) angehören; mehrere Versuche zur Bildung einer Einheitsgewerkschaft sind über erste Sondierungen nie hinausgekommen. In den letzten Jahren sorgte vor allem das Verhältnis zur Regierung und zur Armee für Konflikte zwischen den einzelnen Verbänden: Während die USTV und die CSV diese nach dem Generalstreik 1975 unterstützten, zu ihrem wichtigsten Gesprächspartner wurden und der Generalsekretär der USTV zeitweilig dem Kabinett angehörte, gingen die beiden anderen Dachverbände auf Konfrontationskurs; besonders die OVSL war seit 1960 immer wieder politischen Verfolgungen ausgesetzt.

Keine politische Partei konnte bisher entscheidenden Einfluß auf eine der Gewerkschaften oder Dachverbände ausüben.

Die polit. Macht der Gewerkschaften läßt sich an dem entscheidenden Einfluß ablesen, den sie sowohl bei dem Sturz Maurice Yaméogos 1966 als auch bei dem Rückzug der Militärs aus der Politik seit 1977 ausübten.

Die traditionellen Eliten verfügten vor allem bei den Mossi-Völkern über einen beträchtlichen Einfluß auf die ländliche Bevölkerung in polit. und wirtschaftlichen Fragen. Ihre Autorität wird auch von den staatlichen Organen anerkannt und ausgenutzt: Verwaltungseingriffe werden häufig unter Vermittlung des anerkannten Häuptlings vorgenommen, neue Technologien im Rahmen der ländlichen Entwicklung können praktisch nur mit seiner Unterstützung durchgesetzt werden. Mehrheitlich unterstützt die Mossi-Hierarchie die UDV-RDA.

3.3. Politische Parteien

Bis zum Meldeschluß am 15. Jan. 1978 haben 8 Parteien ihre Absicht einer Teilnahme an den Parlamentswahlen im April angezeigt; je zur Hälfte handelt es sich um Wieder- und um Neugründungen.

- Wiedergegründete Parteien:
  ,,Union Démocratique Voltaïque" (UDV-RDA),
  ,,Parti du Regroupement Africain" (PRA),
  ,,Groupe d'Action Populaire" (GAP),
  ,,Parti du Regroupement National" (PRN).

- Neue Parteien:
  ,,Union Progressiste Voltaïque" (UPV), Fusion des 1958 gegründeten ,,Mouvement de Libération Nationale" mit Dissidenten von UDV-RDA, PRA, GAP und I-PRA auf der Basis eines
  sozialistischen Programms, das bei den Intellektuellen, den radikalen Lehrerverbänden und den Gewerkschaften Unterstützung
  findet,
  ,,Union Nationale des Indépendants" (UNI),
  ,,Indépendants du PRA" (I-PRA), Abspaltung der PRA, die
  schon seit Ende der sechziger Jahre als innerparteiliche Opposition bestand,
  ,,Union Nationale pour la Défense de la Démocratie" (UNDD),
  von dem Sohn des gestürzten Präsidenten Maurice Yaméogo mit
  dem Ziel gegründete Partei, seine Rehabilitierung und vor allem
  die Wiedererlangung des aktiven und passiven Wahlrechts zu
  betreiben; wird von ehemaligen Mitgliedern der UDV-RDA
  getragen.

Während sich UDV-RDA und UNDD auf die ethnische Majorität
der Mossi-Völker im Zentrum und Osten des Landes stützen, wen-
den sich die anderen Parteien an die Wähler im Westen und im
Einzugsbereich der Hauptstadt. Keine Partei verfügt über eine lan-
desweit ausgebaute Organisation, doch werden die meisten in allen
Wahlbezirken mit Kandidatenlisten auftreten.

Die voltaischen Parteien unterschieden und unterscheiden sich
durch polit. Programme und Ziele wenig voneinander, die Auseinandersetzungen zwischen ihnen sind vielmehr als Konflikte zwischen und über Personen zu begreifen. Auch die Übergangsphase
zwischen der Verabschiedung der Verfassung im Nov. 1977 und
der Präsidentschaftswahl im Mai 1978 wird fast ausschließlich von
Personaldiskussionen beherrscht. Während vier Parteien schon

frühzeitig General Lamizana zu einer Kandidatur drängten, hatte sich die UDV-RDA anfangs prinzipiell für die Nominierung eines eigenen Kandidaten ausgesprochen, ohne sich aber auf einen gemeinsamen Vorschlag einigen zu können. Erst wenige Tage vor Ablauf der Nominierungsfrist rang sich dann auch die Führung der UDV-RDA zu einer Unterstützung einer Kandidatur Lamizana durch, der danach sein langes Zögern beendete und sich für eine Wiederwahl aufstellen ließ. Joseph Ouédraogo erklärte ebenfalls, mit Unterstützung einer innerparteilichen Fraktion, seine Kandidatur und provozierte damit eine Spaltung der UDV-RDA.

Keiner der Parteitage hat ein konkretes Programm zum Ergebnis, das sich von dem anderer Parteien unterscheidet; nur bei der UPV sind eindeutige programmatische Konturen auszumachen.

Dies erleichtert natürlich die Vereinigung zu drei Parteien nach der Parlamentswahl, wie es die Verfassung vorschreibt. Es sind folgende Gruppierungen zu erwarten: Der UDV-RDA, der stärksten Partei, wird sich die UNDD Yaméogos anschließen, die sozialistische UPV wird allein bleiben, während sich die restlichen Parteien unter Führung der PRA vereinigen – das gemeinsame Komitee von vier Parteien für die Wahl Lamizanas bildet die Keimzelle dieses Bündnisses.

(*3.4.* und *3.5.* entfällt)

3.6. Einflüsse

Die Beziehungen zu Frankreich sind seit der Unabhängigkeit unverändert intensiv und umfassend. Frankreich leistet regelmäßig einen wesentlichen Beitrag zum Staatshaushalt, engagiert sich mit großem finanziellen Einsatz in Entwicklungsprojekten und ist der wichtigste Außenhandelspartner. Der moderne private Wirtschaftssektor wird von frz. Kapital dominiert. Entscheidenden Einfluß übt Frankreich auch auf das Bildungs- und Kulturwesen aus: Die meisten Lehrer in den höheren und Fachschulen werden von der frz. Regierung entsandt und bezahlt, über 50% der voltaischen Studenten besuchen frz. Universitäten. Teilweise ist damit die enge

Anlehnung der Verfassungen von 1970 und 1977 an frz. Vorbilder zu erklären.

Daneben wurden in den letzten Jahren die Beziehungen zu den arabischen Staaten ausgebaut. Anfang 1975 hat O. die PLO als einzige legitime Vertretung des palästinensischen Volkes anerkannt. Länder wie Libyen, Saudi-Arabien und Kuweit stellen umfangreiche finanzielle Mittel für die Entwicklung zur Verfügung.

(*4. Politische Schlagworte* entfällt)

Hartmut Neitzel

Literatur

Ansprenger, F., ,,Wahlen in Obervolta", aus: Civitas. Jahrbuch der Sozialwissenschaften, Bd. 10, Mannheim-Ludwigshafen 1971, S. 120–166.

Illy, H. F., ,,Obervolta. Neue Dynamik in Politik und Wirtschaft", in: Internationales Afrikaforum, 14. Jg. Nr. 1, München 1978, S. 70–76.

Lippens, P., La République de Haute-Volta, Paris 1972.

Skurnik, W. A. E., ,,The Military and Politics: Dahomey and Upper Volta", aus: Welch, C. E. (Hrsg.), Soldier and State in Africa: A comparative analysis of military intervention and political change, Evanston 1970, S. 62–121.

Werobèl – La Rochelle, J. M., ,,Planning without Ressources – Upper Volta", aus: Voss, J. (Hrsg.), Development Policy in Africa, Bonn-Bad Godesberg 1973, S. 95–107.

Réunion

Grunddaten

Fläche: 2.512 km^2.

Einwohner: 510.000 (1976).

Ethnische Gliederung: stark gemischt, Kreolen, Nachkommen frz. Einwanderer und deren madegassischer Sklaven.

Religionen: überwiegend röm.-kath.; buddhistische und islamische
Minderheiten.
Einschulungsquote: ca. 90%.
BSP: 760 Mio. US-$ (1974)
Pro-Kopf-Einkommen: 1.550 US-$ (1974).

1. Historischer Überblick

1505 entdeckten Portugiesen die unbewohnte Insel. Ab 1649 erfolgte die frz. Einwanderung. In der ersten Hälfte des 18. Jh. erlebte R.
durch den Kaffeeanbau die erste wirtschaftliche Blüte. Die Plantagenarbeiter waren Sklaven aus Madagaskar, Mosambik und von
der Malabarküste. (1848 Aufhebung der Sklaverei.) Nach Haitis
Unabhängigkeit wurde die Wirtschaft auf R. im 19. Jh. auf Zucker-
rohranbau umgestellt (seither ca. 50% der landwirtschaftlichen
Nutzfläche für Zuckerrohr). 1946 wurde R. frz. Überseedéparte-
ment in der Union Française. Unter Beibehaltung des status quo
innerhalb der frz. Gemeinschaft erlangt R. 1971 seine administrative
,,Unabhängigkeit".

2. Entwicklung der politischen Parteien

Fast alle Parteien des frz. Mutterlandes haben auf R. Organisationen. Dazu kommen noch folgende einheimische Parteien: ,,Asso-
ciation Réunion – Département Français" ist gegen Autonomiebe-
strebungen. ,,Parti Socialiste Réunionnais" und ,,Parti Communi-
ste Réunionnais" treten für die Dezentralisierung ein. Die PCR
bildete sich 1960 aus einer Sektion der frz. KP-Gewerkschaften;
sozialistische Gruppierungen und kirchliche Organisationen bilden
das ,,Comité Réunionnais pour l'Autodétermination", das die Autonomie fordert. Die Verteidiger der Departementalisierung sind
im ,,Camp National" vertreten. Zu ihnen gehören vorwiegend
Vertreter der Oberschicht, wie z. B. die gaullistische ,,Union des
Démocrates pour la République", UDR, und die ,,Républicains
Indépendents" des jetzigen frz. Präsidenten d'Estaing.

3. Merkmale der politischen Struktur

3.1. Elite

Die europäische Bevölkerung (1967 110.000) stammt überwiegend von Franzosen ab, die in den beiden letzten Jh. die Insel kultivierten und deren Nachkommen heute die Oberschicht der „grandes familles créoles" bilden. Sie besitzen die großen Ländereien und Fabriken und stellen einen Teil der öffentlichen Bediensteten. Nach der Departementalisierung kamen aus F. Beamte und private Führungskräfte (ca. 8.500, ohne Familienangehörige), die im Gegensatz zu den „grands créoles" als „Z'oreils" bezeichnet werden.

Zwischen der weißen und der farbigen Bevölkerung hat sich eine Mittelklasse herausgebildet, die, stark vermischt, keiner ethnischen Gruppe mehr zuzuordnen ist. Ihre Angehörigen sind in der Verwaltung, im Schul- und Gesundheitswesen beschäftigt. Verglichen mit den kleinen Pflanzern besitzen sie ein relativ hohes Einkommen.

3.2. Andere Gruppen

Im Gegensatz zu den Interessen der weißen Oberschicht verfolgt die KP von Réunion, PCR, einen autonomen Status für die Insel. Sie stellt 5 Abgeordnete im 36-köpfigen Generalrat (Conseil Général) und 6 Bürgermeister. Zur Opposition zählt außerdem das erwähnte „comité" und ein Flügel der Sozialisten.

3.3. Parteiprogramme

Eine neue „Sozialschlacht" muß, nach Ansicht des Gaullisten M.Debré (ehem. frz. Ministerpräsident und einer der 3 Abgeordneten der Insel im frz. Parlament), die Entwicklungsbemühungen begleiten. Seine drei Forderungen lauten: Geldreform – Bodenreform – Handelsreform. (Die erste Forderung seit 1974 verwirklicht: frz. Franc anstelle des Kolonialfranc der CFA.)

Die Bedürfnisse R. s dürften aber klarer durch die oppositionelle Gruppe „Eliand Laude" (benannt nach einem 1959 bei einer Demonstration getöteten Jugendlichen) umrissen werden: Landreform, Verstaatlichung der Zuckerindustrie, Investitionskontrolle, Freizügigkeit im Handel mit dem Ausland, Abschluß von Verträgen für wirtschaftliche Zusammenarbeit, Verbesserung der sozialen Lage der Masse der Arbeiter.

(*3.4. Aufbau der Parteien* entfällt)

3.5. Wahlen

Die Präsidentenwahlen vom Mai 1974 brachten auf R. einen knappen Vorsprung für den Kandidaten der frz. Linken, Mitterrand: 50,46%. Für Giscard d'Estaing stimmten: 49,54%.

Bei den Kantonalwahlen im März 1976 errangen die sog. Departementalisten 66,6% der Stimmen; sie verfügen im Generalrat nun über 30 der 36 Sitze. Robert Lamy regiert als Präfekt das Département zusammen mit den 36 gewählten „conseillers généraux" (Generalrat).

4. Politische Schlagwörter

Départementalisation: vollständige Bindung des Überseegebietes, als Département, an das frz. Mutterland.
Autonomie: Autonomie innerhalb des frz. Staatsverbandes, d. h. F. wäre weiterhin Mutterland, jedoch hätte die frz. Regierung keinen direkten Einfluß mehr auf ein autonomes R.

Elmar Demmel

Literatur

Marquardt, W., „Neue Entwicklungen im westlichen Indischen Ozean. IV. Réunion. Koloniale Vergangenheit – Fortschritte als Department – Bindung an Frankreich", in: Internationales Afrikaforum, 11. Jg., Nr. 5. München 1975, S. 270–283.
ders., Seychellen, Komoren und Maskarenen. Handbuch der ostafrikanischen Inselwelt, München 1976.

Ramaro, E., ,,La Réunion: entre le département et la Nation", in: Revue française d'études politiques africaines, Nr. 77, Paris 1972, S. 38–50.
,,Réunion. Vorposten Frankreichs im Indischen Ozean", in: Internationales Afrikaforum, 12. Jg., Nr. 4, München 1976, S. 338–342.
Robert, M., La Réunion. Combats pour l'autonomie, Paris 1976.

Ruanda

Grunddaten

Fläche: 26.338 km².
Einwohner: 4.290.000 (1976).
Ethnische Gliederung: (Ba-)Hutu 85%; (Ba-)Tutsi 14%; (Ba-)Twa 1% (Ureinwohner).
Religionen: Traditionelle Religionen 50%; Christen 50% (Mehrheit röm.-kath.); Moslems unter 1%.
Einschulungsquote: 50% (1971).
BSP: 310 Mio US-$ (1974).
Pro-Kopf-Einkommen: 80 US-$ (1974).

1. Historischer Überblick

Ab dem 16. Jh. wandert das Hirtenvolk der Tutsi nach R. ein und errichtet ein Feudalsystem, in dem die seit über 1.000 Jahren ansässigen Hutu-Ackerbauern unterjocht werden. Dieses die Mehrheit der Bevölkerung ausbeutende Sozialsystem bleibt auch in der Kolonialzeit unangetastet, als R. vom Deutschen Reich als Teil Deutsch-Ostafrikas 1899–1916 und von Belgien als Rechtsnachfolger (1919–46 Völkerbundsmandat, 1946–62 UN-Treuhandschaft) verwaltet wird. Diese jahrhundertealte und auch von den Kolonialmächten genutzte Feudalstruktur erklärt die ethnischen Konflikte und deren gewaltsamen Ausbruch 1959 (Nov.): Die Hutu-Revolution kehrt die bisherigen Verhältnisse um. Der Sturz des Mwami

(Tutsi-König) im Jan. 1961 und die Ausrufung der Republik sind in diesem Prozeß der Befreiung nur äußere Zeichen. Am 1. Juli 1962 wird die Unabhängigkeit erklärt und, entgegen UN-Beschlüssen, die Trennung von Burundi vollzogen.

2. Entwicklung der politischen Parteien

2.1. Vor der Unabhängigkeit

Der ethnische Konflikt ist die Basis für die polit. Aktivität, die in R. allerdings erst spät einsetzt und sich, im Gegensatz zur Mehrheit der afrik. Staaten, nicht die Beseitigung der Kolonialherrschaft, sondern primär die der Tutsi-Oligarchie zum Ziel setzt. Älteste Bewegung ist das „Mouvement Social Muhutu", 1957 von Grégoire Kayibanda (Lehrer, Journalist) gegründet und 1959 in „Parti du Mouvement de l'Emancipation Hutu", PARMEHUTU, umbenannt. 1957 (Nov.) folgt die gemäßigtere „Association pour la Promotion de la Masse", APROSOMA (gegründet von Joseph Habyalimana). Beide Parteien wollen die Hutu-Mehrheit vertreten und die bisherigen Machtverhältnisse umkehren.

Ab Mai 1959 steht ihnen mit der „Union Nationale Ruandaise", UNAR, eine monarchistische und extremistische Tutsi-Partei gegenüber, die der Minorität ihre bisherige uneingeschränkte Macht erhalten will und mit Repressionen, Gewalt und Mord ihr Machtbewußtsein demonstriert.

Der „Rassemblement Démocratique Ruandais", RADER, ist die gemäßigtere Tutsi-Partei, in der auch einige Hutu mitarbeiten. RADER befürwortet eine evolutionäre und demokratische Entwicklung. Bedeutungslos bleibt die Gruppe „Nyandabera" („Die Weißen lieben'), die für eine Zusammenarbeit aller Rassen eintritt und erst kurz vor der Unabhängigkeit entsteht.

Im Juli 1959 spitzt sich der Hutu-Tutsi-Konflikt nach dem Tode des belgienfreundlichen Königs Mtara III. zu: Entgegen dem Wunsch der Mandatsmacht ernennt der Chef-Rat der Tutsi Kigeri V. zum Nachfolger. Diese als undemokratisch empfundene Wahl wird mit ein Grund für die Hutu-Revolution 1959 (Nov.), die viele Tausende von Toten fordert und erst durch belg. Truppen niedergeschlagen wird. Die in die Nachbarländer geflüchteten Tutsi (auf 150.000 geschätzt) agitieren in der Folgezeit gegen das neue Regime der Hutu, wobei es dem ebenfalls geflüchteten Kigeri V. anfangs gelingt, den afroasiatischen und kommunistischen Block auf die Seite der Tutsi zu ziehen. Polit. Morde und Attentate sind an der Tagesordnung, die polit. Agitation konzentriert sich auf die Frage „Republik der Hutu oder Tutsi-Monarchie". Ein Referendum, im Sept. 1961 unter UN-Kontrolle durchgeführt, bringt 79% für die Abschaffung der Monarchie. Damit hat sich der PARMEHUTU als stärkste republikanische Partei erwiesen.

2.2. Nach der Unabhängigkeit

2.2.1. Erste Republik (Kayibanda)

Am 1. Sept. 1962 erhält R. die Unabhängigkeit. Sie ist unter zwei Aspekten zu sehen: Befreiung von der Kolonialherrschaft, einer Stütze des Tutsi-Feudalsystems, und, in der Relation entscheidender, Befreiung von den Tutsi. Führend in diesem Kampf ist der PARMEHUTU, der deshalb in seinem Selbstverständnis revolutionär, republikanisch und demokratisch ist. Unter Führung Kayibandas (Staats- und Parteichef) wird er de facto Einheitspartei: nachdem die Tutsi-Invasion 1963 (Dez.) zum Verbot oppositioneller Betätigung führt und sich demnach bei den Wahlen 1965 nur PARMEHUTU-Kandidaten stellen können.

Durch die Beseitigung des Feudalsystems ist zwar die Masse der Bevölkerung polit. frei geworden (im Gegensatz zur Hutu-Mehrheit in Burundi), wirtschaftlich aber bleibt die Unfreiheit erhalten, bedingt durch die geographische Lage, verschärft durch den Mangel an Ressourcen und Infrastrukturen. (Burundi ist bezüglich der Infrastrukturen in einer erheblich besseren Ausgangsposition.) Auch die Versöhnung der beiden Bevölkerungsgruppen, in mehreren Parteimanifesten als Hauptpunkte genannt, gelingt dem PARMEHUTU nicht, zumal die Partei und ihre rivalisierenden Persönlichkeiten die Tutsi-Minorität verantwortlich machen, um auch von eigenen Fehlern und der Entwicklungsmisere abzulenken. Dies alles werden Gründe für den Zusammenbruch der 1. Republik:

Am 5. Juli 1973 übernimmt General Juvénal Habyarimana durch einen Putsch die Macht.

2.2.2. Zweite Republik(Habyarimana)

Mit Habyarimana hat eine gemäßigtere Hutu-Richtung die Führung übernommen. Auf dem Programm steht die Beseitigung des Tribalismus, die Suche nach einer friedlichen Lösung des uralten Konfliktes, der gerade 1973 von Burundi (s. dort, 2.2.1.) auf R. überzugreifen droht. Wenn bisher dieser Stammeskonflikt die für eine wirtschaftl. Entwicklung notwendigen Energien absorbierte, so soll durch neue Politisierung und Motivierung die Bevölkerung für den Aufbau des Landes gewonnen werden. Zu diesem Zweck gründet Habyarimana am 5. Juli 1975, dem 2. Jahrestag der Machtergreifung, die neue Einheitspartei ,,Mouvement Révolutionnaire National pour le Développement", MRND.

3. Merkmale der politischen Struktur

3.1. Elite

Die Elite hat in der 1. wie in der 2. Republik den gleichen Hintergrund: Sie wurde zumeist in kirchlichen Schulen ausgebildet und studierte in B.; der Anteil der Absolventen der Landesuniversität Butare und der Hochschulen in Zaïre nimmt allmählich zu. Unter Habyarimana ist die Dominanz regionaler Gruppen abgebaut worden und gemäßigte Hutu besetzen die Schlüsselpositionen. Auch wenn das Militär Basis des Regimes ist und innenpolit. Stabilität garantiert, ist es z. B. im Kabinett unterrepräsentiert. Mit zunehmender Macht der Staatsbürokratie schwindet der Einfluß traditionalistischer Kreise.

3.2. Andere Gruppen

Die Masse der Bevölkerung erwartete am Anfang der 2. Republik Reformen und damit wirtschaftliche Fortschritte; mittlerweile ist diese Erwartung der Ernüchterung gewichen. Durch Stagnation und Krisensituation der Weltwirtschaft hat sich auch R.s Lage verschlechtert; durch die Inflation wächst die Kluft zwischen der privilegierten Staatsbourgeoisie und der Masse, zu der sich in letzter Zeit auch noch ein akademisches Proletariat gesellt. Die Zahl der Unzufriedenen wächst durch die verkündeten, aber nicht ausgeführten Reformen. Das heißt wiederum, daß der ethnische Konflikt in den Hintergrund tritt, sich aber ein Konflikt zwischen zwei Klassen abzeichnet.

3.3. Parteiprogramm

Offizielles Parteiprogramm ist das „Manifest des 5. Juli 1975", dessen Kern Frieden und nationale Einheit behandelt. Zwar will die Partei die wirtschaftliche Entwicklung forcieren, doch werden ökonomische Perspektiven und Methoden nur global behandelt: Verbesserung des Lebensstandards, Steigerung der landwirtschaftlichen Produktion, Diversifizierung in Ackerbau und Viehzucht, Geldwertstabilität, Ruandisierung, etc. Dem MRND kommt es in diesem Manifest vorrangig auf den Beitrag des einzelnen zur Produktionssteigerung an. Anzumerken bleibt, daß die Armee selbst in den Produktionsprozeß integriert ist. (Mehrere Garnisonen betreiben Landwirtschaft oder wirken an Aufforstungsprojekten mit.)

An weiteren grundsätzlichen Prinzipien werden im Manifest genannt:
– nationale, revolutionäre, demokratische Entwicklung;
– verantwortliche Demokratie;
– Frieden und nationale Einheit durch Gleichheit, Gerechtigkeit, Zusammenleben und gegenseitige Ergänzung aller Bürger;
– Unterordnung persönlicher Interessen – Vorrang für das Gemeinwohl.

Der Abschnitt des Kulturprogramms verlangt eine Rückbesinnung auf die eigene Kultur, zur Heranbildung „engagierter, patriotischer, von Komplexen, feudalistischen Relikten und Vorurteilen befreiter Menschen". Beachtung verdient das Kapitel zur Sozialpolitik, da sich hier die einzige Stelle des Manifests findet, wo die drei Ethnien auch namentlich genannt werden: „Die Bewegung erkennt als fundamentale Bestandteile der ruandischen Gesellschaft die drei Ethnien an: Batwa, Bahutu, Batutsi".

3.4. Aufbau der Partei

Die 2. Republik verstärkte noch die Verschmelzung von Partei- und Regierungsapparat.

An der Spitze der Pyramide von Institutionen und Organen steht der Präsident, dem ein ,,Congrès National'' (tritt nur alle 2 Jahre zusammen) und das ZK des MRND (tritt alle 3 Monate zusammen) nachgeordnet sind, gefolgt vom CND (s. 3.5.) als Pseudo-Parlament. Die nächste Instanz, der Ministerrat, ist durch die Änderungen der polit. Struktur noch stärker Vollzugsorgan der Partei geworden, deren Politik er durchzuführen hat. Die Gliederungen in den 10 Präfekturen sind ,,Comité Préfectoral'' als Exekutivorgan, ,,Conseil Préfectoral'' und ,,Congrès Préfectoral''. Ähnlich verhält sich die Gliederung in den 144 Gemeinden (,,Comité Communal'', ,,Assemblée Comm.''), mit ,,Secteur'' und ,,Cellule'' als Basis. (Zelle: unterste Parteigliederung in jedem Dorf bzw. jedem Unternehmen mit mehr als 30 Beschäftigten; Sektor: steht zwischen Zelle und Gemeinde.) Entsprechend dieser Struktur muß die MRND-Mitgliederzahl sehr hoch sein (keine offiziellen Angaben).

3.5. Wahlen

Bei den Gemeindewahlen 1960 gewinnen die Hutu-Listen (PARMEHUTU und APROSOMA) 78% der Sitze (2390 und 233), RADER nur 6,6% (206) und UNAR, die zur Stimmenthaltung aufgerufen hatte, 1,6% (56). Diese Wahlergebnisse bilden die Grundlage für das Provisorische Parlament.

Referendum 1961 (Sept.), unter UN-Kontrolle: 79% stimmen für die Abschaffung der Monarchie. Die gleichzeitig durchgeführten Parlamentswahlen erbringen dem PARMEHUTU 35 von 44 Sitzen (77,7%), der UNAR 7, APROSOMA und RADER je einen Sitz. (Der Wahltag heißt seither ,,Kamarampaka'', ,,definitives Ende der Differenzen''.)

Die Wahlen 1965 und 1969 bestätigen den PARMEHUTU praktisch als Einheitspartei und Kayibanda als Präsidenten.

In der 2. Republik ersetzt ein Nationaler Entwicklungsrat, CND (,,Conseil National de Développement''), das klassische Parlament;

der CND firmiert lt. MRND-Manifest als Legislativorgan, kann andererseits aber nur Empfehlungen an die Regierung weitergeben, während das ZK über ihm steht, Richtlinienkompetenz besitzt und Entscheidungen fällt.(Habyarimana: ,,Das klassische Parlament hat sich unseren Realitäten nicht gewachsen gezeigt.'')

3.6. Einflüsse

R. ist als Binnenland extrem abhängig; anfangs waren die Außenbeziehungen durch den ethnischen Konflikt beeinflußt: Tutsi-Flüchtlinge im Kongo, in Uganda, Tanganjika (Kigeri V. hatte sogar eine Föderation R.-Tanganjika vorgeschlagen, um auf den Thron zurückzugelangen) und vor allem Burundi. Geblieben ist noch heute die starke Abhängigkeit von Tansania und Uganda, da fast der gesamte Warenverkehr über diese Staaten laufen muß. Insofern hat sich gerade die Auseinandersetzung zwischen Idi Amin und Nyerere katastrophal auf R. ausgewirkt. Amins offene Drohungen zwangen R. zu ,,Wohlverhalten''.

War die außenpolit. Position der 1. Republik noch eindeutig prowestlich, bedingt durch Kayibandas Antikommunismus, so hat die 2. Republik sich nach allen Seiten geöffnet. Libyens Interesse an einer Islamisierung R.s ist augenfällig. Die Beziehungen zu China und Nordkorea verstärken sich. Diese Öffnung hat aber bisher nur zu verbalen Zugeständnissen, jedoch weder zur Abkehr von einer pragmatischen Außenpolitik, noch zur Übernahme oder Entwicklung einer besonderen Ideologie geführt. Wichtig ist die Entwicklung des Landes, die Überwindung der Armut. ,,Keine Ideologie oder Wirtschaftsdoktrin birgt in sich das Geheimnis der Weiterentwicklung.'' (Habyarimana)

4. Politische Begriffe

Umunganda (in Kinyarwanda ,,gemeinschaftliche Entwicklung''): Dieser Begriff bietet deutlich Parallelen zu ,,Salongo'' (s. Zaïre, 4.) und ,,Ujamaa'' (s. Tansania, 4.); in R. versteht man darunter die gemeinschaftliche Durchführung von Entwicklungsmaßnahmen auf verschiedenen Ebenen, wobei der Schwerpunkt auf Produktionskooperativen in den Dorfgemeinden liegen soll. (Umunganda ist auch als Disziplinierungsmaßnahme für aufsässige Studenten gedacht.)

Jürgen M. Werobèl-La Rochelle

Literatur (s. auch Burundi)

Decraene, P., „Le ‚coup' rwandais du 5 juillet 1973 et ses suites", in: Revue française d'études politiques africaines, Nr. 99, Paris 1974, S. 66–86.

Duriex, A., „Les institutions politiques de la République du Rwanda", in: Revue Juridique et Politique, Indépendance et Coopération, 27. Jg., Nr. 2, Paris 1973, S. 295–330.

ders., „Les réformes constitutionnelles de la République rwandaise", in: Revue Juridique et Politique, Indépendance et Coopération, 29. Jg., Nr. 3, Paris 1975, S. 297–317.

Hausner, K.-H.; Jezic, B., Rwanda. Burundi, Bonn 1968 (Die Länder Afrikas Bd. 36).

Lemarchand, R., „Rwanda", aus: Lemarchand, R. (Hrsg.), African kingships in perspective, London 1977, S. 67–92.

Vanderlinden, J., La République rwandaise, Paris 1970.

Vidal, C., „Colonisation et décolonisation du Rwanda: la question Tutsi-Hutus", in: Revue française d'études politiques africaines, Nr. 91, Paris 1973, S. 32–47.

Werobèl-La Rochelle, A. J. u. J. M., „Rwandas 2. Republik. Programm und Aufbau der neuen Einheitspartei MRND", in: Internationales Afrikaforum, 11. Jg., Nr. 11/12, München 1975, S. 575–581.

Sambia

Grunddaten

Fläche: 752.614 km^2.

Einwohner: 5.140.000 (1976).

Ethnische Gliederung: Etwa 70 Stämme, zu Sprachgruppen zusammengefaßt: Bemba: 40%; Tonga: 15%; Nyanja 15%; Lunda-

Luvale 10%; Lozi: 10%; Mambwe 5%; 50.000 Europäer; 12.000 Asiaten.
Religionen: Traditionelle Religionen: etwa 70%; Christen 20%; andere: 10% (Moslems, Hindus, Zeugen Jehovas, Sekten).
Alphabetisierung: 50% (1974).
BSP: 2.470 Mio. US-$ (1974).
Pro-Kopf-Einkommen: 520 US-$ (1974).

1. Historischer Überblick

Sambia hat eine stark von der Kolonialstruktur gekennzeichnete Geschichte. Das heutige S. (1964 unabhängig) wurde erst von 1924 an als brit. Protektorat „Nordrhodesien" vom Kolonialministerium in London übernommen, nachdem es praktisch 30 Jahre von der Britisch-Südafrikanischen Gesellschaft (BSA) verwaltet wurde. Ergebnis: enge Verknüpfung S.s an die polit. und wirtschaftl. Institutionen Südrhodesiens und Südafrikas. Die Hauptinitiative der brit. Ausdehnung nördlich des Sambesi kam von Cecil Rhodes (s. Zimbabwe, 1.). Da sich das strategische Interesse der brit. Regierung, nämlich eine Ausdehnung der Buren, Deutschen und Portugiesen in diese Richtung zu verhindern, mit Rhodes' Interessen traf, räumte G.B. 1889 der Rhodesischen BSA umfassende Konzessionen ein, die auch das Verwaltungsrecht in Bezug auf die dort lebende afrik. Bevölkerung umfaßte.

Rhodes' Vertreter schlossen Verträge mit einer Reihe von Stämmen, darunter mit dem König des ausgedehnten Lozi-Königreiches am oberen Sambesi, Lewanika. Sowohl die wirtschaftl. Durchdringung Nordrhodesiens durch die BSA-Konzessionen als auch die Politik einer allgemeinen Besteuerung der afrik. Bevölkerung durch die BSA erzeugte polit. Widerstand, der auch in kleinen Aufständen zum Ausdruck kam. Erst 1910 hatte die Gesellschaft Nordrhodesien vollständig in ihrer Hand. Opposition weißer Siedler gegen eine von der Gesellschaft erhobene Einkommensteuer (1920) brachte die brit. Kolonialverwaltung ins Land. Die Abtretung der verwaltungsrechtlichen Zuständigkeit an London führte dann zu einer Beteiligung wenigstens der Weißen am polit. Prozeß des Protektorats (Legislativer Rat); Afrikaner wurden effektiv von der polit. Willensbildung ausgeschlossen.

2. Entwicklung der politischen Parteien

2.1. Vor der Unabhängigkeit

Der rasche wirtschaftliche Aufschwung im Kupfergürtel S. s in den zwanziger Jahren hatte polit. und soziale Auswirkungen. Ländliche Räume entleerten sich, in den Industriezonen bildeten sich Städte. Soziale und Rassenkonflikte traten auf.

Die gemeinsamen Interessen der afrik. Arbeiter überwanden stammesmäßige Bindungen: 1935 streiken sie erstmals (wenn auch schwach) organisiert. Während die weißen Arbeiter im Kupfergürtel Gewerkschaften nach europ. Traditionen aufbauten, gründeten die Schwarzen sog. ,,Welfare Societies'' (Arbeiterwohlfahrt), die im Laufe der Zeit zu allgemeinen Diskussionsforen für die Arbeiterprobleme der Afrikaner wurden. Die 1946 in Lusaka gegründete Föderation der ,,Welfare Societies'' wurde 1948 zu einer wirklich polit. Organisation der Afrikaner, zum ,,Northern Rhodesian Congress'', der gegen die Politik der Weißen, von G. B. loszukommen und mit Südrhodesien und Njassaland eine Zentralafrik. Föderation zu bilden, kämpfte. Die Afrikaner befürchteten, daß ihnen in einer Föderation mit dem Süden durch weiße Siedler noch mehr Land entzogen würde. Unter der Regierung der Konservativen in G. B. konnte der Süden 1953 die Föderation durchsetzen, was sich für Nordrhodesien/S. als defizitäre Entwicklung herausstellte: Gewinne aus Nordrhodes. Unternehmen wurden nach Südrhodesien transferiert; städtische und ländliche Entwicklungseffekte für Afrikaner in Nordrhodesien waren gering. Nach der Gründung der Föderation geriet der Nordrhodes. Afrik. Nationalkongreß unter Führung von Harry Nkumbula in eine Krise. 1958 trennte sich eine Gruppe von jungen Radikalen ab mit dem Lehrer Kenneth Kaunda an der Spitze – ihr polit. Ziel: Auflösung der Föderation, Umwandlung Nordrhodesiens in einen unabhängigen Staat, der Sambia genannt werden sollte. Die neue Gruppierung wurde 1959 verboten (Kaunda und Anhänger verhaftet). Nach der Freilassung, wenige Monate später, übernahm Kaunda die Führung der neugegründeten „United National Independence Party" (UNIP). Passiver Widerstand, Streik und andere friedliche Aktionen wurden erfolgreich als polit. Instrumente eingesetzt: Die brit. Regierung gewährte Nordrhodesien eine Verfassung mit Mehrheitsrecht für Afrikaner. UNIP nahm an den folgenden allgemeinen Wahlen teil und bildete nach Wahlerfolg mit dem Rest-Kongreß eine Koalitionsregierung in Nordrhodesien. Die Föderation mit Rhodesien und Njassaland wurde Ende 1963 aufgelöst und die Unabhängigkeit S.s am 24. Okt. 1964 ausgerufen.

2.2. Nach der Unabhängigkeit

2.2.1. Mehrparteiensystem

Die Wahlen 1964 ermöglichten es Kaunda, ein Kabinett ganz aus UNIP-Mitgliedern zusammenzustellen. Abgesehen von den organisierten Oppositionsgruppen „African National Congress" (ANC) und „United Progressive Party" (UPP) hatten UNIP und Kaunda in der ersten Phase des Überganges und der Unabhängigkeit sich mit zwei innenpolit. Problemen auseinanderzusetzen:
– Im Barotseland bereitete die Integration des traditionellen Königtums in einen modernen, demokratisch regierten Staat Schwierigkeiten, weil die traditionelle Elite unter der Kolonialverwaltung eine beträchtliche Autonomie genossen hatte. Erst nachdem 1964 (Nov.) ein UNIP-Mitglied, Hastings Noyou, zum Ngambela (Premierminister) der Stammesorganisation gewählt worden war, entspannte sich die Situation im Barotseland.
– In der Nordprovinz stieß die Regierung auf den Widerstand der Lumpa-Kirche (Gründerin: Alice Lenshina), die eine Integration in ein „normales" Staatsleben ablehnte. Die Anlässe sind unklar, doch steht fest, daß diese Kirche sich gegen Mitgliederwerbung der UNIP in dieser Sekte aussprach und sich der Wählerregistratur widersetzte. Die Auseinandersetzungen mit dieser Sekte kosteten 700 Menschenleben und endeten mit der Auflösung der Sekte: Fest-

setzung der Lenshina (Freilassung erst 1976) und Flucht der Sekten-
mitglieder.

Der ANC als Oppositionspartei. Bei der Unabhängigkeit war die
UNIP zwar die stärkste Partei, aber der ANC war als Oppositionspartei noch vorhanden. Im Unterschied zu anderen Parteienbildun-
gen Afrikas verstand sich der ANC nicht als ethnisch-regionale
Interessenvertretung, sondern als Konkurrenzelite auf nationaler
Ebene, aber nach dem Durchbruch der UNIP blieb der ANC
insgesamt regional bestimmt, und sein polit. Einzugsbereich deckte
sich im wesentlichen mit den Sprachgruppen Tonga und Lunda. Es
wäre jedoch falsch, von einer tribalistischen oder sektionalistischen
Partei zu sprechen. Vielmehr versuchte der ANC mit einem konservativen, pro-westlichen und pro-kapitalistischen Programm eine,
allerdings erfolglose, Alternative zur UNIP aufzustellen. Noch
1968 erzielte der ANC 25% der Stimmen, davon 85% aus drei
Provinzen (hauptsächlich Süden). Das Wahlergebnis von 68 kann
parteipolit. wie folgt interpretiert werden:

Der ANC konnte zwar die UNIP-Intention, zum Einparteisystem durch einfachen Wählerentscheid zu kommen, blockieren, er
mußte jedoch in 4 von 8 Provinzen Verluste hinnehmen. Eine
ähnliche Funktion übernahm der ANC im Referendum vom 17. 6.
69, in dem die Bevölkerung zur Nationalisierung der Grund- und
Bodenrechte Stellung nehmen sollte: hier artikulierte sich der ANC
als Verteidiger der privaten Besitzrechte und des Allokationsrechts
der Häuptlinge, wodurch das mit 57% ohnehin knappe Ergebnis
für die Reform in 4 Provinzen unter Landesdurchschnitt gedrückt
wurde. Der Gegensatz UNIP-ANC läßt sich nicht auf einen einfachen Nenner bringen:

– Manchmal erscheint der ANC als Protestpartei der Bauern;
– bisweilen als Ausdruck des Konflikts zwischen „ländlichem und
städtischem Nationalismus".
– Der ANC wurde auch als Partei der im Lande verbliebenen europ.
und asiat. Bourgeoisie in Verbindung mit den ausländischen Kapi-
talinteressen,
– und manchmal auch nur als Interessen-Patronage-Gruppe gegen
UNIP mit regionalem Einschlag bezeichnet.

In dem Maße, in dem ANC-Führer in die offizielle Patronage einbezogen wurden, sank auch die Bedeutung der Partei schon vor der Proklamation zum Einpartei-Staat.

*UPP als zweite Oppositionsgruppe.*Die United Progressive Party (UPP) war eine Abspaltung von der UNIP unter der Führung des Vize-Präsidenten und persönlichen Freundes Kaundas Simon Kapwepwe 1971. Die Position Kapwepwes als Nationalist, das Bündnis mit Kreisen des alten ANC, den er selbst als Brückenkopf des Imperialismus bezeichnete, die etwas tribalistisch orientierte Führung (mehrheitlich Bemba) macht auch die Interpretation dieser Partei schwierig. Am ehesten läßt sich diese Partei als Sammelbekken einer „lokalen Mittelklasse" auffassen, die ihre Interessen in den „Matero"-Reformen (s. 3.2.) beeinträchtigt sah und eine Krise innerhalb der UNIP ausnutzte.

2.2.2. Übergang zum Einpartei-Staat

Kaunda reagierte auf diese Neugründung radikal: Er ließ viele Anhänger der UPP einschließlich Kapwepwe verhaften und ließ sie ohne ordentliche Gerichtsverfahren im Gefängnis. (Anfang 73 wurden die meisten UPP-Leute entlassen; Kapwepwe und vier weitere führende Mitglieder der UPP erklärten sich im Sept. 1977 zur Mitarbeit in der UNIP bereit.) Die Opposition hatte Kaunda, der sich mit seiner UNIP in verschiedenen Wahlen behaupten konnte, trotzdem bewiesen, daß eine natürliche Entwicklung zur „Einpartei-Partizipations-Demokratie" (s. 4.) durch einfachen Wählerentscheid unwahrscheinlich blieb. Daher führte er 1972 (Dez.) die Einheitspartei-Struktur per Gesetz ein.

3. Merkmale der politischen Struktur

3.1. Elite

Mit der radikalen Forderung der sofortigen Sezession in der Föderation konnte sich Kaunda mit einer Gruppe von Nationalisten (prison graduates) durch gewaltfreie Aktionen (Boykott, Streik, passiver Widerstand) eine breite Basis der Zustimmung bei der Bevölkerung verschaffen.

UNIP hat sich als nationale Partei durchgesetzt und ist deshalb mehr als eine regierende Partei der Bemba für die Bemba (wie sie bisweilen bezeichnet wurde), auch wenn historisch bedingt die bembasprachigen Provinzen zu den Hochburgen zählten. Besonderen Wert legt die Partei auf die nationale Einheit (nation building) nach dem Motto „one Zambia – one Nation" und „one Party – one Leader", dem aus europäischer Sicht bisweilen faschistische Züge unterlegt wurden. Obwohl Programmatik und politische Maßnahmen der Partei einen sozialdemokratischen Charakter verleihen, wird UNIP, aufgrund der bis jetzt nur begrenzt erreichten allgemeinen Zustimmung und Mitarbeit der Bevölkerung in der Partei, als Agentur eines „ererbten Herrschaftsapparates" bezeichnet.

3.2. Andere Gruppen

Gegen UNIP waren im wesentlichen 3 Gruppen eingestellt, die auch entsprechende Oppositionsparteien gebildet hatten (s. 2.2.1.): europ. Siedler und Unternehmer, traditionell-konservativ eingestellte Afrikaner (bisweilen mit Stammesfunktionen) und ausländischer Mittelstand (z. B. indische Händler). Die Wahlergebnisse von 1973 deuten an, daß Regierung und Partei auch Opposition von der armen Landbevölkerung, von städtischen Arbeitslosen (u. a. Jugendliche) und von den Intellektuellen (z. B. Universität) erwarten kann, wenn nicht verstärkt entwicklungspolit. Anstrengungen eingeleitet werden.

3.3. Programmatik

Ein Parteiprogramm im strikten Sinne gibt es nicht; als Dokument ist aber Kaundas „Humanism in Zambia" anzusehen (s. Literaturhinweise).

Wenn von Programmatik der UNIP und den möglichen Durchführungen gesprochen wird, muß man die beträchtliche Außenabhängigkeit S.s berücksichtigen:
– Weiter bestehende Abhängigkeit des unabhängigen S. von den Minderheitsregimen Rhodesien (Transport) und R. S. A. (Technologie/Experten); einseitige Unabhängigkeitserklärung Rhodesiens

353

1965 und Schließung der Grenzen durch Rhodesien 1973 führten zur kostspieligen Umlenkung der Warenströme (Kupfer).

– Abhängigkeit von Preisfluktuationen für Kupfer auf dem Weltmarkt. Seit der Unabhängigkeit kämpfte S. also nicht nur um Reformen, sondern war auch ständig mit der Überwindung der von außen oktroyierten Schwierigkeiten beschäftigt.

Die wesentlichen strukturellen Reformen bestehen in der unter der Philosophie des ,,samb. Humanismus" durchgeführten Nationalisierung der Wirtschaft: 1968 (Apr.) Mulungushi-Reformen: Aufforderung Kaundas an 26 größere Kapitalgesellschaften, 51% Staatsbeteiligung zu akzeptieren. 1969 (Aug.) Matero-Reformen: Ankündigung, daß die Regierung 51% des Kapitals der Bergbauindustrie übernehmen werde; Nov. 1970 werden ähnliche Maßnahmen für Banken angekündigt, aber im Juli 1971 in der angekündigten Form wieder rückgängig gemacht. 1973 (Aug.): Übernahme der Holdinggesellschaft MINDECO durch das Ministerium für Bergbau. Verschiedene Maßnahmen zur Vergrößerung des Handlungsspielraums im Kapitalstruktur- und Vermarktungsbereich des Kupfers.

– Seit 1974 kann man von einem ausgedehnten para-staatl. Wirtschaftssektor sprechen, mit folgenden Institutionen: ZIMCO (Zambia Industrial and Mining Corporation): größte Holdinggesellschaft im unabhängigen Afrika, mit Bergbau- und Industriebeteiligungen: INDECO (Industrial Development Corporation): Holding für rund 50 Unternehmen in Sambia; FINDECO (State Finance and Development Corporation): Dachgesellschaft für Versicherungen, Banken, Baugesellschaften; National Energy Corporation: Elektrizitätserzeugung, Ölverarbeitung und Vertrieb.

Im Juni 1975 kündigte Kaunda in seiner sog. ,,Watershed"-Rede weitere institutionelle Veränderungen an:

– Verringerung der Subventionen für den para-staatl. Sektor,

– verstärkte Finanzierung für die ländliche Entwicklung,

– striktere Anwendung des ,,Leadership Code", der prinzipiell wirtschaftl. Betätigung von Parteifunktionären und Regierungsbeamten verbietet,

– Reform der Landeigentumstruktur.

In zwei Entwicklungsplänen (1966–70, 1972–76) sollten die wesentlichen Grundsteine für die Entwicklung S. s gelegt werden. Der 2. Plan sah insbesondere vor: Ausdehnung der landwirtschaftl. Produktion zur Verbesserung der Ernährungssituation, dabei auch besondere Förderung des „traditionellen" Sektors, Ausbau und Diversifizierung der Industrie, insbesondere der Kupferverarbeitung. „Intensive Development Zones" sollten vom Konzept her den multidimensionalen Entwicklungsprozeß beschleunigen. Ein 3. Nationalplan ist in Arbeit, der Beginn der Planperiode wurde auf 1979 verschoben.

Das Absinken der Erzeugerpreise für Kupfer bei gleichzeitiger Erhöhung der Importpreise für wichtige Einfuhrgüter (z. B. Rohöl) hat dazu geführt, daß das reale BIP pro Kopf 1977 nicht höher als 1972 ist. Wichtige entwicklungspolit. Ziele (Diversifikation der Industrie, Intensivierung der Landwirtschaft) konnten nicht verwirklicht werden, z. T. aus Gründen, die jenseits der Macht der polit. Führung lagen (Weltrezession, Ereignisse in Angola etc.) Die allgemeine Stagnation wirkt auf das polit. System, das gezwungen ist, mit neuen Konzepten auf die Herausforderung zu antworten, so wie es Kaunda bereits in seiner „Watershed"-Rede angekündigt hat: die Außenhandelskontrollen vom Sept. 75 (Beschränkung von Geldtransfers ins Ausland, Beschränkung der Auslandsreisemöglichkeiten), Budgetkürzungen für 1976 auf rund 70% des Vorjahres bei gleichzeitiger Erhöhung von Steuern, Zöllen, etc., Nationalisierung von Kinos, Mietshäusern, Grundstücksmakler-Büros, Tabakindustrie, Erweiterung der betrieblichen Mitbestimmung – Betriebsrätegesetz (Ende 1976) – deuten in diese Richtung.

3.4. Aufbau der Partei

Auf dem Mulungushi-Parteikongreß 1971 wurde ein neues Parteistatut gebilligt. Wichtig war die Abschaffung des Postens des Vizepräsidenten der Partei, der automatisch Vizepräsident des Staates wurde. Die oberste Parteifunktion ist nun der Generalsekretär des ZK. Lenkungsinstrument der Partei und des Staates ist das ZK mit max. 25 Mitgliedern (20 auf alle 5 Jahre stattfindenden Parteitagen gewählte und 3 vom Präsidenten ernannte). Es hat größere Machtbefugnis als das Kabinett. Seit dem Parteitag 1971 hat Kaunda auch die Verknüpfung von Regierungs- und Parteiarbeit in einer Person gelockert: Erneuerung von ZK und Kabinett. Diese Regelung gibt Kaunda die Möglichkeit, die alte Garde der Unabhängigkeitskämpfer im ZK zu integrieren und die exekutive Tätigkeit im Kabinett jungen Technokraten anzuvertrauen. Verstärkte Anstrengungen werden unternommen, die Bevölkerung in die Parteiarbeit zu integrieren und der Parteiarbeit selbst einen stärkeren unmittelbaren entwicklungspolit. Bezug zu geben. Seit Dezember 72 ist S. ein Einpartei-Staat mit „partizipatorischer Demokratie". Entsprechend wurde die Verfassung geändert: S.s Präsident ist Chef des Staates, Oberkommandierender der Streitkräfte und Parteivorsitzender der Staatspartei UNIP.

3.5. Wahlen

Der Präsident wird durch direkte Wahl vom Volk zur selben Zeit wie die Nationalversammlung gewählt. Das Parlament, das aus 125 gewählten und 10 vom Präsidenten nominierten Abgeordneten besteht, wird in zwei Stufen gewählt. In der ersten Stufe werden im Parteirahmen 3 Kandidaten pro Wahlkreis nominiert. In der zweiten Stufe wählt die Bevölkerung aus diesen 3 Kandidaten einen Vertreter für die Nationalversammlung. Ein „House of Chiefs" umfaßt 27 traditionelle Stammesführer, die damit eine Artikulationsmöglichkeit im polit. System haben.

Die letzten Wahlen fanden im Dez. 1973 statt, in denen Kaunda für die 3. Amtszeit bestätigt wurde, wobei aber auch 20% der Wähler gegen ihn stimmten. In dieser Wahl deutete sich zugleich eine Erneuerung der Nationalversammlung an: die meisten der neuen Abgeordneten waren unter 40. Die geringe Wahlbeteiligung von 39% (1968: 77%) spiegelt insgesamt die innenpolit. Krise dieser Zeit wider: Fehlen einer effizienten Opposition, allgemeine Unzufriedenheit der Bevölkerung mit der entwicklungspolit. Leistung von UNIP und Regierung.

3.6. Einflüsse

S. ist einer der wichtigen Staaten der „Blockfreien" (1970: Ausrichtung der Konferenz dieser Staatengruppe in Lusaka). Einflüsse anderer Ideologien (z. B. VR-China) sind in den polit. Entscheidungen nicht erkennbar, aber es werden im Kabinett und ZK der UNIP unterschiedliche Strategien und ideologische Orientierungen diskutiert. Auch in der Frage des Südlichen Afrika spielte S. eine Avantgarde-Rolle; es unterstützte den Befreiungskampf gegen das portug. Kolonialregime in Angola und Mosambik. Mit dem Sieg von MPLA und FRELIMO in den Nachbarstaaten hat sich die gemäßigte Position Kaundas verschlechtert: Bei aller Bestimmtheit des „Prinzips der Schwarzen Mehrheit" für Rhodesien und Südafrika hatte er immer wieder das Element der Verhandlung in die Auseinandersetzung gebracht. Seit dem Scheitern der Verhandlungen mit Rhodesien (s. Zimbabwe) 1975 und der Genfer Gespräche 1976 scheint sich bei Kaunda jetzt eine härtere Linie durchzusetzen.

4. Politische Begriffe

Zambian Humanism: ideologisches Konzept Kaundas, wonach in der traditionellen Gesellschaft die gegenseitige Hilfe kennzeichnend war. Die existentiellen Grundbedürfnisse wurden in der Gemeinschaft, d. h. in Teamarbeit befriedigt. Eine Reihe von humanistischen Gedanken wurden in der traditionellen Gesellschaft verwirklicht: Gleichheit, soziale Gerechtigkeit etc. Aus diesen Grundlagen leitet Kaunda praktisch ein sozialdemokratisches Parteiprogramm ab, das Sambianisierung mit bedeutender Staatsbeteiligung, Genossenschaftsförderung, gewisse Formen von Mitbestimmung und Beteiligung von Arbeitnehmern im und am Betrieb in einer vielrassigen Gesellschaft vorsieht.

One Party Participatory Democracy (Einpartei-Beteiligungsdemokratie): politisches Konzept zur Unterbindung von stammesorientierten Parteibildungen bei Aufrechterhaltung eines Mindestmaßes an Wahlmöglichkeiten für die Bürger im Rahmen einer Staatspartei.

Klaus-Peter Treydte

Literatur

Adam, E., Zambia. Reflexion zu Partei und Gesellschaft im Entwicklungsstaat, Arbeiten aus der Abtlg. Entwicklungsländerforschung Nr. 47, Forschungsinstitut der Friedrich-Ebert-Stiftung, Bonn-Bad-Godesberg
1977.

Bates, R. H., Unions, Parties and Political Development – A Study of
Mineworkers in Zambia, N. H./London 1971.

Elliot, Ch. (Hrsg.), Constraints on the Economic Development of Zambia,
London 1971.

Hall, R., Zambia, London 1968[4].

Kaunda, K. D., Humanism in Zambia and a Guide to its Implementation,
Lusaka 1968.

Simonis, H., und Udo, E. (Hrsg.), Socioeconomic Development in Dual
Economies. The Example of Zambia, München 1971.

Tetzlaff, R., ,,Opposition in Sambia: Echte Alternative oder sinnloser Widerstand", in: Internationales Afrikaforum, 7. Jg., Nr. 3, München 1971,
S. 187–196.

ders., ,,The Concrete Contradictions in Zambia's ,Socialism'", aus:
Voss, J., Development Policy in Africa, Bonn-Bad Godesberg 1973,
S. 163–179.

ders., ,,Wahlen im Einparteiensystem Sambias. Mehr Mitbestimmung – für
wen?" in: Afrika heute, Bonn 1974, Nr. 1–2, S. 10–13.

Tordoff, W. (Hrsg.), Politics in Zambia, Manchester 1974.

Wohlmuth, K., ,,Sambia – Modell einer gescheiterten Dekolonisation",
aus: Grohs, G.; Tibi, B. (Hrsg.), Zur Soziologie der Dekolonisation in
Afrika, Frankfurt/M. 1973, S. 146–190.

São Tomé und Principe

Grunddaten

Fläche: 964 km^2.
Einwohner: 80.000 (1976).
Ethnische Gliederung: vorwiegend Nachkommen afrikanischer Kon-

tinentalstämme, zum geringeren Teil Mulatten und Europäer,
v. a. Portugiesen.

Religionen: Traditionelle Religionen 42%; Christen: 58% (kath.
55%, ev. 3%).

Alphabetisierung: Die Analphabetenquote ist sehr hoch, Einzeldaten
fehlen.

BSP: 40 Mio. US-$ (1974).

Pro-Kopf-Einkommen: 570 US-$ (1974).

1. Historischer Überblick

1471 entdecken portugiesische Seefahrer zwei unbewohnte Inseln
im Golf von Guinea, die die Namen São Tomé und Principe erhalten. Die Kolonisation beginnt erst um 1486 mit der Ansiedlung von
Strafgefangenen, Juden und Kontinental-Afrikanern. Jahrhunder-
telang wird über S. T. u. P. der Sklavenhandel nach Nord- und
Südamerika abgewickelt. Nach Abschaffung der Sklaverei 1869
werden Arbeiter in Angola, den Kapverdischen Inseln und Mosambik angeworben. Der tatsächliche Status dieser Kontraktarbeiter
unterscheidet sich kaum von jenem früherer Sklaven. 1955 erhält
S. T. u. P. den Status einer Überseeprovinz und 1973 wird die
innere Autonomie der Provinz erweitert. Nach einigen Monaten
Übergangsregierung (Dez. 1974 bis Juli 1975) wählt die Bevölkerung von S. T. u. P. eine verfassunggebende Volksversammlung
und wird am 12. Juli 1975 nach einer mehr als 500-jährigen Kolonialherrschaft unabhängig.

2. Entwicklung der politischen Parteien

2.1. Vor der Unabhängigkeit

Die Nationale Volksaktion ANP (Acçâo Nacional Popular) ist während der Kolonialzeit die einzige zugelassene Partei, doch illegal
wird 1960 eine Befreiungsorganisation, die CLSTP (Comissão de
Libertação de São Tomé e Principe) gegründet, die schon ab 1961
gezwungen ist, von Libreville (Gabun) aus zu operieren. 1972 erhält

dann die Bewegung für die Befreiung von S. T. u. P. unter Dr. Manuel Pinto da Costa ihren heutigen Namen MLSTP (Movimento de Liberdade de São Tomé e Principe). Sie hat ihren Sitz in Libreville und wird 1973 von der OAU anerkannt. Die MLSTP hat keinen eigentlichen Guerilla-Krieg geführt. Ihre Aktivität ist bis zum Frühjahr 1974 gering und beschränkt sich auf Lohnstreiks unter den afrik. Arbeitern. Doch nach den darauffolgenden bewaffneten Zusammenstößen wird die MLSTP als alleiniger Verhandlungspartner im Hinblick auf die Vorbereitung der Unabhängigkeit von Portugal anerkannt.

2.2. Nach der Unabhängigkeit

Die MLSTP entwickelt sich zu einer Einheitspartei mit gemäßigter sozialistischer Grundorientierung in gewisser Anlehnung an die Vorbilder der PAIGC in Guinea-Bissao und den Kapverdischen Inseln und der FRELIMO in Mosambik. Allerdings verfolgt die MLSTP von den fünf ehemaligen portugiesischen Kolonialgebieten in der Praxis die gemäßigtste Politik.

Nach fünf Jahrhunderten portugiesischer Kolonialherrschaft wird am 12. Juli 1975 die erste Demokratische Republik von São Tomé und Principe ausgerufen. Ihr Präsident ist der Generalsekretär der MLSTP, Dr. Manuel Pinto da Costa; Premierminister ist Miguel Trouvoada.

Nach der Unabhängigkeitsverfassung wird im Dez. 1975 die Volksversammlung mit 33 Mitgliedern konstituiert, die sich aus dem Politbüro der MLSTP, der Regierung, der Gebietskomitees und der Frauenorganisation zusammensetzt.

3. Merkmale der politischen Struktur

3.1. Elite

Nach Abzug der portugies. Führerschicht übernehmen jene Afrikaner die Leitung des Zwergstaates, die aufgrund ihrer Ausbildung weitgehend an die portugies. Zivilisation assimiliert sind und z. T. vorher in der portugies. Verwaltung tätig waren.

(3.2. Andere Gruppen entfällt.)

3.3. Parteiprogramm

In der Phase des Übergangs zur Unabhängigkeit in den Jahren
1974/75 hatte sich von den ursprünglich zwei verschiedenen Flügeln
der MLSTP eindeutig die relativ konservativere Richtung durchgesetzt (die heutigen Minister haben sie vorwiegend geprägt); dieser
Flügel wurde im Exil von der Regierung von Gabun und deren
Präsidenten Bongo unterstützt. Der linke Flügel war aktiv beteiligt
an verschiedenen Unruhen des Jahres 1974, wurde aber im März
1975 kurz nach Einsetzung der Übergangsregierung völlig ausgeschaltet. In der nationalen Politik zeigt sich die gemäßigte Grundhaltung vor allem in einer deutlichen Annäherung an Frankreich
und die EG und fortgesetzten engen Verbindungen zu Portugal.
Allerdings wurden auch Kontakte zu einem breiten Spektrum anderer Länder, inklusive China und UdSSR, hergestellt.

Die Ziele der Einheitspartei sind in erster Linie wirtschaftspolit.
Natur. Bis zur Unabhängigkeit gehörten über 90% der Landfläche
lediglich etwa 30 portugiesischen Gesellschaften, die vorwiegend
Kakaoplantagen betrieben, während die restlichen 10% auf
ca. 11.000 Bauernfamilien aufgeteilt waren. Zunächst verhielt sich
die Regierung in der Landfrage sehr vorsichtig und forderte nicht
eine umgehende Nationalisierung; bei der Unabhängigkeit wurde
noch verkündet, daß effiziente Plantagen durchaus in Privatbesitz
bleiben könnten. Doch schon Ende 1975 gab es für die Regierung
keine Alternative mehr zu einer Übernahme der Plantagen durch
den Staat, da durch den Exodus der meisten Portugiesen (von
ursprünglich 3.000 war ihre Zahl zum Jahresende 1975 auf 300
gesunken) die für das Land lebenswichtige Produktion zu weit
zurückgegangen und die Arbeitslosigkeit stark angestiegen war.
Am 14. Nov. 1975 wurden daher alle großen Plantagen ohne Kom-
pensation verstaatlicht. Durch diese vollständige Agrarreform und
den Versuch zur Diversifizierung der Anbauprodukte soll S.T.u.P.
wenigstens auf dem Lebensmittelsektor vom Ausland unabhängig
werden. Auch wird der Aufbau einer modernen Fischerei ange-

strebt. Ausländisches Investitionskapital wird geschützt und ist grundsätzlich erwünscht zum Aufbau einer eigenen Industrie.

(*3.4. Aufbau der Partei* und *3.5. Wahlen* sowie *4. Politische Begriffe* entfallen.)

Marianne Müller

Literatur

Bénezra, R.; Fargues, G., „L'accession à l'indépendance", in: Afrique Contemporaine, Nr. 77, Paris 1975, S. 9–24.

Pélissier, R., „São Tomé et Principe: les aléas de l'indépendance", in: Revue française d'études politiques africaines, Nr. 115, Paris 1975, S. 9–11.

Tenreiro, F., A Ilha de S. Tomé, Lissabon 1961.

São Tomé et Principe, l'heure de vérité, in: Afrique Nouvelle, 16. 7. 1975.

São Tomé et Principe deviennent une République indépendante, in: Marchés Tropicaux et Mediterranéens, Paris, Nr. 1549.31 (1975).

Senegal

Grunddaten

Fläche: 196.192 km².
Einwohner (1976 – Zählung): 5.085.388.
Ethnische Gliederung (1971): Wolof 36%, Serer 16%, Diola 9%, Mandevölker 9%, Tukulor 7%, Fulbe 17%.
Religionen (1971): Moslems 82%, Traditionelle Religionen 13%, Christen 5%.
Alphabetisierungsquote (1970): 25%.
BSP (1974): 1.590 Mio. US-$.
Pro-Kopf-Einkommen: (1974): 330 US-$.

1. Historischer Überblick

Ausgrabungen in S. weisen auf menschliche Besiedlung schon vor ca. 150.000 Jahren hin.

Die ersten Herrscherdynastien, die aus diesem Gebiet bekannt sind, sind die der Tekrur – ab 9. Jh. n. Chr. –, die an den Ufern des Senegal siedelten. Hier war auch um das Jahr 1000 ein Zufluchtsort von moslemischen Berbern (Almoraviden), der zur Ausgangsbasis des Islam in diesem Bereich wurde. Danach entstanden zahlreiche kleine Königreiche der Wolof und Serer (Fouta, Cayor, Dyolof, Sine, Salloum etc.), die zeitweilig unter dem König der Dyolof vereinigt waren und bis zum 19. Jh. Bedeutung hatten.

Ab dem 15. Jh. erreichten die Europäer den Senegal und Cap Vert: zunächst die Portugiesen, dann im 16. Jh. die Holländer, Franzosen und Engländer. Anfangs kamen sie aus Entdeckerdrang, wegen angeblicher Goldfunde und wegen exotischer Produkte. Zunehmend gewann jedoch der Sklavenhandel an Bedeutung – bis ins 19. Jh. war S. ein Hauptzentrum des Sklavenhandels.

Die Holländer zogen sich anläßlich des „Gummikrieges" (Kampf zwischen den Europäern um die Vormachtstellung im Handel mit dem aus Mauretanien kommenden Gummi) aus S. zurück; 1763 verzichteten die Franzosen zugunsten der Engländer, die 1765 die Kolonie Senegambia schufen. 1783, mit dem Vertrag von Versailles, geht S. wieder an die Franzosen. 1815 wird der Sklavenhandel verboten.

Um 1840 beginnt der Erdnußexport, der bis heute eine entscheidende Bedeutung für S. hat.

1843 verkündet Frankreich die Abschaffung der Sklaverei. S. entsendet einen Abgeordneten in die Französische Nationalversammlung. Unter der Verwaltung von General Faidherbe wird 1864 die Kolonie Senegal geschaffen. Der Herrscher von Cayor (Damel du Cayor) Lat-Dior Ngongé Latyr widersetzt sich in erbitterten Kämpfen den Bestrebungen Faidherbes, St. Louis und Dakar durch Straße und Eisenbahn zu verbinden. Andere Herrscher in S. schlossen sich den Kämpfen an, die erst gegen Ende des 19. Jh. zur Ruhe kommen. Ab 1895 wird Frz.-Westafrika (AOF – Senegal, frz. Sudan, Guinea, Elfenbeinküste, später auch Dahomé, Obervolta und Mauretanien) von Dakar aus verwaltet.

Der 1. – und ebenso der 2. – Weltkrieg gehen nicht spurlos an S. vorüber: Senegalesen werden eingezogen und kämpfen auch in

Europa unter französischer Flagge. 1916 wird den Bürgern von 4 senegalesischen Gemeinden (Dakar, St. Louis, Rufisque, Gorée) die frz. Staatsbürgerschaft zuerkannt, womit ihre Teilnahme am polit. Leben Frankreichs beginnt. 1946, mit einer neuen frz. Verfassung, an der auch die beiden senegalesischen Sozialisten Lamine Gueye und Léopold Sédar Senghor mitgearbeitet hatten, werden bestimmte Bewohner des ganzen S. zu Bürgern der neugeschaffenen Union Française (zunächst nur Privilegierte, später alle Männer und Frauen). 1957 werden (mit dem „loi cadre") lokale Exekutiven in den frz. Territorien eingerichtet. Abgesehen vom frz. Gouverneur geht die Verwaltung weitgehend in die Hände der Einheimischen über. In S. wird Mamadou Dia Vizepräsident des Ministerrates, welcher sich aus Migliedern der Territorialversammlung zusammensetzt. 1958, unter de Gaulle, wird die „Communauté" geschaffen, eine Art frz. Commonwealth, in der die ehemaligen Kolonien autonome Staaten wurden (außer Guinea, das die sofortige Unabhängigkeit vorzog). Aus dem Versuch, eine von F. unabhängige Föderation Westafrika zu schaffen, entstand 1959 die Föderation von Mali, der nur S. und der frz. Sudan angehörten. (Unabhängigkeitserklärung: 20. 6. 1960.) Am 20. 8. 1960, nach einem gescheiterten Versuch eines Staatsstreichs durch den sudanesischen Führer Modibo Keita, ruft die sen. Nationalversammlung die Unabhängigkeit und damit das Ende der Föderation aus.

2. Entwicklung der politischen Parteien

2.1. Vor der Unabhängigkeit

Anfang dieses Jhs. wurde S. an die polit. Entwicklung F.s „angekoppelt" (vgl. Abschn. 1.). Lamine Gueye gründet um 1935 die erste politische Partei S.s, die Sozialistische Partei Senegal, die jedoch 1938 unter dem Einfluß der frz. Sozialisten zu einer Sektion der SFIO (Section Française de l'Internationale Ouvrière) wird.

– 1946 bemühen sich einige afrikanische Abgeordnete der frz. Nationalversammlung um die Schaffung einer großen afrikanischen Partei. Das führt zur Gründung des Rassemblement Démocratique Africain (RDA), das zunächst der kommunistischen Partei F.s nahesteht, später jedoch unter dem Druck der frz. Regierung seine Richtung ändert, ohne seine ursprünglichen Ziele, die Solidarität der Bevölkerung der Kolonien und den Kampf gegen den Imperialismus, aufzugeben. In S. erlangte das RDA keine allzu große Bedeutung.

– 1948 trennt sich der Professor L. S. Senghor von der SFIO und gründet den Bloc Démocratique Sénégalais (BDS). Er richtet sein Bemühen hauptsächlich auf die sen. Landbevölkerung, die zunehmend am polit. Leben teilnimmt (aufgrund der frz. Verfassung von 1946/vgl. Abschn. 1.). Er rühmt die afrikanischen Werte, einen Sozialismus nach afrikanischer Konzeption und fordert wirtschaftliche und soziale Reformen. F. betreffend, setzt er sich für eine Föderation ein. Generalsekretär der neuen Partei wird Mamadou Dia, ein Lehrer.

Senghor bemüht sich, eine Zersplitterung der polit. Kräfte zu vermeiden und versucht die Integration der kleineren neuentstandenen Parteien S.s in den BDS. 1951 vereinigt sich der BDS mit der Union Démocratique Sénégalaise, die sich 1950 von der sen. Sektion des RDA abgespalten hatte, sowie mit dem Mouvement Populaire Sénégalais und dem Mouvement Autonome Casamançais (Assane Seck) unter Senghor zum Bloc Populaire Sénégalais (BPS), der einen starken marxistischen Flügel hat. Der BDS bzw. BPS wird schnell zur beherrschenden Partei in S., während die sozialistische Partei von Lamine Gueye an Bedeutung verliert.

– 1957 spaltet sich der marxistische Flügel des BPS unter Majhmour Diop ab und gründet die Parti Africain de l'Indépendance (PAI).

– Senghors Einigungsbemühungen beschränken sich nicht auf S.: 1957 gründet er die Convention Africaine, die aber nur eine kleine Anhängerschaft findet. Er versucht dann, diese neue Bewegung, die RDA und die sozialistische Partei L. Gueyes (die sich inzwischen Parti Sénégalais d'Action Socialiste – PSAS – nennt) zu vereinigen. Das Ergebnis ist 1958 die Gründung der Union Progressiste Sénégalaise (UPS), Vereinigung von BPS und PSAS. Das RDA bleibt daneben bestehen.

– 1958 steht der Volksentscheid über die Communauté (als Alternative: sofortige Unabhängigkeit) an. Der linke Flügel der UPS, die Studenten und die Parti du Regroupement Africain (PRA), die im selben Jahr anläßlich eines weiteren vergeblichen Versuchs, *eine* afrikanische Partei im „frz." Afrika zu schaffen, gegründet worden war, plädieren für die sofortige Unabhängigkeit. Senghor bleibt der Idee einer Föderation treu. In der Communauté ist für die frz. Überseegebiete jedoch nur eine beschränkte Autonomie vorgesehen. Die Führer der UPS akzeptieren das, worauf sich der linke Flügel der UPS von der Partei trennt und die PRA-Senegal gründet, die zusammen mit den Gewerkschaften für die Ablehnung der Communauté plädiert. – Die Bevölkerung stimmt jedoch mit überwältigender Mehrheit mit „ja" – im Sinne der UPS.

2.2. Nach der Unabhängigkeit

Die Zeit nach der Unabhängigkeit S.s ist bis 1974 durch die überragende Stellung der UPS und des Staatspräsidenten Senghor gekennzeichnet. Zwar bleibt rechtlich das Mehrparteiensystem bestehen, die UPS entwickelt sich jedoch zur De-facto-Einheitspartei. Senghor versteht es in den meisten Fällen, die Oppositionellen zu überreden, zur UPS zu wechseln, wo ihnen angemessene Positionen in der Partei bzw. auf der Wahlliste sicher sind. Einige „hartnäckige" Oppositionsparteien werden aufgelöst.

1960 wird die marxistisch orientierte PAI im Zusammenhang mit Unruhen in St. Louis aufgelöst, M. Diop wird 1963 in Abwesenheit zu mehrjähriger Haft verurteilt. Im gleichen Jahr schließt sich die Parti de Solidarité Sénégalaise, eine kleinere Partei, der UPS an.

1961 gründen einige Politiker, die aus der UPS ausgeschlossen worden waren, bzw. Unzufriedene, den Bloc des Masses Sénégalaises (BMS). Darunter ist auch ein Abgeordneter, womit in der Nationalversammlung ein Oppositioneller sitzt.

1963 schließt sich ein Teil des BMS wieder der UPS an. Ein anderer Teil gründet im gleichen Jahr die Front National Sénégalais, die dem 1962 wegen eines angeblichen Putschversuchs ins Gefängnis gekommenen Exministerpräsidenten Mamadou Dia nahesteht.

1964 wird sie verboten, ebenso ein Teil der PRA, die PRA-Rénovation schließt sich der UPS an.

1966 schließlich gewinnt Senghor auch die PRA-Senegal mit Abdoulaye Ly und Assane Seck (der in der Casamance großes Ansehen genießt) für die UPS zurück.

Die UPS ist damit zu einer „vereinigten" Partei geworden, die nun das ganze sen. Volk repräsentieren soll. Das Nichtvorhandensein einer Oppositionspartei bedeutet aber nicht, daß keine Opposition vorhanden wäre: 1968/69 kommt es zu ernsten Unruhen, die von Studenten und Gewerkschaften ausgehen.

Unzufriedenheit mit Partei und Regierung – insbesondere auch im Zusammenhang mit mangelnder Planung, die sich bei der Dürrekatastrophe 1973 zeigte – führt 1974 zur Gründung der Parti Démocratique Sénégalais. Generalsekretär der neuen Partei ist der Professor Abdoulaye Wade. Diese Partei erlebt einen überraschenden Aufschwung und entwickelt sich rasch zu einem bedeutenden Faktor in der Politik S.s (siehe Abschn. 3.3.2. u. 3.4.2.). Diese innenpolitische Veränderung bringt S. internationales Interesse: in die demokratische Entwicklung werden große Erwartungen gesetzt.

Anfang 1976 ist die Gründung einer dritten Partei im Gespräch: Im Februar ersucht das Rassemblement National Démocratique (RND) um Zulassung als dritte Partei: Generalsekretär soll Professor Cheikh Anta Diop werden. Trotz einiger ehemaliger PAI-Mitglieder will sich das RND nicht in die „marxistisch-leninistische Ecke" drängen lassen.

Im März 1976 tritt eine Verfassungsänderung in Kraft, dergemäß die Zahl der Parteien auf drei begrenzt wird: eine Partei mit liberaldemokratischer, eine mit sozialdemokratischer und eine mit kommunistischer bzw. marxistisch-leninistischer Richtung (was „den Hauptideologien, die die derzeitige Welt kennt", entsprechen soll). Die UPS versteht sich innerhalb dieses Spektrums als sozialdemokratische Partei und macht dies durch die Namensänderung in „Parti Socialiste du Sénégal" (PS) deutlich. Die PDS wird als die offizielle Vertretung der liberal-demokratischen Richtung zugelassen.

Im August 1976 wird als dritte Partei überraschend die ,,erneuerte" PAI Majhmout Diops, die nach ihrer Auflösung im Untergrund weiterbestanden hatte, als kommunistische Partei zugelassen. Sie scheint der Regierung näher zu stehen als das unbequeme RND, dessen Ersuchen um offizielle Zulassung abgelehnt worden war.

3. Merkmale der politischen Struktur

3.1. Rekrutierungsbasis der politischen Elite

Als polit. Elite ist hier zum einen die Führungsschicht der UPS zu bezeichnen, zum andern die Führungsgruppe der neuen Oppositionspartei(en), durch die die sen. Politik in Bewegung kommt. Die Persönlichkeiten dieser Gruppen stammen weitgehend aus einer Akademiker- und Beamtenschicht, die ihre Ausbildung vorwiegend in F. erhielt. Die sen. SFIO der 40er und 50er Jahre war von aus Dakar und St. Louis stammenden Wolof beherrscht. Der BDS bzw. BPS, ebenso später die UPS und die neue PDS weisen keine lokalen oder tribalen Prioritäten auf.

Die Führer der ,,1. Stunde" L. Gueye, L. S. Senghor und M. Dia waren vor der Unabhängigkeit Abgeordnete in der frz. Nationalversammlung und z. T. auch Mitglieder von frz. Regierungen.

3.2. Stärke und Rolle anderer Gruppen

Die traditionellen Kräfte
Die Häuptlinge. Während der frz. Kolonialzeit hatten sich die Kolonialbeamten den Einfluß der Häuptlinge zunutze gemacht: Sie setzten sie als ausführende Organe der Kolonialverwaltung ein, wobei Macht und Verantwortung bei den Franzosen blieben. Das brachte die Häuptlinge bei der Bevölkerung in Mißkredit und schwächte ihre Position. 1960 wurde das Häuptlingswesen in den Bezirken abgeschafft. Die Häuptlinge in den Dörfern werden seitdem durch den Innenminister ernannt und sind dem (beamteten) Häuptling des Arrondissements direkt verantwortlich. – Das Häuptlingswesen als solches ist heute keine eigene politische Kraft mehr.

Die Marabuts. Der Islam hat entscheidenden Einfluß auf die sen. Gesellschaft. Die Bedeutung der Marabuts beschränkt sich nicht nur auf den religiösen Bereich. Sie werden geachtet und ihre Anhänger schließen sich häufig auch im polit. Bereich ihrer Meinung an. Außerdem spielen einige von ihnen auch eine dominierende Rolle in der modernen Landwirtschaft (insbesondere die Mouriden). Die Regierung ist deshalb um ein gutes Verhältnis zu den religiösen Führern bemüht.

Die Gewerkschaften. Ab 1944 waren Gewerkschaften in den Kolonien erlaubt. Ähnlich wie die politischen Parteien waren sie in S. anfangs ,,Anhängsel" der frz. Gewerkschaften gewesen. 1951 gab es ca. 24.000 gewerkschaftlich organisierte Senegalesen.

Um 1955 lösen sich die sen. Gewerkschaften von den frz. Mutterorganisationen: 1955 wird eine sen. CGT (Confédération Générale du Travail) gegründet, 1956 unter dem Einfluß von Sékou Touré die CGTA (... Africaine), 1957 die UGTAN (Union Générale des Travailleurs Africains), die als erste der sen. Gewerkschaften mit dem Reformismus brechen und sich für einen revolutionären Weg engagieren will. Sie fordert die nationale Befreiung und macht beim Volksentscheid 1958 mit der PRA und den Studenten gemeinsame Sache, womit sie die Feindschaft der sen. Führer provoziert. Einigungsbestrebungen der Gewerkschaften führten 1959 zur Gründung der UTS (... Sénégalais) die sich 1960, nach Auflösung der UGTAN durch die Regierung, mit zwei Dissidentengruppen der UGTAN zur UGTS zusammenschließt. Die um polit. Vorherrschaft bemühte Partei versucht, die Gewerkschaften zu entpolitisieren; sie sollen bestenfalls der Partei als Transmissionsriemen dienen. Nach verschiedenen Fusionen und Neugründungen sind die sen. Gewerkschaften schließlich unter dem Namen UNTS (Union Nationale des Travailleurs Sénégalais) zusammengeschlossen, stellen aber immer noch eine kritische polit. Kraft dar. Schon im Mai des selben Jahres schließt sie sich den protestierenden Studenten an, 1969 kommt es nochmals zu Spannungen. Dies veranlaßt den 2. Generalsekretär, sich von der UNTS zu trennen und die regierungsnahe CNTS (Confédération Nationale ...) zu gründen, die Ende

1969 in die UPS integriert wird und 1972, nach Auflösung der UNTS, zur Einheitsgewerkschaft wird.

Eine kritisch-oppositionelle Gewerkschaft besteht aber dennoch – jedoch in F.: die UGTSF (Union Générale des Travailleurs Sénégalais en France) mit dem Präsidenten Sally N'Dongo.

Die Studenten. In der Studentenschaft herrscht eine rege, z. T. marxistische Opposition. Die sen. Studenten absolvieren meist zumindest einen Teil ihres Studiums in F. Auch durch diesen engen Kontakt mit der europäischen (insbesondere frz.) Studentenschaft ist zu erklären, daß die Unzufriedenheit der Studenten mit der polit. und ökonomischen Situation des Landes im Mai 1968, als auch Europa von Studentenunruhen erschüttert wurde, zum Ausbruch kam. Dies führte zu schweren Zusammenstößen zwischen Regierung und Studenten. Die polit. Szene beruhigte sich danach wieder, in der Studentenschaft blieb aber eine entschiedene Opposition bestehen.

Militär und Polizei. Die Truppe hat eine Stärke von ca. 6000 Mann. Sie machte nur einmal im polit. Bereich von sich reden: 1962 gehorchte die Polizei zunächst dem Befehl Dias, der die Nationalversammlung umstellen ließ, um ein Mißtrauensvotum gegen sich zu verhindern. Das Militär hielt jedoch zu dem auf Verfassungstreue pochenden Senghor, die Polizei schloß sich an, Dia wurde verhaftet. Von Spannungen oder Differenzen zwischen der Regierung und Militär/Polizei ist nichts bekannt.

Sonstige Gruppen. Unter den Intellektuellen gibt es verschiedene oppositionelle Strömungen. Ein Teil fand in der PDS ein Forum. Außerdem gibt es marxistisch-leninistische Gruppierungen, z. T. ehemalige Mitglieder der PAI bzw. Anhänger ihres Gründers Majhmout Diop, der Anfang 1976, nach einem Gnadenerlaß des Präsidenten, nach Senegal zurückgekehrt ist. Dann sind noch die Anhänger Mamadou Dias (der wieder auf freiem Fuß ist) zu nennen.

Ziemlich große Unzufriedenheit herrscht unter den Jugendlichen, die nicht der sozialen Mittel- und Oberschicht angehören und keine oder nur geringe Schul- und Ausbildung genossen haben. Sie sind zum großen Teil arbeitslos.

3.3. Programmatik

3.3.1. Die PS

Die prinzipiellen Zielsetzungen der PS wurden im wesentlichen von ihrem charismatischen Führer L. S. Senghor entwickelt. Er ist einer der bedeutendsten Theoretiker der Negritude und hat wesentlich zur Entwicklung der Idee des afrikanischen Sozialismus beigetragen (vgl. Abschnitt 4). Der Präsident bestimmt die Politik des Landes, und diese stellt (bis heute jedenfalls) auch das Parteiprogramm dar.

Die PS propagiert die Verwirklichung eines „afrikanischen Sozialismus", dazu die Entwicklung des Landes – Bekämpfung von Krankheiten und Förderung der Bildung, Ausbau von Landwirtschaft und Industrie (dazu Nationalisierungen, aber gleichzeitig Förderung von Privatinitiativen und -investitionen), Abschaffung von Kasten und Klassen.

Bezüglich der Außenpolitik wird Wert auf die Erhaltung der engen Bindungen an F. gelegt, da Senghor und die PS von F. den ergiebigsten Beitrag zur Entwicklung des Landes erwarten. Polit. Einfluß von außen wird zu vermeiden versucht.

Im parteipolit. Bereich war die UPS lange Zeit bestrebt – und die PS ist es möglicherweise heute noch – zur De-facto-Einheitspartei zu werden, oppositionelle Strömungen zu integrieren und die Interessen der Gesamtheit der Senegalesen zu vertreten (vgl. Abschn. 2.1., 2.2.). Die Realisierung der Ziele der PS – und der Regierung – erfolgt in Vierjahresplänen.

3.3.2. Die PDS

Die Hauptziele der neuen Partei sind in den 5 Punkten ihrer Plattform zu finden:
– die Herstellung einer echten Demokratie, in der die demokratischen Spielregeln zwischen verschiedenen polit. Parteien eingehalten werden und die Abgeordneten durch Persönlichkeitswahl und nicht durch eine nationale Liste (wie derzeit) bestimmt werden;

– eine Politik nationaler Unabhängigkeit;

– eine effiziente Organisation der Wirtschaft hinsichtlich der Ausschöpfung der Ressourcen zugunsten der Nation und ihrer Bürger;

– eine afrikanische Politik mit einem Hauptgewicht auf den Beziehungen zwischen den afrikan. Staaten, der afrikan. Kooperation und der afrikan. Einheit, sowie eine Politik im Einklang mit der OAU;

– Solidarität mit afrikanischen Befreiungsbewegungen.

Diese Plattform soll als Grundlage zur Erarbeitung eines Parteiprogramms dienen (unter Mitwirkung der Basis).

Die PDS beruft sich auch auf eine spezifisch afrikanische Realisierung ihrer Vorstellungen, sie distanziert sich von schlichten Kopien der Wege, Ideologien und Doktrinen der (kapitalistischen und sozialistischen) industrialisierten Länder.

Ein weiteres stark betontes Ziel der PDS ist es, nicht das Schicksal aller bisherigen senegalesischen Oppositionsparteien zu erleiden und nach kurzer Zeit von der polit. Bildfläche zu verschwinden.

3.3.3. Das RND

Das RND bezeichnet sich als „offen für alle patriotischen Senegalesen, ohne Unterschiede aufgrund verschiedener Glaubensbekenntnisse oder philosophischer Gesinnung zu machen". Als seine Ziele bezeichnet es die Schaffung eines „neuen", wirklich unabhängigen, demokratischen S. sowie die effiziente Nutzung der natürlichen Ressourcen des Landes.

Die Partei zielt nicht nur auf die nationalistischen Gefühle ihrer Anhänger ab, vielmehr stellt ihr Programm eine Art Synthese aller oppositionellen Strömungen gegen Senghor seit der Unabhängigkeit dar. Die Partei konnte sich als Kompromiß zwischen der äußersten Linken, die durch die erneuerte und die geheime PAI repräsentiert wird, und dem von PS und PDS gebildeten Establishment profilieren.

Trotzdem – oder gerade weil – dem RND die offizielle Anerkennung verweigert worden ist, ist sein Rückhalt in der Bevölkerung sehr groß. Es erfährt durch einen großen Teil der oppositionellen

Presse, u. a. von den Gewerkschaften und durch den Ex-Premier Mamadou Dia Unterstützung. Senegalesische Führungskräfte verlangten (in ,,Le Monde") seine Anerkennung.

3.3.4. Die PAI

Die ,,erneuerte" PAI nimmt den Platz der marxistisch-leninistischen Partei ein, ist jedoch verhältnismäßig wenig profiliert.

3.4. Aufbau der Parteien

3.4.1. Die PS

Die PS ist bestrebt, Massenpartei zu sein. Dementsprechend ist die Partei organisiert: Die zahlreichen (ca. 3.000) Basiskomitees haben eine zentral-demokratische Hierarchie als Überbau. Es gibt territoriale Basiskomitees in den meisten Dörfern und Stadtvierteln, ,,berufliche" in den Betrieben.

Auf der nächsten Stufe findet man die Untersektion (Gemeinde – Communauté), die sich aus Abgeordneten der Basiskomitees zusammensetzt. Auf Bezirksebene wird analog die Sektion gebildet, dann folgt die Kommission zur departementalen Koordination (Départementsebene), dann die Union Régionale (Region).

Der alle 2 Jahre tagende Kongreß setzt sich aus Delegierten der Sektionen zusammen und hat zur Aufgabe, das Parteiprogramm zu erarbeiten sowie organisatorische Fragen zu klären.

Der Nationalrat besteht aus den PS-Ministern, PS-Abgeordneten und den Mitgliedern des Politbüros, der Jugendbewegung der PS sowie aus Mitgliedern, die durch die untere Parteiebene bestimmt werden. Es hat zur Aufgabe, das Politbüro zu wählen.

Das Politbüro – bestehend aus 60 Mitgliedern (einigen führenden Persönlichkeiten der Partei sowie den Mitgliedern, die der Nationalrat wählt, davon 25 aus seinen eigenen Reihen) – spielt die wichtigste Rolle: Es hat die Beschlüsse der Partei auszuführen, ist das richtungweisende und leitende Organ, das auch direkten Einfluß auf die unteren Organe der Parteihierarchie hat.

Entscheidend ist jedoch auch im Gefüge der Partei die überragende Persönlichkeit des Präsidenten.

Die Struktur der Partei hat an der Basis eine eigenartige Erscheinung zur Folge: die Klanbildung. Es handelt sich dabei um eine nichtformale Gruppierung einer Anzahl von Parteimitgliedern um eine Persönlichkeit, die bestrebt ist, in der Partei Karriere zu machen. Der Klan unterstützt diese Persönlichkeit und erwartet, dafür belohnt zu werden. So entstehen Rivalitäten und Nepotismus.

Für die Wahlen zur Nationalversammlung stellt die PS eine Liste. Diese wird im Rahmen eines Verfahrens erstellt, das den amerikanischen Vorwahlen ähnelt, und spielt sich auf der Ebene der Regionalunionen ab – unter den Chefs der Klans.

Die Mitgliederzahl der PS liegt weit über 400.000 (schwankende Angaben zwischen 500.000 und 800.000). Sie vereinigt damit nahezu 50% der Wahlberechtigten.

3.4.2. Die PDS

Um neben der Massenpartei PS ernsthaft Fuß fassen zu können, trat die PDS mit Statuten an die Öffentlichkeit, die eine der PS ähnelnde Struktur der Partei bewirken: An der Basis besteht die Zelle mit mindestens 25 Mitgliedern. Auf Arrondissementebene folgt die Sektion, dann die Föderation (Département), dann der Regionalkonvent und schließlich als oberste Instanz der jährlich einmal ordentlich tagende Kongreß, der die Grundsatzentscheidungen trifft, die Richtungen und Vorgehensweisen definiert. Das oberste Verwaltungsorgan ist der Nationalkonvent (tagt mindestens einmal jährlich), der die Verwirklichung der Direktiven des Kongresses überprüft, die allgemeine – polit. und wirtschaftliche – Lage zu sondieren hat und neue Ziele für den Kongreß setzt. Das Politbüro ist – neben anderen Delegierten – in den beiden obersten Parteigremien vertreten.

Die Statuten sehen einen speziellen ,,Überlebensmodus" für die Partei für den Fall vor, daß entscheidende Mitglieder die Partei verlassen (was den Fall einschließt, daß ,,Führer die Basis verrraten und sich der PS anschließen").

Schon nach einjährigem Bestehen konnte die PDS 100.000 Mitglieder zählen.

Ende des 19. Jh. erhalten die Bürger von 4 sen. Gemeinden das Wahlrecht. Das polit. Leben wird jedoch damals noch von den Europäern bestimmt. So wird 1914 zum ersten Mal der Abgeordnete S.s in der frz. Nationalversammlung durch einen Afrikaner gestellt.

L. S. Senghor und L. Gueye – damals beide Mitglieder der SFIO – werden 1946 in die frz. Nationalversammlung gewählt.

1952 werden Senghor und Dia, diesmal beide BDS, in die frz. Nationalversammlung gewählt und schließen sich dort der „Gruppe der Unabhängigen von Übersee" an, die für eine föderalistische Lösung der Kolonialfrage eintritt. 1952 erringt der BDS die Mehrheit in der (1946 geschaffenen und zunächst von den Sozialisten beherrschten) sen. Territorialversammlung (BDS: 41, Sozialisten: 9 Sitze).

1956: Wiederwahl von Senghor und Dia in die frz. Nationalversammlung.

1957: Wahl der Territorialversammlung (BDS: 47, Sozialisten: 13 Sitze). 1958, nach dem Zusammenschluß der beiden Parteien, verfügt die neue UPS über sämtliche Sitze der Territorialversammlung.

1958: Referendum über die frz. Verfassung, die die Communauté begründet. Annahme mit 870.000 gegen 21.000 Stimmen.

1959: Einstimmige Annahme der sen. Verfassung durch die Territorialversammlung.

1959: Wahl zur sen. Nationalversammlung (alle Sitze an die UPS), die – nach der Erlangung der Unabhängigkeit – 1960 einstimmig Senghor zum Präsidenten wählt. Diese Ergebnisse wiederholen sich bei den Wahlen 1963, 1968, 1973.

1963: Referendum über eine neue – präsidentielle – Verfassung (wegen „Dia-Krise" Abschaffung des Ministerpräsidentenpostens). Annahme der Verfassung mit 99,4% der Stimmen.

1970: Referendum über eine Verfassungsreform (Schaffung des Postens eines Premierministers, der vom Präsidenten berufen wird und diesem verantwortlich ist). Annahme mit 99,9% der Stimmen.

Senghor setzt den Juristen und langjährigen UPS-Politiker Abdou Diouf, der von der Bevölkerung sehr geschätzt wird, als Premierminister ein.

1978: Präsidentschaftswahlen, Wahlen zur Nationalversammlung sowie zu den Versammlungen der regionalen Gebietskörperschaften am 26. Februar. Erstmals wird die Nationalversammlung nach dem Verhältniswahlrecht gewählt, um der Opposition eine parlamentarische Vertretung zu ermöglichen; die regionalen Wahlen finden weiter nach dem Mehrheitswahlrecht statt.

Bei den Präsidentschaftswahlen wurde Senghor mit 82,0% der abgegebenen Stimmen in seinem Amt bestätigt. Auf den Generalsekretär der PDS, Abdoulaye Wade, entfielen 17,4% der Stimmen; die PAI hatte keinen Kandidaten aufgestellt.

Die Wahlen zur Nationalversammlung zeigten ein fast identisches Bild: Die PS brachte mit 81,7% der Stimmen 82 Abgeordnete ins Parlament, die PDS konnte mit 17,9% 18 Mandate erringen. Auf die PAI entfielen nur 0,4% der Stimmen, obwohl sie selbst mit 10 Mandaten gerechnet hatte.

Die geringe Wahlbeteiligung von 63% in einem so politisierten Land wie S. ist mit polit. Apathie nur teilweise zu erklären. Vielmehr ist hierin auch eine Unterstützung des RND zu erblicken, dessen Führung zum Wahlboykott aufgerufen hatte.

Das Wahlverhalten gibt Aufschluß über die Anhängerschaft der Parteien. Die PDS konnte ihre größten Erfolge in den am dichtesten besiedelten Regionen erzielen. Ihre Wähler rekrutieren sich vor allem aus dem mittleren Verwaltungskader und aus der Gruppe der Intellektuellen. Die PS ist vor allem im ländlichen Raum unangefochten, Wahlergebnisse bis zu 99% sind keine Seltenheit. Wegen der geringen Stimmenzahl für die PAI (3.700) lassen sich für diese Partei keine Angaben machen.

3.6. Einflüsse

F.s jahrzehntelange Kolonialherrschaft und die engen Bindungen zu Frankreich haben S. in vielerlei Hinsicht geprägt: Französisch ist Staatssprache, die Verfassung wurde zunächst in Anlehnung an die frz. entwickelt, Gesetzeswerk und Schulsysteme entsprechen den französischen. Die meisten Akademiker haben zumindest auch in F. studiert. Viele junge Senegalesen studieren und/oder arbeiten einige Jahre in F. Senegal selbst – oder besser: die Überlegungen von L. S. Senghor – hatten großen Einfluß auf das gesamte afrikanische Gedankengut. Die afrikanischen Führer der Unabhängigkeit beeinflußten sich in ihren Überlegungen gegenseitig. Wichtige Grundgedanken stammen dabei von Senghor. Die Senghorsche Version und die sen. Realisierung des afrikanischen Sozialismus stellen eine sehr gemäßigte Form dar.

Senghors Überlegungen zur Negritude (vgl. Abschn. 4.) sind geistiges Eigentum von ganz Schwarzafrika geworden.

4. Politische Schlagwörter

Das Konzept der *Negritude* wurde von Senghor (zusammen mit Aimé Césaire und Léon Damas) entwickelt und ausgearbeitet. Es handelt sich bei der Negritude, nach Senghor, um ,,die Gesamtheit der kulturellen Werte der schwarzen Welt". Diese Besinnung auf die afrikanischen Werte, auf die afrikan. Kultur und auf die afrikan. Geschichte diente und dient noch heute zur Findung eines afrikan. Selbstbewußtseins. In diesem Sinne bezeichnete J. P. Sartre das Konzept der Negritude als ,,antirassistischen Rassismus". Die *Africanité* ist laut Senghor ,,die sich ergänzende Symbiose der Arabité und der Negritude". Senghor untermauert seine Überlegungen, indem er sich auf ethnologische Forschungen beruft. Dieses Konzept kann dazu beitragen, einen innerafrikanischen Rassismus zu verhindern oder zu verringern.

Senghor war der erste der afrikanischen Führer, der den *afrikanischen Sozialismus* bzw. den afrikanischen Weg zum Sozialismus beschrieb. Einige Grundgedanken sind: Die Marxsche Methode, die Dialektik, wird anerkannt; die Situation Europas in der Mitte des 19. Jh. – von der Marx ausgeht – unterscheidet sich jedoch von der afrikanischen so grundlegend, daß ein völliges Umdenken erforderlich ist. Was besonders störend am Marxschen Sozialismus empfunden wird, ist ,,der Atheismus, eine gewisse Verachtung geistiger Werte", auf die der afrikan. Sozialismus nicht verzichtet.

Das Bestehen von verschiedenen sozialen Klassen in afrikan. Gesellschaften wird verneint. Daraus ergibt sich eine ideologische Begründung der Einheitspartei. An die Stelle von Kollektivität tritt Gemeinsamkeit und die Gemeinschaft. Und wichtig ist auch beim afrikan. Sozialismus die Negritude – die Besinnung auf die afrikanischen Werte. (Vgl. dazu Literatur)

Die offizielle Devise Senegals ist: *Ein Volk, Ein Ziel, Ein Glaube.*

Kerstin Bernecker

Literatur

Grohs, G. (Hrsg.), Theoretische Probleme des Sozialismus in Afrika – Négritude und Arusha-Deklaration, Hamburg 1971 (Schriften des Vereins der Afrikanisten in Deutschland, Bd. 2).

Lavroff, D. G., ,,Cadre Constitutionnel et réalité politique de la République du Sénégal", in: Afrika Spectrum, Hamburg 1969, Heft 1, S. 5–17.

,,Le régime présidentiel sénégalais", in: Revue française d'études politiques africaines, Nr. 101, Paris 1974, S. 50–56.

Lützenkirchen, W., ,,Senegal: Äußerlich fast ein Musterland", in: Afrika heute, 11. Jg., Nr. 4, Bonn 1973, S. 26–29.

Markovitz, I. L., Léopold Sédar Senghor and the Politics of Negritude, London 1969.

Schumacher, E. J., Politics, Bureaucracy and Rural Development in Senegal, Berkeley, Los Angeles u. London 1975.

Senghor, L. S., Nation et Voie africaine du Socialisme, Paris 1961 (engl. Übersetzung: On African Socialism, New York u. London 1964).

ders., Les fondements de l'Africanité ou Négritude et Arabité, Paris o. J. (um 1967).

ders., ,,Der senegalische Weg zum Sozialismus", in: Internationales Afrikaforum, 6. Jg., Nr. 9/10, München 1970, S. 531–541.

ders., ,,Afrikanisches Denken und moderne Welt. ,Négritude' als Humanismus des 20. Jahrhunderts", in: Internationales Afrikaforum, 7. Jg., Nr. 1, München 1971, S. 43–53.

ders., Liberté 3. Négritude et Civilisation de l'Universel, Paris 1977.

Valantin, C., ,,La formation de la nation sénégalaise", in: Revue française d'études politiques africaines, Nr. 145, Paris 1978, S. 22–50.

Ziemer, K., ,,Verfassung und Politik in Senegal seit der Unabhängigkeit", in: Verfassung und Recht in Übersee, 7. Jg., Nr. 2, Hamburg 1974, S. 155–174.

Zuccarelli, F., Un parti politique africain: L'Union Progressiste Sénégalaise, Paris 1970.

ders., ,,L'Union Progressiste Sénégalaise (U. P. S.)", in: Revue française d'études politiques africaines, Nr. 65, Paris 1971, S. 30–39.

ders., ,,L'évolution récente de la vie politique au Sénégal", in: Revue française d'études politiques africaines, Nr. 127, Paris 1976, S. 85–102.

Seychellen

Grunddaten

Fläche: 277 km² (Gr. Insel: Mahé, 94 km²).

Einwohner: 60.000 (1976), (Mahé: ca. 50.000 E.).

Ethnische Gliederung: überwiegend kreolische Nachkommen frz. Siedler und deren Sklaven.

Religionen: 90% röm.-kath., 7,5% anglikanisch.

Einschulungsquote: 90% (1976).

BSP: 30 Mio. US-$ (1974).

Pro-Kopf-Einkommen: 520 US-$ (1974).

1. Historischer Überblick

Der Archipel wurde im 16. Jh. durch die Portugiesen entdeckt. 1756 kam die Inselgruppe an Frankreich und wurde von Franzosen aus Madagaskar besiedelt. 1810 gingen die S. in brit. Besitz über und waren ab 1903 Kronkolonie. 1970 erhielten sie eine eigene Verfassung und 1975 die innere Selbstverwaltung. Am 29. Juni 1976 wurden sie in die Unabhängigkeit entlassen, gegen den hinhaltenden Widerspruch des Führers der damaligen Mehrheitspartei. Doch wollte G. B. sich im Zuge der allgemeinen internationalen Entwicklung von diesem Rest seines kolonialen Erbes trennen, um nicht möglichen Angriffen ausgesetzt werden zu können.

2. Entwicklung der politischen Parteien

Die Mehrheit der Bevölkerung war durch einen hohen Steuerzensus vom Wahlrecht und damit von der polit. Betätigung ausgeschlossen. Erst 1964 wurde mit der ,,Seychelles People's United Party", SPUP, die erste Partei gegründet; sie trat für gesellschaftliche Reformen und für baldige Unabhängigkeit von G.B. ein. Kurz darauf gründete der Rechtsanwalt James R.M.Mancham die ,,Seychelles Democratic Party", SDP, die der Forderung nach Unabhängigkeit die Forderung an eine Anlehnung an das Mutterland entgegensetzte. Eben diese Forderung diente dem Befreiungskomitee der OAU als Grund für die Unterstützung der SPUP unter ihrem Führer Albert René. Bei den Wahlen im April 1974 erhielt Manchams SDP mit 52% der Stimmen 13 Mandate, die SPUP mit 48% nur 2 Abgeordnete, was zu bitteren Kontroversen führte. Nur auf brit. Drängen hin einigten sich beide Seiten auf einer Verfassungskonferenz in London im März 1975 auf die Bildung einer Koalitionsregierung. Das Parlament wurde nun um je fünf Mitglieder der beiden Parteien erweitert, so daß nun die SDP mit 18 und die SPUP mit 7 Abgeordneten vertreten waren. Im Oktober 1975 kam es zur internen Selbstregierung und am 29. Juni 1976 zur vollen Unabhängigkeit. Entsprechend der Abmachung der Verfassungskonferenz übernahm Mancham das Amt des Staatspräsidenten, René das des Ministerpräsidenten. Diese Parteienkoalition sollte bis zu den nächsten Wahlen im Jahr 1979 befristet sein. Am 5. Juni 1977 jedoch putschte eine kleine Gruppe bewaffneter Anhänger der SPUP und René übernahm daraufhin die Macht, während Mancham in London an der Commonwealth-Konferenz teilnahm. Das Parlament wurde aufgelöst und die Verfassung suspendiert.

3. Merkmale der politischen Struktur

3.1. Gruppen

Eine Insel-Oligarchie, ,,Grand Blond Set" genannt, Nachkommen der frz. Siedler, hat sich reinrassig weiß erhalten. 1960 gehörten

dieser Schicht 78% des Landes, während 63% der Bauern nur 1,1%
des Landes besaßen. Entsprechend ungleich sind auch die Einkom-
mensverhältnisse. Zum eindeutig wichtigsten Wirtschaftsfaktor
hatte sich innerhalb weniger Jahre der Massentourismus aus Europa
entwickelt, der die Struktur der Inseln stark veränderte und dessen
Auswirkungen auf verschiedene Gruppen sehr ungleich verteilt
waren.

(*3.2. Andere Gruppen* entfällt.)

3.3. Programmatik

René und seine SPUP wollten stets den ,,Ausverkauf der Inseln, den
Einfluß fremden Kapitals und fremder Länder" stoppen. Sie kriti-
sierten die ungleiche Verteilung des Bodens und forderten eine
Landreform. Die Probleme hatten sich auch durch den Massentou-
rismus, durch Bodenspekulation und teure Importe für touristische
Investitionen verschärft.

Nach dem Putsch von 1977 kündigte René einen veränderten
Kurs an, der sich eher an sozialistischen Leitbildern orientierte.
Doch änderte sich in der Praxis an der starken Dominanz des
Tourismussektors und an der Art seiner Durchführung nur wenig.
Die neue Regierung bemüht sich allerdings, von dem von Man-
cham geprägten Playground-Image wegzukommen.

(*3.4.* und *3.5.* entfallen)

3.6. Einflüsse

Kontakte Renés mit Peking und Moskau lassen in Zukunft den
stärkeren Einfluß der VR-China und der SU nicht ausgeschlossen
erscheinen, zumal ein ,,stärkerer Linkskurs" gerade in diesem Gebiet den maritimen Interessen der SU entgegenkäme. Ideologisch
fühlt sich René aber offensichtlich vor allem mit Tansania verbunden. Dort waren die wenigen beim Putsch eingesetzten Anhänger
der SPUP ausgebildet worden und von dort erhält auch die neue

Regierung gewisse Unterstützung beim Aufbau eigener Sicherheitskräfte und der Verwaltung.

(*4. Politische Schlagworte:* entfällt)

Elmar Demmel

Literatur

Bénezra, R., ,,Les Seychelles: une indépendance strictement surveillée", in: Afrique Contemporaine, Nr. 84, Paris 1976, S. 20–28.

Leymarie, P., ,,Seychelles: quelle indépendance?" in: Revue française d'études politiques africaines, Nr. 109, Paris 1975, S. 26–28.

ders., ,,Le Parti Uni du Peuple des Seychelles", in: Revue française d'études politiques africaines, Nr. 111, Paris 1975, S. 69–80.

Limagne, J., ,,Les Seychelles", in: Revue française d'études politiques africaines, Nr. 77, Paris 1972, S. 77–88.

Marquardt, W., ,,Neue Entwicklungen im westlichen Indischen Ozean. I. Seychellen. Politisches Erwachen – Militärische Erwägungen – Wirtschaftlicher Umbruch", in: Internationales Afrikaforum, 10. Jg., Nr. 2/3, München 1974, S. 134–148.

ders., Seychellen, Komoren und Maskarenen. Handbuch der ostafrikanischen Inselwelt, München 1976.

,,Seychellen. Die ersten Schritte als Republik", in: Internationales Afrikaforum, 13. Jg., Nr. 1, München 1977, S. 43–45.

Sierra Leone

Grunddaten

Fläche: ca. 72.300 km^2.

Einwohner: 3.110.000 (Ende 1976).

Ethnische Gliederung: Mende: 31%; Temne: 30%; Limba: 8%; Kono: 5%; Koranko: 4%; und andere kleine Gruppen, darunter ca. 2% Kreolen.

Religionen: Traditionelle Religionen: 65%; Moslems: 30%; Christen: 5%.
Alphabetisierung: ca. 7% (1963).
BSP: 540 US-$ (1974).
Pro-Kopf-Einkommen: 190 US-$ (1974).

1. Historischer Überblick

Die geschichtliche Entwicklung Sierra Leones weist viele Parallelen zum Nachbarstaat Liberia auf. Dies gilt einmal für die „ältere" Geschichte (vgl. „Liberia" 1.1., 1. Abschnitt): Die Einflußzonen der großen Königreiche in der Zeit vom 12.–16. Jh. erreichten zwar nicht unmittelbar, aber in verschiedenen Formen doch indirekt das Gebiet des heutigen S. L. In diesem Zeitraum siedelten sich die meisten der nun dort lebenden Stämme im Gebiet an, wie etwa die aus dem Futa-Jalon (Guinea) kommenden Temne. Mitte des 16. Jh. drangen aus dem Innern des Kontinents die kriegerischen Mani ein und vermischten sich nach langanhaltenden Kämpfen mit den Einheimischen. Die Gruppe der Mende kam allerdings erst relativ spät, in 18. und 19. Jh., aus dem Südosten in das Gebiet des heutigen S. L.

Im 14. Jh. begann der Einfluß der Europäer: Normannen, Portugiesen, Engländer, Franzosen und Niederländer kamen und handelten zunächst mit Waren. Im 18. Jh. legten die Europäer – wegen der „Nachfrage" der Plantagenbesitzer in den USA – das Schwergewicht auf den Sklavenhandel (ca. 3.000 Sklaven aus dem Gebiet S. L. jährlich). Ebenfalls wie in der Geschichte Liberias war auch für S. L. bedeutend, daß im England des 18. Jh. immer mehr ehemalige amerikanische Sklaven lebten, deren Rechtsstatus (nämlich, keine Sklaven mehr zu sein) durch die „Somerset-Affäre" geklärt wurde (vgl. „Liberia" 1.1.). Eine teils philanthropische, teils kommerziell orientierte Gruppe (Granville Sharp, William Wilberforce, u.a.) wollte diese ehemaligen Sklaven in Afrika ansiedeln: An der dafür ausgewählten Stelle, der heutigen Hauptstadt S.L.s, Freetown, landeten 1787 die ersten „neuen Siedler", die jedoch unter Krankheiten und Kämpfen mit Eingeborenen schwer zu leiden hatten. Mit der massiven Unterstützung Englands (1808 wird Freetown Kronkolonie, das Hinterland dann erst 1896 Protektorat) konnten jedoch weitere Siedler, z. T. auch sog. ,,recaptives" (Afrikaner aus verschiedenen Teilen Westafrikas, die bei der Aufbringung von Sklavenschiffen befreit worden waren), dort Fuß fassen.

Von 1821 bis 1827 – und später nochmals von 1865 bis 1874 bzw.1888 – wurden die engl. Westafrikakolonien (von Gambia bis Accra) von Freetown aus verwaltet. Gegen Ende des 19. Jh. werden die Grenzen S.L.s durch Verträge mit Liberia und Frankreich festgelegt, die Verwaltung des aus fünf Distrikten bestehenden Protektorats (des Hinterlandes der Kolonie) durch Häuptlinge und engl. Distriktkommissare organisiert.

1863, um die Zeit, als der Atlantiksklavenhandel zu Ende geht, erhält S.L. seine erste Verfassung. Der Gouverneursrat wird durch einen Exekutivrat ersetzt, der neugeschaffene Legislativrat wird von London aus kontrolliert. 1924, dann 1947 wird eine neue Verfassung eingeführt, wobei ab 1947 die Mehrheit in Exekutiv- und Legislativrat (letzterer wird 1956 zum Repräsentantenhaus) den Afrikanern gehört. 1958 erhält das Land die innere Selbstregierung. Am 27. 4. 1961 wird S.L. selbständig – unabhängiger Staat im Commonwealth –, 1971 erfolgt die Ausrufung der Republik.

2. Entwicklung der politischen Parteien

2.1. Vor der Unabhängigkeit

In S.L. sind nur zwei bedeutungsvolle Parteien zu nennen, die beide in der Phase kurz nach dem 2. Weltkrieg entstanden, als G.B. seine Politik, Zahlungen von den Kolonien zu verlangen, änderte und stattdessen sich nun um deren Entwicklung bemühte:
– die 1951 von Dr. Milton Margai gegründete Sierra Leone People's Party, SLPP, die einen überwältigenden Sieg über den unbedeutenden
– National Council of Sierra Leone, NCSL, von Dr. Bankole-Bright bei den Wahlen zum Legislativrat 1951 erringt, sowie
– der von Dr. Siaka Stevens gegründete All People's Congress, APC, der erst nach der Unabhängigkeit größere Bedeutung erlangte.

Die SLPP ist bis nach der Unabhängigkeit die beherrschende Partei und stellt mit Milton Margai ab 1958 den Premierminister. Für die Verhandlungen zur Vorbereitung der Unabhängigkeit schließen sich die kleinen oppositionellen Parteien 1960 mit der SLPP zu einer nationalen Einheitsfront zusammen.

2.2. Nach der Unabhängigkeit

Bald nach der Unabhängigkeit zeichnen sich Differenzen zwischen der SLPP und der an Bedeutung gewinnenden APC ab: Schon 1965 werden unter Premierminister Albert Margai, der seinem Bruder Milton (†1964) im Amt folgte, vier Parlamentarier des APC wegen subversiver Tätigkeit zu Gefängnisstrafen verurteilt. Auch Tendenzen zur Schaffung einer Einheitspartei sind schon 1965 vorhanden.

Die Wahl zum Repräsentantenhaus 1967 bringt erstmals eine Mehrheit für den APC. Der Gouverneur beauftragt den bisherigen Oppositionsführer Dr. Siaka Stevens mit der Regierungsbildung. Um dies zu verhindern, übernimmt der Oberbefehlshaber der Armee, ein Anhänger Margais, die Macht. Doch nach zwei Tagen entmachten ihn seine eigenen Offiziere und übernehmen nun selbst in Form des National Reformation Council unter Führung von Oberst Juxon-Smith die Regierungsgewalt. Erst 1968 kommt Stevens – nach einem Gegenputsch einiger einfacher Soldaten und Unteroffiziere – auf Grund des Wahlergebnisses von 1967 wieder an die Macht. Die folgenden Jahre sind durch weitere Putschversuche (u. a. 1971 durch Militärs, 1974 durch Politiker und Militärs), Unruhen, Verhaftungen Oppositioneller (so auch 1972 Salia Sherrif, Führer der oppositionellen SLPP) und auch durch Todesurteile gegen Putschverdächtige gekennzeichnet. Stevens bemüht sich, seine Macht zu festigen, und strebt ein Einparteisystem an. 1971 tritt eine neue Verfassung in Kraft, die bis 1975 einige Änderungen erfährt, jedoch das Einparteisystem nicht explizit fixiert. Dies ist aber anläßlich einer erneuten Überarbeitung der Verfassung vorgesehen. Nach dem Putschversuch von 1971 sind für etwa zwei Jahre Truppen aus Guinea zur Unterstützung der Regierung in S. L. stationiert.

3. Merkmale der politischen Struktur

3.1. Elite

Eine zunächst für das bürgerliche und polit. Leben in S.L. bedeutungsvolle Gruppe waren die Kreolen, die Nachkommen der afrik. Siedler. S.L. verfügte schon frühzeitig über Ausbildungsstätten, so z.B. über das 1827 gegründete Fourah Bay College, das 1876 der Durham University angegliedert wurde. Dies trug – neben der Möglichkeit, in G.B. zu studieren – zur Bildung einer auch aus Eingeborenenkreisen stammenden Bürgerschicht bei. Die beiden stärksten Parteien gingen zunächst aus den Eliten der Mende (SLPP) und der ethnischen Gruppen des Nordens, vorwiegend Temne, (APC) hervor und manifestierten gewisse tribale und gleichermaßen regionale Spannungen. Allerdings haben sich im Laufe der Jahre die rein tribalen Identifikationen in S.L. bereits erheblich aufgelöst; es kam zu beträchtlichen inter-ethnischen Verflechtungen, die auch die polit. Gruppenbildungen und Loyalitäten im Lande außerordentlich kompliziert gestalten.

3.2. Andere Gruppen

3.2.1. Die traditionellen Kräfte

In der staatlichen Verwaltung des in Provinzen mit Bezirken und Häuptlingsbezirken aufgeteilten Landes wurde versucht, die Rolle der Häuptlinge stark einzuschränken, insbesondere durch ein Gesetz von 1967, das dem Tribalismus entgegenwirken sollte. In jüngster Zeit (1975) wurden den Häuptlingen in der ,,Western Area'', der ehem. Kronkolonie, allerdings wieder frühere Verwaltungsrechte eingeräumt. Insgesamt ist nach wie vor ein beträchtlicher praktischer Einfluß der traditionellen Häuptlinge auf das politische und soziale Leben des Landes festzustellen.

3.2.2. Die gewerkschaftlichen Kräfte

Für eine bedeutende gewerkschaftliche Bewegung besteht aufgrund der Struktur der Erwerbsbevölkerung (geringer Prozentsatz der Erwerbspersonen sind Lohn- und Gehaltsempfänger) keine ausreichende Basis. Die ,,Kissy Road Traders' Association" ist hier als Vorläuferin zu nennen, eine schon 1853 als Reaktion auf ein Gesetz, das Lizenzen für die Straßenhändler verlangte, gegründete Vereinigung letzterer, welche bis in die 20er Jahre Bedeutung für das polit. Leben hatte. Der 1966 gegründete Dachverband Sierra Leone Labour Congress hat heute ca. 18.000 Mitglieder; ausgeschlossen sind verschiedene Einzelgewerkschaften, darunter u. a. die bereits 1919 gegründete Eisenbahnergewerkschaft.

3.2.3. Militär und Polizei
Führende Persönlichkeiten der etwas über 2.000 Mann starken Truppe sind meist an den Putschversuchen beteiligt, jedoch nicht als dritte Kraft, sondern zusammen mit oppositionellen Politikern. Die Polizeikräfte, zahlenmäßig ungefähr doppelt so stark wie das Militär (umfangreiche Aufgaben im Kampf gegen Schmuggel und Diamantenschieberei), stellen eine nicht zu unterschätzende potentielle Macht dar, verhielten sich bis jetzt aber meist regierungstreu, ohne politisches Engagement zu zeigen; 1967 schlossen sie sich allerdings dem Putsch an. In letzter Zeit wurde als Gegengewicht zur Armee eine Sondertruppe, die Internal Security Unit, mit kubanischer und chinesischer Hilfe aufgebaut.

3.2.4. Die Opposition
Die parlamentarische Opposition, die SLPP, ist so gut wie ausgeschaltet. Viele ihrer führenden Persönlichkeiten sind im Gefängnis. Jedoch auch in den Reihen der Regierungspartei formieren sich immer wieder oppositionelle Gruppen, die mit unerbittlicher Härte vom bestehenden Regime verfolgt werden.

3.2.5. Sonstige Gruppen
Immer wieder ist von Studentenunruhen zu hören; eine organisierte oppositionelle Gruppierung scheint sich hier aber nicht gebildet zu haben.

3.3. Parteiprogramm

Ein explizites Parteiprogramm der APC (und auch der SLPP) existiert mehr oder weniger nur rein formal. Man kann sogar sagen, es fehle S.L. an formulierten Zielen und an einer Entwicklungsidee, die als Orientierung für den angestrebten Fortschritt des Landes dienen könnte. Siaka Stevens, der starke Mann, der für eine Programmatik der APC bestimmend ist, verwendet einige Formeln anderer afrik. Führer (Authentizität, eigener Weg zum Sozialismus), ohne diesen einen echten eigenen Inhalt zu geben. Er legt großen Wert auf ein vom Europäischen abweichendes Demokratieverständnis, demzufolge die verschiedenen polit. Strömungen in einer Einheitspartei vereinigt werden können. Relativ viel an „polit. Energie" geht in Machtkämpfen bzw. den Bemühungen um die Stabilisierung der Macht verloren. Ein wesentlicher Grund für die polit. Unstabilität ist die nun schon lange offenbare wirtschaftliche Misere des Landes, für deren Lösung bisher kein gangbares Konzept gefunden werden konnte.

3.4. Aufbau der Partei

Über Aufbau der Partei, Statuten, Mitgliederzahlen ist nichts genaues zu erfahren. Erwähnenswert ist die verhältnismäßig starke und aktive Jugendorganisation der APC.

3.5. Wahlen

Nach dem 2. Weltkrieg beginnt G.B., sich aus S.L. zurückzuziehen und die Verantwortung an die Afrikaner zu übergeben. 1951 findet eine Wahl zum Legislativrat statt, bei der die neugegründete SLPP den NCSL beeindruckend schlägt. Die Folge ist, daß ausschließlich gewählte Vertreter der SLPP in den Exekutivrat berufen werden, der zunächst – bis seine Mitglieder 1953 zu Ministern ernannt werden – nur beratende Funktion gegenüber dem Gouverneur hat.

Bei den Wahlen zum Repräsentantenhaus (das aus dem früheren Legislativrat hervorging) gibt es 1951, 1957 und 1962 jeweils überwältigende Siege der SLPP; 1967 erhält der APC die Mehrheit der Stimmen, worauf sich das Militär einschaltet und für ein Jahr selbst die Macht übernimmt (s. 2.2.: Eingreifen des Militärs). 1971 wählt das Parlament Siaka Stevens zum Staatspräsidenten. 1973 erringt die APC die überwiegende Mehrheit der Sitze im Repräsentantenhaus, da die Kandidaten der SLPP von der offiziellen Nominierung abgehalten werden. Im März 1976 wird Stevens für fünf Jahre als Präsident wiedergewählt (als einziger Kandidat).

Nach Studenten- und Schülerunruhen im ganzen Land im Febr. 1977 wird der Ausnahmezustand ausgerufen; trotzdem werden erstaunlicherweise für den Mai 1977 vorzeitig allgemeine Wahlen angesetzt. Schon vor der Wahl stehen 12 Paramount Chiefs und 36 gewöhnliche Abgeordnete (ohne Gegenkandidaten) fest; alle sind APC-Anhänger. Nach teilweise handfesten Streitigkeiten im Wahlkampf (einige Tote) erhält der APC weitere 26 Sitze, die SLPP 15 Sitze. In 8 Wahlbezirken, die als sicher für die Opposition gelten, wird die Abstimmung von der Wahlkommission aus ,,unvermeidlichen Gründen" auf unbestimmte Zeit verschoben. Die neugegründete National Democratic Party und auch die unabhängigen Kandidaten erhalten nur wenige Stimmen und bleiben ohne Repräsentation. Drei Parlamentarier ernennt Stevens entsprechend der ihm durch die Verfassung verliehenen Befugnisse (Armeeoberbefehlshaber, Polizeichef, Präsident einer Gewerkschaft). Damit hat sich der Präsident weiterhin eine solide Machtbasis gesichert.

3.6. Einflüsse

S.L. unterhält gute Kontakte zum Westen, zur UdSSR und zur VR-China. Ein Einfluß auf die Innenpolitik durch eine dieser Richtungen ist nicht auszumachen. Auch die freundschaftlichen Beziehungen mit dem Nachbarstaat Guinea scheinen keine ideologischen Auswirkungen zu haben. Der Niederschlag der Ideen großer afrik. Führer bleibt weitgehend auf Verbales beschränkt. Im Rahmen der Mano River Union bildet sich allmählich eine engere Zusammenarbeit mit Liberia heraus.

(4. Politische Schlagwörter: entfällt; vgl. 3.3.).

Kerstin Bernecker

Literatur

Cartwright, J. R., Political Leadership in Sierra Leone, London 1978.

Clapham, C., Liberia and Sierra Leone. An essay in comparative politics, London 1976.

Collier, J., Sierra Leone. Experiment in Democracy, New York u. London 1970.

Finnegan, R., „Sierra Leone", in: Internationales Afrikaforum, 6. Jg., Nr. 7/8, München 1970, S. 437–442.

Kup, A. P., Sierra Leone: A concise history, London 1975.

Mühlenberg, F., Sierra Leone. Wirtschaftliche und soziale Strukturen und Entwicklung, Hamburg 1978 (Arbeiten aus dem Institut für Afrika-Kunde, Heft 15).

ders. u. Breitengroß, J. P., Fallstudie Sierra Leone – Entwicklungsprobleme in interdisziplinärer Sicht, 2 Bde., Stuttgart 1972.

West, R., Back to Africa. A history of Sierra Leone and Liberia, London 1970.

Somalia

Grunddaten

Fläche: 637.657 km².

Einwohner: 3.260.000 (1976).

Ethnische Gliederung (Zählungen/Schätzungen von 1975): Überwiegend Somali (verschiedene Klanfamilien, z. B. Digil, Dir, Issa, Hawiya u. a.), daneben 100.000 Bantu, ca. 30.000 Araber und Minderheitsgruppen.

Religionen: Überwiegend sunnitische Moslems; Christen: 3.100 (kath.).

BSP: 290 Mio. US-$ (1974).

Pro-Kopf-Einkommen: 90 US-$ (1974).

1. Historischer Überblick

In der Mitte des 8. Jh. begann eine arab. Wanderung und Besiedlung der Küsten am Horn von Afrika (Gründung von Sultanaten). Im 19. Jh. wurde das Gebiet ein Zankapfel zwischen F., G. B. und I. 1886 wurde das Protektorat Brit. Somaliland ausgerufen, während F. im Interesse der Verbindungswege zum Fernen Osten sich 1884/85 endgültig das Gebiet um den Hafen Djibouti (s. Djibouti) sichern konnte. Seit 1860 interessierte sich auch I. für die Somaliküste; 1889 konnte es auf dem Festland Fuß fassen (Brava, Merca und Mogadischu). Gleichzeitig dehnte sich auch Äthiopien unter Kaiser Menelik II. nach Osten aus; er eroberte 1887 Harar und unterwarf die aufrührerischen Gallastämme (1897 Grenzvertrag zwischen G. B. und Äthiopien; 1908 zwischen Äth. und I.). 1899 kam es unter Sayid Mohammed Abdille Hassan („Mad Mullah") zu einem antikolonialen Aufstand, der erst nach dem 1. Weltkrieg unterdrückt werden konnte. 1949 empfahl die UN-Vollversammlung, das ehemalige Ital. Somalia wieder unter treuhänderische Verwaltung Italiens zu stellen. Der Unabhängigkeitstermin wurde auf den 1. 7. 1960 vorverlegt; G. B. stimmte der gleichzeitigen Unabhängigkeit Brit. Somalias zu. Es folgte dann die Ausrufung der einheitlichen Republik Somalia.

2. Entwicklung der politischen Parteien

2.1. Vor der Unabhängigkeit

Vor der Unabhängigkeit und der Vereinigung beider Exkolonien hatten vier Parteien die polit. Arena betreten, im Süden – im it. Einflußgebiet – wirkte die 1943 ursprünglich als Jugendclub gegründete Somali Youth League (SYL). Sie hatte eine sichere Monopolstellung und umfaßte lose alle örtlichen Klanfamilien, ihre Hauptrivalin war die Digil Mirifle-Partei (HDMS), die sich vor allem aus den Digil- und Rahanwein-Klans zusammensetzte.

Während die SYL auch im Norden, dem ehemaligen Brit. Somaliland, Verbindungen hatte, lag dort das Interessengebiet einer anderen Partei, der Somaliland National League (SNL), die mit der United Somali Party (USP) konkurrierte. Die SNL setzte sich vor allem aus Mitgliedern des Isaq-Klans zusammen, während sich die USP auf die Dir- und Darod-Klans im Westen und Osten stützte.

Der offenkundige Trend der Verbindung von Klan-Interessen mit politischen Parteistellungen zeigte sich noch stärker auf der unteren Ebene der politischen Systeme. Als im Jahre 1954 die ersten Gemeindewahlen durchgeführt wurden, bewarben sich 16 Parteien und stellten Kandidaten vor. Rund 70% beteiligten sich am Wahlgang und die SYL gewann die Hälfte der 281 Sitze. Alle Somali-Parteien waren sich im Pan-Somalismus einig, doch unterschieden sie sich sehr im Detail. Die an der Macht befindliche SYL hob sich sehr stark von der HDMS ab; während die SYL eine unitarische Lösung anstrebte, die über einen hohen Grad von zentraler Autorität verfügen sollte, verfolgte die HDMS den gegenteiligen Standpunkt. Sie sprach sich für eine Föderation der verschiedenen Teile eines größeren Somalia aus. Die verschiedenen Klan-Gruppierungen und Klan-Interessen verbanden sich so stark mit den politischen Interessen, daß schließlich durch Gesetzgebung verboten wurde, die Parteinamen mit Stammesnamen zu verbinden. Der Liga warf man auch von Seiten einer innerparteilichen Opposition eine zu prowestliche Politik vor und beschuldigte sie der Kollaboration mit I. Man verlangte größere Fortschritte auf dem Wege zum Pan-Somalismus und eine weitere Annäherung an die arab. Welt, insbesondere an Ägypten. Diese Richtung innerhalb der Liga wurde von Haji Muhammad Hussein geführt, der die Regierung und die Führung der Nationalversammlung unter dem Präsidenten Adan Abdulle Osman unter Druck setzte.

2.2. Nach der Unabhängigkeit

Nach der Unabhängigkeit (1960) spielte neben dem wirtschaftlichen Aufbau die Frage der nationalen Einheit die wichtigste Rolle. Ogaden und Haud waren Teile des äthiopischen Staatsgebiets, Französisch Somaliland noch Kolonie und das NFD-Problem ungelöst (Northern Frontier District = Bezeichnung des Konfliktgebietes in Nordkenia). Die Forderung nach einem einheitlichen Staat für alle Somali wurde zu einem roten Faden der gesamten Politik nach der Unabhängigkeit.

2.2.1. *Erste Republik (1960–1969)*

Unter der 1. Somalirepublik nahmen die Parteien folgende Haltung ein: Die führende SYL akzeptierte in bezug auf Äthiopien das Grundprinzip der OAU über die Unverletzlichkeit der gegebenen Kolonialgrenzen. Im übrigen verfolgte man in bezug auf die beiden Blöcke in Ost und West die Politik des „Non-Alignment". Die Oppositionsparteien der SYL-Regierung verhielten sich anders und forderten größere Opfer, um die Wiedervereinigung zu fördern. Dies galt vor allem für das NFD-Problem gegenüber Kenia. Der Bruch in der politischen Beziehung mit G.B. löste eine tiefe Abneigung gegen England und seine westlichen Verbündeten aus. Vor diesem polit. Hintergrund schien die VR China, die keine Verbindlichkeiten gegenüber Äthiopien hatte, der geeignete Partner zu sein. In Verfolgung einer zu dieser Zeit nach allen Seiten offenen Politik erhielt Präsident Dr. Abdar-Rashid schließlich die erforderliche Unterstützung von Sowjetrußland. 1963 lehnte die Regierung eine westliche Militärhilfe (6,5 Mio. £) zugunsten einer großzügigeren russischen (11 Mio. £) ab. Damals war damit aber durchaus noch kein Abrücken von einer mit den westl. Ländern freundschaftlich verbundenen und im Grunde konservativen Politik vorprogrammiert; von Sozialismus war in dieser Phase kaum die Rede. In den Gemeindewahlen im November 1963 gewann die Regierungspartei 665 von 904 Sitzen (74%). Demgegenüber erhielt die Oppositionspartei SNC nur 105 Sitze.

Die Verbindung der SYL mit der SNL und der USP brach bald darauf mit der Gründung einer neuen Partei, dem Somali National Congress (SNC), zusammen. Die Mitglieder der USP schlossen sich entweder der SYL oder dem SNC an. Auch die neu entstandene sozialistische Social Democratic Union (SDP), die unter der Führung von Haji Muhammad Hussein als einzige Gruppe eine programmatische Opposition darstellte, gewann an Boden. Bis dahin war es der Koalitionsregierung unter Premierminister Ali Shermarke einigermaßen erfolgreich gelungen, eine Politik des allgemeinen Ausgleichs zu verfolgen, bei der sowohl die regionalen (Nord-Süd) wie auch die klan-bedingten Sonderinteressen verschiedener Gruppen im Rahmen eines dauernden Proporzes mühsam ausbalanciert wurden. Auch nach den Wahlen von 1964 versuchte die weiterhin dominierende SYL, die sich vor allem auf den Darod-Klan stützte, die bisherige Politik fortzuführen, doch gab es nun eine dreijährige Phase ständiger politischer Unruhe und einer permanenten Regierungskrise. Shermarke war als Premierminister durch Abdirizah Haji Hussein ersetzt worden; die Zahl der Parlamentsitze der Regierungspartei war zwar durch Übertritte auf 105 (von 123) angestiegen, doch wurde dadurch die Uneinigkeit der Partei nur vermehrt. In diesen Jahren kam es zu ständigen Veränderungen der Allianzen innerhalb der Regierungspartei selbst und bei den Absprachen mit den anderen Parteigruppierungen. 1966 trat die Regierung Hussein nach einer Parlamentsniederlage zurück.

Nun wurde der Gegenspieler Husseins, Shermarke, 1967 zum Staatspräsidenten gewählt und der aus dem Norden stammende Ibrahim Egal zum Premierminister ernannt. Dies ermöglichte eine erhebliche Konsolidierung der Regierung und eine Fortführung des Ausgleichs zwischen den nördlichen und südlichen Landesteilen. Egal gelang vor allem auch der Abschluß von Abmachungen mit den Nachbarländern Äthiopien und Kenia, wonach die strittigen Grenzfragen nur auf friedlichem Wege gelöst werden sollten. Dennoch ging im Vorfeld der Wahlen von 1969 der Prozeß der Desintegration und der Veränderung des auf einer mühsamen Klan-Balance beruhenden Systems weiter. Dies erlaubte es kleineren Klan-Gruppen, in beliebige Verbindungen zu anderen im Parlament vertretenen Klan-Gruppen zu treten. Bei den Wahlen von 1969 bestätigte sich diese Zersplitterung der politischen Szene des kleinen Landes; insgesamt bewarben sich 62 Parteien mit 1002 Kandidaten. Die SYL gewann 73 Sitze, die SNC 11, die HDMS nur 3 Sitze. Durch den Anschluß fast der gesamten Opposition an die überlegene SYL ergab sich sodann faktisch nahezu ein Einparteisystem.

2.2.2. Zweite Republik (seit 1969)

Die bis dahin sichtbar gewordene Entwicklung des Parlamentarismus in S. mit den ständigen Proporzabsprachen und Auseinandersetzungen zwischen Klan-Gruppen und deren führenden Persönlichkeiten bildete den Hintergrund für den Staatsstreich, der allerdings von einem persönlichen Racheakt seinen unmittelbaren Ausgang nahm. Am 15. 10. 1969 wurde Präsident Shermarke ermordet. Daraufhin übernahm am 21. 10. 1969 die Armee in einem unblutigen Putsch die Macht. Sie inhaftierte die führenden Persönlichkeiten wie Premierminister Ibrahim Egal und das frühere Staatsoberhaupt Adan Abdulle Osman, aber auch Oppositionspolitiker. Die Nationalversammlung wurde aufgelöst, die Parteien für illegal erklärt. Als oberstes Organ der Revolution wurde der Supreme Revolutionary Council (SRC) errichtet, an dessen Spitze Generalmajor Muhammad Siad Barre trat. Das Einschreiten des Militärs wurde vor allem mit dem Vorwurf der Korruption, des Tribalismus und der ökonomischen Mißwirtschaft der bisherigen Politiker begründet. Der SRC bestand in der ersten Phase zusätzlich zu seinem Präsidenten aus 24 weiteren Offizieren vom Rang eines Majors an aufwärts. Diese engere Gruppe wurde von 14 Zivilisten als Staatssekretären der Ministerien unterstützt. 1976 löste sich der SRC selbst auf und wurde durch eine neue Einheitspartei, ,,Somali Socialist Revolutionary Party'', ersetzt, die fortan zum Zentrum der politischen Willensbildung wird.

Durch die Intervention des Militärs änderte sich die politische Struktur des Landes vollständig. Barre und dem SRC gelang es einigermaßen erfolgreich, eine ziemlich geschlossene Unterstützung durch die Bevölkerung zu erhalten und nun auch in programmatischer Hinsicht die Grundausrichtung der Politik entscheidend zu ändern. Als allgemeine Zielvorstellung bekannte man sich bald zur Verfolgung eines ,,wissenschaftlichen Sozialismus'', hielt gleichzeitig aber am Islam als Staatsreligion fest (s. 3.3., 3.4., 3.6.). Die schon aus der Zeit der bürgerlichen Regierungen herrührende Militärhilfe der SU erhielt nun eine stärkere Betonung; auch im zivilen Bereich leistete die SU jetzt in beträchtlichem Umfang Entwicklungshilfe. Generell wurden die Beziehungen zu anderen sozialistischen Ländern ausgebaut. Für viele unkritische Beobachter galt S. sogar lange Zeit als Satellit der SU. In der Realität aber wurden auch die Beziehungen zu westl. Ländern durchaus aufrechterhalten (u. a. deutsche Ausbildungshilfe für die Polizei von S.).

Im Zusammenhang mit der seit Mitte 1977 offenen kriegerischen Auseinandersetzung mit Äthiopien sollte sich die Flexibilität der somal. Außenpolitik erweisen. Ende Juli 1977 drangen Verbände der Westsomalischen Befreiungsfront (WSLF), angeblich von regulären somal. Streitkräften unterstützt, tief in äthiopisches Gebiet (Ogaden) vor und belagerten im Dez. 1977 Harar. Die von somal. Bevölkerung bewohnten Gebiete Äthiopiens sollten nun endlich von der Okkupation Äthiopiens befreit werden. Die Lage Äthiopiens verschlechterte sich durch gleichzeitige Gebietsverluste durch die Sezessionisten in Eritrea und die von der WSLF verursachte Unterbrechung der Eisenbahnlinie Djibouti–Addis Abeba. Umfangreiche sowjetische Waffenlieferungen über eine Luftbrücke vom Schwarzen Meer über die VR (Süd)-Jemen nach Addis Abeba und der Einsatz kubanischer Militärberater auf äthiopischer Seite verschärften die Lage am Horn von Afrika. Auf Grund der massiven Unterstützung der SU für Äthiopien kam es im Herbst 1977 schließlich zum offenen Bruch zwischen S. und der SU, die bis dahin zusammen mit der DDR S. mit Waffen, Ausrüstungsgegenständen und Beratern unterstützt hatte. S. erhielt nun Waffenlieferungen von verschiedenen arabischen Ländern (u. a. Ägypten, Saudi-Arabien und Iran). Die USA, G. B. und F. verhielten sich abwartend in bezug auf eine militärische Unterstützung von S., warnten aber vor einer Verletzung somalischen Hoheitsgebietes im Rahmen einer erwarteten äthiopisch-kubanischen Gegenoffensive.

Die Frage der nationalen Zusammenführung der gesamten somal. Bevölkerung ist zweifellos die gemeinsame Klammer aller somal. Politik. Demgegenüber spielt die inhaltlich-ideologische Ausgestaltung der Politik nur eine sekundäre Rolle und dementsprechend werden auch die Beziehungen und Allianzen mit ausländischen Mächten aus somal. Perspektive ganz pragmatisch danach behandelt, wie sie dem obersten nationalen Ziel nützlich sein kön-

nen. Deshalb kam es auch, entgegen vielen sogenannten „realisti-
schen" Einschätzungen, zu dem plötzlichen Bruch mit der SU.

3. Merkmale der politischen Struktur

3.1. Elite

Die Rekrutierungsbasis der politischen Elite sind Armee und Polizei. Daneben stehen auch die Funktionäre der Verwaltung, deren
Spitze in den 14 Staatssekretären des SRC zusammenläuft. Die
Armee war ursprünglich ein Ableger der Polizei und formierte sich
schon 1958. Sie wurde durch die frühere Polizeitruppe der Somaliland Scouts in Britisch-Somaliland unterstützt, als die Unabhängigkeit erlangt war (Polizei und Armeeoffiziere wurden in I., G.B.,
Ägypten und der SU ausgebildet). Beide Einheiten umfassen eine
ziemlich gleiche Mischung aus allen Somali-Klans, doch finden sich
sehr wenige in Armee und Polizei, die von den südlichen Teilen
(Gebiete mit Landwirtschaft) stammen. Vorwiegend sind es
Abkömmlinge von Nomaden, die in Armee und Polizei eintreten.
Der erste General und Kommandeur der Armee, General Daud,
war ein Hawiya, während der Polizeikommandeur, General Abs-
hir, ein Darod war. Es zeigte sich, daß Armee und Polizei eine
„Schule der Nation" waren, denn die Rivalität zwischen beiden
bestand im wesentlichen nur darin, daß die USA die Hauptquelle
für die Bewaffnung der Polizei, die SU dagegen jene für die Armee
sein sollte. Es wurden aber auch Hilfelieferungen von I., Ägypten,
G.B. und der BR Deutschland angenommen. Die Zusammenarbeit
beider Einheiten beim Staatsstreich zeigt auch, daß zwischen ihnen
keine starke Rivalität bestand. Obwohl Präsident Siad Barre ständig
öffentliche Angriffe gegen den Tribalismus führt, ist selbst der SRC
auf alten Klan-Verbindungen aufgebaut. Der SRC umfaßt Vertreter aller größeren Stammesgruppierungen des Landes. Der heim-
liche Code-Name für die Regierung ist MOD. M steht für die
väterliche Verwandtschaft des Präsidenten, O für die mütterliche
Verwandtschaft und bedeutet Ogaden, D für Dulbahante, wohin
die Verbindungen des Schwiegersohnes führen, der das Haupt der
gefürchteten NSS (National Security Service) ist. Ein innerer Kreis

des SRC wird von einem weiteren äußeren Kreis umgeben, in welchem sich auch Oppositionsgruppen sorgfältig ausbalanciert befinden.

3.2. Andere Gruppen

Eine legale Opposition gibt es in S. nicht. Die nicht im SRC vertretenen Klans bilden selbstverständlich eine Opposition, soweit sie nicht im äußeren Kreis des SRC ausbalanciert vertreten sind. Eine weitere Opposition hat sich innerhalb des Islam gebildet, obwohl Siad in vielen Ansprachen immer wieder betont hat, daß sein wissenschaftlicher Sozialismus durchaus mit dem Islam vereinbar sei (s. 3.3.). So kam es 1974 (im Zusammenhang mit dem International Woman-day) zu einem Konflikt mit Würdenträgern des Islam. Als nämlich in verschiedenen Moscheen islamische Prediger sich gegen die vom Präsidenten geforderte vollständige Gleichberechtigung von Mann und Frau wandten, ließ er diese aufgreifen und erschießen. Weder die Somalis noch die arabischen Staaten konnten diese Überreaktion verstehen (ein Treffen der Arabischen Liga im Sommer 1975 in S. wurde daraufhin verschoben).

Vorwürfe der Korruption und des Tribalismus wurden auch gegen Mitglieder des SRC unmittelbar erhoben, offenbar um innere Machtkämpfe zu entscheiden. Innere Opposition im System selbst wurde mit dem Vorwurf der geplanten Konterrevolution ausgeschaltet. So fiel General Korshell 1971 in Ungnade. Zwei weitere Generäle, Mohammed Ainanshe und General Salad Gavaire, wurden verhaftet und wegen Konterrevolution vor Gericht gestellt, dann öffentlich 1972 hingerichtet. Trotz der starken Anlehnung an die SU erfolgten auch Verhaftungen radikaler Anhänger der kommunistischen Partei. Im Zusammenhang mit Schwierigkeiten und Unpopularität der Regierung wegen Trockenheit und Hungersnot, vor allem im somal. Teil vom Ogaden, kam es auch zu Säuberungsmaßnahmen und wohl auch zu Hinrichtungen von in Ungnade gefallenen Funktionären. Eine neue Säuberungsaktion hochstehender Persönlichkeiten aus dem Ogaden wurde Ende 1975 gerüchteweise bekannt.

Neue Ideologie. Die Grundlage der Revolutionsideologie ist der „wissenschaftliche Sozialismus", der sich als pragmatische lokale Umsetzung des Marxismus und Leninismus darstellt. Dabei wird durchaus am Islam als der Nationalreligion festgehalten. Siad Barre: „Was den Sozialismus betrifft, so handelt es sich hier nicht um eine göttliche Botschaft wie den Islam, sondern bloß um ein System, die Beziehungen zwischen den Menschen festzulegen und die Benutzung der Produktionsmittel in der Welt zu ordnen. Wenn wir eine solche Regelung unserer nationalen Güter vornehmen, ist dies nicht gegen den Islam".

Die Wirtschafts- und Sozialpolitik. Die wirtschaftliche Entwicklung S.s, das vorwiegend landwirtschaftliche Produkte wie Bananen, Tiere, Häute usw. exportiert, steht in bestimmtem Widerspruch zum erklärten wissenschaftlichen Sozialismus. Denn private Bewirtschaftung ist nicht nur auf das kleinbäuerliche Eigentum beschränkt. Die überkommene traditionelle Wirtschaftsweise der Nomaden ist auch beibehalten. Von großer Bedeutung ist die vergleichsweise erfolgreiche Mobilisierung der gesamten Bevölkerung zu Selbsthilfeaktivitäten und Entwicklungsprogrammen aller Art. Die Landentwicklungskampagne (Rural Development Campaign) fand im Febr. 1975 einen vorläufigen Abschluß. Eine städtische Kulturrevolution war ihr bereits 1973 vorangegangen: Alle Mittel- und Oberschulen waren geschlossen worden und 30.000 Studenten mit dem Motto aufs Land geschickt worden: „If you know, teach – if you don't, learn". Die schlimmste Trockenheit S.s der letzten Jahrzehnte (in den Jahren 1973–75) verwandelte die Landesentwicklungskampagne überwiegend in eine Hilfsaktion, machte sie zu einem wichtigen Instrument im Kampf gegen Hunger und Tribalismus und half dem Ansiedlungsprogramm für Nomaden. Im Gegensatz zu Äthiopien hatte S. Trockenheit und Hungersnot öffentlich bekanntgegeben und die Nachrichten darüber nicht unterdrückt. Über 100.000 nach Totalverlust ihrer Herden in ihrer Existenz bedrohte Nomaden aus dem Norden wurden über mehr als 1.000 km in den Süden umgesiedelt, wo sie ein völlig andersgeartetes Leben als Bauern in Bewässerungsprojekten und sogar als Hochseefischer aufnehmen sollen. Wie weit dieses Experiment eines totalen sozialen und wirtschaftlichen Wandels längerfristig Erfolg haben wird, ist vorläufig noch offen.

Die Innenpolitik. Die innenpolit. Situation ist keineswegs frei von Spannungen. So wurden z. B. kleine Somali-Scheichs, die sich gegen die Gleichberechtigung von Mann und Frau wandten, hingerichtet.

Die Verhaftung von radikalen Kommunisten auf der anderen Seite ist offenbar ein Versuch, sowohl in der Bestimmung der Ideologie als auch im Verhältnis zur SU größeren Freiheitsraum zu erlangen. Auch der Kampf gegen den Tribalismus zeigt Widersprüche, denn die Zusammensetzung des SRC, der in einen kleineren inneren und einen größeren äußeren Kreis gegliedert ist, zeigt starke Klanverbindungen. Die väterliche und mütterliche Abstammung des Präsidenten, vor allem seine Verbindung zum Dulbahante-Klan wie zum Ogaden, zeigen das Fortwirken von Klan-Bindungen und Klan-Denken. Der Präsident selbst führt seine Abstammung auf den großen Moslemführer des 16. Jh., Imam Ahmad (,,Grañ'') (1506–1543), zurück und ist nach gängiger Meinung mit dem berühmten ,,Mad Mullah'', dem Kämpfer um S.s Unabhängigkeit, Sayid Mohammed Abdille Hassan, verwandt. In beiden Persönlichkeiten verbinden sich die Idee des Gottesmannes und die des Kriegers für das Denken der Somalis. So tritt hier zum Problem der Verbindung von Islam und Marxismus auch dasjenige von charismatischer und politischer Führung hinzu. Man hat deshalb nicht zu Unrecht von Sozialismus und ,,Siyadismus'' gesprochen.

Das Bild wird durch einen ausgesprochenen Nationalismus abgerundet; der General verbindet in seiner Person den religiösen Führer und den nationalen Helden. Beide vereinigen sich in der Geschichte vor allem im Jihaad, dem Heiligen Krieg.

Diese Verbindung von Nationalismus und Sozialismus zu einem nationalen Sozialismus steht in einem gewissen Kontrast zu dem öffentlich bekannten wissenschaftlichen Sozialismus. Wenn wir fast in allen sozialistischen afrikanischen Staaten eine stärkere oder schwächere Verbindung beider Tendenzen, der sozialistisch-marxistischen und der nationalistischen, haben, so ist doch diese typische Verbindung, die wir als Siyadismus bezeichnen können, nirgends so ausgebildet wie in S.

Eine wichtige Leistung im Hinblick auf die Stärkung der nationalen Einheit ist die nach langen Diskussionen vom SRC 1972 verfügte Einführung einer somal. Schriftsprache (mit lateinischen Buchstaben). Die schriftliche Fixierung der Sprache mußte völlig neu geschaffen werden. Damit verknüpfte die Regierung eine allgemeine Alphabetisierungskampagne im gesamten Land.

3.4. Aufbau der Partei

Jahrelang gab es nach der Machtübernahme durch das Militär (1969) keine Partei; Parlament und Parteien blieben aufgelöst. Doch am 1. Juli 1976 wurde schließlich der SRC von den Machthabern selbst aufgelöst und durch die Einheitspartei ,,Somali Socialist Revolutionary Party" ersetzt. Diese Partei soll den Kern der weiteren sozialistischen Entwicklung des Landes bilden. Siad Barre, der ehemalige Präsident ds SRC, wurde Generalsekretär der Partei und Ministerpräsident des Landes. Der oberste Parteirat setzt sich aus 73 Mitgliedern zusammen. Die Struktur der Partei auf den verschiedenen Ebenen befindet sich erst im Aufbau. Die Regierungsministerien bekommen ihre politischen Direktiven von den jeweils für die einzelnen Bereiche zuständigen Mitgliedern des ZK der Partei.

(3.5. entfällt)

3.6. Einflüsse

Man findet ein breites Spektrum von verschiedenen äußeren Einflüssen, die aber durchaus auf die lokalen Bedingungen bezogen sind. Auf der Grundlage der egalitären Wertskala der Somali haben Nassers Ägypten und Nyereres Tansania einen gewissen ideologischen Einfluß ausgeübt. Dahinter waren zeitweise aber auch sowjetische und chinesische Politik zu spüren. Weniger beachtet wurde, daß auch Kim Il Sung, den Siad Barre zweimal in Nordkorea besucht hat, möglicherweise einen gewissen Einfluß auf das Land ausgeübt haben mag.

Die Politik von S. wurde bis zur Jahresmitte 1977 sicherlich in beträchtlichem Maße von russischen Prioritäten mitbestimmt, da die SU wichtige strategische Positionen unterhielt, die angeblich auch Lagerungs- und Abschußvorrichtungen für Raketenwaffen (Hafen Berbera) umfassen sollten. Die Entwicklung der Ereignisse in Äthiopien und ebenso in Mosambik haben das russische Interesse an S. weiter verstärkt. Da die SU den Ölbedarf von S. sicherstellte und für Ergänzung der militärischen Ausrüstung ein faktisches Monopol hatte, war ihr Einfluß vermeintlich sehr beträchtlich. Umso erstaunlicher mußte den Anhängern der These von der totalen Abhängigkeit S.s von der SU die vollständige Kehrtwendung gegen Jahresmitte 1977 erscheinen. Hier erwies sich S. als selbstbewußt genug und in der Lage, alle sowjetischen Militär- und Zivil-Berater des Landes zu verweisen. S. ist für seine gute militärische Ausrüstung bekannt und gilt als das bestbewaffnete schwarzafrikan. Land südlich der Sahara. Von hier aus gesehen ist es erstaunlich, daß sich S. während des Vorsitzes seines Präsidenten in der OAU im Jahre 1974 im Hinblick auf die Durchsetzung seiner Gebietsansprüche außerordentlich zurückgehalten hat. Durch die Aufnahme in die Arabische Liga im gleichen Jahr hat es mehr und mehr die ursprünglich Äthiopien und dann dem Sudan zugefallene Mittlerrolle zwischen den arabischen und den schwarz-afrikanischen Staaten eingenommen. Schon vor dem Hinauswurf der SU aus S. zeichnete sich immer deutlicher ein steigendes Interesse mehrerer arab. Staaten, vor allem derjenigen des konservativen Lagers, an einer engeren Zusammenarbeit und Unterstützung S.s ab. Dies betrifft vor allem Saudi-Arabien und die Vereinigten Arabischen Emirate, die in beträchtlichem Umfang Hilfsprogramme in S. finanzierten. Hierzu gehört aber auch die Aufnahme diplomatischer Beziehungen zum Iran. Dies war offensichtlich mit Überlegungen verknüpft, hierdurch S. aus seiner engen Anlehnung an die SU und das sozialistische Lager lösen zu können.

Obwohl S. auch vorher nie die Beziehungen zu den westl. Ländern abreißen ließ, auch von ihnen ständig Entwicklungshilfe erhielt (u. a. EG und Weltbank), erfolgte doch erst 1977 während des Kriegs um den Ogaden eine deutliche Neuorientierung in Richtung Westen. Die Hoffnung auf westl. Militärhilfe erfüllte sich allerdings bis Jahresende 1977 nicht, ein Ersatz dafür kam jedoch indirekt über mehrere arab. Länder. Welche längerfristigen Konsequenzen sich für die außenpolit. Orientierung S.s aus dem Konflikt mit Äthiopien ergeben, ist zur Zeit noch völlig offen.

4. Politische Schlagwörter

Die Schlüsselwörter zum Verständnis für die Verbindung von Sozialismus und Islam şind ,,handi-wadaagaa cilmi ku dhisan" = ,,Wohlstandsverteilung aus Weisheit" und ,,waddajir" sowie ,,Is ku kalsoonaan", und ,,iskaa wax u gabso", die die Bedeutung von ,,Zusammengehörigkeit", ,,Selbstgenügsamkeit" und ,,Selbsthilfe" haben. In Verbindung damit steht ein politischer Kampf gegen Klaninteressen und Klanverbindungen, der auch terminologisch seinen Ausdruck gefunden hat, indem das Wort ,,jaalle", das soviel wie ,,Freund und Kamerad" bedeutet, an die Stelle von ,,ina'adeer" (Vetter) getreten ist. Andere Slogans wie ,,kacaan" mit der Bedeutung ,,Erwachen" begleiten die ideologische Untermauerung der Revolution.

Heinrich Scholler

Literatur

Decraene, P., ,,Spécificités somaliennes", in: Revue française d'études politiques africaines, Nr. 115, Paris 1975, S. 29–40.

ders., L'expérience socialiste somalienne, Paris 1977.

Heinzlmeir, H., ,,Das ,Horn von Afrika': Konfliktkonstellationen", in: Afrika Spectrum, 12. Jg., Nr. 1, Hamburg 1977, S. 5–15.

Laitin, D. D., ,,The political economy of military rule in Somalia", in: The Journal of Modern African Studies, 14. Jg., Nr. 3, London 1976, S. 449–468.

Lewis, I. M., The Modern History of Somalia: From Nation to State, London 1965.

ders., ,,The Politics of the 1969 Somali Coup", in: The Journal of Modern African Studies, 10. Jg., Nr. 3, London 1972, S. 383–408.

Matthies, V., ,,Somalia – Ein sowjetischer ‚Satellitenstaat' im Horn von Afrika? Einige Bemerkungen zu den somalisch-sowjetischen Beziehungen", in: Verfassung und Recht in Übersee, 9. Jg., Nr. 4, Hamburg 1976, S. 437–456.

ders., Das ‚Horn von Afrika' in den internationalen Beziehungen. Internationale Aspekte eines Regionalkonflikts in der Dritten Welt, München 1976.

ders., Der Grenzkonflikt Somalias mit Äthiopien und Kenya. Analyse eines zwischenstaatlichen Konflikts in der Dritten Welt, Hamburg 1977.

ders., ,,Unterentwicklung, Nationalismus und Sozialismus in Somalia – Problemskizze und Literaturbericht", in: Afrika Spectrum, 12. Jg., Nr. 1, Hamburg 1977, S. 49–75.

Scholler, H., ,,Die historischen und politischen Entwicklungstendenzen Somalias. Die Entwicklung zum Siyadismus", in: Internationales Afrikaforum, 12. Jg., Nr. 4, München 1976, S. 370–377.

Schwab, P., ,,Cold War on the Horn of Africa", in: African Affairs, 77. Jg., Nr. 306, London 1978, S. 6–21.

Sudan

Grunddaten

Fläche: 2,506 Mio. km^2.

Einwohner (1976): 16.130.000.

Ethnische Gliederung: Araber 40%; Niloten 30%; Sudanneger 13%; Nubier 10%; Kuschiten 5%.

Religionen (1971): Moslems (Sunniten) 67%; Traditionelle Religionen 28%; Christen 5%.

Alphabetisierung (1971): 12%.

Einschulungsquote (1970): ca. 25%.

BSP (1974): 3.460 Mio. US–$.

Pro-Kopf-Einkommen (1974): 230 US–$.

1. Historischer Überblick

Das heutige Gebiet des Sudan, seit dem 5. Jahrtausend von negroiden Stämmen besiedelt, ist vom 4. bis 3. Jt. Raubzügen ägyptischer Pharaonen ausgesetzt. Von den frühen Staatengründungen (9. vorchristl. Jh.) ist das Reich Kusch – stark genug, um 1½ Jahrhunderte Ägypten zu beherrschen – die bedeutendste.

Überfremdet von Wüstennomaden (Nuba) und später besiegt vom äthiop. König von Aksum, zerfällt das Reich im 4./5. Jh. in drei kleinere nubische Feudalstaaten. Das christl. Nubien behauptet sich trotz der Eroberung Nord-Afrikas durch den Islam bis ins 14. Jh. Ihm folgt das Muslim-Reich Sennar, das 1821 unter ursprünglich türkisch-ägyptische, später ägypt. Herrschaft gerät. Raubzüge bis tief in den Süden und Sklavenhandel charakterisieren diese Zeit. 1885 eint der als „Mahdi" verehrte Mohammed Ahmed die nordsudanes. Bevölkerung und besiegt die Ägypter samt ihren brit. „Beratern". Nach dem Tode des Mahdi und dem Ende des Wettrennens zwischen F. und G.B. wird der S. in seinen heutigen Grenzen zum anglo-ägypt. Kondominium erklärt, tatsächlich aber wie eine brit. Kolonie behandelt. Aufstände bis nach dem 1. Weltkrieg werden niedergeschlagen; der Süden ist auch dann nicht „befriedet". 1924 schaltet G.B. Ägypten von der Verwaltung des Sudan aus – ein Schritt, der 1936 wieder rückgängig gemacht werden muß – und ersetzt das Prinzip der direkten durch das der indirekten Herrschaft.

Nachdem Ägypten 1953 seinen Anspruch auf Vorherrschaft im S. aufgegeben hat, muß G.B. der Unabhängigkeit zustimmen.

2. Politische Entwicklung

2.1. Vor der Unabhängigkeit

Eine soziale Rekrutierungsbasis und ein besonders konservatives Element in der polit. Struktur des modernen S. sind die verschiedenen islamischen Sekten, besonders die Ansar, die Anhänger des Mahdi, und die Khatmija. Bedeutsam für das polit. Gewicht besonders der Ansar blieb eine der wichtigsten Maßnahmen des Mahdi: Um seine Vision eines geeinten islamischen Reiches in die polit. Sphäre umzusetzen, siedelt er Mitte des 19. Jh. die mächtigsten Scheichs und Häuptlinge des Landes in der neuen Hauptstadt Omdurman an. Es bildet sich eine polit. und sozial wirksame, durch Einheirat verschmolzene feudalarab. Klasse heraus, die sich weit weniger als die übrige Bevölkerung durch Stammesdenken auszeichnet.

Während der direkten Herrschaft wird diese traditionelle Oberschicht gezwungen, sich zeitweilig aus Gründen der besseren Kontrolle in der Hauptstadt Khartoum aufzuhalten. Hier trifft sie auf eine ganz andersartige soziale Gruppierung: Die nach dem 1. Weltkrieg aufflammende nationale Widerstandsbewegung (,,*Graduates' Congress*"1918) wird von einer erst im Entstehen begriffenen sozialen Schicht angeführt, von städtischen Intellektuellen, die durch die Unabhängigkeit Ägyptens in ihren nationalen Ideen ermutigt werden. Diese kleine, aber einflußreiche Schicht reagiert auf den von G.B. erzwungenen Abzug (1924) der Ägypter – in denen sie aufgrund der gemeinsamen Sprache und Religion einen natürlichen Verbündeten gegen die brit. Herrschaft sieht – mit Unruhen, die erbarmungslos niedergeschlagen werden.

Die Ablösung der direkten Herrschaft, die über kurz oder lang die Ausbildung und Beschäftigung gebildeter Sudanesen erfordert hätte, durch die indirekte Herrschaft noch im gleichen Jahr (1924) stärkt die feudale Oberschicht und verhindert, daß diese national gesonnene städtische Zwischenschicht in den Staatsapparat aufrücken kann.

Parallel zur Stärkung der feudal-islamischen Kräfte im Norden wird im Süden des Landes die ,,neue Südsudan-Politik" eingeführt. Bisher darauf beschränkt, die ,,Ruhe" des Südens militärisch aufrechtzuerhalten, betreibt die Kolonialmacht im Süden nun eine Politik der verstärkten Separierung: Einerseits soll verhindert werden, daß die Idee des Nationalismus von Ägypten über den Nordsudan in den Süden und angrenzende ostafrik. Besitzungen überspringt; zum anderen geschieht die Abgrenzung der drei Süd-Provinzen im Blick auf eine mögliche Föderation der ostafrik. Gebiete unter brit. Herrschaft, sollte Ägypten seine Ansprüche auf den S. durchsetzen. Der Süden wird zum „geschlossenen Distrikt" erklärt, Araber werden des Gebietes verwiesen, Arabisch wird verboten, die Ausübung islamischer Religionen verfolgt. Verwaltung und Erziehung werden strikt nach britischem und christlichem Muster ausgerichtet – eine Politik, die den ökonomisch unattraktiven Süden hoffnungslos benachteiligt.

Während der Süd-Sudan polit. und ökonomisch abgeriegelt ist und stagniert, etabliert sich im Norden, ermutigt durch die veränderte internationale Situation und die Restaurierung der ägypt. Position im S., erneut der *„Graduates' Congress"* – Sammelbecken der Vertreter nationaler Ideen aller sozialen Gruppierungen.

In einem Memorandum fordern seine Mitglieder u.a. die Abschaffung des geschlossenen Distrikts, die Vereinheitlichung der Erziehung in beiden Landesteilen, die Sudanisierung der Verwaltung und das Recht auf Unabhängigkeit direkt nach dem 2. Weltkrieg.

Die brit. Regierung richtet 1943 eine *Ratgebende Versammlung* für den Nord-Sudan und 1948 eine *Legislative Versammlung* für das ganze Land ein, um den Forderungen der nationalen Bewegung die Spitze abzubrechen. Obgleich die Ratgebende Versammlung ohne Machtbefugnisse bleibt und die durch das Prinzip der Ernennung gegründete Legislative Versammlung das polit. Spektrum des Landes nicht reflektiert, beide also den Forderungen der nationalen Bewegung nicht entsprechen, führt die Gründung dieser Institutionen doch dazu, die Mitglieder des *„Graduates' Congress"* in zwei rivalisierende Gruppierungen aufzuspalten.

Vor dem Hintergrund eines befürchteten Herrschaftsanspruchs Ägyptens setzt sich eine Fraktion für die Kooperation mit der brit. Administration und die Beteiligung an den von ihr eingerichteten Institutionen ein. Dieser Fraktion, die sich 1945 zur pro-westlichen *Umma-* („Volks"-) *Partei* konstituiert, gehören im wesentlichen Vertreter der Feudal-Aristokratie an. Hinter ihr steht die einflußreiche islam. Bruderschaft der Mahdisten.

Die andere Gruppierung, der überwiegend Kräfte der nationalen Bourgeoisie und der städtischen Intelligenz angehören, versucht, die Unabhängigkeit von der brit. Herrschaft auf dem Wege der Kooperation mit Ägypten zu erreichen und fordert die ,,Einheit des Nil-Tals". Sie konstituiert die ,,*National Union Party*" (NUP), die – anfänglich unterstützt durch die Khatmija, den Hauptrivalen der Mahdisten unter den religiösen Bruderschaften – sowohl den Rat wie die Versammlung boykottiert.

Im Südsudan hatte sich bis 1953 keine eigene Partei herausgebildet. Repräsentanten des Südsudans bestehen während der 1947 einberufenen Juba-Konferenz darauf, in der legislativen Versammlung lediglich als Beobachter vertreten zu sein.

2.2. Interimszeit

Das 1953 unterzeichnete anglo-ägypt. Abkommen sieht u. a. den Abzug aller brit. und ägypt. Truppen und eine Interimszeit von 3 Jahren zur Selbstbestimmung der politischen Zukunft vor.

Wahlen unter der Oberaufsicht einer internationalen Kommission münden in den Sieg der ,,National Union Party" (NUP). Ihr Vorsitzender, Ismail El Azhari, wird 1954 (Jan.) erster sudanes. Premier. Hoffte Ägypten, die von ihnen unterstützte NUP werde eine Union mit Ägypten ansteuern, so tritt Azhari zunehmend für einen unabhängigen S. ein. Diese offensichtliche Revidierung der polit. Haltung der NUP hat ihre Ursache nicht zuletzt darin, daß die Mahdisten der ,,Umma-Partei" am Tag der Parlamentseröffnung (1. März 1954) mit einer machtvollen, zum Teil bewaffneten Demonstration deutlich machen, eine solche Union bei Gefahr eines Bürgerkrieges nicht zuzulassen.

Die 22 südsudanes. Parlamentsmitglieder hingegen machen nach dem blutig niedergeschlagenen Aufstand der Südsudanesen gegen die arab. Vorherrschaft (August 1955) ihre Zustimmung für einen unabhängigen S. davon abhängig, daß ihrer Forderung nach einer föderativen Regierungsstruktur volle Beachtung geschenkt wird. Dies zusichernd erklärt das Parlament unter Umgehung des im anglo-ägypt. Abkommen vorgeschriebenen Plebiszits im Dezember 1955 einstimmig den S. zu einer unabhängigen Republik (1. Jan. 1956 offizieller Unabhängigkeitstag).

2.2.1. Erstes Regime 1956 bis 1958

Die polit. Macht in der unabhängigen Republik S. – gegründet auf eine nur provisorische Verfassung als parlamentarisches Regierungssystem nach britischem Vorbild – behalten anfänglich bürgerlich-nationale Kräfte, die unter Führung Azharis in den vorangegangenen fünf Jahren den Weg in die Unabhängigkeit geebnet haben.

Durch den mit der erreichten Unabhängigkeit eintretenden Prozeß der Interessenpolarisierung und polit. Differenzierung verändert sich die Situation jedoch rasch. Konservative Elemente der Regierungspartei NUP, besonders die religiöse Gruppierung der Khatmijas, entziehen der Regierung ihre Unterstützung. Azhari und der nicht-sektengebundene Rumpf der NUP wird von einer religiös-konservativen Koalition zwischen der mahdistisch bestimmten Umma-Partei und der von den Khatmija neu gegründeten „People's Democratic Party" (Demokratische Volkspartei, PDP) unter Führung von Premier Abd. Khalil abgelöst.

Polit. Differenzen der religiös belasteten Koalition, ausgelöst durch die dezidiert pro-amerik. Politik der Umma-Partei, die bei den traditionell eher pro-arab. Khatmijas (PDP) auf Widerstand stößt, und die Unfähigkeit, die lange Geschichte religiöser Kämpfe durch gemeinsame Interessen zu überbrücken, machen das Regime handlungsunfähig.

Wahlen, abgehalten im Feb. 1958, führen zu keiner klaren Mehrheit; die zerrissene Koalition kommt erneut an die Macht.

Als der Präsident der Umma-Partei, Sayyid Siddiq al-Mahdi, 1958 durch eine Allianz mit Premier Azhari (NUP) einen Ausweg aus der verfahrenen Situation sucht, kommt ihm Abd. Khalil, Generalsekretär der Umma-Partei und Offizier der Ersten Stunde, zuvor. Khalil konsultiert rangoberste Offiziere wegen eines Militärputsches.

2.2.2. Zweites Regime: Militärdiktatur 1958 bis 1964

Am 17. Nov. 1958 übernimmt eine kleine Gruppe ranghoher Offiziere unter Führung General Abbouds (geb. 1900) die Macht, um „pro-ägypt. radikalen Elementen zuvorzukommen". Abboud suspendiert die provisorische Verfassung, zensiert die Presse, verbannt polit. Parteien und Gewerkschaften unter dem Vorwand, kommunistischer Infiltration vorzubeugen. Das Oberkommando wird verfassunggebendes Organ, das Abboud sämtliche Befugnisse delegiert.

Mit wachsenden wirtschaftl. Schwierigkeiten basiert die extrem rechte Militärdiktatur zunehmend auf ausländischer Unterstützung. Drei Putschversuche jüngerer Offiziere, Anhänger der NUP auf der einen und der kommunistischen Partei auf der anderen Seite, verfehlen ihr Ziel.

Infolge der zwangsweisen Arabisierung der südl. Provinzen und der gewaltsamen Versuche, das Problem Südsudan militärisch zu lösen, formiert sich im Südsudan die Gegenwehr. Die schon vor 1955 im Süden ausgebrochenen bewaffneten Erhebungen gegen die arab. Vorherrschaft finden ihren polit. Ausdruck zuerst in der ,,Sudan Union Closed District National Union" (im Exil in SANU ,,Sudan African National Union" umbenannt), die keine Föderation mehr, sondern die Sezession der drei südlichen Provinzen fordert.

Seit 1963 kämpft die Guerilla-Organisation Anya Nya im völlig abgeschnittenen Süden gegen die nordsudanes. Armee. Die Militärdiktatur reagiert mit Repression auch gegen die Zivilbevölkerung des Südens. Der Süden wird von der Außenwelt abgeriegelt.

Im Norden gründen alle verbotenen Parteien eine Vereinigte Front. Ihre Führer werden 1961 verhaftet. Durch offenen Widerstand, Organisation von Streiks und Protesten wird die *sudanes. kommunistische Partei,* unterstützt von zahllosen Intellektuellen sowie der verbotenen Gewerkschaft, zum Kristallisationspunkt öffentlicher Opposition. Als die Staatsbeamten und weite Teile des Militärs sich mit dem Generalstreik, der den Ausbruch der ,,Revolution" im Oktober 1964 einleitet, solidarisieren, ist das Schicksal der Militärregierung besiegelt.

2.2.3. Drittes Regime: Die Übergangsregierung 1964 bis 1965

Die neue Regierung – angeführt von Khalim al-Khalifah, einem parteilosen Beamten – setzt sich aus national-progressiv gesinnten

410

Vertretern verschiedener sozialer und polit. Gruppierungen zusammen, unter denen die Kommunisten keinen geringen Einfluß haben.

Nach der Wiedereinsetzung der Presse-, der politischen und der Versammlungsfreiheit und der Einleitung einer Anti-Korruptionskampagne im Staatsapparat ist die Lösung des Südsudan-Konfliktes vorrangig.

Die im März 1965 nach Khartoum einberufene, von Nord und Süd paritätisch besetzte Konferenz berät über eine polit. Lösung des Konflikts; sie soll zur Grundlage der noch immer nicht fixierten „Permanent Constitution" werden. Nach einem sofort durchgeführten „Programm des unmittelbaren Handelns" findet der von der Konferenz eingesetzte 12 köpfige Ausschuß nach 1½ Jahren zu Lösungen regionaler Autonomie, die geeignet scheinen, die Befürchtungen des Südens weitgehend auszuräumen, und über die mit einem von den südsudanes. Parteienvertretern ausbedungenen Referendum entschieden werden soll.

Die innenpolit. Entwicklung vereitelt jedoch eine Lösung des Konflikts zu diesem Zeitpunkt. Die Unterstützung arab. und afrik. Befreiungsbewegungen seitens der Übergangsregierung ist polit. ebenso kontrovers wie die Antikorruptions- und Säuberungsaktion im Staats- und Verwaltungsapparat. Eine neu gegründete Koalition religiös-rechter Kräfte, die „Islamic Charter Front", macht zusammen mit der Umma-Partei Front gegen die eher progressive PDP und die kommunistische Partei. Die als Ergebnis wachsenden Drucks auf die Regierung im Juni 1965 (lediglich im Norden; 1967 Nachwahlen im Süden) abgehaltenen Wahlen leiten erneut eine Periode der Instabilität ein.

2.2.4. Viertes Regime: Erneute Koalitionsregierungen 1965 bis 1969

Die den außenpolit. Kurs der Übergangsregierung sofort revidierende Koalition zwischen Umma und NUP beantwortet die bereits einen Monat später einsetzenden südsudanes. Rebellenaktivitäten mit harten Vergeltungsmaßnahmen. Während im Süden der Bürgerkrieg tobt, verhärten sich die polit. Fronten im Norden. Ein Verbot der KP (Dez. 1965) wird zwar im Dez. 1966 vom obersten

Gericht aufgehoben, doch setzt die erneut einberufene Verfassunggebende Versammlung das Urteil wieder außer Kraft.

Nach Fraktionsbildungen innerhalb der Umma-Partei wird der traditionell-religiös gesonnene Mahgoub im Juli 1966 von dem jungen Saddiq al-Mahdi abgelöst, der eine Regierungsumbildung vornimmt und mit Hilfe westlicher Kredite die Wirtschaft zu sanieren sucht.

Die Nachwahlen im Süden (1967) werden zwar von der föderalistisch eingestellten *SANU* unterstützt, jedoch von der separatistischen *Southern-Front* boykottiert. Dem fehlgeschlagenen Versuch, den Südsudan national zu integrieren, folgt die endgültige Spaltung der Umma-Partei (1967). Azhari verläßt das Kabinett, um seine Partei, die NUP, mit der PDP zur *„Democratic Unionist Party"* (DUP) zu vereinigen. Erneute Wahlen und schwankende Parlamentsmehrheiten führen zur völligen Instabilität der Regierung und häufigen Koalitionswechseln (Premiers: Al Khalifah (64–65), Mahgoub (65–66), Saddiq al-Mahdi (66–67), Mahgoub (67–68) und Mahgoub (68–69).

Die wachsende südsudanes. Opposition gegen eine islamische Verfassung, die ein Präsidialsystem mit mächtiger Exekutive vorsieht, führt zur Auflösung der Verfassunggebenden Versammlung, der ein Massenrücktritt der Regierungsmitglieder folgt. Gewinner der ausgeschriebenen Neuwahlen (April 68) ist die DUP. Einer erneuten Krise der Koalitionsregierung DUP/Umma (Mahgoub-Flügel), die wieder mit den ungelösten Problemen: der Annahme einer permanenten Verfassung, dem Südsudankrieg und einer stagnierenden Ökonomie, konfrontiert ist, macht der Militärputsch vom 25. Mai 1969 ein Ende.

3. Merkmale der politischen Struktur

3.1. Elite

Am 25. Mai 1969 übernimmt eine Gruppe jüngerer Armeeoffiziere unter Führung des Majors Daafar el Numeiri, der sich selber als Nasserist bezeichnet, die Macht. Die Offiziere sind alle Mitglieder einer zehn Jahre alten Untergrundorganisation mit sozialistischem Anspruch und panarabischer Orientierung.

Militärisches Eingreifen in die Sphäre polit. Macht ist Ergebnis der Schwäche demokratischer und parlamentarischer Tradition. Solchem Eingreifen vorausgesetzt ist die Existenz sozialer Kräfte, die radikale Veränderungen anstreben, wobei sich die Machtergreifung des Militärs sowohl im Interesse dieser Kräfte vollziehen als auch ihrer Stärkung vorbeugend geschehen kann (wie 1958 im S.). Dort, wo sie ins polit. Geschehen eingreift, ist die Armee somit Ausdruck der Interessen bestimmter sozialer Gruppen. Dabei ist die soziale Struktur der Armee, insbesondere des Offizierscorps, selbst nicht homogen – ihr Charakter hängt eng mit der Entstehung der Armee zusammen. Die sudanesische Armee umfaßt drei Gruppierungen. Die erste – ranghohe Offiziere, die in den ägypt. Bataillonen im S. dienten und eng mit der Feudalaristokratie verbunden sind – zeichnet sich durch einen hohen Grad von Konservativismus aus. Sie übernahm die Macht 1958. Die zweite, rund 60 Offiziere, seit Ende der 30er Jahre in Dienst genommen, profitierte stark von der Sudanisierung der Armee nach 1954, hatte jedoch die unpolit. Tradition ihrer brit. Ausbilder übernommen.

Die dritte Gruppe, 300 junge Offiziere mit höherer Bildung – eine für unterentwickelte Verhältnisse geballte Ansammlung technischer Intelligenz – ist zum großen Teil selbst Träger radikal-nationaler Ideen. Angesichts der polit. und sozial unausgereiften, noch stark religiös beeinflußten Parteien einerseits und des offensichtlichen Versagens demokrat. Institutionen, ihrer Dysfunktionalität gegenüber der Dringlichkeit sozialen und ökonomischen Fortschritts andererseits, wird dieser Teil des Offizierscorps politisch aktiv.

Das neue Regime erklärt eine Politik des ,,Sudanesischen Sozialismus", die jedoch programmatisch allgemein bleibt. Da die Inkraftsetzung der neuen Verfassung noch anhängig ist, wird die Macht auf einen Revolutionsrat übertragen, der aus Offizieren und einem überwiegend zivilen Rat von Ministern besteht, dem auch Kommunisten angehören. Bereits nach fünf Monaten wird der als Premierminister berufene Abubakr Awadallah (Sprecher des ersten sudanes. Parlaments und Oberster Richter) von Numeiri ersetzt, der zugleich den Vorsitz des Revolutionsrates übernimmt. Anfang 1971 wird eine neue vorläufige Verfassung verkündet und damit andere Parteien verboten. Ein einberufener Volksrat arbeitet an dem Entwurf einer permanenten Verfassung, die 1973 als ständige Verfassung des S. sanktioniert wird.

3.2. Opposition

Seit der Machtübernahme 1969 gibt es eine Vielzahl von Putschversuchen. Die Muslim-Bruderschaften, besonders die Mahdisten (rund 2 Mio.) sind ursprünglich die Hauptquelle der Opposition gegen das anfänglich linke Armee-Regime. Eine vom Imam al-Mahdi angeführte Rebellion wird im März 1970 mit Flugzeugangriffen niedergeschlagen.

Mit dem Abrücken von seinen ursprünglichen polit. Intentionen kollidiert das Regime jedoch zunehmend mit dem linken Block. Nach Amtsenthebungen in Regierung und Armee – wegen angeblicher Sympathisierung mit der kommunistischen Bewegung – und der Verhaftung des Generalsekretärs der KPS ergreifen linke Offiziere am 20. Juli 1971 die Macht. Sie bilden einen Kommandierenden Rat mit Col. Bubakr al Nur Osman als Vorsitzendem und heben das Verbot der Parteien auf. Noch am ersten Tag wird eine Politik regionaler Autonomie für den Süden annonciert. Am 22. Juli wird mit Hilfe massiven Eingreifens Libyens ein erfolgreicher Gegencoup gestartet. Der nach seinem Sturz wieder eingesetzte Numeiri beginnt eine beispiellose Verfolgung der größten kommunistischen Partei Afrikas. Ihre Anhänger werden systematisch ausgerottet.

Unruhen und Putschversuche sind seither an der Tagesordnung: Studentenunruhen, Streiks der Eisenbahnergewerkschaft, erneute Erhebungen, Schließung der Universität, Verhaftungen und neuerliche Erklärungen des Ausnahmezustandes. Im Okt. 1974 wird erneut 23 Verschwörern der Prozeß wegen Staatsverrats gemacht. Der bislang jüngste Putschversuch, am 1. Juli 1976, wird Libyen und den von Libyen unterstützten Mahdisten (Ansar) angelastet;

auch für den Versuch einer bewaffneten Gruppe, im Febr. 1977 den Flughafen Juba im äußersten Süden in ihre Gewalt zu bringen, wird der Ex-Präsident Saddiq al-Mahdi verantwortlich gemacht.

Umso überraschender kommt im März die Einladung Numeiris an alle oppositionellen Kräfte innerhalb des Landes zur konstruktiven Mitarbeit bei der wirtschaftlichen und polit. Entwicklung. In der Folgezeit wird eine Generalamnestie für alle polit. Gefangenen erlassen, die sich seit 1969 an Aktionen gegen die Regierung beteiligt haben. Davon sind mehrere tausend Oppositionelle betroffen, auch wenn sie in Abwesenheit verurteilt wurden; mehrere Prozesse werden eingestellt. Im Juli findet in Port Sudan ein geheimes Treffen zwischen Numeiri und dem in Abwesenheit zum Tode verurteilten und jetzt ebenfalls begnadigten al-Mahdi statt, der im Sept. sein dreijähriges Exil aufgibt und in seine Heimat zurückkehrt.

Die Gewerkschaft kündigt im April 1974 ihre Mitgliedschaft im ICFTU mit der Begründung, es existiere keine Gewerkschaftsfreiheit im Land und sudanes. Gewerkschaftler seien Verhaftungen ohne Gerichtsverfahren ausgesetzt.

Der Konflikt mit dem Südsudan, der schon vor 1955 zu bewaffneten Erhebungen führte und ab 1963 in einem erbittert geführten Bürgerkrieg eskalierte, kann durch die Einigung von Addis Abeba im April 1972 beendet werden. In diesem Abkommen werden dem südl. Landesteil die regionale Autonomie und ein verstärktes Engagement bei der wirtschaftlichen und sozialen Entwicklung dieser bisher vernachlässigten Region zugesichert. Der Frieden blieb bisher nach 17 Jahren Bürgerkrieg trotz einiger Unruhen, besonders im Zusammenhang mit der Integration der Südarmee in die nationalen Streitkräfte und dem zwischen S. und Ägypten vereinbarten Jonglei-Kanalprojekt im Herbst 1974, gewahrt. 1976 werden die drei Südprovinzen in administrative Einheiten unterteilt.

3.3. Parteiprogramm

Der Revolutionsrat von 1969 betrachtet sich ursprünglich als Fortsetzung der ,,Revolution" von 1964. Er strebt wirtschaftliche Unabhängigkeit und soziale Gerechtigkeit für die Bevölkerung an, vor allem für die Unterprivilegierten in den ländlichen Gebieten. Er veröffentlicht ein 6-Punkte-Arbeitsprogramm zur Lösung des Südsudan-Konflikts und will polit. Korruption und wirtschaftliche Desorganisation beseitigen.

Zum Zeitpunkt der Einführung der neuen vorläufigen Verfassung und der Auflösung des Revolutionsrates 1971 hat sich Numeiri weit von der ursprünglich vom Revolutionsrat verkündeten Politik entfernt. Ursprünglich „Revolutionär" im Auftrag des Revolutionsrates, ist er zu einem Pragmatiker mit sowohl international wie innenpolitisch wechselnden Allianzen geworden. Die Betonung liegt auf der Förderung „Sudanesischer Nationalinteressen", die in Kategorien wirtschaftlicher Entwicklungsprojekte interpretiert werden. Das Parteienkonstitut ist in einer „Charta der nationalen Aktion" niedergelegt.

3.4. Parteistruktur

Die in der Verfassung von 1973 vorgesehene Einheitspartei (gegr. 1972) wird in Anlehnung an das ägyptische Vorbild „Sudanesische Sozialistische Union" (SSU) genannt. Die in Anpassung an die Verfassung vorgenommene Kodifizierung des polit. Rechts besagt, daß bei Androhung des völligen Verlustes politischer Rechte polit. Aktivitäten im S. im organisatorischen Rahmen der SSU auszuüben sind.

Die SSU konsolidiert 1974 ihre Position durch den Aufbau von Basiszellen in jeder Gemeinde und hält ihre erste Delegiertenkonferenz ab. 1974 hat die Partei 2.247.000 Mitglieder, die auf 8.307 Kongressen auf allen Ebenen tagten, aufwärts von den 6.300 Basiszellen. Die SSU ist jedoch noch immer keine effektiv verwurzelte Partei; sie funktioniert, wenn es zu Entscheidungsprozessen kommt, noch ausschließlich von oben nach unten. Auch die obersten Parteiinstitutionen sind keine Institute politischer Willensbildung: Das ZK tagt lediglich einmal im Jahr und das Polit-Büro nur sporadisch.

Grenzen der polit. Funktion der SSU setzt die Sudanes. Konstitution: Die Verfassung von 1973 verleiht Numeiri diktatorische

416

Macht ohne eine institutionalisierte Kontrolle. Er ist als Staatspräsident zugleich Staatsoberhaupt und Chef der Exekutive. Die Legislative liegt bei der 1974 erstmals zusammengetretenen Nationalversammlung *und* dem Staatspräsidenten. Er ernennt und entläßt Minister, ist oberster Befehlshaber, Verteidigungs-und Außenminister und Chef der Sicherheitskräfte. Als Generalsekretär hat er die Macht, Mitglieder für das Zentralkomitee und das Büro der Einheitspartei zu ernennen und die Nationalversammlung aufzulösen. Die Nationalversammlung im Norden und die ihr entsprechende Regionalversammlung des Südens sind sich angesichts solcher Machtfülle ihrer Funktionen ebensowenig sicher wie das ZK der Partei und das Polit-Büro.

3 Millionen Sudanesen sind in Partei-Unterorganisationen zusammengefaßt, so in 8.530 Jugendorganisationen, in 1.039 Frauengruppen, in 4.041 Dorfkomitees und 500 Altenvereinigungen. Die Arbeiter- und Bauernorganisation der Partei hat 800.000 Mitglieder. Basisdemokratische Institutionen unter aktiver Teilnahme der Bevölkerung haben jedoch keine Chance, solange der Widerspruch zwischen dem programmatisch aufrechterhaltenen progressiven Anspruch des Regimes und der erheblichen Infiltration konservativ-rechter, ehemals gegen das Revolutionsregime opponierender Kräfte in Partei, Nationalversammlung und Staatsapparat nicht aufgehoben ist.

3.5. Wahlen

Der Staatspräsident wird auf 6 Jahre durch Volkswahl nach Nominierung durch die Staatspartei gewählt. Im April 1977 wird Numeiri für eine weitere Wahlperiode mit 99,1% der abgegebenen Stimmen in seinem Amt bestätigt.

In die Regionalversammlung des Südsudan werden im Sept. 1973 30 Abgeordnete gewählt, 3 ernannt und 27 als Vertreter von Berufsgruppen und Massenorganisationen berufen. An der Spitze des High Executive Council des Südsudan steht der von Numeiri nominierte Vizepräsident Abel Alie.

Den Wahlen zur Regionalversammlung folgen im April 1974 die

zur Nationalversammlung. Von den 250 Abgeordneten (alle SSU) werden 125 direkt gewählt, 100 als Berufsvertreter berufen und 25 vom Präsidenten ernannt.

3.6. Einflüsse

Die Beziehungen zu Osteuropa und der UdSSR wurden nach dem Putschversuch linker Offiziere 1971 fast völlig abgebrochen, worauf die VR China die bereits vorher gewährte Anleihe auf 64 Mio. US-Dollar verdoppelte und Waffenlieferungen substituierend übernahm.

Obgleich das Regime besonders in der Anfangsphase enge Kontakte mit Libyen, Ägypten und Irak hielt, trat das Land mit Rücksicht auf die innenpolit. labile Situation, und hier besonders mit Rücksicht auf den Südsudankonflikt, der Föderation nicht bei.

Die während des Umsturzversuches 1971 bewiesenen guten Beziehungen zwischen Libyen und S. kühlen sich während des ugandisch-tansanischen Grenzkonfliktes wegen Waffenlieferungen Libyens an Uganda derart ab, daß sudanesische Einheiten von den am Suez stationierten arab. Truppen zurückgezogen werden.

Mit der Veränderung des innenpolit. Kurses Ägyptens und den damit einhergehenden Bindungen an die USA und westeurop. Staaten vollzieht sich eine Annäherung zwischen S. und Ägypten. Seit Feb. 1974 besteht ein sudanes.-ägypt. Wirtschaftsintegrationsabkommen. Saudi-Arabien, dem im arab. Raum bei den Auseinandersetzungen um Einflußsphären der Großmächte eine ökonomische Schlüsselrolle zukommt, hat mit S. ein Kapitalhilfeabkommen geschlossen, mit dessen Hilfe ab 1974 wirtschaftliche Dreiecksprojekte, besonders in Zusammenarbeit mit der BRD, finanziert werden.

Anfang 1977 wird in Jeddah ein ägypt.-sudanes.-saudiarab. Militärabkommen geschlossen. Die Position S.s – in latentem Konflikt mit Libyen und Äthiopien (wegen Eritrea) – wird dadurch erheblich gestärkt. Am 28. Feb. 1977 tritt der S. während eines Gipfeltreffens in Khartoum der 1976 geschlossenen ägyptisch-syrischen Union bei. Die Union faßt damit über die Hälfte der arab. Bevölkerung zusammen. Das ,,gemeinsame polit. Oberkommando" der Union, dem die Staatschefs, Ministerpräsidenten, Verteidigungs-, Außen- und Innenminister angehören, wird als ,,Grundlage einer umfassenderen Einheit der arab. Staaten" angesehen.

Mit dem Abrücken Numeiris von den anfänglichen polit. Zielvorstellungen von 1969 vollzieht sich 1972 folgerichtig eine Annäherung an die westeurop. Staaten, besonders an die USA.

4. Politische Begriffe

Anya Nya: Name eines Insektengiftes, der zur Bezeichnung der Sezessionisten im Südsudan wird.

Ansar (Helfer): Anhänger der polit.-religiösen Bewegung des Mahdi.

Mahdi: arab., ,,von Allah gesalbt"; vom Propheten Mohammed verkündeter, endzeitlicher Stifter des Friedensreiches.

Umma: Islamische Gemeinschaft im weitesten Sinne.

Verena Metze-Mangold

Literatur

Babiker, A., ,,Das Land, wo Gott lachte. Sudan zwischen Krise und Bankrott", in: 3. Welt Magazin, Bonn 1978, Heft 1/2, S. 15–17.

ders., ,,Der kranke Mann Afrikas?", in: 3. Welt Magazin, Bonn 1978, Heft 3, S. 15–17.

Bechtold, P. K., Politics in the Sudan. Parliamentary and Military Rule in an Emerging African Nation, New York 1976 (Praeger Special Studies in International Politics and Governments).

Concolato, J.-C., ,,Le système politique soudanais", in: Revue française d'études politiques africaines, Nr. 140/141, Paris 1977, S. 95–123.

Dustan, M. W. (Hrsg.), The Southern Sudan. The Problem of National Integration, London 1973.

El-Badrawi, A. M., ,,Struktur und Probleme der Demokratie im Sudan", in: Internationales Afrikaforum, 7. Jg., Nr. 11, München 1971, S. 632–640.

ders., ,,Zum Problem der süd-sudanesischen Minderheit", in: Vierteljahresberichte – Probleme der Entwicklungsländer Nr. 45, Bonn-Bad Godesberg 1971, S. 269–280.

Eprile, C., War and Peace in the Sudan 1955–1972, Newton Abbot u. London 1974.

Glagow, R., ,,Die Gründung der Sudanesischen Sozialistischen Union", in: Orient. Deutsche Zeitschrift für Politik und Wirtschaft des Orients, 14. Jg., Nr. 2, Opladen 1973, S. 63–79.

Roden, D., ,,Regional Inequality and Rebellion in the Sudan", in: The Geographical Review, 64. Jg., Nr. 4, New York 1974, S. 498–516.

Swasiland

Grunddaten

Fläche: 17.363 km^2.

Einwohner: 500.000 (1976).

Ethnische Gliederung: mehr als 90% Swazi, kleine Gruppen der Zulu, Shangaan, Njassa und Sotho; über 8.000 Weiße und über 2.000 Mischlinge.

Religionen: Traditionelle Religionen 40%; Christen 60%.

Alphabetisierung: 40%.

BSP: 190 Mio. US-$ (1974).

Pro-Kopf-Einkommen: 390 US-$ (1974).

1. Historischer Überblick

Zu Beginn des 19. Jh. vereinigte der zum Dlamini-Clan gehörende König Sobhuza I. durch Unterwerfung und Heirat verschiedene Clans zur Swasi-Nation, die er durch Übernahme des Altersgruppensystems der Zulu auch horizontal integrierte. An der Spitze der zentralistischen dualen Monarchie standen der König (Ngwenyama) und die Königsmutter (Ndlovukazi), deren Macht durch zwei traditionelle ratgebende Versammlungen beschränkt war, den inneren Rat (Liqoqo), dem die unmittelbaren Ratgeber angehörten, und den nationalen Rat (Libandla), dem neben Chiefs und Headmen theoretisch alle männlichen Swasi angehörten.

Vom Goldrausch angezogen, kamen nach 1879 immer mehr Europäer ins Land, denen es gelang, durch Konzessionen des mit dem europ. Eigentumsbegriff nicht vertrauten Königs Mbandzeni die Kontrolle über fast das gesamte Land zu erlangen. Briten und Südafrikaner erkannten zwar in mehreren Konventionen formal die Unabhängigkeit S. s an (wenn auch in entsprechend ihren Kolonial- und Expansionsinteressen einseitig festgelegten Grenzen), jedoch wurde nur durch den Ausbruch des Burenkrieges verhindert, daß S. unter südafrik. Kontrolle kam. 1903 wurde S. brit. Protektorat. Auch in S. kam es infolge der Instrumentalisierung der Häuptlinge als koloniale Hilfsagenten zu einer Degeneration des traditionellen, demokratische Elemente enthaltenden polit. Systems der Swasi. Die eigentliche Macht lag in den Händen der Europäergemeinde. Weiße Siedler und Swasi-Aristokratie verbündeten sich Anfang der sechziger Jahre gegen die Reformen der brit. Kolonialverwaltung. Erst 1963 erhielt S. seine erste Verfassung, die 1967 durch eine nach dem Westminster-Modell konzipierte ersetzt wurde, und die mit geringen Modifikationen auch die Verfassung des 1968 unabhängig gewordenen Staates wurde.

2. Entwicklung der politischen Parteien

Zu Beginn der sechziger Jahre war S. gegenüber Lesotho und Botswana verfassungsrechtlich und polit. im Rückstand; erst 1960 wurden Schritte zur Gründung eines auch Afrikaner repräsentierenden Rates unternommen. Im gleichen Jahr wurde die erste Partei gegründet, die auf die 1929 unter Leitung des brit. Ständigen Kommissars eingerichtete „Progressive Association" zurückgeht, ein Diskussionsforum der Swasi-Intelligenz. Der Lehrer und Journalist John J. Nquku wandelte sie 1960 zur „(Swaziland) Progressive Party" (SPP) um. In einem Manifest sprach sich die Partei für eine Politik der Rassengleichheit und Beendigung jeglicher Form von Rassendiskriminierung, für eine Annahme der Erklärung der Menschenrechte, für den Kampf gegen die Bemühungen Südafrikas um Inkorporation, für frühe Selbstbestimmung und für allgemeine und gleiche Wahlen aus. Sie wollte außerdem polit. Asyl für die Flüchtlinge aus der R. S. A. und bessere Arbeitsbedingungen für die Wanderarbeiter erreichen. Mit ihrem auch von panafrik. Ideen beeinflußten Programm zog sie eine Reihe urbanisierter Swasi und Nicht-Swasi-Bürger an. Bei den 1960 begonnenen Verfassungsgesprächen wurde die SPP von weißen Siedlern und Swasi-Traditionalisten als „kommunistisch" und „radikal" angegriffen, ihre Vorschläge wurden nicht beachtet und Nquku 1961 von den Verhandlungen ausgeschlossen. Die SPP vernachlässigte die Basisorganisation auf dem Land; außerdem setzten permanente personelle, finanzielle und ideologische Streitigkeiten einer effektiven polit. Arbeit Grenzen.

1962 spaltete sich eine große Gruppe unter dem neugewählten Vorsitzenden, dem Arzt Ambrose Zwane, von der SPP ab und formierte sich später zum „Ngwane National Liberatory Congress" (NNLC), dessen Ziel ein nationalistisch, demokratisch, sozialistisch und panafrik. ausgerichteter Staat war. Im einzelnen forderte er die Unabhängigkeit für Ende 1965, ein allgemeines und gleiches Wahlrecht, Neuverteilung des Landes und Nationalisierung der Schlüsselindustrien. Vom Ausland erhielt er Hilfe aus Ägypten und Ghana, im Innern fand er Unterstützung hauptsächlich bei den „stammesentfremdeten" Swasi in den Städten und Angehörigen anderer Stämme, sowie in der Gewerkschaftsbewegung. Er hatte zwar einen kohärenten Plan für seine Version des afrik. Sozialismus, bemühte sich aber nicht ausreichend um den Aufbau einer Basisorganisation und litt darüberhinaus unter personellen und finanziellen Schwierigkeiten. Während die SPP sich 1962 noch einmal spaltete und die beiden Teile dann fast nur noch dem Namen nach existierten, entwickelte sich der NNLC zur einzig wirklichen Opposition zur Partei des Königs, spaltete sich jedoch 1971 ebenfalls. 1962 wurde von Simon Nxumalo und Vincent Roswadowski die „Swaziland Democratic Party" (SDP) gegründet. Sie hatte etwa 2.000 Mitglieder und wurde von weißen Liberalen unterstützt, die die „Militanz" des NNLC ablehnten, sich aber auch gegen den Führungsanspruch der europ. Siedler und Traditionalisten wandten. Sie forderte die Einführung einer konstitutionellen Monarchie und setzte sich zunächst für ein qualifiziertes, später für ein allgemeines Wahlrecht ein. 1965 ging sie im INM auf.

1963 gründete der Führer der europäischen Minderheit, Carl Todd, der größte Grundbesitzer S.s und Direktor von über 30 südafrik. Firmen, die „United Swaziland Association" (USA). Nominell für Mitglieder aller Rassen offen, war sie faktisch die (ultrakonservative) Partei der weißen Siedler, deren privilegierte Position sie durch eine „Partnerschaft" mit den Traditionalisten aufrechtzuerhalten suchte. Sie vertrat eine modifizierte Apartheid-Politik und ergriff später offen Partei für das südafrik. „Bantustan"-Programm. Sie hielt auch nach Ablehnung durch die Briten und die Traditionalisten an der 50:50-Machtaufteilung fest, zerfiel aber dann und beteiligte sich nicht mehr an den Wahlen von 1967.

Eine weitere „weiße" Partei, die „Swaziland Independent Front" (SIF) wurde 1964 gegründet. Sie vertrat die Interessen der probritischen europ. Siedler und Geschäftsleute. Sie wandte sich zwar gegen die rassistische Grundhaltung der R.S.A., verurteilte verbal die Apartheid-Politik und wandte sich gegen deren Ausdehnung auf S., war aber andererseits so „realistisch", für eine enge Kooperation und gute Nachbarschaft mit der R.S.A. einzutreten. Innenpolit. engagierte sie sich für eine Art „sozialer Marktwirtschaft".

Als 1963 Streiks und die antitraditionalistischen Parteien die Monarchie zu bedrohen schienen, drängten die weißen Siedler und südafrik. Kreise den König, eine eigene polit. Partei zu bilden. Unterstützt von einem südafrik. Rechtsanwalt, Mitglied des burischen „Broederbond", gründete Sobhuza II. 1964 das „Imbokodvo National Movement" (INM), als polit. Arm der Monarchie eine konservative und traditionsbestimmte Hofpartei. Ihr Ziel war die Sicherung der Prärogativen des Ngwenyama. Im Rahmen einer „rassischen Föderation" wollte der König die Macht mit der USA teilen, um das Land „vor dem Kommunismus zu retten". In der Wahlkampagne von 1964 spielte sie die Machtteilung mit den Europäern herunter und übernahm verbal die Zielsetzungen anderer Parteien („ökonomischer Fortschritt für alle"). Nach dem Wahlsieg wandte sie sich von der Allianz mit den weißen Siedlern ab, forderte die Unabhängigkeit, verkündete eine (teilweise gelungene)

Annäherung an panafrik. Bewegungen und bemühte sich (z. T. erfolgreich) um eine Integration oppositioneller Gruppen.

Zu Beginn der sechziger Jahre wurde noch eine Reihe kleinerer Parteien wie die ,,Mbandzeni National Party'', das ,,Convention Movement'', die ,,Swaziland Freedom Party'' und die ,,Joint Alliance of Swaziland Political Parties'' gegründet, die jedoch unbedeutend waren.

Theoretisch wurde durch die Verfassung von 1967 die Bedeutung des Königs Sobhuza II., der seit 1899 an der Spitze S.s steht und damit der am längsten herrschende Monarch der Welt ist, begrenzt. Tatsächlich konnte er aber das Parlament und die nationalen Finanzen unter seine Kontrolle bringen. Als 1973 bei den ersten Wahlen nach der Unabhängigkeit die Opposition drei von 24 Mandaten im Parlament erringen konnte, wurden der Notstand ausgerufen, das Parlament aufgelöst, die Verfassung suspendiert sowie alle politischen Parteien und Organisationen verboten. Seitdem wird das Land autoritär vom König und seinen traditionellen Beratern regiert. 1977 wurde das parlamentarische System westlicher Prägung endgültig abgeschafft. An seine Stelle tritt eine an traditionellen Vorbildern orientierte Form der demokratischen Mitwirkung.

3. Merkmale der politischen Struktur

3.1. Elite

Die weiße Minderheit verfügt fast über die Hälfte des Bodens und kontrolliert die Bergwerke und Industriebetriebe. Sie hat damit bestimmenden Einfluß auf die Politik des Landes, der durch eine Interessenallianz mit der traditionellen, parasitären Führungsgruppe abgesichert ist. Neben dem König und dem ,,Swazi National Council'' (SNC) sind dies vor allem die 172 wichtigen Chiefs, die eine autokratische, fast diktatorische Herrschaft ausüben.

3.2. Stärke und Rolle anderer Gruppen

Neben der traditionellen Elite gibt es Funktionseliten in Verwaltung, Gesundheits- und Erziehungswesen, die jedoch von direkter polit. Mitwirkung ausgeschlossen sind. Wenig innenpolit. Gewicht haben, trotz eines großen Mitgliederbestandes bei den Bergarbeitern, auch die 15 eingetragenen kleinen Gewerkschaften. S. verfügt über eine mit südafrik. Hilfe aufgebaute 600 Mann starke Armee.

3.3. Programm und Politik der INM-Regierung

Nach der Unabhängigkeitsverfassung ist S. eine konstitutionelle Monarchie mit einem Zweikammersystem. Die Verfassung weicht jedoch in einigen wichtigen Punkten vom Westminster-Modell ab. So wird die Stellung des Königs als Paramount Chief der Swasi ausdrücklich anerkannt, wodurch er alle seine überlieferten Funktionen weiterhin ausüben kann; die traditionellen Institutionen der Swasi sind der Gesetzgebung des Parlaments entzogen. Der König ernennt 6 der insgesamt 30 Mitglieder des Repräsentantenhauses sowie 6 der 12 Senatoren. Außerdem übt er die Besitzrechte über das nationale Land aus und ist befugt, die Schürf- und Ausbeutungskonzessionen für Bodenschätze zu erteilen. In der Verfassung kommt jedoch die polit. Funktion des Monarchen und des SNC nur ungenügend zum Ausdruck. Diese geht über das rechtlich Fixierte hinaus: praktisch führen Parlament und Regierung aus, was der SNC beschließt. Die Parlamentsmitglieder verdanken ihre Sitze der traditionellen Aristokratie und stimmen mit dieser in fast allen Fragen überein. Trotzdem hat der König sich nie mit dem Parteiensystem abgefunden, nach seiner Ansicht sind polit. Parteien unerwünscht, weil sie das nationale Interesse zugunsten von Partikularinteressen vernachlässigen: Parteipolitik unterminiere die nationale Einheit. Am 12. 4. 1973 erklärte er das parlamentarische System als ungeeignet für S., die von G. B. verkündete Verfassung enthalte ,,destruktive Elemente''. Das Volk wolle sich seine eigene Verfassung schaffen, die ihm volle Freiheit und Frieden sowie Glück garantieren würde. Er löste das Parlament auf, verbot alle polit. Parteien und Versammlungen, machte Premierminister Prinz Makhosini Dlamini und sein Kabinett zu seinen Beratern und regierte fortan durch Erlasse. Obwohl diese Maßnahmen nur vorübergehenden Charakter haben sollten und eine königliche Kommission zur Ausarbeitung einer neuen Verfassung eingesetzt wurde, die in ihrem Bericht dem Monarchen noch weitergehende Vollmachten zudachte, wurde im März 1977 das parlamentarische System endgültig abgeschafft und durch traditionelle Ausschüsse (Tikhundla) ersetzt. Im Oktober 1977 wurde nach einem Streik der Lehrer und mehrtägigen, von massiven Polizeieinsätzen begleiteten Schüler- und Studentendemonstrationen auch die Lehrervereinigung verboten. Der Oppositionsführer Ambrose Zwane (NNLC) sprach 1973 von ,,Machtergreifung durch faschistische Kräfte", 1977 erklärte er, das Land werde durch die Abschaffung des parlamentarischen Systems um 1.000 Jahre zurückgeworfen.

Die INM-Regierung gab der wirtschaftlichen Entwicklung Priorität, sie förderte das ,,freie Unternehmertum" und begrüßte ausländische Investitionen. Später bemühte sie sich um Beteiligung an den Bergbaugesellschaften, Unternehmen und Banken und machte zaghafte Versuche, Land zurückzukaufen und die Landspekulation einzudämmen. Sie bemühte sich um eine Diversifizierung der Auslandshilfe und intensivere Beziehungen zu afrik. Staaten.

3.5. Wahlen

Bei den Wahlen von 1964 siegte das INM mit 85,45% der gültigen Stimmen, es folgten NNLC (12,3%), SDP (1,4%) und die beiden SPP-Gruppen (zusammen 0,85%). Das INM erhielt so alle 8 national gewählten Sitze im Legislativrat, hinzu kamen 8 ernannte Anhänger des Königs Sobhuza II. und 8 weiße Mitglieder (6 USA, 1 INM, 1 Unabhängiger); insgesamt also ein Sieg der Allianz von weißen und schwarzen Ultrakonservativen. Bei den zweiten allgemeinen Wahlen 1967 errang das INM alle 24 Sitze (79% der Stimmen), der NNLC zwar 20,2% der Stimmen, aufgrund der Wahlkreiseinteilung aber keinen Sitz. Auch die ersten Wahlen nach der Unabhängigkeit 1973 gewann das INM, mußte aber drei Sitze an den Zwane-Flügel des NNLC abgeben; wenig später wurde das Parlament aufgelöst und die Verfassung außer Kraft gesetzt. In Zukunft soll eine Mitsprache des Volkes über Stammesversammlungen und Ältestenräte erfolgen.

3.6. Einflüsse

Südafrika bestimmt weitgehend Wirtschaft und Entwicklung. Die Exportwirtschaft wird von südafrik. Siedlern, Gesellschaften und Banken beherrscht; Abhängigkeit von der R. S. A. besteht bei Importen, internationaler Kommunikation, durch Zoll- und Währungsunion, Integration in den südafrik. Elektrizitätsverbund und Wanderarbeiter. Die Politik der ,,Neutralität" gegenüber Südafrika orientiert sich auf einen ,,auf wirtschaftliche und geographische Gegebenheiten gegründeten Realismus". Da beide Regierungen das gemeinsame Interesse verbindet, revolutionäre Veränderungen zu verhindern, ist die Kooperation intensiver, als zur Existenzerhaltung unbedingt notwendig wäre.

(*4. Politische Schlagwörter* entfällt.)

Renate Wilke

Literatur

Bullier, A. J., ,,Le problème de la réunification Swazie", in: Revue française d'études politiques africaines, Nr. 147, Paris 1978, S. 20–35.

Cervenka, Z. u. a., Botswana. Lesotho. Swaziland, Bonn 1974.

Harding, L., Afrikanische Politik im südlichen Afrika, München 1975.

Potholm, C. P.; ,,Swaziland", aus: Potholm, C. P.; Dale, R. (Hrsg), Southern Africa in Perspective. Essays in regional politics, New York 1972, S. 141–153.

ders., ,,The Ngwenyama of Swaziland: The Dynamics of Political Adaption", aus: Lemarchand, R. (Hrsg.), African Kingships in Perspective, London 1977, S. 129–159.

Proctor, J. H., ,,Traditionalism and Parliamentary Government in Swaziland", in: African Affairs, 72. Jg., Nr. 228, London 1973, 273–287.

,,Swaziland: Der Staatsstreich des Königs Sobhuza II.", in: Internationales Afrikaforum, 9. Jg., Nr. 5 München 1973, S. 257–258.

Tansania

Grunddaten

Fläche: ca. 945.000 km².

Einwohner: 15,6 Mio. (1976).

Ethnische Gliederung (Zensus 1967): Anteil der größten Völker an der Gesamtbevölkerung: Sukuma 13%; Makonde 4%; Chagga 3,7%; Haya 3,5%; Nyamwezi 3,4%; Ha 3,3%; Hehe 3,1%; Gogo 3,1%; Nyakyusa 2,6%; Sambaa 2,3%. Außerdem: Asiaten 0,65%; Araber 0,25%; Europäer 0,15%.

Religionen (Zensus 1967): Traditionelle Religionen: 35,6%; Moslems: 28,6%; Christen: 31,4% (davon ²/₃ röm.-kath., ¹/₃ prot.).

Alphabetisierung: ca. 63% (1974).

BSP: 2.320 Mio. US-$ (1974)

Pro-Kopf-Einkommen: 160 Mio. US-$ (1974).

1. Historischer Überblick

Bis zur dt. Kolonialisierung hatte Ostafrika Jahrhunderte unter arabischem und vorübergehend auch unter portug. Einfluß gestanden. Ende 1884 schloß der imperialistische Abenteurer Carl Peters „Verträge" mit afrik. Herrschern zugunsten der privaten Deutsch-Ostafrik. Gesellschaft, die am 27. 2. 1885 einen kaiserlichen Schutzbrief erhielt. Wegen des afrik. Widerstandes gegen das Eindringen der Europäer sandte das Deutsche Reich eine Militärexpedition (1889) und übernahm 1891 Deutsch-Ostafrika als Kolonie. Der frühe Widerstand gegen die Kolonialherrschaft (Hehe-Kriege, Maji-Maji Aufstand) wurde mit äußerster Härte über viele Jahre (bis 1907) bekämpft. Nach dem 1. Weltkrieg wurden die heutigen Länder Ruanda und Burundi vom dt. Kolonialgebiet abgetrennt. G.B. erhielt ein Völkerbundsmandat für den Hauptteil, den es als Tanganyika bis zum 9. 12. 1961 verwaltete. Die Vereinigte Republik von Tansania entstand am 26. April 1964 durch Zusammenschluß der Republik Tanganyika mit der VR-Sansibar.

Als Mandatsgebiet des Völkerbundes und nach dem 2. Weltkrieg als Treuhandgebiet der UNO sowie wegen seines geringen natürlichen Reichtums hat T. eine nicht sehr intensive Kolonialisierung erfahren, die jedoch ausreichte, das Land wirtschaftlich auf die Produktion für die Kolonialmacht auszurichten und die Infrastruktur allein diesem Ziel anzupassen. Die Kolonialisierung konzentrierte sich auf wenige von Europäern klimatisch bevorzugte Gebiete und trug so, wenn auch nicht sehr intensiv, zur sozialen Differenzierung der Bevölkerung mit bei.

2. Entwicklung der politischen Parteien

2.1. Vor der Unabhängigkeit

2.1.1. Tanganyika

Die Geschichte der polit. Parteien beginnt mit dem 7. 7. 1954, dem Gründungstag der Tanganyika African National Union, TANU. Vorausgegangen waren seit den 1920er Jahren eine Vielzahl von lokalen sozialen Verbänden, die jedoch, wenn überhaupt, nur am Rande polit. Ziele verfolgten. In den 30er und 40er Jahren weitete sich die Tätigkeit der lokalen Organisationen aus; u. a. erreichte die in den 20er Jahren gegründete Tanganyika African Association, T.A.A., eine das gesamte Territorium umfassende organisatorische Verbreitung. Mit dieser organisatorischen Erweiterung ging eine Veränderung der Zielsetzung von lokalen zu nationalen Fragen einher. April 1953 war der damalige Lehrer Julius Kambarage Nyerere zum Präsidenten der T.A.A. gewählt worden. Zusammen mit anderen jungen Nationalisten bereitete er die Gründung der TANU als polit. Partei vor, mit klarer Organisationsstruktur und einem Programm, in dessen Mittelpunkt der Kampf für die Unabhängigkeit und Errichtung eines demokratischen Staates stand, gesellschaftspolit. Fragen aber bewußt ausgeklammert wurden, um die Einheit der nationalen Unabhängigkeitsbewegung nicht zu gefährden. Die TANU berief sich im Kampf um die nationale Unabhängigkeit auf die antikolonialistische Tradition, die sie vom frühen bewaffneten Widerstand gegen die imperialistische Penetration ableitete. Die TANU wuchs rasch an Mitgliedern (1956: ca. 100.000, 1958: ca. 200.–300.000, 1960: ca. 1 Mio.) und gewann Einfluß bei der Bevölkerung des ganzen Landes. Mit starker Unterstützung der Kolonialverwaltung wurde deshalb 1956 versucht, eine Alternative zur TANU mit der United Tanganyika Party, UTP, zu schaffen. Die UTP blieb jedoch eine Partei der Kolonialoligarchie, während die TANU ihre Massenbasis zunehmend erweiterte.

1958 (Jan.) kam es während der TANU-Jahreskonferenz zur Abspaltung einer Gruppe um Zuberi Mtemvu, die den African National Congress, ANC, gründete. Anlaß der Absplitterung waren Meinungsunterschiede wegen der Beteiligung an den ersten allgemeinen Wahlen, die unter einem stark eingeschränkten Wahlrecht drei zahlenmäßig gleichstarke Gruppen von Vertretern der Afrikaner, Asiaten und Europäer hervorbringen sollten. Der ANC schien zunächst radikalere Ziele als die TANU proklamiert zu haben, suchte jedoch später eher bei konservativen Gruppen Unterstützung. Ergebnis der Wahlen (Sept. 1958 und Febr. 1959) war, daß von der TANU unterstützte Kandidaten 28 von 30 Sitzen im Legislativrat besetzten, zu denen zwei Unabhängige kamen, während UTP und ANC keinen Sitz erringen konnten. Die UTP löste sich bald darauf auf; der ANC jedoch trat bei den Wahlen 1960 nochmals an, mit wenigen Kandidaten, doch wiederum ohne Erfolg. 70 der 71 Sitze fielen an TANU Kandidaten, einer an einen Unabhängigen. Nachdem Mtemvu als ANC-Kandidat bei den ersten Präsidentschaftswahlen des Jahres 1962, als zum erstenmal das allgemeine, gleiche und geheime Wahlrecht angewandt wurde, mit 2% der Stimmen gegen Nyerere mit 98% unterlegen war, traten er und der Rest des ANC, nach dessen Auflösung, 1963 wieder der TANU bei. (Daneben existierten noch einige kleinste Splitterparteien, die aber bei der Entstehung des de facto Einparteistaates praktisch keine Rolle gespielt haben.)

Bei den ersten Teilwahlen 1958 standen 15 Sitze zur Wahl, von denen drei ohne Gegenkandidaten an zwei Unabhängige und an einen TANU-Kandidaten fielen. Alle zwölf umkämpften Sitze wurden durch von TANU unterstützte Kandidaten besetzt. Bei den zweiten Teilwahlen 1959 fanden sich nach dem vorausgegangenen überwältigenden Wahlsieg der TANU nur noch drei Opponenten für die fünfzehn von der TANU unterstützten Kandidaten; zwölf von ihnen waren somit schon durch die Erringung der Kandidatur „gewählt". Damit hatten die Wähler in zwölf Wahlkreisen keinen Einfluß auf die Auswahl ihres Repräsentanten, sondern nur die Partei. 1960 verstärkte sich dieser Trend; nur 13 von 71 Sitzen waren umkämpft. Somit hatten nur knapp 15% der registrierten Wähler die Möglichkeit, einen Abgeordneten zu wählen.

In dem *de jure* Mehrparteiensystem war aus Wahlen eine stark dominierende Partei hervorgegangen und ein *de facto* Einparteisystem entstanden. Aufgrund dieser Entwicklung begann die Diskussion, einen *de jure* Einparteistaat zu schaffen mit einem kompetitiven, echten Wahlsystem.

2.1.2. Sansibar

Sansibar, das aus den Inseln Sansibar und Pemba besteht, stand viele Jahrhunderte unter arab. Oberhoheit, die nur von der portug. Eroberung unterbrochen wurde. Seit dem 18. Jh. gehörten S. und der gesamte ostafrik. Küstenbereich zum Einflußgebiet des Sultanats von Oman. Nach dessen Teilung wurde S. 1828 Sitz eines Teil-Sultanats. Früher als im übrigen Ostafrika begann im 19. Jh. der europ. Einfluß. Nach dem Helgoland-Sansibar Vertrag wurde S. 1890 brit. Protektorat, das der Sultan im Namen der brit. Krone regierte.

Auch bildeten sich in S. früher als auf dem Festland soziale Organisationen, die jedoch stärker auf die ethnischen Gruppen beschränkt waren: Arab Association (ca. 1912), African Association und Shirazi Association (beide um 1930). Im Dez. 1955 wurde die Zanzibar Nationalist Party, ZNP, gegründet, die von der Arab Association unterstützt wurde. Sie forderte die Unabhängigkeit S.s unter Führung des Sultans. Als 1957 Wahlen angesetzt wurden, gründeten die African und die Shirazi Association gemeinsam die antiarab. Afro-Shirazi Union, die im Juli 1957 mit 60,1% der Stimmen fünf von sechs ausgeschriebenen Sitzen im Legislativrat erhielt. Die ZNP konnte trotz der von ihr erzielten 21,6% der Stimmen (wegen Mehrheitswahlrechts in Einzelwahlkreisen) keinen Sitz erhalten. Der sechste Sitz ging an einen Vertreter der Muslim League. Im Dez. 1959 spaltete sich die ASU in zwei Parteien: die Zanzibar and Pemba People's Party, ZPPP, und die Afro-Shirazi Party, ASP, unter Sheikh Amani Karume. Bei den Wahlen von 1959 erzielten die ZNP neun Sitze, ZPPP drei Sitze und ASP zehn Sitze. Nach dieser Wahl wechselten die drei Vertreter der ZPPP im Legislativrat die Fraktion; zwei traten zur ZNP über, einer zur ASP. Damit entstand eine Patt-Situation, die zu Neuwahlen im Juni 1961 führte. In diesen Wahlen wie auch in den folgenden vom Juli 1963 gingen ZNP und ZPPP ein Wahlbündnis ein. Bei beiden Wahlen erhielt die ASP zwar deutlich mehr Stimmen als das Wahlbündnis, 1963 sogar eine klare absolute Mehrheit (54,3% der Stimmen), doch erhielt die ASP auf Grund des Mehrheitswahlrechts und ungleich großer Wahlkreise weniger Sitze als ZNP und ZPPP zusammen. Karume warf der damals regierenden ZNP, wie es scheint mit Recht, Wahlkreismanipulationen vor und dem Sultan, er habe einseitig die pro-arab. ZNP unterstützt. Nachdem S. am 10. 12. 1963 die Unabhängigkeit unter einem ZNP-Premierminister erlangt hatte, kam es am 12. 1. 1964 zum gewaltsamen Sturz der Regierung und des Sultans, begleitet von anti-arab. Ausschreitungen. Die Afro-Shirazi Partei Karumes bildete zusammen mit der Umma Partei (1963 abgespalten von der ZNP) Sheikh Abdulrahman Muhammeds (Babu) die neue Regierung und etablierte am 16. 1. 1964 den Revolutionsrat, der seither S. beherrscht. Im März 1964 wurde die ASP zur einzigen zugelassenen Partei erklärt.

2.2. Nach der Unabhängigkeit

2.2.1. Tanganyika

Die von der Masse getragene Unabhängigkeitsbewegung, wie sie sich in den klaren Wahlsiegen der TANU manifestierte, konnte den Dekolonisationsprozeß beschleunigen: Im Herbst 1960 erhielt T. „responsible government", im Mai 1961 „internal self-government". Am 9. 12. 1961 wurde T. polit. unabhängig, mit einer nach dem Westminster-Modell geformten Verfassung, die das Land als konstitutionelle Monarchie auswies, mit der brit. Königin als

Staatsoberhaupt. Diese Verfassungsform wurde bald als den besonderen Bedingungen des Landes völlig unangemessen angesehen und zum 1. Jahrestag der Unabhängigkeit durch eine republikanische Verfassung ersetzt, die einen mit exekutiven Vollmachten ausgestatteten Präsidenten an die Spitze stellte.

Nach längeren Diskussionen beschloß der TANU-Jahres-Parteitag im Jan. 1963, dem Land eine demokratische Einparteiverfassung zu geben. Am 5. 7. 1965 wurde eine entsprechende „Interim Constitution" von der Nationalversammlung der nunmehr (seit 26. 4. 1964) Vereinigten Republik Tansania verabschiedet. Die Interimkonstitution wurde mehrmals abgeändert und ergänzt und am 25. 4. 77 durch eine neue Verfassung ersetzt (s. 3.).

2.2.2. Sansibar

Der Landesteil Sansibar nahm eine andere Entwicklung. Dort herrschte unter Führung Karumes der Revolutionsrat (ZRC), der seine Mitglieder nach dem ‚Selbsterneuerungsprinzip' ergänzte. Sansibar beteiligte sich nur an den Präsidentschaftswahlen; intern fanden bis 1977 (s. 3.5.) keine Wahlen statt.

Schon zur Zeit der Unabhängigkeitsbewegung hatte die TANU die ASP zeitweilig unterstützt. Nach der „Revolution" vom 12. Januar 1964, deren Umstände in der wissenschaftl. Literatur noch nicht befriedigend geklärt sind, hatte Tanganyika, auf Bitten Karumes, Polizei nach S. geschickt. Obwohl Tanganyika und S. den Zusammenschluß ihrer Länder verfassungsmäßig fixierten, betrieb S. eine weitgehend autonome Politik. Während Außen- und Verteidigungspolitik von der Union betrieben wurden, stand S. innenpolit. unter der despotischen Willkürherrschaft des Revolutionsrates unter dem Diktator Karume. S. behielt die eigenen Devisen, die es überwiegend aus seinem hohen Weltmarktanteil in der Produktion von Gewürznelken erzielt.

Im April 1972 wurde Karume ermordet. Ihm folgte Aboud Jumbe im Vorsitz des Revolutionsrates. Seitdem hat sich das Regime in S. klar von der vorausgegangenen Willkürherrschaft abgewandt; die Beziehungen zwischen den beiden Landesteilen Tanganyika und Sansibar haben sich entschieden verbessert.

2.3. Die gegenwärtige Parteientwicklung in Tansania

Seit Anfang 1977 ist das Parteiensystem in T. in Veränderung begriffen. Die jeweiligen Einheitsparteien der beiden Landesteile, TANU und ASP, schlossen sich am 5. Februar 1977 zu einer neuen Partei zusammen: der Chama Cha Mapinduzi, CCM (Partei der Revolution). Der Prozeß des Zusammenschlusses, der seit der Union der beiden Staaten vorgesehen war, begann im Sept. 1975. Eine gemeinsame Kommission beider Parteien entwarf eine neue Parteisatzung, die im Nov. 1976 in einer gemeinsamen Sitzung der Nationalen Exekutiv-Komitees angenommen wurde. Am 21. Jan. erfolgte die offizielle Auflösung der beiden Parteien. Gleichzeitig wurden Nyerere zum Ersten Vorsitzenden der CCM, Jumbe zu seinem Stellvertreter gewählt. Zwischen Apr. und Sept. 1977 wurden schrittweise Neuwahlen auf allen Organisationsebenen der Partei durchgeführt.

Die stärkste Bedeutung des Parteizusammenschlusses liegt in den Ansätzen zur Demokratisierung der inneren Verhältnisse Sansibars.

3. Merkmale der politischen Struktur

Das polit. System T.s ist gekennzeichnet durch ein starkes Präsidialsystem (seit 1962), durch das originelle System der Einparteidemokratie (seit 1965) und die herausragende Rolle der Partei.

Der Präsident wird in direkter Wahl gewählt; dies verleiht ihm eine vom Parlament unabhängige Legitimation. Er ernennt die Minister und den Premierminister aus der Mitte des Parlaments und bestimmt deren Aufgaben. Darüberhinaus hat er das Recht, Mitglieder für das Parlament zu berufen; ferner werden von ihm die Regional Commissioner ernannt, die von Amts wegen dem Parlament angehören. Außerdem steht ihm die Ernennung der Beamten und Richter zu; die Unabhängigkeit der Justiz wurde bisher auf dem Festland bei allen Verfassungsänderungen bewahrt. Außerdem ist der Präsident militärischer Oberbefehlshaber.

Die Partei in T. hatte von Anfang an, besonders seit der Einparteiverfassung von 1965, bedeutenden Einfluß und erhob den Führungsanspruch im Staat. Durch eine Verfassungsänderung 1975 und durch die neue Verfassung, die am 25. 4. 77 vom Parlament verabschiedet wurde, wurde die Partei auch formal dem Parlament und der Regierung übergeordnet. Die enge Verbindung zwischen Partei und Staat war zuvor schon manifestiert durch die teilweise Integration von Partei- und Staatsämtern in einer Hand (z. B. der Regional Commissioner und der Regional TANU Secretary). Nach dem Zusammenschluß der jeweiligen Einheitsparteien des Festlandes und der Inseln zur CCM (s. 2.3.) erarbeitete eine Parteikommission eine neue Verfassung, die u. a. der stärkeren Integration Sansibars in den tansanischen Staat dient.

Der Verfassung entsprechend besteht die Regierung T.s aus dem Präsidenten (seit 1962 Julius K. Nyerere), einem Vizepräsidenten (bis zu seiner Ermordung 1972 A. A. Karume, seither Aboud Jumbe), dem vom Präsidenten ernannten Premierminister (bis Febr. 77 Rashidi Mfaume Kawawa, seither Edward Sokoine) und den ebenfalls vom Präsidenten ernannten Ministern. Kommt der Präsident vom Festland, so muß der Vizepräsident ein Vertreter Sansibars sein und umgekehrt.

Die neue Verfassung regelt die Aufgabenverteilung zwischen Partei, Regierung und Parlament. Während von der Partei die grundsätzlichen, programmatischen Impulse ausgehen, soll die Regierung für die Umsetzung der politischen Ziele der Partei sorgen, wobei sie vom Parlament überwacht wird. Während der Präsident früher an keine Weisungen gebunden war, ist er nun den Richtlinien der Partei verpflichtet. Die Verfassung sieht vor, daß in Sansibar auch zukünftig eine eigene Regierung für die inneren Angelegenheiten zuständig ist. Neu ist, daß durch die neuen Verfassungen von Staat und Partei die demokratische Willensbildung auch für Sansibar verpflichtend wird. Vorläufig übt der ZRC, der sich noch aus den Trägern der Revolution von 1964 zusammensetzt, die interne Macht auf den Inseln aus, doch wird in der Zukunft seine Ablösung durch eine mehr demokratisch-parlamentarische Regierungsform nach dem Vorbild der tans. Verfassung erwartet.

Die Verfassung läßt das Parlament als untergeordnetes Ausführungsorgan gegenüber den Entscheidungen der Partei erscheinen.

Doch verbleiben dem Parlament das Gesetzgebungsrecht, das es gemäß dem Wahlkampfmanifest der TANU von 1975 zur Durchführung der Parteipolitik ausüben soll, und das wichtige Budgetrecht, durch das es indirekt einen durchaus entscheidenden Einfluß ausüben kann.

3.1. Elite

Die besondere historische Situation mit einem Wechsel der Kolonialmacht hat u. a. zu einer vergleichsweise homogenen Gesellschaftsstruktur in T. beigetragen. Die nichtafrikanischen Minoritäten im Lande zählen nur knapp über 1%; die afrik. Bevölkerung setzt sich aus über 120 Völkern zusammen, die nach linguistischen Kriterien zwar zu vier Bevölkerungsgruppen zusammengefaßt, doch in der ganz überwiegenden Mehrheit (ca. 95%) zur Bantu-Sprachgruppe gerechnet werden. Die Zersplitterung der Nation in so viele Völker bringt es mit sich, daß keines eine dominierende Rolle spielt, zumal die größeren in peripherer Lage siedeln. Hinzu kommt, daß das weitaus größte Volk der Sukuma in der sozialen, polit. und wirtschaftlichen Elite sogar etwas unterrepräsentiert ist. Ein stabilisierendes Element für den ,,nation-building''-Prozeß ist die lingua franca, Kiswahili, die fast im ganzen Land gesprochen oder zumindest verstanden wird.

Die Klassendifferenzierung war bisher relativ gering ausgeprägt; es gibt praktisch keine feudalen Großgrundbesitzer, keine nationale Bourgeoisie; ein afrik. Unternehmertum ist kaum entwickelt. Betriebe außerhalb des Agrarbereichs sind vorwiegend voll oder häufig auch mit Mehrheitsbeteiligungen in Staatsbesitz. Die wichtigste Entwicklung im Hinblick auf die Herausbildung einer Elite stellt die Bürokratisierung der Verwaltung und teilweise wohl auch der Partei dar. Hier scheint gegenwärtig die ernste Gefahr zu bestehen, daß sich eine Schicht herausbildet, die den Kernbereich des Staates beherrscht und diese Position zur Durchsetzung parochialer Gruppeninteressen nutzt.

436

3.2. Andere Gruppen

Bis zur Erlangung der Unabhängigkeit waren die meisten Gruppierungen der tansanischen Gesellschaft im antikolonialen Kampf geeint, doch verlor die polit. Bewegung nach Erlangung der polit. Unabhängigkeit ihre Geschlossenheit.

Besondere Spannungen entstanden zwischen der TANU und den Gewerkschaften, die bis zur Unabhängigkeit aufs engste zusammengearbeitet hatten, u. a. dadurch, daß die Gewerkschaften die Forderungen der TANU durch Streiks unterstützten, die das Land zeitweilig lahmlegten. Da der Staat der wichtigste Arbeitgeber des Landes ist, standen sich nach der Unabhängigkeit die neue TANU-Regierung und der Gewerkschaftsbund TFL, Tanganyika Federation of Labour, im Lohnkampf gegenüber. Während der Gewerkschaftsbund für eine Verbesserung der Lage der „Lohnabhängigen" kämpfte – deren Lage sich zu Beginn der 60er Jahre vor allem auf Grund einer etwa 25%igen Abnahme der Arbeitsplätze verschlechterte –, sah die Regierung in der „Arbeiterklasse" eine mächtige und privilegierte Schicht. Tatsächlich war das Durchschnittseinkommen eines Arbeiters 1970 etwa sechsmal höher als das tansanische Pro-Kopf-Einkommen. Die Auseinandersetzung um die Rolle der Werktätigen als „labour aristocracy" oder „Avantgarde der sozialistischen Entwicklung" steht auch in jüngster Zeit im Zentrum der Auseinandersetzung.

1962/63 wurde versucht, die Gewerkschaften der Kontrolle der Regierung zu unterwerfen. Im Anschluß an die mit der Armeemeuterei vom Januar 1964 verbundenen Unruhen, an denen auch Gewerkschaftler beteiligt waren, wurde die TFL aufgelöst. Es folgte die Neugründung der Einheitsgewerkschaft National Union of Tanganyika Workers, NUTA, die der TANU als Zweigorganisation angeschlossen wurde.

Die Armeemeutereien von Jan. 1964 in Tanganyika, Kenia und Uganda schienen keine polit. Hintergründe gehabt zu haben, sondern sie entzündeten sich an der Unzufriedenheit über den Sold und die nur langsame Afrikanisierung des Offizierkorps. Das Militär wurde umgestaltet und durch Rekrutierung aus den Reihen der

TANU Youth League, TYL, auch polit. stärker eingebunden. Auch wenn es vor dem Hintergrund der zahlreichen Militärputsche in anderen afrik. Ländern Zweifel über die Zuverlässigkeit der Tanzania People's Defence Forces (TPDF, 18.600 Mann) gegeben hat, so hat sich das Militär bisher noch als stabil erwiesen. Durch die Errichtung des paramilitärischen National Service (1963 auf freiwilliger Basis, seit 1966 obligatorisch für alle, die eine höhere Ausbildung bekommen haben) und durch die Miliz, wird versucht, das Militär in die Nation zu integrieren.

In T. haben die Kirchen im Bereich der Erziehung und des Gesundheitswesens eine wichtige Rolle gespielt, doch hat der Staat diese Aufgabenbereiche inzwischen fast vollständig übernommen. In der Politik hat sich die TANU von Anfang an als rein säkulare Bewegung verstanden und Religion und Politik bewußt getrennt gehalten.

3.3. Parteiprogramm

In den ersten Jahren nach der Gründung der Partei hatte die TANU ein Hauptziel: die Erlangung der Unabhängigkeit mit konstitutionellen Mitteln. In dieser Phase verzichtete man bewußt auf die Entwicklung eines gesellschaftlichen Konzepts, um die Einheit der Bewegung nicht zu gefährden. Nach der Erlangung der polit. Unabhängigkeit und dem damit verbundenen Wegfall der allen gemeinsamen Zielsetzung zeigten sich Anzeichen des Zerfalls. Zunächst standen die organisatorische Konsolidierung und die verfassungsrechtliche Verankerung des Einparteistaates im Zentrum der Bemühungen. Erst im Feb. 1967 gab sich die TANU mit der *Arusha-Deklaration* ein polit. Rahmenprogramm mit der Zielsetzung, einen sozialistischen Staat aufzubauen. Daß diese tiefgreifende Wende zu einem sozialistischen Programm auf keinen bedeutenden Widerstand stieß, liegt vermutlich daran, daß eine grundlegende Bereitschaft auch zu radikalen Veränderungen bestand, da die aus der Kolonialzeit übernommenen polit. und wirtschaftlichen Strukturen keineswegs befriedigende Ergebnisse gebracht hatten.

Die Konzeption des *Ujamaa-Sozialismus* T.s wurde weitgehend vom Präsidenten und Parteivorsitzenden Julius K. Nyerere entwik-kelt. Dem tansanischen Sozialismus liegt eine langfristige Entwick-lungsstrategie zugrunde, die bewußt auf kurzfristige Erfolge ver-zichtet. Von zentraler Bedeutung ist das Prinzip der *self-reliance,* d. h. der Selbsthilfe, der Erschließung der eigenen Fähigkeiten und Ressourcen, der für eine sozio-ökonomische Entwicklung als not-wendig erachteten Voraussetzungen im infrastrukturellen Bereich.

Der Schwerpunkt der *Entwicklungskonzeption* liegt bei der ländli-chen Entwicklung, da in T. über 90% der Bevölkerung auf dem Lande und von der Landwirtschaft leben. Dabei wird die traditio-nell in Streusiedlung lebende Bevölkerung in ,,Ujamaa"-Dörfer zusammengefaßt. *Ujamaa-Dörfer* sind konzeptionell in erster Linie genossenschaftliche Produktionseinheiten, die die verschiedenen dörflichen Aufgaben arbeitsteilig und gemeinschaftlich durchfüh-ren. Neben der Gemeinschaftsproduktion steht den Familien wei-terhin die individuelle Produktion in unterschiedlichem Maße of-fen. Der Aufbau der genossenschaftlichen Produktion und damit die Verteilung zwischen Gemeinschafts- und privater Produktion unterliegen von Dorf zu Dorf noch starken Schwankungen. Die Durchführung dieses Programms ist noch nicht beendet. Die Um-siedlungen, die grundsätzlich auf freiwilliger Basis geschehen sol-len, doch in einigen Großaktionen auch die Form von Zwangsum-siedlungen angenommen haben, sind weitgehend abgeschlossen. Die Zusammenziehung der Bevölkerung in geschlossenere Sied-lungsformen dient neben der Gemeinschaftsproduktion dem Ziel, möglichst viele Bürger mit Schulen, Einrichtungen des Gesund-heitswesens und – was unter den gegebenen geogr.-klimatischen Bedingungen sehr wichtig ist – Wasser zu versorgen.

T. erstrebt eine möglichst breite *Mobilisierung* der Bevölkerung für Selbsthilfe-Projekte. Dem dient im unmittelbaren Lebensbe-reich der Bürger die Verwaltungsdezentralisation (seit 1972) und die stärkere Einbindung der Parlamentarier in die Entwicklungs- und Planungsorganisationen der einzelnen Wahl-Distrikte. Als Mittel der Mobilisierung und Anteilnahme der Bürger an der nationalen Politik dienen die Wahlen und der demokratische Willensbildungs-prozeß in der Partei.

Dem Ziel der self-reliance dient auch die *Neuorientierung des Erziehungswesens*, d. h. weg von einem „reinen" Bildungsideal, hin zu praxisorientierter Ausbildung. Im vergangenen Jahrzehnt hat eine weitgehende Neuentwicklung der curricula stattgefunden. Neben der starken Ausweitung der Kindererziehung, die mit Sonderprogrammen darauf ausgerichtet ist, bis Ende 1977 die allgemeine Schulpflicht auch in die Praxis umzusetzen, werden umfangreiche Erwachsenenbildungskampagnen durchgeführt.

In der Absicht, eine möglichst *egalitäre Gesellschaft* zu bilden bzw. zu erhalten, wurden die sozialen Dienste ausgebaut. Die Einkommensschere hat sich seit der Arusha-Deklaration sicher nicht ausgeweitet, wie in den meisten Entwicklungsgesellschaften, sondern eher leicht geschlossen, da die Angehörigen höherer Einkommensklassen spürbar reale Verluste hinnehmen mußten. Wenn deshalb von manchen Kritikern angemerkt wird, daß in T. nur eine gleichmäßigere Verteilung der Armut erreicht wurde, so muß dies zusammen mit der wirtschaftlichen Krisensituation seit 1973 beurteilt werden. Die Wirtschaftskrise war einerseits durch die Dürreperioden und die Ölpreiserhöhung bedingt. Andererseits stagnierte die Produktion – bei wachsendem Bedarf – da es aufgrund der Umsiedlungsprogramme zu Ernteausfällen kam. Darüberhinaus ist es bisher nicht gelungen, persönliche Leistungsanreize im genossenschaftlichen, parastaatlichen und staatlichen Sektor zu schaffen oder zu ersetzen.

Eine Entwicklungsstrategie für den industriellen Sektor fehlt bisher. Es besteht eine *„mixed-economy"* mit starkem und wachsendem Staatsanteil. Angesichts der schlechten Wirtschaftslage der vergangenen Jahre – wobei sich seit Anfang 1977 Verbesserungen zeigten – kann man davon ausgehen, daß T. in den nächsten Jahren – nicht zuletzt unter dem Einfluß der Kreditgeber – die produktiven Bereiche intensiver fördern wird, insbesondere Projekte, die auf Importsubstitution gerichtet sind. Mehr als ein Viertel aller Ausgaben des im Juli 77 angelaufenen 3. Fünfjahresplans sind für die Entwicklung des Industriesektors vorgesehen.

Außenpolitisch verfolgt T. eine Politik der Blockfreiheit; es setzt sich für pan-afrikanische Ziele ein, fordert eine starke Rolle der

Entwicklungsländer bei der Gestaltung einer neuen Weltwirtschaftsordnung und unterstützt kompromißlos die nationalen Befreiungsbewegungen, gegenwärtig im südlichen Afrika. Seine unabhängige Außenpolitik änderte T. auch dann nicht, wenn dies den Verlust umfangreicher Programme seiner Entwicklungshilfegeber zur Folge hatte.

3.4. Aufbau der Partei

Mitglied der TANU konnte jeder Staatsbürger ab 18 Jahre werden, der sich zu den Zielen der Partei bekannte und die entsprechenden Mitgliedsbeiträge bezahlte. Die Mitgliederzahl der TANU wurde 1977 auf über 2 Mio. geschätzt. Den bisherigen Mitgliedern steht grundsätzlich die Mitgliedschaft in der neu gegründeten CCM offen. Bei der Neuausstellung der Mitgliedskarten müssen sie den Bestimmungen des *Leadership Code,* dem Kodex der Anforderung für Führungskräfte entsprechen. Mitglieder der CCM dürfen weder Anteile an kapitalistischen Unternehmen haben noch leitende Funktionen in ihnen bekleiden. Außerdem dürfen sie nur *ein* Einkommen beziehen, also z. B. keine Einkünfte aus Mietobjekten o. ä..

Die untersten Organisationseinheiten der Parteigliederung sind (seit 1963) die *Zellen* (cells), die alle Mitglieder von ca. zehn Häusern zusammenfassen und die *branches* (in größeren Orten oder Betrieben). Die Organisationsebenen der *Distrikte* und *Regionen* besitzen folgende Organe: eine *Conference* (Parteitag der jeweiligen Ebene), ein *Executive Committee* und ein *Working Committee.* (Für die CCM fanden die ersten Neuwahlen aller Organe zwischen Apr. und Sept. 1977 statt.)

Auf *nationaler Ebene* besteht als höchstes beschlußfassendes Gremium die *National Conference*. Ihre Mitglieder wählen u. a. den Vorsitzenden (z. Zt. J. K. Nyerere) und den Stellvertretenden Vorsitzenden (z. Zt. A. Jumbe) der Partei. Sie entspricht einem Parteitag und ihr können bis über 1700 Delegierte angehören. Die National Conference bestimmt die langfristigen Richtlinien der Politik. Daneben besteht ein *National Executive Committee* (NEC) mit bis zu 142 Mitgliedern, das mindestens alle sechs Monate zusammentritt.

Das NEC arbeitet die konkreten politischen Richtlinien aus. Insbesondere obliegen ihm die polit. Leitung und Überwachung der Verteidigungs- und Sicherheitspolitik und der Entwicklungspläne, sowie die Vorbereitung der National Conference. Das für die kontinuierliche Parteiarbeit wichtigste Organ ist das an die NEC-Richtlinien gebundene Central Committee (CC). Ihm gehören neben dem Parteivorsitzenden und seinem Stellvertreter 30 vom NEC gewählte und bis zu 10 vom Parteivorsitzenden zu ernennende Mitglieder an. Das CC bildet mindestens vier Ausschüsse für Verteidigung und Sicherheit, Entwicklungsplanung und für die Überwachung der Aktivitäten der Partei bzw. der Verwaltung. Neben diesen satzungsmäßigen Ausschüssen hat das CC im Nov. 77 einen besonderen Ausschuß gebildet, der für die Kontrolle der innerpolitischen Vorgänge in Sansibar verantwortlich ist. Das CC ernennt die Mitglieder der Parteiverwaltung, an deren Spitze ein National Executive Secretary steht, assistiert von zwei Stellvertretern, von denen einer auf dem Festland, der andere auf Sansibar stationiert ist.

Der CCM werden, wie bisher der TANU, fünf Massenorganisationen angegliedert sein: die Jugendorganisation, der nationale Gewerkschaftsbund, der Genossenschaftsverband, die Frauenvereinigung und die Elternorganisation. Sitz der Parteizentrale wird die neue Hauptstadt, Dodoma, sein.

3.5. Wahlen

Parlaments- und Präsidentschaftswahlen finden in T. seit der verfassungsmäßigen Einführung des Einparteisystems (1965) alle fünf Jahre statt, zuletzt am 26. Okt. 1975.

Für die *Präsidentschaftswahl,* die der direkten Legitimation des Präsidenten dient, stellt die National Conference der Partei nur einen Kandidaten auf. Der Wähler hat dann die Möglichkeit, den Kandidaten zu unterstützen, abzulehnen, oder eine ungültige Stimme abzugeben. Von der Möglichkeit, mit ,,nein" zu stimmen, haben die Wähler in unterschiedlichem Maße Gebrauch gemacht (1965: 3,55%; 1970: 3,0%; 1975: 6,65%). Aufschlußreich für die Stimmung in den einzelnen Landesteilen sind die Ergebnisse der einzelnen Wahlkreise. Dabei kam es z. B. bei den letzten Wahlen im

Wahlkreis Sengerema zu einem der schlechtesten Ergebnisse für Nyerere: er wurde ,,nur" mit etwa 71% der abgegebenen Stimmen gewählt, während ihn ca. 23% ablehnten, und es gab mit ca. 6% einen weit überdurchschnittlichen Anteil an ungültigen Stimmen, die z. T. auf eine ablehnende Haltung gegenüber dem polit. System hindeuten.

Die Funktion der *Parlamentswahlen* im Einparteisystem T.s ist es, Repräsentanten zu ermitteln, die nicht nur das Vertrauen und die Unterstützung der Partei, sondern auch der Bevölkerung haben. Den Parlamentariern werden verschiedene Aufgaben zugeschrieben: Sie sollen im Parlament durch ihre Kontrollmöglichkeiten dafür sorgen, daß die Regierung das Programm und die Beschlüsse der Partei in konkrete Politik umsetzt. Darüberhinaus haben sie wichtige Funktionen in ihren Wahlkreisen bei der Planung und praktischen Durchführung der Entwicklungsprojekte; denn sie gehören von Amts wegen den nationalen und regionalen Planungskommissionen an. Der Wahlkampf dient auch der polit. Mobilisierung und ideologischen Erziehung der Bevölkerung.

Das *Parlament* setzt sich zusammen aus direkt gewählten, indirekt gewählten, ernannten und ex-officio Mitgliedern. Bei den letzten Wahlen auf dem Festland am 26. Okt. 75, als die Wahlkreise erstmals aus organisatorischen Gründen mit der Verwaltungseinheit der Distrikte zusammengelegt worden waren, wurden 96 Parlamentarier in direkter Wahl ermittelt (1965 107, 1970 120). Seit der Gründung der CCM und der neuen Verfassung kommen zehn weitere Direktmandate hinzu, die in den zehn Distrikten der Inseln vergeben werden. Für die *Direktmandate* können alle Parteimitglieder kandidieren, wenn sie von 25 registrierten Wählern ihres Wahlkreises nominiert werden. Alle so Nominierten müssen sich einer geheimen Abstimmung der Distriktkonferenz stellen. Die Ergebnisse dieser ,,Vorwahl" werden dem NEC der Partei vorgelegt, das zwei endgültige Kandidaten für die allgemeinen Wahlen bestimmt und sich normalerweise für die beiden Kandidaten mit den meisten Stimmen der Distriktkonferenz entscheidet. Wahlberechtigt sind alle Bürger ab 18 Jahren, die sich in die Wahlregister eingetragen haben.

Die Entscheidung zwischen den beiden Kandidaten hat nicht die Aufgabe, zwischen Vertretern verschiedener politischer Richtungen zu wählen, sondern Politiker hervorzubringen, die als besonders fähig angesehen werden, das polit. Programm der Partei umzusetzen.

Die direkt gewählten Parlamentarier kooptieren sog. *„National Members"*. Dabei wählen sie 15 Mitglieder aus den bis zu je fünf Kandidaten-Vorschlägen von sieben „nationalen Organisationen". Dazu gehören neben den fünf der Partei angegliederten Massenorganisationen (s. 3.4) die nationale Vereinigung der Handelskammern und die Universität Dar es Salaam. Durch dieses Zu-Wahlsystem wird gewährleistet, daß alle relevanten gesellschaftlichen Kräfte im Parlament vertreten sind. 1975 wurde eine neue Gruppe sog. Nationaler Repräsentanten für alle Regionen der Vereinigten Republik – zwanzig des Festlandes und fünf der Inseln – eingeführt. 1975 wurden die 20 Vertreter der Festlandregionen von den direkt gewählten Parlamentariern aus einer Vorschlagsliste, die 67 Kandidaten umfaßte, kooptiert.

Ex-officio gehören dem Parlament die *regional secretaries* der Partei an (20 vom Festland, 5 für Sansibar). Sansibar wird im Parlament durch 32 *Vertreter des ZRC* repräsentiert, sowie durch bis zu 20 *ernannte Parlamentarier,* die der Präsident auf Vorschlag des ZRC bestimmt. Zusätzlich hat der Präsident das Recht, bis zu 10 Vertreter des Festlandes ins Parlament zu ernennen.

Daß die Wahlen nicht nur Akklamationsfunktion haben, sondern einen echten Auswahlprozeß darstellen, zeigen die Ergebnisse von 1975: Von den 120 direkt gewählten Parlamentariern des 1970er Parlaments bewarben sich 82 erneut um eines der 96 Direktmandate: 16 wurden nicht mehr von den Distriktkonferenzen aufgestellt; sechs lehnte das NEC der Partei ab; vier wurden ohne Gegenkandidaten für das neue Parlament nominiert. Von den 56 verbleibenden Kandidaten wurden 25 an den Wahlurnen abgelehnt, 31 wiedergewählt. Unter den geschlagenen Kandidaten waren zwei Minister und ein Junior-Minister. Rechnen wir noch die ernannten, die sog. nationalen und die ex-officio Mitglieder des 70er Parlaments dazu, die sich 1975 um ein Direktmandat mit Erfolg bewarben (8), so wurden insgesamt 43 der Direktmandate von Mitgliedern des alten Parlaments und 53 mit neuen Politikern besetzt. Bei den Wahlen der Jahre 1965 und 1970 wurde ebenfalls ein hoher Prozentsatz an Parlamentariern ausgetauscht.

Die Einführung des Einparteisystems sollte der Bevölkerung die Möglichkeit der Teilnahme an der Auswahl ihrer Repräsentanten bieten. Unter den Bedingungen des Mehrparteiensystems mit einer dominierenden Partei (s. o. 2.1.1) wurden die Besetzungen nur weniger Direktmandate in Wahlen entschieden (1959: 3 von 15; 1960: 13 von 71); die Mehrheit der Sitze wurde mangels Gegenkandidaten allein schon durch die Nominierung der TANU vergeben. Im Einparteisystem lag die letzte Entscheidung jedoch in durchschnittlich über 95% der Fälle beim Wähler.

Von der Möglichkeit zu wählen machen zunehmend mehr Wahlberechtigte Gebrauch. Die Wahlbeteiligung, die 1975 mit ca. 60% den bisher höchsten Stand erreichte, weist einen nicht nur im Vergleich zu anderen Entwicklungsländern relativ hohen Grad polit. Partizipation auf.

Am 17. Dez. 77 fanden in Sansibar zum erstenmal seit 1963 wieder Parlamentswahlen statt, an denen sich 90% der registrierten Wähler beteiligten. Um die 10 Direktmandate bewarben sich relativ unbekannte Politiker. Diejenigen Politiker, die seit der Revolution von 1964 an der Macht waren, kandidierten nicht; möglicherweise, weil sie Wahlniederlagen scheuten; vielleicht aber auch, weil sie als Vertreter des ZRC oder als vom Präsidenten ernannte Mitglieder ins Parlament einzuziehen hoffen.

3.6. Einflüsse

Während der Unabhängigkeitsbewegung und bis zur republikanischen Präsidialverfassung (1962) sahen viele tansanischen Nationalisten in Ghana ein Vorbild. Bei der ersten Satzung und dem Aufbau der TANU hatte man sich an Nkrumahs Convention People's Party (CPP) orientiert. Allerdings verzichtete Nyerere grundsätzlich auf dessen betonten Personenkult. Dementsprechend wurde weder das Amt des Parteivorsitzenden noch später das des Staatspräsidenten auf Lebenszeit besetzt, wie es in Ghana geschehen war.

Die VR-China hat zweifellos bei der Konzipierung der tansan. Entwicklungsstrategie mit der Priorität der ländlichen Entwicklung als Vorbild gedient. Allerdings war man sich immer bewußt, daß eine Kopierung chinesischer Programme allein schon wegen der unterschiedlichen Größenordnungen und historischen Traditionen unmöglich sein würde.

Die Konzeption des tansan. Sozialismus beruft sich wie viele andere afrik. Entwicklungskonzeptionen auf eine idealisierte afrik. Tradition des Kommunalismus.

Während des vergangenen Jahrzehnts haben das in seiner Art einmalige Einparteisystem und der Ujamaa-Sozialismus manchen afrik. Staaten als Vorbild gedient. Besonders stark war der Einfluß auf Uganda unter Milton Obote, der jedoch mit dem Coup Idi Amins endete. Bis heute orientiert sich Sambia am tansan. Modell, von dem es manche Punkte bis in Einzelheiten übernommen hat. In den letzten Jahren hat sich auch die Sudanese Socialist Union an T.s Einpartei-Demokratie orientiert; ebenso dient T. in jüngster Zeit den Komoren und Seychellen als Vorbild.

Die enge polit. und wirtschaftl. Zusammenarbeit mit Sambia und Mosambik gewinnt besonders seit dem Scheitern der Ostafrikanischen Gemeinschaft an Bedeutung.

Nicht zuletzt hat T. in aller Welt, auch in den Industrieländern eine relativ große Beachtung gefunden. Dabei erregte zunächst neben dem erfolgreichen, gewaltlosen Unabhängigkeitskampf unter Führung des als gemäßigt geltenden Nyerere, der rassistische antiweiße oder anti-asiatische Auswüchse zu vermeiden verstand, besonderes Interesse. Inzwischen findet die sozialistische Entwicklungsstrategie das Hauptinteresse, da man angesichts des weit verbreiteten Scheiterns anderer Modelle nach Auswegen für die unterentwickelten Länder sucht und man bisher nicht ausschließt, daß die langfristig angelegte tansan. Konzeption zum Erfolg führen kann.

4. Politische Begriffe

Uhuru na Kazi – Unabhängigkeit und Arbeit = Slogan der TANU in der Unabhängigkeitsbewegung.

Ujamaa-familyhood – politisch: auf die Nation erweiterter Familiensinn = Sozialismus tansanischer Prägung (s. 3.3.).

Ujamaa-Dörfer = ländliche genossenschaftliche Produktionseinheiten (3.3.).

Arusha Declaration = grundlegendes Programm des tansan. Sozialismus vom Feb. 1967.

Kujitegemea – self-reliance = Selbständigkeit.

Mwongozo – TANU Guidelines = Richtlinien der Parteipolitik von 1971.

One Party Democracy = Einparteidemokratie.

Siasa ya Ujamaa na Kujitegemea = Politik des Sozialismus und der Selbständigkeit.

Kilimo cha kufa na kupona = Agriculture as a matter of life and death = Slogan der Kampagne von Anfang 1975 zur Sicherung der Selbstversorgung mit Nahrungsmitteln angesichts drohender schwerwiegender Versorgungslücken.

Außerdem: *Mwalimu* = der Lehrer = Ehrentitel von Präsident J. K. Nyerere. *Ndugu* = Bruder = Bezeichnung und Anrede im Sinn von Genosse. *Bunge* = Parlament.

Mathias Schönborn

Literatur

Baumhögger, G., Grundzüge der Geschichte und politischen Entwicklung Ostafrikas. Eine Einführung anhand der neueren Literatur, München 1971.

Baumhögger, G. u. a., Reisehandbuch Ostafrika: Kenya, Tanzania, Frankfurt 1975 (2. Aufl.).

Bienen, H., Tanzania. Party Transformation and Economic Development, Princeton[2] 1970.

Cliffe, L. (Ed.), One Party Democracy. The 1965 General Elections, Nairobi 1967.

ders., Saul, J. S. (Eds.), Socialism in Tanzania. An Interdisciplinary Reader, 2 vols: Politics, Policies, Dar es Salaam 1972 u. 1973.

Hundsdörfer, V., Küper, W., Bibliographie zur Sozialwissenschaftlichen Erforschung Tanzanias (ca. 2.500 Titel), München 1974.

Kimambo, I. N., Temu, A. J. (Eds.), A History of Tanzania, Nairobi 1969.

Küper, W., Tansania. Ländermonographie, Bonn 1973.

Lofchie, M. F., Zanzibar. Background to Revolution, Princeton ²1968.

Nyerere, J. K., Freedom and Unity/Uhuru na Umoja. A Selection from Writings and Speeches 1952–1965, Dar es Salaam, London 1966.

ders., Freedom and Socialism/Uhuru na Ujamaa, A Selection from Writings and Speeches 1965–1967, Dar es Salaam, London 1968.

ders., Freedom and Development/Uhuru na Maendeleo, A Selection from Writings and Speeches 1968–1973, Dar es Salaam/Nairobi, London, New York 1973.

ders., Afrikanischer Sozialismus, Texte zur Arbeit von ,Dienste in Übersee' 5, Stuttgart 1974 (2. Aufl.).

ders., Freiheit und Entwicklung. Aus neuen Reden und Schriften von Julius K. Nyerere, Text 10 zur Arbeit von ,Dienste in Übersee', Stuttgart 1975.

Schönborn, M., Die Entwicklung Tanzanias zum Einparteienstaat, München 1973.

Smith, W. E., We must run while they walk, A portrait of Africa's Julius Nyerere, New York 1971.

Tordorff, W., Government and Politics in Tanzania (mit Text der Interim-Konstitution), Nairobi 1967.

Togo

Grunddaten

Fläche: 56.000 km².

Einwohner: 2.280.000 (1976).

Ethnische Gliederung: Ewe ca. 44%; Kabre ca. 23%; Moba, Konkomba ca. 7%; Kotokoli, Bassari und Tchamba ca. 7%; Akposso, Bassila ca. 5%; Gurma ca. 5%.

Religionen: Traditionelle Religionen: 70%; Christen: 23% (davon 18% röm.-kath., 5% protest.); Moslems: 7%.

Einschulungsquote: 45% (1975).

BSP: 550 Mio. US–$ (1974).

Pro-Kopf-Einkommen: 250 US–$ (1974).

1. Historischer Überblick

Togo liegt an der einstigen Sklavenküste des Golfs von Guinea, die im 15. Jh. von den Portugiesen entdeckt wurde. Im 17. und 18. Jh. werden erste Handelshäuser durch frz. Kaufleute eingerichtet, die bald wieder aufgegeben werden. Ab 1857 Niederlassungen von deutschen Handelshäusern sowie Beginn der Tätigkeit christlicher Missionen. 1884 schließt Generalkonsul Dr. Gustav Nachtigal einen Schutzvertrag mit König Mpala III.: Gründung des deutschen Schutzgebietes. 1914 kapitulieren die schwachen deutschen Polizeieinheiten (2 Offiziere, 6 Unteroffiziere, 500 afrikanische Polizisten) vor brit. und frz. Verbänden. Westtogo (33.775 km²) geht an G.B., Osttogo (56.000 km²) an F. Zunächst werden beide Teile als Militärgebiete verwaltet und 1920 zum Mandatsgebiet des Völkerbundes erklärt. Der brit. Anteil wird verwaltungsmäßig der Kolonie Goldküste (heute Ghana) angegliedert, der frz. Anteil – der heutige Staat T. – durch einen Staatskommissar nach den in A.O.F. geltenden Gesetzen verwaltet. 1946 werden die Mandate in UN-Treuhandgebiete umgewandelt. 1955 erhält T. als ,,Territoire Associé" eine gewisse Eigenständigkeit innerhalb der ,,Union Française". Diese stellt, beeinflußt von den Grundsätzen des Commonwealth, einen Übergang von direkter Verwaltung zu polit. Neuordnung der Beziehungen F.s mit seinen Kolonien dar. Die Union ist begründet auf der ,,Gleichheit der Rechte und Pflichten, ohne Unterschied der Rasse und Religion". Die Zwangsarbeit wird daraufhin offiziell in T. abgeschafft. Die Bewohner der Kolonie erhalten das frz. Bürgerrecht. Wichtige Entscheidungsbefugnisse liegen aber weiterhin bei der minoritären Kolonialbourgeoisie bzw. in der frz. Metropole. Die ,,Union Française" bedeutet weder polit. noch ökonomisch die Abkehr vom Vorkriegskolonialismus. Am 27. 4. 1960 erhält T. seine Souveränität.

2. Entwicklung der politischen Parteien

2.1. Vor der Unabhängigkeit

Abgesehen vom ,,Bund der deutschen Togoländer", der sich gleich nach der Trennung der Kolonie T. bildet und sich als legitime

Vertretung des getrennten Togovolkes ansieht, kommt es zu erster polit. Aktivität in T. 1941. Unterstützt vom frz. Gouverneur Montagné wird als polit. Gegengewicht zu den deutschfreundlichen Strömungen das *Comité d' Unité Togolaise* (CUT) gegründet; sein Vizepräsident wird Sylvanus *Olympio,* Prokurist der großen, in ganz Afrika verbreiteten Handelsgesellschaft UAC (United African Company, zum Unilever-Konzern gehörend). Das CUT tritt zunächst für die Vereinigung der im Süden lebenden Ewe-Stämme ein und erstrebt weitgehende Autonomie innerhalb des Mandatsstatus. Im Juni 1946 bildet Olympio mit Gruppen des brit. Gebietes die ,,All-Ewe-Conference'', die in einer Eingabe an die UNO einen Ewe-Staat unter brit. Aufsicht verlangt. F. entzieht daraufhin der CUT seine Unterstützung und fördert die von Nicolaus *Grunitzky* (Deutsch-Afrikaner) gegründete *Parti Togolais du Progrès* (PTP). Im Gegensatz zu dem nach totaler Unabhängigkeit strebenden Olympio befürwortet Grunitzky den Anschluß an die Union Française und später die Communauté und gewinnt 1956 zusammen mit der *Union des Chefs et des Populations du Nord* (UCPN), unterstützt durch die Kolonialverwaltung und durch Wahlmanipulationen, die ersten Wahlen nach der 1955 erlangten inneren Autonomie. Pedro Olympio, ein Vetter von Sylvanus Olympio, gründet nach Unstimmigkeiten mit Grunitzky den *Mouvement Populaire Togolais* (MPT), eine unbedeutende kleine Partei im Osten (Anecho).

An der Goldküste, wo das Programm Kwame Nkrumahs, der nach der totalen Unabhängigkeit von Europa drängt, den größten Teil der Bevölkerung Britisch Togos gewinnt, verliert der Ewe-Nationalismus gegenüber dem panafrikanischen Nationalismus vorübergehend an Bedeutung. Auch das CUT setzt sich nach dem Vorbild Nkruhmahs immer stärker für eine vollständige Unabhängigkeit ein. Unterstützt wird es dabei von der JUVENTO (Justice, Union, Vigilance, Education, Nationalisme, Tenacité, Optimisme), in der sich jüngere, linksorientierte Kräfte des CUT zusammengeschlossen haben. Am 27. 4. 1958 erringen sie gemeinsam bei den unter UNO-Aufsicht durchgeführten Wahlen den Sieg. Sie erhalten bei einer Wahlbeteiligung von 64% mit 61% der abgegebenen Stimmen 29 der insgesamt 48 Sitze. Olympio wird Premierminister. Durch die Regierungsbildung mit einer eindeutigen Ewe-Dominanz (nur 2 Minister stammen aus dem Norden) werden die Animositäten zwischen der Bevölkerung des wenig entwickelten Nordens und der des weiter entwickelten Südens noch verstärkt. Diese Nord-Süd-Gegensätze, die bis heute nicht abgebaut wurden, werden geschickt ausgenutzt, um eine einheitliche Opposition im Lande zu verhindern.

Während die PTP und die UCPN 1959 zur *Union Démocratique des Populations Togolaises* (UDPT) fusionieren, entwickelt sich die JUVENTO, der aktivistische Flügel des CUT, von einer einfachen Jugendbewegung allmählich zu einer von der CUT unterschiedlichen Partei. Zwei Jahre nach der Wahl des CUT erreicht Olympio am 27. 4. 1960 die vollständige Unabhängigkeit für T. und wird erster Präsident T.s.

2.2. Nach der Unabhängigkeit

2.2.1. Erste Republik

Olympio verfolgt während der kurzen Dauer seiner Regierungszeit unter Anwendung von häufig polizeistaatlichen Methoden einen immer autoritärer werdenden Kurs, unterstützt von seinem Innenminister Mally, der 1958 unter Grunitzky im Gefängnis saß. Olympio unterläßt nicht nur den Versuch, oppositionelle Kräfte in das CUT zu integrieren, sondern geht mit immer stärkerem Druck gegen sie vor. Durch die ,,Wahlen'' mit der Einheitsliste am 9. 4. 1961 versucht er, die Opposition endgültig auszuschalten. Seine Partei, in *Parti de l'Unité Togolaise* (PUT) umbenannt, erhält 97% aller Stimmen (Wahlbeteiligung von 91%). 1962 kommt es zu einem Zerwürfnis mit der ihm einst nahestehenden JUVENTO. Dessen Führer werden vom PUT beschuldigt, gegen die Staatsicherheit verstoßen zu haben, und verhaftet. Der bereits unter kolonialer Herrschaft stark benachteiligte Norden, dessen soziale und ökonomische Infrastruktur kaum entwickelt ist und dessen Bevölkerung geringe soziale Aufstiegsmöglichkeiten hat, fühlt sich auch unter der Regierung Olympios gegenüber dem Süden diskriminiert. Durch seine sehr harte Sparpolitik, von der besonders der Verwaltungsapparat, die Beamten und die 250-Mann-Armee betroffen sind, wächst die Unzufriedenheit in der Bevölkerung. Olympio verspricht sich von den Sparmaßnahmen eine stärkere wirtschaftliche Unabhängigkeit von F., fühlt sich jedoch durch das gespannte Verhältnis zu Nkrumah in Ghana, der 1960 droht, die Ewe-Frage durch die Einverleibung ganz T.s. zu lösen, gezwungen, sich verteidigungspolitisch doch wieder an F. anzulehnen. In diesem Spannungsfeld wird die Weigerung Olympios, tog. Soldaten, die im Unabhängigkeitskrieg in Algerien in der frz. Armee gekämpft hatten, in seine Armee aufzunehmen, zum auslösenden Moment für den Militärputsch am 13. 1. 1963, bei dem Olympio erschossen wird.

2.2.2. Zweite Republik

Nachfolger Olympios wird der in Dahomey (heutiges Benin) im Exil lebende frühere Premierminister Nikolas *Grunitzky,* der unmittelbar nach dem Putsch zurückkehrt, am 16. 1. 63 eine provisorische Regierung bildet und eine Generalamnestie erläßt. Die demobilisierten Soldaten nimmt er in die Armee auf und befördert die unmittelbar am Putsch beteiligten Soldaten, darunter den späteren Präsidenten E. B. Eyadema, der als eigentlicher Mörder Olympios gilt. Grunitzkys Versuch, eine ,,Parti unifié", eine Koalition aller Parteien (UDPT, JUVENTO, PUT, MPT) zu bilden, scheitert an den Rivalitäten der Parteien. Die Wahlen ergeben eine Mehrheit für die Einheitsliste Nikolas *Grunitzky/* Antoine *Meatchi,* der unter der CUT-Regierung zu den letzten Oppositionsführern im Parlament gehörte und sich für die Bevölkerung im Norden einsetzte. Die neue Verfassung räumt Meatchi als Vizepräsidenten fast die gleichen Machtbefugnisse wie dem Präsidenten ein. Durch stark divergierende polit. Auffassungen paralysieren sie sich aber gegenseitig. Unzufriedenheit über die Spannungen in der Regierungsspitze, über die gescheiterte Koalition und eine verschwenderisch geführte Finanzpolitik, die das Land in wirtschaftliche Schwierigkeiten stürzt, rufen das Militär – inzwischen von 250 auf 1.200 Mann angewachsen, fast alle aus dem Norden stammend – erneut auf den Plan: Nachdem sie am 21. 11. 66 aus Furcht vor einer erneuten Machtübernahme durch die Ewe und vor Verfolgung der am Mord

Olympios beteiligten Putschisten einen Zivilcoup von Anhängern der CUT niedergeschlagen haben, stürzen sie selbst den erfolglosen Grunitzky am 13. 1. 67 und übernehmen die Macht. Damit geht die Ära der Zivilregierung zu Ende.

2.2.3. Armee – Togo Nouveau

Am 13. 1. 1967 wird die Verfassung durch die Militärs suspendiert, die Nationalversammlung und die Parteien werden aufgelöst; die Regierungsgewalt übernimmt vorübergehend das ,,Comité de réconcialiation nationale" (CRN) unter Colonel Kleber *Dadjo*. Obwohl die Militärregierung, die anfänglich einen eindeutig provisorischen Charakter hat, wiederholt bekundete, die Regierungsgewalt nach einer neuhergestellten polit. Struktur in zivile Hände zu legen, übernahm im April nach einer kurzen Übergangsphase der Stabschef der Armee, *E. Gnassingbe Eyadema* (ein Kabre aus dem nördlichen Pya), der bisher nur aus dem Hintergrund taktierte, die Regierung. Er löste das CRN auf und ersetzte es durch ein von ihm ernanntes Kabinett (8 Zivilisten und 4 Offiziere). Obwohl in der Überzahl, haben die Zivilisten im Kabinett nur beschränkte Befugnisse, da alle wichtigen Entscheidungen vorab im Camp Militaire getroffen werden. Ein ,,Conseil Economique et Social" wird zur Förderung der Wirtschaftsentwicklung und ein ,,Comité Constitutionnel", dem junge Technokraten, frühere CUT-Leute und Anhänger von Grunitzky/Meatchi angehören, zur Ausarbeitung einer neuen Verfassung eingesetzt. Nachdem der 1969 fertiggestellte Entwurf für den Präsidenten ein Mindestalter von 40 Jahren vorsieht, wodurch Eyadema (geb. 1934) nicht zur Kandidatur zugelassen würde, verschwindet die Verfassung plötzlich.

Eyademas Rücktrittsankündigung im Januar 1969 und die lt. Togo-Presse ,,prompt eintreffenden telegraphischen Proteste und Sympathiekundgebungen im ganzen Land", die zum größten Teil von der Regierung selbst organisiert und finanziert wurden, und seine anschließende Proklamation, sich dem Verdikt des Volkes ,,zu beugen" und zu bleiben, verschaffen seiner Regierung zumindest eine Fassade öffentlicher Legitimation. Eine allgemeine Unzufriedenheit unter der Zivilbevölkerung besonders im Süden bei den

Ewe über das Ausbleiben der versprochenen Wahlen und das Fehlen der „constitutionalisation du régime", einer verfassungsmäßigen Ordnung, fängt Eyadema geschickt auf, indem er im August 69, unterstützt von Händlern, einflußreichen Marktfrauen, Gruppen aus dem Norden und traditionellen Chefs, die Gründung einer nationalen polit. Bewegung vorschlägt. Ein Parteiprogramm und Programmstatut werden ausgearbeitet und im November von Eyadema die Einheitspartei *Rassemblement du Peuple Togolais* (RPT) gegründet. Eyadema wird Staatspräsident. Trotz einer überwiegend aus Zivilisten bestehenden Regierung und einer als Massenbewegung avisierten Partei gelingt es dem stark politisierten Militär unter Führung Eyademas, einen immer stärker werdenden polit. Einfluß auf die Partei zu nehmen. Legitimiert wird die Machtausübung der Armee durch die im Parteiprogramm offiziell vorgesehene Integration der Armee in die Nation. Wie sich zeigt, entspricht die im Statut verankerte Funktion der Partei („Der RPT bestimmt die Richtlinien der politischen, wirtschaftlichen und sozialen Politik der Nation und sorgt für die Durchsetzung dieser Ziele") nicht den realen Machtverhältnissen.

Die Machtstellung der Militärs wird auf dem 1. Parteikongreß 1971 besonders deutlich. Als Tagungsort wird Palimé ausgewählt, weil man sich dadurch u. a. Sympathien bei den dort ansässigen Ewe verspricht, die in der Partei stark unterrepräsentiert sind. Nachdem der Kongreß Eyadema vom Brigade- zum Divisionsgeneral befördert hat, distanziert er sich von den Forderungen (Verfassung, Parlament, freie Wahlen) des eigenen ZK unter dem Vorwand, daß das Volk die Konstitutionalisierung als nicht opportun und voreilig betrachte. Hinter diesem Gesinnungswechsel steht der auf alle Beamten, Bauern und Arbeitslosen ausgeübte Druck durch die Militärs, die allein über Stellenbesetzung und Vergünstigungen entscheiden und nicht mehr die Macht aus der Hand geben wollen. Ferner wird der von dem Ewe *Dadjo* besetzte Posten des Generalsekretärs aufgelöst und das Politbüro von 23 auf 15, inzwischen seit dem 2. Parteikongreß Nov. 76 auf 9 Mitglieder – alle sind treue Anhänger Eyademas, Zivilisten und aus dem Norden stammende Militärs – reduziert. Bedeutsam wird die Neugründung des *Conseil*

National, in dem auch hohe Offiziere vertreten sind. Er ist inzwischen bei den Kongressen die ,,instance souveraine" der Partei und somit ein neues Führungsorgan. Der Einfluß der Militärs ist hierdurch auch institutional abgesichert. Das im Januar 72 stattfindende Referendum in Lama Kara, im Norden, das Eyadema mit 99% der abgegebenen Stimmen (die Gegenstimmen stammen fast alle aus dem Süden) bestätigt, ist nur noch eine zwingende Folge des Kongresses. Eyadema muß heute noch mehr als schon bisher als der alleinige Gestalter und Führer der tog. Nation angesehen werden. Er ist Präsident der Republik (und damit Regierungschef), Generalstabschef und Vorsitzender der Partei. Es gibt also keine Führungsebene, wo er nicht entscheidet. Das Ansehen Eyademas und seine Autorität sind unbestritten. Als Eyadema Anfang Sept. 74, nur wenige Tage nach der Verstaatlichung der Compagnie Togolaise des Mines de Benin (CTMB) einen Flugzeugabsturz überlebt, wird sein Prestige noch größer und rückt fast ins Mythische.

Seine größte Leistung ist die Wiederherstellung des Friedens im Lande. Es ist ihm gelungen, den Nord-Süd-Gegensatz durch einen polit. Balanceakt weitgehend zu entschärfen, wobei günstige Umstände am Anfang seiner Regierung eine nicht unbedeutende Rolle spielten: Finanzhilfe aus dem Ausland, steigende Weltmarktpreise, wachsende Staatseinkünfte durch expandierende Phosphatproduktion und gute Kaffee- und Kakaoernten ermöglichen Eyadema, den bisher unterprivilegierten Norden mit einer großzügigeren Patronage, die besonders den Militärs zugute kam, zu bedenken und für die Entwicklung der sozio-ökonomischen Infrastruktur im Norden einzutreten. Im Süden werden in Verwaltung und Gewerkschaften die Gehälter angehoben, die Exportkulturen der Ewe-Bauern gefördert, und den Marktfrauen bringt die stärkere Liberalisierung des Außenhandels ein blühendes Schmuggelgeschäft.

3. Merkmale der politischen Struktur

3.1. Elite

Die heutige Führungsschicht rekrutiert sich hauptsächlich aus dem Norden. Die Mehrzahl der Politiker sowie das Militär gehören fast ausschließlich dem Stamm der Kabre an.

Eine organisierte Opposition gibt es nicht, trotz verschiedener Anschläge, die von außerhalb des Landes durch Ewe aus dem Süden und Anhänger des ermordeten Olympio, die „revanchards", gesteuert waren. Die Ewe, die in der Vergangenheit viele Intellektuelle und Politiker hervorbrachten und somit die Elite im herkömmlichen Sinne bildeten, werden, nicht zuletzt durch die gut organisierten Geheimdienste Eyademas, daran gehindert, einen Führer aufzustellen. Sicher hat der Ewe *Noe Kutuklui,* der sich im benachbarten Ausland aufhält und wahrscheinlich für die meisten Putschversuche verantwortlich ist, als Symbol einer Anti-Eyadema-Opposition jegliche Unterstützung aus dem Süden, ist aber gleichzeitig ein nicht unumstrittener Führer der Ewe. Die Festnahme mehrerer Intellektueller nach einem Putschversuch im Okt. 1977 hat jedoch dazu geführt, daß Eyademas Balanceakt mit der Intelligenz seines Landes stark gestört wurde, was zu einer größeren Spannung im Lande geführt hat.

Personen, die in den Verdacht geraten, einer Opposition anzugehören, werden eliminiert. (Ihr Tod wird von offizieller Seite häufig als Selbstmord deklariert.)

3.2. Andere Gruppen

Durch einen immer stärker um sich greifenden Personenkult, der seinen Höhepunkt während des 10jährigen Jubiläums seiner Machtübernahme am 13. 1. 1977 findet, stößt Eyadema bei den polit. Persönlichkeiten des Südens auf starke Abneigung, ebenso durch die Tatsache, daß er sich immer stärker mit Beratern nicht nur des Nordens, sondern aus seinem Heimatort Pya umgibt und durch wachsendes Mißtrauen immer empfindlicher auf Kritik reagiert. Er bringt sich hierdurch in eine Isolation, die für sein Regime gefährlich sein könnte. Die polit. Zukunft T.s wird von der wirtschaftlichen Entwicklung, von der schwachen polit. Institutionalisierung und von der Bevölkerung im Süden, die sich im Moment nicht für und nicht gegen die Regierung entscheidet, abhängig sein.

Die traditionellen Chefs, durch die sich Eyadema die soziale Kontrolle auf dem Lande sichert, versammelt er einmal wöchentlich im Parteigebäude des RPT; jedoch hat dies wohl eher Symbolcharakter.

Gewerkschaften. Eine Integration der Frauen- und Jugendverbände ist im Parteiprogramm von 1969 vorgesehen. Alle tog. Frauen und die gesamte Jugend werden in straff geführten Einheitsbewegungen zusammengefaßt. 1971 wird die Jeunesse du RPT (JRPT) und 1972 die *Union Nationale des Femmes du Togo* (UNFT) gegründet. Da die Gewerkschaften eine Integration in die Partei ablehnten, wurden sie am 4. 12. 72 aufgelöst; am 7. 1. 73 wird eine Einheitsgewerkschaft, *Confédération Nationale des Travailleurs du Togo* (CNTT), gegründet. (Auf Grund der Beschlüsse des ersten Ordentlichen Kongresses der CNTT vom 5. bis 7. 1. 76 gehören alle Lohn- und Gehaltsempfänger T.s zwangsweise einer Berufsgruppe der Gewerkschaft an. Die gleichen Maßnahmen trafen auch den tog. Sport.)

3.3. Parteiprogramm

Die wichtigsten Ziele des 1969 verabschiedeten Parteiprogramms:
a) eine Mentalitätsumbildung in Bezug auf die Politik; größere Unabhängigkeit, Bildung eines neuen polit. Bewußtseins und Integration der Armee in die Nation,
b) eine völlige Neustrukturierung der Wirtschaft, der Finanzen und der Verwaltung, auch ,,New Deal" genannt,
c) eine neue Konzeption der Erziehungs-, Sozial- und Kulturpolitik sowie des Gesundheitswesens: Entwicklung einer eigenen Kultur und Bildung,
d) eine realistische Ausrichtung der internationalen Beziehungen.

3.4. Parteistruktur

Die von Eyadema abhängigen höchsten Organe sind das Politbüro mit 9 Mitgliedern und das ZK mit 23 Mitgliedern mit stark prowestlicher Tendenz. Der Nationalrat bildet die ,,souveräne Instanz" zwischen den Kongressen. Ihm gehören hohe Offiziere an.
Auf Dorfebene gibt es Dorfkomitees und Ortsteilgruppen.

3.5. Wahlen

Demokratische Wahlen gibt es nicht. 1969 und 1977 läßt sich Eyadema nach einer Rücktrittserklärung wieder durch Plebiszit in seinem Amt als Präsident bestätigen. 1972 läßt er sich durch ein Referendum in Lama Kara im Norden mit 99% der abgegebenen Stimmen bestätigen.

3.6. Einflüsse

Besonders enge Beziehungen unterhält T. zu Zaïre. Bis vor kurzem wurde das tog. Militär zum Teil in Zaïre ausgebildet und der „Mobutisme" dient Eyadema als polit. Modell. Die Spannungen zu seinem Nachbarn Benin (früheres Dahomey) sind zurückzuführen auf das Mißtrauen T.s dem „wissenschaftlichen Sozialismus" und dessen außenpolit. Implikationen gegenüber. Die andauernden Grenzschwierigkeiten Ghana–Togo, die im Okt. 1977 begannen, haben sich verschärft. Ghana beschuldigt Togo, durch Schwarzhandel die ghanaische Wirtschaft zu sabotieren.

Mit der Aufnahme diplomatischer Beziehungen zur VR-China und Nord-Korea hat T. seinen von den anderen Ländern des *Conseil de l'Entente* unabhängigen außenpolit. Kurs fortgesetzt. Als Folge entwickelt sich in T. die Methode der Massenmobilisierung (Animation) nach Muster dieser genannten asiatischen Staaten. (Als Kulturbeitrag hat Nord-Korea eine Parteischule versprochen.)

In das Verhältnis zu F. tritt 1974 durch die Verstaatlichung der frz. Phosphatmine (die auch nach der Verstaatlichung nur zu 51% in tog. Händen liegt) eine starke Trübung ein. Seit 1975 besteht ein erneutes Vertrauensverhältnis zu F. Die fortgesetzte ökonomische Abhängigkeit T.s von F. manifestiert sich in besonderer Weise in den Kapitalbeziehungen zwischen beiden Ländern. Hier ist ein Schlüssel zur Analyse dessen, was Samir Amin „gesteuertes Wachstum von außen" nennt und was die spezifische Deformation der kapitalistischen Entwicklung im francophonen Afrika auch und gerade nach der juristischen Beendigung der Kolonialherrschaft erklären kann.

März 1977 wird beim Besuch des CSU-Politikers F. J. Strauß im

Stile eines Staatsvertrages ein Kommuniqué von Eyadema und Strauß unterzeichnet, das die Ausbildung des tog. Verwaltungspersonals in der CSU-eigenen Hanns-Seidel-Stiftung vorsieht. Die dazu gegründete Eyadema-Stiftung, deren Ziel die Förderung der Erwachsenenbildung ist, wird als erstes ein „Institut für Politische Wissenschaften" errichten.

4. Politische Begriffe und Schlagwörter

„New Deal" oder *„Nouvelle Marche":* Unter diesen Schlagwörtern läuft jegliches Reformprogramm der Partei. Mit ihren New-Deal-Parolen durchdringt die RPT alle Bereiche. Hierunter subsumiert sie Einigkeit, Solidarität, absoluten Gehorsam, Anerkennung politischer Entscheidungen. Tagtäglich proklamiert, erschöpft sich der „New Deal" in einem Verbalnationalismus.

Authentizität: Unter diesem Begriff laufen Aktionen (z. B. Ersetzen der christlichen durch afrik. Namen) zur Rückbesinnung auf traditionelle Werte. Ihren Kern bilden die sog. Politik der geistigen Entkolonialisierung und der Kampf gegen koloniale Relikte.

Sieglinde Gauer

Literatur

Cornevin, R., Le Togo, Paris 1967.
Decalo, S., Coups and army rule in Afrika. Studies in military style, New Haven u. London 1976.
Nußbaum, M., Togo, eine Musterkolonie? Berlin/DDR 1962.
Pfeffer, R., „Togo", in: Internationales Afrikaforum, 8. Jg., Nr. 2, München 1972, S. 113–119.
Prouzet, M., La République du Togo, Paris 1976.
Reuke, L., „Die Politisierung der togoischen Armee", in: Vierteljahresberichte – Probleme der Entwicklungsländer, Nr. 51, Bonn – Bad Godesberg 1973, S. 41–60.
Verdier, R., „Le parti du Rassemblement du peuple togolais", in: Revue française d'études politiques africaines, Nr. 145, Paris 1978, S. 86–97.
Wülker, G., Togo – Tradition und Entwicklung, Stuttgart 1966.

Tschad

Grunddaten

Fläche: 1,284 Mio. km^2.

Einwohner: 4.120.000 (1976).

Ethnische Gliederung (Schätzung von 1967): Hauptgruppen: Araber (westliche und östliche Araber) 46%;, Sudan-Völker (Saras u. a.) 28%; Niloten 9,5%; Stämme der Sahara (Kanembus und Tubus) 7%.

Religionen (1974): Traditionelle Religionen 43%; Moslems 52%; Christen 5%.

Alphabetisierungsquote (1974): 5%.

BSP: 410 Mio. US–$ (1974).

Pro-Kopf-Einkommen: 100 US–$ (1974).

1. Historischer Überblick

Im 8. Jh. wanderten weiße Nomadenvölker aus dem Norden ein und vermischten sich zum Teil mit der schwarzen Urbevölkerung des Südens. In der Folge lebten im Gebiet des heutigen T. mehrere Stämme nebeneinander. Durch die zunehmenden Aktivitäten der Moslems in Nordafrika wurde auch der Norden des T. (der mit seinen Wüstengebieten und Savannen, der sogenannten Sahelzone, rund ²/₃ des T. umfaßt) immer stärker vom Islam beeinflußt. Zwischen 1890 und 1899 schickte Frankreich als erste europ. Kolonialmacht Expeditionen zum Tschadsee, um sich dieses strategisch wichtige Gebiet vor den Deutschen und Engländern zu sichern. (Die Grenzen des T. wurden im brit.-frz. Abkommen von 1899 festgelegt.) Nach Kämpfen gegen den ägyptischen General Rabah, der um 1880 die schwarze Urbevölkerung unterworfen hatte, erklärte F. das Gebiet zum Protektorat (1900); 1910 wurde der T. zusammen mit anderen Kolonien A.E.F. einverleibt und 1915 der frz. Zivilverwaltung unterstellt. Die Kolonialmacht nahm dabei keinerlei Rücksicht auf religiöse, ethnische und sprachliche Unterschiede der Bevölkerung und schuf damit die Basis für alle zukünftigen Konflikte. Während es F. im Norden nur durch militärische Gewalt gelang, die viehzuchttreibenden Nomaden (fast ausschließlich Moslems) zeitweise unter Kontrolle zu halten, konnte F. im Süden die traditionalen Stammesautoritäten der seßhaften schwarzen Bauern durch die frz. Verwaltung (,,direct rule") ersetzen. Die Verwaltungshierarchie versuchte im Interesse der Metropole durch Assimilierung ein gewisses ,,Loyalitätsverhältnis" zur Bevölkerung zu schaffen. 1958 entschloß sich der damalige frz. Präsident de Gaulle (als Konsequenz aus dem Algerienkonflikt), die Territoires d'Outre-Mer(TOM) durch Gewährung der inneren Autonomie allmählich in die Unabhängigkeit zu führen. Beschleunigt wurde die Unabhängigkeit durch starke innere Kräfte, die auf die Loslösung von F. hinarbeiteten. Am 11. 8. 1960 wurde schließlich in der Hauptstadt Fort Lamy T. für unabhängig erklärt.

2. Entwicklung der politischen Parteien

2.1. Vor der Unabhängigkeit

Das Ende des 2. Weltkriegs markiert eine bedeutsame Wende: Die Wahlen zur frz. Verfassungsgebenden Versammlung, an der erstmals auch die Kolonien beteiligt wurden, brachten für das polit. Leben, das jahrelang nicht zuletzt auf Grund frz. Repressionen brachlag, den entscheidenden Anstoß. Aus Sympathie für de Gaulle gründeten einige schwarze Tschadier, die in der frz. Résistance-Bewegung 1941–45 gegen die deutsche Besatzungsmacht in F. gekämpft hatten, die Union Démocratique Tchadienne (UDT), einen Ableger von de Gaulles Rassemblement du Peuple Français (RPF). Die UDT gewann auch einen der beiden Sitze von A. E. F. in der frz. Nationalversammlung. 1946 erhielt der T. wie alle andern afrik. Kolonien von F. den Status als Territoire d'Outre-Mer und wurde ein integraler Bestandteil von F. Damit bekamen die Afrikaner auch das Recht, eigenständige Parteien zu gründen. Der assimilierte Gabriel Lissette, der von den Westindischen Inseln stammte und der Abgeordnete der UDT war, gründete 1946 die Parti Progressiste Tchadien (PPT), den tschadischen Landesverband des Rassemblement Démocratique Africain (RDA). Lissette versuchte seine Partei als integrierenden Faktor aufzubauen, um die immer stärker aufbrechenden religiösen, ethnischen und sozialen Konflikte des ,,Nord-Süd-Gefälles" im T. abzubauen. Aus Mißtrauen gegenüber den Absichten F.s beteiligten sich die Moslems erst zögernd am polit. Leben und überließen damit die ersten Impulse dem frankophilen Süden. Zudem förderte F. aus Angst vor einer panarabischen Einheitsbewegung die Streitigkeiten der moslemischen Stämme im T. mit denen in Libyen und im Sudan.

Nach der PPT konstituierten sich in den folgenden Jahren noch mehrere kleine Parteien wie die Action Sociale Tchadienne (AST), einer Nachfolgeorganisation der inzwischen aufgelösten UDT, die Union Démocratique Indépendant du Tchad (UDIT), ebenfalls ein Ableger der UDT, und das Groupement des Intérêts Ruraux du Tchad (GIRT) und das Mouvement Socialiste Africain (MSA). GIRT und MSA wurden von Moslems in Opposition zur PPT gegründet. Dem immer stärkeren Drängen der Parteien nach mehr Selbständigkeit trug de Gaulle Rechnung, indem er durch das Loi cadre (1956) dem T. mehr Rechte zubilligte (z. B. Bildung einer eigenen parlament. Versammlung). Aus den Wahlen für die erste Nationalversammlung des T. ging die PPT als Sieger hervor. Ihr Führer Lissette wurde 1958 erster Premierminister des T. Trotz des Versuchs einer nationalen Ausgleichspolitik erwuchs der PPT in der neugegründeten Parti Socialiste Indépendant du Tchad (PSIT) eine bedeutende moslemische Oppositionspartei, die wegen angeblicher panarabischer Tendenzen von F. bekämpft wurde. Nach wechselnden Koalitionen zerbrach die Regierung Lissette schließlich 1959. Nach mehrmaligen Kabinettsumbildungen kam im März 1959 mit François Tombalbaye (ebenfalls PPT) zum erstenmal ein Einheimischer (protestantischer Sara aus dem Mbaye-Stamm) an die Macht, der auf Wunsch von Lissette mehr eine nationale Komponente betonen sollte. Tombalbayes Plan, den T. in zwei Staaten nach der Unabhängigkeit aufzuteilen (schwarzafrik. und arabischer Staat) scheiterte am Widerstand des mächtigen Lissette, der eine Spaltung des T. schon immer zu verhindern versuchte.

2.2. Nach der Unabhängigkeit

2.2.1. Das Regime Tombalbaye

2.2.1.1. Vom Mehrparteiensystem zur Einparteiherrschaft

Kurz nach der Unabhängigkeit von F. wurde Tombalbaye von der Nationalversammlung zum Premierminister gewählt. Obwohl noch 1960 sich GIRT und MSA und ein Teil der PSIT sich zur Parti National Africain (PNA) zusammenschlossen, die damit mächtigste Oppositionspartei wurde, gelang es Tombalbaye durch taktische Manöver seine Macht zu festigen. Nachdem er seinem Rivalen Lissette die Heimkehr aus dem Ausland verboten hatte, koalierte er in der Nationalversammlung mit der PNA. Dadurch konnte er eine neue Verfassung durchbringen (die alte war an der Verfassung der frz. V. Republik orientiert), die ihn mit weitgehenden Vollmachten ausstattete. Anschließend ließ er Kritiker in Regierung und eigener Partei durch loyale Gefolgsleute ersetzen. 1962 wurden führende Oppositionelle aus fadenscheinigen Gründen verhaftet und alle Parteien bis auf die eigene PPT aufgelöst. Für die angesetzten Wahlen existierten nur noch Einheitslisten. Die Loyalität der lokalen Stammesfürsten erkaufte sich Tombalbaye mit Geld. Nach den Wahlen ließ er im Parlament abermals eine neue Verfassung verabschieden. Gravierendste Änderung: Tombalbaye wurde zum Präsidenten auf sieben Jahre bestellt. 1964 wurde die PPT als Einheitspartei auch in der Verfassung verankert. Im obersten Organ der PPT, dem Bureau Politique National, fielen alle wesentlichen politischen Entscheidungen. 1969 wurde er als Präsident von der Nationalversammlung auf weitere sieben Jahre bestätigt.

2.2.1.2. Die Gründung der Befreiungsbewegung – der Weg zum Bürgerkrieg

Trotz der polit. Gleichschaltung gelang es Tombalbaye nie, die Opposition gegen seine die Moslems total diskriminierende Politik zu zerstören. (Die Moslems waren praktisch von allen Ämtern ausgeschlossen; von den Nomaden, die seßhaft gemacht werden sollten, verlangte Tombalbaye bis zum vierfachen Steuersatz.) Mindestens acht der 14 Verwaltungsbezirke des T., darunter der

Burku-Ennedi-Tibesti-Bezirk (BET), also der weitaus größte des T. überhaupt, konnten nur mit härtesten Repressionen unter Kontrolle gehalten werden (teilweise Steuerstreiks ganzer Stämme). Dabei wurde Tombalbaye von den rund 1.500 Mann der frz. Streitkräfte im T. militärisch unterstützt.

Erst 1966 entschloß sich die Opposition zu gemeinsamem Kampf und Konzept gegen das Regime Tombalbaye. Am 22. 6. 66 wurde in der sudanesischen Hauptstadt Khartum die tschadische Befreiungsfront Front de Libération Nationale Tchadienne (FROLINA) gegründet. Sie entstand aus einem Zusammenschluß zweier führender Oppositionsgruppen: 1. der Front de Libération du Tchad (FLT), einer eher orthodoxen moslem. Gruppe (Führung: Ahmed Moussan), die die Privilegien der Stammesfürsten wiederherstellen wollte und die Abtrennung des Nordens und Ausrufung eines neuen Staats befürwortete; 2. der weitaus größeren Gruppe um den Moslem Ibrahim Abatcha, der schon 1965 die marxistische Untergrundpartei Union Nationale Tchadienne (UNT) gegründet hatte.

Trotz großer ideologischer Differenzen gelang es der FROLINA unter Abatcha, ein gemeinsames Programm u. a. mit folgenden Punkten zu formulieren: a. Befreiung des T. vom frz. Neokolonialismus; b. Abzug der frz. Truppen; c. Schaffung einer demokratischen Volksregierung der nationalen Einheit und Wahrung der Menschenrechte; d. radikale Agrarreform; e. Abbau des riesigen Verwaltungsapparates und gerechte Steuerpolitik; f. Förderung von Kleinbetrieben statt Monopolbetrieben; g. neutrale Außenpolitik. Im Gegensatz beispielsweise zur Befreiungsfront von Eritrea fühlten sich die Mitglieder der FROLINA immer als Patrioten (die FLT konnte als Minderheit ihre sezessionistischen Ideen nicht durchsetzen) und forderten (auch später) nie eine Sezession des Nordens oder eine etwaige Angliederung an Libyen, wie ihnen unterstellt wurde und immer noch unterstellt wird.

Sofort nach ihrer Gründung eröffnete die FROLINA mit ihren Truppen (finanziell und militärisch ausgerüstet vor allem von Algerien und Libyen) den bewaffneten Untergrundkampf gegen das Regime Tombalbaye. Da sie die Provinzen im Norden und Osten weitgehend kontrollierte (wenn dies Tombalbaye auch immer abstritt), brachte sie den Regierungstruppen eklatante Niederlagen bei. Die Unruhen griffen sogar mit Unterstützung der Gewerkschaft, Union Nationale des Travailleurs Tchadiens (UNATRAT), auf die Hauptstadt über. Schließlich sah Tombalbaye im April 1969 keine andere Möglichkeit, sein Regime zu retten, als F. um Hilfe anzurufen. Der damalige frz. Präsident Pompidou schickte Truppen, wobei er als Rechtfertigung einen franco-tschadischen Beistandspakt aus dem Jahre 1960 anführte.

Mit einem Truppenkontingent von rund 4.000 Soldaten bekämpfte F. zusammen mit den tschad. Regierungstruppen (insgesamt ebenfalls rund 4.000) drei Jahre lang die Befreiungsbewegung, von der sich inzwischen (1969) die FLT wieder abgespalten hatte (die FROLINA taufte sich danach in Front de Libération du Tchad, FROLINAT, um). F. gelang es zwar, den Einfluß der FROLINAT einzudämmen, es war aber klar, daß eine ,,Pazifizierung" nicht lange anhalten würde. 1972 zog Pompidou die frz. Truppen bis auf ein rund 2.000 Mann starkes Kontingent zurück, da die innenpolit. Kritik an ,,Frankreichs Vietnam in Afrika" (Mitterrand) immer stärker wurde.

Durch den frz. Einsatz hatte das Regime Tombalbaye wieder etwas an Stabilität gewonnen. Die Franzosen hatten Tombalbaye auch den Rat gegeben, die Moslems nicht weiter zu diskriminieren. Doch Tombalbaye setzte zur Erhaltung der Massenloyalität auf andere Mittel: Mit Hilfe ,,kulturrevolutionärer" Methoden unter dem Schlagwort ,,Authenticité" und ,,Tchaditude" imitierte er die Methoden des zaïrischen Präsidenten Mobutu (vgl. Zaïre, Abschnitt 4) und versuchte, die immer größer werdenden Schwierigkeiten in der Wirtschaft zu kaschieren. Um eine breite Massenmobilisierung zu erreichen, wandelte Tombalbaye die PPT um in den Mouvement national de la Révolution culturelle et sociale (MNRCS). In dessen Programm (Tschadisierung des Landes, Kampf gegen den Neokolonialismus) bediente sich Tombalbaye zum großen Teil der Terminologie der FROLINAT. Im Rahmen der Rückkehr zur ,,authenticité" führte Tombalbaye (neben Christenverfolgungen und Namensänderungen) durch Zwangsmaßnahmen auch die traditionellen Initiationsriten (Yondo) wieder ein.

Gerade diese Zwangsbehandlung verstärkte die Opposition unter den Schwarzafrikanern. Zudem wurde die wirtschaftliche Situation in den Jahren 1970–1974 immer kritischer (jahrelang Dürreperiode in der Sahelzone, Ölkrise). Trotzdem forcierte Tombalbaye einseitig den Baumwollanbau (laut Experten eine wahnwitzige Agrarpolitik), was auf Kosten des Nahrungsmittelanbaus ging. Verheerende Hungersnöte waren die Folge. Die wenigen Devisen dienten dazu, den Luxuskonsum der kleinen korrupten Oberschicht zu bezahlen, während die Löhne weiter sanken und die Steuern weiter stiegen.

2.2.2. Das Regime Malloum

Tombalbayes Maßnahmen führten aber nicht nur im Volk zu einer wachsenden Unzufriedenheit, sondern auch in der Armee, dem einzigen verbliebenen Machtfaktor. Seit 1972 vertraute Tombalbaye den Streitkräften nicht mehr. Wegen angeblicher Verschwörung ließ er den Oberbefehlshaber General Felix Malloum verhaften (1973). Nach weiteren Verhaftungen hoher Funktionäre aus Armee und Polizei kam der Militärputsch unter General Odingar vom 13. 4. 1975 nicht überraschend (Tombalbaye wurde beim Sturm auf den Präsidentenpalast getötet). Der Putsch wurde von der Bevölkerung begrüßt.

Die Militärs befreiten alle polit. Häftlinge, darunter auch die FROLINAT-Anhänger. Als neue exekutive Spitze bildeten die Putschisten den obersten Militärrat, Conseil supérieure militaire (CSM). Zum Präsidenten des Militärrats und zugleich Staatschef wurde Malloum ernannt. (Der Putsch spielte sich augenscheinlich im stillen Einvernehmen mit der frz. Garnison ab, da diese nicht eingriff. F. hatte den völlig diskreditierten Tombalbaye fallen gelassen.)

Malloum suspendierte sofort die Verfassung, löste die Nationalversammlung auf und verbot alle Parteien. Er kündigte als erste und wichtigste Aufgabe die Schaffung der nationalen Einheit an, sowie die Wiederherstellung aller demokratischen Freiheitsrechte (wie sie vor der Tombalbaye-Diktatur bestanden hatten) und eine Verbesserung der wirtschaftlichen Situation.

3. Merkmale der politischen Struktur

3.1. Elite

Obwohl Tombalbaye kein Stammesfürst war und sich in der Gewerkschaftsbewegung hochgearbeitet hatte, vertrat er doch auf extensivste Weise die Interessen seines Stammes. Die Führungskader rekrutierte Tombalbaye meist ebenfalls aus seinem eigenen Freundeskreis, der Sara-Gruppe innerhalb des Mbaye-Stamms. Durch den Putsch wurde die Elite keineswegs gestürzt. Tombalbayes ehemaligen Freunde hatten keinen andern Weg gesehen, als selbst die Macht zu ergreifen, wenn sie ihre privilegierte Rolle nicht völlig verlieren wollten. Deswegen versprach der neue Präsident Malloum, der ebenfalls den Mbaye enstammt und lange in F. lebte, bevor er die tschadische Armee entscheidend mitaufbaute, auch Reformen und die Einbeziehung der Moslems in die Funktionärselite.

Malloum bildete eine Regierung aus neun Militärs und neun Zivilisten. Die Regierung wurde bewußt „paritätisch" – in etwa den religiösen Gruppierungen im T. entsprechend – mit neun Moslems und neun Christen oder Anhängern traditioneller Religionen besetzt. Außerdem ist bemerkenswert, daß zwei Sympathisanten der FROLINAT, die lange im Gefängnis saßen, in der neuen Regierung Staatssekretärsposten erhielten. Malloum ließ einige Funktionäre, die schon unter Tombalbaye gedient hatten, im Amt; einige andere, die ihren Posten nur auf Grund guter Beziehungen zu Tombalbaye bekommen hatten, ersetzte er zum Teil durch junge liberale Zivilisten. (Insgesamt wurden acht führende Politiker des Regimes Tombalbaye inhaftiert.)

Die Schlüsselressorts befinden sich alle in Händen der Militärs, davon zwei bei Abkömmlingen aus dem Mbaye-Stamm, was Malloum von Kritikern wiederholt den Vorwurf eintrug, seine paritätische Verteilungspolitik habe an der Überrepräsentation der Saras nichts geändert.

3.2. Stärke und Rolle anderer Gruppen

3.2.1. Die Rolle der FROLINAT

Die Abspaltung der FLT und die Umbenennung in FROLINAT waren innerhalb der Befreiungsbewegung auch mit personellen Veränderungen verknüpft. An Stelle von Abatcha, der 1968 im Bürgerkrieg gefallen war, trat nach internen Machtkämpfen als neuer Generalsekretär (Sekretariat in Algier) Dr. Abba Siddick. (Der moslemische Siddick, ein Kinderarzt, hatte zu den Gründern der PPT gehört). Siddick hielt am marxistischen Gründungsprogramm fest. In den folgenden Jahren wurden aufgrund personeller Differenzen die Risse in der Befreiungsbewegung immer deutlicher, so daß die FROLINAT immer mehr zum Sammelbecken rivalisierender Gruppen wurde, die ihren Privatkampf (meist nur im Interesse ihrer jeweiligen Gruppe) gegen die Zentralregierung führten, ohne sich um Anweisungen aus Algier oder aus Tripoli (wo auch ein Büro eingerichtet wurde) zu kümmern.

Die Gewichte innerhalb der FROLINAT sind auch heute noch nicht klar zu erkennen. Im wesentlichen lassen sich aber folgende Gruppen unterscheiden:

– Am besten ausgerüstet und zahlenmäßig auch am stärksten (schätzungsweise rund 2.000 Mann) ist die im Osten des T. operierende Gruppe, deren Führer bis Januar 1978 Siddick war. Der wegen seines Führungsstils schon immer umstrittene Siddick war in den letzten Jahren von der kämpfenden Basis im Landesinneren zunehmend unter Beschuß geraten, da sie sich von ihrer Führung im Ausland bevormundet fühlte. Zwei (ergebnislose) Geheimverhandlungen mit der Zentralregierung (1977) und Differenzen mit Libyen (FROLINAT-Büro wurde geschlossen) schwächte die Stellung von Siddick entscheidend. Im August 1977 hatte die Gruppe, die sich inzwischen FROLINAT-FPL (Forces populaires de Libération) nennt, schon erste organisatorische Konsequenzen gezogen. Man bildete einen Revolutionsrat und proklamierte als wichtigstes Ziel (vor Verhandlungen mit der Zentralregierung) die Wiedervereinigung der einzelnen FROLINAT-Gruppen. Neuer starker Mann der FROLINAT-FPL soll Mohamat Abba (ehemaliger Mitbegründer der UNT) sein.

– Zwei Gruppen haben sich seit 1968 von Siddick abgespalten. Die bekanntere ist die ,,Zweite Armee'' aus dem Stamm der Tubus um den marxistisch orientierten Hissein Habré, der seit 1973 mehrere Geiseln festhielt. (Der frz. Major Galopin wurde 1975 erschossen, da F. nicht die geforderten Waffen liefern wollte. Der deutsche Arzt Staewen wurde schon 1974 gegen ein Lösegeld von rund 2 Mio. DM von der Bundesregierung freigekauft.) Die frz. Archäologin Françoise Claustre, die sich seit Mitte 1974 in der Gewalt dieser Gruppe befand, wurde erst nach dem Sturz Habrés freigelassen. Nachdem es im Herbst 1976 zu einem Gefecht zwischen der 2. Armee Habrés und libyschen Truppen, die aus dem von ihnen besetzten Aouzou-Streifen (vgl. 3.6.) nach Süden vordrangen, gekommen war – die Libyer verloren dabei 30 Soldaten durch Tod bzw. Gefangenschaft –, unterstützte der libysche Präsident, Oberst Khaddafi, den Stellvertreter Habrés, Oueddi Goukouni, in den internen Machtkämpfen, die dann schließlich zur Entmachtung Habrés führten. Da Goukouni, Sohn des obersten religiösen Führers der Tubus, auf die libysche Hilfe angewiesen war, konnte Khaddafi, im Jan. 1977 die Freilassung von F. Claustre erreichen. Schon 1975 hatte das Regime Malloum wegen der eigenmächtigen frz. Verhandlungen mit den Rebellen über die Freigabe von F. Claustre aus Prestigegründen alle frz. Truppen des Landes verwiesen.

Habré verlegte nach dem Verlust des Kommandos über die 2. Armee in Tibesti sein Operationsgebiet mit 300 Mann loyaler Truppen nach Süden in seine Heimatregion Fada; er fand die Unterstützung der sudanesischen Regierung. Die jetzt von Goukouni befehligte 2. Armee gewinnt zunehmend an Stärke und Bedeutung. Mit der Eroberung des wichtigen Regierungspostens im Norden, dem Sitz der Präfektur Faya-Largeau, hat sie sich Anfang 1978 als die wichtigste Fraktion der FROLINAT erwiesen.

– Die zweite Gruppe, die sich von der FROLINAT Siddicks abspaltete, ist die ,,Erste Armee'' von General El Baghlani im Nordosten des T. (Anfang 1977 tödlicher Unfall des Generals in Libyen). Die moslemisch-orthodoxe Gruppe verfügt über rund 200 Kämpfer.

– Ahmed Moussan operiert mit seiner FLT aus dem Sudan. Im Herbst 1977 fügt er sich gemeinsam mit Habré dem sudanesischen Druck und nimmt Verhandlungen mit der Regierung des T. auf, die mit einem Waffenstillstand zwischen der Regierung und den mit sudanesischer Unterstützung operierenden Rebellen enden.

Anfang 1978 nehmen die Auseinandersetzungen der Regierung des T. mit den Rebellen, aber auch mit der libyschen Regierung eine überraschende Wende.

Hatte Regierungschef Malloum noch im Januar und Anfang Februar 1978 der libyschen Regierung die massive Unterstützung besonders der 2. Armee vorgeworfen und die diplomatischen Beziehungen abgebrochen, kurze Zeit später sogar angekündigt, diesen Konflikt vor den Weltsicherheitsrat der UNO zu bringen, so greift er wenig später die Initiative des sudanesischen Präsidenten Numeiri zu einer Beilegung des Konflikts auf.

Es wird eine Wiederaufnahme der diplomatischen Beziehungen, eine gütliche Regelung ohne Einschaltung des Weltsicherheitsrates sowie das gemeinsame Bemühen um eine Aussöhnung zwischen den Rebellen und der Zentralregierung vereinbart. Tatsächlich schließen sich nur 2 Tage nach dieser Einigung die von Libyen unterstützten FROLINAT-Gruppen dem Waffenstillstand an, der bereits zwischen der Regierung und den mit sudanesischer Unterstützung operierenden Gruppen besteht.

Eine Gipfelkonferenz der Präsidenten von Tschad, Libyen, Niger und des Vizepräsidenten des Sudans Ende Februar beschließt direkte Verhandlungen zwischen der tschad. Regierung und den verschiedenen FROLINAT-Fraktionen einen Monat später.

Dadurch geraten die verschiedenen Rebellengruppen in Zugzwang. Mitte März beschließen die Vertreter von FLT, 1. Armee und 2. Armee die Auflösung ihrer bisher getrennt operierenden Einheiten und Führungsorgane. Sie vereinigen sich unter dem Namen ,,Forces armées populaires'' (FAP); das gemeinsame Oberkommando ,,Conseil de la révolution'' wird von Goukouni geleitet, der damit seine Vormachtstellung unterstreicht.

Goukouni führt auch die FROLINAT-Delegation bei der Konferenz mit Vertretern des Tschad, Libyens, Nigers und Sudans vom

23. bis 27. März 1978 in Sabha und Bengasi an. Diese Konferenz einigt sich auf ein 8-Punkte-Abkommen als Grundlage der nationalen Versöhnung. Die wichtigsten Punkte sind:

– Anerkennung der FROLINAT durch den regierenden Obersten Militärrat des Tschad.

– Bildung einer provisorischen Regierung des Tschad.

– Einigung auf einen Waffenstillstand, der von einem aus Vertretern Libyens und Nigers zusammengesetzten Militärausschuß überwacht werden soll.

Die Beendigung des zwölfjährigen Bürgerkrieges konnte nur erzielt werden, weil die Rebellen von den Staaten, auf deren Unterstützung sie angewiesen waren, an den Verhandlungstisch gezwungen wurden.

3.2.2. Gewerkschaften

Tombalbaye hatte im Zug der totalen Kontrolle über Parteien und Verbände die Aktivitäten der beiden freien Gewerkschaftsverbände unterbunden und sie 1968 zur UNATRAT zusammengeschlossen. Die Gewerkschaftsbewegung verlor damit endgültig ihre Unabhängigkeit, blieb allerdings im Untergrund weiterhin aktiv. Der Militärputsch bedeutete für die UNATRAT die Revitalisierung. Die gewerkschaftlichen Rechte wurden wiederhergestellt, die Arbeiter konnten zum erstenmal in staatlichen und privaten Unternehmen ihre Vertreter wählen. Doch die neugewonnenen Freiheiten waren nur von kurzer Dauer: 1975 (Nov.) hob der Militärrat das Streikrecht wieder auf und verbot der UNATRAT bis auf weiteres ihre Aktivitäten. (Begründung: ,,acht ungesetzliche wilde Streiks'' seit dem Militärputsch).

3.3. Das Programm des Regimes Malloum

Malloum wies ausdrücklich darauf hin, daß sein Militärregime auf die Schaffung einer (Einheits-)Partei und damit auch auf eventuelle Wahlen verzichten wolle, solange die nationale Einheit nicht gegeben sei. Das Regime gab sich pragmatisch-nüchtern und lehnte – im Gegensatz zu den (pseudo-)revolutionären Tönen anderer afrik. Militärregimes – jede ideologische Zielsetzung ab.

Scharf kritisiert wurde dieses Fehlen jeglicher revolutionärer Zielsetzung von FROLINAT-Chef Siddick. Er bezeichnete das neue Regime als ,,Tombalbayismus ohne Tombalbaye". Siddick schien wenig vertrauenerweckend, daß Malloum am bisherigen Wirtschaftssystem mit der daraus resultierenden neokolonialen Abhängigkeit von F. festhalten wollte.

Daß die FROLINAT auch gegen Malloum ihren Kampf fortsetzte, zeigte ein Attentat am ersten Jahrestag des Putsches (13. 4. 76). Für den Anschlag, bei dem kein Mitglied des Militärrats verletzt wurde, übernahm die FROLINAT (in Algier) die Verantwortung.

Daß auch die Armee nicht geschlossen hinter Malloum steht, zeigte der Putschversuch einiger junger Unterleutnants aus dem Norden vom 1. 4. 77. Der relativ laienhaft inszenierte Staatsstreich konnte von den Regierungstruppen mühelos vereitelt werden. Allerdings wurde dadurch klar, daß Unzufriedenheit unter den wenigen moslemischen Offizieren gärt, da sie sich von den meist höherrangigen Offizieren aus dem Süden unterdrückt fühlen (nur 20% der Streitkräfte sind Moslems). Durch die Wiederherstellung der Menschenrechte (Religionsfreiheit besteht wieder; durch die wiedererlangte Meinungs- und Pressefreiheit spricht man in der Hauptstadt von einem ,,neuen offenen Klima") hat Malloum einen bedeutenden Sympathieerfolg unter der Bevölkerung erzielt. Außerdem wurden die Initiationsriten abgeschafft und für die nomadisierende Bevölkerung die Steuergerechtigkeit wiederhergestellt. Ein Plan für die nächsten Jahre sieht den Kampf gegen die Korruption vor, den Aufbau eines neuen Erziehungswesens und ein neues Bewässerungssystem in der Sahelzone. Durch die schrittweise Verbesserung der wirtschaftlichen Lage der Bevölkerung versucht das Regime Malloum, seinem Ziel der nationalen Einheit näher zu kommen.

3.5. Wahlen

Die einzigen ,,freien" Wahlen fanden 1957 und 1959 statt, aus denen die PPT jeweils als Sieger hervorging. Bei diesen Wahlen war die Beteiligung im moslem. Norden gering. Die Wahlen von 1962, 1963 und 1969 dienten nur dazu, die Diktatur von Tombalbaye legitimatorisch abzusichern.

Trotz der Ausweisung der frz. Truppen (1975) ist der Einfluß von F. im T. ungebrochen stark. Immer noch wird die Armee von ca. 300 frz. Militärberatern instruiert, ein Frz. leitet immer noch den Centre de coordination, d'étude et de recherche (entspricht dem Geheimdienst). F. schloß mit dem Regime Malloum mehrere Abkommen (Militär- und Wirtschaftshilfe), so daß die Verstimmung nach dem Truppenabzug als weitgehend aufgehoben betrachtet werden kann. Die Militärs hatten bei ihrem Machtantritt eine Politik des ,,Non-Alignment" proklamiert und auch in der Folge ihre Beziehungen zur S.U. stark verbessert (S.U. hilft beim Aufbau des Erziehungswesens). F. wird aber als unvermindert wichtigster (Handels-)Partner des T. (rund 80% des Exports geht nach F.) auch in Zukunft darauf bedacht sein, daß die S.U. im T. keinen Einfluß erlangt. Aus Enttäuschung über mangelnde Waffenlieferungen der S.U. wendet sich der T. in jüngster Zeit mehr Washington zu, das im T. ökonomische Interessen hat (vier US-Ölmultis wurden auf der Suche nach Öl fündig).

Unter Tombalbaye hatten sich die Beziehungen des T. zu den Nachbarstaaten zunehmend verschlechtert. Tombalbaye, der sich zeitweise mit dem zaïrischen Präsidenten Mobutu glänzend verstand, beschuldigte Libyen und den Sudan, durch die Unterstützung von ,,aufständischen Banditen" (gemeint war die FROLINAT) sich in die inneren Angelegenheiten des T. einzumischen. Als Libyen im Juni 1973 im Norden Bezirkes Borkou-Ennedi-Tibesti (BET-Bezirk) den Aouzou-Streifen besetzte (dieses tschad. Gebiet ist angeblich reich an Uran und anderen Rohstoffen), geschah dies offenbar im stillen Einvernehmen mit Tombalbaye. (Die Hintergründe dafür sind unklar. Anscheinend wollte Tombalbaye das Gebiet an Khaddafi verkaufen.)

Nach dem Sturz Tombalbayes verbesserte das Militärregime die Beziehungen zu seinen Nachbarn und gewann unter den afrik. Staaten an Ansehen. Die Beziehungen zu Libyen waren aber bis in die jüngste Vergangenheit wegen des Grenzkonflikts und der Unterstützung der FROLINAT schweren Belastungsproben ausgesetzt. Vor der OAU-Jahreskonferenz Anfang 1977 verurteilte Malloum den nördlichen Nachbarn auf das schärfste. Anfang 1978 brach er die diplomatischen Beziehungen zu Libyen ab und kündigte ein Anrufen des Weltsicherheitsrates an. Durch den engagierten und erfolgreichen Einsatz Libyens für die Einigung mit der FROLINAT sind die Chancen für die gütliche Einigung beider Staaten über den umstrittenen Grenzverlauf erheblich gestiegen.

4. Politische Begriffe

Tchaditude: Unter dieser Parole wollte Tombalbaye 1973 die wirtschaftliche und kulturelle Erneuerung des T. einleiten. Er forderte die totale Tschadisierung des Landes. Dies äußerte sich vor allem in Namensänderungen (Fort Lamy wurde zu Ndjamena, François Tombalbaye zu Ngarta Tombalbaye) und der Wiedereinführung der Initiationsriten.

Réconciliation nationale (nationale Aussöhnung): Unter diesem Schlagwort (seit 1975) versucht die Regierung Malloum, den Konflikt zwischen Schwarzafrikanern (im Süden) und Moslems (im Norden und Osten) zu entschärfen, indem sie die FROLINAT aufruft, die Waffen niederzulegen und eine Versöhnungspolitik einzuleiten. ,,Kulturrevolutionäre" Parolen wie Tchaditude spielen unter Malloum keine Rolle mehr.

Thomas Maier

Literatur

Biarnes, P., ,,Tchad: entre Paris et Tripolis", in: Revue française d'études politiques africaines, Nr. 113, Paris 1975, S. 12–16.

Buijtenhuijs, R., ,,Notes sur l'évolution du Front de libération nationale du Tchad", in: Revue française d'études politiques africaines, Nr. 138/139, Paris 1977, S. 118–125.

Cabot, J.; Bouquet, C., Le Tchad, Paris 1973.

Casteran, C., ,,La rébellion au Tchad", in: Revue française d'études politiques africaines, Nr. 73, Paris 1972, S. 35–53.

ders., ,,Tchad: l'assassinat d'un opposant au régime", in: Revue française d'études politiques africaines, Nr. 93, Paris 1973, S. 18–20.

Cornevin, R., ,,Tschad: Eine tausendjährige Geschichte", in: Internationales Afrikaforum, 5. Jg., Nr. 7, München 1969, S. 496–499.

Gonidec, P.-F., La République du Tchad, Paris 1971.

Jouve, E., ,,Le Tchad de N'Garta Tombalbaye au général Malloum", in: Revue française d'études politiques africaines, Nr. 146, Paris 1978, S. 21–53.

Lanne, B., ,,Les nouvelles institutions de la République du Tchad", in: Revue Juridique et Politique, Indépendance et Coopération, 30. Jg., Nr. 2, Paris 1976, S. 141–176.

Meyer, R., ,,Die Erben Tombalbayes. Tschad: die Macht gegen das Volk", in: 3. Welt Magazin, Bonn 1977, Nr. 10, S. 19–22.

Uganda

Grunddaten

Fläche: 236.036 km^2 – davon 42.383 km^2 Gewässer.

Einwohner: 11.940.000 (1976).

Ethnische Gliederung: Bantu: Ganda (17,4% der Gesamtbevölkerung), Nkole (7,2%), Soga (7,1%), Kiga (7,0%); West-Niloten: Lango (6,0%), Acholi (4,0%); Ost-Niloten: Teso (7,4%); einige Tausend Europäer und Araber, Flüchtlinge aus allen angrenzenden Staaten.

Religionen: Traditionelle Religionen ca. 44%; Moslems ca. 10%; Christen ca. 46% (davon 30% röm.-kath., 16% ev.).

Einschulungsquote: ca. 50%.

BSP: 2.700 Mio. US-$ (1974).

Pro-Kopf-Einkommen: 240 US-$ (1974).

1. Historischer Überblick

Im 16. Jh. sollen kuschitischsprachige Hirtenvölker aus dem Norden ins heutige U. eingewandert sein und nach Unterwerfung der autochthonen Bevölkerung absolute Königreiche errichtet haben. 1862 kamen mit den Engländern Speke und Grant erstmals Europäer in das zentralistisch – mittels Erbmonarchie und Parlament – regierte Buganda, das sich zur stärksten Macht in dieser Region entwickelt hatte. Mit Unterstützung des Kabakas (Titel des Herrschers) missionierten daraufhin brit. Anglikaner sowie frz. Katholiken und legten die Basis künftiger konfessioneller Streitigkeiten. Nachdem die Deutschen im Helgoland-Sansibar-Vertrag (1890) auf die Kontrolle des Oberen Nils verzichtet hatten, schloß G.B. „Schutzverträge" mit Buganda (1894) und den benachbarten Reichen. Die bislang unabhängigen Gebiete wurden nun im Protektorat Uganda organisiert und kostensparend mit Hilfe einheimischer Autoritäten verwaltet (indirect rule). 1948 faßte G.B. Kenia, Tansania und U. zu einer Wirtschaftsunion zusammen.

Die Briten legten das Protektorat auf ein der Westminster-Demokratie formal-polit. entsprechendes System fest, bevor sie ihm im März 1962 die innere Autonomie und am 9. 10. 1962 die volle Souveränität im Rahmen des Commonwealth zugestanden.

Profitinteresse (Kaffee- und Baumwollmonokulturen) und unklare Entwicklungskonzeptionen hatten jedoch längst problematische Wirtschaftsstrukturen geschaffen (fehlende Diversifizierung, keine Intensivierung des innerafrikanischen Handels), die G.B. auch weiterhin die ökonomische Dominanz in U. garantierten.

2. Entwicklung der politischen Parteien

2.1. Vor der Unabhängigkeit

Ethnische, religiöse und sprachliche Differenzierung, vor allem aber die ausgeprägten Partikularinteressen der Königreiche verhinderten das Entstehen einer geeinten nationalen Unabhängigkeitsbewegung. Besonders der Kabaka von Buganda und seine im Parlament (Lukiko) vertretenen Gefolgsleute fürchteten in einem zukünftigen Einheitsstaat um Machtpositionen und Privilegien. Wegen seiner sezessionistischen Absichten wurde der konservativ-feudalistisch eingestellte Monarch sogar für zwei Jahre nach England deportiert. Obwohl die Briten das Protektorat als Nationalstaat in die Unabhängigkeit entlassen wollten, setzten sie sich kaum für eine grundlegende Überwindung des tribalen Regionalismus ein. Zudem stärkte das Prinzip des „indirect rule" die Rolle der traditionellen Elite und erschwerte einen Demokratisierungsprozeß.

Der 1952 in Buganda gegründete „Uganda National Congress" unterstrich zwar seinen nationalen Anspruch, blieb jedoch erfolglos, da die Ganda nur die politische Legitimität des Kabakas anerkannten, andere Bevölkerungsgruppen aber in ihm den Versuch sahen, Bugandas Einflußsphäre auf sie auszudehnen. 1960 erst hatten sich zwei überregionale Allianzen mit einer beträchtlichen Anhängerschaft etabliert: Dem von Milton Obote geleiteten „Uganda People's Congress" (UPC) folgten zumeist Protestanten aus den Norddistrikten; unter der Führung Benedicto Kiwanukas sammelten sich in der „Democratic Party" (DP) hauptsächlich Katholiken. Obgleich sie auf lokaler Ebene von traditionellen Elementen beherrscht wurden und konfessionell ausgerichtet waren, setzten sich beide als primäres Ziel die Erlangung der Unabhängigkeit.

Da in Buganda auf Geheiß des Kabakas die ersten allgemeinen Wahlen im Protektorat (März 1961) weitgehend boykottiert wurden, konnte die DP knapp gewinnen. Aus Opposition zu den kath. Siegern und in der Einsicht, daß nur eine „Partei" die Interessenvertretung im Gesamtstaat ermöglichte, formierte nun das prot. Establishment Bugandas eine royalistische Bewegung, die „Kabaka Yekka" (KY). Erleichtert wurde dies, da G.B. den föderativen Status des Königreiches sowie die Delegierung von Lukiko-Mitgliedern in die Nationalversammlung verfassungsmäßig festlegte.

Nach den Wahlen vom Mai 1962 koalierte die tendenziell unitaristische UPC mit der weiterhin separatistischen KY. Als erster Ministerpräsident im souveränen U. vertrat Obote modernistische Ideen, während der Kabaka Mutesa II., nach der Proklamierung der Republik im Okt. 1963 Staatspräsident, traditionalistisches Gedankengut repräsentierte.

2.2. Nach der Unabhängigkeit

2.2.1. Vom Mehrparteiensystem zur Einparteiherrschaft
Mit der – durch zahlreiche Übertritte zur UPC begünstigten – Isolierung der KY wollte Obote die Sonderstellung Bugandas unterlaufen. Auf die Bedrohung seiner Position durch die wachsende

Opposition der monarchistischen Ganda und föderalistischer Politiker innerhalb der schlecht organisierten UPC antwortete Obote 1966 mit einem Staatsstreich. Er suspendierte die Verfassung, stürzte und vertrieb den Kabaka, löste die Königreiche auf und übernahm die alleinige Regierungsgewalt. In diesem Zusammenhang ging die Armee mehrmals mit Waffengewalt gegen Buganda-Royalisten vor. 1967 verkündete er eine neue Präsidialverfassung, die seine Machtbefugnisse und den Einheitsstaat legalisierte. Die 1969 veröffentlichte „Common Man's Charter" mit ihrem angestrebten „Move to the Left" wollte Obote als ideologisches Instrument zur Aktivierung im Staats- und Nationsbildungsprozeß einsetzen. Auch sollte sie ihm wieder mehr Rückhalt im „Volk" verschaffen. Doch das Programm des „Afrik. Sozialismus", der die klassenlose Gesellschaft, eine gerechtere Einkommensverteilung, ökonomische Unabhängigkeit und einschneidende Nationalisierungsmaßnahmen propagierte, vernachlässigte die Probleme der Agrargesellschaft. Die Masse der Bevölkerung, die auf dem Land lebt, wurde nur marginal angesprochen.

Seit Erlangung der Unabhängigkeit wurden die Energien der UPC-Führung von der Regierungstätigkeit und innenpolitischen Konfliktlösungen absorbiert. Für den Aufbau einer effizienten, volksnahen Parteiorganisation blieb kein Raum. Obote nahm nun ein mißglücktes Attentat auf ihn zum Anlaß, um die Opposition auszuschalten und ein Einparteisystem zu institutionalisieren, das alle ethnischen und religiösen Gruppen integrieren sollte. Der Versuch, auf der Basis einer mobilisierenden Massenpartei mit einer nationalistischen linken Ideologie dauernde staatspolit. Strukturen zu errichten, hatte jedoch kaum Erfolgsaussichten. Zu sehr hatten der rücksichtslos eingeführte zentrale Staatsaufbau und der zuletzt nur noch auf loyale Stammesfreunde in Militär und Regierung gestützte autoritäre Führungsstil Obotes die Erosion seines Ansehens beschleunigt.

2.2.2. Das Militärregime

Der Militärputsch unter Führung des Generalmajors Idi Amin Dada am 25. 1. 1971 wurde von weiten Bevölkerungskreisen wie auch von G. B. begrüßt: Sie hofften auf eine Rückkehr zum traditionellen System, zur Mehrparteiendemokratie oder auf eine Restaurierung des Kapitalismus; besonders die Ganda hofften auf Rückgewinnung ihrer Sonderstellung. Doch bald schon verbreitete die Willkürherrschaft – eingeleitet durch die Auflösung des Parlaments und die Aufhebung der Verfassung – Angst und Schrecken. Ein konzeptionsloser Regierungsstil, die Liquidierung polit. Gegner sowie ein gesetzloser Zustand in den von Militärs verwalteten Provinzen charakterisieren seither die innenpolit. Situation. ,,Verteidigungsrat", ,,Nationales Forum" und ,,Oberster Staatsrat" können als schmückendes Beiwerk ohne eigenständige Funktionen die Ein-Mann-Diktatur Amins nicht relativieren. Auch dem Kabinett fällt meist nur die Aufgabe zu, die vom Präsidenten auf dem Dekretweg erlassenen Gesetze auszuführen. Eine rassistische Komponente erhielt Amins Politik Ende 1972 durch die Ausweisung der mehr als 50.000 Asiaten, die seit Jahrzehnten Handel, Handwerk und Kleinindustrie monopolisiert hatten. Die überstürzte Durchführung der Aktion, die breite Zustimmung im Land fand, führte jedoch bald zu einem akuten Mangel an Fachpersonal und löste eine wirtschaftl. Talfahrt aus. Nationalisierungsmaßnahmen, Mißwirtschaft und ein empfindlicher Rückgang westlicher Entwicklungsgelder haben U. inzwischen endgültig in den ökonomischen Ruin getrieben.

Trotz des Protestes einiger afrik. Regierungen wurde Amin 1975 für ein Jahr zum Vorsitzenden der OAU gewählt. Im Juni 1976 ließ er sich zum Präsidenten auf Lebenszeit ernennen, ein Jahr später als ,,Eroberer des brit. Weltreiches in Afrika" feiern.

3. Merkmale der politischen Struktur

3.1. Elite

Die schon von Obote ausgeschaltete traditionelle Elite erlangte trotz anfänglicher Hoffnungen keinen Einfluß mehr. Die ehemaligen polit. und intellektuellen Führer wurden inhaftiert oder liquidiert – falls sie sich nicht ins Exil retten konnten. Mit dem Exodus der Asiaten, die einst von G.B. als mittelständische Pufferzone

gegen das potentielle Aufbegehren nationalistischer Kräfte prote-
giert wurden, schwand auch die ökonomische Dynamik. Die hin-
terlassenen Betriebe und Geschäfte gingen, soweit nicht verstaatlicht, in die Hände von Amins Gefolgsleuten über. Zusammen mit
wenigen opportunistischen Reichen profitieren sie vom Wohlstand,
den das Wirtschaftschaos übriggelassen hat. Regelmäßige Säube-
rungswellen und Revirements nehmen auch dem Kabinett das Sta-
bilitätsmoment. Mißtrauen, Konformismus, Profilierungsversu-
che und oftmals ungenügende Qualifikation stehen einer effizienten
Arbeit im Weg.

Bestimmender Machtfaktor sind die Streitkräfte, die mit
ca. 21.000 Mann zu den größten Schwarzafrikas gehören. Obote-
treue Offiziere ersetzte Amin zunächst durch loyale Soldaten aus
seiner Heimat im Nordwesten (er gehört dem kleinen Kakwa-
Stamm an) und aus unbedeutenden ethnischen Gruppen. Nach
wiederholten Attentatsversuchen und dem Aufbegehren selbst eigener Stammesfreunde rekrutiert sich heute die Führung der militärischen Organisationen (die berüchtigtsten sind die ,,Militärpoli-
zei", der ,,Militärische Nachrichtendienst", die ,,Einheit für öffentliche Sicherheit" und die ,,Staatliche Fahndungsgruppe") und die
Schutztruppe des Präsidenten auch aus Söldnern, die hauptsächlich
im Südsudan und in Zaïre angeworben wurden. Ständige Reorganisation der Armee und Austausch ihrer Führung förderten die Diszi-
plinlosigkeit und Desorientierung in den unteren Rängen: Die un-
kontrollierte Eskalation des Terrors gegen die Zivilbevölkerung
war die Folge.

3.1.1. Die Rolle Amins

Amin hat sich also seine eigene, ökonomisch und machtpolit. völlig
an sein Wohlgefallen gebundene ,,Elite" geschaffen. Sie läßt ihm
nahezu unbegrenzten Freiraum für seine selbstherrlichen Entscheidungen. Obwohl er ihre Legitimation aus dem ,,Dienst an Afrika
und der Nation" ableitet, dienen die unberechenbaren Regierungs-
anweisungen des Diktators letztlich nur noch dazu, den Machter-
halt zu sichern und die extreme Sucht nach weltweiter Publizität zu
befriedigen. Nie hat Amin ernsthaft versucht, sich als nationale

Integrationsfigur darzustellen. Nicht einmal die aggressive Ugandisierung und der übertriebene Nationalismus vermochten die Bevölkerung angesichts der anarchischen Zustände und der einseitigen
Personalpolitik hinter ihrem Präsidenten zu vereinen.

Entscheidend geprägt wurden Amins ethisches Wertesystem und
sein Machtverständnis in der brit. Kolonialarmee. In dem dort
praktizierten kaltblütigen Ausschalten von Gegnern, der absoluten
Autoritätshörigkeit und der fehlenden polit. Schulung liegen die
Wurzeln seines Aufstiegs zur negativen Symbolfigur Afrikas.

3.2. Andere Gruppen

Eine aktive, polit. motivierte Opposition gibt es innerhalb des
Landes nicht. Die wenigen verbliebenen Intellektuellen erörtern hin
und wieder „konstruktive" Alternativen, ohne jedoch die Position
Amins öffentlich in Frage zu stellen. Ein letzter Protest der Studenten endete 1976 im Kugelhagel der Militärs. Auch die christl. Kirchen, die sich durch die offensive Förderung des Islams (Amin ist
Moslem) bedrängt fühlen, wagten bald nur noch vorsichtige, religiös begründete Kritik, die jedoch nach der Ermordung des angli-
kanischen Erzbischofs Luwum (1977) völlig verstummte.

Zahlreich aber sind die tribalen Gegner Amins. Da er die ethnische Konstellation nicht berücksichtigt und sich auch nie ernsthaft
um die nationale Integration bemüht hat, mußten die meisten Gruppen ein Schwinden ihres Einflusses hinnehmen. Vor allem innerhalb der Armee kam es deshalb wiederholt zu Revolten. Häufig
nahm Amin diese zum Anlaß für Massaker unter den Stammesangehörigen der unzufriedenen Militärs (v. a. Lango und Acholi).

Die politische Opposition konzentriert sich heute im Ausland.
Neben der öffentlichen Anklage durch einzelne Regierungen (u. a.
Tansania, Sambia, Westeuropa und Nordamerika), Massenmedien
und „Amnesty International" (die Organisation spricht von mindestens 50.000 Hinrichtungen und Morden seit 1971), prangern die
zahlreichen Exil-Ugander die Greueltaten des Amin-Regimes an.
Untereinander jedoch sind sie uneins: Ex-Präsident Obote und
seine Anhänger versuchten nach dem Putsch des öfteren, durch

militärische Aktionen Amin zu stürzen. Seit der gescheiterten Invasion 1972, auf die Uganda mit der Bombardierung eines tansanischen Ortes reagierte, erlaubt Nyerere offiziell keine militärische Operation mehr von Tansania (Exil Obotes) aus. Auch konnte die 1973 gegründete Guerilla-Organisation „Front for National Salvation" (FRONASA) keine wirksamen Angriffe gegen Ugandas Staatschef führen. Obotes Hoffnungen, alle Gegner des Diktators in einer gemeinsamen Front zu sammeln und ein Programm zur Wiederherstellung einer verfassungsmäßigen Regierung zu erarbeiten, blieben ebenfalls erfolglos.

Viele Emigranten nämlich sehen in Obote keine Alternative. Aber auch sie sind untereinander zerstritten. Die Probleme aus der Zeit vor 1966 sind längst nicht gelöst. Neben dem polit.-oppositionellen Vakuum in U. hat das Fehlen einer starken Exil-Organisation wesentlich zum langen Überleben des jetzigen Regimes beigetragen. Zudem birgt die Zersplitterung erneutes Konfliktpotential, sollten einmal wieder Zivilisten regieren. Da aber die meisten staatlichen Strukturen, soweit nicht schon zusammengebrochen, von den Streitkräften durchdrungen sind, würde der Sturz Amins in naher Zukunft wohl kaum die Militärherrschaft beenden.

3.3.Programmatik

Das polit. Handeln Amins kennt außer dem „economic war" keine programmatische Konstante.

Sechs Phasen charakterisieren den Wirtschaftskrieg zwischen 1972 und 1975: Asiaten-Vertreibung, Zuteilung ihres Besitzes an Ugander, Währungsreform, Reorganisation des Warenaustausches durch Bildung von Handelsgesellschaften, Landreform mit formaler Nationalisierung des gesamten Grund und Bodens, schließlich Plan eines zwölftägigen „Freiwilligen kommunalen Dienstes".

Nicht in ideologischer Überzeugung, sondern im latenten Unmut über die asiatischen Privilegien sowie in nationalistisch- rassistischen Gefühlen sind die Ursachen dieses ökonomischen Feldzuges zu suchen.

Immer wieder verweist Amin auf die Blockfreiheit seines Landes. Da er jedoch überzeugt ist, daß niemand eine „revolutionär gesonnene, beherzt zupackende Persönlichkeit" wie ihn ignorieren kann, kommentiert er häufig internationale Ereignisse und erteilt Ratschläge, die meist jenseits der politischen Rationalität liegen und seine Parteilichkeit herausstellen.

Auch die Praxis zeigt, daß der außenpolitischen Unabhängigkeit enge Grenzen gesetzt sind. Ungetrübte Beziehungen pflegt Amin nämlich nur zu Staaten, die ihn massiv unterstützen. Zunächst konzentrierte er sich auf Israel und G. B. Beide lehnten jedoch seine überzogenen finanziellen und militärischen Forderungen ab. Die Israelis, die von U. aus jahrelang den Konflikt im Südsudan geschürt hatten, wurden 1972 ausgewiesen; Amins anfängliche Begeisterung für die Briten wandelte sich bald in eine Haßliebe, die in Demütigungs- und Erpressungsversuchen gipfelte. London nahm 1976 das Verschwinden der jüdischen Geisel Dora Bloch nach dem Flugzeugentführungs-Drama von Entebbe zum Anlaß, die diplomatischen Beziehungen zu U. endgültig abzubrechen.

Heute steht Amin auf der Seite seiner neuen Geldgeber, der Sowjetunion und der Araber.

(*3.4. Aufbau der Parteien* entfällt)

3.5. Wahlen

Die einzigen freien Wahlen fanden unter brit. Aufsicht im März 1961 und im April 1962 statt. Im Nov. 1964 durften die Bewohner der seit einem Abkommen mit G. B. 1900 zu Buganda gehörenden 5 Bezirke sowie Teile von 2 weiteren Bezirken des Königreichs Bunyoro, den sogenannten „Lost Counties", über ihren zukünftigen Status entscheiden. Obote setzte dieses Referendum an, um die Machtbasis des Kabakas weiter zu schmälern; denn der Wunsch, die einst erzwungene Bindung an Buganda zu lösen, war in diesen Gebieten allgegenwärtig. Eine für 1972 versprochene Volksabstimmung wurde wegen des Staatsstreiches nicht realisiert.

3.6. Einflüsse

Obwohl Amin regelmäßig seine revolutionäre Gesinnung unterstreicht, vor imperialistischen Gefahren warnt, die Befreiungsbewegungen im Süden Afrikas lautstark unterstützt und gar der OAU präsidierte, ist er allmählich auf dem Kontinent in die Isolierung gelaufen. Viele Staatschefs meiden ihn oder sehen ihn als Feind, u. a. Nyerere (Tansania) und Kaunda (Sambia). Sie befürchten, daß das negative Image des Feldmarschalls dem Renommee der integren afrik. Führer international nur schaden kann. Kenyatta mißtraut dem Nachbarn, seit er 1976 Gebietsansprüche im Westen Kenias anmeldete.

Moralische Bedenken, zu wenig ökonomische Profitgarantien und die ständigen diplomatischen Attacken Amins haben zur Reduzierung der westlichen Entwicklungs- und Militärhilfe geführt, also die potentielle Einflußmöglichkeit eingeschränkt. Rüstungslieferanten und militärische Berater sind heute, nachdem 1972 die Israelis erzwungenermaßen, die Briten dann freiwillig diese Rolle aufgegeben haben, in erster Linie die Sowjets, die U. als strategischen Brückenkopf im Herzen Afrikas betrachten. Für finanzielle Mittel sorgen die wohlhabenden arab. Staaten (insbes. Libyen), die an Amins exzessivem Zionisten-Haß, den er seit seinem Treffen mit Khaddafi (1972) zur Schau stellt, Gefallen finden und seine Islamisierungskampagne in U. befürworten.

Maßgebenden polit. und ideologischen Einfluß konnte sich jedoch kein Land sichern. Zu groß ist die Angst Amins vor ausländischer Einmischung, Subversion und Invasionsabsichten. In jeder Mahnung und Kritik sieht er eine Gefährdung der Souveränität U.s, womit er die bedrohte eigene Position zu umschreiben pflegt. Selbst Berichte über die vielen Massaker hält er für Verleumdungskampagnen seiner Feinde.

4. Politische Begriffe

Economic war: Unter der Parole ,,Wirtschaftskrieg" wurde die Ugandisierung der Ökonomie vorangetrieben. Wirtschaftliches Chaos war die Folge.

Kondos: Polit. Morde werden häufig legalisiert, indem man Gegner als ,,Straßenräuber" denunziert. Auf sie dürfen Militär und Polizei ohne Vorwarnung schießen.

Offizieller Titel Amins: His Excellency Al-Hajji Field Marshal Dr. Idi Amin Dada, VC, DSO, MC – Life President of the Republic of Uganda and Commander-in-Chief of the Armed Forces.

Manfred Hart

Literatur

Apter, D. E., The Political Kingdom in Uganda, Princeton, N.Y. 1967.

Decalo, S., Coups and army rule in Africa. Studies in military style, New Haven u. London 1976.

Gukiina, P. M., Uganda. A Case Study in African Political Development, Notre Dame/Indiana u. London 1972.

Halbach, A. J., Die Ausweisung der Asiaten aus Uganda. Sieben Monate Amin'scher Politik in Dokumenten, München 1973.

Jouve, E., ,,Le Coup d'Etat d'Idi Amin Dada en Ouganda et ses suites", in: Revue française d'études politiques africaines, Nr. 135, Paris 1977, S. 21–51.

Luig, U., ,,Ugandas Weg über die koloniale in die neokoloniale Abhängigkeit", aus: Grohs, G.; Tibi, B. (Hrsg.), Zur Soziologie der Dekolonisation in Afrika, Frankfurt/M. 1973, S. 191–215.

Mamdani, M., Politics and Class Formation in Uganda. London 1976.

Martin, D., General Amin, London 1974.

Mazrui, A. A., Soldiers and Kinsmen in Uganda. The Making of a Military Ethnocracy, Beverly Hills/Cal. u. London 1975.

Mittelman, J. M., Ideology and Politics in Uganda – From Obote to Amin, London 1975.

Sathyamurthy, T. V., ,,Das Einmaleins des ethnischen Gleichgewichts der Kräfte: Der Fall Uganda", in: Internationales Afrikaforum, 8. Jg., Nr. 5, München 1972, S. 317–324.

ders., ,,The social base of the Uganda People's Congress, 1958–70", in: African Affairs, 74. Jg., Nr. 297, London 1975, S. 442–460.

Southall, A., ,,General Amin and the Coup: Great Man or Historical Inevitability?", in: The Journal of Modern African Studies, 13. Jg., Nr. 1, London 1975, S. 85–105.

,,Uganda: Folgen einer Politik der Gewalt", in: Internationales Afrikaforum, 9. Jg., Nr. 2/3, München 1973, S. 110–120.

Willets, P., ,,The Politics of Uganda as a One-Party State 1969–1970", in: African Affairs, 74. Jg., Nr. 296, London 1975, S. 278–299.

Zaïre

Grunddaten

Fläche: 2,345 Mio. km².

Einwohner: 25.630.000 (1976).

Ethnische Gliederung: 200–250 verschiedene Volksstämme, davon
Luba 18%; Mongo 17%; Wongo 12%; Banjaruanda 10%.

Religionen: Traditionelle Religionen 50%; Kimbangisten (christl.-
afrik. Sekte) 3%; Christen 46% (röm.-kath. über 35%); Moslems
1%.

Einschulungsquote: 60%.

BSP: 3.530 Mio. US-$ (1974).

Pro-Kopf-Einkommen: 150 US-$ (1974).

1. Historischer Überblick

Zwischen 2.500 und 500 v. Chr. wanderten Bantu-Völker aus dem
Norden nach Zentralafrika ein. Die westliche Gruppe zog in die
heutige VR Kongo, nach Niederzaïre und Nordangola, die östliche
über Kivu nach Kasai und Shaba (ex-Katanga). Aus diesen Wande-
rungen haben sich die Bevölkerungskonzentrationen im Westen am
Unterlauf des Zaïre, im Süden in Kasai und Shaba, und im Nordosten in Uele und Kiwu entwickelt. Ebendort entstanden auch die
alten Königreiche: im W: Kongo (15. Jh.) und Kuba (17. Jh.); im
SO: Luba (16 Jh.), Lunda (17 Jh.) und Msiri (19. Jh.); im NO:
Mangbetu (19. Jh.) und das Reich der kriegerischen Aristokratie der
Zande.

Über diese Reiche liegen vielfältige Informationen vor. Seit dem
15. Jh. bestanden Kontakte mit Europa, zunächst mit den Portugiesen; seit dem 17. Jh. berichteten Missionare zunehmend kritisch
über den Sklavenhandel, der das heutige Z. seit dem 16. Jh. überzog
und den Verfall der einheimischen Gesellschaftsstrukturen bewirkt
hat (16.–19. Jh.: 4–5 Mio. Afrikaner als Sklaven verkauft, ein Mehr-
faches in Kämpfen getötet).

Ab 1875 setzte die Erforschung Z.s ein. Eine Vielfalt von Expeditionen mit unterschiedlichen Zielen durchzogen eine verstreut siedelnde und von der Sklavenzeit her demoralisierte Bevölkerung. Gleichzeitig bildeten sich die europ.-kolonialen Strukturen heraus. Anders als in den übrigen afrik. Kolonien, in denen ein europ. Staat die Macht ausübte, lag im Kongo die Herrschaft zunächst bei einem Königshaus, dessen Bedeutung tendenziell abnahm. König Leopold II. von Belgien, dem 1885 auf dem Berliner Kongreß die Souveränität über das Gebiet zugesprochen wurde, wollte sich ein eigenes Reich schaffen, in einer Zeit, in der sich die europ. Mächte gegenseitig neutralisierten. Der ,,Königsstaat" finanzierte durch den Verkauf von Konzessionen und Privilegien die hohen Erschließungskosten und übertrug Hoheitsfunktionen an Privatgesellschaften, an denen er selbst beteiligt war. Die christl. Missionen bauten ein funktionsfähiges Gesundheitswesen und Schulsystem auf und beeinflußten damit das Bewußtsein der jungen afrik. Eliten. Das Kolonialsystem änderte sich auch nicht, als der belg. Staat 1908 die Kolonie übernahm; die ,,koloniale Dreieinigkeit" staatl. Verwaltung, private Kolonialgesellschaften und christl. Missionen blieb. Bis 1908 bildete das Gebiet den Freistaat Kongo, wirtschaftlich ein Freihandelsgebiet, das allen europ. Wirtschaftsunternehmen offen stand. Zwar beseitigte die Abschaffung des Sklavenhandels einen Mißstand, doch wurde die Bevölkerung patriarchalisch erzogen und die christl. Erziehung reichte für untergeordnete Produktions- und Dienstleistungsaufgaben.

2. Entwicklung der politischen Parteien

2.1. Vor der Unabhängigkeit

Die Opposition der afrik. Bevölkerung gegen die koloniale Unterdrückung (Zwangsarbeit, strenge Kontrolle des Ortswechsels usw.) organisierte sich zunächst in religiösen Vereinigungen der Kimbangisten, Kitawalas, Moslems und äußerte sich in bewaffneten Aufständen in den Plantagen und Bergbaugebieten. Dort wurde der repressive Charakter des Systems besonders deutlich, da es die

Afrikaner von jeglichem Aufstieg zu höherer Verantwortung ausschloß und damit eine sowohl polit. wie auch sozio-ökomische Rassenschranke schuf. Dieses System, insbesondere die Kontrolle der Bevölkerung, die eine Kommunikation der dünnen afrik. Eliteschicht verhinderte, erschwerte die Bildung politischer Organisationen. Daher entstanden die ersten Zellen in den Vereinigungen der ehemaligen Schüler von Missionsschulen, in denen niedrige Verwaltungsangestellte, Facharbeiter und Handwerker, Polizei-Unteroffiziere, Lehrer und Priester ausgebildet wurden. Unter diesen Vereinigungen, denen fast alle späteren Politiker der ersten Stunde angehört haben, sind zu nennen: UNELMA (Union des anciens élèves des frères des écoles maristes), ADAPES (Association des anciens élèves des pères de scheut), ASSANEF (Association des anciens élèves des frères des écoles chrétiennes), unter denen die 1946 gegründete UNISCO (Union nationale des intérêts sociaux congolais) versuchte, eine gewisse Koordinierungs- und polit. Stimulationsfunktion zu übernehmen. Daneben bildeten sich berufsständische Gruppen wie die APIC (Association du personnel indigène de la colonie), der Lumumba angehörte, und die ACMAF (Association des classes moyennes africaines), letztere mit Unterstützung des Kolonialregimes. Schließlich formierte sich 1950 die ABAKO (Association des Bakongo), eine ethnische Gruppierung, die sich an der Einheit des Mukongovolkes orientierte und auf das alte Reich Kongo Dia Ntotila Bezug nahm. Zu einer Partei entwickelte sich die ABAKO erst, als weitere Parteien Mitte der 50er Jahre entstanden, die erst an Bedeutung gewannen, als sich die Unabhängigkeit bereits abzeichnete.

In diesem Zusammenhang stellt sich die Frage nach den Faktoren, die während der 50er Jahre in relativ kurzer Zeit die Entwicklung auf die Unabhängigkeit zutrieben und zur Bildung polit. Parteien führten.

Neben den weltpolit. Rahmenbedingungen für die Entkolonialisierung, die auch für die anderen Kolonien zutrafen, galten für Z. ganz spezifische Faktoren: Dort hatte sich im Verhältnis zu anderen afrikanischen Ländern aus verschiedenen Gründen eine nicht unbedeutende Industrie entwickelt, die zu einer relativ hohen Bevölkerungsballung und Verstädterung geführt hatte. 1959 lebten in städt. Gebieten etwa 20% der Bevölkerung, die sich mehr und mehr den ländlichen Lebensbedingungen und Sitten entfremdete, eine europ. ausgerichtete Grundausbildung erwarb, den kolonialen Unterdrückungsmechanismen direkter konfrontiert war und bessere Organisationsbedingungen besaß.

Die traditionelle Einheit zwischen Staat und Kirche schwächte sich ab, die kolonialpolit. Diskussion verschärfte sich im Mutterland Belgien, dessen Regierung versuchte, durch Assimilierung der afrik. Elite eine belg.-afrik. Volksgemeinschaft zu schaffen. Dies führte zu einer Reihe von Reformen, zum Zugang der Afrikaner zu einer höheren Ausbildung und zur Selbstverwaltung in den Städten, was dadurch gefördert wurde, daß 1954 in B. eine sozial-liberale Koalition an die Macht kam.

Die ersten Kommunalwahlen in sieben Städten des Landes 1958, an denen sich besonders die ABAKO unter Führung J. Kasawubus beteiligte, förderte die polit. Organisation und Bildung von Parteien und erleichterte den Afrikanern den Zugang zu Verwaltungspositionen, von denen sie bisher ausgeschlossen waren.

Den enttäuschten Hoffnungen nach dem Besuch des jungen belg. Königs (1955), der sich vage über die Zukunft und nur im Sinne einer belg.-kongoles. Gesellschaft äußerte, stellte van Bilsen, Professor am INUTOM (Institut Universitaire des Territoires d'Outre Mer) in Antwerpen, das Verwaltungsbeamte ausbildete, im gleichen Jahr seinen 30-Jahresplan zur Emanzipation der Kolonie entgegen, an dem sich eine innerkongoles. polit. Diskussion entzündete. Der kulturelle Kreis um die Zeitschrift „Conscience Africaine", der 1951 von J. Malula (später Erzbischof von Kinshasa) gegründet wurde, nahm die Ideen van Bilsens in einem Manifest auf, das auch in B. von kathol. Kreisen und der „Parti Socialiste" begrüßt wurde und in der Kolonie die Politisierung zumindest der städtischen Bevölkerung vorantrieb und das revolutionäre Potential verstärkte. Der Plan zur polit. Emanzipation wurde von der ABAKO in einem weitergehenden Manifest „Contre-manifeste" fortentwickelt, das die polit. und individuellen Grundrechte der afrik. Bevölkerung unverzüglich forderte. Die folgenden Jahre waren gekennzeichnet einerseits von Unruhen und Parteigründungen und andererseits von dem Versuch Belgiens, durch Reformen, Kommunalwahlen usw. die Entwicklungen in eine gemäßigte Richtung zu steuern.

Die Kolonialbehörden hatten auch nach Ende des 2. Weltkrieges auf ihrer paternalistischen Politik beharrt, die zwar eine gewisse soziale Förderung der Afrikaner zuließ, aber eine intellektuelle und polit. Emanzipation strikt verhinderte. Sie reagierten nunmehr überstürzt und ohne Konzept unter dem Druck der polit. Ereignisse in der Welt, insbesondere im übrigen Afrika. Bis zur Erklärung des Königs vom 13. 1. 1959, d. h. ein Jahr vor der Unabhängigkeit, weigerte sich die Kolonialmacht, das Wort Unabhängigkeit in ihr Vokabular aufzunehmen.

Dieses politische Klima förderte die Bildung von Parteien, deren Führer durch Verhandlungen mit B. und mit der Teilnahme am 1. Panafrik. Kongreß 1958 in Accra mehr und mehr Ansehen bei den Massen erzielen konnten. Die Profilierung wurde ferner unterstützt durch das Angebot de Gaulles im Aug. 1958, der frz. Nachbarkolonie Kongo-Brazzaville die Unabhängigkeit zu gewähren.

Unter den Parteien – bei den Parlamentswahlen 1960 waren es über 100, meist ethnischer Herkunft – standen im Vordergrund die schon erwähnte ABAKO, die PSA, der MNC, die CONAKAT und BALUBAKAT, das CERA und die PNP.

Die ABAKO, 1950 gegründet und seit 1954 unter der Leitung des späteren Staatspräsidenten Kasawubu, war eine ethnische Gruppierung. Zusammmen mit Nzeza und Kanza kämpfte Kasawubu zunächst für bessere Bildungsmöglichkeiten, Pressefreiheit und später für allgemeine Wahlen und die Unabhängigkeit des Landes in föderalistischer Form; eine Forderung, die bis zu Sezessionsdrohungen ging. Diese ethnische Orientierung zeigte sich u. a. in den Stammesrivalitäten mit Bangalazuwanderern in Kinshasa.

Die PSA (Parti Solidaire Africain) war ebenfalls eine regionale und eher ethnisch ausgerichtete Gruppierung und bemühte sich in der Kwiluregion mit einer gut organisierten Elite unter Führung von C. Kamitatu und A. Gizenga um die polit. Erziehung der

Massen. Sie wollte durch organisatorische Effizienz beweisen, daß sie in der Lage war, sich selbst zu verwalten.

Die CONAKAT (Conféderation des Associations du Katanga) unter M. Tschombé und G. Munongo, unterstützt von belg. Finanzinteressen, war ähnlich wie die ABAKO föderalistisch ausgerichtet, ging jedoch in ihren Sezessionsinteressen viel weiter, wie sich nach der Unabhängigkeit zeigen sollte.

Die BALUBAKAT (Association des Baluba du Katanga) unter J. Sendwe stellte ein ethnisches Gegengewicht der Lubavölker in Katanga gegenüber der CONAKAT dar.

Das CERA (Centre du Regroupement Africain), 1959 gegründet von A. Kashamura, war eine sozialistisch orientierte Partei in der Ostregion Kiwu.

Die einzige national ausgerichtete Partei war der MNC (Mouvement National Congolais), der 1958 von ehemaligen Mitarbeitern am ,,Conscience Africaine Manifest" gegründet wurde. Dem Exekutivkomitee gehörten eine Reihe später bedeutender Politiker (J. Ileo, J. Ngalula, G. Diomi, A. Pinzi und C. Adoula) an, die sich nur zögernd auf P. Lumumba als Parteivorsitzenden einigen konnten. Nach ethnischen Spannungen und Kämpfen spaltete sich 1959 die Lubagruppe aus Kasai, der MNC-Kalondji, ab. Lumumba besaß eine starke Massenwirkung, so daß sich der MNC durch seine charismatische Führung auszeichnete.

Die PNP (Parti National du Progrès) wurde 1959 von P. Boyla und A. Delvaux als Sammelbecken für 27 regionale Parteien gegründet und aktiv von der Kolonialmacht unterstützt, die mit dieser Gruppierung Lumumba von der Macht fernzuhalten hoffte.

Die Parteien mit Ausnahme des MNC Lumumbas waren in erster Linie hierarchisch organisierte Verbände zur Durchsetzung von Interessen des jeweiligen Volkes. Die allgemeinen Ziele der Freiheit und Selbstbestimmung und der Kampf gegen die Kolonialmacht verbanden sie. Jedoch bot keine ein konkretes wirtschaftspolit. Programm und Strukturreformen an. Am 30. Juni 1960 erhielt die Republik Kongo die volle Unabhängigkeit – mit einer Verfassung (,,loi fondamentale"), deren Entwurf das Ergebnis belgisch-kongolesischer Gespräche war und die vom belgischen Parlament verabschiedet wurde. Im Aug. 1964 gab sich die Republik eine neue Verfassung, die sich stark von der alten, von Belgien inspirierten, unterschied.

2.2. Nach der Unabhängigkeit

2.2.1. Erste Republik (1960–65) – Republik Kongo

Bei den Parlamentswahlen im Mai 1960 stellten sich über 100 Parteien, aus denen der MNC zwar als stärkste mit 33 von 137 Sitzen in der Nationalversammlung hervorging, ohne jedoch eine Mehrheit zu erzielen. Großes Gewicht behielten die ethnischen Parteien der westlichen und südlichen Randzonen des Landes. Die nach großen Schwierigkeiten gebildete Regierung Lumumba rief Sezessionsbestrebungen der CONAKAT/MNC-Kalondji/ABAKO-Gruppe hervor, aus der letztere erst ausscherte, als Kasawubu zum Staatspräsidenten gewählt wurde. Tschombé, der in der Lumumba-Regierung nicht vertreten war, bildete mit seiner CONAKAT eine Einparteiregierung in Katanga (heute Shaba) und schürte die Sezession. In dieser labilen polit. Situation, die sich zunehmend verschärfte, da der gemeinsame Gegner, die Kolonialmacht, weggefallen und die allgemeinen Ziele erreicht waren, traten die partikularen Interessen mehr und mehr hervor, wurde die Lage immer explosiver und verbreitete sich hoffnungslose Konzeptionslosigkeit. Einige ausgewählte Ereignisse kennzeichnen die polit. Entwicklung und das Verhalten der Parteien im Zeitraum von 1960–1965:

Fünf Tage nach der Unabhängigkeit meuterte die kongolesische Ordnungsmacht Force Publique.

Am 11. Tage begann mit der Sezession Katangas ein fast dreijähriger Krieg, der zum Einsatz von UN-Streitkräften führte und der Zentralregierung etwa 60% der Staatseinnahmen entzog (der Staatshaushalt bezog seine wichtigsten Einnahmen aus den Exportsteuern auf die in Katanga abgebauten Erze). Im Verlauf dieses Krieges wurde der populäre Präsident Lumumba ermordet, UN-Generalsekretär Hammarskjoeld stürzte im Flugzeug ab.

Mehr ethnisch ausgerichtete Aufstandsbewegungen gegen die Zentralregierung im Südkasai (A. Kalondji 1960) im Kwilu/Bandundu (P. Mulele 1963) und im Ostkongo (G. Soumaliot, Ch. Gbenye, 1964) schwächten den Staat.

Nach dem Tod Lumumbas wechselten die Ministerpräsidenten Ileo, Adoula, Tschombé und Kasawubu, die bisweilen nur noch ein Drittel des Landes und nur mit Hilfe der UN-Streitmacht die Städte beherrschen konnten. Dabei setzten sich mit den beiden letzteren die Vertreter des Föderalismus bzw. des Sezessionsgedankens durch, bis schließlich mit Mobutu eine neue Ära begann, nachdem das Land praktisch dreigeteilt war in: Volksrepublik Kongo im Nordosten unter den Anhängern Lumumbas, Katanga unter Tschombé als Vasallen der Minengesellschaften, und die Zentralregierung, die von der UNO gestützt wurde.

2.2.2. Demokratische Republik Kongo (1965–70) – Republik Zaïre (seit 1971)

Mobutu übernahm mit Hilfe der ihm ergebenen Armee 1965 die Staatsgewalt und erkämpfte die territoriale Einheit des Landes zurück. Er löste die verschiedenen, zum Großteil ethnisch oder separatistisch orientierten Parteien auf und gründete 1967 die Einheitspartei MPR (Mouvement Populaire de la Révolution), der jeder zaïrische Bürger durch Geburt angehört. An die Stelle des föderativen Staates mit 21 Provinzparlamenten trat ein Zentralstaat mit 9 Regionen (unterteilt in Subregionen und Landkreise) als Verwaltungseinheiten, deren Gouverneure Mobutu selbst ernennt.

Erst 1967, sieben Jahre nach der Unabhängigkeit, konnte mit der wirtschaftlichen Neuordnung des Landes begonnen werden, an deren Anfang die Verstaatlichung der Minengesellschaften und eine Reform des Währungs- und Steuersystems standen. Mit Wirkung vom 27. Oktober 1971 wurde als sichtbarer Ausdruck der Authentizitätskampagne (vgl. 3.3 und 4.) die ,,Demokratische Republik Kongo" in ,,Republik Zaïre" umbenannt, nachdem bereits seit 1966 europäische Städtenamen verboten waren.

In jüngster Zeit scheint Bewegung in das parteipolitische System zu kommen. So forderte Mobutu im Juli 1977 A. Gizenga und C. Kamitatu namentlich auf, sich als Gegenkanditaten an den Präsidentschaftswahlen zu beteiligen. Ferner bildete sich unter T. Mutena 'O-Mpyp eine neue Partei des nationalen Bewußtseins (PACO-NO), die – traditionell und christlich orientiert – sich für die Wiedereinführung des Zweikammersystems einsetzt. Inwieweit hierbei taktische Schachzüge des Präsidenten im Spiel sind, der sich nach der Shabainvasion im Frühjahr 1977 und der damit verbundenen kritischen Situation in der Armee und in der Innenpolitik allgemein um Konsolidierung seiner Macht bemühen muß, oder erste Anzeichen einer Machtverschiebung zu sehen sind, ist schwer abzuschätzen.

3. Merkmale der politischen Struktur

3.1. Eliten

Eines der größten Probleme Z.s bestand im Mangel einer gesellschaftlichen und polit. Elite, die das Land zu einer stabilen Entwicklung hätte führen können. Dieses in allen ehemaligen Kolonien auftretende Problem hatte in Z. eine spezifische Komponente, die die Wirren nach der Unabhängigkeit entscheidend beeinflußt hat: Aufgrund der geographischen Verhältnisse des Riesenlandes hatten sich Besiedlung, Entstehung der Königreiche und koloniale Entwicklung auf die Randzonen im NO, S und W beschränkt, wodurch sich Eliten auch nur dort herausbilden und andererseits wegen der unzureichenden Verbindungen kein nationales Bewußtsein entwickeln konnten. Insbesondere die Interessen der Sezessionisten und Föderalisten wie Kasawubu und Tschombé finden darin ihre Erklärung. Demgegenüber fehlte den Nationalisten, die sich zunächst um den charismatischen Lumumba gruppierten, ein breites Massenbewußtsein, so daß sie sich einerseits auf die ethnische Bastion im NO zurückziehen und andererseits ihre Basis in Kinshasa finden mußten.

In dieser polit. Struktur bildete sich ein patrimonial-staatliches System heraus, bei dem
– der Besitz eines öffentl. Amtes als Statussymbol, Privileg und Haupteinnahmequelle galt und genutzt wurde,
– traditionell verwurzelte und persönliche Loyalitäten und Abhängigkeiten zu polit. und territorialer Zersplitterung führten,

– die Führer sich Privatarmeen und Söldner hielten, um ihre Macht-
ansprüche durchzusetzen.

Dieses System spiegelt Verhalten und Bewußtsein der Elite Z.s
wider, als logische Fortführung des Kolonialsystems, bei dem an
Stelle des Rassismus die ethnische Loyalität trat.

Nach den „Kongo-Wirren", bei denen die Westmächte zunächst
die Föderalisten und die SU die (des Kommunismus verdächtigten)
Nationalisten unterstützt hatten, vollzog sich eine Ablösung der
Elite: Seit Mobutu an der Macht ist, werden Schlüsselpositionen
zunehmend von Universitätsabsolventen und Technokraten eingenommen, die eher passive Parteimitglieder sind. Im Präsidialbüro
hat Mobutu sich einen brain trust geschaffen. Die Militarisierung
der polit. Schaltstellen hielt sich in Grenzen, obwohl mit Mobutu
die Armee an die Macht gekommen war. Dies liegt daran, daß er
gute Beziehungen zu den polit. Gruppen, u. a. als Journalist und als
einflußreiches Mitglied der Binza-Gruppe (polit. Zirkel in Kinshasa), aufrechterhalten hatte. Mehrfache Kabinettsumbildungen
(1965–70: achtmal) lassen darauf schließen, daß er kein allzu großes
Vertrauen in Loyalität und polit. Solidität der Führungsschicht
setzt. Diese Revirements verhindern aber auch die Wiederentste-
hung ethnisch ausgerichteter Machtsubzentren und erhöhen die
Autorität des Staatschefs. Ein häufiger Wechsel führt zur Schwächung der Elite, macht diese durchlässig und verhindert jegliche
polit. Alternative aus den Reihen des Verwaltungsapparats. Besonders das Jahr 1977 war wieder gekennzeichnet durch starke „Säuberungen" in Armee und Verwaltung. Prominentestes Opfer war der
starke zweite Mann im Staat, Nguza Karl I. Bond, eine Neffe
Tschombés, der als Sündenbock u. a. für die Shabakrise geopfert
und zum Tode, später – nach amerikanischer Intervention – zu
lebenslanger Haft verurteilt wurde.

Es scheint, daß es Mobutu in 12 Jahren seiner Herrschaft gelungen
ist, die in Einzelvölkern verwurzelte Elite mit partikularen Interessen durch eine ihm ergebene und/oder dem nationalen Gedanken
verpflichtete, immer besser ausgebildete Führungsschicht zu ersetzen. Sie ist vermutlich national orientiert, da dies am besten ihren
Interessen entspricht.

3.2. Andere Gruppen

Außerhalb des Staatsapparates gibt es keine Gruppierungen, da der dynamische Unternehmertyp in der zaïrischen Bourgeoisie fehlt und die Gewerkschaften im Parteiapparat weitgehend integriert sind. Die Studenten, eine latente Opposition, wurden in den letzten Jahren durch Zwangsverpflichtung in die Armee domestiziert. Die kirchlichen Gruppen, insbesondere die katholische Kirche, haben sich mit dem Regime arrangiert, nachdem die Authentizitätskampagnen, die teilweise Formen eines Kirchenkampfes annahmen, abgemildert wurden. (Dennoch empfinden die in den christl. Kirchen verwurzelten Mitglieder die Lehren des Mobutismus und der Authentizität als abzulehnende Heilslehre und Religionsersatz.)

Auch wenn Armee und Partei (MPR) als Machtpfeiler des Staates den Präsidenten bisher gestützt haben, ist nicht anzunehmen, daß ethnische Probleme vollständig gelöst worden sind, mögen sie auch von der Oberfläche verschwunden sein. Die Weite des Landes erschwert das Regieren aus einer an der Peripherie liegenden Hauptstadt. Es zeigen sich Spannungen, die auf schwelende Konflikte schließen lassen. Eine junge Generation, teilweise mit Universitätsausbildung, wächst in Armee, Partei und Verwaltung heran; sie dürfte den autoritären Regierungsstil des messianischen Präsidenten kritischer sehen als die gegenwärtige Elite, die um ihre Privilegien bangen muß. Es ist auch damit zu rechnen, daß Verstädterung und Zunahme der Schulabgänger, die nur teilweise Arbeit finden, sowie die Integration der ländlichen Bevölkerung in moderne Produktions- und Verwaltungsprozesse das Bewußtsein der Massen verändern. Klassenstrukturen werden immer deutlicher sichtbar, die Unterschiede zwischen arm und reich haben sich verschärft, und die Frage stellt sich, welche polit. Wege sich die sozialen Konflikte suchen werden.

3.3. Parteiprogramm

Am 20. Mai 1967, einen Monat nach der MPR-Gründung, verkündete Mobutu das ,,Manifest von N'Sele", den Katechismus der zaïrischen Revolution. Dieses Programm wurde seither in der Praxis abgelöst bzw. weiterentwickelt durch die ,,Authenticité" und den ,,Mobutisme". Das Regime hat aus den Erfahrungen der Kolonialzeit und der Jahre nach der Unabhängigkeit, als das Land zum Spielfeld partikularer und ethnisch traditioneller Eliten und deren Privatarmeen einerseits und zum Kampfplatz der Großmächte andererseits wurde, die Konsequenz gezogen und eine neue polit. Philosophie entwickelt. Diese ist in dem Begriff ,,Authentizität" zusammengefaßt: ,,Authenticité" ist das Bewußtsein und der Wille des zaïrischen Volkes, zu seiner eigenen Ursprünglichkeit zurückzufinden, die Werte der Vorfahren wieder zu entdecken, um diejenigen zu beleben, die seine harmonische und natürliche Entwicklung fördern. Sie bedeutet die Weigerung, fremde Ideologien blind zu übernehmen, und die Haltung des zaïrischen Menschen, seinen gegenwärtigen Standort und sich selbst mit seinen geistigen und sozialen Strukturen anzunehmen.

Diese allgemeine philosophische Maxime, deren historische Basis nicht so einheitlich war, wie sie hingestellt wird und noch kaum erforscht und bekannt ist, wird mehr gefühlt als gewußt. Authenticité, an der sich fast jede zaïrische Rede festklammert, hat sich bisher nicht in einem langfristigen Programm systematisiert. Gewisse konkrete polit. Entwicklungen haben mit der Afrikanisierung zu Beginn der 70er Jahre eingesetzt. Mit der Zaïrisierung der Wirtschaft ab 1973 sollte die Leitung wichtiger Wirtschaftsunternehmen auf von der Einheitspartei ausgewählte Kader aus Partei und Verwaltung übertragen werden. In der Praxis bedeutete das die Übernahme portug., griech. und libanes. Handelsunternehmen, Geschäfte, Kleinbetriebe und landwirtschaftlicher Plantagen durch Zaïrer sowie deren stärkere Beteiligung an Industrieunternehmen. Ein Jahr später, 1974, wurde die Kampagne unter ,,Revolution im Rahmen der Revolution" mit der Verordnung zur Nationalisierung der Produktionsmittel und zur Begrenzung der Spitzeneinkommen auf 2.000 $ sowie mit verschiedenen Reformen z. B. im Bildungswesen beschleunigt. Diese Maßnahmen mußten aus wirtschaftlichen Gründen in der Folgezeit zum Teil wieder zurückgenommen werden.

Seit 1974 drückt sich die Ideologie der Authentizität in der Doktrin des ,,Mobutismus" aus. Der Mobutismus ist, nach Mobutu, die zaïrische Form zur Lösung polit., wirtschaftl. und sozio-kultureller Probleme.

3.4. Aufbau der Partei

Die Einteilung der Parteibezirke entspricht den Verwaltungseinheiten Z.s (Provinzen = Regionen, Subregionen, Sektionen, Zellen, Unterzellen). MPR-Zentralorgane sind Präsident, Kongreß, Politbüro, Exekutivkomitee.

Die MPR-Mitgliedschaft wird durch Geburt erworben; das heißt, daß jeder Zaïrer Parteimitglied ist.

3.5. Wahlen

Aufgrund der Verfassung von 1967 ist Z. ein demokratischer und sozialer Einheitsstaat. Die MPR ist die höchste Institution. Der Präsident wird in direkter Wahl gewählt. Das Parlament (Conseil Législatif National – CLN) setzt sich aus den direkt gewählten ,,Commissaires du Peuple" zusammen (Einkammersystem anstelle des bisherigen Zweikammersystems). Diese formal demokratische und rechtsstaatliche Struktur wird jedoch in der Praxis durch die starke Machtfülle des Präsidenten überlagert, der Chef des höchsten Gremiums der MPR und Oberbefehlshaber ist, der allein sowohl die Minister, Provinzgouverneure und führenden Vertreter der staatlichen Verwaltung, aber auch die höchsten Richter ernennt und entläßt. Damit ist das Parlament weitgehend seiner Kontrollfunktionen enthoben und die Trennung der Gewalten und damit die Rechtsstaatlichkeit im Sinne westlicher Demokratien ist eine Kulisse, vor der der Präsident nach eigenen Vorstellungen das ,,demokratische und soziale Staatsprinzip" interpretiert und verwirklichen kann.

1977 wurde ein neues Wahlgesetz erlassen, das das seit 1975 bestehende Akklamationsverfahren abschafft. Die 1100 Stadträte, die 260 Volkskommissare, die die Nationalversammlung bilden sowie die 18 nicht vom Präsidenten direkt ernannten Mitglieder des 30 Personen umfassenden Politbüros der MPR wurden erstmals im Okt. 1977 in allgemeinen, freien und geheimen Wahlen bestimmt. Allerdings waren die Kandidatenlisten ausschließlich von den Führungsorganen der MPR aufgestellt worden; außerdem verfügen die gewählten Gremien nur über sehr begrenzte Kompetenzen und Einflußmöglichkeiten.

Am 2. Dez. 1977 wurde Präsident Mobutu für weitere 7 Jahre mit 98% der Stimmen in seinem Amt bestätigt.

3.6. Einflüsse

In bezug auf die außenpolit. Beziehungen wird Authentizität verstanden als eine ideologische Neutralität und eine Öffnung gegenüber Ländern, mit denen man bisher zurückhaltende Beziehungen hatte. Es scheint, daß Z. sich weltpolit. Gegebenheiten anpaßt: So hat sich Mobutu auf die arab. Seite geschlagen und sich damit wie die Mehrheit der afrik. Staaten verhalten. Ferner ist er nach dem Vietnamkrieg der US-Annäherung an China gefolgt, die dadurch möglich wurde, daß China sich bei seiner Afrika-Politik von revolutionären maoistischen Prinzipien abwendete, die bis dahin mit der Unterstützung Lumumbas und dessen Anhänger sowie anderer revolutionärer Aufstände in den Kongoregionen Kwilu und Kiwu der Zentralregierung viele Schwierigkeiten bereitet hatte. Durch‘ mehr Pragmatismus gewinnt China Einfluß und Zaïre Kapitalhilfe und mehr innenpolitische Stabilität. Mobutu hat sich im Anschluß an seine China-Reise im Januar 1973 bei seinen innenpolitischen Maßnahmen deutlich vom Maoismus inspirieren lassen: Man spricht in Zaïre von einem Mobutismus.

Der Öffnung gegenüber China steht eine traditionelle Reserviertheit gegenüber der UdSSR, die sich im Angola-Konflikt wieder bestätigte. Andererseits bedeutet die neue Außenpolitik wohl kaum einen Wechsel in den traditionellen Beziehungen zu Westeuropa, insbesondere zu Belgien und den USA, die auch weiterhin für die wirtschaftliche Entwicklung des Zaïre eine Schlüsselstellung einnehmen.

4. Politische Begriffe

Die Begriffe ,,Nationalisme Zaïrois Authentique" (eigenständiger zaïrischer Nationalismus), ,,Authenticité" (Authentizität-Identität), ,,le Recours à l'Authenticité" (die Rückkehr zur Identität, zum ,,Ich" des Volkes) und schließlich ,,le Mobutisme" (der Mobutismus) und ihre logische Beziehung zueinander lassen sich wie folgt erklären:

Authenticité ist die zaïrische Personalität und Identität, die aus der Tiefe der geschichtlichen Vergangenheit und aus dem reichen Erbe der Vorfahren gewachsen ist.

Recours à l'authenticité ist die Verhaltensmaxime, die sich auf die Gleichheit in den zwischenmenschlichen Beziehungen, auf die Brüderlichkeit und den gegenseitigen Respekt aller Bewohner der Erde und das Neben- und Miteinander aller Zivilisationen gründet.

Mobutisme ist die Verschmelzung der authentischen zaïrischen Identität und Verhaltensmaximen in den Lehren und Gedanken und der Person des Gründerpräsidenten, eines Messias, der eins mit seinem Volk geworden ist.

Salongo ist das ,,personalisierte Wort für Arbeit in Z.", durch das jeder Bürger (,,citoyen" = offizielle Anrede in Z.) aufgerufen wird, seinen Beitrag für die Nation zu leisten.

Jürgen Riedel

Literatur

Adelman, K. L., ,,Zaire's Year of Crisis", in: African Affairs, 77. Jg., Nr. 306, London 1978, S. 36–44.

Bokonga, E. B., ,,Das Selbstverständnis afrikanischer Geschichte und Kultur aus der Sicht Zaires", in: Internationales Afrikaforum, 10. Jg., Nr. 11, München 1974, S. 650–654.

Conchiglia, A., ,,Zaire: 70 Tage Freiheit", in 3. Welt Magazin, Bonn 1977, Nr. 10, S. 16–18.

Cornevin, R., Le Zaire (ex-Congo-Kinshasa), Paris 1972[2].

ders., ,,La politique intérieure du Zaire", in: Revue française d'études politiques africaines, Nr. 108, Paris 1974, S. 30–48.

Durieux, A., ,,Les institutions politiques de la République du Zaire", in: Revue Juridique et Politique, Indépendance et Coopération, 26. Jg., Nr. 3, Paris 1972, S. 389–420.

Hürter, A., ,,Mobutu und seine verlorenen Brüder. Internationalisierung in Zaire?", in: 3. Welt Magazin, Bonn 1977, Nr. 4, S. 54–58.

Jotes, R., ,,Zaire – Authentizität und Entwicklung. Der Weg Zaires seit 1973", in: Internationales Afrikaforum, 13. Jg., Nr. 4, München 1977, S. 381–386.

Schmidt, U., ,,Bemerkungen zur Ideologie des Nationalismus unter besonderer Berücksichtigung des sogenannten zairischen Nationalismus", in: Asien, Afrika, Lateinamerika, 3. Jg., Nr. 5, Berlin/DDR 1975, S. 843–846.

Vanderlinden, J., La République du Zaire, Paris 1975.

Zentralafrikanisches Kaiserreich

Grunddaten

Fläche: 617.000 km².
Einwohner: 1.787.000 (1975).
Ethnische Gliederung: Banda 40%; Baja 27%; Mandja 20%; Zande 10%; Sara 3%.
Religionen: Traditionelle Religionen 60%; Christen 35%; Moslems 5% (1969).
Einschulungsquote: 10% (1970).
BSP: 370 Mio. US-$ (1974).
Pro-Kopf-Einkommen: 210 US-$ (1974).

1. Historischer Überblick

Lange bevor die europ. Eroberer es gegen Ende des 19. Jh. für sich entdecken, war das Gebiet zwischen Ubangi und Schari – das heuti-

ge Zentralafrikanische Kaiserreich – von arab. Sklavenhändlern
entvölkert und die Handelszentren an den Ufern des Ubangi immer
wieder erobert und zerstört worden. Im Herzen Afrikas gelegen
und mit einem Netzwerk z. T. beschiffbarer Wasserläufe durchzogen, hat das Territorium eine strategische Bedeutung, die auch die
Franzosen sehr bald erkennen. 1889 gründet Michel Dolisie den
ersten frz. Stützpunkt am rechten Ubangi-Ufer, Bangui. Die Kosten einer Besiedlung scheuend, verteilt die frz. Regierung das Land
zunächst an Konzessionsgesellschaften, deren Agenten das Protektorat auf brutale Weise ausplündern.

Ein kurzes Zwischenspiel, in dem die deutschen Kolonialisten
versuchen, mit dem Territorium ein zusammenhängendes ,,Mittel-
afrika" aufzubauen, findet mit dem Versailler Vertrag sein Ende.
Die Kolonie wird jetzt Teil von A.E.F. In der Folgezeit versucht F.,
der ausgelaugten Kolonie durch Plantagenwirtschaft neue Gewinne
abzuringen. Maßnahmen wie Zwangsarbeit, Deportation und willkürliche Grenzziehung zerstören die letzten Reste noch bestehender
Sozialstrukturen. Erst nach dem 2. Weltkrieg, eingeleitet durch die
Konferenz in Brazzaville 1944, erfährt die Herrschaft der Kolonialmacht eine gewisse Humanisierung.

1956 durch das Rahmengesetz (,,loi cadre") in vier Territorien
aufgeteilt und mit innenpolit. Autonomie ausgestattet, wird das
Gebiet zwischen den Flüssen Ubangi und Schari als Zentralafrikanische Republik 1960 gegen den Willen seines Führers Bartélémy
Boganda in die Unabhängigkeit entlassen.

2. Entwicklung der politischen Parteien

2.1. Vor der Unabhängigkeit

Seinen ersten organisierten Ausdruck findet der Widerstand der
afrik. Bevölkerung in dem 1949 von Boganda gegründeten ,,Mou-
vement d'évolution sociale de l'Afrique Noire" (MESAN). Boganda, ein katholischer Priester, kämpfte schon seit 1946 als Delegierter
in der frz. Nationalversammlung für eine Verbesserung der Lebensbedingungen seines Volkes. Es gelingt ihm in diesem Kampf zum

502

ersten Mal eine nationale Einheit zwischen den verschiedenen Stämmen herzustellen und vor allem die Bauern für seine Ziele zu aktivieren. Ziel dieser Bewegung ist die weltweite Befreiung und Emanzipation der ausgebeuteten und unterdrückten schwarzen Rasse auf dem Weg der friedlichen Evolution. Trotz des erheblichen Widerstandes der Kolonialverwaltung gegen diese Bewegung (Wahlmanipulation, Verhaftung Bogandas) bleibt MESAN die einzig wichtige Partei. Nach den Wahlen von 1957 stellt sie sämtliche Sitze im Territorialparlament. Andere Gruppierungen hatten immer nur periphere Bedeutung.

2.2. Nach der Unabhängigkeit

Der Streit um die Nachfolge Bogandas, der im März 1959 bei einem Flugzeugabsturz ums Leben kam, führt zu einer Spaltung der bisher einheitlichen Bewegung. Abel Goumba, ein enger Mitarbeiter Bogandas, gründet das ,,Mouvement d'évolution démocratique de l'Afrique Centrale" (MEDAC). Diese erste Oppositionspartei kann bei Teilwahlen 1960 immerhin 20% der Stimmen auf sich vereinen. Sie wird wenige Monate nach diesem Wahlerfolg von Staatschef Dacko, einem jungen Mbaka und ehemaligen Grundschullehrer, den Boganda Mitte 1957 als Landwirtschafts- und später als Innen- und Wirtschaftsminister in sein Kabinett geholt und als Nachfolger aufgebaut hatte, aufgelöst, Abel Goumba mit einigen Mitarbeitern verhaftet.

Wenig später verfügt der durch Notverordnung inzwischen alleinige Inhaber der Macht ein generelles Verbot für alle Parteien. Gleichzeitig stattet er MESAN, nunmehr Einheitspartei, mit verfassungsmäßigen Rechten aus. Nach einer Verfassungsänderung 1964 ist die Partei höchste Instanz des Staates.

Den Anspruch, als Diskussionsforum die Tradition des Palavers wiederaufleben zu lassen und so die gesamte Bevölkerung in die Regierungsarbeit miteinzubeziehen, kann Dackos Massenpartei nicht erfüllen. Je stärker die Kader der Partei mit den staatlichen Instanzen verschmelzen, desto mehr verlieren sie auch den Kontakt zum Volk. Die Partei, die der bisherige Generalstabschef Bokassa nach seinem Putsch in der Silvesternacht 1965 entmachtet, hat mit der Volksbewegung Bogandas nichts mehr gemein: Ihre Funktionäre waren zu Steuereintreibern geworden, denen man überall mit Ablehnung und Haß begegnet.

3. Merkmale der politischen Struktur

3.1. Elite

Unter der Herrschaft des Kaisers Bokassa, der in Personalunion auch die Spitzenpositionen von Partei und einziger Gewerkschaft innehat, konnte sich keine Elite im eigentlichen Sinne herausbilden, zumal Bokassa alle potentiellen Gegner ausschaltet. Er stützt sich in erster Linie auf die etwa 3.000 Mann starke Armee, deren oberster Befehlshaber er auch ist.

Die Unabhängigkeit brachte 1960 einen kleinen Kreis Beamter, Angestellter und Polizisten an die Macht, die sich aufgrund ihrer Kontakte zur Kolonialmacht einen gewaltigen Bildungsvorsprung im Vergleich zu der weitgehend analphabetischen Landbevölkerung sichern konnten. Diese ,,boundjou voko" (weißen Schwarzen), wie sie vom Volk genannt werden, und eine partiell in F. ausgebildete Armee bilden den Pool, aus dem Bokassa willkürlich Kandidaten für die Spitzenpositionen im Staat auswählt, die ihm die Erhaltung seiner Machtposition garantieren.

3.2. Stärke und Rolle anderer Gruppen

Willkürherrschaft und Terror ersticken im ZAK jeden Ansatz von Opposition. Zwei vage Versuche des Widerstands werden bekannt, als Bokassa Ende der 60er Jahre seinen Vertrauten Colonel Banza und 1976 eine Reihe Armeemitglieder des geplanten Umsturzes beschuldigt und hinrichten läßt.

1976 bildet sich eine marxistische Untergrundpartei, ,,Parti du Peuple Centrafricain" (PPC), die als Sammelbecken fortschrittlicher Kräfte gilt und großen Anklang in Universitätskreisen und bei der hohen Beamtenschaft – sogar in unmittelbarer Umgebung Bokassas – findet.

3.3. Programmatik

1967 (Feb.) verkündet Bokassa mit einigen Parteifunktionären die neue Programmatik des MESAN: Die Partei soll künftig nicht länger als Werkzeug der Ausbeutung des Volkes dienen, sondern es vielmehr auf den Weg ins Glück führen.

Die Definition dieses Weges wird in der Folgezeit etlichen ideologischen Wechselbädern unterzogen. 1969 verfügt Bokassa die sofortige Einführung des wissenschaftlichen Marxismus im ZAK, was ihn nicht hindert, kurz danach auf der Beerdigung de Gaulles seine tiefe geistige Verbundenheit mit diesem ,,väterlichen" Vorbild eindrucksvoll zu demonstrieren. Nach einem kurzen ,,revolutionären" Zwischenspiel Ende 1976, angeregt durch einen Besuch des Staatschefs von Libyen, löst er den jungen Revolutionsrat wieder auf und wandelt, nunmehr Kaiser Bokassa I., sein Land in eine parlamentarische Monarchie um.

3.4. Aufbau der Partei

Abgesehen davon, daß Bokassa das Management Council, unter Dacko mächtigstes Gremium des Staates, aufgelöst hat, ist am Aufbau der Partei nichts verändert. Es gibt, dem Muster der Verwaltungsstruktur folgend, Ortsgruppen, die jedoch unter der Herrschaft des Parteichefs Bokassa nur noch akklamatorische Funktionen haben. Seit Januar 1977 ist die gesamte zentralafrik. Jugend nach dem Statut der ,,Union nationale de la jeunesse africaine" organisiert und wird automatisch Mitglied der Partei.

3.5. Wahlen

Die letzten Wahlen fanden vor dem Putsch 1964 statt. Dacko wird als einziger Kandidat mit 668.822 Ja-Stimmen (bei 732.139 Wahlberechtigten) für sieben Jahre zum Präsidenten gewählt.

Die letzten Parlamentswahlen im gleichen Jahr brachten einen ähnlichen Erfolg für die MESAN-Einheitsliste: 602.964 Ja-Stimmen von 613.600 abgegebenen.

3.6. Einflüsse

Ähnlich wechselhaft wie Bokassas ideologische Bindungen stellt sich auch die Geschichte der diplomatischen Beziehungen des Landes dar. Erkennbarer roter Faden ist die ständige Suche nach finanzieller Unterstützung, wobei Bokassa kaum einen potentiellen Geldgeber ausläßt und sich auch nicht scheut, immer wieder in das innenpolit. Gefüge seines Landes einzugreifen, um seinen jeweils anvisierten Verhandlungspartnern Kooperationsbereitschaft zu bezeugen. Er wird zum Marxisten, wenn er auf Hilfe aus den sozialistischen Ländern spekuliert, ist wieder Gaullist, wenn es ohne die ehemalige Metropole nicht geht; er erkennt die DDR an und verweist ihren Botschafter des Landes, weil er auf westdeutsche Gelder nicht verzichten kann; er tritt zum Islam über und inszeniert in seinem Land eine ,,Revolution'', um so mit libyscher und chinesischer Hilfe nicht nur zu Geld, sondern auch aus seinen innenpolit. Schwierigkeiten herauszukommen. Er versucht mit allen Mitteln, an der Macht zu bleiben, und treibt damit einer internationalen Isolierung entgegen, die für dieses von ausländischem Kapital abhängige Land den totalen wirtschaftlichen Zusammenbruch bedeuten kann.

(4. Politische Begriffe entfällt)

Dorothée Bamberger

Literatur

Kalck, P., Central African Republic – a Failure in De-Colonisation, London 1971.

ders., Histoire de la République Centrafricaine – des origines préhistoriques à nos jours, Paris 1974.

Rougeaux, J.P., Le parti unique en R.C.A.: Le MESAN, Paris 1968.

Serre, J., ,,Six ans de gouvernement Dacko en République centrafricaine'', in: Revue française d'études politiques africaines, Nr. 117, Paris 1975.

,,Zentralafrikanische Republik – der neunte Attentatsversuch'', in: Internationales Afrikaforum 12. Jg., Nr. 2, München 1976, S. 120–121.

Zimbabwe (Rhodesien)

Grunddaten

Fläche: 389.403 km² (47% ,,afrik. Land", 47% ,,europ. Land" und 6% sog. ,,nationales Land").

Einwohner: 6.530.000 (1976), davon 5,9 Mio Afrikaner, 274.000 Europäer, 20.000 Mischlinge, 10.000 Asiaten (vorwiegend Inder).

Ethnische Gliederung: Mashona über 50% (Untergruppen: Kalanga, Karanga, Korekore, Zezuru, Manyika, Ndau); Matabele ca. 30% (Untergruppen: Lozwi, Enhla, Zansi); Minoritäten: Tonga, Venda und Chikunda.

Religionen: ca. 33% christlich (vorwiegend anglikanisch, röm. kath., methodistisch); ca. 66% traditionelle Religionen; jüdische und muslimische Minderheiten.

Alphabetisierungsquote der afrik. Bevölkerung: ca. 20–30%

Einschulungsquote der afrik. Bevölkerung: 765.000 Schüler (1973) von 1,8 Mio. Kindern im schulpflichtigen Alter.

BSP: 3.200 Mio. US–$ (1974).

Pro-Kopf-Einkommen: 520 US-$ (1974).

1. Historischer Überblick

Schon 300 n. Chr. lebten Menschen auf dem Hügel von Groß-Zimbabwe (bei Fort Victoria). Mit dem Aufstieg des Shona-Volkes wurde die Steinbaustadt von Zimbabwe Zentrum des sog. ,,Mutapa-Staates". Im 17. Jh. plünderten Portugiesen das Reich. Im Süden hatte sich ein zweiter Shona-Staat gebildet (1650–1800), der der port. Invasion widerstehen konnte. Es gelang den Königen des Rozwi-Stammes sogar, die europ. Eindringlinge fast vollständig auch aus dem Norden zu vertreiben. Erst Mitte des 19. Jh. zerfiel das Shona-Reich in einzelne Häuptlingstümer. Ursache dafür war vor allem der Bevölkerungsdruck aus dem Süden nach der Invasion der Buren und Briten in Südafrika.

Die Forschungsreisen Livingstones (1851–55) und Goldfunde im Mashona-Land (1860) bildeten die Grundlage für das Eindringen der Briten auch in das Gebiet des heutigen Z. Cecil Rhodes, nach dem die spätere engl. Kolonie Rhodesien benannt wurde, gründete 1889 die ,,Brit.-Südafrik. Gesellschaft" mit dem Ziel, die nördlich des Transvaal gelegenen Gebiete zu erwerben und zu erschließen. Der erste Treck zog 1890 in das Mashona-Land. Die Aufstände der Afrikaner wurden durch eine Schutztruppe niedergeschlagen. 1898 bildeten Matabele- und Mashona-Land Süd-Rhodesien; 1923 wurde es offiziell brit. Kolonie. Die weißen Siedler erhielten die volle innere Selbstverwaltung. 1953 schlossen sich Süd-Rhodesien mit Nord-Rhodesien (Sambia) und Njassaland (Malawi) zu einer Föderation zusammen. Unter dem Druck afrik. Nationalisten zerbrach der Zusammenschluß; Malawi und Sambia wurden unabhängig (1964).

Auch in Süd-Rhodesien forderte seit 1957 der ,,African National Congress" (ANC) die Unabhängigkeit. In dieser Entwicklungsphase des afrik. Nationalismus verbohrten sich die weißen Siedler immer mehr in ihre rassistische Rechts-Ideologie. Die ,,Cowboy-Partei" der ,,Rhodesischen Front" kam 1962 an die Regierung. 1965 (11. Nov.) erklärten die Siedler unter Führung von Ian Smith die sog. ,,einseitige Unabhängigkeit" (UDI) von der brit. Krone, die Voraussetzung für die Politik einer weißen Machterhaltung. Der engl. Regierung gelang es nicht, durch halbherzige wirtschaftliche und polit. Sanktionen oder durch Verhandlungen das rassistische Regime zur Umkehr zu bewegen. Erst 1976 (Okt.) wurde Ian Smith – u. a. durch die Mission des US-Außenministers Kissinger – an den Genfer Verhandlungstisch gezwungen. Die geringe Kompromißbereitschaft der rhodes. Regierung ließ jedoch auch diesen Vermittlungsversuch scheitern. 1977 (Jan.) brach der engl. Unterhändler Ivor Richard die Konferenz ab.

Im März beschlossen G. B. und die USA, einen neuen Vorstoß zu unternehmen. In Gesprächen mit den Führern aller Befreiungsbewegungen, den Präsidenten der fünf Anrainerstaaten sowie der rhodes. Regierung diskutierte der brit. Außenminister die wesentlichen Elemente einer friedlichen Regelung des Konfliktes, die auch den Kern des am 1. Sept 1977 veröffentlichten gemeinsamen brit.-amerikan. Vorschlages bildeten:

1. Aufgabe der Macht durch das illegale Regime und Rückkehr zur Legalität;
2. geordneter und friedlicher Übergang zur Unabhängigkeit im Laufe des Jahres 1978;
3. freie und gerechte Wahlen auf der Basis eines allgemeinen und gleichen Stimmrechts für alle Erwachsenen;
4. Bildung einer Übergangsverwaltung durch die brit. Regierung mit der Aufgabe, die Wahlen in der Übergangsperiode vorzubereiten und durchzuführen;
5. Präsenz der UNO, incl. UN-Truppen in der Übergangsperiode;
6. Ausarbeitung einer Verfassung, die eine demokratisch gewählte Regierung, Abschaffung aller Diskriminierung, Schutz der individuellen Menschenrechte und die Unabhängigkeit der Rechtsprechung garantiert;
7. Errichtung eines internationalen Entwicklungsfonds zur Wiederbelebung der rhodes. Wirtschaft.

Smith lehnte diese Initiative noch vor der Veröffentlichung der detaillierten Vorschläge ab. Er kritisierte vor allem die Beteiligung der Patriotischen Front, die Forderung nach einer Machtübergabe der rhodes. Regierung an einen brit. ,,Resident Commissioner" sowie die geplante Überwachung der rhodes. Armee durch UNO-Truppen. Der überwältigende Sieg seiner Partei ,,Rhodesian Front" bei den vorgezogenen Neuwahlen im August bestärkten ihn in seiner kategorischen Ablehnung.

Smith setzte dieser brit.-amerikan. Initiative seine Gespräche über eine interne Regelung entgegen. Am 24. November lud er die Führer der schwarzen polit. Organisationen innerhalb Rhodesiens zur Aufnahme von Gesprächen mit der weißen Minderheitsregierung ein; in seiner Einladung akzeptierte er die Forderung nach einer schwarzen Mehrheitsregierung unter der Voraussetzung, daß eine qualifizierte Beteiligung der weißen Bevölkerung gewährleistet wäre.

Am 9. Dezember begannen die Gespräche zwischen Smith, dem United African National Council (UANC) unter Bischof Muzorewa, dem African National Council (ANC) mit Pfarrer Sithole an der Spitze sowie der Zimbabwe United People's Organization (ZUPO), eine Gruppe traditioneller tribaler Führer unter Chirau. Die Patriotische Front lehnte diese Gespräche energisch ab. G. B. und die USA begrüßten zwar die prinzipielle Bereitschaft der Minderheitsregierung, eine schwarze Mehrheitsherrschaft zu akzeptieren, knüpften aber ihre Zustimmung und Unterstützung möglicher Verhandlungsergebnisse an die Übernahme ihrer sieben Elemente sowie an die Mitwirkung der Patriotischen Front. Zum Jahreswechsel forcierten die beiden Großmächte wieder die Gespräche über ihre Vorschläge vom September; vom 30. Jan. bis 1. Febr. 1978 kam es auf Malta zu Verhandlungen zwischen dem brit. Außenminister Owen, dem US-Botschafter bei der UNO, Young, sowie den Führern der Patriotischen Front, Mugabe (ZANU) und Nkomo (ZAPU), die zu einer gewissen Annäherung der Standpunkte in einigen kontroversen Fragen führten. Davon unbeeindruckt gingen die Gespräche über eine interne Regelung in Salisbury weiter; am 3. März konnte ein gemeinsames Abkommen unterzeichnet werden, das fünf Elemente umfaßt:

1. Wahlen und Zusammensetzung des Parlaments. Jeder Bürger über 18 erhält das Wahlrecht nach dem Prinzip „one man – one vote". In der gesetzgebenden Versammlung mit 100 Sitzen stehen 72 Mandate der schwarzen Bevölkerung zu, 20 Mitglieder werden durch die weiße Minderheit gewählt, die restlichen 8 Mandate werden von allen Wählern aus einer von den weißen Abgeordneten des derzeitigen Parlaments zusammengestellten Liste mit 16 Kandidaten gewählt; die weißen Mandatsträger dürfen keine Koalition mit einer anderen Minderheitspartei mit dem Ziel einer Regierungsbildung eingehen.

2. Bildung einer Übergangsregierung. Es wird eine Übergangsregierung gebildet, die sich vordringlich um die Einstellung der Kampfhandlungen und eine Integration der nationalen Befreiungsbewegungen in die zukünftige Nationalarmee bemühen soll.

3. Aufgaben der Übergangsregierung. Diese Übergangsregierung wird die Freilassung von politischen Gefangenen, die Revision poli-

tischer Urteile, die Vorbereitung und Durchführung allgemeiner Wahlen sowie die Erarbeitung einer Verfassung vorantreiben und überwachen.

4. Zusammensetzung der Übergangsregierung. Die Übergangsregierung besteht aus einem Exekutivrat, dem die Führer der vier an diesem Abkommen beteiligten Delegationen angehören und dessen Beschlüsse einstimmig gefaßt werden müssen, sowie einem Ministerrat, dem eine gleiche Anzahl weißer und schwarzer Kabinettsmitglieder angehören; die Geschäftsregierung jedes Ministeriums wird von einem weißen und einem schwarzen Minister gemeinsam wahrgenommen.

5. Übergangsbestimmungen. Das derzeitige rhodes. Parlament (66 Sitze, alle 50 für die weiße Minderheit reservierten Mandate werden von der Partei des Premierministers Smith gehalten) wird bis zur Neuwahl nach der Unabhängigkeit am 31. Dez. 1978 bestehen bleiben; es wird nur auf Geheiß des Exekutivrátes zusammentreten.

Diese interne Regelung wurde inzwischen von der Patriotischen Front, den Frontstaaten sowie den USA abgelehnt. Am 15. März 1978 hat der Weltsicherheitsrat der UNO im Hinblick auf dieses Abkommen einstimmig jede Regelung, die unter Leitung des weißen Minderheitsregimes und ohne Mitwirkung der Patriotischen Front zustande kommt, als illegal und unakzeptabel verurteilt. Die Patriotische Front setzt ihren bewaffneten Kampf in Zimbabwe fort.

2. Entwicklung der politischen Parteien

2.1. Entwicklung bis zur einseitigen Unabhängigkeit der Weißen (1965)

Die 1957 von Joshua Nkomo gegründete Unabhängigkeitsbewegung ,,African National Congress" (ANC) wurde bereits zwei Jahre später von der Regierung verboten, ihre Führer wurden festgenommen. Auch die Nachfolgeorganisation, die ,,National

Democratic Party" (NDP), die Nkomo nach seiner Freilassung ins Leben rief, ebenso wie seine dritte Partei, die ,,Zimbabwe African People's Union" (ZAPU), und die vierte, der ,,People's Caretaker Council" (PCC), der im Ausland weiter als ZAPU firmierte, wurden verboten. Innerhalb dieser ersten Unabhängigkeitsbewegung Rhodesiens kam es 1963 zu einer ernsten Krise, als Pfarrer Ndabaningi Sithole sich gegen den Führungsstil Joshua Nkomos auflehnte. Sithole warf Nkomo mangelnde polit. Perspektive und Entschlußkraft vor, kritisierte die Verlegung der Exekutive ins Ausland, weil dadurch der Kontakt der Partei mit den Massen verloren ginge. Weiter wurde an Nkomo kritisiert, daß er einer ,,Politik der Konfrontation" ausweiche. Sithole gründete daher die ,,Zimbabwe African National Union" (ZANU), die sich fast ausschließlich aus Shona zusammensetzte.

Die bittere Rivalität zwischen ZAPU und ZANU erwies Smith, der im April 1964 die Führung des Siedlerregimes übernahm, einen guten Dienst; er verbot beide Parteien und ließ ihre Führer festnehmen. In dieser Periode wurde Herbert Chitepo die Zentralfigur innerhalb der ZANU im Exil; James Chikerema übernahm die Leitung der Exil-ZAPU. Beide Parteien versuchten nach 1964 einen Guerilla-Krieg zu organisieren; obwohl zahlreiche Menschen ums Leben kamen, bewirkten die vereinzelten militärischen Aktionen wenig.

2.2. Entwicklung 1965–1975

Innerhalb der ZAPU kam es 1971 erstmals öffentlich zu Meinungsverschiedenheiten zwischen Soldaten und Führern. Die blutigen Auseinandersetzungen wurden im Gastland Sambia ausgetragen. Die sambische Regierung nahm viele ZAPU-Mitglieder fest und schob eine Gruppe nach Rhodesien ab. Resultat der Streitigkeiten war die Gründung einer dritten Gruppe, die sich sowohl aus ZAPU – wie aus ZANU-Mitgliedern zusammensetzte, die ,,Front for the Liberation of Z." (FROLIZI), die James Chikerema führte. Das FROLIZI-Programm richtete sich in gleicher Weise gegen die hierarchischen und ,,reformistischen" Züge der ZAPU und der ZANU.

Vergeblich bemühte sich die OAU, die Gruppen untereinander zu versöhnen. Im Gegenteil entstand 1971 noch eine vierte Organisation, aus Opposition gegen die Vorschläge der ,,Pearce-Kommission", die von der brit. Regierung eingesetzt war, um die Einstellung der Bevölkerung Rhodesiens zu einem neuen Verhandlungsmodell festzustellen. Damals organisierte Bischof Muzorewa eine nationale ,,Nein-Kampagne", aus der die Einstellung der Bevölkerungsmehrheit deutlich hervorging. Die Gründung des ,,African National Council" (ANC) war das Resultat dieser Aktion. Der ANC wurde als einzige legale polit. Partei der schwarzen Bevölkerung erlaubt.

Diese neue Gruppe diente den Präsidenten der Anrainerstaaten Mosambik, Tansania, Sambia und Botswana 1974 als Basis für die Aussöhnung der afrik. Nationalisten. Doch innerhalb der ZANU sahen viele Aktivisten, beflügelt durch militärische Erfolge der letzten zwei Jahre, keineswegs die Notwendigkeit für eine Vereinigung der rivalisierenden Gruppen. Daher widersetzten sie sich den Anweisungen ihres Führers Sithole, der schon früher, während seiner Haftzeit im rhodesischen Gefängnis, von Robert Mugabe, einem Mitglied des ZK der ZANU, abgesetzt und nur durch den Druck der Staatspräsidenten der oben erwähnten Anrainerstaaten wieder eingesetzt worden war. Die Unterschrift, die Sithole unter das ,,Lusaka-Abkommen" setzte, bedeutete daher den Anfang vom Ende seiner Machtposition innerhalb der ZANU. Formelles Ergebnis der Lusaka-Gespräche vom Dez. 1974 war jedoch die Bildung eines erweiterten ANC (unter Einschluß aller Befreiungsbewegungen) unter Führung von Bischof Muzorewa, der die Entspannungsgespräche mit Smith einleitete und führte.

Am Tag der Unterzeichnung des Einigungsvertrages wurde ein Putschversuch innerhalb der Exil-ZANU in Lusaka ausgeführt, der nichts mit den Gesprächen zu tun hatte, sondern auf eine innerparteiliche Entwicklung innerhalb der ZANU zurückgeführt werden muß: Fast alle ZANU-Mitglieder gehören zum Shona-Stamm mit seinen zahlreichen Untergruppierungen, wie Manyika und Karanga. In den letzten zehn Jahren hatte sich die anfängliche Machtverteilung verschoben. Die Karangas hatten seit 1973 die Mehrzahl der

Posten im DARE, dem obersten Parteikomitee, und im militärischen Oberkommando inne. Hinzu kam die wachsende Unzufriedenheit der Soldaten, die sich über die Verhältnisse im Lager, das ungenügende Interesse ihrer Führer und deren verschwenderische Lebensweise beklagten. Da ihre Beschwerden kein Gehör fanden, bildete sich eine Verschwörung, die jedoch mit Hilfe der sambischen Polizei niedergeschlagen werden konnte. Diese übergab die festgenommenen Putschisten, mehrheitlich Manyikas, an den ZANU-Exilführer Chitepo; sie wurden im Lager Chifombo (Sambia) niedergemetzelt. Daraufhin kam es zu blutigen Auseinandersetzungen zwischen den Stammesgruppen der Manyikas und Karangas. (Auch Chitepo scheint 1975 diesen Auseinandersetzungen zum Opfer gefallen zu sein.) Der ZANU-Präsident Sithole, erst wenige Wochen aus dem Gefängnis entlassen, wurde von den Auseinandersetzungen innerhalb seiner Partei überrascht. Da er diese nicht in den Griff bekommen konnte, lieferte er einen weiteren Anlaß – neben der erwähnten Unterzeichnung des Lusaka-Abkommens –, um von seiner Führungsposition verdrängt zu werden.

Seit 1972 konnte die ZANU durch neue Offensiven größere militärische Erfolge verbuchen. Diese und der Zerfall der port. Kolonialherrschaft in den Nachbarländern Angola und Mosambik trugen dazu bei, daß Smith sich unter Druck der R.S.A. 1974 zu Verhandlungen mit den Nationalisten bereit erklärte.

1975 (Aug.) traf sich schließlich eine Delegation der im erweiterten ANC vereinigten Befreiungsbewegungen mit dem rhodesischen Premier an den Victoria-Fällen. Als Vermittler fungierten der Regierungschef der R.S.A., Vorster, und Sambias Präsident Kaunda. Das Treffen blieb ergebnislos; die ANC-Führer Muzorewa, Sithole und Chikerema gaben zunächst jeden weiteren Kontakt mit Smith auf; nur Nkomo hielt die Verbindung weiterhin aufrecht.

2.3. In der Übergangsphase zur Unabhängigkeit

Die Zeitspanne von August 1975 bis Anfang 1976 war für die Außenwelt verwirrend, weil Muzorewa wie Nkomo sich als eigentliche Präsidenten des ANC auszugeben versuchten. Die Muzorewa-Führung behauptete, daß es nur den von Muzorewa gegründeten ANC gebe und daß Nkomo den alten „People's Caretaker Council" (PÇC) wieder ins Leben riefe, dessen Titel er aber nicht benützen könne, weil nur der ANC innerhalb Z.s legal arbeiten dürfe. Muzorewa schloß daher Nkomo aus dem ANC aus.

Wegen dieser neuen Streitigkeiten begannen die von der OAU beauftragten fünf Präsidenten der Anrainerstaaten die Zügel in die Hand zu nehmen. Zuerst unterstützten sie die noch aussichtsreich erscheinenden Verhandlungen Nkomos. Als jedoch deutlich wurde, daß die Nkomo/Smith-Gespräche niemals zu einem Ergebnis führen würden (am 15. 3. 76 endgültig gescheitert), förderte man die Idee, eine neue Führung aus den Reihen der Freiheitskämpfer zu bilden. Diese Idee, wahrscheinlich von Samora Machel (Mosambik) stammend, entsprang den Erfahrungen in Mosambik. Die Guerillatruppen wurden ermutigt, ein neues Oberkommando zu bilden; es bestand zunächst aus je neun ehemaligen ZAPU-und ZANU-Offizieren. Sie waren die Führer der ANC-ZIPA, der Vereinigten Volksarmee Z.s. Die ZIPA trat erstmals am 7. 5. 76 an die Öffentlichkeit, als sie dem OAU-Befreiungskomitee ein Dokument vorlegte, in dem man die Unzufriedenheit mit den alten Führern ausdrückte. Die ZIPA stellte sich als neue integrative Kraft dar, bis auch der ethnische und ideologische Riß innerhalb der gesamten Befreiungsbewegung das 18-köpfige Oberkommando erreichte.

Die Spaltung der ehemaligen ZAPU- und ZANU-Kämpfer innerhalb der ZIPA zeigte erneut, wie groß die ideologische Kluft zwischen Nkomos und Mugabes Parteien war. Anfang Oktober 1976, wenige Wochen vor der Genfer Rhodesien-Konferenz, gingen aus verhandlungstaktischen Gründen die beiden Bewegungen erneut ein sogenanntes „patriotisches Bündnis" ein; es kann jedoch allenfalls als Stillhalteabkommen angesehen werden. Von einer polit. Einigung zwischen dem eher konzeptionslosen und vor allem an seiner eigenen Macht interessierten Nkomo und dem für einen unabhängigen afrik. Sozialismus eintretenden Mugabe kann nicht die Rede sein. Ein Auseinanderbrechen dieses Bündnisses ist daher einkalkulierbar. Nicht kalkulierbar ist auf Seiten der afrik. Nationalisten der methodistische Bischof Muzorewa, der einen christlichen, gemäßigten Sozialismus befürwortet, und der sich – ohne Unterstützung von Guerillas oder Parteistrukturen – offensichtlich einer breiten Zustimmung innerhalb der afrik. Bevölkerung erfreut. Jedoch hat keiner der genannten Führer direkten Einfluß auf die ZIPA-Guerillas, die durch ihre Aktivitäten erst den Übergang zur Unabhängigkeit erzwingen.

Die Parteien-Spaltung wurde Ende 1976 noch vervollständigt, als zwei der vier afrik. ,,Marionetten-Minister" im Kabinett Smith zurücktraten und die ,,Zimbabwe United People's Organization" (ZUPO) gründeten. (Erhebliche finanzielle Unterstützung durch die weiße Minderheitsregierung.) Die ZUPO ist als Bestandteil einer Strategie von Smith anzusehen, eine geringfügige Liberalisierung mit ihm genehmen afrik. Politikern durchzuführen, um den zunehmenden Druck der Weltöffentlichkeit abzuschwächen.

Zusammenfassend und tabellarisch läßt sich die Entwicklung der Unabhängigkeitsbewegungen wie folgt darstellen:

– ANC: African National Congress 1957–59; ab 1976 Name für die Organisation von Pfarrer Sithole, beteiligte sich an dem internen Abkommen Frühjahr 1978
  Verbotene Nachfolgeorganisationen des ANC:
– NDP: National Democratic Party
– ZAPU: Zimbabwe African People's Union unter Joshua Nkomo
– PCC: People's Caretaker Council; zeitweise als politischer Mantel der ZAPU offiziell zugelassen
– ZANU: Zimbabwe African National Union (1963 Abspaltung von ZAPU; bis 1976 unter Pfarrer Sithole, dann unter Robert Mugabe)
– PF: Patriotic Front (Zusammenschluß von ZANU und ZAPU Anfang 1977)
– FROLIZI: Front for the Liberation of Zimbabwe (Gründung 1971 unter James Chikerema, inzwischen wieder aufgelöst)
– UANC: United African National Council (1971 als ANC gegründet; von 1974 bis 1976 Dachverband der Befreiungsorganisationen unter Bischof Abel Muzorewa; seither politische Organisation in Zimbabwe mit starker Unterstützung der schwarzen

Bevölkerung; Beteiligung an der internen Regelung Frühjahr 1978)

- ZUPO: Zimbabwe United People's Organization (1976 als Vertretung traditioneller tribaler Interessen mit Unterstützung der weißen Regierung gegründet; beteiligte sich unter Jeremiah Chirau an der internen Regelung)

3. Merkmale der politischen Struktur

3.1. Die Befreiungsbewegungen

Das Versagen der afrik. Nationalisten, ihre Streitigkeiten und Differenzen eigenständig zu lösen, muß auf verschiedene Gründe zurückgeführt werden. Es wäre einfach, lediglich persönliche Ambitionen als Ursache zu nennen. Zunächst muß man in Betracht ziehen, daß die verbrüderten Parteien des ANC die Unabhängigkeit in Sambia und Malawi durch Verhandlungen erzielen konnten und somit auch Nkomos Bewegung ursprünglich auf eine derartige Rolle fixiert war. Die polit. Ideologie war auf nationalistische Ziele beschränkt. Erst Sitholes ZANU und – noch ausgeprägter – Chikeremas FROLIZI vermochten es, Ideologie und Parteistruktur zu entwickeln. Hinzu kam aber, daß sowohl Sithole als auch Nkomo zusammen mit Hunderten von Mitgliedern der afrik. Führungsschicht für mehr als ein Jahrzehnt inhaftiert und somit von ihren Parteien abgeschnitten waren. Muzorewa wiederum, von Haus aus kein Politiker, wurde von heute auf morgen vor die Aufgabe gestellt, eine Partei aufzubauen und die zerstrittenen Flügel der alten Bewegung wieder zu vereinen. Ohne definiertes polit. Konzept konnte dies nicht gelingen. Erst der neue ZANU-Führer Mugabe scheint in der Lage zu sein, detaillierte Zielvorstellungen für ein unabhängiges Zimbabwe entwickeln zu können. Vorgelegt hat er sie allerdings im einzelnen noch nicht.

3.2. Das weiße Minderheitsregime

Bis zuletzt kämpft das weiße Minderheitsregime für eine Aufrechterhaltung des Status quo. Auch als Ian Smith am 24. Sept. 1976 seine häufig als ,,Kapitulationserklärung'' mißinterpretierte Fernsehansprache hielt, in der er im Grundsatz einer schwarzen Mehrheitsregierung zustimmte, war dies nicht mehr als ein taktischer Schachzug, um Zeit zu gewinnen. Denn der von Kissinger mit Smith ausgehandelte „Friedensplan" für eine Übergangsregierung in die Unabhängigkeit sah vor, daß die weiße Minderheitspartei auch weiterhin die Möglichkeit behielt, jede unbequeme Veränderung in Z. zu blockieren. Die schwarzen Nationalisten wollten einem solchen Vorschlag nicht zustimmen. Unter Vorsitz des engl. Unterhändlers Ivor Richard, forderten sie daher bei den Verhandlungen in Genf eindeutige Garantien für eine schwarze Mehrheitsregierung, die Smith jedoch kategorisch ablehnte. Smith versucht stattdessen weiter, den Status quo der Minderheitsregierung durch geringfügige Zugeständnisse (Aufnahme von Schwarzen in die Regierung, Liberalisierung der Rassengesetze) aufrecht zu erhalten. Auch mit der internen Regelung vom Frühjahr 1978, mit der er den militärischen und internationalen politischen Druck – erfolglos – zu beenden trachtete, soll der weißen Minderheit für weitere zehn Jahre ein entscheidender Einfluß auf die polit. Entwicklung gesichert werden.

(3.3. Programmatik und *3.4. Aufbau der Parteien* entfällt)

3.5. Wahlen

Unter der weißen Minderheitsregierung in Rhodesien sind 87.000 Weiße und 7.000 Afrikaner wahlberechtigt. Sie wählen ein Zwei-Kammer-Parlament, bestehend aus dem eigentlichen Parlament und einem Senat. Im Parlament sind 66 Sitze zu besetzen, von denen 50 für die Weißen reserviert sind. Bei der Wahl am 31. Aug. 1977, ebenso wie bei den vorhergehenden Wahlen im April 1970 und Juni 1974, wurden alle 50 Sitze von der „Rhodesischen Front" des Ian Smith gewonnen. Acht Sitze fallen durch Wahl den Afrikanern zu, weitere acht afrikanische Sitze werden durch den sogenannten „Rat der Häuptlinge" besetzt. Der Senat zählt 23 Mitglieder, davon zehn gewählte Weiße, zehn afrikanische Häuptlinge und drei Senatoren, die vom Staatspräsidenten ernannt werden. Die Nominierung von Afrikanern für weiße Wahlkreise und umgekehrt ist verboten.

3.6. Einflüsse

In der Übergangsphase zur Unabhängigkeit spielen in Z. ausländische Einflüsse und Interessen eine nicht unerhebliche Rolle. So war das Apartheidsregime der R.S.A. bis zuletzt verläßlichster Partner der weißen Minderheit. Internationale wirtschaftliche Sanktionen gegen die einseitige Unabhängigkeitserklärung der weißen Siedler wurden stets durch die R.S.A. – wie zuvor auch durch das port. Kolonialregime in Mosambik – unterlaufen. Das Interesse der R.S.A. lag vor allem darin, sich eine nördliche Pufferzone gegenüber einer Infiltration aus Schwarzafrika zu erhalten. Die westlichen Industriestaaten waren ihrerseits an einer ihnen genehmen Regierung in Z. interessiert, da vor allem die mineralischen Rohstoffe des Landes von großer Bedeutung sind (insbes. Chrom, das auch während der Zeit internationaler Sanktionen nach Westeuropa und USA exportiert wurde). Erst im April 1976 versuchte Kissinger Smith zum Einlenken zu bewegen, zu einem Zeitpunkt also, da das Minderheitsregime bereits auf verlorenem Posten stand. G.B. als ehemalige Kolonialmacht übernahm dann, äußerst widerwillig, die Verhandlungsführung um eine Unabhängigkeit. G.B. ist auch durch unentschlossene Politik die Hauptschuld dafür anzulasten, daß sich 1965 die rassistischen weißen Siedler einseitig von London lossagten.

Die Befreiungsbewegungen fanden Unterstützung bei den schwarzafrik. Nachbarn, insbes. in Sambia, Tansania und Mosambik. Die sozialistischen Entwicklungsbemühungen in Tansania und Mosambik werden von den Befreiungsbewegungen in Z. auch weitgehend als Vorbild für die eigene Entwicklung angesehen. Darüber hinaus stellten die SU und die VR-China den Befreiungsbewegungen Geld und Waffen zur Verfügung, wobei der Flügel um Nkomo (ZAPU) mehr Unterstützung aus Moskau, der von Sithole und seinem Nachfolger Mugabe (ZANU) mehr Hilfe aus Peking erhielten.

4. Politische Begriffe

„One man – one vote": Forderung der Nationalisten nach einem demokratischen Wahlrecht („eine Wahlstimme für jeden").

„UDI" (Unilateral Declaration of Independence): Einseitige Unabhängigkeitserklärung der weißen Minderheit von G.B. im Jahre 1965.

Gerald Baars

Literatur

Bowman, L.W., Politics in Rhodesia: White Power in an African State, Cambridge/Mass. 1973.

Decke, B.; Tüllmann, A., Betrifft: Rhodesien. Unterdrückung und Widerstand in einer Siedlerkolonie, Frankfurt/M. 1974.

Kirkman, W. R.; Legum, C.; Laß, H. D., Rhodesien 1975/76. Analyse und Dokumentation zum Konflikt um Rhodesien/Simbabwe, Hamburg 1976 (Arbeiten aus dem Institut für Afrika-Kunde 7).

Laß, H. D., „Die innere politische Entwicklung Rhodesiens/Simbabwes im Dekolonisationskonflikt", in: Afrika Spectrum, 11. Jg., Nr. 3, Hamburg 1976, S. 239–253.

Loney, M., Rhodesia: White Racism and Imperial Response, Harmondsworth 1975.

Maxey, K., The Fight for Zimbabwe. The armed Conflict in Southern Rhodesia since UDI, London 1975.

Niemann, R., Von Rhodesien zu Zimbabwe. Emanzipation der Afrikaner durch Guerillakampf oder Verfassungskonferenz, Frankfurt/M. 1976.

Noel, M., „Le Conseil National Africain de Rhodésie", in: Revue française d'études politiques africaines, Nr. 98, Paris 1974, S. 54–70.

Raeburn, M., Black Fire! Accounts of the Guerrilla War in Rhodesia, London 1978.

Rhodesiens Zukunft heißt Zimbabwe. Zwischen Kolonialismus und Selbständigkeit, Frankfurt/M. 1977 (Texte zum kirchlichen Entwicklungsdienst 13).

Thurn, M., „Gespräche in Rhodesien", in: Internationales Afrikaforum, 13. Jg., Nr. 3, München 1977, S. 278–282.

Vambe, L., From Rhodesia to Zimbabwe, London 1976.

Windrich, E., The Rhodesian Problem. A Documentary Record 1923–1973, London 1975.

ders., „Die Versuche zur Lösung des Rhodesien-Problems. Gefährdetes Gleichgewicht im südlichen Afrika", in: Europa-Archiv, 32. Jg., Nr. 5, Bonn 1977, S. 135–146.

Abkürzungsverzeichnis

ABAKO	Association des Bakongo *(Zaïre)*
ACMAF	Association des Classes Moyennes Africaines *(Zaïre)*
ADAPES	Association des Anciens Elèves des Pères de Scheut *(Zaïre)*
AEF	Afrique Equatoriale Française
AJM	Association de la Jeunesse Mauritanienne *(Mauretanien)*
AKFM	Anton'ny Kongresin'ny Fahaleavantenan'i Madagasikara (Kongreßpartei für die Unabhängigkeit Madagaskars) *(Madagaskar)*
AKP	Afrikanisch-Karibisch-Pazifische Länder (Assoziation an die EG)
ANC	African National Congress *(Angola, Botswana, Sambia, Tansania, Zimbabwe)*
ANC	African National Council *(Zimbabwe)*
ANDR	Alliance Nationale de Restauration Démocratique *(Äquatorial-Guinea)*
ANP	Acçâo Nacional Popular *(São Tomé und Principe)*
ANP	Assemblea Nacional Popular *(Guinea-Bissao)*
AOF	Afrique Occidentale Française
APC	All People's Congress *(Sierra Leone)*
APIC	Association du Personnel Indigène de la Colonie *(Zaïre)*
APROSOMA	Association pour la Promotion de la Masse *(Ruanda)*
AREMA	Avantgarde de la Révolution de Malagasy *(Madagaskar)*
ASP	Afro-Shirazi Party *(Tansania)*
ASSANEF	Association des Anciens Elèves des Frères des Ecoles Chrétiennes *(Zaïre)*
AST	Action Sociale Tchadienne *(Tschad)*
ASU	Afro-Shirazi Union *(Tansania)*
BAC	Basutoland African Congress *(Lesotho)*
BAG	Bloc Africain de Guinée *(Guinea)*

BALUBAKAT . . . Association des Baluba du Katanga *(Zaïre)*
BCP . . . . Basutoland Congress Party *(Lesotho)*
BDG . . . . Bloc Démocratique Gabonais *(Gabun)*
BDG . . . . Bloc Démocratique du Gorgol *(Mauretanien)*
BDP . . . . Bechuanaland (Botswana) Democratic Party *(Botswana)*
BDS . . . . Bloc Démocratique Sénégalais *(Senegal)*
BET . . . . Burku-Ennedi-Tibesti-Bezirk *(Tschad)*
BFP . . . . Basutoland Freedom Party *(Lesotho)*
BIP . . . . Bechuanaland (Botswana) Independence Party *(Botswana)*
BLP . . . . Basutoland Labour Party *(Lesotho)*
BMS . . . . Bloc des Masses Sénégalaises *(Senegal)*
BNF . . . . Botswana National Front *(Botswana)*
BNP . . . . Basutoland (Basuto) National Party *(Lesotho)*
BPA . . . . Bloc Populaire Africain *(Benin)*
BPN . . . . Bureau Politique National *(Guinea, Mauretanien)*
BPP . . . . Bechuanaland (Botswana) People's Party *(Botswana)*
BPS . . . . Bloc Populaire Sénégalais *(Senegal)*
BSA (BSAC) . . . . . British South African Company
BSP . . . . Brutto-Sozialprodukt
CAC . . . . Comité Amilcar Cabral *(Angola)*
CATC . . . . Confédération Africaine des Travailleurs Croyants *(Kongo)*
CC . . . . Central Committee *(Tansania)*
CCM . . . . Chama Cha Mapinduzi (Partei der Revolution) *(Tansania)*
CEDEAO . . . . . . Communauté Economique des Etats de l'Afrique de l'Ouest *(s. ECOWAS)*
CELU . . . . Confederation of Ethiopian Labour Unions *(Äthiopien)*
CERA . . . . Centre du Regroupement Africain *(Zaïre)*
CFA . . . . Communauté Financière Africaine (An den franz. Franc angeschlossene afrik. Währungsgemeinschaft)
CGT . . . . Confédération Générale du Travail *(Guinea)*
CIA . . . . Central Intelligence Agency (Zentraler Nachrichtendienst der USA)
CIO . . . . Congress of Industrial Organization *(Liberia)*
CIR . . . . Centro da Instrucção Revolucionária *(Angola)*
CLN . . . . Conseil Législatif National *(Zaïre)*

CLSTP	Comissão de Libertação de São Tomé e Principe *(São Tomè und Principe)*
CMLC ‹	Comando Militar para a Libertação de Cabinda *(Angola)*
CMLN	Comité Militaire de Libération Nationale *(Mali)*
CMS	Conseil Militaire Suprême *(Niger)*
CND	Conseil National de Développement *(Ruanda)*
CNDR	Comité Nationale de Défense de la Révolution *(Mali)*
CNR	Conseil National de la Révolution *(Kongo)*
CNTS	Confédération Nationale des Travailleurs Sénégalais *(Senegal)*
CNTT	Confédération Nationale des Travailleurs du Togo *(Togo)*
CNTV	Confédération Nationale des Travailleurs Voltaïque *(Obervolta)*
CONAKAT	Confédération des Associations du Katanga *(Zaïre)*
CONCP	Conferência das Organisações Nacionalistas das Colónias Portuguêsas *(Angola, Guinea-Bissao)*
COREMO	Comissão Revolucionária da Moçambique *(Mosambik)*
COTU	Central Organization of Trade Unions *(Kenia)*
CPL	Communist Party of Lesotho *(Lesotho)*
CPP	Convention People's Party *(Ghana)*
CRD	Conseil Révolutionnaire de District *(Benin)*
CRL	Conseil Révolutionnaire Local *(Benin)*
CRN	Comité de Réconciliation Nationale *(Togo)*
CSM	Conseil Supérieur Militaire *(Tschad)*
CSV	Confédération Syndicale Voltaïque *(Obervolta)*
CTMB	Compagnie Togolaise des Mines de Benin *(Togo)*
CUT	Comité d'Unité Togolaise *(Togo)*
DARE	oberstes Parteikomitee der ZANU *(Zimbabwe)*
DCA	Democratic Congress Alliance *(Gambia)*
DEMKOP	Demokratiese Kooperatiewe Ontwikkelingsparty *(Namibia)*
DEMOS	Nigeria National Democratic Party *(Nigeria)*
DP	Democratic Party *(Gambia, Uganda)*
DSG	Démocratie Socialiste de Guinée *(Guinea)*
DUP	Democratic Unionist Party *(Sudan)*
ECOWAS	Economic Community of West African States *(s. CEDEAO)*

523

EDU .... Ethiopian Democratic Union *(Äthiopien)*
EG .... Europäische Gemeinschaft
ELF .... Eritrea Liberation Front *(Äthiopien)*
ELP .... Söldnertruppen ehemaliger portugies. Soldaten *(Angola)*
EM .... Entente Mauritanienne *(Mauretanien)*
ENLF .... Ethiopian National Liberation Front *(Äthiopien)*
EPLF .... Eritrean People's Liberation Front *(Äthiopien)*
EPRP .... Ethiopian People's Revolutionary Party *(Äthiopien)*
FAN .... Forces Armées Nationales *(Niger)*
FAP .... Forces Armées Populaires *(Tschad)*
FAPLA .... Forças Armadas Populares de Libertação de Angola *(Angola)*
FESTAC ...... Black and African Festival of Arts and Culture *(Nigeria)*
FESYGA ...... Fédération Syndicale Gabonaise *(Gabun)*
FINDECO ..... State Finance and Development Corporation *(Sambia)*
FISEMA .... Kommunistische Gewerkschaft Madagaskars *(Madagaskar)*
FKE .... Federation of Kenya Employers *(Kenia)*
FLCS .... Front de Libération de la Côte Française des Somalis *(Djibouti)*
FLEC .... Frente de Libertação do Enclave de Cabinda *(Angola)*
FLING .... Frente da Libertação da Independência Nacional de Guiné *(Guinea-Bissao)*
FLT .... Front de Libération du Tschad *(Tschad)*
FNDR .... Front National pour la Défense de la Révolution *(Madagaskar)*
FNLA .... Frente Nacional de Libertação de Angola *(Angola)*
FPLM .... Forças Populares de Libertação de Moçambique *(Mosambik)*
FRELIMO ..... Frente de Libertação de Moçambique *(Mosambik)*
FRENAPO ..... Frente Nacional y Popular de Liberación de la Guinea Ecuatorial *(Äquatorial-Guinea)*
FROLINA ..... Front de Libération Nationale Tchadienne *(Tschad)*
FROLINAT .... Front de Libération du Tchad *(Tschad)*
FROLINAT-FPL . Forces Populaires de Libération de la FROLINAT *(Tschad)*
FROLIZI ...... Front for the Liberation of Zimbabwe *(Zimbabwe)*

524

FRONASA	Front for National Salvation *(Uganda)*
FUMO	Frente Unitaria de Moçambique *(Mosambik)*
GAP	Groupement d'Action Populaire *(Obervolta)*
GCP	Gambian Congress Party *(Gambia)*
GEC	Groupe d'Etudes Communiste *(Guinea)*
GEMA	Gikuyu, Embu and Meru Association *(Kenia)*
GEND	Groupement Ethnique du Nord *(Benin)*
GIRT	Groupement des Intérêts Ruraux du Tchad *(Tschad)*
GNP	Gambian National Party *(Gambia)*
GNU	Gambian National Union *(Gambia)*
GRAE	Governo Revoluçionário Angolano no Exil *(Angola)*
GSU	General Service Unit *(Kenia)*
GWU	Gambia Workers' Union *(Gambia)*
HDMS	Digil Mirifle-Partei *(Somalia)*
ICFTU	International Confederation of Free Trade Unions *(Sudan)*
IFB	Independent Forward Bloc *(Mauritius)*
INDECO	Industrial Development Corporation *(Sambia)*
INM	Imbokodvo National Movement *(Swasiland)*
INUTOM	Institut Universitaire des Territoires d'Outre Mer *(Zaïre)*
IPGE	Idea Popular de la Guinea Ecuatorial *(Äquatorial-Guinea)*
I-PRA	Indépendants du PRA *(Obervolta)*
JMPLA	Juventude de MPLA *(Angola)*
JRDACI	Jugendorganisation der PDCI *(Elfenbeinküste)*
JRPT	Jeunesse du RPT *(Togo)*
JUVENTO	Justice, Vigilance, Education, Nationalisme, Tenacité, Optimisme *(Togo)*
KADU	Kenya African Democratic Union *(Kenia)*
KANU	Kenya African National Union *(Kenia)*
KAU	Kenya African Union *(Kenia)*
KCA	Kikuyu Central Association *(Kenia)*
KDRSM	Comité Démocratique de Soutien à la Révolution Socialiste Malgache *(Madagaskar)*
KIM	Föderation des 13. Mai *(Madagaskar)*
KNC	Kamerun National Convention *(Kamerun)*
KNDP	Kamerun National Democratic Party *(Kamerun)*
KPF	Kommunistische Partei Frankreichs
KPU	Kenya People's Union *(Kenia)*

KY .... Kabaka Yekka (Partei des Kabaka) *(Uganda)*
LG .... Local Government *(Nigeria)*
LPAI .... Ligue Populaire Africaine pour l'Indépendence *(Djibouti)*
MANU .... Mozambique African National Union *(Mosambik)*
MCA .... Muslim Committee of Action *(Mauritius)*
MCP .... Malawi Congress Party *(Malawi)*
MCP .... Muslim Congress Party *(Gambia)*
MDRM .... Mouvement Démocratique de la Rénovation Malgache *(Madagaskar)*
MEDAC ...... Mouvement d'Evolution Démocratique de l'Afrique Centrale *(Zentralafrikanisches Kaiserreich)*
MEECI .... Mouvement des Etudiants et Eléves de Côte d'Ivoire *(Elfenbeinküste)*
MESAN .... Mouvement d'Evolution Sociale de l'Afrique Noire *(Zentralafrikanisches Kaiserreich)*
MFM-MFT ..... ,,Die Macht der kleinen Leute" *(Madagaskar)*
MFP .... Marema-Tlou Freedom Party *(Lesotho)*
MLD .... Mouvement de Libération de Djibouti *(Djibouti)*
MLN .... Mouvement de Libération National *(Obervolta)*
MLSTP .... Movimento de Liberdade de São Tomé e Principe *(São Tomé und Principe)*
MMM .... Mouvement Militant Mauricien *(Mauritius)*
MNC .... Mouvement National Congolais *(Zaïre)*
MNR .... Mouvement National pour le Renouveau *(Obervolta)*
MNR .... Mouvement National de la Révolution *(Kongo)*
MNRCS ...... Mouvement National de la Révolution Culturelle et Sociale *(Tschad)*
MOLICA ...... Movimiento de Libertação de Cabinda *(Angola)*
MOLINACO .... Mouvement de la Libération Nationale de Comores *(Komoren)*
MONALIGE .... Movimiento Nacional de Liberación de la Guinea Ecuatorial *(Äquatorial-Guinea)*
MONIMA ...... ,,Madagaskar den Madagassen" *(Madagaskar)*
MPL .... Mouvement Populaire de Libération *(Djibouti)*
MPLA .... Movimento Popular de Libertação de Angola *(Angola)*
MPM .... Mouvement du Peuple Mahorais *(Komoren)*
MPR .... Mouvement Populaire de la Révolution *(Zaïre)*

MPT . . . . Mouvement Populaire Togolais *(Togo)*
MRND . . . . Mouvement Révolutionnaire National pour le Déve-
loppement *(Ruanda)*
MSA . . . . Mouvement Socialiste Africain *(Niger, Tschad)*
MSM . . . . Mouvement Social Malgache *(Madagaskar)*
MUNGE . . . . Movimiento de Unión Nacional de la Guinea Ecua-
torial *(Äquatorial-Guinea)*
NAC . . . . Nyasaland African Congress *(Malawi)*
NAL . . . . National Alliance of Liberty *(Ghana)*
NAPDO . . . . Namib African People's Democratic Organization
(Namibia)
NATO . . . . North Atlantic Treaty Organization
NC . . . . National Convention (of Freedom Parties) *(Nami-
bia)*
NCCK . . . . National Christian Council of Kenya *(Kenia)*
NCN . . . . National Council of Namibia *(Namibia)*
NCNC . . . . National Council of Nigerian Citizens *(Nigeria)*
NCP . . . . National Convention Party *(Gambia)*
NCSL . . . . National Council of Sierra Leone *(Sierra Leone)*
NEC . . . . National Executive Committee *(Tansania)*
NDP . . . . National Democratic Party *(Namibia, Zimbabwe)*
NFD . . . . Northern Frontier District (Nördlicher Grenzdistrikt
von Kenya) *(Somalia)*
NLC . . . . National Liberation Council *(Ghana)*
NLM . . . . National Liberation Movement *(Ghana)*
NLP . . . . National Liberation Party *(Gambia)*
NNC . . . . Namibia National Convention *(Namibia)*
NNF . . . . Namibia National Front *(Namibia)*
NNLC . . . . Ngwane National Liberatory Congress *(Swasiland)*
NP . . . . Nasionale Party van Suidwes-Afrika *(Namibia)*
NPC . . . . Northern People's Congress *(Nigeria)*
NRC . . . . National Redemption Council *(Ghana)*
NSS . . . . National Security Service *(Somalia)*
NUDO . . . . National Unity Democratic Organization *(Nami-
bia)*
NUNS . . . . National Union of Nigerian Students *(Nigeria)*
NUP . . . . National Union Party *(Sudan)*
NUTA . . . . National Union of Tanganyika Workers *(Tan-
sania)*
NYSC . . . . National Youth Service Corps *(Nigeria)*

OAU	Organization of African Unity *(s. OUA)*
OCAM	Organisation Coummune Africaine et Mauricienne (bis 1970 . . . et Malgache; 1970–1973 ,,OCAMM" = . . . Malgache et Mauricienne; nach Austritt von Madagaskar 1973 s. o.)
OFN	Operation Feed the Nation *(Nigeria)*
OIP	Owambo Independent Party *(Namibia)*
OLF	Oromo Liberation Front *(Äthiopien)*
OMA	Organisação das Mulheres Angolanas *(Angola)*
OPA	Organisação do Pioneiro de Angola *(Angola)*
OUA	Organisation de l'Unité Africaine *(s. OAU)*
OVSL	Organisation Voltaïque des Syndicats Libres *(Obervolta)*
PAC	Pan-Africanist Congress *(Botswana)*
PACONO	Parti de la Conscience Nationale *(Zaïre)*
PADESM	Parti des Déshérités de Madagascar *(Madagaskar)*
PAI	Parti Africain de l'Indépendance *(Senegal)*
PAIGC	Partido Africano da Independência de Guiné-Bissao e Cabo Verde *(Guinea-Bissao)*
PAP	People's Action Party *(Ghana)*
PARMEHUTU . .	Parti du Mouvement de l'Emancipation Hutu *(Ruanda)*
PASOCO	Parti Socialiste Comorien *(Komoren)*
PCC	People's Caretaker Council *(Zimbabwe)*
PCF	Parti Communiste Français *(Elfenbeinküste)*
PCR	Parti Communiste de Réunion *(Reunion)*
PCT	Parti Congolais du Travail *(Kongo)*
PDC	Parti Démocrate Chrétien *(Burundi)*
PDCI	Parti Démocratique de la Côte d'Ivoire *(Elfenbeinküste)*
PDG	Parti Démocrate Gabonais *(Gabun)*
PDG	Parti Démocratique de Guinée *(Guinea)*
PDM	Parti Démocratique Malgache *(Madagaskar)*
PDP	Pan African Democratic Party of Malawi *(Malawi)*
PDP	People's Democratic Party *(Sudan)*
PDR	Parti Démocrate Rural *(Burundi)*
PDS	Parti Démocratique Sénégalais *(Senegal)*
PDU	Parti Dahoméen d'Unité *(Benin)*
PF	Patriotic Front *(Zimbabwe)*
PFA	Parti de la Fédération Africaine *(Mali)*

PIDE	Polícia Internacional e de Defesa do Estado (Portugiesische Geheimpolizei)
PLAN	People's Liberation Army of Namibia *(Namibia)*
PLO	Palestinian Liberation Organization
PMAC	Provisional Military Administrative Council *(Äthiopien)*
PMP	Parti du Mouvement Populaire *(Djibouti)*
PMSD	Parti Mauricien Social-Démocrate *(Mauritius)*
PNA	Parti National Africain *(Tschad)*
PND	Parti des Nationalistes du Dahomey *(Benin)*
PNP	Parti National du Progrès *(Zaïre)*
POLISARIO	Frente Popular de Liberación de Seguia el Hamra y Rio de Oro *(Mauretanien)*
PP	Parti du Peuple *(Burundi)*
PP	Parti Progressiste *(Elfenbeinküste)*
PP	Progress Party *(Ghana)*
PPA	People's Progressive Alliance *(Gambia)*
PPC	Parti du Peuple Centrafricain *(Zentralafrikanisches Kaiserreich)*
PPG	Parti Progressiste de Guinée *(Guinea)*
PPM	Parti du Peuple Mauritanien *(Mauretanien)*
PPN	Parti Progressiste Nigérien *(Niger)*
PPP	People's Popular Party *(Ghana)*
PPP	People's Progressive Party *(Gambia)*
PPT	Parti Progressiste Tchadien *(Tschad)*
PRA	Parti du Regroupement Africain *(Elfenbeinküste, Obervolta, Senegal)*
PRL	Pouvoir Révolutionnaire Local *(Guinea)*
PRM	Parti du Regroupement Mauritanien *(Mauretanien)*
PRN	Parti du Regroupement National *(Obervolta)*
PROSWA	Pro South West Africa Movement *(Namibia)*
PRPB	Parti de la Révolution Populaire du Benin *(Benin)*
'PS	Parti Socialiste de Sénégal *(Senegal)*
PSA	Parti Solidaire Africain *(Zaïre)*
PSAS	Parti Sénégalais d'Action Socialiste *(Senegal)*
PSD	Parti Social Démocrate *(Madagaskar)*
PSIT	Parti Socialiste Indépendant du Tchad *(Tschad)*
PSP	Parti Progressiste Soudanais *(Mali)*
PTP	Parti Togolais du Progrès *(Togo)*
PUN	Partido Unico Nacional *(Äquatorial-Guinea)*

PUNT .... Partido Unico Nacional de los Trabajadores *(Äquato-rial-Guinea)*
PUT .... Parti de l'Unité Togolaise *(Togo)*
RADER .... Rassemblement Démocratique Ruandais *(Ruanda)*
RDA .... Rassemblement Démocratique d'Afar *(Djibouti)*
RDA .... Rassemblement Démocratique Africain *(Elfen-beinküste, Guinea, Maili, Obervolta, Senegal)*
RDD .... Rassemblement Démocratique Dahoméen *(Benin)*
RDPC .... Rassemblement Démocratique du Peuple Comorien *(Komoren)*
RND .... Rassemblement National Démocratique *(Senegal)*
RPT .... Rassemblement du Peuple Togolais *(Togo)*
RSA .... Republic of South Africa
SAM .... Serviço de Assistência Medica *(Angola)*
SANU .... Sudan African National Union *(Sudan)*
SDP .... Seychelles Democratic Party *(Seychellen)*
SDP .... Somali Democratic Party *(Somalia)*
SDP .... Swaziland Democratic Party *(Swasiland)*
SFIO .... Section Française de l'Internationale Ouvrière *(Mada-gaskar, Senegal)*
SIF .... Swaziland Independent Front *(Swasiland)*
SLPP .... Sierra Leone People's Party *(Sierra Leone)*
SMC .... Supreme Military Council *(Ghana)*
SNC .... Somali National Congress *(Somalia)*
SNC .... Swazi National Council *(Swasiland)*
SNI .... Société Nationale d'Investissement *(Madagaskar)*
SNL .... Somaliland National League *(Somalia)*
SPP .... Swaziland Progressive Party *(Swasiland)*
SPUP .... Seychelles People's United Party *(Seychellen)*
SRC .... Supreme Revolutionary Committee *(Äthiopien)*
SRC .... Supreme Revolutionary Council *(Somalia)*
SSU .... Sudanese Socialistic Union *(Sudan)*
SWA .... South West Africa
SWANU .... South West Africa National Union *(Namibia)*
SWAPO .... South West Africa People's Organization *(Namibia)*
SYL .... Somali Youth League *(Somalia)*
TAA .... Tanganyika African Association *(Tansania)*
TANU .... Tanganyika African National Union *(Tansania)*
TFAI .... Territoire Français des Afars et des Issas *(Djibouti)*
TFL .... Tanganyika Federation of Labour *(Tansania)*

TOM	Territoire d'Outre-Mer
TPDF	Tanzania People's Defense Forces *(Tansania)*
TUC	Trade Union Congress *(Ghana)*
TWP	True Whig Party *(Liberia)*
TYL	TANU Youth League *(Tansania)*
UAC	United African Company *(Togo)*
UANC	United African National Council *(Zimbabwe)*
UCPN	Union des Chefs et des Populations du Nord *(Togo)*
UDA	Union Démocratique Afar *(Djibouti)*
UDC	Uniâo Democrática de Cabo Verde *(Guinea-Bissao)*
UDC	Union Démocratique Comorienne *(Komoren)*
UDD	Union Démocratique Dahoméenne *(Benin)*
UDEAC	Union Douanière et Economique de l'Afrique Centrale
UDECMA	Union des Démocrates Chrétiens de Madagascar *(Madagaskar)*
UDENAMO	União Nacional Democrática de Moçambique *(Mosambik)*
UDI	Unilateral Declaration of Independence *(Zimbabwe)*
UDIT	Union Démocratique Indépendante du Tchad *(Tschad)*
UDN	Union Démocratique Nigérienne *(Niger)*
UDPM	Union Démocratique du Peuple Malien *(Mali)*
UDPT	Union Démocratique des Populations Togolaises *(Togo)*
UDR	Union des Démocrates pour la République *(Reunion)*
UDSG	Union Démocratique et Socialiste Gabonaise *(Gabun)*
UDT	Union Démocratique Tchadienne *(Tschad)*
UDV-RDA	Union Démocratique Voltaïque *(Obervolta)*
UGCC	United Gold Coast Convention *(Ghana)*
UGECI	Union Générale des Etudiants de la Côte d'Ivoire *(Elfenbeinküste)*
UGTAN	Union Générale des Travilleurs Africains *(Senegal)*
UGTS	Union Générale des Travailleurs Sénégalais *(Senegal)*
UGTSF	Union Générale des Travailleurs Sénégalais en France *(Senegal)*
UNAMI	União Africana de Moçambique Independente *(Mosambik)*
UNAR	Union Nationale Ruandaise *(Ruanda)*

UNATRAT	Union Nationale des Travailleurs Tchadiens *(Tschad)*
UNC	Union Nationale Camérounaise *(Kamerun)*
UNDD	Union Nationale pour la Défense de la Démocratie *(Obervolta)*
UNECI	Union Nationale des Etudiants de la Côte d'Ivoire *(Elfenbeinküste)*
UNELMA	Union des Anciens Elèves des Frères des Ecoles Maristes *(Zaïre)*
UNF	United National Front *(Komoren)*
UNFT	Union Nationale des Femmes du Togo *(Togo)*
UNI	Union Nationale pour l'Indépendance *(Djibouti)*
UNI	Union Nationale des Indépendants *(Obervolta)*
UNIP	United National Independence Party *(Sambia)*
UNISCO	Union Nationale des Intérêts Sociaux Congolais *(Zaïre)*
UNITA	União para a Independência Total de Angola *(Angola)*
UNM	Union Nationale Mauritanienne *(Mauretanien)*
UNO	United Nations Organization
UNT	Union Nationale Tchadienne *(Tschad)*
UNTA	União Nacional des Trabalhadores Angolaos *(Angola)*
UNTM	Union Nationale des Travailleurs Maliens *(Mali)*
UNTS	Union Nationale des Travailleurs Sénégalais *(Senegal)*
UP	United Party *(Gambia)*
UPA	União das Populações de Angola *(Angola)*
UPC	Uganda People's Congress *(Uganda)*
UPC	Union des Populations du Cameroun *(Kamerun)*
UPD	Union Progressiste Dahoméenne *(Benin)*
UPE	Universal Primary Education *(Nigeria)*
UPICV	União Popular da Independência de Cabo Verde *(Guinea-Bissao)*
UPM	Union Progressiste Mauritanienne *(Mauretanien)*
UPNA	União das Populações do Norte de Angola *(Angola)*
UPP	United Progressive Party *(Sambia)*
UPRONA	Parti de l'Unité et du Progrès National du Burundi *(Burundi)*
UPS	Union Progressiste Sénégalaise *(Senegal)*
UPV	Union Progressiste Voltaïque *(Obervolta)*

Fachbibliotheken

In der folgenden Aufstellung sind nur die wichtigsten außeruniversitären Bibliotheken mit einem umfangreichen Literaturangebot zu Politik, Gesellschaft und Wirtschaft Afrikas berücksichtigt; einschlägige Literatur wird man natürlich auch in den Universitäts- und Institutsbibliotheken in den einzelnen Hochschulorten finden.

Besonders verwiesen sei auf die „Dokumentationsleitstelle Afrika" (Neuer Jungfernstieg 21, 2000 Hamburg 36), deren Aufgabe die Erfassung und inhaltliche Erschließung von Büchern, Zeitschriften, Beiträgen aus Sammelbänden und grauer Literatur über die politische, gesellschaftliche und wirtschaftliche Entwicklung in den afrikanischen Staaten ist. Die gespeicherten Informationen stehen allen Interessenten auf Anfrage zur Verfügung.

Berlin:	★★★	Deutsches Institut für Entwicklungspolitik (B 1503) Frauenhoferstr. 33–36, 1000 Berlin 10
	★★	Arbeitsstelle Politik Afrikas (B 211) Kiebitzweg 7, 1000 Berlin 33
Bonn:	★	Deutsche Stiftung für internationale Entwicklung, Zentrale Dokumentation (Bo 149) Endenicherstr. 41, 5300 Bonn
	★	Forschungsinstitut der Friedrich-Ebert-Stiftung (Bo 133) Kölner Str. 149, 5300 Bonn-Bad Godesberg
Freiburg:	★	Arnold-Bergstraesser-Institut für Kulturwissenschaftliche Forschung (Frei 119) Erbprinzenstr. 18, 7800 Freiburg
Hamburg:	★	HWWA-Institut für Wirtschaftsforschung, Bibliothek (H 3) Neuer Jungfernstieg 21, 2000 Hamburg 36
	★	Institut für Afrika-Kunde (H 221) Neuer Jungfernstieg 21, 2000 Hamburg 36
Kiel:	★★★	Bibliothek des Instituts für Weltwirtschaft (206) Düsternbrooker Weg 120–22, 2300 Kiel

Köln:	★	Bundesstelle für Außenhandelsinformation (BfA)
		Blaubach 13, 5000 Köln 1
	★	Deutsche Welle – Bibliothek
		Richmondstr. 6, 5000 Köln 1
München:	★	Ifo-Institut für Wirtschaftsforschung, Afrika-Studienstelle (M 158a)
		Poschingerstr. 5, 8000 München 86
Stuttgart:	★★★	Institut für Auslandsbeziehungen (212)
		Charlottenplatz 17, 7000 Stuttgart 1

★ Präsenzbibliothek, Benutzung in der Regel nur im Lesesaal
★★ Präsenzbibliothek, jedoch dem Auswärtigen Leihverkehr angeschlossen
★★★ Ausleihbibliothek, dem Auswärtigen Leihverkehr angeschlossen

Die Ziffern in Klammern – z. B. (H 221) – bezeichnen die Bibliotheks-Sigel.

Die Autoren

Gerald Baars, geb. 1953; Studium der Raumplanung an der Universität Dortmund; Dipl.-Ing.; Schwerpunktthema: ,,Restriktionen einer dezentralen Planung in Entwicklungsländern"; Journalistische Arbeiten über afrikanische und asiatische Entwicklungsländer, häufige Aufenthalte in Ostafrika; heute tätig als Fernsehredakteur beim Westdeutschen Rundfunk in Köln.

Rolf D. Baldus, geb. 1949; Studium der Volkswirtschaftslehre in Marburg; Promotion zum Dr. rer. pol.; Veröffentlichungen u. a.: ,,Zur operationalen Effizienz der Ujamaa Kooperative Tansanias". Forschungsaufenthalte in Ost- und Zentralafrika; heute tätig als Berater des BMZ und Lehrbeauftragter an der Universität Marburg.

Dorothee Bamberger, geb. 1951; Studium der Politologie, Soziologie und Russisch in Marburg; Studienaufenthalt in Moskau; heute mit Vorbereitungen einer Dissertation beschäftigt.

Kerstin Bernecker, geb. 1946; Studium der Physik und Wirtschaftswissenschaften in Stuttgart und München; Dipl.-Wirtsch.-Ing.; Dipl.-Phys.; Veröffentlichung: ,,Gambias politische Entwicklung", in: Internationales Afrikaforum 3/76; Forschungs- und Studienaufenthalte in West- und Nordafrika, z. Z. in Algerien als Mitarbeiterin des Ifo-Instituts.

Hartmut Brie, geb. 1943; Studium der Romanistik, Anglistik, Europäische Studien in Freiburg, München, Glasgow und Neapel; 1. und 2. Staatsexamen, Promotion zum Dr. phil.; ein Jahr Experte an der E. N. A. (Verwaltungshochschule) in Niamey, Niger; zwei Jahre Berater für Erwachsenenbildung in Kinshasa, Zaïre.

Elmar Demmel, geb. 1948; stud. rer. pol.; cand. med.; Aufenthalte in Südafrika, Nord- und Westafrika.

Herta Friede, geb. 1943; Studium der Geschichte, Sozialwissenschaften und Germanistik, M. A.; Grundsatzreferent beim Weltfriedensdienst, Afrikareferent der Friedrich-Naumann-Stiftung; zahlreiche Reisen nach Westafrika.

Herbert Ganslmayr, geb. 1937; Dr. phil., Studium der Völkerkunde in München und Basel; zahlreiche Veröffentlichungen, u. a.: Maquet und Ganslmayr, ,,Afrika", München 1970; Forschungsaufenthalte (mehrere Jahre in Nigeria) und Studienreisen in Afrika; z. Z. Direktor des Übersee Museums in Bremen.

Sieglinde Gauer, geb. 1940; vierjährige Tätigkeit in Nord- und Westafrika; z. Z. Studium der Erziehungswissenschaft in Köln; Veröffentlichung: (Ko-Autor) ,,Unterrichtsmodell zum Bevölkerungswachstum" in: Dritte Welt im Unterricht, Seminarreihe Kübelstiftung. Forschungsaufenthalt in Togo; in Vorbereitung: Diplomarbeit über funktionale Alphabetisation in Togo.

Uta Gerweck, geb. 1948; Studium der Soziologie, Ethnologie und Polit. Wiss. in Heidelberg und München, M. A.; Studienaufenthalte: Elfenbeinküste, Obervolta, Angola, Tansania, Guinea-Bissao und Kap Verdische Inseln; Mitarbeit im ,,Solidaritätskomitee Freies Afrika" 1971–75; seit 1974 im Bereich der Jugend- und Sozialarbeit tätig; Veröffentlichungen siehe Literatur Guinea-Bissao.

Britta Girgensohn, geb. 1940; Studium der Ethnologie, Soziologie, Vorgeschichte; Veröffentlichung u. a.: Ko-Autor von ,,Management eines Machtwechsels: Die Rückkehr zur Zivilregierung in Ghana", in: Spektrum der Dritten Welt 3, Wentorf/Hamburg 1970; Studienreisen und -aufenthalte in Nordamerika, West- und Ostafrika; seit 1974 wiss. Hilfskraft am Institut für Völkerkunde und Afrikanistik der Universität München.

Ingrid Hahn, geb. 1953; Studium der Erziehungswissenschaften in München, Staatsexamen 1977; Studienaufenthalte in West-, Nord- und Zentralafrika und Libanon, z. Z. in Gabun.

Manfred Hart, geb. 1953; Besuch der Deutschen Journalistenschule in München; Student der Polit. Wiss., Kommunikationswiss. und Geschichte; Studienaufenthalte in Afrika, u. a. Uganda.

Walter Herglotz, geb. 1952; studiert Elektrotechnik/Nachrichtentechnik an der TU in München; Aufenthalt in Mali im Rahmen der deutschen Hilfsmaßnahmen für die Sahelzone.

Rolf Hofmeier, geb. 1939; Studium der VWL und Wirtschaftsgeographie, Dr. oec. publ., Absolvent des Deutschen Instituts für Entwicklungspolitik in Berlin, Research Fellow am Economic Research Bureau der Universität Dar es Salaam, Tansania; Berater im tansanischen Planungsministerium, Koordinator des integrierten ländl. Entwicklungsprogramms der Tanga-Region in Tansania; Ernennung zum Research Professor der Universität Dar es Salaam; Veröffentlichungen u. a.: ,,Transport and Economic Development in Tanzania", München, 1973; Ko-Autor von ,,Reisehandbuch Ostafrika: Kenya, Tanzania", Frankfurt 1975²; gegenwärtig Direktor des Instituts für Afrika-Kunde in Hamburg.

Reinhard Krämer, geb. 1956; Student der Soziologie in Bielefeld am Praxisschwerpunkt ,,Entwicklungsplanung und Entwicklungspolitik"; Mitglied des AKAFRIK (Aktionskomitee Afrika) Bielefeld; Lehrforschungsaufenthalt in Nigeria.

H. Jürgen E. Lewak, geb. 1951; Studium der Volkswirtschaftslehre in Stuttgart und Tübingen; Diplomarbeit über Prebischs Theorie der peripheren Wirtschaft; Diplomexamen an der Universität Tübingen 1975; Studienaufenthalte an der Elfenbeinküste; heute tätig im Fachverlag einer Institutsgruppe der deutschen Kreditwirtschaft.

Robert von Lucius, geb. 1949; 1963–68 wohnhaft in Süd- und Südwestafrika, 1969 und 74 mehrmonatige Studienreisen dorthin; Studium der Rechts- und Politikwissenschaft in Heidelberg und Bonn; 1. jur. Staatsexamen; wiss. Mitarbeiter am Kirchenrechtl. Institut der Univ. Bonn 1973/74; Promotion über ein währungsrechtliches Thema in Vorbereitung; diverse Publikationen, bes. über das Südliche Afrika, u. a. in ,,Handbuch der Vereinten Nationen".

Thomas Maier, geb. 1954; Besuch der Deutschen Journalistenschule in München; Studium der Politikwissenschaft und des öffentl. Rechts in München; längere Aufenthalte in Afrika und Asien.

Klaus Rüdiger Metze, geb. 1946; Studium der Soziologie, Politischen Wissenschaft und Geschichte in Marburg, Promotion zum Dr. phil.; Veröffentlichungen u. a.: ,,Die Gewerkschaften Tansanias", in: Gewerkschaften und Entwicklungspolitik, hrsg. von G. Leminsky und B. Otto, Köln 1975; Afrikaaufenthalte zum Zweck fernsehjournalistischer und Forschungstätigkeiten; heute Fernsehjournalist beim Hessischen Rundfunk, Frankfurt.

Verena Metze-Mangold, geb. 1946; Studium der Soziologie, Politischen Wissenschaften und Geschichte in Marburg, Promotion zum Dr. phil.; Veröf-

fentlichungen u. a.: ,,Die Agrarverfassung Tansanias – von vorkapitalisti-
schen Verhältnissen zum nichtkapitalistischen Entwicklungsweg", Marburg, 1974; ,,Nichtkapitalistischer Entwicklungsweg – Ideengeschichte und
Theoriekonzept", Köln, 1976; heute tätig als Referentin für Journalistische
Aus- und Fortbildung im Gemeinschaftswerk der Evangelischen Publizi-
stik.

Gerd Bernhard Meuer, geb. 1941; Studium der Romanistik, Anglistik, Soziologie und Politologie in Bonn, Berlin, Caen (Frankr.), Ibadan (Nigeria) und
Aachen; Rundfunkberater im Auftrag des BMZ in Mali (1967–70); Bericht-
erstattung u. a. über pan-afrikanische und UN-Konferenzen für Anstalten
der ARD, ,Frankfurter Rundschau', ,Sonntagsblatt', ,NZZ' u. a.; Tätigkeit
als Referent bei DSE, VHS, Kölner Schule für Journalismus; ausgedehnte
Reisen in Nord-, West-, Ost- und im südlichen Afrika; Mitglied der Vereinigung von Afrikanisten in der BRD und der Anti-Apartheid-Bewegung;
heute Koordinator in der Afrika-Redaktion der Deutschen Welle, Köln.

Marianne Müller, geb. 1951; ab 1969 Sprachenstudium und ab 1974 Studium
der Volkswirtschaftslehre in München.

Theo Mutter, geb. 1945; Studium der Volkswirtschaft und Politik in München, Dipl.-Volkswirt; Auslandstätigkeiten in Bolivien 1973–75 und Botswana 1976–77; Veröffentlichungen u. a.: ,,Die neue Weltwirtschaftsordnung in der Diskussion", in: P. Opitz, Hrsg., UNO aktuell, München 1976;
,,Technology for Rural Development in Botswana", in: T. Mutter, Hrsg.,
Technology for Rural Development, Gaborone-Botswana, 1976.

Hartmut Neitzel, geb. 1952; Studium der Geschichte und Geographie in
Hamburg, 1. Staatsexamen 1976; Veröffentlichung u. a.: ,,Industrialisie-
rung als Entwicklungsstrategie in Westafrika", Hamburg 1976. Seit 1976
freier Mitarbeiter des Instituts für Afrika-Kunde, Hamburg.

Jürgen Riedel, geb. 1936; Diplom-Volkswirt, Dr. rer. pol.; seit 1963 auf dem
Gebiet der Entwicklungsforschung und -beratung tätig für die OECD, die
Weltbank, sowie für die kanadische und deutsche Regierung im Rahmen
längerer Auslandsaufenthalte in Griechenland, Zaïre, Kenia und Algerien;
Veröffentlichungen u. a.: ,,Industrialisierungsstrategien: Importsubstitu-
tion versus Exportorientierung", in: Industrialisierung in Tropisch Afrika,
München, 1975; ,,Bauwirtschaft und Baustoffindustrie in Entwicklungslän-

dern", München, 1978; seit 1972 Mitarbeiter des IFO-Institut für Wirtschaftsforschung, Abt. Entwicklungsländer/Afrikastudienstelle, München.

Peter Ripken, geb. 1942; Studium der Sozialwissenschaften in Köln, Göttingen und Berlin, M. A.; mehrjährige Tätigkeit im Bereich der personellen Entwicklungshilfe in Afrika; seit 1972 Beschäftigung als Journalist mit dem südlichen Afrika, Geschäftsführer und Redakteur bei der Informationsstelle Südliches Afrika e. V. Bonn; zahlreiche Veröffentlichungen über Probleme des Südlichen Afrika; derzeit freiberuflich tätig.

Heinrich Scholler, geb. 1929; Studium der Rechtswissenschaft und der Politischen Wissenschaften in München und Paris, Dr. jur., Dipl. sc. pol., Apl. Prof.; Professor an der ehemaligen Haile Selassie I Universität, Addis Abeba, 1972–75; Gastprofessur an der Universität Paris I, Sorbonne, WS 77/78; Veröffentlichungen u. a.: ,,Ethiopia, Revolution, Law and Politics"; zusammen mit P. Brietzke: ,,Law in Revolutionary Ethiopia", 1975; ,,Ethiopian Constitutional Development", JöR, 1976; Apl. Professor am Institut für Politik und Öffentliches Recht an der Universität München, sowie Mitarbeiter am Institut für Rechtsphilosophie und Rechtsinformatik und Lehrtätigkeit an der Hochschule für Politik in München.

Mathias Schönborn, geb. 1943; Studium der Politischen Wissenschaft und Geschichte, M. A.; Veröffentlichung u. a.: ,,Die Entwicklung Tansanias zum Einparteienstaat", München 1973; mehrere Forschungsaufenthalte in Ost-und Zentralafrika; Research Associate des International Institute for Strategic Studies, (IISS), London, 1975/76; Mitarbeiter der Stiftung Wissenschaft und Politik in Ebenhausen 1976–78, wiss. Mitarbeiter des Sozialwissenschaftlichen Instituts der Bundeswehr in München.

Hans B. Sternberg, geb. 1948; Studium der Rechtswissenschaft in Marburg, München und Genf; Zweitstudium der Raumplanung in Dortmund, Dipl.-Ing.; Forschungsaufenthalte in Westafrika; z. Z. Lehrauftrag an der Päd. Hochschule Ruhr, Abt. Musik.

Klaus-Peter Treydte, geb. 1939; Diplom-Volkswirt; Veröffentlichungen u. a.: ,,Mosambik. Politisch-wirtschaftliche Hintergrundanalyse zur Unabhängigkeit", Bonn-Bad Godesberg, 1975; verschiedene Arbeitsaufenthalte in einer Reihe von afrikanischen Ländern. Wissenschaftlicher Mitarbeiter im Forschungsinstitut der Friedrich-Ebert-Stiftung, Abt. Entwicklungsländerforschung, Bonn-Bad Godesberg.

Andreas J. Werobèl-La Rochelle, geb. 1956; studiert Politikwissenschaft, Amerikanistik und Zeitungswissenschaft in München; Veröffentlichungen zur Entwicklungspolitik und Innenpolitik afrikanischer Staaten in Fachzeitschriften; Mitorganisator zweier privater Hilfsaktionen für die Sahelzone; Mitglied der Royal African Society, London.

Jürgen M. Werobèl-La Rochelle, geb. 1940; Afrikanist; Studium der Rechtswissenschaft, Geschichte, Nordistik und Politischen Wissenschaften in Aarhus, Wien, Tours und München. Zahlreiche Publikationen über Afrika, u. a. im Internationalen Afrikaforum und als Mitarbeiter des IFO-Institut für Wirtschaftsforschung über ,,Entwicklungsplan der Elfenbeinküste, 1971–75", zusammen mit R. Güsten und W. Roider; Organisator von Hilfsaktionen für die Sahelzone; seit 1966 zahlreiche Afrikareisen, insbesondere nach Westafrika; gegenwärtig Arbeitsaufenthalt in Benin.

Renate Wilke, geb. 1951; Diplom-Sozialwirtin.

Beck'sche Schwarze Reihe

Eine Auswahl

Helmut Riege
Nordamerika

Band 1: Geographie, Geschichte, Politisches System, Recht.
1978. 253 Seiten mit 2 Abbildungen im Text.
Paperback (Einführungen in die Landeskunde · Herausgegeben von
Günther Haensch) (Band 174)

Band 2: Wirtschaft, Gesellschaft, Religion, Erziehung.
1978. Etwa 200 Seiten. Paperback (Einführungen in
die Landeskunde · Herausgegeben von Günther Haensch) (Band 179)

Günther Haensch/Alain Lory
Frankreich

Band 1: Staat und Verwaltung. 1976. 245 Seiten mit 3 Karten.
Paperback (Einführungen in die Landeskunde ·
Herausgegeben von Günther Haensch) (Band 148)

Tim Guldimann
Lateinamerika

Die Entwicklung der Unterentwicklung.
1975. 167 Seiten. Paperback (Band 135)

Peter Christian Ludz
Die DDR zwischen Ost und West

Politische Analysen 1961–1976. 3. Auflage. 1977.
367 Seiten. Paperback (Band 154)

Verlag C. H. Beck München

Sharon Gosling and her husband live in a very remote village in northern Cumbria, where they moved to run a second-hand bookshop, Withnail Books in Penrith, surrounded by fells, sheep and a host of lovely neighbours who will one day make very good characters in their own book. When she's not writing, she bakes a lot of cake and bread, creates beautiful linocut jewellery, attempts to grow things in an allotment, and catches the baby rabbits unhelpfully brought in by the cat.

Sharon is the author of multiple children's books. She started her career as an entertainment journalist, and still also writes non-fiction books about film and television, including, most recently, tie-ins for the *Tomb Raider*, *Wonder Woman* and *Men in Black IV* films for Titan Books. Her short stories are regularly published in *The People's Friend* magazine.

She can be found on Twitter @sharongosling.

Also by Sharon Gosling

The House Beneath the Cliffs

SHARON GOSLING

The
Lighthouse
Bookshop

SIMON &
SCHUSTER

London · New York · Sydney · Toronto · New Delhi

First published in Great Britain by Simon & Schuster UK Ltd, 2022

Copyright © Sharon Gosling, 2022

The right of Sharon Gosling to be identified as author of this work has been
asserted in accordance with the Copyright, Designs and Patents Act, 1988.

1 3 5 7 9 10 8 6 4 2

Simon & Schuster UK Ltd
1st Floor
222 Gray's Inn Road
London WC1X 8HB

Simon & Schuster Australia, Sydney
Simon & Schuster India, New Delhi

www.simonandschuster.co.uk
www.simonandschuster.com.au
www.simonandschuster.co.in

A CIP catalogue record for this book is available from the British Library

Paperback ISBN: 978-1-4711-9869-4
eBook ISBN: 978-1-4711-9870-0
Audio ISBN: 978-1-3985-1656-4

Typeset in the UK by M Rules
Printed and bound in Great Britain by CPI Group (UK) Ltd, Croydon, CR0 4YY

For Adam, because books.

Prologue

The letter came on a Thursday, hidden away inside another envelope that seemed entirely innocuous and that Rachel therefore didn't hesitate to open. It was a little battered, as if it had taken the scenic route to reach her, travelling around for a while before arriving at her door.

The envelope landed on the counter face up. Rachel stared at the name and address printed in the clear window in its front with the curious sensation of falling very fast, as if from a very great height. It took just a split second to rip away all the years that stood between those five short lines and her, between what she had been and what she had become, until all that was left was the sound of her heart beating to a sick, uneven rhythm in her ears as her fingers touched a name that had the power to undo every good thing in her life.

With the envelope there was a note, written in an open, curling hand. At length she picked this up and unfolded it. For a few minutes Rachel stared blindly at the words written there, until the world began to rush back towards her and she could breathe enough to read again.

First of all, don't worry, it said,

He has no way of knowing I took this. He's gone. I talked to old Mrs Meadows, who says he told her he was going abroad for work and wouldn't be back. I don't know if that's true, but I also don't know why he would bother lying to her. Before he went he dumped a load of black bags for the council to collect. The seagulls got to them and there was rubbish blowing all over the road, so I went to clear up the mess and found this. I don't know what it is. I didn't open it. But I thought you should have it, just in case. I'm not sure why, really, except that if a man like that throws something away, then it probably deserves to be kept.

I hope you are well. I think about you often. I wish that we'd had more of a chance to get to know each other. I wish that we could get to know each other now, in fact, but I understand that it would probably be difficult for you to know me without thinking about him. Thank you for letting me know that you are settled, at least. I am glad that you have somewhere to call home. I hope you have friends, too, and perhaps even someone to love. I hope you found a way to start again.

Don't feel that you have to answer this.

All my love,

A

Rachel stared at the note for several minutes. *He's gone abroad.* Really? She looked up at the bookshop door. For a moment she imagined him walking through it, and his face and figure were so clear in her mind that she staggered with it, felt the fear like a hand clamped tightly around her throat. She pushed that tremor away, annoyed by the reaction. It had been years now, years, and he hadn't found her yet. And if he ever did—

'Are you all right?' said Cullen's familiar voice, from the armchair.

'Yes,' she said. 'Just forgot something, that's all. Can you hold the fort? I'll be back down in a minute.'

Rachel went upstairs, carrying the letter with her with no real idea of what to do with it. She stood in her kitchen and turned in a circle, the envelope with that name on burning her palm like the flame of a candle. This place was so small. There was nowhere to hide anything, nowhere at all.

Eventually she opened one of the drawers, stuffed the envelope inside and then forced it out of her mind.

Everything was fine. It was only a name, after all, and a forgotten one at that. What damage could it do?

One

Toby had dreamed again of ruin. He awoke, sweating, into darkness. It took a few minutes for him to realize that the screams in his head had been parsed from the searing agony in his leg. He had vaguely thought, in that incongruously naive manner of his that used to drive Sylvie to distraction when they were married, that in leaving behind his old life he had also left the spectre of death behind, too. That morning, lying on his side at the edge of an unfamiliar bed, trying to catch his breath as he waited for the now-familiar pain to subside, he understood that this was something else about which he had been decidedly wrong.

It was that awful woman's fault. What was her name? Dora McCreedy. She'd been coming out of the house beside his rental cottage when he'd pulled up. It had a 'For Sale' sign in its front garden and she'd clearly been viewing it. *Isn't it a lovely area*, he'd said, caught up in the cheerfulness of arrival, and *Are you thinking of moving in?* She'd laughed in a gratingly indulgent way that immediately made Toby wish he'd kept

5

quiet. The woman had gone on to explain that her family was one of the oldest in the area and that she had building developments all over Aberdeenshire.

'I've always had a soft spot for Newton Dunbar, though,' she'd added. 'It's where I'm from and I like to keep my hand in here. It could be such a beautiful, vibrant place, with a little more thought and investment.'

'Oh – but I think it's beautiful already,' Toby had said. 'Especially the lighthouse.'

She'd glanced back up the village, to where the curious tower was just visible on the hill behind the furthest houses, with an elaborate sigh. 'That old monstrosity! I do hope you didn't come here for that.'

'Well, I've got some work to do too,' Toby had told her, struck by a strange need to justify himself. 'I needed somewhere quiet. Newton Dunbar seemed like a good place.'

She'd laughed at that. 'Well, yes. It's definitely quiet. What line of work are you in, Mr . . . ?'

By that point, Toby had regretted the urge that had made him say hello in the first place, but there was no way he could rebuff her now without seeming horribly rude.

'My name's Toby. Hollingwood.' He'd added his surname after a split second of hesitation. 'I'm a writer.'

To his relief, McCreedy's face hadn't registered recognition.

'Well,' she'd said, 'if you're writing about the lighthouse, you'll find the tower in a bad state. It's becoming an eyesore, really. Full of dreadful clutter.'

'Isn't it a second-hand bookshop?'

McCreedy dismissed his question as if she hadn't heard it. 'You know the story, don't you? The builder died in a fire. James MacDonald was his name.'

'In the lighthouse?' Toby, startled, had looked instinctively towards the tower.

'No, no. In the big house. This was back in the early 1800s, not long after the folly was built. There's barely anything left to see of it now. It was his mad wife, you know. Set fire to the place and burned him to death inside.'

'How very gothic.'

'Oh yes,' McCreedy had said, with the specific kind of gloating tone habitually present in the regular gossip. 'I own the ruins of the house and the land around them now. The walls are mostly overgrown, but what's left is still as black as tar. The flames could be seen for miles, so they say, and the wife danced on the lawn as the place burned. Perfect material for a novel,' she'd smiled.

Toby had wondered if Dora McCreedy had ever seen a life burn and if she'd smile so if she had. He suspected she might, and thus his impression of her soured further.

'Not my kind of writing,' was all he'd said.

And so this past night his dreams had been flushed through with raging fire, as well as the usual miasma of gunfire, explosions and exodus. He'd woken suddenly into darkness and now here he was, staring at an unfamiliar ceiling. Experience told Toby there would be no more sleep for him that night, no matter that it was barely 5 a.m. He got up, pulled on sweats and a jumper, and went downstairs in a house so quiet that the silence rang in his ears. The kitchen was modern, as white and minimalist as the rest of the house, with a wide glass door sliding open onto a deck that flowed into the garden. He stood staring at the darkness outside, his reflection set against it like a ghost floating in light.

Inactivity had always been his downfall. He didn't know what to *do*. Or rather, he knew what he had to do, but could not find a way to begin. Sylvie had told him she could get him a book deal if he wrote his memoirs, but that meant deciding where to start, and then actually starting. Toby was more used to reacting to an event and then describing it to an audience, putting it into context. He had no idea how to put his own life in context, to explain himself to others, to make himself understood. Lately he could not even do that to himself. *What, When, Where, How, Why* – the five questions every piece of journalism had to answer or it had failed in its basic function. Toby could not even answer the first of them, not right now, not when there were so many other stories still ringing in his head, so many lives and events that 300 words, 500 words, 1,000 words had failed to encapsulate with any degree of completion. Or, he'd frequently feared even at the time of writing them, compassion.

Tired of his own reflection, he went out instead, taking his satchel with him as if he were on any other assignment.

Outside, dawn was coming on, despite the heaviness of the sky. The air smelled wet. It was not raining, although it had been recently. He brushed against bushes overhanging the path and felt the spray from their leaves on his cheeks.

The cottage Toby had rented was at the western end of Newton Dunbar's main street. In fact, the place was small enough that the main street was the only street, aside from a few short spurs that led off into fields or were cut off by the river that ran the length of the valley in which the village had been built. Newton Dunbar nestled in the northern foothills of the Cairngorms, between bens that rose in staggered drifts into the distance on either side of the small collection of houses and shops. The road continued along the banks of the River Dun, which coiled around the village. If Toby got into his car and drove west, he would eventually end up in Grantown-on-Spey. If he drove east and crossed the bridge over the river, within ten miles he'd meet Great Dunbar, Newton Dunbar's larger and far more cosmopolitan cousin, and from where it was possible to join the A944 and then the A96 into Aberdeen.

Newton Dunbar was a tiny place, hidden away, unknown and largely without note. Except of course for the fact that it had a lighthouse that was not a lighthouse at all. The tower was at the east end of the village, behind a short row of cottages and a small, square gatehouse that edged the base of the hill on which it stood. In the typical ostentation of the Victorian period, Toby had read that it had been built as the library for Braecoille, the grand mansion house that had once stood master of this valley but that had long since crumbled into ruins now hidden by the forest that spread beyond the hill. He could imagine why the master of a once-grand estate would choose to build a lookout in that spot – from the top of the tower it must be possible to see the whole of the village and the valley in one direction and, on a clear day, the distant conglomeration of Great Dunbar in the other.

Toby walked with slow determination, aiming not for the tower built by the unfortunate James MacDonald but for the forest on the other side of the hill on which it stood. By the time his stuttering gait had reached the first tangled bank of trees there was just enough natural light to see gradients in the blue-black shadows beneath them. A waist-high wooden fence blocked the way and Toby recalled McCreedy's declaration that she owned the woods. Well, she wasn't here now. Toby swung his satchel from his shoulder and dropped it on the other side of the fence before following, cursing his leg as it refused to act how he wanted, cursing again at the inevitable pain.

For Rachel, the day started the same way as every other, with Eustace miaowing loudly in her ear. She opened her eyes and rolled onto her back. Above her the white papered ceiling of her small, circular bedroom looked the same as it had for the past five years. The tower's windows were small in its thick stone walls and even at this early juncture of the morning the irony was not lost on her: that a lighthouse should be so very lacking in illumination seemed deliberately perverse.

Rachel dodged the cat on the short set of curving steps down to her tiny half-moon of a kitchen. The cat had come with the lighthouse, but Rachel had no illusions that he was hers. Eustace belonged to Cullen MacDonald, just as the tower did and always would, no matter that he no longer actually lived within its walls. Rachel put down Eustace's food and stroked his old head for a moment, wondering how long it would be until he, like his owner, would find the many stairs too much to manage.

Later, ready for the day, Rachel walked the spiral staircase down to the bookshop, Eustace with her all the way. At the bottom of the curving flight of steps that led down from the two tiny floors of living quarters was a heavy wooden door that let her out onto the upper mezzanine floor. From this level, the staircase down to the bookshop's ground floor was built of wrought iron and set against the wall. She and Cullen had debated this at length throughout Rachel's tenure as manager. This place had been built as a library in the first place, so why hadn't the architect put the stairs in the centre, like a spindle, instead? That would have given more space on the impractically curved walls, and the bookshop could certainly use the extra room now.

Cullen would not hear of changing any aspect of the tower's internal workings beyond what he'd already altered when he'd originally moved into it sixty years before, and even then he'd modified as little as possible about the cavernous space that housed his beloved books. It was obviously inherited, this adoration of the printed page, a genetic predisposition passed down intact in a way that the money responsible for housing it in such an eccentric place was not.

There were only two additions that Cullen had allowed:

the tiny ground-floor bathroom facilities and the semi-circular counter set in the centre of the lower room. The latter housed a plethora of drawers and shelves, full of things both important and forgotten. This included but was not limited to: the till; a lurking explosion of invoices and bills; a laptop as old in computer years as the lighthouse itself; a kettle; the makings for tea and coffee; a toaster, a bread bin and a domed glass cake stand.

Directly behind the counter was the stove, the lighting of which had no seasonal break inside a stone building with walls thick enough to withstand the North Sea. No matter that there was only a river within a mile of this particular lighthouse, and the sea itself was distant to the point of being irrelevant. The proximity of the wood burner to the counter would have been ideal if not for the fact that Bukowski had a habit of lying as close to it as he could get, and was thus responsible for Rachel frequently almost going arse over tit in the middle of the working day. This was, she had often thought, something that the writer for whom the collie was named would have enjoyed.

As she relit the stove there came the sound of a large key being turned. Rachel looked up to see the arched door of the lighthouse beginning to open. She put down the matches, took a larger step than necessary over a non-existent dog, dodged around the duet of armchairs and small table with chessboard that stood beside the counter, and hurried towards it. She glanced at the time as she went. It was barely 8.30.

The stooped, white-haired figure of Cullen MacDonald

appeared in the opening doorway, the dark misery of the day picked out as if in wet indigo ink behind him. The wind was up, the branches of the trees peeking from the far side of the hill whipping unhappily against the sky.

'What are you doing here so early?' Rachel asked, reaching out to take the wicker basket he had over one arm. 'I thought you were going to have a lie-in?'

'I did,' her employer and landlord told her cheerfully, as he shook rain from the fine drift of his hair. 'I got up at six thirty instead of six.'

Rachel led the way back towards the counter. The basket was covered with a pristine white tea towel and emitted the aroma of baked sugar and butter, as if it had been conjured from the pages of a fairy tale involving hoods and conniving wolves.

Cullen flopped down in his armchair, the one upholstered in olive green velvet, with the squashed yellow cushion and threadbare arms. Eustace appeared as if from thin air, hopped onto the old man's lap and turned around once before curling up, purring with contentment that routine had once again been correctly observed.

'It's just shortbread,' Cullen said, as Rachel uncovered the basket. 'Thought I'd keep it simple today.'

Rachel smiled as she lifted the cake dome from beneath the counter and began to transfer the biscuits into it. 'You're finally getting used to the oven, then?'

'Getting there,' Cullen agreed. 'Though I still don't know why anyone would need so many bells and whistles on a device solely devoted to the preparation of food. To look at it you'd think it could make the trip to Mars and back completely of its own volition.'

Rachel finished with the shortbread and started on the coffee and toast for their breakfast, another part of her regular morning routine. When she had first come to Newton Dunbar, Cullen had still been living in the tower. But he'd reached his seventh decade and it had become apparent that the lighthouse was a folly in more ways than one. He'd finally conceded that he could no longer manage the stairs safely, or indeed at all. He took possession of the little gatehouse at the bottom of the hill instead, which was part of the remains of his family estate and had been empty for some years. There hadn't been funds for full renovation, and Cullen was once more loath to change the essential nature of the building, but he had at least conceded the need for a new kitchen and bathroom.

'There's a visitor to the village,' Cullen said, a few minutes later, around a mouthful of hot buttered toast. 'I heard all about it from Ezra in the Fretted Goose last night.'

'I hope you were being sensible,' Rachel said mildly as she checked the till. 'Remember what the doctor said.'

'It was pie night,' Cullen said, a deflection rather than an answer. 'Anyway, this chap's keen on the lighthouse, apparently. It's why he's come to Newton Dunbar in the first place. He's writing a book.'

Rachel felt a sudden chill creep across her shoulders and looked up with a frown. 'About this place? About *us*?'

Cullen finished off his toast. 'I doubt it. There's not much to say, is there?'

Still, that flutter of unease skittered down into her ribcage, resting beneath her heart. 'Did you meet him? Was he there, last night?'

'No, Ezra had heard it from Ron, who'd got it from Stanley, who'd heard it straight from Dora McCreedy, who was coming out of the Featherley house next door when he turned up – she's bought it already, though it's only been on the market a day. That's her third property this year, isn't it? Aiming to buy the whole village, it seems like. Anyway, this chap pulled up outside and started unloading boxes. They had quite the little chat, apparently.'

'Hmm,' said Rachel, trying to get the ancient laptop to start up. 'Well, I suppose I should feel sorry for him, whoever he is. If Dora McCreedy's got her claws into him he'll have no peace.'

Cullen gave one of his trademark wicked cackles. The first time Rachel had heard it she'd not been able to stop herself from joining in; she, who until she had come to the Lighthouse Bookshop, had not laughed properly for a very long time. Even now it made her smile.

'Still, it could be good, eh?' Cullen said. 'A writer will be in want of books! We could do with a new regular, even if it's temporary.'

'I can't argue with that,' Rachel admitted, because she couldn't. Tourist curiosity aside, and though their small pool of regulars was doggedly loyal, footfall to the Lighthouse

Bookshop was staccato at best. Cullen owned the building outright, and Rachel's wages were low because her accommodation was included. But there were still expenses, and there were some days when the biggest sale she made was in copies of the postcards that reproduced Edie Strang's beautiful linocut print of the tower.

Rachel herself would be happy if no one new ever came to visit, especially not anyone who wanted to 'put the place on the map', as Dora McCreedy frequently complained that Newton Dunbar should be. But the bills had to be paid somehow.

Toby looked for the ruins for hours but could not find them even once the sun had risen. It shouldn't have bothered him so much, this propensity for the universe to swallow tragedy so successfully that it no longer left a visible mark for others to see. He should be used to it by now; he knew better than most how quickly the truth of an ended story vanished. But Toby never had become used to it. Not in twenty years.

He gave up searching when he tripped over a tree root and ended up on his knees, swearing at the jarring, incandescent pain. It took him a few minutes to find his breath, and then to get back to his feet.

Emerging from the woods he found it had started to rain again. His body felt heavy, a weariness to which he was accustomed after long years of bad travel, jet lag, broken sleep, work. He wanted coffee but could not remember if he had brought any with him in his supplies. He set off back across the hill, his leg protesting fully, and it was then that he saw that the lighthouse was now lit from inside. Slivers of yellow had cut bright narrow rectangles in the walls of the tapering tower. Was the bookshop open? He went to find out.

The door opened again, creaking a little. Rachel expected it to be Ron and Bukowski, but instead a man she did not recognize appeared. He was tall but stooping his shoulders, as if aware his height might be intimidating. Perhaps it was because she had just been thinking of her artist friend, but to Rachel it seemed that his face had the look of one of Edie's inked characters: all line, angle and shadow, as if he had been carved into the world with the elegant precision of a knife blade and an artistic eye. He was in his mid-forties, perhaps, because his dark hair was peppered with grey, but his jaw was still chiselled, his cheekbones still defined in his tanned face, as if his life was, and always had been, an active one. He tilted his head and gave a lopsided, enquiring smile that creased fine lines around his eyes. His hair and shoulders glinted with rain.

'Hi,' he said. 'Are you open? I saw the lights through the windows, but I went out for an early walk without my watch. I'm not sure what the time is.'

Rachel glanced at the clock. 'It's almost nine,' she said. 'We don't actually open until nine thirty, but it's fine – come in.'

He smiled, and did. Over his shoulder he had a battered leather satchel that looked about as old as the laptop that Rachel was still trying to coax back into life. The legs of his trousers seemed to be wet, as if he'd been tramping through undergrowth. There was a smudge of mud on one knee that was more endearing than it had any right to be.

'There's fresh coffee,' Cullen said, having leaned forward to peer at the newcomer around the high wings of his chair. 'You're welcome to a cup.'

'Oh,' said the stranger, with surprise. 'That's very kind of you, thank you. I'd love one.'

Cullen went to get up in order to pour the coffee himself, but Rachel waved him down and found another mug. The man came towards them, still smiling, and as he did she saw that he was limping, a small stuttering gait that dropped his left shoulder and snicked the satchel against his hip. Later she would remember that this had been her first impression of him: as the sturdy mast of a tall ship, its rigging snapping in the wind, its sail damaged but still crossing an unknown ocean with interest and hope.

Toby's first impression of the inside of the building was surprise. He had taken Dora McCreedy's words at face value (a terrible mistake for any journalist, to rely on the testimony of a sole source) and expected the inside of the tower to be shabby at best, and most probably stinking of damp. Instead what struck him immediately was a sense of warmth and a smell of fresh sweetness that reminded him of his grandmother's kitchen on a Sunday afternoon.

In the next moment they were welcoming him in, an old man peering at him from the armchair and a woman standing behind the counter, offering him coffee as if they were djinn conjured to grant his wishes.

'Early to be out and about,' the old man observed, as Toby made his way across the floor beneath the immense geode of books. 'And in the rain, too.'

'I like an early morning walk,' Toby said, 'and it wasn't raining when I left. I sometimes forget I can't move as quickly as I once did. No popping back to pick something up anymore.'

The old man chuckled. For the first time Toby noticed the large tabby cat curled up on his lap. 'I empathize.'

Toby saw the woman behind the counter glance at his legs, but she said nothing about his general state of disrepair as she poured him coffee. She handed it to him with a small smile as he reached the counter. She had to lift her chin to look him in the eye. He registered the curiously pale aqua tint of her eyes against her short dark hair, how petite everything about her was. He was not given to flights of fancy, having grounded his life in the immutability of fact, but still the words *beautiful* but also *elfin* occurred to him. She would fit well into the forest through which he had just waded. He liked the calm reserve he saw in her face, which suggested some kind of otherworldly wisdom befitting of folklore. Except that she was dressed for the too-real world in a soft white shirt, an oversized blue cardigan, a pair of slim blue jeans and brown boots that had a button at the ankle. He took in all of these facts, but could not pinpoint how old she was, as if perhaps she did not have an age at all.

'Is there anything in particular you're looking for in the bookshop?' she asked, after he'd taken a piece of shortbread from the proffered plate.

Toby shook his head. 'Not really. I just wanted to see it.'

She smiled, but was no longer looking at him, and he thought this was probably something she heard a lot.

'Unless you have any literature about the place?' he asked, not wanting to be dismissed as a mere tourist, despite the fact that he was. 'The lighthouse, I mean – when it was built and why, about the man who built it, that sort of thing?'

'There's nothing like that, I'm afraid.'

'It'd be a pretty slim volume,' piped up the old man from behind him. 'The truth of this place wouldn't even fill a sheet of paper. "In 1812 local landowner James MacDonald decided to invest too much of his vast fortune in the design and construction of a lighthouse tower on a hill over the village of Newton Dunbar. It cost a lot and he called it after himself, as such men are wont to do. He designed it as a private library. It's now a bookshop. The End." It's not much of a story.' The old man squinted up at him, his face suddenly shrewd. 'Not enough to get a book out of, that's for sure.'

Toby smiled. 'Ah-ha. Does that mean I'm infamous in these parts already?'

The old man grinned. 'If you're the chap who's here to write a book, it does.' He stuck out one bony-fingered hand. 'I'm Cullen MacDonald.'

'Toby Hollingwood,' Toby shook the thin fingers.

20

'So you're a MacDonald? Of the MacDonalds that built this place?'

'Oh aye, that's us.'

Toby was about to ask which bits of the story Dora McCreedy had told him were in fact true when a commotion broke out behind him. The door through which he'd entered was flung open. Toby turned towards the noise and saw a small, broad man launch himself sideways through the door as if entering stage left, his arms outstretched with the kind of gusto usually reserved for an operatic performance, an unkempt and distinctly wet collie at his heel.

'No, no, no!' cried the woman, dashing out from behind the counter with a curious little hop over the space in front of the wood burner. 'Out! Shake!'

The newcomer turned back to the door as if about to leave. The collie did not seem as keen and trotted across the floor, tongue hanging out of a happy doggy grin. The cat on Cullen MacDonald's lap lifted its head, watching with narrowed eyes.

'Ron!' the woman cried, grabbing the dog by the collar and tugging him back towards the door. 'Bukowski! He's wet, make him shake *outside* before you bring him in!'

'Ah-ha!' boomed the man, 'For a moment there I thought you meant me. Right-oh. Come on, lad, let's be having you.'

The collie was ushered out. The woman pushed the door almost closed and stood at the open crack, as from the other side of the door came several exhortations to 'Shake, boy. Shake!', and then the sound of frenetic canine activity. A moment later she opened the door again, stepping back to let the damp duo inside.

'This is a bookshop, Ron,' she scolded gently, as the man and his dog entered once more. 'Books and wet don't mix.'

'I know, lass, I know,' the man called Ron said with true contrition. Then he looked across the room to where Toby stood in front of Cullen's chair, and his face lit up like a beacon. For one brief moment Toby thought he was about to deploy his baritone voice in song. 'Cullen!'

'Morning, Ron. Coffee's up.'

'Excellent. And who's this?' Ron said, spying Toby and then immediately adding, 'Don't tell me, you're the writer chappy McCreedy's been all of a-flutter about at the waterhole.'

They shook hands, Ron's grip like a hydraulic clamp. 'That's right. It sounds rather as if everyone in the village knows me, whereas I don't know anyone at all.'

Ron slapped Toby hard on the arm with his free hand. 'Welcome to Newton Dunbar, lad, where nothing happens and nothing is the talk of the town.'

'What sort of writer are you then?' MacDonald asked.

'I'm a journalist. Or at least, I was,' Toby clarified, as Ron let go of him and went to get himself coffee. The dog had already settled itself in front of the wood burner behind the counter, sprawled in an untidy semi-circle as close as it could get to the warmth. 'I'm supposed to be writing my life story, such as it is. Haven't figured out quite how to do that yet. I thought coming somewhere quiet might help.'

22

Cullen emitted a devilish cackle. 'Hear that, Rachel? We're not to be famous after all! She was worried you were writing about this place.'

'I wasn't *worried*,' said the woman called Rachel. She was checking emails on a laptop that Toby thought might actually be steam-powered. 'But as usual in this place, working out the actual truth of a situation is like trying to knit with spaghetti.' She looked up at Toby with a smile. 'There are chairs upstairs, if you need somewhere to sit and think. Or work, even.'

'Thank you. There's a desk at the cottage, but I've spent most of my life writing on my lap or in the backs of moving vehicles. I thought the quiet would help me concentrate, but actually I'm not sure it'll be all that conducive.'

Her gaze flicked to his leg again, as if trying to put two and two together and unwilling to ask for the answer.

'Time is wasting!' Ron cried, throwing himself into the armchair opposite Cullen. 'I've got an evil empire to defeat and the morning is drawing on!'

Rachel met Toby's eye. 'Stick around, Mr Hollingwood,' she said, with deadpan dryness. 'We can probably supply enough noise and chaos to compensate.'

Two

Edie Strang glanced out of her workshop window and saw a goat knee-deep in her perennials. With a cry she dropped the print she'd been holding and dashed for the door.

'Oi!' she yelled, lurching out into the rain.

The goat ignored her, chewing happily on the Orange Princess.

Edie grabbed a watering can from her potting bench and advanced. 'Get out of it, you little hooligan!' She banged on the base of the can with her fist, the noise booming over the sound of hard rain bouncing from the edges of her stoneware pots. The goat startled, kicking its heels and dancing backwards across Edie's neat oblong of lawn.

'Don't you *dare*,' she hissed, as it turned, its hooves click-clacking on the winding path of old stone slabs that divided up the modest space between flowers and vegetables. 'You even *look* at my cavolo nero and I'll—' She banged the watering can again, harder this time, and the goat jumped in the air on the spot, like a spring suddenly released from pressure.

Edie chased it, trapping the animal between the corner of the fence and the shed that stood at the rear of her garden. She dropped the can and grabbed the goat by the scruff of its neck. There was a gate in the fence beside the shed that led directly out onto the hill behind the cottage. For a moment she considered pulling it open and shoving the animal through, letting it loose to roam free and cause chaos somewhere else. God knew its feckless owner deserved that much. Instead, she dragged it out as it kicked and bellyached, avoiding its angry hooves as it tried to squirm free. Edie pulled it back down the path towards the gate that connected her garden to the one that belonged to the cottage next door.

'Ezra!' she bellowed, as she pushed the protesting goat through the open gap and clanged the gate shut before it could get back through. 'Ezra Jones, do you hear me? Come out here right now, you blithering idiot!'

There was no answer from her neighbour, who might be out, or might simply be ignoring her. Either was possible.

'The next time that thing gets into my garden I swear I'm going to *barbecue* it!' she shouted, before stalking back to the workshop. Inside she went to the sink to wash her hands, grabbing a towel to scrub rainwater from her hair and face, still fuming.

When Edie had bought Corner Cottage twenty years before, she'd thought she was getting a bargain. Sure, she'd have preferred it to be detached, but it had come with the workshop space she'd needed and what better view for an artist than the bizarre lighthouse she could see rising above the empty hill behind? She'd never imagined that she'd end up living next to a man she could stand even less than her unmitigated pig of an ex-husband.

That goat, though. That goat might actually be the straw that broke the camel's back. Ever since he'd acquired it ('I rescued it, Edie, try for once to be less hard-hearted!'), the little piebald monster had spent more time in her own garden than it had next door. Ezra refused to tether it or put it in a pen, on the grounds that it was cruel to curtail its natural instincts. Edie's natural instincts had been to batter both over the head with a baseball bat. It might yet happen.

She sighed and went back to packaging prints. It had taken her a while to get used to Instagram, but it had proven worth the effort. Her art had found a new audience, a global one at that, and two years past retirement age she was as busy as she had ever been. The lighthouse had been her muse for two decades and was a regular feature of her work. Her latest edition had been her most ambitious for a while – a set of four five-colour reduction prints depicting the James MacDonald Tower in each of the seasons, the subtle changes of light, shadow and shade a challenge she had worked on with relish. Months of planning and work had turned into an edition of ninety-five prints, nineteen sets in total, all of which had sold. Edie was now in the laborious process of carefully packaging each sheaf of paper and ink for mailing to countries as distant as New Zealand and Malta. *Long live the Internet*, Edie thought, as she reached for the next print.

She saw the blood on her thumb just in time and pulled

back with a curse. That's all she needed – to lose one of the irreplaceable prints and delicate lokta paper to a bloodstain. Edie returned to the sink, running the cut under the tap and then pressing it with a paper towel, frustrated. She'd slipped while carving the day before and the blade had stabbed a tiny but deep cut right into the fleshy base of her thumb. A rookie mistake that had come out of the fine angle she'd been trying to achieve for the next print. Grappling with the goat had obviously reopened the wound.

Edie binned the towel and slapped a plaster over the cut. She should get some air and stretch her legs, she decided, clear her head before she did the last thirty packages. She needed to go up to the bookshop anyway; she had a fresh box of postcards for the counter that she'd promised to Rachel last week but hadn't had the time to drop off. She pulled on her coat, grabbed her umbrella and tucked the box under her arm before heading out, locking the door behind her.

Once out of her garden gate it was a short walk up the hill. Corner Cottage was at one end of a line of four connected houses. At the other end was the gatehouse now occupied by Cullen. Edie had asked him about their history, and he'd told her that once they had been homes for families employed by the estate. She wondered if one of the men who'd built the lighthouse had lived in her little house, although back then it would have been even smaller than it was now. A later resident had altered the two-up-two-down dwelling to add the stone lean-to extension that had become her light and airy print room.

She reached the porch that surrounded the lighthouse door, pushing it open just in time to hear Ron Forrester's booming voice raised in a triumphant yell.

'Checkmate!'

'It's a fix!' Cullen declared, as he did every time Ron managed to best him.

Edie crossed the floor towards the counter to the tune of their familiar bickering.

'Afternoon, Cullen, Ron,' she said as she passed the chess table. 'The Barbarian is still at the gates then?'

'No chance,' Ron grinned. 'I've repelled the heathen hoards. Peace reigns once more.'

'A peace won by ill means is no peace at all,' Cullen retorted, 'and I demand an immediate rematch.'

'Oh, go on then,' his friend agreed.

By the time they were clearing the board to start yet another game, Edie had reached the counter. She smiled at Rachel, who stood behind it.

'Sorry you didn't get these sooner,' Edie said, putting down the box she carried. 'I've had a bit on.'

'Thanks for doing them,' Rachel said, opening the box and lifting out a stack of postcards. 'We're nearly out. Want a coffee?'

'That'd be lovely, thanks.' Edie's attention was caught by the sight of something behind Rachel. 'Who's that?'

Sitting on the floor beside the wood burner was a young woman. She was damp, with unkempt hair. She was dressed in a tatty red jumper and grubby jeans, and was barefoot.

There was a pair of ancient trainers tucked toe-first against the stove, a pair of threadbare socks lying beside them. She had a mug of gently steaming coffee in one hand and on the floor beside her, next to a battered old rucksack, was a plate of toast. Bukowski had his head in her lap and was looking up at the girl with adoration as she stroked his daft head.

'That's Gilly,' Rachel said quietly, as she poured Edie's coffee and passed it over. 'I think she's just looking for some-where dry to wait out all this rain.'

Edie frowned. 'Hmm.'

Rachel glanced at her as she began to fill the rotating stand with new postcards. 'What?'

'Just be careful,' Edie said. 'Yesterday Jean at the Co-op was worried about some young troublemaker who'd been hanging around looking for a chance to steal. I bet it's the same girl.'

'Edie,' her friend said, with gentle reproach.

'What?'

Before Rachel could say what was on her mind, a large shape appeared at Edie's side. She knew who it was before she'd even looked, and was already scowling as she turned to her neighbour. Ezra Jones had one hand full of several of those ridiculous historical romance novels that seemed to be the only literature he ever read.

'You,' she said. 'I've got a bone to pick with you.'

'You surprise me,' Ezra said, with that tone of studious patience that always drove Edie to apoplectic distraction. 'Tell me, Edie, what is it you think I've done *now*?'

'I don't *think* you've done anything,' she snapped. 'I *know* your bloody goat was in my garden not half an hour ago, destroying my plants *again*.'

'Did you leave the gate unlatched?' Ezra asked, putting his books down on the counter for Rachel to total up.

'Of course I didn't!'

'Because goats are smart as well as stubborn. It's probably learned that if the gate's unlatched it can open it.'

'The gate wasn't unlatched.'

Ezra gazed at her implacably. 'Then I guess she must have learned to fly.'

'Don't be flippant.'

'I'm not. The gate latches from your side, Edie, so—'

'I *told* you—'

'Hey, hey,' said Rachel. 'Come on now, you two, keep it down. We've got a guest.'

Edie cast a riled glance at the girl on the floor, who was far too busy with toast and the dog to have noticed the spat at the counter.

'I don't mean Gilly,' Rachel said, clearly trying to keep her voice down. 'I mean the man quietly sitting upstairs trying to write a book.'

Edie's gaze automatically lifted to the mezzanine, though the reading chairs weren't in sight. 'Oh! You mean the journalist who's come to the village to write his memoirs? It's Toby Hollingwood, isn't it? He used to write for *The Times* as one of their foreign correspondents. Got shot in Yemen last year. Messed up his leg, hasn't worked since. What's he like?'

Rachel shook her head, though there was a trace of amusement in her eyes. 'This place is a nightmare.'

'What?'

'I believe what Rachel means is that Newton Dunbar is a gossip mill of the worst sort,' said Ezra, 'and she can't believe she counts one of the chief operators as a friend.'

'Oh, you—'

'Ezra,' Rachel said, in a gently warning voice.

Edie had had enough. She'd thought a trip to the bookshop would clear her head, but instead she was even angrier than she had been before she'd left home, and all because of this one idiot. She pushed away from the counter.

'I'm going. Some of us have work to do.'

'But you haven't finished your coffee,' Rachel said. 'Edie!'

'I'll pop back in tomorrow. Hopefully by then the quality of your clientele will have improved.' She knew she was flouncing, but she couldn't help it. Ezra Jones always had that effect on her. She just couldn't stand his smug smiling face and the way he seemed to take up so much *room*. 'Remember what I said, Rachel,' she cautioned. 'Keep your eye on the till. And you,' she directed at her neighbour, 'make sure that goat stays on your own property if you want to keep it.'

'Goats are notoriously onerous and stubborn beasts,' Ezra said. 'And they like company with their own kind. I suppose that's why Georgette likes to visit you whenever she can.'

Edie just managed to stop herself from slamming shut the lighthouse door as she left. She grabbed her umbrella from the porch hooks and strode on. Her thumb was aching, throbbing where she'd stabbed it with the carving tool. She needed to put some Savlon on it, she reminded herself, although a tiny voice at the back of her mind suggested that there was more pain in the joint than there was in the wound, which could have been why she'd slipped in the first place.

When she got back to her garden she went to double-check the gate. The latch hadn't closed properly. She tried to push it down but it must have rusted somewhere and resisted. To get it to shut properly, Edie had to force it. She didn't like how long it took to get her fingers to comply. But then, she'd spent a long time carving details the previous evening, which always made her fingers ache. She turned her back on the offending gate and in doing so looked back up the garden to see that her shed door had blown open. With a sigh, Edie went to close it, thinking, not for the first time, that she really should fit it with a lock.

Three

'You shouldn't tease her, Ezra,' Rachel scolded him gently, as Edie stormed out of the bookshop.

'But she makes it so *easy*,' Ezra pointed out.

'Edie cares a lot about her garden, you know that,' Rachel went on, taking the pile of books he'd found and beginning to ring them into the till. 'Is it true that your goat keeps finding a way in? You know how destructive they are – they'll eat anything.'

'Only because she keeps leaving the latch off,' Ezra insisted. 'I don't know why she wouldn't check and double-check to make sure it's properly closed anyway. If it is, it means I can't get through without asking, and we both know she *loves* that.'

Ezra adored his cottage, he really did, but the quirk of ownership that involved external access to his garden was a legal wrinkle he could well do without. He was in the middle of the row of little houses below the lighthouse. Unlike Edie's on the end, or that of his neighbours on the other side, or

Cullen's gatehouse beyond that, Ezra's garden could not open directly onto the otherwise empty hill behind. One of the half-submerged boulders, left behind an aeon ago by the passing glacier that had created the valley in which Newton Dunbar stood, truncated the rear of his property so successfully that, if not for inquisitive children wanting to climb it, he wouldn't require a rear fence at all.

What the estate could have done when they had been dividing up the property was to make sure the plot containing his house had at least enough space beside the boulder for a rear gate. What they had done instead was write into the deeds that the owner of his cottage would by law have rear access to its garden via the Corner Cottage.

This clause hadn't given his solicitor any cause for alarm. He'd told Ezra that it was not an unknown feature of deeds in the area. Ezra hadn't thought too much about it. He'd supposed – naively, as it turned out – that whoever lived next door would be a reasonable and friendly neighbour, as Ezra himself intended to be. He'd never had an issue getting on with people before, however unpleasant they had been. If he had, his career on the rigs would have been a short one.

He'd never quite been able to understand where his problems with Edie Strang had begun. If not for the fact that their relationship had got off to a perfectly amicable start, he might have labelled her a bigot. There were, after all, plenty in Newton Dunbar. But for the first few weeks – months, even – they had been friends. Back then he'd sometimes even thought there had been the potential for more. It had been Edie who had taken him into the bookshop for the first time, eager to introduce a fellow reader to the place and her friends. They'd had drinks at the pub, shared chats through the gate, argued good-naturedly about their respective reading tastes. She'd given him advice on the garden because he'd never had one before and deciding what to do with it had been overwhelming for a novice. She had seemed to him at the time a fascinating, spirited, talented – he loved her art – entirely reasonable and rather beautiful woman.

That was fifteen years ago now, and Ezra had given up trying to work out what had gone wrong. At some point their interactions had turned hostile, the blame for which Ezra laid squarely at Edie's door because he'd thought and thought about it and was sure that there was nothing he'd done that would explain this sea change. It was what it was. Ezra had shrugged and got on with life, but refused to tiptoe around Edie Strang and her inexplicable bitterness towards him. He'd grown to love the bookshop and most of the friends that gathered within its thick stone walls. He wasn't intending to move on from this place. Edie Strang would just have to give him room.

Rachel passed him his books. 'Want a coffee?'

Ezra shook his head. 'Better get home and check that Georgette is where she should be.'

His gaze strayed behind her, to the bedraggled figure sitting on the floor by the stove.

'She might not be a troublemaker,' he said quietly, so as

not to be overheard, 'but she also doesn't look as if she's got a very happy life.'

Rachel averted her eyes, and her expression changed so subtly that it was difficult for him to pinpoint quite what had happened. It was no more than a gentle dimming of a light that had previously been somewhere in her features, but it was noticeable because Rachel was always so calm, so collected. She gave the impression of constant grace and unflappability, an impression compounded by her occluded past. Rachel had arrived in Newton Dunbar as if dropping out of the sky. One day she was not there, the next she was, and she fitted so well and arrived at such a perfect juncture that it was as if she'd been made for the purpose. No one knew where she had come from, or what she had been doing, before she took over the running of the bookshop. That also went for Cullen MacDonald himself, unless the man knew her secrets and was keeping them. It was possible, Ezra supposed. Cullen MacDonald was an honourable man.

'I'm going to talk to her later,' Rachel said. 'See if she needs help.'

Ezra smiled and picked up his books. 'You'll do the right thing,' he told her. 'You always do.'

Outside it was raining. For a moment he paused beneath the lighthouse's wooden porch. There was only one coat taking up space there now and it was his. Ezra had owned it for years, taking it with him from rig to rig, and for all that time it had been his most valuable possession. It was battered but still impenetrable, made as it was to withstand the worst extremes of the North Sea wind and rain. He thought again of the young woman by the stove, how wet the shoulders of her old red jumper had been.

He left the coat where it was, stuffing his books beneath his sweater to keep them dry and dipping his head against the rain. Ezra went down the hill, aiming for the path that led to the street and so to his front door. The rain blatted in his face, fat warm drops from a leaden grey sky. He glanced into the garden of the cottage on the corner, to make sure that Georgette hadn't somehow managed to slip back next door, and what he saw made him stop dead, rain or no rain.

Edie Strang was stretched over the roof of her shed, standing high on a ladder that was leaning precariously against its wall. She was wielding a hammer as if aiming to whack a mole with it. The ladder shuddered violently as she brought the hammer down on a tack she was trying to knock into the roof.

'What on earth are you *doing*?' he said, from the other side of the gate.

'Flying a kite,' she said, bringing the hammer down in another violent stab. 'For goodness' sake, what does it *look* like I'm doing? The roof's leaking.'

'It *looks* like you're about to break your neck,' he said.

'I'm perfectly—' Edie's sentence ended in a little shriek as the ladder began to slip.

Ezra was through the gate in an instant. He caught her just before she hit the ground. The ladder crashed down along with the hammer, landing with a clang and a clatter on the paving slabs that formed her garden path. There was a moment of silence and Ezra could feel Edie's hands clutching at his arms as he steadied her. His books had fallen around his feet.

'All right?' he asked, after a second.

Edie cleared her throat and pushed away from him, though not before he felt her tremble slightly. 'I'm fine,' she said, and then, without looking at him and as if it were a difficult thing to say, 'Thank you.'

He nodded. 'Please don't do that again.'

She looked up at him then, eyes narrowed, silver hair slicked back by the rain. He prepared himself for her to snap something at him, but instead she looked him over and frowned.

'Where's your coat?'

He looked down at himself, then saw his poor books and stooped to collect them. 'Oh. I left it at the lighthouse. For Gilly.'

She said nothing and when he looked at her again he caught a fleeting expression in her eyes; something that he couldn't quite identify but that wasn't the ire he'd expected. Then Edie huffed and shook her head, turning away.

'Soft, the lot of you,' she declared, heading down her path, leaving the offending ladder where it was. 'You'd better get indoors and get dry. At your age a chill could be fatal.' Edie looked back at him when she reached her door, waving at the gate that separated their two properties. 'You can go that way.'

Ezra hesitated, then followed her down the path. 'Make sure you latch it behind me,' he said, when he reached the gate. 'It's not good weather for a barbecue.'

She glanced at him, a brief slash of amusement in her sharp green eyes, and in the next second she had shut the gate behind him and was gone.

Once through his door the first thing Ezra did was reach for the telephone. He dialled the bookshop's number from memory and Rachel answered.

'Gilly doesn't have a coat,' he said. 'I've left mine in the porch. Tell her to take it and use what's in the pockets, too.'

He put the phone down and stared at the wall that separated his living space from Edie Strang's.

Gilly had come into the bookshop as soon as it had opened because it had been pouring with rain all night and her tiny crappy tent had got so wet that she was worried the only dry clothes she had were going to get soaked. She'd thought she might be able to sneak in and find a corner behind a bookshelf to dry out, but Rachel had looked up from the counter the minute she'd poked her head around the door. She had smiled and said *Hello, isn't it a horrible day out there, come in – the wood burner is going full pelt and there's fresh coffee on.* And then, because Gilly hadn't been able to stop her stomach grumbling at the smell of buttered toast as she'd taken the hot coffee: *Would you like some toast? There's plenty of bread.*

She hadn't been able to turn such an offer down, especially since her carefully hoarded funds were beginning to dwindle.

Now here she was, hours later, still there, feeling the warmest she had since she'd last slept in a proper bed. Gilly kept telling herself she should go, but somehow couldn't make herself leave. It was never good to get comfortable because that was when people noticed you, and once they had noticed you, sooner or later they would start asking questions that it did you no good to answer.

Everyone there had been pretty nice, actually. Mostly they had all left her alone. The two old guys playing chess had nodded hello and gone back to their game. She wasn't sure about that big Black guy who had just left. She'd never want to meet him in a dark alley at night, but on the other hand she'd heard him have a go at the old bint who'd been muttering about her earlier. They'd been whispering, so Gilly hadn't heard exactly what they were saying, but she'd heard her name and wasn't an idiot, so she could guess. She knew she didn't look like the sort who spent a lot of time in bookshops.

She knew this place, though, thanks to her grandma. She remembered it from those haloed summers as a little kid when she'd been loved by someone, if only briefly, before the succession of homes and people where she'd never really been wanted. They'd only been here once, rattling along the country lanes in her grandma's old rust-bucket of a car, all the way from the lead-grey miseries of the city. She could still remember crossing the bridge and looking up to see the lighthouse standing proud on the hill. *That's it*, her grandma had said, the happiness in her voice light and free, *exactly how*

I remember! And it's FULL of books! Isn't it wonderful? Gilly had agreed.

It still was.

The bookshop's phone rang as she was sitting in front of the stove with the collie dog's head on her lap. It made her jump, because she hadn't heard it before. She turned her head as Rachel answered it and Gilly's heart sank when the woman's gaze flicked over to look at her.

'Sure,' Rachel said. 'I'll let her know. See you soon.'

Rachel put the phone down and smiled at her. 'Ezra says you should take his coat. He's left it in the porch for you.'

Gilly blinked. 'Ezra?'

'He was just in here. Big guy?'

Ezra. What kind of name was that? Definitely a weirdo. And what kind of nutter gave someone the coat you had been wearing literally half an hour ago? Someone to whom you'd never said a word in your life?

Gilly didn't reply, but Rachel had obviously seen something in her face because she came a little closer.

'He noticed that you didn't have one,' she said. 'He wants you to stay dry, that's all. He says to keep what's in the pockets.'

What? 'I'm fine. Thanks.'

Rachel's face took on a thoughtful expression, as if she was considering saying something else.

'Gilly,' she said quietly, crouching beside her so that they were almost the same level. 'Do you need help? If there's someone I can call—'

Bingo. There it was. The reason you didn't get too comfortable. The questions you didn't want anyone to ask.

'I'm fine,' Gilly repeated. 'I don't need any help. I got caught in the rain, that's all. But I won't come back if you'd rather I didn't.' She stood.

'Hey,' Rachel said, standing too. 'That's not what I meant. But if you need help—'

'I don't, though,' Gilly insisted. 'I'm an adult. I can look after myself. I'm fine.'

Rachel nodded. 'Just know that if you change your mind—'

'I won't.' Gilly brushed her hands off on her jeans, which were now dry. 'I'm going to go now.'

'You don't have to.'

'I've got to meet a friend for lunch.' It was an obvious lie. 'Thanks for the toast.'

'Well,' said Rachel. 'The offer of the coat's still there.'

Gilly, though, had been around, and knew a nice thing was rarely just a nice thing. Even so, she couldn't quite figure out what Ezra's game was. If he'd walked up to her himself with that big smile, loomed over her and said, 'Hey, girl, you look like you need a coat. Here, have this one,' she'd have known exactly what the gesture meant. It would have been an 'I did you a favour, now how about you do one for me?' situation. She'd learned that the last time she'd run away and been numpty enough to head for a city. Gilly had thought that would mean she'd be able to disappear. But she'd got desperate enough to beg on the street and realized pretty quickly that it was the 'nice' guys in smart shirts and jackets

42

that you had to watch out for the most, the ones with the warm smiles and wide gold wedding rings. It was amazing what men like that tried when they thought they could get away with it. When they thought no one would care.

Ezra hadn't done that, though. He'd phoned to get Rachel to tell her about the coat, and hadn't even passed on his address. At first Gilly wondered whether he was hanging around outside. She'd go out to get the coat and there he'd be, waiting for her. But then Gilly considered the fact that maybe it was a religious thing instead. She'd take the coat and find a bible wedged in one pocket, or a pastel-coloured flyer with a pearly white Jesus on the cover begging her to come to him, or something equally whack. The guy's name was Ezra, after all. Maybe he took that a little too seriously. Weirdo.

He was not waiting for her. Still, there was no way Gilly was taking his coat. She looked in the pockets though, because really, who wouldn't? She found a small torch, which she didn't take. She thought that was all and was about to write him off once and for all, but then, hidden away in a pocket-within-a-pocket, she found the fold of four ten-pound notes – £40! A fortune. Enough to keep her going for a few weeks, if she was careful. Maybe she could even buy herself a book. That way she could go back into the bookshop and Rachel wouldn't think she was only there to freeload.

She made her way back to her tent that night via the hot shelf at the Co-op and went to bed a sausage roll to the good.

Four

'Oh dear,' Sylvie drawled, when she called to see how Toby was getting on a few days later. 'You've put this poor woman on a pedestal already.'

She was talking about Rachel, although Toby didn't really understand how his ex-wife had managed to get him onto the topic of the manager of the Lighthouse Bookshop. There must have been something in his voice as he described her, he supposed, that had suggested a subject worth pursuing.

'I have not.'

'You've been waxing lyrical about her the entire time we've been talking,' Sylvie pointed out.

'You told me to tell you everything!'

'I did, which apparently equates to you talking about this Rachel woman. A lot.'

'It's the bookshop, that's all,' Toby said. 'She's always there, and I've been going in regularly to work. There's something a bit otherworldly about the place. Sometimes I feel like I've walked into a production of *A Midsummer Night's*

Dream. There's a kid who goes there every day that I swear is part pixie.'

'That's middle England for you, darling. It's just you coming down from years in other places, that's all. You'll be as jaded as the rest of us in a jiffy.'

'I'm in *Scotland*, Sylvie.'

'I don't care where you are as long as you're not going to get shot again. How are the night terrors?'

'Let's talk about something else.'

'That good, eh? All right then, what about the book?'

'It's . . . coming.'

'You've been there almost two weeks already,' Sylvie sighed. Then after a pause, she said, 'Wait a minute. Where in Scotland are you?'

'Newton Dunbar. It's in Aberdeenshire,' Toby told her.

'On the coast?'

'No,' Toby said, using years of experience to suppress his irritation at her customary lack of attention. 'I told you, we're miles from the sea, that's why the lighthouse is such an oddity.'

'Oh yes, sorry,' she said, but in the distracted tone of voice that told him she was probably doing three things at once in addition to speaking to him. This was not a new phenomenon in their relationship. 'Ah-ha! I thought so! Well, now you've got to ask this woman out, because you can take her to the Crovie Inn and tell me all about it.'

'The what?'

'The Crovie Inn, from the TV show,' Sylvie said, and then,

'Oh, I keep forgetting you've been on the other side of the planet for God knows how long. Look it up. It's not that far from you. It'll be perfect.'

'I'm not going to ask her out, Sylvie,' Toby said. 'I came here to work. And besides, I really need to sort my head out first before I even think about dating, don't you think? She's an interesting woman, that's all. They're all interesting people.'

'Fine,' said his ex-wife. 'In that case, do get on with the book. It'll be perfect for next year's Christmas market. People went mad for the doctor professional confessionals. We pitch it right and they'll eat yours up too. And hey – if you're still limping when the book tour comes around, so much the better, eh?'

'You are a *monster*.'

'I know, darling, I know.'

'Help yourself to another glass and pour me one at the same time, would you?' Edie told Rachel over the blues stand-ards filling her print room with vocal smoke. She was busy pulling a print from a block she'd fitted to the vintage book press that stood at one end of the room's central work bench.

Rachel topped up both their glasses and sipped a mouth-ful of wine. It was Saturday night and Edie had invited her down to the cottage for a drink. Rachel loved Edie's print room, which held the shapes of such specific purpose and yet was entirely alien to anything she'd known before coming to Newton Dunbar. It was lit with the masses of candles that Edie liked to crowd around the edges of the room, the flamelight setting a mellow atmosphere enhanced by Edie's love of the blues. The room had a detached feel to it, buffered from the real world by candlelight.

Edie turned the wheel of the press slowly until the top plate was clamped down as far as possible, then carefully wound it back before lifting the thin layer of felt blanket she used to protect the paper while in the device. Rachel leaned forward as Edie peeled the new print from the printing block, revealing a monochrome image of the lighthouse at sunset. It was an image that Rachel had seen before but she was always astonished by the level of detail and texture that the artist had accomplished with just two shades and a blade.

As Edie transferred the print to her drying rack, she said, 'So, tell me. When are you going to put the journalist out of his misery?'

Rachel swallowed more wine and drummed the nails of her free hand on the table beside her. 'What do you mean?'

'Toby,' Edie said, as she began re-inking the block for another print. 'It's obvious that he fancies you. I assume he hasn't asked you out, though? Or have you turned him down?'

'He hasn't asked me out.'

'Would you say yes if he did?'

Rachel sipped more wine and shrugged.

'Have you had *any* nookie at all since you've been here?' Edie demanded.

Rachel narrowly avoided spitting wine all over Edie's worktable. '*Nookie?*'

'Or whatever the kids are calling it these days,' the artist said airily. 'Well? Have you?'

'Edie!'

Edie leaned on the table with both hands, fixing Rachel with a serious eye. 'You're too young and too beautiful to be gathering dust the way you are,' she said. 'It's not right.'

'I'm fine as I am.'

Edie glowered at her for a moment, then shrugged and reached for her wine glass, taking a generous slug. Rachel regarded her friend: the sleek silver bob, slim build, black linen trousers, black rollneck, big silver jewellery. Rachel loved Edie's perpetually chic look, loved her face, with her cheekbones that were still so sharp that they looked as if they could carve stone, her searing green eyes. She didn't find it difficult to imagine Edie as she must have been in her twenties, as hip as all hell and stunning with it. How did one develop such poise and self-possession? Rachel had never mastered it and was forever in awe of women who had.

'Take him out, that's all I'm saying,' Edie said, passing around the worktable towards Rachel with her empty glass to reach for the wine bottle again. 'Where would the harm be? I've seen the way you look at him when you think no one's watching, Rachel. I don't blame you, either. He's charming and funny and . . . well, *hot*. So why not just go for it?'

Rachel was trying to think of an answer that wouldn't give herself away. Toby had spent time in the bookshop every day since he'd arrived in the village a fortnight hence, and every time she saw him come through the door, something about him made her glad he was there. It was ridiculous and she'd tried to hide it, but that had become increasingly difficult as the days had gone by, not least because Rachel had begun to suspect that the attraction was mutual. A couple of times she had glanced up from ringing in whatever books he'd decided to buy to find him looking quickly away, as if afraid of being caught watching her. Several times she'd thought he was on the verge of asking her out, but had changed his mind even as he'd opened his mouth to do so.

Rachel had been relieved, despite the brief flash of disappointment that had flooded her heart each time the invite had not come. *It was better this way*, she insisted to herself. Her life was fine the way it was, and hadn't it been tough enough to find that level? Why risk it?

'He's here to work,' she said mildly. 'I don't want to interfere with that. Besides, he's only been here five minutes!'

'Pfft,' was Edie's response, and then came a brittle clatter and a yelp.

Rachel turned in time to see the glass go flying, impacting with the tiled ceramic floor with a tremendous crash that spewed lethal shards and wine everywhere.

'Are you okay?' Rachel asked, stepping around the mess and going to the sink to grab one of the artist's cleaning rags.

'I'm fine,' Edie said, clearly irritated with herself. 'Just slipped out of my hand. Damn.'

They cleared up and Edie went to get another glass. Rachel noticed that what she came back with was a stemless tumbler.

'Getting clumsy in my old age,' her friend muttered as she poured herself a fresh drink. 'Next thing you know I'll be drinking out of a plastic sippy cup.'

'Well, as long as you can still drink . . .'

Both women laughed, Edie's resolving into a sigh. She took her glass and went to pull another print. 'Have you done anything about that girl yet?' she asked. 'What's her name – Gilly? I noticed she was in the shop again today.'

'I'm trying to get her to open up,' Rachel said.

'Rachel,' Edie said with gentle reproach.

'What?' Rachel asked. 'She insists that she's an adult, and that she's fine. If I push, or demand that she get help, or call the authorities, she's going to do a runner, Edie, and I don't want that. At least here I know she's safe.'

'She's not safe!' Edie protested. 'Do you know where she's living? *How* she's living?'

'I'm doing my best,' Rachel said. 'I've told her that if she needs help she can come to me. She knows I'm there most of the time.'

'She needs help,' Edie agreed, 'but why do you think this is the way to give it? Surely if she's sleeping rough the first thing to do is get her inside.'

Rachel stared down into her glass. 'That's true,' she admitted. 'But if she's a runaway and someone forces her into a situation she doesn't want to be in, she's only going to run away again and that could put her in more danger. At least if she's here, she's got the bookshop to come into and she's got me keeping an eye on her.'

She looked up to find Edie watching her, a speculative look in her eye.

'What?'

'You said that as if you had personal experience,' Edie said.

Rachel picked up her glass. 'Maybe a bit.'

Edie leaned against the workbench. 'Tell me. Please. I know so little about you, really. You never talk about where you grew up, how you ended up here.'

'There's not much to know,' Rachel said, trying to keep her tone light.

Edie raised her eyebrows as if she weren't at all sure that were the case.

'Let's just say,' Rachel said, 'that I recognize quite a lot of myself in Gilly. Namely, I know a kid who's spent a lot of time in the system when I see one.'

'You mean foster care?'

Rachel swallowed more wine. 'That or some form of group home. That's probably why she's homeless in the first place – the most help with housing she'd get from the authorities once she hit eighteen would be a hostel bed. Do you really think that'd be a better environment? At the moment she's not taking drugs. I don't think she even drinks. Anyway, weren't *you* homeless at about that age? You told me you loved it.'

Edie stood back from the workbench and put her hands on her hips. Rachel's gaze was drawn briefly to her friend's hands, her pale skin stretched tight across her knuckles. For a moment she thought she saw a tremor in them.

'I wasn't homeless, I lived in a squat with a load of other artists.' Edie picked up her glass, flicking one finger at Rachel. 'Probably only a little more bohemian than a hostel, come to think of it.'

'Edie,' Rachel said, her voice as calm and soft as usual, but with an edge of warning that brooked no argument. 'Drop it. Please. I'll find a way to help Gilly. Just let me do it my way.'

Edie sighed. 'All right. But you should know that Dora McCreedy's been bellyaching about her.'

Rachel frowned. 'Dora? Why? What's it to her?'

'She's muttering about squatters.'

Rachel made an impatient, dismissive sound in her throat. 'If she's worried about that, perhaps she shouldn't have so many empty properties. Cullen said she's got the Featherley house now, too. Surely she's got bigger fish to fry than buying up half of Newton Dunbar. What's she up to?'

Edie shook her head. 'I don't know. But if Gilly's anywhere near her property, she'd better be careful. Dora McCreedy's not the sort to give chances.'

'All right,' Rachel said. 'I'll try to talk to her tomorrow.'

There was a brief silence as Edie re-inked the block.

'Any more problems with the goat?' Rachel asked.

Edie blew out a breath. 'Not so far. Maybe it understands language. Last time I threw it out I threatened to barbecue it if I saw it again. I swear I'd do the same to Ezra Jones if I could find a grill big enough.'

Rachel snickered gently.

Five

'I don't know about the rest of you,' Cullen said from across the chessboard, 'but I could use a pint. Who's up for the Fretted Goose?'

It was a Thursday afternoon, and Cullen's question came towards the end of it, as Toby was standing at the bookshop's counter after another day of work.

'You're on,' Ron said, getting up from his chair, 'but let me take the mutt home for a feed first.'

'Here – hang on a minute and I'll walk down the hill with you as far as mine.' Cullen got up and turned to Rachel and Toby. 'You two coming as well?'

'Definitely,' Toby said. He looked at Rachel, willing her to say yes. 'Actually, I was going to suggest the same thing.'

Rachel smiled. 'All right, I'll come. If only,' she said, looking at Cullen, 'to make sure you're being as sensible as the doctor told you to be.'

'Tsk,' Cullen muttered good-naturedly. 'Take all the joy out of a man's life, will doctors. I'm fit as a fiddle, me.'

'I need to cash up and feed Eustace first, so I'll be a while yet,' Rachel reminded them.

'Same goes for me, actually,' Toby said. 'I need to pop back to the cottage. But I'll join you in half an hour or so.'

'We'll see you down there then,' Cullen said, and hustled Ron and Bukowski out, apparently eager to get going.

Toby turned back to the counter to find Rachel watching the closed door with narrowed eyes.

'What's the matter?' he asked.

'Not sure,' Rachel said, 'but I get the feeling he's up to something.'

'Who, Cullen? What kind of thing?'

She tapped the price of his books into the old till. 'Oh, I'm sure we'll find out soon enough.'

In fact, they found out when neither Ron or Cullen arrived for the drink they had themselves suggested. Toby was the first to reach the pub and at first assumed that he'd beaten them to it. He ordered himself a pint and then one for Rachel when she arrived. They sat together, chatting and waiting, and as the minutes ticked by it occurred to Toby that perhaps they weren't going to come at all.

'Do you get the feeling,' he said eventually, 'that we may have been set up?'

'I wondered when you were going to realize.'

'You have sneaky friends,' he observed, lifting his pint.

'They're your friends too now,' Rachel told him, laughing. 'You can't blame them all on me!'

54

'I suppose they are,' he said, surprised at the realization. 'That happened without me even being aware of it.'

'Hmm,' Rachel took a mouthful of beer and nodded before adding, 'I know the feeling. I never intended to stay in Newton Dunbar. I was only ever here by accident in the first place, but here I am, five years later, and now I can't imagine living anywhere else.'

'How did you end up here, if it wasn't intentional?' Toby asked, curious.

Rachel glanced at him, and for a moment he felt as if he were being assessed for trustworthiness. Those eyes of hers had a way of slicing right through him. He imagined they could be very cold in anger.

'My van broke down,' she said.

'I see,' Toby said, although he didn't see at all.

Rachel looked at him, still assessing. Then she seemed to decide something. 'I lived in it. It was home. Had been for years, I didn't have anywhere else.'

She paused, as if to gauge his reaction. Toby would have been lying if he'd said he wasn't surprised by this revelation, but he'd had years of listening to extraordinary and often terrible stories without giving away his feelings.

'What sort of van was it?' he asked instead, because questions had always been his saviour.

'A VW. A very old one.'

'Classic.'

Rachel laughed. 'That's one word for it. Small, cramped and freezing cold in winter would be others.'

'Yours, though.'

'Yes,' she said quietly. 'All mine. And mobile.'

He wanted to ask why this was so important, but experience told him now was not the time.

'Anyway,' Rachel said after a moment, 'I was on my way to see if I could get some work for the season picking raspberries at one of the big farms. I stopped to see the bookshop because I'd seen Edie's postcards somewhere else and it said where the tower was on the back. The van clapped out at the bottom of the hill. I asked Cullen if I could use the phone to call a mechanic. He made me tea while we waited, which took hours, and we talked. When the mechanic finally came and told me how much it'd be to fix, I knew I was never going to drive her anywhere again. I was trying to figure out what I was going to do because I already had no money and now I had no transport, as well as no home and no work, when Cullen offered me a job, and that was that. Goodbye camper van, hello lighthouse.'

Toby smiled. 'As if it was meant to be.'

Rachel laughed, and he liked it, that sound. 'I suppose that's one way of looking at it. Cullen – it never even occurred to him to be suspicious of someone with no fixed abode, no references, no history of working in a bookshop. He came right out and offered me a place and a way to live, just like that.'

'You impressed him,' Toby said. 'In that chat you had over tea.'

'Maybe,' Rachel said. 'But I think he'd have done it for anyone. He's like that. I owe him . . . well, everything, really.

56

I don't know what I would have done without him. I have no idea where I'd be now. Sleeping rough, probably.'

Toby wondered where home had been before the van, who her family were and why she couldn't go back to them. But all he said was, 'That's why you're so tolerant of Gilly. Isn't it?'

'I suppose it is.' Rachel looked thoughtful for a moment, distant, and then brought her attention back to him with a smile. 'Anyway, that's more than enough about me,' she said, which wasn't at all true because Toby had been left with even more of a feeling of mystery about her than when she'd started speaking. 'Tell me about you. How did you end up as a journalist?'

'I can't remember ever wanting to be anything else, at least not seriously,' Toby said. 'I was going into my GCSE years at the time of the war in the Balkans. It was horrifying for many reasons, obviously, but I was also fascinated, because on screen there were kids my age on both sides of the conflict. There were teenagers cowering in the corner of basements while shells landed over their heads, and there were others in camouflage gear with guns, and there was I, spending my days struggling with math equations. I wanted to know how their lives could be so different to mine. I was also fascinated by the journalists who put themselves in harm's way to ask the questions I wanted to ask. It was before the age of citizen journalists. It seemed – I don't know, like a noble profession, I suppose, to show the rest of the world the stories of people who couldn't tell it for themselves.'

He glanced at Rachel to find her watching him, listening intently, and was a little unnerved by the strength of her gaze.

'And is it?' she asked. 'A noble profession?'

He finished his pint. 'I think so. Mostly, anyway. You don't agree?'

She looked away. 'I think your sort probably is. Or at least sets out to be.' She looked back at him. 'Do you miss it?'

'Yes,' he said. 'It's the only work I've ever known, and it was never just a job. It was my whole life, really. But I'll never get insurance to go out again, not with my leg the way it is, so unless I'm happy to confine myself to a desk job, or a local beat ... I have no choice but to accept that it's time to move on.'

'I'm sorry.'

'It's the risk I accepted when I chose the life. Anyway, that's why Sylvie – my ex – is badgering me so hard about this memoir. She's convinced it's going to lead into some great new career. I've a hunch she sees me as the new Michael Palin.'

'Are you so sure she's wrong?' Rachel asked.

'No,' Toby admitted. 'She knows her stuff. That's part of what makes my ex-wife so very annoying.'

'How long were you married?'

'Seven years. Although for most of them I was on assignment. If I'd been based closer to home we'd probably have lasted two.'

Rachel smiled slightly. 'You've stayed friends, though?'

'I think we'll always be that. How about you?' he asked,

wondering what her past relationships had been like, given what Rachel had said about living in a van. 'No one ever managed to tie you down?'

Her gaze dropped to her glass and his journalist's senses expected her to say something about an equally failed marriage. There was a brief silence, as if the conversation had hit a STOP sign held up by Rachel herself, and then she swallowed the last of her pint and stood up.

'Oh no,' she said. 'I am notoriously flighty. Hence the van.' She reached for his empty glass. 'Another?'

Later, Toby walked her back up the hill to the lighthouse beneath a full moon. They were quiet as they climbed the path past the row of cottages, Rachel pointing out which of his new friends lived in which house.

'Are you annoyed with Cullen and Ron?' he asked, as Rachel searched her bag for her key. 'For setting us up, I mean?'

She looked up at him, key in hand, and then away. The moonlight glanced off her nose and cheekbones, and suddenly he was a browser at a flea market, struck dumb to find an Old Master concealed amid the Banksy rip-offs.

'No,' she said, eventually. 'But look, Toby . . . I don't want to date you.'

'Oh,' he said, taken aback by her blunt statement. 'Right. Okay.'

'Not just you,' she added quickly. 'I mean anyone. I don't want to date anyone. Sorry,' she said. 'But it's best to be upfront, isn't it? And it's—'

He smiled. 'Rachel. You don't have to explain,' he said, despite having a million questions. The van, her past, this sudden, blanket statement. *I don't date.*

'I do like you,' she told him. 'But I'm not looking for anything more than a friend. That's all. I can always do with more of those. Anything else ...'

Toby smiled. 'Friends is good,' he said.

She looked relieved. Had she expected him to be difficult about it?

'Okay. Great. Thank you for the drink.'

'And you,' he said. 'Goodnight.'

It was just as well, he reflected, as he walked back down the hill, his leg protesting as it always did at the end of the day. *You won't be here for ever and, besides, you're dragging around enough baggage of your own already. No need to add someone else's. However intriguing it might be.*

Six

It was a few days later and Toby hadn't realized how long he'd been sitting in the bookshop until he was jolted back into the present by the clang of footsteps on the iron staircase from the ground floor. He looked up to see Rachel appear and saw through the narrow window on the other side of the tower behind her that the light had begun to dip in the sky.

'I just came to check on you as it'll be closing time soon,' she said.

'Oh!' he blinked, feeling as if he was coming out of a heavy sleep. 'Good grief, I didn't realize the time.'

She gained the final step and kept one hand on the rail. 'I actually thought you might have left without me realizing, you've been so quiet up here.'

Toby began packing everything into his satchel. His leg was stiff from hours of sitting, he definitely needed a break. 'I was writing. I think I've finally found a way to start the book.'

'That's good news. Congratulations.'

'Thanks. There was a moment there I thought I'd never break the skin.' He exhaled, realizing just how relieved he was. 'Care to join me for a celebratory drink?'

'Oh—' Rachel hesitated.

'I was going to ask Cullen and Ron, too,' he assured her, smiling.

'No, it's not—' she returned the smile with a slight shake of her head. 'I'd love to. Really. Thanks. I need to cash up and close down, though, so—'

'No rush. I'll go home and drop this stuff off first, anyway.' He checked his watch. The time was touching 5.30 p.m. He really had been away with the fairies. 'Shall I meet you at the pub at seven?'

'All right.'

Toby was walking towards her with his ungainly limp when a commotion broke out below them. It sounded like an altercation. There came a sound like a fist hitting something – *Crack!* – accompanied by the noise of many small things falling.

'Cullen!' That was Ron's voice, and—

A sharp cry, followed by a heavy thud.

'*Cullen!*' came Ron's voice again, then panicked, 'Rachel!'

Rachel was already running down the stairs. Toby was close behind her, so that they saw the tableau below at the same time. Cullen MacDonald had fallen to the floor, wrenched from his chair by some unseen internal force. On his way down he'd taken the chess set with him – the board was lying against his hip at a sharp angle. The man himself was lying with his face up to his beloved books, gnarled hands clutched to his chest, eyes screwed shut with pain as he gasped for breath. Rachel reached the ground and ran to him, dropping to her knees, clasping his fingers. She looked up at Toby.

'Call an ambulance!'

Toby dropped his bag and hobbled for the counter. As he dialled 999 he saw Gilly, standing white-faced beside the stove. Bukowski had gone to his owner and was whining faintly as Ron stared at his friend with undisguised horror. Eustace was nowhere to be seen.

Toby asked for an ambulance but then realized how much else he did not know. 'We're in the lighthouse, at Newton Dunbar,' he said. 'It's on the hill—'

Rachel supplied the postcode, her attention still fixed on Cullen. 'Tell them to turn right at the gatehouse on Main Street and drive straight up to the door.'

Toby relayed this information and was told to stay on the line. Behind him there was a sudden flurry of movement – Gilly, making for the door.

Toby saw a blanket across the back of Cullen's chair and grabbed it, shaking it out and spreading it over the old man. Rachel tucked it around the patient and then it seemed only a minute later there was a burly man in a motorcycle helmet bursting into the room: a first responder with kit enough to restart a failed heart if needed. The ambulance followed a few minutes later, and all Ron and Toby could do was stay out of the way as Cullen was loaded onto a stretcher and rushed away, Rachel keeping pace with the medics all the way. The ambulance roared off, taking both Cullen and Rachel with it, and trailed by the motorbike. Suddenly it was just Ron and Toby left in the lighthouse, the only noise the faint crackle from the wood burner and Bukowski's plaintive whines. The two men stood like statues in a garden of paper.

'Well,' Toby said, unsure quite what to do. 'Perhaps it would be best if we locked up?'

Ron looked at him blankly and Toby thought that he was seeing the effects of shock set in. Shock he could deal with. Shock he had copious amounts of experience with.

'I don't know where Rachel keeps the key,' Ron said.

'Ah,' said Toby. 'Do you know of anyone else with a spare?'

'Only Cullen.'

Together they looked towards the door.

'I'll stay,' Ron said, after another moment of silence. 'Until they get back.'

Toby, who had seen the grey pallor of Cullen's face and knew what it meant, did not say that he thought it likely that Rachel would be coming back alone. 'I'll stay with you then,' he said, instead. 'Tell you what, why don't I put the kettle on for a cup of tea?'

Ron nodded and Toby went to the counter to search out what he needed. When he glanced back, the old man was standing stock-still beside the upturned chess table, his old leather shoes surrounded by the scattered soldiers of two miniature armies.

*

Gilly ran from the tower and as she went she could already see a motorcycle speeding up the hill towards her, its single white light catching slashes of falling rain in the beam as it cut through the afternoon gloom. She ran, heading for the forest, hauling herself over the fence with her pack banging against her back, and as she crunched towards her tent she heard the blare of an ambulance siren.

'You!' came a woman's voice, high-pitched with anger.

Gilly froze. Ahead of her was a small woman with a sharp, pinched face, dressed not at all appropriately for the forest in a dark two-piece suit and low heels. She was standing beside Gilly's tent, hands on her hips, glaring over it at Gilly. A man was standing a little way away through the trees, although he wasn't paying any attention to Gilly or the woman. He was faced away from them both and had set some sort of equipment on the ground, a tripod with a strange-looking device on the top of it. He held a clipboard and a pen.

'You,' the woman repeated. 'This is private property. How dare you set up home here?'

'All right, all right,' Gilly said. 'I needed somewhere to sleep, that's all. I'll go. Let me take my tent and—'

'What, so you can trespass somewhere else?' The woman laughed. 'Not likely.'

She put a hand into her pocket and pulled out a small utility knife. Gilly saw what she was going to do a split second before the woman flicked open the blade.

'No! Wait—'

She stabbed the blade into the flimsy wall of the only place

Gilly had to call home and ripped. The sound of tearing fabric formed a baseline to the uneven overtone of freshly falling rain. Rage clenched Gilly's hands into fists.

'You colossal *bitch*!'

'Get out of here,' said the woman. 'You're lucky I haven't already called the police.'

'I want my sleeping bag.'

'Tough. My land, my property. If I see you here again it'll be the least of your worries, understand?'

Gilly hesitated, not because she was thinking of staying but because she had no idea what to do next. She had nowhere to go. The tent had at least represented a fixed point, and now—

The woman was pulling out her phone. 'Five seconds and I dial 999. Five, four—'

The girl turned and fled back towards the fence. She couldn't go back to the bookshop. It was almost 5 p.m., the Co-op would be closing soon – the toilet in the main street would be locked soon, too. The pub? She still had enough money for a pint, but she needed every penny she had, more now than ever, and she could only make the pint last for so long, if they were prepared to serve her in the first place.

She had nowhere to *go*.

She had *nowhere* to go.

The nearest train station was Great Dunbar. It looked as if she'd be going back to the city after all. Always assuming she could dodge the ticket inspector and jump the barriers. And she'd have to walk there. Ten miles. In the rain.

She emerged onto the hill. The ambulance was standing

beside the bookshop entrance, its blue lights still spinning into the air, though the siren was now silent. The colour splashed against the white tower, turning it into a laser show. Gilly could see the bulk of Ezra's coat, sandy yellow, still hanging in the porch where he'd left it days before. She ran up the hill and yanked it from the hook. Gilly was already fleeing as she struggled into it. She didn't even take her pack off, she just pulled the heavy layer over the top. It was so big she could get both arms in and then some. It fell to her knees, smelling of someone else. It had a hood and she pulled it over her head, struggling to find the cuffs because her arms were at least four inches too short. The hood fell so low over her forehead that Gilly could barely see. A wearable duvet, one with the added benefit of being waterproof.

As she stumbled down the hill, the rain began to fall even harder, hitting the hood of Ezra's jacket with increasing speed. *Thwock! Thwock-thwock-thwock-thwock!* Gilly ducked her shoulders and headed for the path that led from the base of the hill between the last house in the row and the forest fence. As Gilly reached it, she glanced into the garden of the cottage on the corner. A large shed stood with its back against the fence, and beside the fence was a gate.

Gilly paused. The garden sloped down towards an oblong room that leaned against the cottage. It had long windows that were lit. There was no one in it, but if there had been, they could have easily glanced out and seen her standing at the gate, looking in. She hesitated for a second more, the rain falling hard. Then she was inside the gate, unhooking the latch quickly and quietly, praying that there was no padlock on the shed and then, when there wasn't, that it would not be so full of junk that she could not fit inside.

The shed was home to a lot of gardening equipment, but there was space, too, a clear patch of dusty wooden floor. Gilly pulled the door shut behind her. The rain drummed onto the roof, so hard now that one strike of rain flowed seamlessly into another. There was a drip coming through the ceiling right at the back of the shed, but at this end the floor was dry. She sat down, putting her back against the wall, her pack still on her back beneath Ezra's coat. She pulled her legs up to her chest and wrapped the voluminous coat around her, her forehead on her knees. This would do for now. She couldn't stay, but whoever owned the shed wasn't going to come out gardening in this, were they? And it was getting dark already. She'd be all right for the night. Tomorrow she'd figure out something else, but for now, this was good enough. Under the coat, she was even beginning to feel warm. Then she remembered the torch from the first time she'd gone through this coat. She patted the pockets and found it. Gilly tested it against the shed wall, low enough towards the floor that the glow wouldn't be seen out of the building's single dusty window. Its small beam was powerful, cold and blue-white. She turned it off and hugged her knees, wondering if Cullen at the bookshop was going to be okay.

Down in Corner Cottage, Edie Strang came back into the print room with a fresh mug of tea and a slice of coffee and walnut sponge. She glanced out of the window at the garden, but the light was already fading from the sky, and the only thing she could make out were the streaks of fresh rain against the glass. She had already missed the ambulance departing the lighthouse, trailing flashes of blue into the dark day as it went.

Seven

At the hospital, after they had rushed Cullen away from her through chipped double doors, no one would tell Rachel anything.

'You're not family,' the nurse said apologetically, and ushered her to a seat in an echoing corridor that smelled of disinfectant and misery.

'But he doesn't have any family,' Rachel said. 'All he has is me.'

Hours went by. She didn't even know if Cullen was still alive, but she couldn't go home. Her home was his home, both literally and figuratively, and she could not imagine either the lighthouse or her life without him there.

When a different nurse appeared in front of her, it took a few moments for Rachel to realize it was her own name being spoken. The words had taken on an unfamiliar quality, along with the notion of time. She didn't have a watch with her and didn't own a mobile phone. She had never needed one; everyone she ever wanted to speak with came to her at the bookshop, and she did not like the idea of being tethered by a contract. Now though, she wondered what the time was, what was happening at the lighthouse, who was there. She couldn't even remember who she'd left behind as she'd rushed out with the ambulance crew. Had she even closed the door, locked it?

'Ms Talbot?' the nurse, painfully young, asked. 'Are you Rachel Talbot?'

'Yes,' Rachel said, shaking off her torpor. Her back was stiff from sitting for so long.

'Cullen's asking for you.'

'I – oh!' Rachel shot to her feet and then, dizzy, had to steady herself against the wall. 'He's awake? He's – talking?' She hadn't realized until that very moment how convinced she'd been that she'd never hear him speak again.

'He's very ill,' the nurse said, as she ushered Rachel with her down the corridor. 'You mustn't wear him out. But he won't settle. He keeps asking for you.'

'What happened?' Rachel asked. 'Was it a heart attack?'

'Yes. I'll get the doctor to talk to you once you've seen Mr MacDonald,' she glanced at Rachel with a harried smile. 'We didn't know you were his emergency contact.'

Cullen was in a room on his own, on a high hospital bed surrounded by the vague susurration of medical equipment. His upper torso was bare, monitor pads against his hollow chest. He wasn't ventilated, but there was a transparent oxygen mask obscuring his nose and mouth. He looked frail and grey, and Rachel's heart quailed at the reminder of what age does to a person. She went to his side and took his hand, half expecting it to be cool to the touch, but he was warm enough, though his skin bore the texture of paper, as if he had become a leaf from one of his beloved books.

'Cullen?' she said quietly. 'It's Rachel. I'm here.'

His fingers constricted around hers as his eyes opened and searched for her. He lifted his other hand, reaching for the mask, trying to remove it.

'It's okay,' Rachel said, 'you don't have to say anything. Just rest.'

But he was insistent, already mumbling, fumbling with the plastic. Rachel glanced at the nurse, who nodded. Rachel's fingers brushed against Cullen's as she lifted the mask and gently pulled it over his head. *He looks so small*, she thought, and could not balance this with the man she had known for the past five years.

'Rachel,' he managed, half whispering.

'I'm here,' she told him. 'It's all right. You're at the hospital—'

'Stupid,' he muttered, 'so stupid. Should have—' he wheezed, words lost in struggling breath.

'It's all right,' Rachel said, more firmly. 'You're in good hands. Don't worry about a thing, Cullen, just get better.'

'No,' he said, his voice momentarily stronger. 'It's not all right. I always meant to give it to you, Rachel. I meant for you to have it. But I didn't know—' he coughed, gasping for air. 'Stupid. So stupid.'

'Please,' she begged him, as the nurse hovered. 'Don't worry about anything right now.'

'Listen,' he said, his breath barely there. 'In the ceiling. Behind ... the paper. I didn't know what to do. And ... selfish, but ...' his words were lost beneath another storm of wheezing coughs, but Cullen struggled on regardless. 'Wanted ... wanted to keep the bookshop ...'

'That's enough,' said the nurse, flicking a switch and moving to replace the oxygen mask over Cullen's mouth and nose. 'You should leave.'

Cullen grabbed the nurse's wrist with a last burst of the strength that had typified his life. He held the mask away from his face as he looked at Rachel.

'Behind the paper,' he said again, but then his voice gave out. A long, piercing note sounded from one of the machines beside his bed.

'Please,' said the nurse, glancing over her shoulder at Rachel as she slammed her palm down on an alarm button. 'You have to leave now.'

Cullen would not let go of her hand. Rachel had to pull hers free. The sound of running feet echoed down the corridor behind her. Cullen's fingers slipped from hers and Rachel backed out of the room, her last glance of him a man drowning beneath hands trying to help him.

She went out into the bleak white corridor, the feel of his hand still ghosting against hers. The tell-tale monotone of the heart monitor failed to ignite into anything more animated, and when that same young nurse came to talk to her, Rachel already knew that Cullen was gone.

Outside there were stars overhead. She walked clear of the

hospital's entrance and breathed night air. She had to ask a passing stranger for the time. He looked at her strangely, as if the concept of not possessing some form of device that would tell her made her alien, which she supposed it did. It was approaching 8.30 p.m., which meant that if Rachel hurried she might be able to catch the last bus to Newton Dunbar, which left at 8.45. She fretted over the idea of poor Eustace being fed so late, and wondered if Cullen had fed him for her, and then realized that of course Cullen had done no such thing, because he was dead.

She wondered when the grief would hit her because at the moment, all that her mind could contain was a dull kind of fog that made the rest of the world unreal. She spent the bus journey home staring out of the window, but was paying so little attention that when the sign for Newton Dunbar blinked up on the display, she almost missed her stop. She climbed the hill to the lighthouse, which was lit up from inside even on the ground floor, despite it being far past closing time. This made her wonder who was in there, and then all at once it occurred to her that she was going to have to tell everyone that Cullen was dead, and she had no idea how to do that, was not at all prepared with what to say or how to say it.

Rachel stopped on the dim path. For a split second she considered not going back at all. She had her wallet with her and a few hundred pounds in the bank. The lighthouse was not hers and she possessed nothing valuable. She could walk away now, leave this very moment, start anew somewhere else. Cullen was what had kept her here, and now Cullen had gone, and so too could she. It would be as if she'd never been here at all, as if this had been just an interlude, a transient moment in an insubstantial life. She didn't have to face what was waiting for her behind those doors. There were no ties to keep her here, there was nothing she owed, nothing she would be taking, still less that she would be leaving behind.

She could go, as easily as she had arrived.

Rachel hesitated, the chill of the night seeping through her thin jumper. She shivered, and started to walk again, up the hill, towards the only home she had. When she stepped beneath the porch she paused, one hand against the smooth weathered wood, a structure they had all had a hand in building. Then she went through the doors and into the bookshop beyond.

Two faces looked up from the armchairs and for a moment Rachel was confused. But it wasn't Cullen sitting there with Ron, of course it wasn't. It was Toby. He stood as she entered and from his expression she understood that he had already read the truth in her face, and moreover that the advent of death was not new to him. Then there was Ron. Rachel still didn't know how to do what she had to do, and so decided that the best way was immediately and quickly. She crossed the floor, her hands outstretched, and took both of Ron's in both of hers. She knelt beside the chair.

'Cullen's gone,' she said, her voice clear but somehow, to her ears, absent, as if she were speaking the words somewhere else, to someone else, and perhaps it was not even really truly her voice speaking them. 'Ron, I'm so sorry. They tried. *He* tried. But he's gone.'

Ron's white face paled still further. His hands convulsed around hers, and she tried not to be reminded of Cullen's dying grasp. Then there came a yowl and Eustace appeared, butting his old head against her hip.

'He's hungry,' Ron muttered, 'but the door to upstairs is locked.'

'I'm sorry, old puss,' Rachel said, reclaiming one hand from Ron's to pet the cat.

'I would have gone and bought him some food,' Toby added, 'but I didn't want to leave Ron alone.'

Rachel got back to her feet, still holding onto Ron's hands. 'Thank you,' she said. 'It was very good of you to stay. I'm sorry I rushed out so quickly, but—'

Toby raised both palms. 'No need.'

She glanced away from him, not sure what else to say, wanting to dismiss him from this space but not wanting to be rude to someone who had shown such kindness. She didn't know how to deal with Ron, either. She was exhausted, drained to her bones. All she wanted to do was turn off the lights and curl up in a dark room, pretend the world did not exist. But Ron had lost his best friend and would be going home to an empty house, where he likely would not eat.

'Ron,' Toby said gently, as if he had read her mind. 'Why don't you come back with me? We both need some food. We'll toast to Cullen. You can tell me more about him.'

Rachel looked at him gratefully as he helped the old man

out of his chair. Bukowski, daft as he was, knew that something was wrong and was glued to his master's side.

'Thank you,' Rachel said quietly.

'It's nothing.'

For once, Ron himself could find nothing to say. He hugged her hard enough for Rachel to feel his stuttering heart, his cheek against hers. She hugged him too.

Rachel waited long enough for them to reach the bottom of the hill before she closed the lighthouse doors. She didn't want Ron to hear the sound of her turning the lock. She couldn't bear to look at Cullen's chair as she crossed the circular room to the stairs. Eustace was complaining, and rightly so, and it seemed to Rachel that all she had to do was accomplish that one small task, to feed a hungry cat. She climbed the iron staircase and unlocked the door to her tiny apartment, letting Eustace shoot up them ahead of her as she flicked off the lights to the bookshop, plunging it into darkness, aside from the one dim nightlight that always remained lit. The cavern of it, which had never seemed anything less than soothing to her before, now contained an emptiness that she knew would never be filled.

She went up into the kitchen and fed the cat, pausing for a moment to stroke him as he wolfed his food, feeling the purr reverberate through his familiar form. Then she went up to her bedroom and toed off her shoes. Rachel lay down on her bed, too despondent to even remove her clothes. She rolled her face to the curved wall and sobbed until she slept.

Eight

Next morning, Rachel opened the bookshop as usual because she didn't know what else to do. Ron and Bukowski were waiting outside. Beyond him she could see Edie already making her way up the hill. By the time the coffee was on, Ezra had arrived. Eustace circled Cullen's empty chair, miaowing in a way that hollowed out her heart.

'Anything you need help with, whatever it is, just let us know,' Edie told her, as Rachel lined up the mugs. 'We're here to help.'

Rachel was grateful enough for their presence; though it could not fill the void, it at least filled the bookshop, which seemed far too large and empty without Cullen's cheerful voice echoing within it.

'There aren't any biscuits,' Rachel said. 'I didn't—'

Edie produced a packet of fruit shortcake from her bag and laid them on the counter. 'Not a patch on Cullen's,' she said. 'But still.'

Toby Hollingwood arrived as she was pouring their

drinks. 'Hello,' he said quietly. 'I hope I'm not interrupting. I wanted . . . well, actually I'm not quite sure what I wanted.'

Just to be here, Rachel thought. *You just wanted to be here, the same as all of us, because we none of us have anywhere else to go.*

'Come in, lad,' Ron said, his voice rough with grief. 'Don't stand hovering by the door. Have some coffee.'

Rachel produced another mug and poured him coffee, as if she did this every morning, as if he had always been there. She managed a smile as he walked towards her, still with that uneven gait.

'Thank you,' he said. 'I'm so sorry. I only knew Cullen briefly but even so it isn't hard to understand what you've all lost. I'm sorry that I didn't get to know him better.'

They all sipped coffee in silent communion, those who had known Cullen MacDonald for decades and those only for days, and they all missed him in different but equal ways.

'He would have liked this,' Ron remarked, starting on his third biscuit. 'Us all being together, here, with Rachel. He wouldn't have wanted her to be on her own.'

There was murmuring assent, but no more words for a while, until the bookshop door opened again and Gilly appeared. She hesitated in the same way that Toby had, seeming younger than the day before, drowned as she was in Ezra's battered coat, which came almost to her knees and hung heavy on her shoulders.

'I heard about Cullen,' she said, her voice clear and brave in the sudden silence. 'They were talking about it in the Co-op this morning. And I wanted to say I'm sorry.'

'That's really sweet of you,' Rachel said. 'Come on, Gilly, come and join us.'

Gilly moved closer, the circle around the armchairs opening to accept her. As Gilly saw Ezra, she hesitated for a moment and then seemed to make a decision.

'Thank you for the coat,' the girl said awkwardly. 'Do you want it back now? It's not raining anymore.'

Ezra looked up at her from Cullen's chair and smiled. 'Is it useful?'

Gilly blew out a breath, which seemed eloquent enough, though she still added, 'Yeah.'

'Then you keep it.'

'Do you think you could keep an eye on things for me for a while?' Rachel asked, aiming the question at the general group. 'I've got some phone calls to make. The solicitor, the funeral home . . .'

Edie reached out and grasped Rachel's hand. 'Do whatever you need to do.'

Rachel took the phone from beneath the counter and went upstairs. When she finally got through to him, Cullen's solicitor seemed genuinely saddened by the news of his client's demise.

'I am sorry,' said Alan Crosswick. 'What a character he was. I shall miss him – I'd only known him since I joined the company and took over his account a few years ago, but he was always good for a conversation. Even if he frequently avoided talking about the things I needed him to address. Like, for example, making a new will. I'm afraid the one in place was created before he himself took ownership of the estate. You're probably not aware of this, but Cullen actually inherited what was left of the MacDonald estate when he was still a child – his father died when he was ten, in 1945. His mother held it in trust until he was twenty, and the will is a very basic "It passes to the next in the MacDonald family line". I had been badgering him about it ever since I joined the company and reviewed his papers, because I got the impression he would have wanted to be a little more specific, especially since he didn't have any children for the estate to pass to. He always assured me he was working on it, but nothing was ever forthcoming. I had planned to talk to him about it in the next couple of weeks, but alas, that was clearly not to be.'

Rachel shut her eyes. 'But – what does that mean? He didn't have any family, or at least none that he ever spoke about. He had no children, no siblings. What happens to the lighthouse now?'

'I'll have to investigate as per the original will to see if a natural heir can be found,' he said. 'If not . . . well, any estate remaining after death duties would go to the Crown.'

'Right,' Rachel said faintly.

'I'm sorry, Rachel,' Crosswick said. 'I know the lighthouse is both your home and your livelihood. I'll do my best to make sure you get first refusal in any sale.'

'Thank you,' Rachel said, automatically, though the idea that she would ever be able to afford to buy the lighthouse herself was laughable. She was beginning to feel numb. This time yesterday morning Cullen had been alive and well. Today he was gone and it seemed as if everything he'd created here could soon be gone, too.

'Look,' said the solicitor. 'What I suggest for now is that you remain where you are. I will employ you in much the same way that Cullen did. Keep doing what you've been doing, looking after the place and running the bookshop so that it can at least pay for its own upkeep while it's in escrow. In addition, I will ask you to arrange his funeral and, in due time, to sort out the gatehouse. Let's take this one step at a time, and we'll see where we end up. All right?'

Rachel participated in the rest of the conversation in a dazed state that she hoped the solicitor could not detect. Eustace appeared beside her. He circled her calf once and then sat on his haunches looking up at her with unblinking gold eyes.

What will become of us? he seemed to ask. *Where will home be now?*

'What will happen now, then?' Edie asked, when Rachel explained the situation with the will.

'The solicitor will try to find an heir,' Rachel said.

'They won't find anyone,' Ron said. 'We're the only family he had.'

'If there's no natural heir,' Toby said quietly, 'the estate will go to the Crown, and they'll sell any assets.'

'McCreedy will be rubbing her hands together already, I bet,' Ron said.

Rachel looked up. 'Dora?'

'Oh, aye,' Ron said bitterly. 'She's been trying to buy this place for years. Made Cullen a load of offers that he had no interest in. Gave up for a while, but she's been at it again in the last year. Last one was only a month or two ago. He didn't tell you?'

'No,' Rachel said. 'He didn't.'

'Probably thought there was no point, what with him being dead set against selling,' Ron said unhappily. 'So how could he let this happen? To leave this place for a vulture like that to snap up . . .'

Rachel crossed to his armchair and took his hand. The old man wrapped both of his around her fingers. 'Don't be angry with him, Ron,' she said softly. 'He didn't think he'd be leaving us so soon, that's all.'

Ron squeezed her hands. 'I know he wanted you to have this place. I *know* he did. He didn't say anything to you at all?'

Rachel freed one of her hands and passed it across her eyes. 'No, nothing. He was—' She stopped, suddenly, dropping her hand and looking up at nothing with a frown.

'What is it?' Ezra asked. '*Did* he say something?'

Rachel had almost forgotten Cullen's desperate garbled last words.

'No,' she said. 'I'm afraid not. Nothing that made any sense, anyway.'

But those last words of Cullen's played on repeat in her mind, because Rachel had finally become aware of something that had been right in front of her for years.

Nine

There was a papered ceiling in Rachel's bedroom. It was the only one in the tower. She had noticed it the day she moved in, thinking it odd that someone would take the trouble to paper a ceiling instead of painting it. Then she had supposed that it was to hide uneven plaster. There was plenty of that in the lighthouse. After that, she had not thought about it again. Until now.

In the ceiling. Behind the paper.

Cullen's words came back to her as she stood in the centre of the tiny room. There was no hint that there was anything on the ceiling behind the wallpaper. The paper could not have been there so very long, because although it looked as if it could do with a refresh, it wasn't yellowed or peeling. Rachel remembered thinking that the room felt as if it had been given a lick of paint when she moved in, and wondered now if Cullen had put the paper up before she herself had taken residence. Had he wanted to hide something from her?

She scanned the paper. It was early evening, the sun

beginning to drop once more towards the horizon, the light changing as it went. Rachel was rarely in her room at this time of day; she'd more usually be downstairs in the bookshop. As she watched, a shaft of sunlight entered one of the narrow slashes of window, casting a diffuse yellow glow against the ceiling. It was mainly flat, but the sunlight picked out a single shadow, a straight line. Rachel went over and ran her fingers along it, standing on tiptoe and stretching up, bracing herself against the window where the last of the sun slipped through the narrow glass pane.

The shape her fingers found beneath the paper formed a large rectangle. It did not move when she pressed it. Whatever it was seemed to be fastened flat against the ceiling.

She went downstairs to get a chair. Eustace miaowed at her as she carried it back up, as if he knew what she was about to do and was uncomfortable with her actions, which Rachel understood perfectly, because she was full of misgivings herself. Even once she had put the chair in position she hesitated, knowing that once she started removing the paper, there would be no going back.

The paper wasn't as easy to take off as Rachel had hoped. It tore in thin, fragile strips. Eustace played amid the snow of gathering scraps that fell around him, a kitten's instinct only dormant in his old cat's body.

It did not take Rachel long to realize that the rectangle was a plain piece of plywood that had been screwed into the ceiling. Wearily, Rachel realized she had made a mess of her bedroom – and the ceiling – for what was likely nothing more than a piece of board put up to hide a crack or a hole. Now that she had started, though, she of course had to continue. The plywood was modern, as were the screws that fastened it in place. Rachel was more convinced than ever that Cullen had done this himself when he had known she was moving in.

She went back downstairs, this time to find a screwdriver, and was relieved when the screws at least came away cleanly. Rachel stood on the chair, holding the removed piece of plywood in both hands with the screwdriver between her teeth, staring at what it had hidden.

Set into the ceiling was a small, square hatch.

It had never even occurred to Rachel that there could be an attic above her head. It was evidently in the small dome where the lights would have been if the tower had actually been a lighthouse instead of a rich man's folly. Rachel put down the plywood and reached up to push at the recessed wooden panel, surprised when it opened easily. She had activated some hidden mechanism that lifted the panel back and then slid it out of sight so smoothly that it made almost no sound. A sough of chill air rolled out to wash over Rachel's face, but though it was stale there was no stench of decay.

She stood on tiptoe and saw that there was a set of wooden steps folded away inside the hatch. Pulling on the closest rung persuaded another mechanism into action. Rachel jumped off the chair, moving it out of the way as the stepladder descended of its own accord. She hesitated, looking up at the hatch overhead. The void above her was very dark. She could feel a chill spreading down into her room from the attic, like ink dropped into water. There was no light at all.

Rachel retrieved the LED storm lamp she'd kept under her bed since the first time she'd experienced a power cut in the lighthouse. It shone with a cold white-blue glow as she turned it on. Then she took a deep breath and went up the ladder. She'd opened the can, after all, she may as well face whatever worms were inside.

When she reached the top of the ladder, Rachel put the lamp down on the floor of the attic but remained on the steps, looking around the domed space. The small room was empty aside from a circular table right at its centre. Rachel stilled for a moment, listening, but there was no sound of animal scrabbling. The floorboards were bare, coated with dust. She felt the grit of it under her palms as she climbed the rest of the way into the room on her hands and knees.

There was more space up here than she had expected. The table took up a good portion of the room, leaving just enough space for a person to walk around it. It was made of meticulously polished white marble that reflected her lamp's artificial light like a huge moon. Around its edge was a smooth wooden rail. Rachel put out a tentative hand to grip it and found that it moved – it was meant to rotate. To her surprise it lifted, too, sliding up and down several inches. As she bent to look beneath the table, she saw that shelves had been slotted under the lowest point of its descent to make the most of the room's limited space. Each was crammed with rolls and sheaves of paper, leather-bound books, ink bottles and pens.

Above her the dome extended higher than she would have expected, culminating in a very small skylight. There were two long, thin metal handles that connected to a hinge at the apex. These were obviously meant to make it easy for someone to open it from the floor, and Rachel reached for it, wondering whether the mechanism still worked. She pulled the handle and a small aperture in the roof opened above her head. There was glass, but she realized then that it was far too small to be a skylight, besides which it was tilted at a strange angle. Rachel stared up at it, trying to work out what she was looking at, until she became aware that there was something behind her, a new brightness that had not been there before.

She turned, and there on the table was Newton Dunbar, resplendent in the dipping sun. There was the filigree spread of houses, the pub with its garden of tables amid roses, there was the Co-op and the doctor's surgery. As Rachel watched, a tiny silver car drove along the main street, right from one end to the other. The trees of Dora McCreedy's forest waved their leaves in a breeze. The whole village was displayed in perfect, moving microcosm on the white marble disc, as if Rachel were watching a film shot on someone's phone and broadcast via the Internet.

This was why, Rachel realized, the lighthouse had no lights. It had never been built as a lighthouse at all. The words in her head were *camera obscura*. She had been inside another one like this once, at the top of the Royal Mile in

Edinburgh, where she'd had to contend with a dozen Belgian teens for a glimpse of the castle projected with shocking clarity onto a wall.

Rachel's mind reeled. The tower was almost two hundred years old. Had the camera obscura been here all this time?

She looked around the room and saw something on the floor – a piece of paper. It had ploughed a furrow in the dust but was not dusty itself, as if it had drifted there recently, perhaps disturbed from the tabletop when she had opened the hatch. Rachel went to pick it up and found it was an envelope, folded from yellowing paper. She turned it over to find words scrawled in a looping, archaic hand on the front.

To You Who Finds Me, it read.

Ten

'Please tell me you've made progress.'

Toby rubbed grit from his eyes and looked blearily at the clock. He'd finally fallen asleep on the sofa after another broken night, and now here was Sylvie waking him up. It was barely 9 a.m.

'Good morning to you too,' he mumbled, struggling out from beneath the blanket he'd dragged over himself. 'What are you doing awake at this time? Don't tell me that for once you were in bed at a reasonable hour?'

'Don't goad me, Toby,' Sylvie said impatiently. It sounded as if she were taking puffs of a cigarette. He remembered the rare Sunday mornings he'd spent at home, waking to find his wife smoking a Benson & Hedges above the sheets as she scanned pages from someone else's magnum opus. She somehow managed to make it seem elegant, another thing about his ex-wife that he'd never been able to understand. 'Tell me how the book is going. Tell me, for example, that you have actually started it.'

Toby had managed to free himself from the blanket and was making his way towards the kitchen and coffee. He glanced to the dining room table, at which he had not dined once since his arrival, and that had instead been turned into a desk. His laptop was surrounded by paper, books and mugs bearing the remnants of cold tea and coffee.

'Yes,' he said, flicking on the kitchen light, his feet cold on the tiled floor. 'I have started the book.'

Sylvie gave an elaborate sigh of relief and, not for the first time, Toby wondered how she hadn't ended up on stage. It would have suited her, the limelight. Instead his ex-wife spent her life pursuing that for other people.

'Well thank the Lord for small mercies,' she said, oblivious to Toby's mental meanderings. 'What have you got?'

'Three chapters,' Toby said, staring out at the garden as he filled the kettle, 'and they're in no state to be read by anyone yet. Even me. Why?'

'Send them over, would you? Lickety-split.'

'Did you not hear what I just said?'

'Oh, don't give me that,' Sylvie scoffed. 'I've seen you write copy for print faster than I can unpack an Estée Lauder gift bag. Send them over and stop being precious. Simon & Schuster are thinking of making an offer.'

'Sylvie, I really don't think I want anyone seeing this, not yet. Writing a book – it's entirely different to writing a piece of journalism. For a start, this is about *me*. That's not something I've ever done before and it's going to take me a while to get right. Surely you can understand *that*.'

This time the sigh was a heavily dissatisfied one. 'All right, all right.'

They lapsed into silence, during which Toby heard her light another cigarette and he stirred his tea.

'How are the dreams?' Sylvie asked eventually. 'Or does the fact that you were still asleep at 9 a.m. tell me all I need to know?'

He slid open the glass door and breathed in the morning air. It looked as if it was going to be another sunny day. There had been a string of them over the past week, the Scottish weather finally conceding to a late summer.

'They're pretty bad,' he said honestly. 'As bad as they've ever been, really.'

Sylvie tutted. 'You should be in therapy.'

'I know.'

'Have you asked this woman you're caught up on out yet?'

Toby took a mouthful of tea. 'That's quite a segue.'

'Have you?'

'Not exactly.'

There was a pause. 'What does that mean?'

Toby sighed, wondering how this was an appropriate conversation to have with one's former spouse. 'I really have to get some other friends.'

'I'm not arguing. So? What happened?'

'Really, Sylvie. Can you not just drop it?'

Sylvie exhaled audibly. He imagined the resulting smoke curling round her face. 'Suit yourself, darling,' she said. 'All I really care about is that you get me those chapters as soon as you can. Let me earn you some money, why don't you?'

'I'm worried about her,' Edie said, of Rachel, her long artist's fingers framing her pint glass. 'Doesn't she seem distracted, to you?'

The bookshop regulars, minus Rachel but including Toby, were drinking together in the Fretted Goose. Toby wasn't sure whether this had been as regular an occurrence before Cullen's death, or whether the loss of their friend had encouraged the habit. Either way, he found himself pleased to be included. Rachel, though, had rarely joined them.

'She's got a lot to worry about,' Ron pointed out.

'I know, but – I don't think she's sleeping much, either.'

'Would you?' Ezra asked. 'With everything going on?'

'Probably not, but that's not the point really, is it?' Edie said, her usual impatience with Ezra rising quickly.

'Well, what is the point, then? We've all offered what help we can; what more can we do besides be there for her? We can't force her to talk, or to take sleeping pills.' Ezra paused. 'Although I'm sure you have ways . . .'

Edie took a breath, and to deflect the inevitable coming tirade, Toby said, 'Oh, look. Isn't that Gilly?'

They all turned to look. The pub's kitchen door had swung open and there was a familiar figure beyond. Gilly was elbow-deep in the sink.

'Kid's got a job!' Ezra said. 'I wondered why she'd not been into the bookshop for a while. Good for her. Not the wastrel you assumed her to be then, Edie.'

'I never said she was a wastrel,' Edie snapped. 'I just said—'

'That she was trouble.' Ezra looked at her over the rim of his pint.

'I said she *might* be trouble, that's all. And how do we know she's not?'

Ezra shook his head, then downed his pint and stood up. 'I don't think I can take another drop of Newton Dunbar's best bitter tonight. See you tomorrow, Ron. And you, Toby?'

'I should think so.'

Toby watched as Ezra headed to the door, nodding cordially to several other punters as he passed.

'I'll never understand you two,' Ron said to Edie. 'You used to be such good friends.'

Edie downed her own pint and stood. 'We were never *friends*, Ron,' she said sourly. 'I've still got some work to do tonight. I'll see you.'

'What's their story, then?' Toby asked, once she'd gone. 'They bicker worse than my parents, and *they've* been divorced since I was eight.'

'Beats me,' Ron said. 'I've never been able to work 'em out. You'd think they were both old enough to sort themselves out, but . . .' he trailed off with a shrug. 'Another?'

Toby finished his drink and stood, picking up both of their glasses. 'Sure. My round, I think.'

He crossed to the bar before he'd noticed that Dora McCreedy was standing at it. Toby considered beating a quick retreat, then thought it would be rude, then realized too late that she hadn't noticed him anyway. McCreedy was leaning hard on the bar, head tipped towards the landlord. Toby caught the words, 'surely illegal' and 'squatting, pure and simple', and wondered for a moment if they were talking about Gilly. He hoped not.

McCreedy glanced up when Toby reached the bar. She smiled widely, an expression Toby found deeply insincere. 'Mr Hollingwood! How lovely to see you.'

He returned the smile. 'Two more, please,' he said to the landlord.

'And how's work progressing on the book?'

'Fine, thank you.'

'You know, you've stumbled right into a good story here, haven't you?' McCreedy said, leaning in far too close, with a conspiratorial air. 'A terrible crime right under your nose.'

Toby edged away. 'Sorry?'

At that moment Gilly appeared behind the bar, red-faced from the heat of the kitchen and carrying a tray of steaming clean glasses.

'Gilly!' Toby said, and was about to follow with an 'it's good to see you', when Dora McCreedy took over.

'You!'

Gilly managed to turn pale despite the sweat on her brow. She put down the glasses and beat a swift retreat to the kitchen.

'Stan,' McCreedy said, incensed, to the landlord. 'What on earth are you doing, letting her in here?'

'She's a casual,' the barman said. 'Turned up a few days ago, looking for work. She's covering for Carrie – the girl needed the time off.'

McCreedy snorted. 'I caught her trespassing. She'd only set up a whole camp, right there on my land! You need to get rid of her.'

The landlord finished pouring Toby's pints and put them down in front of him with an uncomfortable frown. 'She's been a hard worker so far.'

'She's a thief,' McCreedy said. 'Get rid of her, Stan. She'll have her fingers in that till the minute your back is turned.'

'Why would you think that?' Toby asked. 'Trespassing isn't quite the same as stealing money out of a till, is it?'

McCreedy forced a patient smile. 'If she can't afford somewhere proper to live, where's she going to get money from without stealing?'

Toby felt his eyebrows lift up his forehead. 'She's . . . *working*. In there. Right now.'

McCreedy snorted.

'What happened to her camp?'

'What?'

'Never mind.' Toby had nothing more to say. He picked up the drinks and went back to his table. Behind him, he could still hear McCreedy berating Stan.

'Here's a question for you, Ron,' Toby said, putting down his friend's pint and sliding back into his seat with his own. 'About Rachel.'

Ron took a long pull on his beer before answering. 'Oh, aye?'

'She's very reserved, isn't she? It's hard to get a read on her. And I don't know if that's because I'm so out of practice, or because she's naturally that way.'

The old man looked at him for a moment.

'I mean,' Toby went on, 'she told me she doesn't date. Which seems . . . I don't know. Strange, I suppose. Have you ever known her to have a relationship?'

'Not as far as I know,' Ron said. 'I've never seen her with anyone. She keeps herself to herself, that's all. Doesn't mix in the village much. Doesn't leave the village much. But—' he stopped himself, and sighed.

'What is it?'

'I don't feel comfortable discussing her like this, lad, if I'm honest,' Ron said. 'I don't think she'd like it. I don't think it'd do you any good if she found out, either.'

'Sorry,' Toby said, kicking himself. 'Of course you're right. I should never—'

'It's all right,' Ron said, reaching out to tap his arm. 'I know a good 'un when I see one. Rachel . . . I'll just say this – I think she's had a tough time of it in the past. Nothing she's told me, it's only a feeling I've got from some of the things she's said, or maybe not said. She was a bit of a mystery to all of us when she arrived, but we wouldn't be without her now, and I'd not upset her for the world.'

'Really, Ron, say no more. I never should have asked. I of all people should understand not wanting to revisit the past.'

'Oh?'

Toby shook his head. 'Never mind.' He looked towards the kitchen, thinking. He reached into his satchel and took out a notebook and pen.

'What are you doing?' Ron asked, as Toby scribbled a quick note.

'I'm going to leave a note for Gilly. There's a spare room at the cottage where I'm staying. She may as well use it if she needs somewhere.'

He waited until Dora McCreedy left and then went to the bar and had a quiet word with the landlord, who eyed the folded note with suspicion but nodded all the same.

Gilly worked until the end of her shift, not because she had any hope that she would still have a job at the end of it, but because she didn't want to give Stan any excuse to stiff her on the day's pay. Besides, she needed her share of the tips, and she wouldn't get them if she walked out. She'd known the minute she'd seen the McCreedy bitch at the bar that the writing was on the wall. Gilly had started at the pub on Sunday, after going in late on Saturday and being told that they could use the help straight away because their usual girl was off for a week. Since then she'd worked as hard and as well as she knew how. She'd got on fine with everyone in the kitchen, she'd kept her head down and avoided questions, done as she was told, not got in anyone's way, not smashed anything, been quick, been *good*. Stan was more than happy to pay her cash at the end of each day. Gilly wasn't stupid – she knew she was getting less because of it, but beggars couldn't be choosers. It was fine, anyway, because so long as she could sleep in the shed, there wasn't much she needed to buy. All she really needed was food, and she knew how to survive on little enough of that. Especially when one of the perks of working in a kitchen was sometimes being allowed to take leftovers. Not that she ever asked. That might make it seem as if she needed them.

'You can finish up now, Gilly,' said Jo, from the other side of the kitchen. A big woman with a friendly face, the girl had tried to avoid her because she knew Jo had at least one teenager at home and had looked at her a bit too carefully when Gilly had lied about her age. 'Stan wants to see you. He's in the bar.'

Gilly picked up the last tray of glasses before walking through the double doors and into the pub's dim main room. The last of the punters had gone, leaving behind only the smell of old beer and stale crisps. The landlord was at the till, cashing up. Gilly set the tray down and began to unload the glasses, watching as he counted out her wages. Someone had already divided up the tips, six small piles of silver and copper, ready to go into the worker's tip bags. Gilly didn't have a tip bag, hadn't even been offered one. She had always been intended as an impermanence.

Stan turned to her, face lined and tired, shoulders stooped. 'Sorry,' he said. 'You'll have to go. She owns the lease on this place and times are hard enough.'

Gilly didn't bother pointing out that she knew this already, first-hand, and in ways that he never would. She took the notes he held up – he'd rounded it up to £35, she noticed, two quid bonus for screwing her over – and scooped up her tips without a word.

'Wait a sec,' Stan said. 'That journalist bloke left this for you.'

Gilly turned to see him holding out a small fold of paper. She took it, reading it as she went back into the kitchen to get Ezra's coat. On it was an address for Toby right there in Newton Dunbar, along with a brief note. *If you're stuck for somewhere to stay, please know you can come here,* it said. *No strings.*

Gilly smiled to herself at that. Of course there were no strings. Even to her it was obvious that he had googly eyes for Rachel. It was kind of sweet. She screwed up the note and threw it in the bin – she didn't need his help. Not when it would come with the kind of questions he wouldn't be able to stop himself asking.

Jo was the only one still in the kitchen. Gilly wondered if Stan had told her to make sure she left without taking anything with her that she shouldn't. She pulled Ezra's coat from the peg near the back door and put it on.

'Hey,' Jo said quietly.

Gilly looked back at her, standing beside the gleaming chrome surface of the pass. Jo picked up a box she'd set on the counter and held it out. It was one of the ones they used for takeaways.

'Look after yourself, kid,' Jo said. 'Think about going home, okay?'

Gilly took the box, nodding. Sure, she'd think about it. She'd think about it and decide that was a hard no. 'Thanks.'

Outside, Gilly opened the box to find a whole portion of battered fish and chips, still pretty hot. Jo must have cooked it right at the end of service. She wondered if Stan had told her to and decided probably not. The cost on the menu was a good third of Gilly's wages for the day. She ate as she walked, trying to make it last but stuffing it into her mouth too fast. She hadn't had hot food since that half-price pasty from the Co-op's hot cabinet last week, and she couldn't remember the last time she'd had a full meal.

She was gutted at losing the job, but it would have ended anyway when the other girl returned. As it was, with tips she'd earned almost £150 in cash. That was enough to give her a breathing space, some time to work out what to do next. Gilly knew she couldn't stay in Newton Dunbar for ever, but she liked it here and didn't want to leave yet. The biggest problem was going to be what to do with her days now. The advantage of her working until after the pub had closed meant that by the time she got back to the shed it was usually almost midnight. No chance of the woman in the cottage – Edie – coming out to do a bit of gardening then. In fact, by that time of night the house had been mostly dark anyway, with her ladyship safely asleep upstairs. During the day, Gilly had hidden any evidence that she'd been in the shed so that even if Edie had gone in there, she'd have been none the wiser. But now ... people noticed if you were hanging around not doing much, especially somewhere as small as Newton Dunbar, and if she spent every day in the lighthouse Rachel would start asking questions again.

Gilly finished the last of her chips and jammed the box into the overflowing rubbish bin at the bottom of the hill. She missed the act of eating already, could easily have finished another box of the same and probably another still after that. She licked the grease from her fingers and then stuck her hands in her pockets as she made for the back gate of Corner Cottage and the shed where she'd been camping out for the past week.

Since she'd been staying there, she'd learned how best to use the space and its few available comforts – the two old gardener's kneeling pads, some weed matting, Ezra's thick coat. Gilly curled up like a dormouse, one pad under her to cushion her bony hip against the floor, the other becoming a dusty pillow. It wasn't the Ritz, but it was better than that useless tent, even though there was that leak right at the back of the shed that dripped when the rain was really heavy. She did wish she still had the sleeping bag, though. She'd gone back for it one night with the help of Ezra's torch, but it had gone, all sign of her little camp scrubbed clean from the forest aside from a couple of bent branches and a flattened square of undergrowth.

Tonight when she got to the gate, though, she hesitated. The back room of the cottage was lit up, a bright glare spilling out of the big windows and over the patio slabs at the bottom of the otherwise dark garden. Gilly could see right in to the long table with the weird metal contraption that was in the middle of the space as well as the work surfaces that ran around the outside of the room, the big white Belfast sink and drainer that was sunk into one. Gilly had always assumed the room was a kitchen or a conservatory, but she'd never looked that closely before. She'd only cared about whether or not the woman could see her through the glass, and whether she would come out into the garden. She had no interest in the house itself.

Gilly hesitated, lurking in the shadows that shrouded the gate. The room was empty, but for how long? The woman was obviously in the middle of doing something, although what Gilly couldn't imagine. There were fat pillars of candles burning with a yellow glow dotted about the work surfaces at the edge of the room. A half-empty bottle of red wine stood next to a half-full wine glass beside the sink. Gilly could hear music playing. On the long table were several blocks of wood. One literally looked like a slice taken from a tree trunk.

Could she make it to the shed and close the door behind her before the woman came back into the room? Gilly hesitated for another minute, then pulled off her rucksack and the jacket, turning it inside out before she balled it up in her arms so that the darker lining disguised the light tan colour of its outer layer. She opened the gate and slipped quickly through, had almost made it to the shed door when a figure appeared in the lit room below, the woman returning. Gilly froze and ducked down behind the nearest bush – so near but so far. Would Edie be able to see her if she went for the shed now? The light inside was so bright, and out here was so dark, so maybe not. Gilly wasn't sure, but she couldn't risk it. The action of her opening and closing the shed could easily attract attention. Gilly didn't dare back out of the gate, either. With a silent curse, she realized that she was stuck where she was until the woman decided to give up whatever she was doing for the night.

Gilly shuffled, trying to get comfortable and resigning herself to staying where she was for who only knew how long. She watched as the woman went to the sink and topped up her wine glass. Gilly thought she must have had a few already because her hand was unsteady, and she narrowly avoided knocking over one of the candles as she turned. She went back to the table, put the glass down beside the slice of tree and pulled out a stool that had been pushed beneath, settling herself on it and pulling the wood and a leather tool roll towards her. Gilly watched as the woman undid the tool roll, singing along with the music flowing around her. She pulled out a small tool, little more than a wooden handle with a spur of silver metal tapering from it. Then she bent low over the chunk of wood and began to carefully dig bits out of it.

It was another hour at least before the woman put away her tools, turned off the music and began to blow out her candles. Gilly watched as Edie flexed her fingers, slowly, as if they were stiff after all that time gripping those tiny tools. Gilly felt cheated, somehow; that she had watched for so long and yet had absolutely no idea what it was the woman was carving into the piece of wood.

Eleven

No one can know. I was here and not here, and no one must know.

   The tower must stand, for both of them.

   But no one must ever know.

   It is not here.

   It is not here.

   It was never here.

   Never.

   Please. Please keep it secret.

   E.A.M.

Rachel had read the note over and over since finding it. Short as it was, she kept returning to the brief words as if they might hold some hidden meaning that she would be able to divine if only she looked hard enough, read it enough. Several times since she had discovered it, she had dismissed it as a prank, some sort of joke that had been taken too far.

The penmanship was of that florid, antiquated style, flowing across paper that looked very old. It was yellowing and fragile, curling at the edges, so slight that Rachel feared it would fall apart each time she slipped it from the equally uncertain envelope. But there were fakes that had taken in experts, and Rachel had never considered herself an expert in anything. She was fully willing to believe that she could be fooled by appearances. The note could have been written last month or last year.

But if it was a prank, the only person who could conceivably have pulled it was now dead, and what would be the point? It didn't feel like Cullen's style. Besides, Rachel kept seeing him on what had turned out to be his deathbed, so desperate to tell her about this place. Rachel could not conceive of Cullen going through so much for a trick. He'd never done such a thing to anyone in the five years that she had known him. Why would he do it in death? Why would he do it at all?

The only other explanation was that the note was genuine and had been written a very long time ago.

Rachel had stood inside the lighthouse dome for a long time on the first occasion she'd climbed the steps into the space, trying to take in what she'd found. Why had Cullen never told anyone about what was up here? Cullen had told her himself that he'd been living in the lighthouse since the 1960s. He must have known about the camera obscura all that time. Was it really just down to the letter that this person – E.A.M. – had left? She thought about what else he'd muttered as he'd lay in that hospital room. *Selfish. Wanted to keep the bookshop.* Dear Cullen and his devotion to his books. Even knowing nothing more about the camera obscura, Rachel could well believe that it was a historical gem. Perhaps he'd been worried that if he'd revealed its existence, the tower would have become too important a historical site for the bookshop to remain where it was.

Did that account for why he'd never made a will, she wondered. Had Cullen been worried that he would have to disclose what was up here if he did?

Rachel's immediate instinct after she had descended from the camera obscura room that first time was to call the solicitor and tell him what she had found. The estate was Alan Crosswick's responsibility. Whatever now needed to be done, he should be the one to do it, and he did not currently have the full information about the tower.

Still, Rachel held back, both because of the note and because of Cullen himself. He'd left that note where it was, and he *had* kept the room secret, just as the writer had requested. She at least wanted to understand a little about what she had uncovered before ending that secrecy.

Her discovery of the camera obscura had, in some ways, made Rachel frustrated with Cullen. There were so many questions to which she wanted answers, and the only person who could have answered them properly was gone. It was infuriating.

She turned instead to the room itself, to the papers tucked away beneath the camera obscura plinth, hoping at least to be able to find a name to go with the initials scrawled at the end of the note. After all, it wasn't James MacDonald, the builder of the tower. His initials had been J.C.M. – James Connor MacDonald. Rachel knew them well, because he had followed the tradition of moneyed gentry of the period and bought uncovered book blocks from the printer for binding in his own chosen style. In MacDonald's case, this was dove-grey leather with a design in embossed gilt that included these three letters. Most of the original volumes housed in the library had been long gone by the time Rachel had taken up residence in the lighthouse, but there were still some that Cullen had kept. No, the writer of the note had not been James MacDonald.

MacDonald must also have been aware of the true nature of the lighthouse, because as the builder he must have been the one to install this room in the first place. The original architectural plans for the tower were something else the room had hidden, curled within the fragile rolls of paper she pulled out one by one and opened out across the circle of white marble. Rachel's hands had shaken the first time she'd unfurled one of the large scrolls and realized what she had in her hands. The spidery black ink had barely faded. There was little age spotting, despite the date she could see inscribed on the bottom corner.

1812.

This figure alone gave her goosebumps. If that were not enough, the initials beside the date further prickled at Rachel's skin.

E.A.M.

These initials were on every one of the designs for the lighthouse tower, for which there were many. As far as Rachel could tell, they showed the progression from early idea to the final architectural blueprints that were used during construction. The last was crumpled in places, the paper far more pored over than its predecessors. In some places there were distinct fingerprints, and she could imagine the foreman of the works standing with the architect, one of them pointing to something on the map they were following in order to shape the folly. How many documents like this existed, which told such a clear story and in such pristine condition? There were notebooks, too, full of the same florid writing that was on the note, and Rachel quickly understood that beyond the camera obscura itself – for which there were also multiple designs – she had found a treasure trove of historical information that someone, probably tucked away in the corridors of a dusty museum somewhere, would delight in dedicating a good portion of their lives to cataloguing.

Cullen MacDonald had been no fool, and was an avid classicist besides. If he'd known what was up here, he must have known how valuable it was.

'All those years of struggle and worry,' Rachel found herself saying aloud to the small, empty room. 'Cullen – why didn't you ever *tell* anyone?'

She supposed the answer to that question lay within the mystery of the room itself, and so too the note, the explicit request for secrecy. Why was it so important that this place be sealed up and forgotten? Who had written the note? E.A.M. seemed to be the architect of the tower – which was in itself a surprise, since Cullen had always told her that James MacDonald had built it himself. The story Cullen had told was brief, glib and faintly deprecating. Rachel wondered now if it had also been a deliberate deflection from a truth her friend knew but had not felt was his to reveal.

Rachel wondered if she could discover it for herself in the time she had left. The answer must be there somewhere, amid this storm tide of paper. It would be good, she decided, if she could give Alan Crosswick a true accounting of the James MacDonald Tower. Any heir would want to know exactly what it was they had inherited, wouldn't they? If there was no heir, if there was just an external buyer, the knowledge of this history – whatever the specifics would turn out to be – would surely be even more important.

Twelve

It was late, the sun having sunk below the horizon hours before. Edie sat at her bench, bent over the block she had been working on for days now, the focused blue-white glare of her work light illuminating the narrow ridges and whorls she was carving at a snail's pace into the boxwood's surface. Around her, Muddy Waters was busy smudging the air with his voice. Her candles, standing on the work surfaces that ran around the periphery of the room, did the same. The flamelight was no longer good enough for Edie to work by, not with her ageing eyesight. Still, the light was good enough to soften the edges of her vision, to buffer her from the rest of the world and make her forget about anything but this piece of wood and the image in her head for which it could provide a medium.

For the past few days she had found herself in the print room much later than was her usual custom. Or at least it hadn't been her usual time for working since she'd lived in Newton Dunbar. Working at a time when everyone else was in bed had been a necessity during her marriage, when Edie had still been full-time at the council. Her art had been just a hobby then, although she'd been to art college back in the 1960s, when true emancipation had seemed possible, probable even, for a girl like her. Then Dez had come along. Dez, with his ingrained snobbery that regarded anything other than eight hours of physical daily labour as being indicative of hateful, lazy privilege, with his dislike of her college friends and his deliciously hard body (like a Michelangelo, he had been then, and how could one look like an artwork and not be worth her reverence?), and out had gone the idea of her as a full-time artist. Looking back now, Edie didn't understand how or why she had stuck it for so long, except that once you got used to a regular wage it was terrifying to think of being without one, and she supposed the same went for marriage. Dependency of any form was an awful thing, and especially the sort by which you were still able to tell yourself that you weren't dependent at all.

Thus her art had been pushed into the background, into the few gaps that her husband had not felt the need to fill with his own needs, which essentially meant late at night. When Edie had finally left him and set up here, she'd let the art take over her days in the way she had dreamed it would back in her youth. She woke early and was usually in her studio by 8 a.m. She worked through until 5 or 6 p.m., as if it were an office job. Sometimes, if Edie had a piece on the bench that she just couldn't leave alone, she'd come back after her evening meal and continue working. The evenings, however, were for entertainment, or for sketching. Edie loved her life as it was now. She loved how much time she could devote to the one thing she had always known for sure she was good at, and something at which even now, when other women her age had already retired, she was still improving.

Recently, though, her habit of working late into the night had begun to return. Edie had not slept well since Cullen's death. This was partly grief – she missed her friend – and partly because she was worried about the lighthouse and what a change of ownership would mean. She hadn't voiced this to Rachel because the poor woman had worries of her own that were far greater. But Edie feared how what was coming would affect her, too. Cullen had opened the hill so that the village had access to the bookshop, but it was really private land. The first thing Dora McCreedy would do if she got her hands on it was close it off. Then would come the building. Sure, it was a hill, it wasn't prime for development. But it was a big tract of real estate with a great view, and it was right behind Edie. Whatever McCreedy did with it, the hill would likely not remain the quiet corner of the world that it had been since before the artist had moved in.

How could Cullen not have left a will? It was insanity of the highest order. Edie delineated another delicate leaf on a tree two inches high, using a gouge no more than half a millimetre wide, its smooth wooden handle worn smoother still with use. She wondered what Dez would say if he could see her now. Probably nothing. He had never really seen her at all.

She put down the tool in her hand and reached for another

that had a slightly wider blade. Her fingers refused to open for a moment, remaining tensed in the shape she had used to grip the smaller blade's handle. Edie cursed, watching her hand as if it belonged to someone else, reaching for her wine glass instead and only realizing she had already emptied it when she put it to her lips. Cursing, she got up. Experience had told her not to keep the wine bottle beside her so that she was less likely to spill the whole thing across her workspace if she were to knock it over.

Edie stretched as she stood, feeling the muscles of her back protest after so long in the same position. That was probably why her fingers had seized up, she told herself – she'd been working too long without a break. No wonder they ached, no wonder they were stiff. She went over to where she had left the bottle, on the workbench that stood beneath the windows looking out over the garden. Edie looked at her reflection in the window, her face up-lit by the yellow flame glow, the contours of her body silhouetted by the harsher white-blue glow of the lamp behind her. She couldn't see the garden, only herself imprinted over the darkness, ghostly, impermanent, and her attention was still on this as she reached for the wine bottle and instead knocked over three of the candles.

'Christ.' Edie tried to grab at them. She managed to right one. The other two rolled away from her, softly intersecting with her new stock of handmade Awagami editioning paper that had arrived only that morning and that she had yet to put away. The thin paper caught fast, the first flame curling the wisp-thin edges to black ember in a fraction of a second and then multiplying just as quickly.

'Shit. *Shit!*' She ran to the sink, but couldn't get the tap to turn, struggling to grip it hard enough with her protesting fingers, and then finally the tap was turning, the water spilling into the ink-stained sink. Edie grabbed for a pint glass and immediately dropped it into the Belfast where it shattered amid the wasting water. Panic set in, the flames behind her crackling now, roaring, and soon they'd reach her store of inks and solvents and then—

The door that led in from the garden banged open.

'Move!'

It took until the figure was barging past her for Edie to realize that it was the homeless girl. Gilly grabbed a towel from the rag rack and soaked it, then threw it over the flames, using hands that were buried away in the multitudinous folds of Ezra's jacket to beat at them over and over. She thumped and thumped at the conflagration as Edie pressed herself back against the draining board, dazed, shocked, frozen to the spot.

When it was over, silence settled inside the print room like snow, cold and deadening. The whole incident must have taken less than three minutes. Edie stared at the dishevelled figure that had invaded her space. Gilly was wreathed in pungent, rising smoke, which was added to as she began to blow out the rest of the candles.

'Fire and paper,' the girl muttered, in an incredulous tone. 'And most of these aren't even in *holders*!'

The words prompted Edie into action and she began to blow out flames, too. She supposed there would be no more work done tonight. Her mind felt sluggish with shock, her stiff hands were trembling.

When they were done, the room was dark at the edges, the only light from the lamp on Edie's workbench. It shone down on her wooden block, drawing the gazes of both women.

'What is it?' Gilly asked, as if this were the most obvious question to ask at this particular moment. 'What are you doing?'

For a moment Edie said nothing. Then she rubbed one forearm with the hand that ached less, as if she could massage away the throbbing, spreading pain. It always got worse at night.

'It's an engraving,' she said eventually.

'What's it for?'

She examined the girl for malice or mockery, and found none. Gilly had stuck her hands into the pockets of Ezra's ridiculously large jacket. On her it looked like a tent.

'Well, when I've finished carving the image on the surface of the wood, I'll ink it, then press paper over it to print it. I'll end up with an image on the paper. Like that one, there.'

She pointed to one wall, where one of her larger-scale images of the lighthouse hung. Gilly turned to look, and then moved to examine it more closely. She pressed her nose almost to the glass frame and seemed to be tracing each fine line, each tiny cut.

'You did this?'

'Yes.'

'You carved this into wood?'

'No, actually. That's a linocut. But it's a similar process. Look—' Edie said, her equilibrium finally beginning to return. 'Thank you. For putting out the fire.'

Gilly shrugged, her gaze still fixed on the image of the lighthouse.

Something occurred to Edie. 'How did you – how did you see it? Where were you?'

The girl stopped her examination. She stood very still. After a moment she turned around. 'I was just walking past the gate. Saw the light, then . . .' She pulled one hand out of one pocket, indicated the flickering of flames.

Edie nodded. 'It's late,' she observed. 'Where were you going?'

The girl's face took on a guarded look. 'Why?'

'Rachel – that's the woman who runs the bookshop, you know her, don't you? Rachel thinks you're homeless.'

The girl made a scoffing sound. She was looking at the wooden block beneath the light again. Or perhaps at the thin, sharp blades of Edie's tools lying beside it.

'Sorry,' Edie said, nerves jangling. 'It's none of my business.'

There was another moment of silence. Then the girl looked up at her. 'How thankful are you?'

Edie blinked. 'What do you mean?'

'For my help. *How* thankful are you?'

In the next second Edie was scrambling for her bag. 'You can have what's in my wallet. It won't be much, but—'

The girl made that sound again, dismissive, disgusted. 'I don't want your money. Why is it that everyone always assumes that's what I want? I've got money. I don't need your crappy little pension.'

Edie stopped searching for her purse and looked at Gilly – unwashed, unkempt, uncared for – and knew this to be a flat lie.

'What do you want, then?'

Gilly turned away to look at the lighthouse on the wall. For one insane moment Edie thought she was going to ask for the picture, frame and all.

'I want you to show me how to do that,' the girl said instead, raising one hand to stab a finger at the image.

It took Edie a moment to understand what she was saying, and when she did, she could not keep the incredulity from her voice. 'You ... want to learn how to make a print?'

Gilly turned to look at her, defiance in the scowl that creased her brow. 'What's so weird about that?'

Edie shook her head slightly and then lied. 'Nothing.'

'Right. So. Will you? I can come here every day. And you can teach me. To say thank you for saving ...' she glanced around the room, 'everything.'

Edie did not want to say yes. She did not want this person anywhere near her, and certainly not in her home. But Gilly was right. Edie did owe her. She could lock the door between the print room and the rest of the house, and in any case Gilly would probably get tired of the lessons soon enough. Give it a week and she'd vanish again, and Edie could rub Ezra's face in her efforts to give her a chance.

'All right,' Edie said. 'Come tomorrow at three.'

For a moment she thought Gilly might actually smile. Instead she nodded and turned for the door. She reached for the handle and paused, looking at the candles they had extinguished together.

'Get some holders,' she said. 'Next time I might not be around.'

Edie said nothing, just watched as Gilly climbed the gentle slope of her garden. She disappeared into the gloom when she reached the gate, nothing visible of her but the amorphous shape of Ezra's coat. Edie went to the windows and drew down her blinds, disturbed by the idea that she'd never before thought of the fact that when she worked down here in the dark, anyone on the hill would be able to see what she was doing.

Although she supposed she had to be grateful for that tonight.

Three or four days out of the week, Ezra liked to run. Keeping his fitness up when he'd been younger and working long, hard days (and nights) on the rigs had not been a problem, but post-retirement he had soon realized that it would fade fast if he didn't get a handle on it. He had no intention of slipping into frailty or poor health in his later years, at least not without a fight. Running and a little weight work at home had seemed an easy and relatively cheap way of keeping his heart rate up and maintaining his muscle tone in decent working order. He had a route that took him around the village, along the river-bank, turning back at the bridge and finishing with a circuit of the hill on which the lighthouse stood before arriving back at his own door. A few years ago he would have extended his run into the forest that edged Cullen's property, but that had stopped once Dora McCreedy had put up her statement fence. Instead, Ezra hugged the perimeter of it as he ran, the slope a final hard gradient as he turned back towards home.

He hadn't come across anyone on this route since the fence had gone up, which was why this evening he took note of two figures standing in the almost-dark on the lighthouse side of the fence. One of them was Dora McCreedy and the other was a man he'd never seen before. Ezra knew the apparatus on the tripod he had set into the ground beside him, though. It was a setting-out laser, a groundworks rotary with a cross line that was used for measuring property sites prior to the start of development. Ezra could see that it wasn't directed across McCreedy's own land, but towards the hill – and the lighthouse.

He slowed to a stop. 'Hi,' he said.

McCreedy smiled at him. 'Out for an evening run?'

Ezra glanced down at himself, spreading his hands, because the answer was surely obvious. 'Yeah. What are you doing?'

'I'm not sure that's any of your business, is it?'

'You're on my friend's property,' Ezra pointed out. 'I'd say it's as much my business as anyone else's, given that he's not here.'

McCreedy's smile thinned into an unpleasant line. 'It's

property that is currently in the hands of the solicitors, Mr. Jones. At the moment it belongs to no one.'

Ezra put his hands on his hips, breath recovered, anger growing. 'Well, it's definitely not yours, McCreedy. You should remember that.'

She looked him up and down. 'You should be careful at this time of night, you know. You could give some poor woman a bad scare, running up on her out of nowhere. You should remember *that*.'

Ezra set his jaw, gritting his teeth, the subtle racism contained in such a threat all too clear, at least to him.

'Pack up,' McCreedy told the surveyor. 'We're done for now. It's too dark anyway.'

Ezra went up and over the hill, walking now, warming down but still riled. As he passed the lighthouse tower and looked down towards the row of houses at the bottom of the slope, he saw that Edie's print room was still lit, though the blinds were drawn. Seething over his encounter, he opened the gate and went down the path to knock on the door, pausing only for a moment before pushing it open.

'Edie, I've just seen—'

Edie yelped, startled, turning around suddenly from where she had been bent over the Belfast, her hands full of glass shards. Ezra was struck by the acrid smell of burning and saw the pile of singed paper, the candles in disarray, the splash of water on the flagstone floor.

'What are you doing, sneaking up on me like that?' Edie demanded, angry.

Ezra stepped into the room. 'Are you all right?'

'I'd be fine,' Edie snapped, 'if you hadn't just tried to give me a *heart attack*.' She dumped her load of smashed glass onto the sheets of newsprint spread out on the workbench and began to fold the paper closed around the shards.

'Edie,' Ezra said, softer now, reaching out to touch her arm, a brush of his fingers against her sleeve.

'Don't,' she said. 'Just— *don't*.'

She didn't turn back to face him. He could see the tension in her shoulders. Her hands were still shaking. He looked back at the mess on the bench behind him, wondering what had happened.

'Well,' Ezra said quietly. 'You know where I am.'

He left her there and pulled the door shut behind him. His last glance back showed her still hunched there, rigid and unhappy, and he wondered what it was about him that brought out all of Edie Strang's worst instincts.

Thirteen

Any free time Rachel had was now all spent in the hidden room at the top of the tower, trying to pick apart its secrets. She had looked up all the information the bookshop had on camera obscuras, and when she had exhausted that, Rachel coaxed the laptop into life and searched the Internet. This was how she learned that the oldest continuously working example in the world was in a windmill tower in Dumfries. It had first opened in 1836, and had been in constant operation since then.

1812, thought Rachel, recalling the date penned on the papers over her head as she read. *1812*. The device in the James MacDonald Tower was almost a quarter of a century older than the oldest working camera obscura in existence.

She read that the device in Dumfries was only operated in good weather in order to preserve the lens and mirror mechanism. At first Rachel was afraid to open the aperture at the top of the tower at all, worried that she might be responsible for damaging it, or that someone from below would spot something different about the lighthouse's roof. Gradually, though, she found herself drawn into the architect's plans, fascinated by the device itself and the new perspective it gave on the place in which she had coasted to a stop five years before.

Watching the village from above gave her a unique point of view. In some ways it was more intimate, yet in others more removed. The distance of the eye through which Rachel viewed her home's surroundings was fixed. She could rotate the mirror the lens reflected against, which meant a 360-degree field of vision. She could raise and drop the table to get a clearer focus, but she was still seeing everything from the top of a tower at the peak of a hill on the periphery of a village. She couldn't get closer to pick out more detail. She could watch as a person walked down the village's main street, going first into the Co-op, and then perhaps popping into the pub – but she couldn't zoom in to see if it was someone she knew. She could see the shapes of gardens and whether they had been laid to lawn, but not what flowers edged them. Through all these discoveries floated the shadows of clouds, seen whole from Rachel's vantage point, caught as she was in mid-air, neither on the ground nor fully sky borne.

I was here, and not here. That described perfectly how it felt to see the view the camera obscura provided.

Rachel tried to imagine what the view she looked at now would have been in 1812, or more accurately in 1815, when the tower had been completed. Newton Dunbar would have already been there – Cullen had once showed her a reproduction of the first map ever made of Scotland, back in the 1600s, in which the village, though minuscule, was clearly marked. In 1812, Rachel imagined there would have been horse-drawn carts on dirt roads that passed between fewer houses. The bakery might have been there, and the pub. Perhaps the Co-op too, though in a different guise. The gatehouse would have had a gatekeeper, the path up the hill would have had gates to keep. Edie and Ezra's cottages would have been inhabited by workers on the estate. The great house would still have been standing, its grounds carefully kept.

From her lofty perch, Rachel searched out the ruins of the once stately home. She had tried to find them before, in fact, though on foot. Rachel had enjoyed exploring the woods. Once or twice she thought she had located what might be a fallen wall, but the site was so overgrown that it had been impossible to tell for sure. The ruins had proved elusive then, but they were clearer to see from the air. From her vantage point, Rachel could make out the intermittent shape of the walls, a vast, broken outline left where the stone had tumbled in upon itself in the midst of the conflagration that had destroyed the place. It had burned early in 1816, according to Cullen, who, for all his love of history, had always seemed reluctant to talk about his family's past, particularly where it had to do with its demise, which she supposed was understandable.

There was a story here, inside this tiny domed room,

perhaps one that was not told anywhere else. What that story was, Rachel could not fathom, but there had to be a way to unravel it. Every document she pulled from beneath the plinth brought forth more information, though deciphering anything from the tiny handwriting was tricky and time-consuming. Sometimes Rachel spent an hour or more trying to untangle the words of a single sentence. If she were to get anywhere, she had to first find a place to start, but even knowing how to do that was an overwhelming challenge. In the end, Rachel decided that the best thing to do was put all the papers into date order.

Perhaps, by the time she had created a timeline out of the mass of notebooks, scrolls and paper, she would at least be able to put a name to the initials that appeared on so many of their number – E.A.M. Rachel didn't know how much time she had – sooner or later, she was going to have to tell Alan Crosswick what was up here and let him deal with all it meant. For now, though, Rachel kept it to herself.

Rachel tried to make sure she got up there in the last glance of dusk so that she could open the aperture and look out on the world below. It gave her something to look forward to on those days when she'd found yet another distant acquaintance she had to inform of Cullen's death. He'd had more friends than Rachel had known, which should not have been a surprise at all, given how garrulous the man had been in life. He'd made lifelong friends out of the briefest acquaintances – something she knew from personal experience, after all. The camera obscura room, even though

E.A.M. still remained an immutable mystery, gave Rachel a chance to escape from the weight of her days without ever having to set foot outside her home, let alone the village. She'd never been able to see the village at night, though. Once the sun had set, the camera obscura didn't work, unable to pull in enough light to cast its magic on the full moon of the plinth.

The night before Cullen's funeral, after Rachel had closed the bookshop and cashed up, she fed Eustace and climbed the steps up into the small domed attic room above her bed. For some reason she felt closer to her old friend up here, perhaps because the knowledge of it had been shared between them and no other living person. She could imagine him up here, leaning over the camera obscura plinth, studying the workings of the village he'd lived in all his life. Was there a shade of him here, still, a shadow remaining that had not yet faded?

There was still some light in the sky and so Rachel opened the skylight and adjusted the lens, tilting the angle at the horizon with its sinking sun, and then bringing it lower to swoop towards the hill and the village.

There was a group of people on the hill behind the tower. Rachel paused and watched, trying to work out what they were doing, strolling around her home in the growing shadows cast by the forest. At first she thought they might be ramblers, thwarted by Dora McCreedy's fence, but no. They were standing in a tight little knot, with one single person addressing them. Rachel could make out the movement of this person's arms, pointing towards the forest that hid the fallen bulk of the burned mansion, and then turning towards the James MacDonald Tower. A historical tour, perhaps? The lighthouse was occasionally put on a coach tour's itinerary, although it was late in the day for a stop.

Then, as Rachel continued to watch, she saw the speaker beckon to someone who had been standing apart from the rest of the group. The figure stepped forward with what looked from a distance like a long white stick. It was only when this was passed to the speaker, who unfurled it, that it was revealed to be a large piece of paper. The group pressed forward, looking at whatever was on it as the speaker continued to gesticulate. Rachel closed the camera obscura's aperture and made her way down the ladder. Whatever was going on out there, it was happening on private property for which she was responsible.

Outside, the light was fading fast. Rachel could hear the murmur of discussion led by a far louder, more strident voice that she recognized immediately as belonging to Dora McCreedy herself.

'Excuse me,' Rachel called as she approached, seeing that the group was made up of smartly dressed people with the air of the boardroom about them. 'Can I ask what you're doing?'

McCreedy looked over her shoulder but didn't acknowledge Rachel at all, rolling up the paper in her hands as she spoke to the group. 'That's all there is to say at the moment,' she said, 'but as you can see, the groundwork has already been prepared. Now, if you'll all follow me, we can continue this in the comfort of the conference room at the Fretted Goose. I've arranged for refreshments.'

'Dora,' Rachel called after her, 'this is private property. I'd like to know what you're doing, please.'

A couple of the group turned to look past Dora towards Rachel. McCreedy held out her arms, shepherding them away, the young woman Rachel assumed to be her assistant smiling as she took the lead. McCreedy paused for a second, watching them go before she turned back to Rachel.

'What's going on?' Rachel asked.

'That's none of your business.'

'It is if it involves the lighthouse – this is the property of Cullen MacDonald, and—'

'MacDonald is dead, Rachel, and tomorrow he'll be buried,' Dora said, cutting her off. 'You don't have owner-ship of this place. I'd start thinking about moving on, if I were you.' She looked past Rachel to the lighthouse. 'You've had a nice free ride for the past few years, but that's about to come to an end.'

Fourteen

Cullen's funeral was held at the crematorium in Moray, and there seemed to Toby to be a good attendance, the congregation of mourners full of faces he'd never seen before, as well as a few that he recognized from the Fretted Goose. The regulars banded together around Rachel. She had arranged everything, including finding a charity that supported the distribution of books to children in deprived areas of the UK. She'd asked for donations to be given in lieu of flowers, something she knew Cullen would have preferred.

Toby sat next to Ron at the funeral and noticed the old man's hands shaking in his lap. Since Cullen's passing, Toby had found himself taking over as Ron's regular chess partner, his game improving vastly in the short time he'd been following his new friend's tutelage. As they played, they talked, mainly of Ron's own history because Toby found his difficult to enunciate, an irony his chess partner was not shy to point out.

'For someone writing an autobiography, you aren't keen

on talking about yourself,' he'd observed during one such conversation, a moment or two before taking Toby's king.

Toby knew Ron was right. He needed to become comfortable in talking about himself, not least because if Sylvie was right and this book sold, there would likely be press junkets where someone would ask a question he'd either not thought to address or had deliberately excluded from the text itself.

'Just saving it all for the book,' he said. 'Don't want to lose a customer by telling you all the interesting stuff before it's published, do I?'

'Oh, I don't read,' Ron said. 'Haven't picked a book up since school.'

Toby had laughed. 'What are you talking about? You spend all your time in a bookshop.'

Ron waved a hand at the board and then at Toby himself. 'No one actually *reads* in a bookshop, do they? They flick, they pick, they take their choices home.'

'But why?' Toby asked. 'Why don't you read?'

'Just never took to it. Found it difficult to learn, and the struggle put me off, I suppose. It's never been a pleasure to me, just a chore, and the minute I didn't have to do it, I stopped. I read enough to get by, what else do I need?'

Toby wondered how many other students of Ron's age had been so ill-served by a rigid educational system. He wondered how many children were in the same boat now, and hoped the situation had improved while suspecting it hadn't.

He'd asked Rachel about the conundrum of Ron's refusal to read. She'd given him a wry smile.

'Ron and Cullen went around and around about it,' she said. 'They must have had that conversation a million times or more since they met. Cullen never gave up, and Ron never gave in. It didn't matter what Cullen would recommend; Ron was never interested. I think it became a point of principle.'

'But then, what did they have in common?' Toby asked. 'Cullen's life seemed to revolve around books. What was their friendship based on?'

'Chess, the state of the world, whisky,' she'd said in answer, 'books, too. Just because Ron doesn't read doesn't mean that Cullen wasn't always telling him stories.' She'd paused then, looking over at the two empty armchairs beside the counter. 'I think Ron enjoyed listening. Cullen listened to him, too. When they were younger, before it became too much for them both, they used to hike together a lot as well. I think they even went overseas together on a few trips. They had known each other a long time.'

There was a silence that stretched up to the mezzanine, in which Toby was unsure whether to ask the question that had crossed his mind. After a moment Rachel had pushed his purchase across the desk, looking up at him with another small smile.

'I don't know,' she had said, as if he'd asked the question anyway. 'However it was for them, I think they were happy, at least.'

In the crematorium, Toby put his hand on Ron's arm. The old man covered it with his own.

The wake was held in the lighthouse, knots of people gathering to share the buffet Rachel had arranged and to talk in murmurs about the man they had seen laid to rest. Dora McCreedy also appeared, towing someone Toby had never seen before, a young man in a smart suit whose attention was all for the lighthouse itself.

'Bloody vultures,' Ron muttered, loud enough for them to hear, as they looked around the space.

McCreedy seemed unperturbed, though the pair left not long afterwards, heads bent together, two crows muttering over a carcass.

There was one more person who was unfamiliar to Toby but whom Rachel seemed to know. He'd attended the funeral and then followed them back to the bookshop. Once there, Rachel introduced him as Alan Crosswick, Cullen's solicitor. He had come to pay his respects, he said, before asking Rachel if they could find a few minutes to talk privately. Toby saw the tightening of Rachel's features, could read the anxiety she tried to disguise as the pair headed for the mezzanine.

'Come on,' Ron said, wielding a bottle of Macallan as the group tried not to eavesdrop on the murmured conversation going on overhead. 'Let's crack this open. It's time we gave Cullen a proper toast.'

Toby accepted a dram and listened as the regulars took turns in telling stories about their memories of their friend.

'I don't think I would have stopped in Newton Dunbar at all if not for the lighthouse,' Ezra said. He glanced at Edie as he added, 'and I definitely don't think I'd have stayed if not for Cullen. He had a way of making everyone feel welcome even if no one else wants you around.'

Rachel and the solicitor were gone for a long time – so long, in fact, that the numbers of mourners began to dwindle steadily, until it was only the regulars who remained. Crosswick didn't stay long once they had descended the stairs. Rachel ushered him to the door and he took his leave of them as he passed. When Rachel returned, Toby thought she looked even paler than she had before.

'What was that about?' Ron asked.

'There may be distant family on the other side of the Atlantic,' Rachel told them. 'It turns out that Cullen's grandfather inherited the estate as a young man in 1879, by which time he'd already left for America. He came back a few years later and met Cullen's grandmother ... but neglected to let anyone know that he'd already left a wife and child over the water. They haven't worked out where that line goes yet, but it's the only one left. They're still following up. It could be weeks before we hear more.'

There was a silence as the regulars took this in. Rachel's fingers twisted around each other, anxious.

'I have to start going through Cullen's belongings in the gatehouse,' she added. 'The solicitor wants to be able to give any heir they find an accurate valuation of the estate.'

Ron stirred unhappily. 'Tell him to send in an estate agent to look at the place then,' he said. 'No need to rush to get rid of Cullen's belongings to do that, is there?'

There was a moment of quiet, in which no one said what they were thinking.

'Ron,' Rachel said softly, 'maybe you could help me? There must be things of Cullen's that you'd like to keep?'

Ron said nothing, staring into his whisky glass, but after another long moment, he nodded.

'I'm going to need someone to staff the bookshop while I'm sorting out what needs to be done,' Rachel went on, 'and—'

'Oh, we can help with that,' Ezra interrupted. 'We can take shifts. Can't we?' he looked at Edie as he said this, as if challenging her to say something to the contrary.

Edie swallowed the last mouthful of her whisky and put the glass down on the empty chess table. Ron promptly refilled it. 'Of course we can. But . . .' she trailed off, as if hesitant to say what she was thinking.

'Come on, Edie,' Ezra said, 'you can't tell me there's something more important in your hectic social schedule than helping out a friend in need.'

'Ezra, don't,' Rachel said. 'I wasn't thinking of any of you, you all have your own lives. Crosswick is happy to pay – I was going to ask if any of you knew someone in the village who could take on some casual work, that's all. Maybe one of Jo's kids? Perhaps the eldest?'

'That's just it,' Edie said, casting Ezra a withering look. 'I wasn't going to say no – of course I'll help if you need it. I was only going to suggest an alternative, that's all. What about Gilly?'

The group's surprise was palpable.

'Gilly?' Toby said. 'That's a great idea.'

'It is,' Rachel agreed. 'I haven't seen her for a few days now though. She might have moved on.'

'She hasn't,' Edie said.

'How do you know?' Ezra demanded.

'Because I've seen her.'

'Where?'

'In my workshop. Every day for the past week. She wanted to learn how to make a print, so she comes in for an hour every afternoon. Well,' Edie added, crossing her arms, 'it's supposed to be an hour, but she's been coming earlier and earlier. Give her the job, Rachel, I know she's lying when she says she doesn't need the money.'

There was a brief and somewhat stunned silence.

'Hang on,' Ezra said, incredulous, 'you said she was trouble.'

'I'm sure she is.'

'You said—'

'Oh, do stop your mouth flapping, Ezra, it's creating a wind.'

'Edie,' Rachel said, 'Ezra is right, you've been suspicious of her right from the beginning. How did you two end up as friends?'

'We're not *friends*,' Edie said. 'She's a student. She wants to learn, that's all.'

It seemed that was all the explanation they were going to get.

'How is she?' Toby asked. 'I was worried for her after the last time I saw her in the pub. She didn't seem to want my help, though.'

'Mouthy, belligerent, very fond of cake,' Edie told him. 'And she could do with a long bath.'

'I meant as a student.'

Edie picked up her glass again. 'Not bad. A quick learner, at least. I'm sure she could cope with this place.' The artist followed this with an impatient sigh. 'Anyway, I can ask her tomorrow, if you like.'

'Yes,' Rachel said. 'Do. Tell her to come up and have a chat. Thanks, Edie. It really is a good idea.'

There was a brief silence, in which Edie looked up to find Ezra staring at her. 'What?'

'Nothing,' he said. 'Just surprised to find evidence of a beating heart under all that solid granite, that's all.'

'Ezra,' Edie replied with full venom. 'What is it the kids say these days? Oh, yes: *Bite me.*'

The day faded on into evening. When it was finally time for even the regulars to leave, Rachel surprised Toby by quietly asking him to stay.

'Please,' she said. 'Can you spare a few minutes? I need to talk to you about something.'

Fifteen

Rachel's encounter with Dora McCreedy the night before and the solicitor's news meant that she felt she had to tell Alan Crosswick about the camera obscura. As unpleasant a reminder as the encounter had been, Dora was right, after all. The James MacDonald Tower did not belong to Rachel. It never had and it never would. Its secrets were not hers to keep, especially since, though she had spent days poring over everything she had found in the camera obscura room, Rachel was no closer to piecing together the story held beneath its dome.

'I'm sorry,' Crosswick said, after imparting the information he had to tell her. 'I know this will all rather bring home to you the situation, and talking to you at Mr MacDonald's funeral is perhaps not the greatest of circumstances, but I thought it best to tell you as soon as I could. None of it means anything at the moment, of course, and I'll keep you in the loop as best I can.'

'Thank you, Mr Crosswick—'

'Alan.'

'Yes. Alan,' Rachel took a breath, trying to sort out where to begin. 'There's something I need to tell you – well, something I need to show you, really. Something I've found that you need to know about.'

'Oh?' he brightened. 'Not some terribly valuable signed first-first, is it? Cullen MacDonald always did have a sharp eye.'

Rachel smiled. 'In a manner of speaking, I suppose it is. But it's not a book. It's . . . something very different.' She glanced over the balcony to the mourners below. Everyone seemed occupied. They could help themselves to the refreshments. She turned back to the solicitor, slipping the key to the lighthouse's upper levels from her pocket. 'It's upstairs. I'll show you.'

Crosswick's initial reaction to the secret in the attic was utter silence. Rachel found him hard to read.

'I know I should have told you about it immediately,' she said, 'and I'm sorry I didn't, but to begin with, it was such a shock. And there was the note . . .' Crosswick still held the fragile paper she had shown him in his hands. *No one must know.*

'It's extraordinary,' the solicitor said in hushed tones. 'Entirely extraordinary. And Cullen knew it was here?'

'Yes. I think he'd known ever since he moved in, maybe even before. He never said anything to you?'

Crosswick shook his head. 'Never.'

'Then you don't have any idea who E.A.M. was?' Rachel asked.

139

'I don't, I'm afraid.' He sighed. 'Well. This could really throw the cat among the pigeons.' Crosswick looked down at the floor, at the piles Rachel had made of the papers and notebooks. 'You've begun to go through these?'

'Yes,' Rachel admitted. 'I've put them in date order as best I can. It takes time, though – the handwriting isn't easy to decipher.'

The solicitor was quiet for another moment, a thoughtful frown on his face. Rachel waited him out. He didn't seem particularly angry that she had hidden her discovery from him, but he did seem troubled.

'Have you told anyone about this, besides me?'

'No.'

'All right,' he said eventually. 'I think that I would like you to continue what you have begun here. See what you can work out – about why this is here, why it was kept a secret. Do you think you can do that, as well as sort out the gatehouse?'

'I—' Rachel was taken aback. 'Obviously I'll do my best—'

'—but it's a lot of work,' Crosswick finished for her. 'I can see that it would be. And who knows how much time we have, after all. Well then, perhaps it would be a good idea to enlist some help to untangle this conundrum. Is there anyone you can suggest?'

'To help research this place?' Rachel was surprised for the second time in as many minutes.

'Someone who might find this sort of challenge amenable. Is there anyone you know who might fit that bill? One of the bookshop's regulars, perhaps?'

Rachel couldn't imagine Ron being able to make his way up and down the ladder, even if he'd had the patience for this sort of puzzle. Edie might, but she was busy enough with her own work. Ezra would barely fit through the hatch; there was no way he'd be able to move around this space with any degree of comfort. But—

'Well – there's Toby Hollingwood,' Rachel suggested. 'You met him earlier.'

'The journalist?'

'He used to be, yes. He's trying to write his memoirs at the moment, but I don't think they're progressing very well. I would imagine he knows how to piece together this sort of story better than anyone else I can think of.'

Crosswick nodded. 'Yes, that might work very well. Do you trust him? I'd like to keep the people who know about this to a bare minimum for now. Do you think he'd be able to keep schtum?'

'Yes,' Rachel said. 'I think so. I trust him.'

'Good,' said Crosswick. 'Well then, have a talk to him. Keep me updated with what you find. I'd like to have as complete a picture as possible to present to any potential heir.'

'And if there isn't an heir?' Rachel asked.

'Let's cross that bridge when we come to it,' he said.

Sixteen

Toby wasn't sure what to expect when Rachel asked him to stay behind. For sure it wasn't for her to lock the door to the bookshop, with him still inside, before turning to him to say:

'I need to ask for your help.'

'Of course,' he said. 'Anything you need, I'm here. What is it?'

She glanced away, her usually composed features shifting with slight discomfort. 'Before I tell you – and this is going to sound ridiculous – I have to know that you can keep a confidence.'

Toby was more perplexed than ever. She wanted to tell him a secret?

'I promise, Rachel,' he said. 'Whatever it is, you can trust me.'

She smiled up at him. 'That's what I told Alan Crosswick.'

'Cullen's solicitor?' Toby said, even more in the dark. 'Just what is it you need my help with?'

She began to make her way across the bookshop floor.

'It's easier for me to show you. It's upstairs.' Rachel paused, looking back at him, glancing at his leg. 'There are a lot of steps . . .'

'It's fine,' he said, following. In truth, though, his leg was smarting by the time he'd reached the mezzanine. He'd done too much standing around as he chatted today and would pay for it tomorrow; was in fact paying for it already, even as Rachel surprised him by crossing to the door of her living area, somewhere he'd never been before.

She unlocked the door and flicked a light on as she went in, holding the door open and glancing at him. 'All right?'

He shook off the pain, his curiosity outweighing his discomfort. 'Lead on, Macduff.'

They made their way up to the next level, but Toby barely had a chance to glance inside the miniature living space that seemed to be a kitchen before Rachel was leading him up again. This flight of steps was even steeper and, short as it was, he had to pause halfway up. Rachel reached the top and looked back down at him with apologetic concern, which he waved off.

'I've made it this far,' he pointed out. 'No sense in turning back now.'

When he made it to the top of the stairs he saw that they were standing in her bedroom. The bed was neatly made, Eustace curled firmly nose to tail on the coverlet. What drew his attention, though, was the ceiling. It had obviously once been papered, but most of this had been torn away to reveal a small attic entrance hatch.

'Oh,' Toby said. 'I never realized you could get into the roof space.'

'No one did,' Rachel said quietly. 'Or at least, no one but Cullen.'

'What do you mean?'

'The whole thing was hidden until recently,' she told him. 'I think Cullen boarded it up before I moved in five years ago, but actually, I think it had been a secret ever since this place was built. He told me once that the lighthouse had been sealed up for more than a century when he decided he wanted to live in it. This hill, the gatehouse, the cottages and the lighthouse were the only parts of the original estate that the MacDonald family still owned by then, and the lighthouse was never used. He and his mother lived in the gatehouse when he was growing up and then, when he was old enough, Cullen decided he would live in the lighthouse. I think he found what's up there when he started working on it back in the sixties and he kept it completely secret . . . until he tried to tell me about it just before he died.'

'Wow. What *is* up there?'

In answer, Rachel went to a stepladder that had been folded against one wall and positioned it beneath the hatch. Climbing it, she pushed back the trapdoor into darkness and reached up into the void to pull down a wooden loft ladder, which descended smoothly as Rachel removed the stepladder. She looked at him quizzically.

'Think you can make it?'

'Just try to stop me.'

She went up first, and as Toby began his own ascent, a cold white light swelled into the darkness above. The rungs were hard on him – there was no choice but to put all his weight on his bad leg in order to haul himself up, but he persevered.

Rachel was waiting for him at the top and crouched to give Toby a hand up. Once he'd made it, he stood still for a moment, looking around.

'I don't understand,' he said, his voice echoing a little. 'What—'

'It's a camera obscura,' Rachel said. She pointed up to the apex of the dome, where a small hatch connected to a rod and a handle that ran down to their level. 'There's a mirror and a lens up there. When it's open, it projects an image onto the viewing surface.' She indicated the table.

Toby tried to take this in as Rachel went on.

'It's the same age as the tower. It must be. It was built as part of it, between 1812 and 1815.'

He tried to get his head around this. 'But no one knew about it?'

'I don't think so. I can't find any mention of it anywhere outside this room.'

'Why?'

Rachel spread her hands. 'Exactly.' She indicated the papers around their feet. 'These papers were all up here. I've been trying to put everything in date order in the hope I might be able to work it out, but it's slow going.'

She retrieved an envelope and held it up so that he could see what had been written on it. *To You Who Finds Me,* it read. Rachel gently removed the single sheet it contained, unfolding the brittle paper and smoothing it out for Toby to read. It was brief, and explained none of his many questions. It ended with a plea for secrecy and the virtually anonymous initials E.A.M.

'I don't know who E.A.M. is, but whoever it is seems to be the actual architect and builder of the James MacDonald Tower.'

Toby frowned. 'Not James MacDonald himself?'

'Apparently not. And I'm showing you all this because earlier I finally told Alan Crosswick about it, and he suggested I find someone to help me piece together . . . well, everything. I've been trying to do it myself, to work out who this E.A.M. was and why they wanted this place kept a secret. But there's so much material and all of it takes time to decipher. We think, with your background, you might be able to help me work it all out quicker than I can on my own. And with this possible heir somewhere in America . . .'

'Right,' said Toby. 'I see.'

'Will you help me?'

'Of course I will,' he said. 'It's just—'

'A lot to take in. I know.'

Toby looked up at the dome and then at the blank white circle of marble beside them. 'Can you show me how it works?'

'You won't be able to see anything in the dark, except maybe the glow of the street lamps. But I can show you tomorrow.'

'Okay.' Toby looked around again. 'I'm glad you told me. Honoured, really. But right now I'm exhausted and, after today, if I'm tired, you must be dead on your feet. Why don't we call it a night for now?'

'All right.' Rachel smiled ruefully, looking around the small room. 'Although, to tell you the truth, I've not really slept in days. Knowing this is up here ... I feel a bit as if I don't know the place I've been living in for years at all.'

Toby nodded. 'I can imagine. I wouldn't be able to think about anything else – and I know how much else you've got to deal with right now.'

They made their way back down into her tiny bedroom and Toby watched as she closed the hatch. Afterwards they stood together, looking up at the sealed secret above their heads.

'Look,' he said, 'I don't want you to think I'm trying anything on here, but you need sleep. Why don't you come back to the cottage? There are two bedrooms, you can take the spare.'

Rachel looked at him doubtfully. 'Oh, I don't think—'

'It's dark out, there'll be no one about,' Toby said, before she could say no. 'No one will even notice us. Being away might give you a little perspective about it all, don't you think? And look – you don't have to open up the bookshop tomorrow, do you? It's Sunday. We can talk more then. What do you say?'

Seventeen

Eustace watched her warily from where he was curled amid her duvet, as if aware more unwanted change was afoot. Rachel felt guilty. For the first time in five years, she would not have to dodge him on the stairs in the morning.

'I've left you a bowl of food for breakfast,' she said, stroking his head. 'And I won't be far away. I'll be back, I promise.' She tried not to think about the fact that there may soon come a point where she would have to be separated from Eustace for good.

It felt strange leaving the lighthouse at night. It was late by now, the buildings of the village indistinct except where they stood in the sodium orange glow of the street lamps. The rest were blocky shapes blending into the night, lights muted behind curtains, the colours of television screens flickering in the gaps.

Inside Toby's rental cottage, Rachel looked around the soft white furnishings as Toby took her coat.

'This is lovely,' she said.

He followed her encompassing glance with a faint smile. 'It is, although I've resigned myself to always drinking tea, coffee and red wine with trepidation. Speaking of wine, would you like a glass?'

They took their drinks into the equally pristine living room, and Rachel could see what he meant about beverage anxiety. Everything was furnished in white.

'I'm guessing they don't let this place to families,' Rachel observed. 'Imagine what sticky little hands would do to this place.'

Toby laughed as they sat.

'I really admire people who see a space and can visualize how it could look in a certain way,' she added. 'Interior design is beyond me. I've always ... gone with what was already there.'

'And books.'

'And books,' Rachel agreed. He was right. Even her little VW van had been stuffed with books, syphoned from charity shops and boot fairs as she passed through town after town. There had been a time when she hadn't been allowed any books at all, and so as soon as she could, Rachel had tried to read everything, tried to find every escape route there was that she could carry with her in her tiny mobile home.

There was a brief silence. Rachel watched Toby's face as she sipped her wine. He looked as if his concentration had drifted to something just out of sight. After a moment he looked back at her with a rueful smile.

'Sorry,' he said.

'Thinking about the camera obscura?'

'Yes. I mean—' He leaned forward, cradling his glass between his knees. 'To think it's been up there all that time, without anyone knowing . . .'

'I know. It's amazing, isn't it?'

'I can't help wondering—' He broke off and shook his head. 'No. We're not going to talk about this tonight. You need a break from it – from all of it. That was the whole point of you coming here.' He sighed then, and became fractious. 'Rachel, there's something I should tell you. Something I probably should have mentioned before I invited you to stay the night.'

She sat up straighter. 'Okay . . .'

He looked uncomfortable, turning the glass in his hands, not looking at her. 'I suffer from night terrors.'

Rachel blinked. This wasn't the sort of confession she had been expecting. 'Night terrors?'

'I call them night terrors because they're not just night-mares. I stayed with Sylvie when I first got out of the hospital after my injury, and I used to wake her up. I . . . I should have said something sooner, I'm sorry. I've become so used to it, it didn't occur to me.'

Rachel frowned. 'Do you have them every night?'

He looked away. 'I think so. Yes, I do.'

Rachel leaned over to put her wine glass down on the coffee table. 'Have you talked to anyone about it?'

Toby looked back at her. 'A counsellor, you mean? I did,

for a while. But it didn't seem to help, and then I came here.' He shifted slightly. 'I didn't want to put my life on hold. I didn't ... want to give in to it. The things I'm dreaming about – it's not the day I got my injury. What I see when I sleep comes from years of experiences, years. I can't work through it all, I can't. I'll just deal with it.'

Rachel thought that this was not the best way to deal with what seemed to be an acute problem with PTSD. Still, she wasn't a psychiatrist, and she had no place telling him what to do.

'If you wake me up,' she said, 'then I'll go back to sleep. It's not a problem.'

He looked at her doubtfully.

'Really,' she said. She picked up her wine glass again, purely to have something to do. 'I'm no stranger to night-mares. Although it's been a few years since I had anything really bad.'

Toby said nothing, but when she looked up he was watching her, and gave a smile when she met his eye.

'Thank you,' he said.

'What for?'

He shrugged. 'For sharing that. Journalists don't ... it's not something any of my peers have ever admitted. It makes me feel ... weak, I suppose. Even weaker than I already do after this.' He tapped his bad leg with his free hand.

'It's not weakness,' she told him. 'It's your brain trying to process trauma.'

'Well,' he said, 'it tends to "process" more on nights when

something unusual has happened during the day. I've got a feeling the camera obscura will qualify. Sorry.'

'Don't be,' Rachel said.

He smiled, but was looking into his glass. 'Thank you,' he said again.

He did wake her in the night, a short, sharp cry from the bedroom across the hallway, followed by the sound of erratic, desperate movement. Rachel opened her eyes, wondering for a second where she was, shocked to find her hands gripping the duvet, the same way they used to when she woke in those first years spent sleeping in the van, her body anticipating an attack that never came. Then she heard Toby cry out a second time, a kind of strangled bellow, followed by more thrashing. Rachel got up, pulled her faithful blue cardigan on over the T-shirt in which she'd slept, opened her door and padded barefoot across the thick hallway carpet to his room.

Even from the doorway she could see that he was still asleep, desperate to escape whatever event was happening in the shades of his subconscious. He'd thrown the sheets half from the bed as he tossed and turned in the throes of the nightmare, his legs moving as if trying to run.

'Toby,' Rachel said, as she crossed the room to sit on the edge of the bed. 'Toby . . .'

He didn't hear her, still lost in the nightmare. She put one hand flat on his shoulder, a steadying gesture that pressed him back into the mattress. She could see the cold sweat of terror on his face, the frown creased into his forehead.

'Toby,' she said again, louder this time, and he yelled as he woke, sitting upright among the disorder of his bed, scrambling backwards to get away from her.

'It's all right,' she said, keeping one hand on him so that it slid down from his shoulder to his forearm to wrap around his wrist, offering an anchor to hold him in this world. 'You're all right.'

He stared at her, unseeing, breathing hard, his mind still trapped wherever the ghosts that haunted him had held him while he slept. She saw the moment he registered who she was, where he was, recognition sparking in his eyes.

'God,' he said, wiping one shaking hand across his face. 'Sorry.'

'It's okay.'

He said no more, but his fingers found hers and gripped them, hard. He was still shaking. They sat like that for a while, as Toby's breathing steadied.

'Do you want to tell me about it?' Rachel asked quietly.

Toby shook his head. 'No.'

'Do you want me to stay?'

He looked at her sharply, and then squeezed her hand. 'No,' he said. 'No. Thank you. What time is it?'

Together they looked at the clock blinking on his bedside table. It was just touching 4 a.m.

'I'm sorry,' he said, releasing her fingers and reaching for the covers he had kicked away. 'You should go back to bed. I'll be all right now.'

Eighteen

Gilly hadn't gone to Cullen's funeral, not because she hadn't wanted to, but because she had nothing appropriate to wear. She felt guilty, though, and thought that the bookshop regulars would probably think she was being disrespectful by not attending. She half expected an earful on this subject from Edie during her next art lesson, so when, halfway through her time in the print room the day after Cullen had been laid to rest, Edie made a huffing noise and stood up abruptly from where she'd been working herself, Gilly braced herself.

'Listen,' Edie said.

Gilly looked up from the workbench at which she was sitting, working quietly on the drawing the artist had instructed her to make.

Edie hesitated a moment, and then said, 'There's a job for you at the bookshop if you want it. Who knows how long it'll last for, but – if you want some work, go up there later and talk to Rachel. I told her you might come by.'

Gilly took in this information silently for a moment. It was the polar opposite of what she'd expected Edie to say. 'You told her I might come by?'

Edie shrugged and went to the sink to clean the ink from the block she'd been printing. 'At the funeral she said she needed someone to help out in the shop because she's got to start sorting out the gatehouse, and I suggested you.'

Gilly put down her pencil and leaned back. 'You suggested *me*?'

Edie made a sound in her throat, speaking over her shoulder as she said, 'Are you going to repeat everything I say like an annoying child?'

'I'm a bit surprised, that's all,' Gilly said. 'I know you didn't really want to teach me. Now here you are getting me a job.'

'I just thought you might as well be doing something useful,' Edie told her, clattering about in the Belfast, 'and we both know you could use the money, so don't bother lying about that.'

Gilly looked down at the sketch she had been working on. 'Is this a new way to get rid of me?'

'No,' Edie turned impatiently. 'Of course not.'

'Good, because we had a deal, remember? And it doesn't matter how much you make me run around, I'm going to make you live up to it.'

Edie dried her hands with a sigh. 'I have not once tried to get out of our deal, Gilly.'

'Could have fooled me,' Gilly grumbled. 'I've been coming here for days now and you still haven't actually showed me how to do what I asked you to do.'

'You know why that is,' Edie snapped impatiently. 'A good print relies on a good image,' she said, repeating what she'd told Gilly when she had turned up at the print room door for her first lesson. 'You've got to get that stage right first, or you'll be wasting my time and materials and will probably end up discouraged into the bargain.'

'Yeah, yeah,' Gilly said, picking up the pencil. The first few times Edie had said this, Gilly had not been at all impressed. In fact, that first lesson, the artist hadn't even let her stay. Instead she had immediately handed Gilly a pencil and notepad and shooed her back out of the door.

'You need to work out what you want to make a piece of art out of first, then you start sketching,' she'd said. 'An artist's job is not just to look at the world but to really see it, and then find a way to communicate what they've seen to other people. Go out and look at things. Find something you want to draw. We'll take it from there.'

Gilly had spent hours walking around Newton Dunbar, drawing this and that: a plant in a pot, a leaf, a cat sitting on a windowsill, the old clock in its narrow tower of yellow stone that stood at one end of the high street. By the time evening was falling she'd filled a few pages and returned to Edie's studio, bored and frustrated. She'd shown them to Edie without much enthusiasm. The artist looked through them and then handed back the pad.

'This is what you think other people are interested in,' she'd said. 'I want to see what *you're* interested in. Try again tomorrow.'

Gilly had nearly told Edie where to shove her pad there and then. *Patronizing bitch is just winding me up*, she'd thought. The artist had looked back at her with her arms crossed and one eyebrow raised, as if to say *Come on, prove me right about you*. They'd stared at each other across the workbench and Gilly knew there was no point arguing. She'd gritted her teeth and taken the pad back, and was at the door when Edie spoke.

'They're not bad, all things considered,' she'd said, waving a thin finger at the sketchbook that Gilly had stuffed under one arm.

The next day she had wandered around the village again. Gilly hadn't started sketching until gone noon, and even then it was only because she'd needed to produce something, anything, to show to Edie. She drawn the front of the Co-op, a car, the bus stop. Gilly thought she'd done a pretty good job with each image. They looked exactly as they were supposed to, at least. Edie had flicked through her sketches carefully and then handed back the pad.

'You're still not seeing,' she'd said. 'You need to stop looking and *see*.'

Gilly had snatched back the sketchbook and it was all she could do to stop herself from throwing it across the room.

'That doesn't make any sense!' she'd shouted, frustrated. 'I'm doing exactly what you told me to do! This is stupid.'

Edie had shrugged, unperturbed. 'Fine. You're the one who wanted me to teach you. We can stop any time you want. It's no skin off my nose.'

Gilly had stared at her for a minute, thinking very hard about walking out and not coming back. Then she'd looked over at the big print of the lighthouse on the wall. It still fascinated Gilly as much as the first time she'd seen it. How could anyone cut their way to a picture like that? She still wanted to be able to do that, and putting up with Edie was a means to an end.

She'd still turned and stalked to the door, but she'd taken the notepad with her.

'There's no point seeing with any other eye but your own,' Edie had said to her turned back. 'We all look at things differently. If we didn't, there'd be no war, but there would also be no art. If you want to produce good art, you need to know what it is you want the world to see from your perspective. And if you're going to take up my time, you are going to do this properly, or not at all.'

Gilly had slammed the print room door behind her as she left, muttering a series of insults that might have made even Edie blush had she heard them.

The next day, Gilly had woken early and listened to a light rain pitter-pattering on the shed's roof, and hadn't been sure she could be bothered to sketch more rubbish. What was the point? She might as well sleep in the shed all day because it was unlikely that Edie was going to garden in the rain. Gilly had enough snacks to tide her over and a bottle of water that she had sneakily refilled from the print room sink. Edie probably wouldn't even notice if she didn't turn up for her lesson that afternoon. Even if she did go, Gilly had thought, the old bat would tell her that what she had done was wrong and to try again. Edie was clearly just trying to fob Gilly off until she got so sick of it all that she chucked it in and left her alone.

Nature was calling, though, which meant Gilly had needed to make her way down to the public bathroom on the main street. It was as she'd crossed the street that she'd looked up and seen the web of wires that criss-crossed between the telegraph poles, the shapes they cut into the low grey sky. She'd ducked under the bakery's awning out of the rain and looked up at them for a while. Then she'd taken out her sketchpad and drawn what she could see. On her way back up the street she'd added the shape of the door handle on the bathroom and the way the raindrops magnified the letters of the word 'unoccupied'. Later still she'd drawn the natural pattern that leaves made beneath an elm in contrast to the right-angles of the man-made kerbstones on which they had collected.

'All right,' Edie had said that afternoon, as she'd looked once more at Gilly's pad. 'Now we might actually be getting somewhere.'

The artist had put down the sketch pad and disappeared through the door that led to the rest of the house. She'd returned a few minutes later with a tray bearing two mugs of tea and two plates of Victoria sponge thick with cream and jam. This Edie had set down on the bench. She'd glanced at Gilly.

'Well, sit down, then,' she'd said, nodding at one of the

stools pushed beneath the worktable. Gilly had done as she was told, and Edie pushed a mug and a piece of cake in front of her before settling down herself. Then she'd reached over and tapped one of the sketchpad's pages with a long finger. 'Now what I want you to do is pick one of these new sketches to work on. Whichever one you like best.'

'Does that mean I get to start playing with the knives?' Gilly had asked, around a large mouthful of cake.

'Not on your nelly,' Edie had told her. 'And don't talk with your mouth full, it's disgusting.'

Gilly had dropped the cake back on her plate and glowered.

'Don't sulk, either,' Edie added. 'Honestly, what are you? Five?'

Gilly had been about to answer back when she'd thought better of it. 'What do you want me to do next, then?'

'The only two shades you will have to work with when you start cutting the lino are black and white,' Edie had told her. 'I want you to take one of those sketches and think about how you're going to make that work. Which parts should be white? Which parts should be black?'

Gilly swallowed her mouthful of cake. 'Why only black and white? That's got plenty of other colours.' She pointed to the print of the lighthouse hanging on the wall.

'That's what's called a reduction print,' Edie had explained. 'It's a much more complicated process. You need to start off with the basics and make a simpler version. That means one colour will be the colour of the paper – white, for your first print – and one other colour will be the colour of the ink. Okay, so that doesn't have to be black, but it's probably the best place to begin.' She tapped the pad again. 'So – black and white. Have a go at it, kid. Your hour is ticking away. I don't have all afternoon, you know.'

'Yeah,' Gilly had said. 'Because your days are so packed, aren't they?'

Edie had given her a warning glare, which Gilly ignored. She'd picked up her sketch of the way the telephone wires criss-crossed the street and realized that if she were going to make it a print instead of a sketch, it was far too complicated. Still, she liked the image. She liked the way it represented something looked at every day but never really noticed. In the end Gilly had decided to focus on the telegraph pole and the way the wires jutted out of it like the spokes on a bicycle wheel. She'd begun to redraw that single aspect of her original sketch on a clean sheet of paper.

'When you cut into the lino,' Edie had told her, 'what you carve away will be the colour of the paper, which in this case will be white, and what you leave will take the black ink. Keep that in mind as you're drawing.'

Now, a few days later, Gilly was actually proud of the sketch that was beginning to take shape. Edie had looked over her shoulder periodically, giving her tips on shading. Gilly had got used to these daily visits and had thought the days of Edie trying to get rid of her were over. Hadn't she proven that she wanted to do whatever it would take to learn? But now Gilly wondered whether it wasn't because Edie had thought she was mucking about that she didn't want her here, but that she just didn't want Gilly here full stop.

'I thought I was getting better,' Gilly said, trying not to feel hurt. After all, it wasn't as if Edie was a friend, was it? She was only doing this because Gilly had forced her to in the first place.

'You are,' Edie said.

'I can still come for my lessons, then?'

There was a pause. When Gilly looked up, Edie was watching her. 'I'd be pissed off if you didn't,' the artist said. 'You'd have wasted all that paper for nothing.'

Gilly was annoyed at herself for how relieved she felt.

'All right,' she said. 'I'll go up to the bookshop tomorrow. Promise.'

Nineteen

'You say you've already put all the papers in date order?'
Toby asked.

It was Sunday afternoon, and he and Rachel were in the
camera obscura room, looking at the storm of documents
and notebooks around their feet. He'd made her breakfast
at the cottage, embarrassed by his behaviour in the early
hours. Rachel hadn't referred to it at all, as if it were entirely
to be expected that the man who had offered you his spare
room should wake you screaming in the night. He could still
remember the weight of her warm hand against his shoulder
and holding onto his wrist, how she hadn't pulled away when
he'd held onto her fingers as the last vestiges of the dream
had finally receded.

'As far as I could, yes,' Rachel said. 'I was hoping that as I
was doing so, I'd at least work out who E.A.M. was, but so
far I've had no such luck.'

Rachel had opened the camera obscura to show him how
it worked, and the image of Newton Dunbar glimmered,

pin-sharp on the marble plinth. He tore his attention away from watching the movement of a small figure amble down the main street and lowered himself to a patch of bare floor, ignoring the protest of his leg. 'Tell me what you've worked out so far.'

'Well, the earliest date I could find was in that notebook there,' Rachel said, crouching beside him and pointing to a small book bound in blue. 'That's dated 1807.'

'That book is two hundred and fourteen years old?' he said, flabbergasted. 'Bloody hell.'

'I know. The handwriting is really hard to read, but it seems to be a kind of diary. It's full of sketches of lighthouses, but if you look through you'll see – they're not realistic. It's as if it's just someone drawing their idea of a lighthouse, over and over in different forms as a favourite pastime.'

'Like doodles, you mean?' Toby asked.

'Yes, exactly. In between there are notes about outings the writer has taken, things like that. The most serious notes specifically about lighthouses that I could decipher are about the Bell Rock light tower, which was being built that year. There's a sketch that's labelled with the name of a tower that looks as if it's being constructed directly into the sea, and beside it is written, *Such a marvel! Such ingenuity! Mr Stevenson is a man of the truest genius!* But that's it. Then I couldn't find any more dates until 1812.'

'Six years,' mused Toby. 'Why the gap, I wonder?'

'I don't know,' Rachel said, 'but when they start up again, there's a definite difference.' Rachel indicated the next small pile, which contained two notebooks and a scroll.

'Looking at these, you can see a clear progression,' Rachel said. 'It's as if an idea that had been nebulous before is beginning to solidify into something more definite throughout the course of 1812. The first of the notebooks starts out as a series of sketches of lighthouse towers like the ones in the first notebook. They're repeated over and over, at first as if it's a doodle, but then slowly they become more deliberate. Towards the back of the first notebook, there are the annotated notes. The sketches become more like diagrams, with firmer lines and clearer details.'

'Can I see?'

'Of course,' Rachel said, leaning over to pick up one of the notebooks. 'Just be aware that they're quite fragile in places.'

Toby gently turned the pages as Rachel went on.

'In the second notebook from the same year – that's the one you're looking at now – it really seems as if the writer is trying to work out how to actually physically build a lighthouse. There are notes about building techniques, weight ratios, plant equipment and suitable materials, that kind of thing.'

Toby turned a page and a sheet of yellowed paper slipped out. Rachel retrieved it and passed it back to him.

'Believe it or not,' Rachel said, as Toby unfolded the sheet to find a wall of neatly written text, 'that's a letter from Robert Stevenson, who built the Bell Rock light tower. The owner of the notebook had obviously been exchanging letters with him, asking for advice.'

Toby examined the letter, thinking there must be a name somewhere.

'There's no addressee,' Rachel said, clearly way ahead of him. 'It just says "Dear Sir". After that, the next notebooks are dated 1813, and from that point it seems that the writer had a definite project to build a lighthouse. There are scrolls with early designs. They culminate with this one, which shows a blueprint that looks very near in design to the lighthouse as it was built.' Rachel reached out and pulled a large scroll of paper towards them, unfurling it gently. 'I think this one is probably the design the builders worked from,' Rachel said. 'We know that the tower was completed and opened as the MacDonald family's library at the end of 1815, so the physical building work probably started at least two years before, meaning 1813. And look how creased and dog-eared this is. There aren't any more detailed blueprints after this. I think this is the actual working blueprint.'

Toby looked at the scroll. 'The camera obscura doesn't seem to be in this sketch.'

'No,' Rachel agreed, 'but I think the architect had already intended it to be here.' She pointed to the lighthouse's roof on the sketch and then up to the apex of the dome above them. 'The lens aperture is there, on the design. The builders would have incorporated it because it's on the plans. It's just that there's nothing marked inside the dome.'

'So . . . the architect was even then trying to keep the true intended nature of this room a secret?' Toby asked.

'I think so.' Rachel picked up another slimmer, smaller notebook. 'All the details of the camera obscura are in this single notebook, separate from the designs for the tower itself. I think that was deliberate, so that even the workers tasked with building the site wouldn't know about it.'

Toby looked around. 'This can't have been the work of just one person, though,' he reasoned. 'There's the viewing table, for a start. They must have had to get that up here before they completed the floor.'

Rachel nodded. 'I know. Something else I haven't been able to work out.'

Toby looked at the blueprint again, noting the now-familiar three initials in the corner. 'But through all of this there's still no hint about who E.A.M. is?'

'Not yet,' Rachel said, letting the scroll close, curling up on itself. 'It's got to be here though, hasn't it? It must be, somewhere.'

'Well, look,' said Toby, 'from a purely practical point of view, I think the first thing to do is to start making digital copies of everything. Having scans will mean we won't have to handle the actual documents too much, or work on them up here in the camera obscura room.'

'Right,' Rachel said. 'That's a great idea.'

'They'll also probably be easier to decipher that way,' he said, tapping keys and frowning at the screen. 'I can down-load an app to my phone that will act like a scanner. Then we start reproducing everything we can.'

Twenty

'Don't you have a car?'

This from Gilly, who stood beside Rachel at the bus stop. The two of them were on their way into Great Dunbar, Rachel because she had some cheques she needed to deposit into the bookshop's account and Gilly because she wanted to find some new — or at least, new to her — clothes. She'd agreed to help out at the lighthouse but had decided on her own that before she took on a proper shift behind the counter, she needed to be tidier.

'I look like a hobo,' were her exact words.

Edie had agreed. 'Go, do,' she said. 'I can look after the bookshop for a few hours. Get her some more clothes, for goodness' sake. Those are no better than what I use for rags in the print room.'

Rachel was pretty sure Gilly had flipped a finger at Edie's turned back as they'd left.

'I used to have a camper,' Rachel told Gilly, 'before I came to Newton Dunbar.'

Gilly looked mildly interested. 'What, for holidays?'

'No. I lived in it.'

Gilly took this in with quiet contemplation. 'I'd love a camper. A VW, you know, one of the old ones?'

Rachel smiled. 'That's what I had. I loved it, but it was cold in winter. I'd spend all day hunched under as many duvets and blankets I could fit on the bunk.'

Gilly shrugged. 'Doesn't sound so bad.'

'Well no, not compared with sleeping rough,' Rachel agreed. 'At least I stayed dry.'

Gilly bit at her already ragged fingernails, studiously looking anywhere but at Rachel.

'Where are you sleeping at the moment, Gilly?' Rachel asked.

The girl's face immediately took on a hard cast. 'No offence,' she said, in a tone that suggested she really didn't care if she caused any, 'but how's that any of your business?'

'I want to help, that's all. I don't know where you're sleeping, but—'

'Look,' Gilly said. 'Everything you've done – it's great. The job, letting me use your shower, all that stuff – I appreciate it, I really do, and I don't want to be rude, but just because I work for you doesn't mean I owe you any information about my life. Okay? If that's how you think it works, I'd rather not do the job at all.'

Rachel was quiet for a minute, during which the bus drew up before them in a plume of acrid blue smoke. They got on and sat beside each other. 'You're right,' Rachel said eventually. 'I'm sorry.'

Gilly sighed heavily. 'I just . . . You don't know anything about me, and I don't want to tell you anything about me, so stop assuming you know what I need.'

'All right,' Rachel said. 'I can understand why you'd feel that way.'

Gilly made a dismissive sound in her throat, crossing her arms and staring out of the window.

'I was in foster care when I was a child,' Rachel said. 'That's not something many people know because I don't want them to. Because I don't like to talk about it.'

'So?' Gilly said, a little too quickly. 'What's that got to do with me?'

Rachel shook her head. 'Nothing. But I did something really stupid to get out of a bad situation, and then ended up in an even worse one.'

'Living in the van?' Gilly asked, still staring out of the window. 'Doesn't sound so bad to me.'

'No,' Rachel said quietly. 'No, the van was the light at the end of the tunnel. And I only had that because someone saw I needed help before I did.'

Gilly glanced up at her then, and Rachel realized how rare it was that she looked anyone in the eye.

'I'm not going to tell you anything more about that,' Rachel said, as Gilly opened her mouth to ask a question, 'because I don't want to talk about it and it's none of your business.'

Gilly shut her mouth again. 'Fair play,' she said. 'I get it.'

'But please promise me,' Rachel said, 'that, if you need it, you'll come to me for help. Because I might not have been exactly where you are, but I'm pretty sure we were in a similar hole, and I've got out of it once before. And you don't have to tell me anything, you really don't. I'll always help you, regardless. All right?'

'All right,' Gilly said eventually. 'But how are you planning to be my saviour, exactly? You might be homeless yourself any day now. You might be right back in that hole.'

Rachel took a breath at the truth she could have done without hearing. Gilly actually looked a little regretful at what she had said. They were quiet for a while, looking out at the passing landscape, shining bright and bonny in the late summer sun.

'Where's the van now?' Gilly asked later.

'Oh, I imagine it's buried beneath five years of scrap by now.'

Gilly said nothing, and Rachel thought that the girl was probably considering the lost boon of a roof – *any* roof – and four walls. For all Rachel knew, as Gilly had so bluntly pointed out, sometime soon she'd be thinking the same thing.

There were three charity shops in Great Dunbar. Gilly searched through all of them, refusing Rachel's offer of money.

'I've got my own cash,' she said. 'You're already paying me, remember?'

'Yes, but I don't expect you to buy your own work clothes,' Rachel told her, remembering how important it had been, in those days on the road, to watch where every penny went.

Gilly gave her a withering look. 'You think these will be *work* clothes?' she said. 'I have *clothes*. That's it.'

Rachel went off to the bank and by the time she'd come back Gilly had found two pairs of jeans, a couple of T-shirts and several shirts, some of which appeared to be men's. There was a blanket in the mix, too. Rachel made no comment.

'There's a big Sainsbury's at the other end of town, isn't there?' Gilly asked.

'Yes,' Rachel told her. 'What do you want to go there for?'

Gilly gave her a look, but didn't answer. When they arrived it became clear that the answer was 'underwear'. Rachel suggested shoes, too, but after looking, the girl declared that her battered trainers could last a bit longer.

'I can buy you a pair, if you like,' Rachel offered, but was greeted with a venomously stubborn look. She wondered what had happened to make it so imperative that Gilly didn't owe anyone a single thing.

Back in Newton Dunbar, Edie had presided over a quiet afternoon. When Gilly and Rachel returned, she looked up from a copy of *The Man Whose Teeth Were All Exactly Alike* with, if not quite a smile, then not quite a scowl.

'Right,' she said, holding out a hand for the bag Gilly carried. 'Give those to me, I'll get them washed and dried.'

'They're fine as they are,' Gilly said, refusing to surrender her new belongings.

'Look,' Edie said. 'I'm offering to do a nice thing. It

doesn't happen often. Take advantage of it. What do you think I'm going to do, anyway? Steal your wonderfully curated haute couture?'

Gilly hesitated another moment and then handed over the bag. Edie peered inside. 'Well, style's a personal thing, I suppose. Come and pick them up later. You're supposed to have a lesson today as well, don't forget. Just because you're working doesn't mean you can shirk that. We'll do it once the bookshop's shut. Don't keep me waiting.'

Edie went off, Gilly staring daggers after her.

'I can't decide if I hate her,' Gilly said, once Edie had passed through the door and out of sight, 'or if I want her to teach me how to be that stone-cold a bitch.'

Twenty-One

Toby spent hours carefully reproducing the fragile papers as hi-res digital copies that he and Rachel would find easier to read. Even when he wasn't looking at the documents or in the camera obscura room itself, the device and the mystery occupied most of his thoughts. He hadn't written any more of his memoirs since the night that Rachel had stayed with him at the cottage. How could he, when there were far more interesting topics on which to expend his time?

Rachel herself was one of these. She seemed to him as much of a conundrum as the one she had brought to him. Toby soon realized that the composure he had been so intrigued by from their first meeting was actually a form of deflection. There were aspects of her that were so opaque he wondered if he was truly seeing her at all. Still, in thinking about her, in spending time with her, something in Toby loosened. Some mechanism in him that had been rusted shut eased open and unwound. His night terrors didn't cease, but they did lessen for the first time since he'd been shot.

Sylvie, naturally, was not happy.

'You were right,' his ex-wife declared, having called only to be told that yet again he had failed to complete another chapter. 'This woman *is* otherworldly. She's a witch! She's cast some sort of diabolical spell and you've lost your mind!'

'I haven't at all,' Toby said, only half listening because he was trying to decipher a particularly haphazard line of text instead. 'As a matter of fact, I feel better than I have in a long time.'

'That's exactly what a witch would have you say,' Sylvie grumbled. 'Toby, this is ridiculous. You can't sit around all day mooning over this woman. She told you she wasn't interested! You haven't turned into some sort of doolally stalker, have you?'

'Of course I haven't!'

'Then what are you *doing* with your days?' Sylvie demanded. 'You need to work. I've got publishers here clamouring to give you money. Do you know how rare that is?'

Toby did, and he still didn't care. 'Look,' he said. 'I am working, just not on what you want me to, all right?'

He regretted the words as soon as they were out of his mouth, but it was too late. He could almost see Sylvie's ears pricking up beneath her perfectly coiffed head of hair.

'Oh?' she said. 'Do tell.'

'I can't,' he said, kicking himself. 'Not yet. But I'm keeping busy, let's put it that way.' He squinted at his screen, trying to work out a word. Did that say 'she', or 'sure'? He zoomed in a little more. 'In fact,' he said absently, 'I'm really busy at this moment, as it happens. I've got to go, Sylvie.'

She had still been grumbling as he put down the phone. He was sitting in Cullen's armchair beside the wood burner with his laptop on his knees. Eustace was sitting opposite, curled on Ron's chair, the old cat having begrudgingly accepted Toby's regular presence in his home. Rachel herself had been down at the gatehouse since the bookshop had shut. Toby had offered to join her and help, but Rachel had declined.

'I'd rather you plough on with the documents,' she said, and Toby had been happy to oblige.

He was so engrossed in his efforts that he jumped when the door of the bookshop creaked open. Rachel appeared, her cheeks flushed from the wind he could hear assaulting the walls of the lighthouse. He glanced at the bookshop clock to find it was past eight.

Rachel smiled as she saw him. 'Are you still at it? I'm sorry, I should have left you the key and told you to drop it off at the gatehouse on your way past.'

'It's fine. I hadn't even noticed the time, I've been so engrossed.'

'Oh? Does that mean you've got something to show me?'

'Actually,' Toby said, 'I think it does. Come and take a look.'

He got up from the armchair as she approached, passing her his laptop. Rachel sat and he leaned in close as she looked at the screen. The scan he'd been examining was zoomed in as far as it could go, showing only a few words. As Rachel looked, he tapped it lightly with his pen. 'What does that say, to you?'

Rachel squinted at the scrawl.

'It's from 1814,' Toby said. 'When the building work would have been in full swing.'

Rachel couldn't make it out. 'Is that an M? And perhaps a C? That's definitely a Y at the end. And that, there—' she pointed to the centre of the scrawled word. 'That could be two e's, run together?'

'I think that's exactly what it is,' Toby said, reaching for his notepad and printing a word before holding it up for her to see. 'What do you think? Am I imagining that?'

On the pad he had written 'McCreedy'.

Rachel looked at the word again, and now he had pointed it out, the name stood out as clear as day. 'No!' she said. 'You're right, that's exactly what it says. McCreedy. And the first name . . . is that Edward?'

'I think it is.'

Rachel looked up at him, astonishment on her face. 'Edward McCreedy? *E.M.*?'

'E.M.,' Toby agreed.

Rachel stared at the screen. 'That's too much of a coincidence, surely?'

'Well,' Toby said, 'I don't have any example – or at least I don't yet – of how he signed his initials. But he has to be a good candidate, doesn't he?'

'Edward McCreedy. Any relation to Dora McCreedy, do you think?'

'I'd say it's pretty likely, given how long her family has been in the area.'

'What's a McCreedy got to do with the lighthouse tower?' Rachel muttered, zooming out to look at the whole scanned page. 'What is this, a ledger?'

'Yes. It seems to be recording the site workers employed on the tower's build.'

'This McCreedy worked on the site? Does it say as what?'

Toby pointed further along the line to where the name was listed. Rachel leaned forward and looked closely.

'Day labourer?' she queried. 'Not architect?'

'Not according to this. There's more – this ledger says he was dismissed for theft.'

Rachel leaned back, a frustrated look on her face. 'So – if he wasn't the architect, the initials must be a coincidence.'

'Maybe,' Toby said. 'Unless James MacDonald lied on this ledger.'

'Why would he do that?'

'No idea. I think I need to need to do some wider research.'

Rachel smiled, standing and passing him the laptop. 'I love that the journalist in you is still alive and well.'

Toby didn't answer, already engrossed in this new quest, and for a moment Rachel wished she had known him when he was still out there chasing stories around the world instead of just around his keyboard.

*

Toby spent a few days searching through newspaper archives, downloading and collating articles. This meant disregarding plenty of people who bore the McCreedy name but who clearly had nothing to do with Newton Dunbar or the lighthouse. It was then that he began to notice how often Dora McCreedy's name popped up. The archive he used didn't only record journalistic articles, it had digitized and indexed whole newspapers, including public notices that appeared in the 'Classified' sections: planning permissions, land acquisitions and items of a similar nature. Her name appeared frequently. That wasn't surprising – after all, she was one of the biggest development magnates in this area of Scotland. Still, there was something nebulous about the placing of these notices that pricked at Toby's journalistic senses. It lurked there, a question not yet fully formed but still taking up space in the shadowy part of his mind where connections tended to form without him even realizing it. He began to bookmark mentions of Dora McCreedy too, not with any particular intent but simply because experience told him that there was the vague shape of a story there somewhere.

As far as Edward McCreedy went, the little that Toby found only seemed to compound the mystery.

'This is interesting,' Toby said late one evening as he and Rachel sat together in the bookshop, the remains of a shared takeaway between them. 'James MacDonald evidently brought a criminal case against Edward McCreedy for the theft that the ledger mentions as the reason for his dismissal. There's a report about his day in court here. He was convicted of stealing bricks and sentenced to five years' transportation to Australia.'

'For stealing *bricks*?'

'Harsh,' Toby agreed. 'Although we don't know how many bricks it was. Could have been more than it sounds.' He frowned at the page. 'I feel like there's something we're missing, though.'

'What do you mean?'

'Well, there would have been hundreds of these sorts of cases going through at the same time. There could have been up to thirty in front of this judge on the same day that McCreedy's was heard. Why did the paper decide to focus on this one?'

'Perhaps because of who he stole from?'

'Maybe. Maybe there's something more to it, though. Especially if we are going with the idea that Edward McCreedy is E.A.M.'

Rachel got up from Ron's chair and came to look over his shoulder. 'Can you show me the ledger page again?'

Toby brought up the scan and they both looked at it. 'Edward McCreedy's name comes a long way down the list, doesn't it?' Rachel observed. 'As if he joined the workforce quite late on?'

'That's true,' Toby agreed. 'Which is strange if he *is* E.A.M.'

Rachel straightened up. 'Hold that thought,' she said. 'I'll be back.'

She vanished up the stairs. It was ten minutes before she

returned, carrying the actual ledger itself, and Toby realized she'd gone right up into the tower's hidden room.

'It's a long shot,' Rachel said, as she reached the arm-chairs again and rested the large book on the chess table as she opened it, 'but I wonder if . . .' she trailed off, scanning through earlier pages, towards the beginning of the ledger.

'What are you looking for?'

'Evidence that Edward McCreedy had been listed as a worker earlier. I thought that maybe . . .' She stopped, leaned forward and then tapped a finger on the ledger, right near the beginning of the list. 'Look.'

Toby did, and saw that one line of writing had been heav-ily crossed out. Whatever was underneath was now largely illegible, but the first letter was still just visible as an 'E'. Rachel looked back at the scanned page on Toby's screen.

'Whoever scrubbed it out used the same colour ink to write in McCreedy's name much later,' she observed.

Toby looked at the ledger. 'If you're right, and that's McCreedy's name that's been scrubbed out, he would have been one of the first employees on the project, not one of the last.'

They were quiet for a few minutes, digesting the meaning of this possible discovery.

'Maybe he knew too much,' Toby said. 'If he was E.A.M., he knew about the camera obscura. If James MacDonald really didn't want anyone to know about it, he was probably a man with the sort of standing to get a worker convicted of stealing, and given the harshest sentence for it.'

Rachel looked unhappy.

'What's the matter?' Toby asked.

'I don't know why, but I've always thought of MacDonald as a decent person,' she said. 'Finding out he might have been the opposite ... it's unsettling, somehow.'

'We don't know that's what happened. This Edward McCreedy might actually have stolen a fortune's worth of bricks, for all we know.'

'No, but—' Rachel looked at the ledger again. 'We've found no indication that there's any other candidate for E.A.M., have we? I think it has to be him. And if that's the case, knowing how apparently crucial it was to keep the secret of the camera obscura, it seems too much of a coincidence that he ended up being knocked out of the picture.'

'I still don't understand the need for secrecy,' Toby said, tipping his head back against the chair and looking up at the bookshop's ceiling, imagining that domed room far above them. 'What was so damaging about it being up there? I would have thought it was the kind of scientific wonder that a gentleman would have wanted to boast about back in 1815.'

'Maybe MacDonald didn't want anyone to know he could spy on his neighbours?' Rachel suggested. 'If he was awful enough to conspire to have someone transported on a false charge and then take credit for that person's work, who knows what else he was up to.'

Toby shut the laptop. 'Well,' he said. 'Do you think that means we've found the answers you wanted? Do you think you've got enough information to pass on to what's his name – Crosswick?'

Rachel drummed her fingernails on the chess table, quiet for another minute. 'I don't know,' she said. 'I can't help feeling that there's something else. That we must be missing a bigger part of the picture.'

'Like what?'

'I don't know,' she said with a sigh. 'We've been at this non-stop, though, and this is the closest we've come to any sort of answer at all. I'll call Alan in the morning, let him know what we've found and see what he says. I'd like an update on this hunt for an heir anyway – I've not heard from him for a while.'

Twenty-Two

Her hands were hurting today, perhaps because it was raining again. The wet weather tended to make her joints worse, though it had never been quite this bad before. Edie thought it might be because of the amount of time she was spending on this block. The boxwood was hard and the print she was trying to create had a lot of intricate details. It was an aerial view of the hill that imagined what it would look like if one were looking down from the clouds. The lighthouse tower was in the centre and around it spun the hill, the forest and the village, including Edie's own house where she sat trying to bring this idea into the world. She was using the wood's own contours to influence the piece, and had asked her timber merchant to leave the bark on the sliced-through trunk. When it was complete, the block would be as much a piece of the artwork as the resulting print. The artist was thinking of making this a four-season project, given how popular her previous set of prints doing the same had proven. At the moment, however, she was struggling to finish even this current block. Progress was slow. The leaves on the trees took a long time to carve and working so intricately put pressure on her fingers. After a long session with the millimetre V-gouge, she often found them unwilling to release from the tense position in which she had been holding them.

Edie put down her carving blade and reached for her glass of wine instead, taking a generous slug. It was after eight, and if it wasn't for the fact that Gilly was still sitting at her workbench, working on transferring her first image onto an oblong of Japanese vinyl, she might have called it a night.

'You okay?' the girl asked, her attention still on tracing the lines she had drawn through the carbon sheet Edie had given her.

Edie took another slug of red before putting down her glass. 'Fine. Why?'

'You're not doing much carving,' Gilly said, attention still on her block. Edie found herself irritated and wasn't sure if it was with her student or with herself.

'You were late today.'

At this Gilly looked up. 'Rachel needed me a bit longer. She said that Ron had turned up at the gatehouse while she was going through Cullen's stuff earlier and he was upset. She didn't want to leave him.'

'You could have called.'

'I didn't want to use the phone without permission. And I don't know your number.'

Edie wondered whether 'sorry' was any part of Gilly's

vocabulary, while a voice at the back of her mind acknowledged to herself that she hadn't cared that much, really. It wasn't as if she'd been doing anything else and her hours of teaching Gilly had become far more flexible since the girl had been working at the lighthouse. She hadn't mentioned needing to call ahead before, and she hadn't brought up Gilly's tardiness when she'd arrived at the print room door half buried in Ezra's coat, either.

'In future, ask Rachel if you can call me,' Edie said, aware that her tone was curt. 'She has my number.'

Gilly had gone back to her work but at this she stopped. For a second her pencil hovered in mid-air, but then she laid it down beside the block.

'Okay,' she said, getting up from her stool. 'I'm going to go.'

'You haven't finished transferring the image.'

Gilly gathered up her things from the workbench and crossed to the paper cabinet. Edie had emptied one of the smaller drawers for Gilly to use. She hadn't once needed to tell the girl to clear away after herself following their sessions. Gilly said nothing until she had put her work carefully into the drawer and then slid it shut.

'I think you're tired,' she said. 'And I don't think you want me here today, so I'm going.'

She pulled on Ezra's coat and went to the door. Edie stayed where she was at the workbench as the girl opened it. Outside the sun had set and the garden was dark.

'You're coming tomorrow? You need to finish that block.'

Gilly turned to look at her. 'Are you going to be less of a grumpy, judgemental old crone?'

'Are you going to be less of a lippy, ungrateful brat?'

A flicker of a smile danced across Gilly's face. 'Guess we'll find out tomorrow.'

'Don't be late!' Edie called after her as she shut the door, because the last word deserved to be hers. There was no answer and Gilly's quiet footsteps receded, swallowed by the night.

Edie stayed where she was for a minute. She contemplated trying the block again, but decided against it. Instead, she finished the wine in her glass and got up from the table, leaving her own workspace just as it was because it was her studio so she could do what she liked, dammit. She picked up the glass and the half-empty bottle and headed for her small living room, where the wood burner and another early episode of *ER* waited for her. God bless DVD box sets and their store of increasingly dated comfort viewing.

She was juggling the glass and the bottle when she heard the commotion from outside – a scuffle, a sound that conjured an instant image of one of her pots thumping against the wooden wall of the shed.

'*Ezra!*' Edie shouted as she put down the items in her hands and went to fling open the door, 'I swear, that goat is going to—'

It wasn't the goat. She heard the voices as she opened the door—

'Get off me!'

'I'm calling the police. Right now!'

'I said—' Gilly yelled, punctuating her shout with a hard shove, 'get *off* me!'

Dora McCreedy and Gilly were engaged in some sort of tug-of-war at the rear of her garden.

'Hey!' Edie shouted. 'What the hell is going on?'

'This cow jumped me!' Gilly yelled, backing away from Dora and wrapping Ezra's coat more tightly around her.

'She was breaking in,' Dora shouted back. 'I've just stopped her robbing you, Edie – call the police!'

The shed door was open and there was a strange flush of blue-white light around Gilly's feet. It took Edie a second to realize it was coming from a small torch lying on the floor.

'I wasn't robbing anyone!'

'You're trespassing!'

'I'm not!'

'Edie, are you calling the police or not? Because if you don't, I will.' Dora started to fumble in her pocket for her phone. She was standing in front of the gate, blocking Gilly's exit. The girl tried to make a run for it, but Dora moved as she wove.

'Get out of my way,' Gilly said. 'Or I swear to God—'

'Yeah? Threatening me now, are you?' Dora said, pressing numbers on her phone.

'Bitch, I haven't even started—'

'Enough!' Edie yelled, louder than both of them. 'Stop it. Dora, don't call the police.'

Dora paused with the phone at her ear. 'What?'

'I said, don't call the police. Gilly isn't trespassing.'

Dora narrowed her eyes, looking between Gilly and Edie. 'She was! I saw her breaking into the shed – look!'

Edie glanced at the shed's open door. 'She's my student, she was here for a lesson.'

Dora made a scoffing sound. 'That's a lie.'

Edie had had just about enough. 'Oh, you're accusing *me* of lying now? In my own garden? Go on, get out of here.'

'If she's a student, what was she doing in your shed?'

'I asked her to water my plants.'

'It's raining!' McCreedy yelled. 'This is ridiculous. I'm calling the police.'

'Call the police and I'll press charges against *you*. Got it?'

'What? You can't—'

Edie spread her hands. 'You're the only one trespassing here. What are you doing here anyway, skulking around on the hill after dark in the first place? I'd leave, if I were you. I'm not having a great day and this hullabaloo has used up my last stores of patience.'

Dora opened her mouth to protest, looking from Gilly to Edie with undisguised rage. Then she turned and wrenched open the gate, not bothering to pull it shut behind her. They listened to her angry footsteps stalking away across the hill, then the crunch of her boots as she joined the gravel footpath into town. Eventually there was nothing but silence.

Edie walked to the shed and bent to pick up the torch, then used it to look inside.

'Have you been sleeping in here?'

Gilly said nothing until Edie turned to look at her. The

girl had her arms crossed, pulling Ezra's coat even more tightly around her. She looked, suddenly, very young.

'I didn't use anything except stuff that was lying around and that I wouldn't break,' Gilly said. 'I haven't taken anything. You can check.'

Edie looked back into the shed, at the pathetic little nest made of her roll of weed matting. There was a plastic bag of neatly folded clothes set to one side, the ones she'd washed for Gilly herself.

'Let me get my things,' the girl said. 'I won't come back, I promise. But I really need my things. Please.'

'And then you'll go where, exactly?' Edie asked.

Gilly didn't answer. When Edie looked at her, the girl wouldn't meet her eye, but she shrugged.

Edie stepped back from the shed and held out the flashlight. After a second Gilly took it.

'Gather everything up,' Edie said. 'I've got a spare room. You can move into that.'

'I don't want your spare room,' Gilly said.

Edie turned to look at her. 'Fine. Whatever. But it's raining and it's late, and you can't tell me that you've got somewhere else you can go right this minute. I suggest you take the offer tonight and then tomorrow you can do whatever the hell you want. All right?'

They stared at each other through the rain.

'All right,' Gilly said eventually.

Edie nodded once and headed for the print room.

'I swear to God if you leave mascara on the pillows I will

190

let Dora McCreedy do whatever she damn well wants with you. And shut the garden gate, would you? I don't want any more uninvited guests tonight.'

She was halfway down the path when Gilly started to follow.

'I've never worn mascara in my life,' she said.

'Well,' said Edie. 'Thank the Lord for small mercies.'

Twenty-Three

It was early evening and Toby was sitting at the table in the kitchen of his cottage, his finished bowl of thrown-together spaghetti and pesto pushed to one side, his wine glass topped up, his laptop in front of him. Since their unravelling of the camera obscura mystery, he'd stopped spending so much time after hours with Rachel at the bookshop, and instead he'd gone, rather reluctantly, back to fiddling with his own lacklustre manuscript.

Alan Crosswick had called Toby to thank him personally for his efforts, but said he didn't want to take up any more of the journalist's time.

'I enjoyed it, to be honest,' Toby told him. 'What are you going to do about the camera obscura?'

'Not sure yet,' the solicitor had said. 'Whatever happens, it's not my decision to make anyway until I know for sure there's no heir out there. We're still looking. I'll keep Rachel posted, and I'm sure she'll keep you in the loop.'

With Sylvie still asking Toby about his memoirs as often as

she could, he'd tried to get back to work, but he wasn't really getting anywhere. He had been sitting there for at least an hour, fiddling with a paragraph that wouldn't come together, when there was a knock at his front door.

He opened it to find Rachel standing on his doorstep with a cardboard box in her arms.

'Hi,' she said, with a smile. 'Sorry to appear unannounced, but—'

'It's good to see you,' he said, standing aside. 'Come in.'

They went into the kitchen and she hesitated as she saw the table. 'I'm sorry, are you working? I don't want to interrupt.'

He pushed his laptop shut as he passed it on his way to get her a wine glass. 'You weren't. Really, I had ground to a halt before I'd even begun. Some wine?'

She smiled, still holding the box. 'That'd be nice, thanks.'

'What have you got there?' he asked, coming back towards her.

She looked down at it, apparently reluctant to put it down. 'I found it under Cullen's bed, hidden behind a stack of the *New Yorker.*'

Toby put a glass of wine down on the table in front of her. 'Anything interesting?'

'Well . . .' She put the box on the table and picked up her glass, taking a large mouthful.

Toby laughed. 'You're being mysterious.'

'Sorry. I'm still . . . processing. I've got something to show you that's . . . huge, frankly.'

'Okay,' he said, eyeing the box.

'It's about the camera obscura.'

'Oh?'

'Yes.' Rachel sipped more of her wine. 'Here's the thing. We've always assumed that E.A.M. – and I think it's a fair assumption, given that those initials are all over every blueprint – was the actual architect and builder of the lighthouse, and that James MacDonald has been credited with the work because it was his idea and on his land. And, because, frankly, he wanted to be and he was the one with the money. Right?'

'Right,' Toby said, pulling out a chair for her to sit and then sitting back down in his own.

'And once we found the mention of Edward McCreedy,' Rachel said, sinking into her seat, 'we thought he must be E.A.M., the actual architect who had been diddled out of credit by James MacDonald. Except – that never really fit, did it? All the papers and notebooks cover more than the span of the years the lighthouse was being designed and built. If they were McCreedy's, why were they all in the lighthouse even after he'd finished building it and been sent to Australia? And that first note – *To You Who Finds Me* – that doesn't really fit in with the idea that it was written by a scorned architect about to be transported, either. But without any other candidates available, and with the evidence of the initials, we kind of just went with the idea of Edward McCreedy as E.A.M.'

'I'm with you so far,' Toby said. 'But I'm wondering where this is going.'

Rachel took a moment, collecting her thoughts. 'I don't know about you, but even if I wasn't completely convinced that Edward McCreedy was our man, I've always thought that this mysterious builder and owner of the initials must *be* a man.'

Toby paused with his own glass halfway to his lips. 'Yes. That has definitely been my assumption too.'

Rachel tapped her glass with a fingernail, a slight frown on her face. 'You know what I realized earlier today? I've heard the story about James MacDonald's mad wife a million times. A few details change, but it essentially always stays the same: James MacDonald died when his mad wife set fire to the house and burned it to the ground with him inside it. But do you know what I've never heard included in that story? What her name was. I have no idea what James MacDonald's mad wife was called. Do you?'

'No,' Toby said. 'I don't.'

Rachel nodded and then put down her glass. 'I'm going to show you what's in this box now.'

Rachel opened the box and lifted out a small bundle of bubble wrap. She placed the parcel on the table and unwound the crackling plastic to reveal a book wrapped in yellowing tissue paper. As she removed this layer, Toby saw a volume bound in dove-grey leather. Rachel turned the book around so he could see it the right way up and opened the cover to reveal the frontispiece.

SENSE AND SENSIBILITY
BY A LADY

'Bloody hell,' Toby said. 'Is that—'

'It's a first edition,' Rachel told him. 'Austen published anonymously to begin with. This is a first printing. They're rare, but not impossible to find. This would be considered in mint condition, except for the fact that it was originally published in three volumes but here they have been bound together as one. That was most likely done to match the style of the purchaser's own library bindings, which was a trend for this period. Also, they're inscribed.'

'Inscribed?' Toby asked. 'Do you mean – by Austen herself?'

'No. It was obviously given as a gift, which is what I want to show you.'

Rachel carefully turned a page and Toby saw that someone had added a dedication in beautiful cursive script.

To my darling Eveline, as we look forward to the birth of our child.

How lucky I am to have you both. All my love and eternal devotion, your husband, James.

'Eveline,' he said.

'Eveline MacDonald,' Rachel clarified.

Toby looked up at her. 'E.M.?'

Rachel closed the book and folded it neatly back into its wrapping. 'How about that?'

'But James MacDonald had no children.'

'No children that *lived*,' Rachel pointed out.

Toby leaned back in his chair, absorbing this information.

'This could just be another coincidence. The Austen wasn't in the camera obscura room, it was under Cullen's bed. We can't know if it came from there.'

'I think we can,' Rachel said.

'Oh? How?'

'Because this leather is the same grey that James MacDonald used for all his private bindings. And besides, there's more.' She reached into the box and pulled out another three neatly bubble-wrapped packages. 'Three more, in fact. To make up all four of the novels that Austen published in her lifetime, all bound in the same way.'

Toby felt a frisson of excitement tick through his ribcage. 'And all inscribed?'

'And all inscribed,' Rachel confirmed, and she unwrapped the dove-grey volumes one by one. 'I'm going to open them chronologically.'

The note in the front of *Pride and Prejudice* read:

For my darling wife Eveline, on our anniversary. Another year together will surely restore our joy despite our terrible loss. Be strong, dear heart. Together we will heal. We will. J.C.M.

'Ah,' said Toby.

'Indeed,' Rachel agreed, 'I think it's safe to assume from that inscription that the baby Eveline was carrying when James gifted her *Sense and Sensibility* died either before birth or very shortly afterwards, hence there being no record of a child. Now, here is *Mansfield Park*,' she went on. 'This was published in 1813, when the lighthouse would have been under construction . . .'

For my darling Eveline. Your ingenuity and talent astonish me, and your improving spirits lift my own. Your tower will be a fitting tribute to our beautiful lost boy. Brava, and Godspeed – James

'And here is *Emma*, which was published shortly before Christmas of 1815, when the tower would have been newly completed,' Rachel said, picking up the final book and opening it for him to see.

For my darling wife and your glorious library. You are a wonder. All my love and devotion, for ever and always – James.

Toby leaned back in his chair. He felt as if the roof above him had suddenly opened, revealing an endless spread of stars.

'Eveline MacDonald,' he said quietly.

'I wonder what her middle name was,' Rachel said. 'For some reason I think it was Anne.'

Toby leaned forward again, watching as she carefully packed away the Austens. 'Why were they under Cullen's bed?'

'I've been thinking about that,' Rachel said. 'I think they were originally up there in the camera obscura room, but he brought them down. He couldn't do anything about the rest of Eveline's papers, but the books were easy to conceal. Also, they're true antiquarian gems. The book lover in him just couldn't bear to leave them up there, sealed away where they could be damaged without him even knowing.'

They were both silent for a few minutes, thinking.

'We're going to have to reassess everything,' Toby said. 'If E.A.M. was Eveline MacDonald and not Edward McCreedy . . .'

'I'm certain she was,' Rachel said. 'It fits far better than Edward McCreedy, doesn't it? And that letter, the one left on the camera obscura plinth – can I see it?'

Toby opened his laptop and retrieved the very first file he'd scanned. They looked at it together, the handwriting now so familiar to both of them that it was slowly becoming easier to read.

' *"The tower must stand, for both of them,"'* Rachel read aloud. 'I never understood what that line meant before, but she's talking about her husband *and* her son. She first built it as a monument to their dead son, who must also have been called James. A stillbirth, perhaps, because he certainly never lived long enough to factor into the family records. Stillbirths weren't grieved in the same way in this period, and likely wouldn't even have been recorded officially. Eveline probably wouldn't even have had a grave to visit to remember her lost child.'

'So . . . she built a *lighthouse*?' Toby said, incredulous.

'She'd always been fascinated by them, hadn't she?' Rachel pointed out. 'All those notebooks – didn't I say that some of them looked as if they'd been drawn by someone very young? I think she'd always been captivated by them, even as a child, and that fascination had, over the years, led her to learn a lot about how they were built. Then she lost her son and was coping with that terrible grief . . . Maybe it was James; maybe he told her to go ahead and build a lighthouse in the hope that the project would drag her out of her depression. They had the money to do it, after all, and he obviously loved her very much.'

'She named the tower after him.'

'After *them*,' Rachel corrected. 'And because of that, everyone has always assumed it was her husband who built it. Even if people knew the truth at the time, the facts got lost in the flow of history.'

They both fell silent, considering this. Toby looked between the note on his screen and the inscription in the front of the Austen, the lines of fluid handwriting script slanting in distinctly different directions.

'I should have found a handwriting analyst to look at a sample of this straight away,' he said. 'I bet an expert would have seen that the handwriting was by a woman in about ten seconds flat. Why didn't we even consider that as a possibility?'

'Because we've always been told that the James MacDonald Tower was built by James MacDonald; because we just assumed it was built by a man,' said Rachel, 'and because we knew nothing else about his wife except that she was mad.'

'Do you think she was?'

'What – mad?' Rachel asked. 'I think she was grieving and depressed. That doesn't make her insane. Although anyone looking at a woman building a lighthouse on a hill miles from the sea might easily be able to say she was if they wanted to.'

Toby looked up at her. 'Edward McCreedy?'

'It's easy to start a rumour,' Rachel said quietly. 'It's harder to stamp it out, especially if the person telling the most interesting story shouts the loudest. Maybe that's why James MacDonald wanted him gone.' The weight of all that lost history began to settle on her shoulders, the void it represented. 'I want to know her story – Eveline's. I want to know what – how – *why* . . .'

'The answer might still be there somewhere,' Toby pointed out. 'There are papers I haven't scanned. We can keep looking.' He reached across the table and caught her fingers with his, a simple reassurance, like her hand on his shoulder in the darkness before the dawn. 'If the answers are there, we'll find them.'

Rachel said nothing, watching his thumb glide over her knuckle, grateful for him suddenly; grateful that he was there and that she was not alone with this, this awful desire to *know*.

'Have you eaten?' he asked. 'I bet you haven't. Let me put some pasta on for you, it'll only take ten minutes.'

She agreed, because she was hungry and because Toby's

kitchen was warm and bright, and the shadows at the edges were not darkness but contrast, and because she thought that perhaps he understood what it was to carry something with you, always, always.

Twenty-Four

One night at Edie's became two, and then three. They didn't talk about it. It was simply that every evening, once their printmaking lesson was over, Edie put down a plate of food in front of her and then Gilly just ... didn't leave. It made her nervous, and taking charity was always a bad idea, but she couldn't pretend that it wasn't good to sleep in a proper bed, in a proper house, with someone from whom she felt no threat. And it wasn't as if Gilly had anywhere else to go, especially not if she wanted to carry on working at the bookshop, which she did. She figured that sooner or later Edie would kick her out. In the meantime, Gilly made herself quieter than a mouse and every bit as scarce. She didn't touch anything she didn't have to. She didn't take food from Edie's kitchen unless she was given it. She left everything the way she found it. The most she helped herself to was water from the tap.

Be invisible and maybe the world will leave you alone.

On the morning of the fourth day, Gilly got up and crept

downstairs, aiming for the front door, when the artist yelled at her from the kitchen.

'Gilly! Come here a minute, would you?'

Gilly hesitated with her fingers on the latch. 'I've got to get to the bookshop.'

Edie appeared in the doorway. 'It's not even 8 a.m. It takes five minutes to walk up the hill, not an hour and a half.'

'What's it to you?' Gilly asked.

'Nothing at all,' Edie said, 'which is the whole point. You wake up, you go out, you spend your time in between the bookshop and our lessons God knows where, whatever the weather, because . . .?'

Gilly still had her hand on the latch. She shrugged. Edie was quiet for a minute, watching her, and Gilly didn't like it. She didn't need anyone's pity, and she hated the way people giving you stuff meant they thought you owed it to them to answer their questions.

'You don't need to do that, is all I'm saying,' Edie told her. 'You've been no bother, and Rachel needs you. It makes sense for you to live here, so why don't we agree here and now that you're going to do that?'

'Live here?'

'Yes. I mean, you are anyway, aren't you, really? Let's make it formal. And then maybe you'll stop behaving like a ghost.'

Gilly blinked. 'How much?'

'How much what?'

'Rent,' Gilly said. 'If I'm going to live here, I need to pay.'

Edie crossed her arms. 'You don't. I don't need it. I'd rather you save.'

'I'm not a freeloader. I won't stay if you don't let me pay.'

'All right,' Edie sighed. 'You give me what you think is fair, then.'

'There have to be ground rules, too,' Gilly said.

Edie raised her eyebrows. 'Ground rules?'

'If I'm paying to live here, you don't get to ask me questions.'

'Okay . . .'

'You respect my privacy and I'll respect yours.'

Edie nodded. 'Fair enough. Deal?'

Gilly hesitated before she said it. 'Deal.'

Edie turned away and lifted a small set of keys from a hook on the wall, holding them out. 'Here you are. Front and back. Make sure you lock them both if I'm not here.'

Gilly stared at the proffered keys.

'Go on,' Edie said, rattling them. 'Or do you expect me to fit my schedule around yours so that I can open the door every time you want to come in?'

Gilly took the keys. Edie turned back to the kitchen.

'Right,' she said. 'Come on. I've got some bacon that needs using. You've time for a sandwich before you go to work.'

Twenty-Five

Rachel now thought of Eveline MacDonald every time she stood behind the shop counter and looked up at the cavern of books. She could imagine the woman who had built the tower standing at the centre of her finished library, surveying what she had created. What a mind she must have had. Rachel wished she could have known her, could have talked to her. If only she could understand how the woman who had built this place had become known for burning her husband to death instead of for this achievement. Rachel also wished she could ask her why she had put a camera obscura at the top of the tower instead of a light, not to mention why she had wanted it to be kept secret. Rachel still had so many questions and the only person who could answer them had been gone for two hundred years, so successfully consumed by the fog of history that they had struggled to even find her name.

The call that Rachel had been waiting for came a few days after her discovery of the Austens, as she was showing

Gilly how to package the Internet orders. They didn't sell a lot online as the reactionary in Cullen had never been keen on the idea ('A person needs to see a book, Rachel! To *smell* it! To *hold* it!'), but Rachel had found that it was often the only way they could keep paying the bills on the lighthouse. Since Cullen's death, she had begun to assemble a wider selection of volumes from the bookshop's collection that she thought would sell quickly online and planned to get Gilly to begin listing them while she continued the task of clearing the gatehouse.

Rachel tried not to think too deeply about her reasoning for increasing their online sales. The idea that at some point in the future she would have to clear out the bookshop entirely filled her with dread. She couldn't imagine the light-house empty of books. It would look like a hollowed-out ribcage, devoid of what it had been created to hold. What would Eveline MacDonald have thought about that?

She couldn't bring herself to even consider listing the Austens, although they would have fetched a small and instant fortune on the open market.

'Rachel,' said Alan Crosswick's voice into her ear as she picked up the phone. 'Good morning. I have news.'

'Hello, Alan,' Rachel said, her heart beating unevenly in her chest. 'Can you give me a moment? I'll go upstairs.' She smiled at Gilly, told her she'd be back shortly, and made her way up the iron staircase.

'We believe we have located an heir,' Crosswick said, once Rachel had reached the mezzanine. 'It's a young woman named Trudy Goodwin, and she currently lives in North Carolina.'

'North Carolina?'

'I know, it seems rather random, doesn't it?' Crosswick laughed briefly. 'She's at Duke University Hospital. She's a student doctor. Anyway, I'm about to dispatch a letter that will give her what I imagine will be the shock of her life. I'll let you know when we hear from her.'

Through the numbing fog that had enveloped her mind, Rachel realized that Crosswick had stopped speaking and was expecting some sort of answer. 'Thank you for keeping me informed,' was all she could think of to say.

'I'm sorry the wait has been – and will continue to be – so uncertain,' Crosswick said. 'I understand that it can't be easy. Thank you for being so diligent in your upkeep of the building and the business. I'll make sure that Ms Goodwin is aware of your conscientious stewardship and the wider situation of your accommodation. If she decides to keep the lighthouse operating as it does now, she will need a manager. I'm hopeful you won't need to leave at all.'

Rachel tried to imagine what a busy young doctor in North Carolina would do with eighty thousand books and a lighthouse in a field in Scotland, and failed to come up with a single answer.

Behind her, footsteps clanged on the staircase and she turned to see Toby appear at the top of them. He tipped his head to one side and gave a quizzical smile, and Rachel realized her expression was fixed in a frown.

'I'll be in touch soon,' the solicitor told her. 'Call me if you need assistance at any time.'

'Thank you, Alan,' Rachel said. She hung up as Toby came closer. His hair was getting a little longer, Rachel noticed. It was beginning to curl around his ears. She liked how it softened the angles of his face.

'Everything all right?' he asked.

She tapped the phone against her thigh. 'They've found the heir. They're going to contact her now.'

'Ah. That'll be some news to get, won't it?'

'That's what the solicitor said,' Rachel said, laughing. Then she sobered again, taking a shuddering breath.

Toby touched her arm and made her sit in one of the reading chairs, the one he usually took. He sat opposite and leaned forward, his elbows on his knees, his expression sympathetic.

'This is ridiculous,' she said. 'I knew something like this was coming. Now it has, that's all – I shouldn't let it shake me up like this.'

'Give yourself a break,' Toby said, taking her restless hands between his. 'It'd be a lot to deal with, even without everything else you've been coping with recently.'

'I didn't tell Alan about what we've discovered,' Rachel said. 'About Eveline, I mean. Perhaps I should have.'

'You can always call him back,' Toby said. 'Just take a breath for a minute or two.'

Rachel nodded, staring at nothing.

'It's nice to see Gilly downstairs,' Toby said. 'She looks the happiest I've seen her since I've known her.'

'Have you heard the latest?' Rachel asked. 'Edie's taken her in.'

'*Edie?*'

'Ssh,' Rachel laughed. 'Yes! She'd been sleeping in her garden shed, would you believe it. Edie found out and gave Gilly her spare room.'

'Well. That really is a turn-up. I wonder how long that'll last before they kill each other?'

'A long time, I hope. I think they'll be good for each other. I think they have been already, actually, though neither would admit it. Edie was making comments about Gilly going to college yesterday.'

'That would be a good outcome.'

Rachel sobered. 'Yes,' she said. 'It would be good to have at least one of those.'

'Listen,' Toby said, 'It might do you good to get out of the village for a few hours, don't you think? Why don't you let me take you out somewhere this weekend?'

Twenty-Six

Gilly had figured out how the bookshop worked pretty quickly. Mostly it was just about putting up with the customers. The regulars were fine, but there had been several times that Gilly had made herself bite her lip instead of telling people where to get off with their snooty attitudes and habit of looking down their noses at her as if she had no business being in a bookshop. She had no intention of screwing this job up while it lasted, though. If she could get a good reference from Rachel, it might help her get another job elsewhere. A permanent one, one that would mean she could pay Edie proper rent. Staying with the artist had so far been easier than she'd thought it would be, and if she could persuade Edie to let her stay ... well, then all of Gilly's problems would be over. Three years and she could stop looking over her shoulder. Everything would come up roses.

She should have known, of course, that nothing in this life could possibly be that simple.

It started when Gilly printed her first image on the press.

It had taken her ages to carve out the block. Every time she'd begun to rush, eager to move onto the next stage, Edie had made her stop for the evening.

'Slow down,' she'd say, every time. 'Think about what you're doing. The end result will be better for it.'

Eventually, though, Gilly had got there. The telegraph pole she'd seen all those weeks before, its electrical lines radiating out like the spokes of a bike wheel, was now an image that Gilly herself had cut out with a spare set of Edie's carving tools and a lot of concentration.

'You're finished,' agreed Edie when Gilly had shown her the block. 'Time to do a test print.'

Gilly had watched the artist mixing and rolling ink, but that was the first time she'd done it herself.

'Very good,' Edie had said once she'd rolled the ink onto the block, before showing her how to position it in the press and layer on the paper and protective felt blanket.

Winding down the top of the press, Gilly had found herself holding her breath. When she lifted the plate and peeled back the paper, there was her picture, the ink now imprinted onto the paper. Gilly stared at it for a moment, entirely transfixed.

'You've done a good job there,' Edie said. 'A really good job. Gilly—'

And that's when the strings appeared, the ones that Gilly really should have known would be attached there somewhere.

'Gilly, have you ever thought about applying for college?'

Gilly actually laughed at that.

'College? Me? No way.'

'Why "No way"?' Edie asked.

Gilly had just looked at her. 'Me at college? Not really very likely, is it?'

In answer, Edie had picked up the print Gilly had just made and held it up. 'You could go to art college, Gilly. In fact, I really think you *should* go to art college.'

'Nope,' said Gilly. 'No point even trying.'

'Why not?'

Gilly ignored the question. If Edie couldn't see why the suggestion was absurd, there was no point even talking about it. She took her brand-new print from Edie. 'Can you show me how to do a multicoloured one now?'

'If I do, will you promise me you'll think about the idea of college?'

'Sure,' Gilly lied, having absolutely no intention of ever thinking about it.

Edie, of course, being the annoying cow she was, would not let the thing go. She mentioned it at every lesson. She even roped everyone at the bookshop into the Campaign to Get Gilly to Go to College too.

'It'd open a lot of doors for you,' Ezra told Gilly, as she rang in the latest books he wanted to read. 'And if Edie's the one telling you you're good enough, then believe me – you're good enough.'

'I don't need doors,' Gilly told him. 'I just need to earn a living.'

213

'Right – and college will help you do that.'

'No,' Gilly said. 'A *job* will help me do that.' Rachel appeared and Gilly appealed to her. 'Rachel will get it,' she said. 'What do *you* think is more important – college or a job?'

Rachel looked at her from over the pile of books in her arms. 'Is this about Edie's suggestion that you apply to art school?'

'Yeah,' Gilly said. 'She won't leave it alone, but *you* get why it's a ridiculous idea, right? Please tell everyone to get off my back about it.'

'I don't think it's a ridiculous idea at all, actually,' Rachel said mildly.

'*What?*'

'You've clearly got a talent, Gilly. Who knows where that's going to take you?'

'Oh, forget it,' Gilly muttered, frustrated that even Rachel, who she'd thought would understand better than anyone that a wage one could rely on was worth far more than a daft bit of paper saying that she knew how to make a pretty picture, didn't seem to get it.

Twenty-Seven

'What a beautiful place.'

Rachel looked out of the large picture window in which she and Toby were sitting. The tiny village of Crovie curved away from them, a single line of houses between the cliffs and the whip-narrow sliver of land on which they had been built. She'd never seen a place like it – it looked so precarious, as if a strong gust of wind could tip every house from the shore into the water, which was apparently what had almost happened only a year or so before. The sun was finally beginning to set after a long day of blue summer skies unsullied, for once, by rain. Rachel felt as if she had crossed a continent rather than just a county.

'Isn't it?' Toby agreed. 'I'll have to thank Sylvie for telling me about it.'

'Thank her for me, too,' Rachel said.

He smiled at her, the setting sun bathing his face in orange light. 'I'm glad you changed your mind about coming.'

'Well,' she said, 'you were right. It was a good idea to get away from the lighthouse, even just for a few hours.'

It was Saturday evening and they were at the Crovie Inn, finishing their coffee after the most delicious meal that Rachel had eaten for a long time. The place was busy, and a few times since they'd sat down, Rachel had heard people around them referring to the television series that had apparently accompanied the restaurant's opening a few months before. Rachel watched a wave roll up against the only path that led through the village and was fascinated by the idea that at the highest tide this route was sometimes entirely impassable. Earlier she and Toby had parked in the car park at the top of the hill and walked slowly down into the village and along the sea wall and back, the wind blowing the last remaining cobwebs from Rachel's crowded mind as she'd breathed in the sea air.

Rachel's first reaction had been to say no when Toby had asked if she'd like to have dinner with him at this place a couple of hours' drive away from Newton Dunbar. She'd backed away, told herself – and him – that she couldn't.

'I'm not asking you for a date,' he said. 'I understand that's not what you're looking for from me. But we're friends, aren't we? And, as your friend, I think you could do with getting away from here for a bit. For a change of scenery, for a break. That's all. Anyway, Sylvie's been in my ear about this place she wants me to visit. I don't really want to go on my own, and if I don't go at all she'll never let me hear the end of it.'

'I think,' Rachel told him, 'that you really need to establish some boundaries where your ex-wife is concerned.'

'Believe me,' he said. 'I know. Maybe while we're up there on the coast I can conveniently drop my phone in the sea and just not tell her my new number?'

She'd laughed at that.

'Are you sure you don't fancy a trip away from the lighthouse?' Toby asked. 'When was the last time you got out of the village?'

Rachel had considered and realized that the furthest she'd been for at least six months was Great Dunbar. This came as a shock – there had been a time when her life had been a constantly changing sequence of different places. She'd liked that aspect of her transitory life, her constant observation of different landscapes, not to mention the knowledge that tomorrow she could move on and leave whatever worries had accumulated in a place behind with it.

'You're right,' she said, before she could say no a second time. 'I'd love to come, thank you.'

It had been the right decision. They'd talked and laughed, and for the first time since Cullen's death and the conundrum of the camera obscura, Rachel realized that the worries that accompanied all her days had receded into the background, at least for a while.

'I haven't asked you how the book's going recently,' Rachel said, as the waitress arrived with their dessert.

'Well, I've written about forty thousand words so far,' Toby said, 'and I suppose the good news is that about five thousand of them aren't entirely terrible.'

'I'm sure it's far better than you think it is. Have you let

Sylvie see it yet?' Rachel asked, and then laughed as he gave an elaborate mock shudder.

'God, no.' A slight frown settled on Toby's face and he picked up his fork, toying with it despite his dessert being long since finished. 'I think one of the problems is knowing that if I do actually do this – if I do actually write my memoirs – I'm going to have to write about something I've always avoided putting down on paper. I just don't know how I'm going to do that, or if I will ever want to. But without it, it's incomplete.' He seemed far away for a moment. 'It's something that happened right at the beginning of my career. I've been trying to put it into words for literally years – decades, now, actually. And the fact that I've never been able to . . .' he stopped.

'Tell me now,' she said. 'Tell me about it now, in exactly the same way as we've been talking about nothing all evening.'

He looked at her and then at her empty coffee cup. 'Let's walk some more,' he said. 'I'd like to see the village one more time before we leave, wouldn't you?'

Outside, the wind had turned brisk and the tide was in, rolling high against the sea wall that formed the only path through the village. The sun was dropping towards the horizon, burnishing the steep cliffs and the flashes of the sea birds' wings as they swooped and dove above their heads. Toby was quiet as they passed the tiny cottage on the sea wall called the Fishergirl's Luck. Eventually they reached the two benches set against the cliff right at the end of the village and sat looking back along the path, with Gardenstown spilling down towards the water across the bay.

'I've never talked about this to anyone,' Toby said, after another couple of minutes of silence. 'Not my editors at the time, not Sylvie, not my doctors, not my therapist ...'

He fell silent again, gathering his thoughts, trying to begin. Rachel watched the waves, with no intention of rushing him.

'It was my first trip to the African continent,' Toby said eventually. 'I was still a cub reporter, really, although I wouldn't have recognized that myself, at the time. I was sent to Liberia to cover the second civil war in the late 1990s, early 2000s. The first civil war had already devastated the country. Thousands dead, infrastructure destroyed, citizens traumatized. I spent my first two days there in the hospitals and what I saw was ... well, terrible, as you can imagine. The worst I had seen up until that point, I think.'

He looked out at the water, at the waves charging full-tilt at the village under the cliffs, and fell silent for a while.

'My stringer set me up with a driver to take me into an area where fresh fighting had broken out. His name was Soumanwolo. God knows how much he was paid – it must have been a fortune, at least for him, to be willing to risk that trip.' Toby made a sound in his throat, shook his head. 'I didn't even hesitate. As if I was invincible or something. Anyway, when he arrived to pick me up it was in the most beaten-up pickup I'd ever seen. He told me to get in the back and keep my head down. I spent the next three hours bumping over roads ruined by the craters left by shells, listening to more shells fall in the distance and knowing that's where

I was headed. It was hot, dusty, jarringly uncomfortable. I couldn't make notes. I just watched everything pass me by.'

Toby stopped, so wrapped up in the memory that Rachel thought he was probably right back there, reliving that drive, feeling every bump in the road, hearing every ominous sound of war growing closer.

'We slowed down as we passed through a township and I saw this old van by the side of the road. It was a wreck. It could have been there for a year or ten years or for fifty, it was impossible to tell. The rubber of its tyres had rotted into strings, the hub caps were cracked and rusted. The windows were long gone. Any paint still visible was turquoise, faded pale. But ... it was beautiful. And what made it so were all the thousands of bullet holes that had been fired into it. Every inch of metal had been peppered with gunfire, and it looked like lace. I wanted to take photographs of it, so I banged on the cab window until Soumanwolo stopped, even though he clearly didn't want to.'

Toby stopped talking. He rubbed one hand over his face before he resumed.

'He was so anxious – he kept telling me we had to go, we had to go, we had to go *now*. But you know what cameras were like back then. I still had an analogue beast, it wasn't even digital. I wasn't sure I'd got the image I wanted – I wasn't even sure what the image *was* that I was wanted. I kept taking one more picture, then one more, then *just one more*.' Toby cleared his throat. 'A truck came up the dirt road, fast, like a bat out of hell, churning a dust cloud behind it.

Soumanwolo yelled at me to get back in the truck and to hide. It didn't even slow down as it passed – one of the men inside shot him from the window while I was couching behind the back wheel, clutching my camera.' Toby looked up at her, but Rachel wasn't sure she was what he was seeing at all. 'They just *shot* him, and left him lying in the dust.'

He paused again, and Rachel found herself reaching out a hand to place it over his where it rested on the bench. Toby turned his hand over and tangled his fingers with hers.

'He was still alive when I got to him. I got him into the flatbed and drove the truck back to the city myself, but he was dead by the time I got to the hospital. Not that the hospital would have had much in the way of supplies to treat him anyway.'

Toby cleared his throat.

'I completed the assignment. I had to, that was my job, it was why I was there, but I didn't write about that day. I took that roll of film back home with me. I should have left it there, in the dust, but I didn't. I had it developed. And the thing is, those photographs of the van ... they're beautiful. I love them. I still find them beautiful, even now. That photograph is of something destroyed, defaced by weapons that must also have ended human lives, taken moments before another life was destroyed, because of *me*. There's at least a possibility that some of the bullets that damaged that van were fired from the same gun that killed my driver. But it's still beautiful, and I don't – I could never—'

Rachel squeezed his hand, a reminder that she was there.

'I know there's a message there, somewhere,' Toby said. 'One I've never been able to decode. I don't know if it's about myself or about humanity at large, or whether there should have been something much more specific about that particular war that I should have been able to extrapolate from that image.' He shook his head. 'That was my first big assignment, and it was my biggest failure. The rest of my career came out of trying to make up for what happened to Soumanwolo, and every time I published, I was reminded of him. And when I got shot myself—' He stopped again, shaking his head. 'That's the first time I've ever spoken about that. To anyone.'

'Well,' Rachel squeezed his hand. 'I think I understand your night terrors a lot more now.'

Toby smiled grimly. 'Yes.'

'Do you think,' she suggested gently, 'that if you talked to someone about this incident – professionally, I mean – they might be able to help?'

He lifted her hand to rest it on his thigh between both of his. It was an intimate touch, but Toby was looking out at the water and she wasn't sure he'd even realized he'd moved. Then he looked down at their joined hands and let her go.

'They might,' he said. 'But perhaps I don't feel as if they should. I don't think my guilt is illegitimate, do you? And so perhaps I *should* feel it. Perhaps I deserve to.'

Twenty-Eight

It all came to a head one rainy afternoon when the shop was empty of anyone except people Gilly knew. She was trying to answer an email from someone asking about a specific book for which they'd been searching. Edie appeared through the doors and leaned against the counter, brandishing something that Gilly saw, at a glance, was a college prospectus.

'This arrived in the post,' Edie said. 'I know you won't even want to look at it, but—'

'I don't,' Gilly assured her, concentrating on the screen.

'—*but* I know the head of the department of this place. We were at art college together, back in the day, actually, so I called her.'

Gilly stopped what she was doing and looked up with a frown. 'Why?'

'To talk about you, Gilly. I explained that I've been doing some private tuition of a student who has real potential but needs help getting back into the formal education system.'

'But I don't,' Gilly said. 'I don't want help, I don't need help. How many times do I have to tell you that?'

'Gilly,' Rachel said, coming to join them. 'Why don't you just listen to what Edie has to say? She's obviously got news.'

'I've *been* listening,' Gilly retorted. 'It's all she ever talks about.'

'That's not even slightly true,' Edie huffed.

'Yeah, you're right, it's not,' Gilly agreed. 'You also whinge non-stop about Ezra and that bloody goat.'

Edie gave her a look that could have curdled the milk in her coffee. 'I don't know why I bother.'

'I don't know either!' Gilly told her, her voice rising. 'That's what I'm saying! Don't bother, because I don't *want* you to bother!'

'Gilly,' Rachel said again, her voice gently warning.

Gilly sighed. 'Sorry,' she said. 'Look, I know I owe you a ton—'

'That's not what this is about,' Edie said. 'It annoys me to see talent go to waste. And that's what you're doing – you're wasting your talents when you could be putting them to good use to build yourself a future. What's going to happen to you, Gilly? How will you live?'

Gilly stared at the computer screen, resolutely ignoring Edie's face and stabbing harshly at the old keys. 'I'll get a job.'

'Where?'

'I don't know – wherever will take me.'

'For minimum wage, you mean? You think that'll be enough to build a life on?'

Gilly threw up her hands. 'What do you *want* from me?'

'I want you to have a better future than you have now. You can't stay in my spare room for ever.'

Gilly stared at Edie, hard. 'Is that what this is about? I've outstayed my welcome? Fine. I'll go tonight, as soon as I've finished here, I'll grab my things and get out, okay?'

'That's not what I mean!' Edie said, her irritation beginning to show. 'God, trying to talk to you is like trying to talk to a brick wall! I won't be here for ever, Rachel won't be here for ever, the bookshop won't be here for ever, the situation as it stands right now *will not last for ever*! You need to think about the future, Gilly. You need to be able to find your own home.'

Her own home? Gilly almost laughed out loud at that one. Did this woman know *nothing*?

'I know that from where you are now, that sounds impossible,' Edie went on. 'You've been barely surviving for so long that you can't imagine life ever being different. But it can be. If you work at it.'

Gilly rolled her eyes. 'You don't know anything.'

'Yes,' Edie said, her voice lower now, and calm. 'I really do. Look, I'll be the first to admit that when you first turned up, I wrote you off. But I know you better now. I know you have talent. I know you can work hard when you want to. Right now you've got a roof over your head and you've got people willing to help you. If you're smart – and I know you are, Gilly, damn it, I *know* you are – you will make the most of that while you can. If you can tell me clearly right now why you don't want to go to college, *why* you don't want to take this opportunity – if you can make a proper argument against it, then fine, I'll never bring it up again. Never, from this day. But if you don't want to go just because you know it'll be tough – well then, hell, Gilly, I don't even want to know you.'

A silence followed this tirade, and in it Gilly became aware that the hush extended to the rest of the bookshop. Ezra had been playing a game of chess with Ron when Edie came in, but now both men had turned towards the tableau at the counter. Rachel stood beside her, still and quiet. Gilly could imagine Toby sitting upstairs where he had been all afternoon, his pen poised over his notepad, his head tilted as he listened. Even Bukowski was sitting looking up at her with his ears pricked.

'I don't have the money for college,' Gilly said, and was both surprised and proud that her voice was strong despite the listening silence.

'Kay – that's the head of the course – will help with the forms to get you the tuition.'

'It's not just tuition though, is it?' Gilly asked. 'It's books and materials. Travel, even. I don't—'

'We can cross that bridge when we come to it.'

'I don't have any Highers,' Gilly countered. 'I know they don't let you into college without those.'

'You need three good passes for this course.'

Gilly raised both hands palm up in a shrug. 'There you go then. Even if I wanted to go to college, I can't. Case closed.'

'Kay's willing to take the assessment of a guided portfolio of your work with me as the submission for Art,' Edie said. 'Which means you only need two more.'

'I *told* you,' Gilly said loudly, her anger rising, 'I don't *have* any!'

Edie shrugged. 'So you need to get some, and pronto. Two, to be precise. You need to get two more Higher passes before the cut-off point for the college intake next year.'

'But I don't—'

'What would you study, Gilly?'

The voice belonged to Ezra. He'd got up from the chess table and was walking towards the counter with Ron close behind him.

'What?'

'If you could learn about anything, what would you want to know?'

Gilly stared at his earnest face. 'Books,' she said. 'I want to know all about books. Customers here keep asking me things, but I—'

Edie held up one finger. 'Literature, then. That's one.'

'That's one what?'

'Higher qualification, you ninny. What else do you want to know about?'

Gilly blinked. She felt as if she'd slid into some weird vortex and everything around her was shifting. 'I don't know.'

'What did you like at school?' Ron asked, from his seat. 'I mean me, I hated school. Thought it was a total waste of time. Everything except music. I paid attention in those lessons. Must have been some lesson you liked at school. What was it?'

Gilly swallowed. 'History,' she said. 'I always liked reading our textbooks for history.'

Edie and Ezra looked at each other and, possibly for the first time since Gilly had known them, they smiled.

'History,' said Ezra.

'History,' agreed Edie, holding up another finger, 'and Literature. Perfect subjects to go with an Art Higher.'

Gilly crossed her arms, hugging herself tightly. 'What are you talking about?'

'Those are the other two qualifications you need.'

'But I can't,' Gilly said. 'I can't go back to school.'

'Pfft,' said Ron. 'Who said anything about school? Haven't you noticed where you're standing?'

Gilly looked around the bookshop, lined with more books than one person could ever hope to read in a lifetime.

'There are companies online that will teach you the syllabus, Gilly,' Edie said. 'You'll need a bit of extra help, that's all. Rachel?'

Gilly turned to see Rachel smiling. 'Sure. I can take the Lit.'

'I'll help!'

The voice came from above them. It was Toby, leaning over the mezzanine rail with a grin.

'Great. There you are, Gilly. Your tutors for Literature. And I'm guessing that you, Ezra, and you, Ron, are happy to help with History?'

'For once, Edie,' Ezra said, 'you are actually right.'

Gilly stared around them all. 'What's going on?'

'We're going to get you into college, Gilly,' said Ezra. 'If you're willing to work for it, then so are we.'

Gilly felt her throat close up. 'You ... you already all talked about this, didn't you?'

Edie almost smiled. 'We did.'

'What ... what if I'd said I wanted to study child development and business studies?'

Edie shrugged. 'Well, then you would have been on your own, kid.'

'We,' Ezra said, giving Edie a dirty look, 'would have found a way to make it work. Somehow.'

There was a brief silence.

'Gilly?' Rachel said, beside her. 'What do you say? Won't you at least give it a try?'

Gilly swallowed. Her, at college? It was a ridiculous idea. But then, so was the idea that she could have three Highers.

'Okay,' she said, her voice hoarse and barely there. 'Okay. I'll try.'

There was a collective cheer that included everyone but Edie, who was watching her with a glint in her eye.

'Don't forget you've got a lesson in the studio tonight,' was all the artist said. 'Don't be late.'

Twenty-Nine

'It's occurred to me that what you might want to do,' Alan Crosswick told Toby, via telephone from his office in Aberdeen, 'is have a look through the firm's archives.'

Crosswick had called Toby after Rachel had let him know about what she had uncovered about Eveline MacDonald.

'You have an archive?'

'Yes,' said the solicitor. 'Well, technically no, we don't – at least not any more. A few years ago we decided that holding onto a forest's worth of paper about estates and clients stretching back to the start of the company – a span of more than two centuries, would you believe – was doing no one any good. We contacted various local museums to see if they wanted to take on the responsibility of housing a multitude of ephemera and documents from bygone eras. A few had the facilities, and that included the Historical Society in Great Dunbar. They have probably what amounts to a metric tonne of paper pertaining to the Braecoille estate – which at the time, of course, included the lighthouse.'

'Right,' said Toby, scribbling on a notepad as he wondered why the solicitor hadn't mentioned this before.

'You're probably wondering,' added Crosswick, 'why I didn't mention this before. Two reasons: firstly, to be honest it completely slipped my mind that it exists. I've never had cause to need anything that goes back that far. We're talking about paperwork that, this far removed, can have absolutely no legal relevance to the present day, hence us letting it go in the first place. Secondly – and this is where I have to apologize, because you'll be the one wading through it should you choose to do so – we're talking about material that is, frankly, deeply uninteresting. It's mostly the estate accounts. Purchase orders, receipts for estate equipment, groceries, furnishings . . . deathly dull to the average person. I can tell you now that I think all you'll find about the tower are the barest accounting details. There'll be nothing about the camera obscura, unless it's incidental – that would have been noticed by the clerks back then, so if the MacDonalds really were so set on keeping it a secret, they'd have kept it off the books.'

'That's interesting in itself, isn't it?' Toby asked. 'It must have cost a reasonable amount of money to construct and install. What did they say the money was being spent on?'

'That's a good question,' Crosswick admitted. 'But I'm sure there would have been a way to lose a decent amount in a new dress or chaise longue imported from France that ended up not surviving the journey. Who knows, Mr Hollingwood, perhaps you'll uncover evidence of creative accounting two hundred years after the fact. However,' the solicitor added, 'don't feel you need to go there at all. I'm not at all sure that it will prove useful to your enquiries, which are, after all, not strictly necessary in the first place.'

'It's an unfinished story, Mr Crosswick,' Toby said as he scribbled another note on his pad. 'That's extremely necessary, at least for me.'

'Would you like to come?' he asked Rachel, when he called to tell her what Crosswick had revealed. 'I'm not sure whether there'll be anything there of interest for us, but I think it has to be worth at least a look. I called to make sure they were open and they're expecting me. I'm going to go over there this afternoon.'

'I'd love to,' said Rachel. 'Hang on and I'll see if Gilly's comfortable with me leaving her in charge for a few hours.' He waited, listening to the muffled noises off as she consulted with Gilly. A moment or two later she was back in his ear. 'She'll be fine. Ezra's coming up for her history lesson anyway, and we're quiet. Shall I meet you by the bridge?'

The Great Dunbar Historical Society was above the library, housed in a large slate grey townhouse amid the tangle of streets that wound around the riverside to make up the town's old quarter. They climbed a threadbare carpet up an echoing staircase to the second floor. Toby was sure he could smell the scent of old paper even through the heavy wooden doors that closed off the level. A brass plaque on the wall proclaimed the premises of the Great Dunbar Historical Society above a doorbell with a yellowing button. Toby tried the door and, finding it locked, rang the bell.

There came the sound of quick footsteps. The person who opened the door took Toby by surprise, because he'd been expecting someone far older. The young woman who greeted them looked to be in her early twenties, with large glasses and dark hair pulled back in a ponytail. She was wearing a tweed jacket over a cream rollneck and blue jeans, and beamed a huge smile as she took them in.

'Hi,' Toby said, 'I called earlier, about the Braecoille papers? I'm—'

'Mr Hollingwood! Yes, that was me you spoke to. Stephanie Warren. Come in, come in. I was so excited to get your call. As far as I know, no one else has ever asked about Braecoille. What we've got here is all that's left of that big house now.'

She ushered them into a square room lined with neat bookshelves. The centre of the space was dominated by four tables pushed together to form a large surface.

'Miss Warren—'

'Oh, call me Stephanie.'

'Stephanie, this is Rachel Talbot. She's the manager of the Lighthouse Bookshop.'

'Ah!' Stephanie exclaimed. 'I love that place! It must be so much fun to live in that tower – is it?'

Toby watched as Rachel smiled. 'I'm not sure about fun, but it's certainly different.'

'I heard about the owner dying,' Stephanie went on. 'There was a notice in the paper. So sad. Do you know what will happen to the place now? Oh!' she interrupted herself. 'Is that why you're here? Why you want to look at the papers?'

'It's sheer curiosity really,' Toby told her. 'On my part, more than anything.'

Stephanie laughed. 'I suppose that's an occupational hazard for you, isn't it?' Then she blushed, a deep red tint. 'Sorry. I . . . I googled you. After you called. When you said you were a writer . . . I wondered if I'd know anything you'd written, so . . .'

'It's okay,' Toby told her. 'That's an occupational hazard, too. There are quite a few in my line of work.'

'I'm a writer as well, that's all,' she said. 'Well, an aspiring one. I'm at university in Edinburgh studying history, but I volunteer here when I'm home because . . . well, you don't need to hear about that . . .'

'I bet this is a great place for inspiration,' Toby said, wanting to be kind.

'It is!' Stephanie said. 'It really is, and I've learned so much about research, too.'

Toby gave her what he hoped was an encouraging smile, and was perplexed when her fading blush returned.

'Well,' the young woman said awkwardly, 'I put the tables together to make things easier for you. There are quite a lot of papers, you see. Was there anything in particular you're looking for? Any particular era of Braecoille you're interested in?'

Toby glanced at Rachel, who had a slight smile on her face, though he couldn't work out why. 'Well, I for one am fascinated by the James MacDonald Tower,' he said. 'Perhaps any documents you have from the years it was being built?'

Stephanie's face regained its composure as she seized upon a solid task. 'I can do that for you,' she said brightly. 'It might take me a few minutes, though. Make yourselves comfortable and I'll be back as soon as I can.'

She turned and crossed the room to disappear through a firedoor. They heard quick footsteps moving up stairs and away, and then the soft thump of her footfall above their heads. Toby pulled out one of the chairs beneath the table and sat, then realized Rachel was still smiling.

'What?'

'Nothing.'

He raised his eyebrows. '*Something.*'

Rachel shrugged. 'Think you've got an admirer there.'

'What?' Toby looked over his shoulder at the door that had clicked shut a moment before. 'Stephanie? Don't be daft.'

'Trust me,' said Rachel, wandering to one of the book-shelves, 'she's got a bit of a crush on you.'

'I've only been here five minutes!'

'She googled you, Toby. There are plenty of photos of you online.'

'She's young enough to be my daughter, isn't she?'

Rachel laughed. 'Some women go for the rugged older man type. Why do you think the Indiana Jones movies were so popular?'

'Rugged? Me?'

Her laugh had resolved into a smile that he could hear in

her voice even though her back was turned. 'You do have a certain kind of charm. And you were injured in the line of duty, so to speak. Put it all together and it conjures a certain intrepid image.'

'Does it? I had no idea.'

'Well,' Rachel said, her back still to him as she surveyed the many spines before her. 'Now you do.'

He watched her in silence until she looked around at him. 'What?'

'Nothing.'

'Something.'

'How do you know there are a lot of photos of me online?'

She looked back at the bookshelves, shrugging as she pulled out one of the books.

'Did *you* google me?'

'Might have. Just out of due diligence.'

He found himself smiling. 'Of course.'

'Don't be smug,' she said, still with her back to him.

'I'm not. For the record, though . . . since we are all about the records today . . . Even if she were old enough, Stephanie would not be my type.'

'You have a type?'

'Just recently I've begun to think so.'

The room sank into silence. Rachel didn't turn around. Then there came the sound of footsteps, growing closer this time. A moment later Stephanie Warren backed through the door carrying two large and evidently heavy archive boxes.

'Sorry,' she said, out of breath as both Toby and Rachel went to help her. 'Here we are. There's one more to come down, and then that's everything we have for Braecoille between 1812 and 1816.'

They stayed at the Great Dunbar Historical Society all afternoon, looking through papers but finding nothing obvious connected to the camera obscura.

'You know what's interesting,' said Stephanie, who seemed to find the old sheaves of paper they pulled from the boxes deeply intriguing. 'They don't seem to have done any entertaining at all between 1813 and 1816.'

'Is that unusual?' Toby asked.

'For a stately home like Braecoille? Yes, very, I would have thought.'

'How can you tell?' Rachel asked. 'That they didn't do much entertaining, I mean?'

Stephanie fanned out a pile of handwritten receipts. 'From looking at the yearly expenses from the kitchen, for a start,' she said. 'They had a standing staff of almost fifty working at the house. Most of the food ordered in was staples, and month to month they hardly varied, except at Christmas. If there had been house guests and dinner parties, there would have been spikes in the orders for groceries. But the last one of those was in the middle of 1812, when it looks as if they must have had a party staying for a few weeks. After that – there's nothing. I wonder why?'

Toby glanced at Rachel, and knew what she was thinking.

After 1812 Eveline MacDonald had no longer felt like giving grand parties for her peers.

'Maybe that's when James MacDonald's wife began to get sick,' Stephanie suggested, oblivious to the silent exchange between Toby and Rachel.

'What do you mean?' Rachel asked.

'Well – you know the old story, about her being mad and burning Braecoille down,' said Stephanie. 'That can't have come out of the blue, can it?'

'I suppose not,' Rachel said. 'Is there any mention of her in these receipts? Have either of you noticed anything like that as we've been going through these papers?'

'No,' Toby said, 'there's nothing.'

Stephanie shook her head.

'It's almost as if she didn't exist,' said Rachel quietly.

'Well, all we've got here are the papers pertaining directly to the house,' Stephanie pointed out. 'I'm not sure there would be any reason for her to be mentioned, given that the money would all have been in James MacDonald's name.'

Rachel checked her watch. 'I should really get back. It's almost closing time at the bookshop and Gilly will need to get off home.'

They thanked Stephanie, who refused their offer to help put the papers away. 'I'm sorry they weren't more helpful. But I still think they're fascinating. Come back if you want to look at anything else, won't you?' she said to Toby, blushing again. 'I'll be happy to help.'

On the drive back to Newton Dunbar, Rachel was quiet

until the lighthouse tower came into view as they traversed the bridge over the river.

'I think Stephanie's right,' Rachel said. 'About Eveline's state of mind in those last years. She basically became a recluse, didn't she?'

'I suppose that's why James was so supportive of her building the lighthouse,' said Toby. 'As his inscriptions in the Austens said, it lifted her spirits as she worked on it.'

'It didn't help long term though, did it?' Rachel said. 'Think about what her note said. *I was here and not here.* I think that's why she built the camera obscura. So that she could see life outside of Braecoille without having to leave it. Without having to really *engage* with it.'

Toby looked across at her as she stared out of the window at the lighthouse. The sun was beginning to wane, the light now a burnished orange that glanced off her nose and cheekbones.

'It doesn't mean she did really set the fire,' he said. 'Like you, I still think there's something we're missing. There are documents still in the camera obscura room that I have yet to scan. Maybe one of them will tell us something.'

'Maybe,' Rachel agreed, 'but does it really matter, in the end?'

'I think it does,' he said. 'And I think you do, too. I'll come back with you now, if you like. I can do some work on the papers. I don't have plans for this evening, do you?'

'There's some work I need to get done in the bookshop. Clearing the gatehouse is taking time and I can't expect Gilly to do everything.'

239

'Well, it's up to you,' he said, as he pulled to a stop beside the gatehouse. 'If you're okay with me being up there on my own, I'm happy to carry on and leave you to do whatever you need.'

She smiled slightly as she undid her seat belt. 'Not the most salubrious place to spend an evening.'

'Believe me, I've been in far worse places. As long as I can make myself a cup of tea, all will be right with the world.'

Rachel laughed, opening her door. 'If you're lucky, you might even find a packet of biscuits in my single kitchen cupboard.'

That was how he ended up in alone in her tiny living space, making tea as the sun slipped behind the forest just visible through the sliver of window. He found most of what he needed without too much trouble – the space was so small that there weren't many places that the essential items could be – but he struggled with a teaspoon. There were none beside the sink and so he had to resort to the tiny set of drawers. The first drawer was full of papers and envelopes, so he slid it shut and moved on to the next. Finally, there was the cutlery.

They were a curse, sometimes, his sharp eyes. The way he couldn't help but notice things, even if he wasn't looking. Toby shut the cutlery drawer, put his spoon in the mug, and then stopped. He leaned on the old worktop, his brain speeding ahead even as he tried to stop it, tried to unsee what he had seen.

His gaze moved from the surface of his unstirred tea to the

first drawer he'd opened, the one stuffed with various papers. He wouldn't open it again – Rachel had invited him into her home and he had no intention of snooping. But it was too late. What he'd seen – however briefly – had imprinted itself in his mind. It was there now, like a photograph, and would be filed away with the rest of the information his brain carried and endlessly sifted through even as he thought he was fully focused on something else.

It was so innocuous, too. Just a name on an old but official-looking envelope addressed to her. Except that it hadn't been addressed to her. It had been addressed to someone called, not Rachel Talbot, but Rachel Harry.

Mrs Rachel Harry.

Thirty

'Do I really have to read Shakespeare for this thing?' Gilly asked, as Rachel placed three paperbacks onto the counter in front of her.

'Why wouldn't you want to read Shakespeare?' Rachel asked, coming around the counter to join her.

Gilly rolled her eyes. 'Do you really need me to answer that?'

'It's a requirement of the curriculum,' Rachel said. 'But it's only one, and unlike in most classrooms, you get to choose out of these three, so count yourself lucky.'

'Oh yeah,' Gilly drawled. 'Look at me, winning the lottery today.'

'I promise to make it as interesting as possible,' Rachel said. 'And hey, you might be surprised! Come on, you need to get on and choose one. Have a look.'

Gilly pulled the short stack of books towards her. The one on the top was *Romeo and Juliet*. 'There's no way I'm reading that lovesick crap,' she declared, 'I'd rather live in a ditch for the rest of my life.'

'Bit dramatic, but okay,' Rachel said, taking the offending volume and setting it aside.

Gilly examined the other two offerings. One was *Much Ado About Nothing* and the other was *Julius Caesar.*

'You've discarded Tragedy, so now you get to choose between Comedy or History,' Rachel said. 'Although to be honest I'd recommend you read both of them, even though we'll only go into depth about one.'

'Because, if anything, I am in need of fun,' Gilly quipped. 'Which one's got the most death in it? Julius Caesar got done in with knives, right?' She picked up the play and flicked through it.

'That's right.'

'Well, that sounds like fun.'

'Great!' Rachel beamed. 'Well, that was easy.'

'Hang on,' Gilly said. 'Wait a minute. You said it was a historical play.'

'Yes. It's exciting. It's full of battles and back-stabbing — literally — and prophecies of doom. It's good stuff.'

'That does sound right up my street,' Gilly said. Then she put down *Julius Caesar* and picked up *Much Ado About Nothing.* 'But you said this was comedy. And I'm already doing a History course as well, aren't I?'

'That's true,' Rachel agreed.

Gilly tapped the cover of the book in her hand. 'Maybe this one would be a better idea then.' She sighed. 'Oh, I don't know. I wouldn't bother with any of them if I didn't have to.'

'Don't say that,' Rachel said. 'I thought you wanted to know everything you could learn about literature? You can't get much more literary than William Shakespeare.'

'I know,' Gilly said. 'But now that it actually comes down to it . . .' She made a face. 'Let's go with "Comedy". And yes, I am very much putting the word in inverted commas.'

'Really?'

'Really.'

Rachel smiled. 'Great. *Much Ado* is probably my favourite Shakespeare, to tell you the truth. And I've had a look – there's a production opening in Edinburgh later in the year. Why don't we see if we can go?'

'Edinburgh? I've never been there. I've never been to see a play, either.'

'Perfect,' Rachel said. 'Then it'll be something to look forward to while we study, how about that?'

'Okay,' said Gilly, suddenly feeling a little more positive about the whole having-to-study-the-Bard thing. '*Much Ado About Nothing* it is.'

Rachel told her that they would read a few scenes of the play together in each lesson and then discuss what they thought was going on, but that Gilly could go ahead and read it herself if she wanted to get a head start on her studies. What with the play and the pile of books that Ron and Ezra had given her to read for her History course, Gilly already felt a bit swamped, not to mention Edie's insistence that she spend at least an hour in the print room every day. But she had all these people giving her their time and attention. She didn't want to let them down. And she really did want to pass those three exams.

One evening a few days later, Gilly was sitting curled up in one of Edie's living room armchairs with her copy of the play on her knee when the artist came in.

'What are you reading?' Edie asked. 'Something for your lesson with Rachel tomorrow? It's your first on Shakespeare, isn't it?'

'Yeah,' Gilly sighed, already frustrated with the unfamiliar language and play format. It wasn't nearly as easy as reading a book. 'I wanted to read the whole thing first, but it's so *boring*! How can anyone think this stuff is good?'

Edie reached out and took the paperback from Gilly's hands, turning it over to see the cover. Gilly was surprised to see the artist break out in a wide smile. '*Much Ado About Nothing*! Oh, that's one of my favourites.'

'Rachel said that too,' Gilly said impatiently. 'I don't get it.'

'For me it's Beatrice,' Edie said. 'She's one of the main characters. She's sassy and sparky, and doesn't take any nonsense. She's got a sharp tongue and isn't afraid to use it, especially on the men who disappoint her.'

'Can't imagine why you like her,' Gilly said.

'Hmm,' Edie said, handing back the book. 'It's not surprising you're finding it a little dry, really. Shakespeare was written to be seen, not read. I suppose that reading the play-script instead of watching a production is a bit like reading a description of a painting instead of actually seeing the painting. You get the shape of it, but not the scope.'

'Rachel says there's a production in Edinburgh that we can go to see, but that's months away,' Gilly told her gloomily.

Edie went to an old wooden cupboard in the corner. Gilly had never opened it – there was a lot of the house she hadn't seen, wary of seeming as if she were prying, or otherwise doing anything untoward in this place that was feeling more like home by the day but really wasn't. Edie opened the door and Gilly craned her neck to see inside. She was rewarded by a view of stacks and stacks of DVDs.

'Wow,' Gilly said. 'You could just get Netflix, you know.'

Edie sniffed, a shade of her customary disdain returning. 'I've got a perfectly good DVD player and I'll be damned if I'm throwing all of these out just so I have to download them all again.'

Gilly grinned. 'Power to the old people.'

The artist made a soft harrumphing sound, and then rooted around in silence for a while, before making a triumphant noise and reaching up on tiptoe to pull out a single case. 'There! I knew I still had it. I haven't watched it for years.' She turned and held up the DVD she held – a film version of *Much Ado About Nothing*. 'It's nearly thirty years old now, but it's got a great cast. Kenneth Branagh directed it, too, as well as playing Benedick. Why don't we watch it this evening? It's a straight dramatization, not an adaptation, so it'll be a great primer and it means you'll go into your lessons at least knowing the story.'

Gilly sat up. 'That would be great!'

Edie opened the DVD case. 'There's a bar of chocolate in the fridge. You go get that, and I'll set up.'

Ten minutes later Gilly was munching on Galaxy and watching the film's credits roll across the screen against a beautiful Tuscan backdrop. Twenty minutes later she thought she had a pretty good handle of what was going on. Half an hour later, a light came on in her mind, and it only grew brighter as she continued to watch Shakespeare's tale of stubborn love and matchmaking friends unfold.

'Good to see that grin on your face,' Edie said at one point. 'Shakespeare's not so boring after all, eh?'

'Oh, sure,' Gilly said. 'The scales hath fallen from mine eyes.'

The next morning, Gilly and Rachel sat down at the chess table for their Lit lesson. The bookshop was quiet, and one of them could get up to serve any customers that needed help. Gilly told Rachel about watching the film version of *Much Ado About Nothing* with Edie, and Rachel seemed surprised but pleased.

'You two are really getting on well.'

Gilly shrugged. 'She's okay.'

'She's lovely,' Rachel said firmly. 'It's only Ezra that she clashes with, and I still have no idea why.'

Gilly gave her a look. '*No* idea? Seriously?'

Rachel looked at her. 'No. Why – has Edie said something?'

'Nope,' said Gilly. 'I've worked it out, though. To be

honest, it's obvious.' She tapped the cover of *Much Ado About Nothing*. 'They're Beatrice and Benedick.'

Rachel frowned. 'You've lost me.'

'Think about it,' Gilly said, because she herself had been thinking about it ever since seeing Shakespeare's story played out on screen. 'All that arguing, the jibes, the friction. It's all sexual tension, isn't it? They're so *totally* Beatrice and Benedick.'

Rachel laughed. 'That's one way of looking at it, I suppose.'

'It's the only way of looking at it,' Gilly said. 'Which is why we've got to get them together.'

'*What?*'

'You heard me,' Gilly said. 'We need to do exactly what happens in the play and set them up so that they end up a couple, because that's obviously what the problem is.'

'Er, no,' said Rachel.

'What do you mean, no?'

'I mean, no, that's really *not* what their problem is, Gilly,' said Rachel.

'How can you say that when a minute ago you were saying you don't *know* what the problem is?'

'Well, because I don't – except that I know that's not it.'

'You're wrong,' Gilly said, with complete conviction. 'It's absolutely the problem. They're in love but they won't admit it, so someone else has got to intervene. Me. Us!'

'Gilly,' Rachel said, 'promise me you're not going to do anything daft. Honestly, their relationship is bad enough as it is, and they're neighbours. They have to live next to each other. They've got personalities that clash, that's all. It happens. Interfering is only going to make things so much worse. You can't make people fall in love.'

'Firstly,' Gilly said, with exaggerated patience, 'we won't be *making* them fall in love, they're *already* in love but they won't acknowledge it. Secondly, there is no such thing as happily ever after. But they're both ancient, so there's a good chance they'll at least make it to the end together.'

'Look, Gilly,' Rachel tried again. 'It's really great that Shakespeare has lit such a fire in you, but honestly, you have to leave them alone.'

Gilly sighed. 'Ron will agree with me.'

'I really don't think he will,' Rachel said. 'For the simple fact that we're not living in a Shakespeare play and, like the rest of us, he's been watching Ezra and Edie tear chunks out of each other for years. Now, don't we have a lesson we're supposed to be getting on with?'

Thirty-One

There was so much to do at the gatehouse that Rachel was spending most of her days there, boxing and collating, clearing and organizing. She always made sure to get back before closing time, so that Gilly could get out on time and she could cash up.

'Ah, there you are,' Gilly said on Monday evening as Rachel walked through the lighthouse door. 'I need to talk to you.'

'It's not about this Edie and Ezra thing, is it?' Rachel said, wearily. 'Please tell me it's not.'

'Look,' the girl said, 'just think about—' The phone rang. Gilly sighed and picked it up. 'Good afternoon, the Lighthouse Bookshop.'

Rachel smiled at the crisp tone Gilly had developed for use with customers since starting work. It was endearing, really, how seriously she took the job.

'It's for you,' Gilly said, holding out the handset. 'Alan Crosswick.'

'Thanks, Gilly,' Rachel said. She glanced at the clock as she took the phone and added, 'It's closing time. Do you want to start cashing up while I take this?' It would be the first time the younger woman had done this job alone. Rachel saw the flash of surprise cross Gilly's face at the suggestion, but she nodded.

'So that's the girl you employed at the bookshop, is it?' Crosswick said, as Rachel made her way upstairs to the mezzanine. 'She's very polite.'

'She is at work,' Rachel laughed. 'I think having a job like this is sanding off some of her rough edges.'

'Well, good for her,' said the solicitor. 'Thank you for the images you've sent over of the gatehouse, they're very useful. But listen, there's an important reason that I'm calling right at the end of the day – I've just got off the phone with Cullen's heir, Trudy Goodwin.'

'Ahh,' Rachel said. 'She got your letter, then.'

'She did. She hadn't had a chance to open it until today – it sounds as if she's on a punishing schedule at the hospital. Junior doctors – I don't know how any of them survive. Or their patients, for that matter. Anyway, she was completely overwhelmed and kept asking me if there could have been some kind of mistake. Seems rather a charming young woman, all told.' There was a brief pause, and then he sighed. 'Look, there's no easy way to say this, Rachel, so I'm just going to come out with it: she's going to sell.'

'Oh.' The delivery of the news was so sudden and so blunt

251

that Rachel had to take a breath. 'I – *Oh*. She's not even going to consider keeping it?'

'She says she can't, because if she does that, she imagines she'll probably want to keep it, and with her circumstances it's out of the question. The money from the sale will be utterly life-changing for her. She's a third-year medical student with all those attendant debts, which, given that she's at Duke, are astronomical. She's regretful, but adamant. She wants me to put the whole estate up for sale as soon as possible.'

'Right,' Rachel said, feeling numb.

'I'm sorry. I did put the case for keeping the status quo as positively as I could, but ... realistically, I'm not surprised that this is the outcome and to be absolutely honest it's the right decision for her.'

'I understand,' Rachel said, feeling shaky. 'It's what I expected, really. I just ... it's come rather suddenly, that's all. I suppose I wasn't expecting this call tonight.'

'I know. If there had been a way to soften it, I would have,' said Crosswick. 'She's asked to talk to you.'

'To me? Why?'

'I think she wants to explain. I stressed the position you've had here over the past five years, and that this is your home as well as your workplace. I get the impression she wants to apologize for her decision to sell.'

'There's no need,' Rachel said, not at all sure she wanted to talk to this young woman, who was about to turn her life inside out from the other side of the world.

'Are you sure?' the solicitor asked. 'I haven't told her about the camera obscura yet. You could do that yourself. You're the one who found it, after all.'

Rachel let her gaze drift to the bookshop ceiling. Upstairs, tucked away in the clouds, was Eveline MacDonald's camera obscura. If anyone deserved to know, it was the last descendent of the woman who had built and then hidden it.

'Okay,' Rachel said. 'All right, then. I'll speak to her.'

'Great,' said the solicitor. 'She's working – she always seems to be working – but said that she would try to call any time that you said was convenient. Shall I tell her now would be good?'

'Now will be fine.'

They said their goodbyes and Rachel cut the call as Crosswick hung up. She leaned against the mezzanine railing for a moment, trying to work out how to frame the words to tell Trudy Goodwin of the true nature of her lighthouse. Around Rachel the books sat quietly, waiting for their perfect reader to find them. She wondered how likely it was that they would still be here next year, even if she wasn't. Plenty of people dreamed of owning a bookshop, didn't they? Perhaps whoever bought the estate would do it for that purpose alone. The bookshop might stay, even if she wasn't here, and that would be something at least. Rachel dismissed that idea immediately. The price the land, the lighthouse tower and the gatehouse would command would far exceed anything it could make back through the bookshop alone. There wasn't enough living space in the tower for more than one person, and the gatehouse couldn't fit a family. No, it would make no sense to buy this place and keep it as it is.

Rachel leaned on the balcony rail, trying not to let the dark cloud hovering over her settle. Below her, Gilly was quietly counting change, noting totals on a sheet of paper. She seemed so much more collected since she had moved into Edie's place, with less bluster and more calm confidence. A stable roof over the girl's head had changed her life as surely as the same had changed Rachel's own.

'How are you doing, Gilly?' Rachel called.

'Okay, I think,' she called back. 'But you're going to have to check everything!'

'Don't worry, I'm sure you're—' The phone rang in her hand. 'Sorry, I've got to take this.'

Gilly waved one hand, but didn't look up. Rachel put the phone to her ear.

'Hello, the Lighthouse Bookshop.'

'Uh – hi! Hi,' the voice on the other end of the phone was distinctly breathless, 'I'm looking for Rachel Talbot.'

'That's me,' Rachel said. 'Speaking. And you're … Trudy Goodwin?'

'Yes! Hi. Hi. Oh God, this is weird.' The woman sounded very young, and Rachel couldn't imagine her as a doctor at all. 'Isn't it weird? Like, this morning I was just this normal student doctor who was trying to work out if I could afford to buy a coffee on my way into work and now I own a lighthouse. And a … what is it?'

'The … gatehouse?'

'Yes! God, that sounds romantic. A gatehouse! What even is that?'

Rachel wasn't sure if the question was rhetorical. 'It ... would have been where the gatekeeper lived. When the big house was still standing.'

Trudy Goodwin gave a dramatic sigh. '*The big house.* This all seems like a dream. It *is* a dream. I have to keep telling myself that. It's not real. It doesn't really exist, so I can't visit it.'

'Oh,' Rachel said, having trouble following this train of thought. 'But – why can't you visit? Because ... well, it is real.' She looked around the bookshop. 'I'm standing in it right now.'

'*Nanananana,*' the voice sang. 'Don't tell me that, please. I can't keep it – any of it – I *can't*, and if I come to visit, I know I'm going to fall in love with it and want to move to Scotland and live there in *my lighthouse* – I can't believe I've just said those words – but I can't. You wouldn't believe the debt I already have. From what Alan's said, selling will mean I can clear it all and maybe even get a house here. I can finish my residency without owing anything.'

'I understand,' Rachel said. 'But there's something I need to—'

A sudden beeping cut through the call. It was coming from Trudy's end of the line, and Rachel heard her fumbling.

'Dammit,' the young woman said. 'I'm being paged to the OR. I'm sorry, I've got to go.'

'Okay, well—'

'It was good to talk to you, Rachel, and I'm sorry I can't keep the place as it is,' Trudy said hurriedly. 'I really am. I've got to go, I'm sorry. Bye. Bye!'

Rachel was still holding the phone to her ear when Trudy cut the call. She stood there for a minute, breathing in the quiet of the mezzanine before going back down to where Gilly stood at the counter.

'You all right?' the girl asked.

Rachel nodded. 'Yes. I've just ... got some stuff to think about.' She rubbed a hand over her face. 'You wanted to talk to me about something, didn't you? What is it?'

'It doesn't matter. You'd better check these numbers, though. Don't want you thinking I'm doing you dirty over these pennies.'

Once the cashing up was done and Gilly had gone home, Rachel stood in the silent cavern of the bookshop. Eustace wound around her legs and she bent to pick him up, finding herself thinking about Toby. He hadn't come into the bookshop since the day they'd visited the historical society. He hadn't called, either. Not that there was any reason that she should expect him to – it wasn't as if they were seeing each other. She had made sure of that. Now, though, Rachel found that Toby was the one she wanted to talk to about her conversation with Trudy Goodwin, about how suddenly the confirmation had come that this place was going to be sold. Not Edie, not Ezra, not Ron. Toby. She put Eustace down and called his mobile from the bookshop phone.

'Hi,' he said, answering after a couple of rings. 'Rachel.'

'Hi,' she said. He sounded distant somehow, as if he was distracted. 'Sorry, is this a bad time?'

'No. No, of course not. Is everything all right?'

'I spoke to Trudy Goodwin today,' she said. 'Cullen's heir. She's already decided that she's going to sell.'

'Oh,' Toby said. 'Oh, Rachel. I'm sorry.'

Rachel swallowed. Saying it out loud, feeling the truth of it, made it suddenly feel very real. She blinked back tears.

'It makes total sense for her,' she said. 'It really does. But—' She stopped before her voice cracked. 'Sorry.'

'Don't be,' he said. There was a fraction of silence and then he said, 'I was going to go to the pub for some food. Why don't you join me?'

She sensed his hesitation, as if he hadn't wanted to ask, but felt he should. It was tiny, but it was there. Rachel felt the chill pulse of dismay shudder her heart.

'No,' she said. 'No, it's fine. I've got plenty to be getting on with. But thanks. Thanks for the offer.'

Thirty-Two

The problem wasn't with Rachel at all, Toby told himself, in the wake of their abruptly ended call. The problem was those quick eyes of his, the thing he didn't want to have seen, the incomplete knowledge he didn't want to have.

Mrs Rachel Harry.

He couldn't ask her about it. He didn't want to pry. It was none of his business, what he'd come across by accident. But it was there now, in his head, and every time he thought of her, he thought of it, too.

Toby stood still for a few minutes after they had cut the call, wondering whether he should call her back. Even if he did, what would he say? Maybe he should take her some flowers tomorrow? But they weren't even dating, were they, she'd expressly said that wasn't on the cards, and anyway, how was he supposed to articulate what they were for? He sighed and pocketed his phone. Sylvie was right. He really didn't know the first thing about normal adult relationships.

It was definitely a night for the pub.

He detected a strange atmosphere as soon as he stepped through the door of the Fretted Goose. It was as if a subtle wind had changed direction. Patrons turned to look at him as he passed, conversations falling silent as they glanced in his direction. It was noticeable and unsettling. When he reached the bar he found himself standing beside the postman, Eric Trott. They weren't friends, but Trott and Toby had hitherto always at least acknowledged each other. Not this evening, however, it seemed. Trott resolutely ignored him.

'All right, Toby?' Stan nodded at him from behind the polished wood of the bar as he approached it, already reaching for a pint glass from the rack above his head. 'Usual, is it?'

'That'd be great, thanks.'

'Eating tonight?'

'Yes, please.'

Stan glanced at him. 'Rachel joining you, is she? Bookshop Rachel?'

The enquiry made Toby pause. 'Not tonight, no. It's just me.'

Stan hesitated before he reached for the glass, but gave a brief nod. Beside Toby, Trott shifted.

'Smart move,' the postman muttered. 'Guess she knows what's good for her.'

'Sorry?' Toby asked. '*What*?'

Eric Trott was a big man, and when he turned to look at Toby, he used every inch of his bulk as an unspoken warning. Toby was not cowed in the least. He'd stood face to face with dictators and he'd been embedded with a platoon of marines in Afghanistan. He was not intimidated, either by thugs or by the threat of violence, particularly not when the threat was more flab than muscle. He was, though, easily angered by bullies. Toby's height equalled the postman's, even if his bulk didn't, but Eric Trott was twice the size of Rachel.

'Going to say anything coherent?' Toby asked calmly. 'Or just make vaguely violent innuendo?'

Eric was still staring him down when he said, 'Packet of peanuts please, Stan. Stick 'em on my tab.'

Stan continued pouring Toby's pint as he reached beneath the bar and pulled out a pack of dry roasted. He tossed them to Eric, who caught them with one hand and pushed away from the bar, still staring balefully at Toby. The noise in the pub had dropped almost to silence. Stan finished pouring Toby's pint and set it down before him.

'What on earth was that about?' Toby asked the landlord quietly.

Stan picked up a folded copy of the local rag that he had behind the bar and laid it silently beside the full pint. Toby picked it up and scanned the front page, then looked blankly at the landlord.

'What the hell is this?'

It took Rachel a while to answer the banging on the lighthouse door. When she did, she found Toby leaning heavily on the porch jamb, breathing hard, as if he'd tried to run up the hill.

'Toby,' she said, standing back to let him in. 'Are you all right? What's happened?'

'I've got something you need to see,' he said, passing her in a flurry of movement as he held something out to her. After a confused second she realized it was the local newspaper.

'I was in the Fretted Goose,' he said. 'Stan had it.'

Rachel took the paper, still none the wiser. She started walking back towards the wood burner but stopped dead when she looked at the front page.

QUESTIONS OVER LOCAL LANDMARK OWNER'S SUDDEN DEATH, screamed the headline.

She looked at Toby.

'You need to read it,' he told her. 'It's complete rubbish, but you need to read it. Sit down while you do.'

Rachel sank into Cullen's armchair and forced herself to read the article. The terms 'outside influence', 'elder abuse', 'neglect', 'financial coercion' and 'enforced relocation' were all used, alongside the liberal deployment of the word 'alleged'. Apparently the journalist had reliable information 'from a source close to the deceased' that suggested friends of Cullen MacDonald were questioning why the lighthouse itself had ceased to be his home five years ago, when he was suddenly moved out of it 'for reasons that may seem dubious in the light of his untimely death'. Rachel's name was mentioned as the current manager, as well as the fact that she had moved into Cullen's old living space. There was no direct accusation, but the links were clearly there for anyone who wanted to see them.

'I don't understand,' she whispered, her sight blurring. 'Why would anyone say this? None of it's true, none of it's even close to being—' Her throat closed up. She stopped speaking.

'You have to sue for defamation,' Toby told her. He was sitting in the opposite chair, leaning towards her with his hands clasped between his knees. 'It'll be a clear-cut case. There's never been a police enquiry, there's never been a hint of any wrongdoing, you have more than enough character witnesses who knew Cullen well to speak on your behalf, and two of us were present when he was taken ill.'

'I don't have money for that,' Rachel told him numbly.

'Rachel, this is important,' Toby pressed. 'An allegation like this could blight the rest of your life if you don't refute it. You have to take legal action.'

She looked at him, and for the first time in their short acquaintance it occurred to Rachel that Toby Hollingwood probably had quite a comfortable life.

'From the age of twenty-five until I came to live at the bookshop, I had no fixed home or work,' she said bluntly. 'I don't pay rent here because accommodation was part payment of my employment. When I say I don't have the money, Toby, it's not hyperbole.'

They fell silent.

'He was an old man,' Rachel said after a moment, to the bookshop air. 'It was a heart attack, followed by a stroke – in hospital. They don't say that anywhere. To read this, you'd think I strangled him in his bed!'

'You have to fight it,' Toby said. 'If not via a lawyer, at

least contact the Press Complaints Commission. Make them print a retraction. Front page, same size as the original piece.'

Rachel turned towards him. 'And that'll remove the suspicion from everyone's minds, too, will it?'

Toby looked away, but she didn't need him to answer anyway. Rachel knew what stuck and what didn't. She thought about her old camper van and wished she had it here, now. She could drive away, leave this place, start over somewhere else. Just leave it all behind and escape.

'Why is someone out to make trouble for you?' Toby said. 'Who benefits from you being talked about like this?'

Rachel rubbed a hand over her face. 'I don't know. I don't have any power,' she said, feeling hollow as the keen truth of the words hit home. 'I'm no threat to anyone.'

Toby snatched up the paper and shook it. 'And this is to make sure that's true. We have to fight back, Rachel.'

We? Rachel thought.

'Toby,' she said. 'It's late. Thank you, but – I'm going to go to bed now.'

A look of concern passed a shadow across his face. 'Have you eaten? Why don't you let me make you something? You can come back to the cottage. Or I'll make you something here.'

'No. I just want to be alone.'

For a second he looked as if he might argue, but then he nodded. 'I'll see you tomorrow?'

Rachel rubbed a hand across her eyes. 'I don't have anywhere else to go, so ...'

He went to the door and she followed to lock it behind him. She didn't watch him walk away down the hill, and it wasn't until Rachel had turned off the lights and was heading for the stairs that she realized he had taken the paper with him.

Eustace was waiting at the door to the apartment. His eyes shone yellow in the dim glow from the night light on the mezzanine. He climbed the stairs in front of her and disappeared into the kitchen, but she didn't follow. Rachel went straight up to the bedroom and then climbed the steps to the camera obscura. She pulled on the lens handle and looked down at the white disc of the viewing plinth, but there was nothing to see. The light had gone out of the world, and so Eveline MacDonald's device could not paint a moving image inside her private space. Rachel stared at the blank circle of darkness and hunched her shoulders, wondering if the woman who had built this place had ever done the same. *I was here and not here.*

For a moment it seemed to Rachel as if Eveline were standing beside her in that little domed room.

Thirty-Three

'It's absolutely disgusting,' Edie said, fury written in every line of her face. 'I've already written a letter to the paper, and I've complained to the PCC *and* to our MP.'

It was the following day. Edie had appeared with Gilly before the bookshop had even opened, and Rachel was preparing to hand over to Gilly so that she could spend another day sorting out the gatehouse. Ron would be waiting for her there already.

'Thank you,' Rachel told her, 'I don't know what to do, to be honest. Toby wants me to sue, but—'

'Oh, that's the least of it,' Edie went on, still impassioned. 'When I'm done, that rag won't even *exist*. Where is Toby, anyway?'

'At home working, I think,' Rachel said.

'As I should be,' Edie sighed. 'I'm not making much progress on this print. It's almost as if there's an extra distraction in the house or something.' She glared at Gilly, but Rachel could see no fire behind it.

'Or perhaps,' Gilly said, with surprising mildness, 'it's because you're up all hours reading those science fiction books of yours.'

The artist made a 'pfft' sound and pushed away from the counter. 'I'm going to get some work done while the house is quiet. Don't be late for your lesson,' she called to Gilly over her shoulder as she left.

Rachel bent down to pick up her own bag. When she straightened up, Gilly was regarding the door that had closed behind Edie with a frown on her face.

'What's the matter?'

Gilly looked at her. 'I think there's something wrong with her.'

'With Edie?' Rachel asked, surprised. 'What do you mean?'

'It's like she's avoiding the print room. When I get back, it sometimes looks as if she hasn't been in there at all, or if she has, she's just printed old blocks instead of working on the new one.'

'Maybe she's in a bit of a slump,' Rachel said, swinging her bag over her shoulder. 'That must happen to every artist sometimes. It'll pick up soon.'

'Maybe,' Gilly said, chewing her lip. 'But—'

'But?'

'Nothing, it doesn't matter. You go, I've got things here.'

Rachel reached out and squeezed the girl's shoulder, smiling despite her own worries. Gilly's face was beginning to lose the pinched, shadowed look that had haunted it when she'd first visited the bookshop. It was good to see.

266

'I'll be back at lunchtime,' she said, as she left.

Ron was already at the gatehouse. As soon as he saw her, he wrapped Rachel in a hug.

'Anyone who knows you knows it's not true,' he said, squeezing her so hard she could barely breathe. 'I was on the blower to that sorry excuse for a newspaper first thing this morning, telling them exactly that.'

'Oh, Ron,' Rachel said, hugging him back before pulling out of his embrace. 'You didn't have to do that. It's probably better to let it go. I don't want even more trouble.'

'There's no way Cullen would have stood for that, and since he's not here to sort it out himself, it's down to the likes of me,' Ron insisted stoutly. 'If we can't get them through the proper channels or through them deciding to do the right thing, I swear I'll make them regret it until the day I pop off.'

'Ron,' Rachel said, shocked. 'Don't talk like that!'

'Believe me, I'm already gathering my resources,' he sniffed. 'I've been researching retribution through the medium of glitter. You can send a card full of the stuff that has a mechanism in it like a Jack-in-the-box, so that when someone opens it – whoof! – off it goes, all over the place. Now that's my kind of revenge!'

Rachel laughed. 'That sounds awful.'

Ron grinned gleefully. 'Doesn't it?'

After the important ritual of tea and biscuits, they got to work. Between them they were slowly sorting through and boxing anything personal of Cullen's, and also, as per the solicitor's request, making a note of any piece of furniture they thought might be valuable enough for auction.

'It makes a person think a bit, doing this,' Ron said a while later, after another hour of sorting through personal but ultimately worthless piles of paper and accumulated knick-knacks. 'All this flotsam and jetsam we accumulate, and for what? Most of it ends up going up in smoke or into landfill once we're gone, doesn't it? What's that to show for a life, eh?'

Rachel watched him for a moment. 'Ron, you know how grateful I am that you're here, but if this is too difficult for you, I can finish this alone. We've done most of the work now anyway.'

Ron brushed the suggestion off. 'He was my friend,' he said simply. 'Besides, this is what we do, isn't it? When someone we love passes on. We make sure we're the ones who look after what's left behind. To remember them.'

Rachel shook off the suddenly maudlin thought that she had no idea who would do the same for her when the time came, or where on earth she would be living when it did. It also made her think anew of the camera obscura. It had been all Eveline MacDonald had had left, in the end. Even if she'd gone on to scrape together life somewhere else after the fire, what she'd left here was a tragedy in the extreme.

She was taking down another book from Cullen's shelf when the gatehouse telephone rang. Rachel answered it and heard the sombre tones of Alan Crosswick on the other end of the line.

'Rachel,' he said heavily, 'Gilly told me I'd find you there.'

'Is this about the newspaper article?' Rachel asked. 'You know there's no truth in it, don't you?'

'Of course I do,' the solicitor said, 'and I've already sent a letter to the Press Complaints Commission and the paper.' He sighed. 'The problem is that someone got hold of Ms Goodwin's email address and forwarded her a scan. I've tried to reassure her, but she's ... concerned.'

Rachel's heart sank. 'I see.'

'She seems to be a young woman who feels the weight of her responsibilities keenly,' the solicitor continued. 'I've told her that in this case in particular the right thing is to back you to the hilt. The problem is that she doesn't know you as well as I do and she has no family. I think the sudden revelation that she has a history for which she is responsible, coupled with the fact that someone seems to be feeding her misinformation, is taking its toll.'

'What should I do?' Rachel asked. 'Should I speak to her myself?'

'I don't think that's a good idea,' the solicitor cautioned. 'Look, I am sure we can work this out. But I would advise you to secure legal counsel with regards to this article. I can't offer you my services – it's not my area of expertise and it would be a conflict of interest – but I can recommend a colleague.'

'Thank you,' Rachel said, a little numb. 'I'll ... think about it. In the meantime, perhaps I should move out of the tower.'

Ron, who had been working quietly in the background, looked up at this, frowning. Rachel offered him a watery smile.

'If I show I'm happy to do that willingly, perhaps she'll see I'm not trying to take anything from her,' Rachel said, for Ron's benefit as much as the solicitor's. 'I can continue to do the work you've employed me to do, here at the gatehouse and at the bookshop.'

There was a pause. 'That ... is very generous of you,' Crosswick said. 'But do you have somewhere else to go?'

Rachel didn't. *This is how easy it is to lose everything. Again*, she thought. She looked away from Ron. 'I'll find somewhere.'

'All right, then,' he said. 'I regret that you feel the need to do this at all, but I think it will set Trudy's mind at rest. It is my hope that this matter can be resolved quickly.'

They said their goodbyes and Rachel hung up the phone, forcing a smile for Ron's benefit. 'Well,' she said. 'I'd better find somewhere to stay for a few days.'

Ron shook his head. 'This is ridiculous. They can't *do* this.'

Rachel smiled. 'They didn't, Ron. It's my decision. But I think it's for the best.'

'Where will you go? Will you stay with Toby?'

She paused. 'No.'

'Here, then?'

Rachel looked around the gatehouse, standing empty. 'I don't think that would be much better than staying in the tower.'

'Where, then, lass? I'd happily have you at mine, but I've only got one bedroom and the sofa's a two-seater.'

Rachel smiled but refrained from telling him that she'd slept in far worse places in her time. 'I'd be happy on the floor, Ron, if you can put up with me, but I'll try to find an alternative that won't put you out, if I can.'

Ron squeezed her hand, his face lined with more distress than Rachel had seen since Cullen's funeral. 'You stay as long as you need to, lass. I'll not see you out on your ear any more than Cullen would.'

Rachel went back to the lighthouse to collect a few things and let Gilly know what was happening.

'But – where are you going to go?' Gilly asked, chewing at her lip, genuinely distressed. 'I bet you'd be staying at Edie's if it wasn't for me, wouldn't you?'

'This isn't your fault, Gilly,' Rachel said. 'And I'll be fine at Ron's.'

The girl stared at her for another second and then reached for the phone. Before Rachel knew what she was doing, she was talking to Ezra.

'Gilly, there's no—'

'He says of course you can stay with him and why didn't you ask straight away,' Gilly said, the phone still at her ear. 'He's got a spare room, Rachel. You'd be daft to say no.'

Thirty-Four

'I'm telling you, Ron,' Gilly said, glancing around to make sure no one was listening, even though she and the old man were the only two people in the bookshop, 'I'm right. All the fighting, all the animosity – it's a smoke screen. They're both in it up to their necks.'

Ron, who had been leaning on the counter listening to Gilly's explanation of her reading of Ezra and Edie's relationship for the past five minutes, gave a low whistle. Bukowski interpreted this as a call for treats, appearing at his side with a hopeful look on his face.

'Well,' Ron said. 'That certainly lends a new perspective, my girl. I think you might be on to something there.'

'*Thank* you,' Gilly said, throwing up her hands. 'Rachel thinks I've got it all upside down, but I am absolutely sure that all they need is a push in the right direction and – bang! They'll be like magnets.'

Ron nodded, lifting the glass dome of the cake stand to

help himself to a shortbread. 'Can't hurt to try at least, can it? It's always puzzled me, the way they can't stand each other. Makes no sense. Whatever you've got planned, I'm in. Just let me know.'

'Got any suggestions?' Gilly asked. 'I need situations where I can push them together without *seeming* like I'm pushing them together, and where it's impossible for them to be annoyed at each other.'

'Tricky,' Ron said, around a mouthful of biscuit. He swept the resulting crumbs from the counter for Bukowski to deal with. 'I suppose what you need, then, is something where one of them can do a good turn for the other.'

'Yeah, but what?' Gilly asked. 'I can't think of any situation where Edie would accept Ezra's help. She'd rather die. Ezra would be the same.'

'Maybe that's where you being around can help,' Ron pointed out. 'Find something around the house that you can't do, but Ezra can.'

Gilly screwed her face up. 'I can't think of anything that needs fixing. Anyway, I can't invite Ezra into Edie's house without her permission. That wouldn't be right.'

'Something in the garden, then,' Ron suggested. 'Edie loves that garden. Maybe you can get him to help you plant some new beds?'

'I wouldn't dare touch the garden,' Gilly said. 'Remember the goat?' She frowned, racking her brain. Then she brightened. 'There's the shed, though! I noticed a leak in there when I was staying in it – it's not a big one, but I told Edie and she said she'd get around to it at some point. She hasn't mentioned it since – I forgot about it, I bet she has too.'

'Sounds like an in to me,' Ron agreed.

'It's perfect! I can tell Ezra I want to do something nice for Edie. I'll put it to Ezra that he's helping me, rather than her. Thanks, Ron! You're a genius!'

Ron chuckled and snuck another biscuit. 'I'll wait until you've successfully executed your plan before I take that,' he said. 'Just in case this turns out to be an unexploded bomb you're poking.'

'It's not,' Gilly said, fully confident. 'This is going to be *brilliant*.'

When next it rained she went into the shed and examined where the drips were working their way through the old roof felt. Then, the next time Ezra came into the bookshop, Gilly told him she needed some advice.

'Sure,' Ezra said, as she had known he would. 'Are you struggling with something in your History lessons?'

'No, it's nothing like that,' Gilly said. 'School's going really well, actually. This is completely different. I want to fix the roof of Edie's shed.'

Ezra's face took on a blank look for a moment. 'Her shed?'

'It's got a leak,' Gilly explained. 'I've been trying to find something nice that I can do for her, and I think this is it. I've had a look and it's only at one end – I think there's some torn roof felt. But I don't know what I'm doing. I don't even know where to go to get the supplies I need. Can you help me?'

'You'll need new felt and felt tacks,' Ezra said. 'There's a hardware store over in Great Dunbar that'll have what you need. That's a nice thought, Gilly, but Edie wouldn't expect you to do that.'

'I want to,' Gilly said, and realized that she genuinely did. She glanced at the clock. 'I wonder what time the hardware shop closes tonight? Maybe I can get over there on the bus after the bookshop shuts.'

'I don't think you'd make it,' Ezra told her. 'But not to worry. I've got to go over there this afternoon anyway. I'll pick up what you need.'

'Really?' Gilly was surprised. 'You'd do that? For Edie?'

Ezra gave her a look as he picked up his purchases and prepared to leave. 'I'll do it for *you*, Gilly.'

When Gilly got back that evening, Ezra was in his garden. The early evening light was pouring over the hill, gilding leaves and grasses. He called to her as she passed the gate, a conspiratorial whisper.

'Hey,' he said. 'Is Medusa in? I didn't want to leave this stuff in the shed in case she saw me and thought I was snooping.'

Edie was in the print room. Her back was to the window but she could turn around at any minute.

'Can I leave it with you for now?' Gilly asked. 'She's out most of the day tomorrow so I'm going to try to fix it then. I want it to be a surprise.'

'Have you got tools?'

'No,' Gilly lied. In fact there was a toolbox stashed safely inside the shed, but she wasn't one to waste an opportunity when she saw one.

'Well then, how were you planning to actually do this?' Ezra asked.

'I don't know ...'

Ezra sighed. 'She's going to be out tomorrow?'

'Yeah,' Gilly said, consoling herself that she wasn't really lying. Edie *was* going out tomorrow. Just ... not for that long. 'I figured I'd get it done before she got back. There's some exhibition she's meeting an artist friend at. She asked me if I wanted to go but I said that I had to study.'

'All right. I'll help you, then, okay? I'll bring over my toolkit and we'll do it together.'

'Really?'

'Just as long as that old monster doesn't get wind of it. I don't want her thinking I'm a soft touch for all manner of odd jobs she's too lazy to get around to doing herself.'

Gilly beamed. 'That's fantastic,' she said. 'You're such a star, Ezra.'

'Yeah, yeah,' he grumbled. 'Now get out of it before she sees us and comes out here to ask what we're gossiping about.'

The next morning, Edie left at ten, but Gilly held off knocking at their neighbour's door until almost eleven. She'd stretched the truth when telling him how long Edie would be out – the artist had said it wasn't a large exhibition, so she'd probably only be a couple of hours.

'The coast is clear and the kettle's on!' she called through Ezra's open back door. 'Let's get this show on the road!'

Ezra appeared in a set of old blue work overalls that were spotted with dried oil. Gilly had a feeling he'd kept them from his days on the North Sea rigs. He'd told her enough stories of rough seas and stupendous storms to fill her fledge-ling artist's mind with images, and Gilly now had the kernel of an idea for a series of prints depicting rigs in the midst of nature's most devastating powers.

'I like that,' she said, nodding at his outfit. 'Very industrial.'

Ezra looked down at himself and smiled slightly. 'I like it too,' he said, 'mainly because at the moment I can still fit in it. All this lazing around as a retiree is bad for the physique. Come on, let's hop to it before the harpy gets back.'

Ezra examined the shed and decreed that the best thing to do was completely replace the old felt, and so he set about ripping off what was there. It came off in ragged black strips, creasing and cracking as they dropped it to the ground. They talked as they worked, Ezra asking Gilly about what she was studying.

'Are you enjoying it?' Ezra asked.

'Yeah, I am,' Gilly told him, surprised to realize that she meant it. Before, school had always been one more place where she didn't really fit, where her clothes were never quite right, where the kids with parents who actually wanted them looked at her like an unusual bug they'd found. *There but for the grace of God,* etcetera.

'Hey,' Ezra said, noticing her lapse into silence.

Gilly jolted back into the present. 'What?'

'You all right?'

'I'm fine. Just . . . concentrating.'

Ezra flicked an eyebrow up at that, as if he didn't believe

it for a minute. Gilly looked away and tore the last piece of felt from the roof. 'What now?' she said, to move the conversation on.

'Best clear that lot up before we do anything else,' Ezra said, indicating the rubble of old roof felt concertinaed in piles on the slabs beneath them. 'There'll be hell to pay if we miss any.'

Gilly duly climbed down the stepladder and began stuffing the bin bags she'd already brought out for the purpose. 'I really don't get it, you know,' she said.

'What don't you get?'

'You and Edie. Why you are the way you are.' She sighed. 'It all seems so ...' she picked out a word she'd heard one of her foster parents once use to describe her own behaviour, '*unnecessary*.'

Ezra snorted a soft laugh. 'She's certainly unnecessary,' he agreed.

'I meant the situation. How you pretend you can't stand each other.'

He looked at her sharply. 'Pretend?'

Gilly pursed her lips, stuffing the last of the spent roofing felt into a bag and wondering if she'd pushed too hard. 'I'd give anything to know how it started. Did you two hate each other on sight, or what?'

Ezra had his back to her and said nothing in reply. When he turned, he was frowning at his hands, as if in concentration, although he held nothing between his palms. Just for a moment, he seemed miles away – or perhaps as if he had slipped back in time to something that had happened long ago.

'Ezra?'

He looked up at her and the moment had passed. 'Come on,' he said. 'Time to get the new stuff on. We need to overlap it to stop leaks seeping in between the joints.'

Gilly nodded and helped him wrestle the roll of felt up the ladder, but she couldn't let go of the idea that she might just have hit the jackpot in the spinning roulette wheel that was Ezra and Edie circling each other.

'You didn't answer my question,' she said, as between them they unrolled and measured the new felt.

Ezra didn't look at her. 'What question?'

Gilly sighed. 'Never mind.'

'What on earth are you *doing*?'

Edie's voice took them both by surprise. It was accompanied by the swinging shut of the garden gate, and then there she was below them, standing on the path with her hands on her hips, glaring up at them.

'I thought you weren't going to be back until this evening,' Ezra said.

'Oh, did you now?' Edie crossed her arms. 'So – what? You thought you'd dismantle my shed while I was gone?'

'We're fixing the roof,' Gilly told her. 'It leaks, remember? I wanted to fix it for you and Ezra said he'd help.'

There was a moment of silence, during which Ezra and Edie stared at each other.

'Well,' Edie said eventually. 'It does need fixing.'

'Exactly,' said Gilly. 'And I couldn't do it all by myself, so ...'

Edie nodded but said nothing else. Instead she walked past the shed and down the path, disappearing into the house and closing the print room door behind her. Gilly let out a breath, aware that the moment could have been worse.

'I've a mind to leave the bloody felt off,' Ezra grumbled.

'Oh no, don't,' Gilly begged him. 'I'll never get it right on my own. Come on, we're halfway done!'

Ezra sighed and shook his head, but he didn't climb down from the roof. They carried on in silence. Gilly could see he was brooding, his brow knitted together in a deep frown.

They were cutting the felt to fit when the print room door opened again. Edie reappeared with a tray of tea and biscuits. She carried it up the path and left it on the lid of the compost bin, glancing up at them.

'Milk no sugar, if I remember rightly, Ezra,' she said. 'And mind how you go getting down that ladder. It slips, you know. Leaping about on roofs as if you're still a spring chicken, I ask you. I don't want to be sued if you fall, and I'm not hanging about to catch you when you do.'

Gilly watched as the two of them shared another hard stare. Edie disappeared back indoors a moment later and they saw no more of her. Gilly, though, had a grin on her face for the rest of the afternoon.

Thirty-Five

Toby ruminated over the newspaper article about Rachel, sitting at his cottage's kitchen table with a strong coffee, his laptop and a notebook and pen by his side. At first he considered whether there could be any other purpose to the article than to cause trouble. Could there be someone out there who thought that they were doing the right thing? Even with the best will in the world, Toby couldn't see how this could possibly be the case. He couldn't imagine any of the bookshop regulars finding a motive to become the article's 'source', for example, and between them they were the people who knew Cullen and Rachel the best. There was Alan Crosswick, the solicitor, he supposed, but the man had seemed entirely confident about Rachel remaining in her position at the lighthouse. Why would he employ her if he had any worries about her involvement in Cullen's death?

Even though Toby ruled Crosswick himself out, he decided to call and talk to the man anyway. It had taken the solicitor's office weeks to establish Trudy Goodwin's connection to Cullen MacDonald and then track her down, and yet the article had appeared almost instantly.

'Yes,' Crosswick said heavily, when Toby got him on the phone. 'I'm sorry to say that we followed the same line of thought. It turns out that one of our interns was not as trustworthy as we thought. They are no longer working with us.'

'Can you give me a name and a contact?' Toby asked. 'I'd like to talk to this person, if possible.'

The solicitor cleared his throat. 'I'd rather not do that,' he said. 'For what it's worth, I don't think there was anything malevolent involved. It was a young person gossiping to friends, that's all. I think a lesson has been well learned; I don't want to make it any worse of them.'

'Fair enough,' Toby said, making a note. It wouldn't be hard for him to find a name through other avenues, if he needed to.

'There is something else,' Crosswick said, after a pause.

'Oh?'

'I haven't told Rachel yet, but we've had an offer for Cullen's estate – the lighthouse, the gatehouse and the land on which they both stand. It came in this morning.'

'It's not on the market yet though, is it?'

'No, but Cullen's death is common knowledge and the person making the offer knows the area and already has an interest.'

Toby frowned. 'Who?'

'A local developer called Dora McCreedy.'

'*McCreedy*?'

'You know of her?'

'We've met several times. She's already bought the rest of what was formerly the Braecoille estate, hasn't she?

'She didn't buy it,' the solicitor corrected him. 'She inherited it. The rest of the land has been in her family for two centuries. It's why it doesn't come as much of a surprise that she would make an offer for the rest of it.'

'Really?' Toby said, surprised. 'The way she talked about it, owning the land sounded like a recent thing. She's certainly only recently fenced off the forest. The locals weren't happy about no longer being able to walk through it freely.'

'No, the ownership isn't recent at all. That's part of the sad history of the MacDonald family, I'm afraid. I asked Cullen about it when I first took over the account, because it made no sense to me that the land had been parcelled up the way it had. He told me that most of the estate was signed over as part of a legal settlement in the wake of the fire that destroyed the house. There was no real liquidity to settle the claim that had been brought, and it was quickest way to clear it. The family – what was left of it – was in chaos at the time, understandably.'

Toby frowned. 'A claim against the MacDonalds by the McCreedys?'

'Well, there had always been enmity between the two families – who knows why; one of those seams of bad feeling that stretches back in a place like this, where people rarely move far from where they were born. It probably originally had to do with property too – when both families were at their peak, they pretty much divided this valley between them. But this particular rankle was as a result of one of the sons of the family ending up in Australia as criminal punishment for something or other. I believe it was when the lighthouse was being built. He was working for the family.'

'We came across a mention of this,' Toby said. 'His name was Edward McCreedy. For a while we thought he was E.A.M. But if there was a feud between the two families, how was one working for the other anyway?'

'These things aren't constant,' Crosswick pointed out. 'It's not as if it's daggers drawn 100 per cent of the time. Ire fades, then resurfaces, then fades away again. That's why these things last so long. I imagine at the time there was no reason that they wouldn't work for one another. Then, when the boy was sentenced, the feud was renewed. The McCreedy family said it was a false accusation and demanded restitution. All ridiculous because it wasn't the estate that levelled the sentence, but still. It ended with the McCreedys owning that parcel of land.'

'But ... not the lighthouse or the hill,' Toby pointed out.

'No, nor the labourers' cottages or the gatehouse,' Crosswick added.

'That must have been at the behest of Eveline MacDonald,' Toby guessed. 'She wanted to keep the lighthouse.'

'Perhaps. That might explain why the land was handed over so easily in the first place. If that was all she wanted, it would have been nothing compared to the parcel of land the house had stood on.'

Toby looked out of the window into the garden, considering. 'If Dora McCreedy has owned that land for so long, why hasn't she ever done anything with it?'

'Oh, she's got far bigger and easier fish to fry elsewhere. In any case, what would she put there? Houses? Newton Dunbar's too small to support a larger local population and too far from Aberdeen to be a dormitory town, certainly not without better transport links. A hotel? Perhaps, but access is almost non-existent.'

'Ron Forrester says that she'd been trying to buy the hill and the lighthouse from Cullen for the past five years.'

'Really? I didn't know that. Well,' Crosswick mused, 'I suppose that would give her an access route, but with the lighthouse smack bang in the middle there's really not much she could do without taking it down, and to do that she'd have to go through the process of getting the tower delisted.'

'Would that be difficult?'

'It would be an added hassle, certainly. Although it's Grade C, which is the lowest level and the easiest to reverse, so it wouldn't be impossible.'

'Even if it's someone's home?'

'Having a sitting tenant like Rachel in it would complicate matters,' Crosswick acknowledged. 'She would have to prove that what she intended to build instead would provide significant enhancement to the local economy as be an argument for its removal.' He was quiet for a moment. 'I can see what you might be thinking, Mr Hollingwood, but I can't see that there could ever be enough of an economical reason for McCreedy to launch a smear campaign against the current resident. Newton Dunbar is too small and too far from anywhere with no fast access to make that worth her while. She has better, more convenient investment opportunities elsewhere. I very much doubt this newspaper business is anything to do with Dora McCreedy. I think the timing of the offer is simply coincidental and, given that you say she's been angling for the hill for years, not particularly surprising.'

Thirty-Six

'Have you thought about what you're going to do for your final art piece yet?' Edie asked over breakfast. 'You need to begin preparation work on that soon, you know.'

'Yup,' said Gilly.

'Really? That's good,' Edie said, her hand pausing as she reached for her mug of tea. 'Are you going to share it with me or is it a secret?'

'It's definitely not a secret,' Gilly said. 'Especially since I need your help to get it done.'

'Well,' Edie frowned, 'that's not really going to be possible. This is a piece you have to work on by yourself. It has to be your work, I can't help you complete it.'

'That not the kind of help I need from you,' Gilly assured her.

'Then what have I got to do with it?'

'I need you to sit for me,' Gilly said.

The look on Edie's face was a picture in itself – part astonishment, part incredulity. Gilly almost laughed.

'Me?' the artist said. 'You're going to do a portrait of me for your final piece?'

'That's right,' Gilly said. 'Although . . . it's not just of you.'

'Oh?'

'The exam brief is that I have to produce a piece of art that reflects something important to me, and you're not the only person who's helped me since I've been here.'

Edie nodded and gave a faint smile. 'Ahh. So is Rachel going to be part of this piece as well? That's nice, she'll appreciate that.'

'No,' Gilly said. She had already spoken to Rachel, not wanting to offend her with the exclusion. It seemed that the idea of having her likeness inscribed as a piece of art was Rachel's idea of a nightmare, though, so to Gilly's relief she hadn't cared at all when the girl had explained she wouldn't be in the piece. Rachel had been less keen when Gilly let slip her actual plan, but wasn't really in any position to stop it going ahead. 'No, not in this one.'

Edie frowned. 'Well, who is it, then?'

'Ezra,' Gilly said. 'I want the piece to be of you and Ezra. I've got this whole idea for how I want it to look.'

'Ezra? Ezra *Jones*?'

'Yes. He's really been helping me, Edie, just as much as you have. Okay,' Gilly admitted, 'so he didn't give me a place to stay. But he's been there for my lessons and also with helping me think about what I want my life to be in the future, so—'

Edie stood up abruptly. 'That's fine, Gilly. It's your art, you can do what you like. As long as you're not expecting me to sit for this piece *with* him.'

'Well ... yeah, *obviously* I am. It won't have to be for long,' she said quickly, as Edie opened her mouth to say something, an angry look on her face. 'I thought we could do a photo session.'

Edie stood over the breakfast table with her hands on her hips, looking out of the window with a scowl. 'Are you sure there's nothing else you want to do for this project?' she asked.

'No. I've got a really clear idea for this, and I think it fits the brief perfectly. I don't ...' Gilly bit her lip. 'I don't have much in my life, Edie, you know that. This is what's important to me. You and Ezra are important to me.'

Edie was quiet for a moment. She didn't look at Gilly, fiddling instead with a button on her cardigan. 'All right,' the artist said eventually. 'But that man had better be on his best behaviour.'

Ezra's reaction was about the same. Gilly went to see him later that same day, pulling open the garden gate and petting Georgette as the goat bounced happily down from the boulder to greet her. Ezra was in his kitchen and opened the door when he saw Gilly arrive, inviting her in for tea and shortbread.

'You want me to *what*?' Ezra said, when Gilly explained. 'With *who*?'

'Oh, come on, Ezra,' Gilly said. 'Trust me, if you agree to be a part of this, my project can't possibly fail. What I've got in my head – it's brilliant.'

'Hmm,' he mumbled, around a mouthful of biscuit. 'I can think of another word for it. Conniving, there's one. Trouble – there's another.'

'What do you mean?'

'You're up to something, my girl, I can tell.'

'Of course I'm up to something. I'm trying to get this Art Higher, aren't I?' She jabbed a finger at him. 'Which *you* talked me into doing, let's not forget.'

'Sure there isn't another plan up that oversized sleeve of yours?'

'What are you talking about?'

'We're never going to be friends, Gilly,' Ezra said gently. 'I know that you care about us both, and you'd like us to get along – but you've just got to accept that we never will.' He looked almost gloomy for a second. 'That woman can't stand me, and that's that.'

Gilly, relieved, felt a triumphant spark light itself in her gut. This was the first time that Ezra had let on that he might actually be affected by how Edie felt about him.

'Five minutes,' was all Gilly said. 'Come on, Ezra. I'm only in this mess because of you two. Can't you spare me that?'

Ezra looked at her for a second, then sighed. 'All right, all right. I'll sit for your photo if that bitter old curmudgeon can stop herself from scratching my eyes out for a few minutes.'

'Great,' Gilly said. 'Now to work out when. I need to get started as soon as possible.'

Ezra shrugged. 'Better ask Lady Muck when suits her and

I'll do my best to fit around her timetable. If I suggest something, she'll only find some objection.'

After some back and forth, it was decided that the photo session would take place in Edie's front room on Friday evening that same week. Edie had tried to argue that the print room would surely do, but Gilly was adamant that she wouldn't be able to position the chairs the way she wanted them for the piece in the print room. Edie eventually gave in, though not without a scowl. Then Ezra revealed that he had a spare old iPhone that she could use.

'Thing's just been sitting around ever since I upgraded,' he said. 'Battery's pretty much shot, or I'd say you could get a SIM card for it too. It should work fine as a camera though, at least for what you want.'

'You're playing with fire,' Rachel warned, when she heard what Gilly had set up. 'I really don't think this is a good idea.'

Ron, however, laughed heartily. 'Oh, this is going to be *great*,' he said. 'Can you film it, too?'

On Friday, Gilly tried to use some of the money she had earned working at the bookshop to buy a bottle of wine from the Co-op, thinking that forcing Ezra and Edie into close proximity would probably be aided by alcoholic libation. The woman behind the counter watched her through the security monitor as she chose a bottle of white from the chiller cabinet and stared at her suspiciously when she went to pay.

'ID?' the woman asked.

'Oh, I—' Gilly blinked. She hadn't even thought about the possibility that she might be age-checked. 'I, um – I left it at home.'

The woman shook her head in one single, definitive movement. 'We don't serve alcohol to anyone underage in here.'

'I'm not underage,' Gilly protested. 'I just forgot to bring my ID. It's not for me, anyway, it's for Edie. I don't even *like* wine.'

The woman crossed her arms. She clearly wasn't going to budge.

'I'll put it back,' Gilly mumbled, her cheeks flaring red as she picked up the bottle and returned it. She could feel the woman watching her through the security monitor, and felt self-conscious and stupid. Idiot. What if Edie found out she'd been trying to buy wine, and couldn't? She went to look at the biscuits and chose a fancy box instead. She doubted biscuits and tea would have the same effect as wine, but beggars couldn't be choosers, could they? Gilly paid for the biscuits with a ten-pound note that the woman insisted on checking rigorously to make sure it wasn't fake.

'You think I wouldn't have ID if I had the facilities to forge legal tender?' Gilly asked.

The woman looked as if Gilly had made her suck on a lemon.

'You have a lovely evening now,' Gilly told her brightly, as she took the box from the counter.

Later, back at Edie's, she spent some time moving things around in the small front room. Once she'd made enough space, Gilly took two of the chairs that went with the dining table and set them facing each other at a slight angle in the middle of the floor.

'What are you *doing*?' Edie asked, horrified, when she walked in.

'I'll put everything back exactly how it was once we're done, I promise,' Gilly assured her. She held up the phone Ezra had given her and wiggled it. 'I took photos to make sure.'

'That's not what I meant,' Edie said, and then pointed at the chairs at the centre. 'What's that?'

'Where I want you to sit. Obviously.'

Edie made a face. 'They're too close together.'

'No, they're not,' Gilly said firmly.

Edie stared at the two chairs. 'You might as well have me sitting in his lap.'

Gilly shrugged. 'Hey, if that's what you want to do . . .'

Edie gave her a look that could have curdled milk still in the cow.

When the knock at the front door came, Edie had vanished upstairs. It was Gilly who let Ezra in.

'Come in,' Gilly said, and then, as he passed her in the hallway. 'You look nice!'

He was dressed in a cream cable-knit jumper and blue jeans, both of which were freshly laundered and left a lingering smell of fabric softener as he passed. 'I didn't know what to wear.'

'That's perfect, thanks. Can I get you a cup of tea?'

'There's wine open,' said Edie, descending the stairs behind them with imperious flare. 'I'm going to need one. You can have one too if you want.'

To Gilly's surprise, Edie had changed. She was no longer wearing the jeans and striped sweater of earlier in the day. Now the artist was in a long black silk shirt dress, cinched at the waist with a wide belt. She'd pulled back her silver-white hair in a way Gilly had never seen before, too, lifting her shoulder-length bob into a chignon secured with invisible pins.

'Wow,' Gilly said. 'You look beautiful.'

'You needn't think this is for you, Ezra Jones,' Edie said sharply, though Ezra had not said a thing. 'I thought this young lady deserved to have an added challenge given what she's putting me through this evening.' The artist glared at Gilly with a defiant look on her face. 'Let's see how well you manage to render an up-do and the fall of a silk via the medium of lino, my girl.'

'Ah, Edie,' Gilly said. 'You're all heart.'

'Maybe we can get on with it?' Ezra said, his voice a little gruff. 'I left my dinner in the oven.'

It took Gilly an age to get her models to settle. They were like children, fidgeting and distracted.

'Look,' she said eventually. 'I've got all evening, so it's up to you. All I'm asking for is one shot that requires you to look at each other for longer than a split second, all right? You do that, I get a photo of you looking like normal people instead of psychopaths, and Ezra gets to go home. Sorted.'

Edie shifted yet again, twisting away from their visitor. Then Ezra surprised Gilly and Edie both by reaching out and taking one of the artist's hands. Edie jerked her head around, meeting his eye in shock. They froze like that for a moment, and Gilly silently began taking photographs.

'Look,' Ezra said quietly. 'Let's get this over with, shall we? Neither of us wants to be here, but we're doing this for the girl, right?'

Edie was still for another moment, and then she nodded. Ezra let go of her hand and they both sat unnaturally still, looking at each other. Gilly carried on taking photographs as cover, but she already had the one she wanted. She'd had it from the minute Edie had turned her head to look at Ezra, her hand held in his.

'You must have enough now,' Edie said, a minute or so later. 'You're not developing a daguerreotype, for Pete's sake!'

'Yeah,' Gilly said, snapping one last image for show and then putting down the phone. 'That's some great reference, thank you.'

Edie sprang out of her chair and reached up to pull the clip out of her hair, letting her bob drop back into its usual sleek shape around her ears. Ezra stood too. He didn't say anything as he made for the front door.

'Ezra?' Gilly said. 'Don't you want to see what the photos look like?'

He paused with the door already halfway open and looked back at her without a smile. 'It's fine,' Ezra said. 'I'll wait until you can show me the artwork you make out of it.'

Then he was gone, pulling the door shut quietly behind him.

'Can you believe that man?' Edie said, after a moment of silence. 'He couldn't even be bothered to say goodnight.'

Thirty-Seven

Following his conversation with Alan Crosswick, Toby tried to find another investigative track. Surely if Dora McCreedy wasn't the culprit, the possibility was that it had to do with Rachel herself, given that the article had been deliberately aimed at her, and it was Rachel who'd already been the most affected.

Toby had tried to put the envelope he'd seen in her kitchen drawer out of his mind, but it had inevitably lingered. Now the memory of it returned, along with the name that had been printed onto it. *Mrs Rachel Harry*. Toby had asked her outright, on that inadvertent first drink they had been tricked into at the Fretted Goose, whether she had such a relationship in her past, and the answer had been a clear no. The letter suggested another story, one that he couldn't dismiss as irrelevant to what was currently happening in Newton Dunbar without further investigation.

Toby felt deeply uncomfortable with the idea of asking Rachel outright about the letter. He had no right to know more about her life than she was willing to share. He also didn't want to research her. Even if he didn't tell her what he was doing, it would be as invasive as asking her openly – worse, in fact, because it gave her no chance to tell him to stop. On the other hand, this was what Toby did – he pieced together stories, fragments that separately made no sense to anyone else but together formed a whole that anyone could understand. If Rachel was being threatened by someone from her past, she surely needed to know about it.

As usual, the only person he really had to talk to was Sylvie, who was, also as usual, dismissive of his concerns.

'You don't have to do a deep dive,' his ex-wife pointed out. 'At least, not if you don't want to. Just look into the news-paper archives, see if anything pops up. That's what you'd do as a first step anyway, isn't it?'

'Yes,' Toby said.

'There you go then. If there's nothing there, reassess. But if it's as simple as typing her name into a search engine and reading a few publicly available articles, it'd be daft not to do that, wouldn't it?'

That was the thing about Sylvie. She always managed to make complex issues seem ridiculously simple.

'It just doesn't feel right,' Toby told her.

'Come on,' she said. 'This is the twenty-first century, Toby. Everyone googles each other, don't they?'

'Most people don't turn that into a search of newspaper archives,' he pointed out. 'I don't think that falls under the header of an okay thing to do.'

'It probably wouldn't be, for any normal person,' Sylvie told him. 'But you're not a normal person, you're a journalist, and if you're squeamish about crossing lines I'd say you're probably already screwed on that score.'

Toby winced. 'Thanks.'

'Look, *I'll* do it if you want me to,' Sylvie said. 'If there's anything there, I'll let you know. What's the name?'

'No,' Toby said. 'If anyone's going to do it, it's got to be me.'

'Suit yourself,' Sylvie said. 'But do get on with it. I need a book from you, remember? You should be working, not fussing over this stuff. This is what you do, Toby. You've always had a penchant for the underdog. If there's a story that needs telling and it'll right an injustice, rip off that mild-mannered exterior and deal with it, for goodness' sake. If there's nothing there, she never even needs to know that you looked, does she?'

They ended the call and Toby stared at the screen of his laptop. Sylvie was right. If there was nothing, Rachel need never know.

He already felt guilty even as he began, but he did it anyway. Opening the archive's search page, Toby typed in Rachel Harry, then narrowed the search parameters to make it easier to filter out hits that were obviously not connected. He focused on the twelve-month period a decade past, when, if what Rachel had told him was true, she had started living in her VW van and moving from place to place. If that threw up nothing, he'd go back another year and try again.

He didn't need to go back any further. There were three short articles within a six-month period, published in the *Sussex Gazette*, a local paper based in Eastbourne, East Sussex.

WOMAN MISSING, HUSBAND FEARS WORST read the first headline. Toby read the three columns of text below, in which Steven Harry, forty-five, of 15 Blotting Rise, Eastbourne, talked about his wife of seven years, Rachel Harry, twenty-five. He described her as a quiet woman, whom he supported as a stay-at-home wife because she suffered from severe anxiety and who had recently exhibited what he described as 'extensive mental health issues'. The police were investigating. 'Please come home, Rachel,' Steven Harry was quoted as saying in a direct appeal facilitated by the paper. 'I'm worried about you. You need help. Please let us know where you are.' The piece was accompanied by a photograph of Steven, holding up a photograph of his wife.

She was younger by some years, but it was clearly the Rachel he knew as Rachel Talbot, manager of the Lighthouse Bookshop.

Toby read two further articles with trepidation. The police had concluded that there was no evidence that foul play was involved, and that Rachel left the home of her own accord which, as an adult, she had every right to do. Steven Harry enunciated his outrage at their lack of concern for a vulnerable woman and vowed to keep searching for as long as it would take him to find her. The third article, six months after Rachel's disappearance, featured speculation about

Beachy Head and an eyewitness who had reportedly seen a woman of Rachel's description up on the cliffs the day she disappeared. Harry himself promised never to give up hope. 'If she's out there,' he promised. 'I will find her.'

Toby sat back, trying to make sense of what he'd read. He looked at the photograph held up by Steven Harry. It was definitely Rachel, but the description of her as a vulnerable woman with mental health issues didn't fit with the woman he knew. She was reserved, yes, but he wouldn't describe her as anxious. She actively enjoyed working with the customers in the bookshop and he'd seen first-hand how well she handled stress. Could ten years really have improved her mental health so much, especially given that five of those years had been spent on the road, living in a van, worrying about where her next meal was going to come from? It was doubtful, surely.

Toby widened his search, but the only other article he came up with had been published five years later, on the anniversary of Rachel's original 'disappearance'. It featured Steven Harry, who still did not believe that his wife had killed herself ('She wouldn't do that to me') and who was still vowing to find his lost wife.

Toby cleared the search tab and, using the information he now knew, searched for information about Steven Harry instead. Aside from the pieces about Rachel's disappearance, there was only one other article in the archive. It was from 1994, when Harry would have been in his twenties, and it detailed his conviction for assault and battery of a woman in the East End, where he lived at the time. He'd spent a year in Wormwood Scrubs.

At eighteen, Toby realized, Rachel had married a man two decades her senior who had already been convicted of a violent domestic crime. A man whom she had evidently spent the past ten years hiding from but who, even now, was very possibly still searching for her.

He closed the laptop and sat looking out at the sun rising over the garden. How could Rachel imagine that this had nothing to do with what was happening to her now? It was at least an avenue that needed to be investigated.

He was deliberating how best to raise this issue with Rachel herself when his phone rang.

'Sorry to call so early,' said Alan Crosswick, when he answered. 'I've just found out that what I told you about Dora McCreedy – that Newton Dunbar was too inaccessible to be worth any effort on her part – won't be true for much longer. And she knows that.'

Thirty-Eight

'Ezra?'

Edie could hear sounds of industry from the garden next door: sawing, banging, the general noise of small-scale construction.

'Ezra!' she shouted again, during a momentary pause in the cacophony.

'Edie?'

She had her fingers on the latch. 'Can I come in?'

There was a pause. 'Hang on a minute.' There came the sound of his footsteps and then a muttered, 'Come here, dammit!' Edie heard the goat bleating furiously, the drum of small, angry hooves and then Ezra calling to her, louder, 'Okay!'

Edie forced the latch up and levered open the door. The first thing she saw as she passed through the gate was the goat, tethered by a rope on the far side of Ezra's patio. The animal was dancing up and down, clearly frustrated to find its liberty so curtailed. Ezra himself was standing beside a workbench, into which had been clamped a plank of wood that he had evidently just sawn in two. He was dressed in hardwearing sand-coloured work trousers, scuffed tan boots that looked to her as if they hid steel toecaps, and, despite the day not being a particularly warm one, a short-sleeved T-shirt in a faded shade of green. Both his clothes and his bare arms were peppered with sawdust.

'What's the matter?' Ezra asked at her sudden silence.

'Ah—' Edie looked away. 'I'm looking for – what are you *doing*?'

'What?'

'That,' she said, pointing behind him, to what he had been constructing against the opposite fence. 'What *is* that?'

Ezra didn't turn to look, instead hefting up the plank he'd just cut to size. 'It's a pen,' he said. 'For Georgette.'

'Georgette?'

Ezra indicated the goat and then swung around with the piece of wood.

'But . . . I thought you didn't like the thought of her being penned in?'

'She won't be in it all the time,' Ezra said, as he worked on fitting the plank into his design. 'Just when I'm not in. That way if she gets into your garden, I can be the one to deal with it.'

Edie watched him for a moment, not sure what to make of this change of heart. She saw that he was struggling and went to help.

'What are you doing?' he asked, as she grasped the other end of the plank.

'Helping,' she said.

'I can manage.'

'Don't be stubborn. Two pairs of hands are better than one.'

'Fine,' Ezra said through gritted teeth. 'Suit yourself. Just be careful, because this is rough—'

'Ow!' Edie yelped, as the heavy plank slipped in her bare hands, stabbing a large and jagged spike of wood straight into her knuckle.

'What did I just say?' Ezra dropped the plank so that it fell to the ground between them.

'What did you mean, what did you just say?' Edie demanded. 'You didn't say anything!'

'Because as usual, you didn't give me a chance!' Ezra stepped forward and grabbed both of her hands. 'Let me see.'

Edie tried to retrieve her fingers from between his. 'It's only a splinter.'

'For goodness' sake, woman, would you let me take a look?'

It was his proximity as much as his tone that drew Edie to a screeching halt. 'Did you just call me "woman"?'

Ezra examined her hand. 'Well,' he said. 'You might still be able to stop traffic, Edie, but even so "girl" would be a bit of a stretch, don't you think?'

'I don't—'

'Come on,' he said. 'Come inside and I'll take care of that.'

'There's really no need to fuss.'

'Right,' he said, letting go of her bleeding hand but keeping hold of the other and tugging her towards his back door. 'And have you sue me when you can't work because your delicate artist hand has been hurt in my back garden? Give me a break and for once – just *once*, don't argue with me. All right?'

Edie said nothing after that. Ezra led her into his kitchen and had her sit down at the table while he reached into the cupboard beneath the sink and came out with a first-aid kit. She looked around this environment, new to her despite having lived a few metres from it for the past fifteen years. Edie took in the double rack of spices and herbs against the wall beside the oven, the neatness of the multicoloured mugs stored in a glass-fronted cupboard, the pristine cleanliness of the worktops. She looked for the fridge, because in her experience you could tell a lot about a person by what they had pinned to theirs. She found it in one corner, the clean white of its doors interrupted only by what looked like a scrap of paper with a partial shopping list and a jumbled mosaic of letters and words – the little magnetic ones that came in boxes for creating poetry. Rising above a disordered scatter were several neat lines of text, though Edie had no chance of making out what they said from where she sat.

'I suppose it's too much to ask if you like what you see.'

Ezra's voice was as startling as the renewed touch of his fingers, taking Edie's as he sat down facing her. Ezra held her injured hand, wielding a pair of tweezers.

'What does it matter to you whether or not I like your kitchen?'

He smiled wryly; his gaze fixed on the splinter. 'It doesn't.'

But I know you always have an opinion on everything and rarely hesitate to share it. This might sting.' Ezra grasped the splinter with the tweezers and pulled it out. It had gone deeper than Edie had realized and her hand bled as the shard of wood parted with her skin. She hissed in a small breath at the sharp pain, a stabbing in reverse. Her hand throbbed, but then again, when didn't it nowadays?

'I didn't know you wrote poetry,' she said. 'That's all.'

Ezra looked up at her and Edie was suddenly aware of how close they were sitting. Her knees were between his; her hand, if not for being upturned in his, would have been resting on his thigh. She was expecting him to say something along the lines of fridge poetry not being true poetry, in which case she could contradict him, which would return the natural antagonism of their relationship to something she would recognize and could therefore handle, instead of this strange *whatever* had been going on between them for the past few minutes, or perhaps even the past few weeks.

'There's a lot you don't know about me,' Ezra said instead, and Edie, unprepared, found herself saying what she thought, instead of what she ought to say, which turned out to be:

'That's actually quite sad, isn't it?'

Ezra smiled slowly. 'I've always thought so.'

They sat there, not moving, her hand still in his.

'It's not poetry, though,' he added after a moment. 'It's for Gilly. I did some reading and apparently it'd be good if she could memorize a few quotes from her required history texts for her final essay. If they're up there on the fridge, she catches sight of them every time she makes herself yet another cup of tea.'

'She does like her tea.'

'She does.'

Edie glanced at the fridge, at the magnetic letters fastened there. 'It's good of you,' she said. 'To do that for her.'

'It's nothing,' he said quietly. 'You're the one who took her in and gave her a new start.'

'Well,' Edie said. 'Everyone deserves a second chance.'

'Do they?' Ezra asked, and still her hand was in his.

'Ezra?' came an unexpected call of a voice from the hallway. 'Are you here?'

The interruption made Edie jump. She tried to pull herself away from Ezra, but he kept hold of her hand. The visitor was Rachel, and now here she was, standing in the kitchen doorway.

'Oh!' Rachel said, looking between them both, 'I'm sorry, I didn't—'

'Edie's got a nasty splinter,' Ezra said calmly, as he put down the tweezers and picked up an antiseptic wipe instead. He tore the packet open with his teeth and pulled out the wipe with one hand, still refusing to let go of Edie's hand. 'Sit still, for pity's sake,' he said, although Edie had the strange feeling that the return of his customary bite was for Rachel's sake – or perhaps even for hers.

Edie stilled. Ezra pressed the wipe over the tiny cut before dabbing away the blood that had run from the wound.

'Thank you,' she said. 'It'll be fine now. I don't think it even needs a plaster.'

He nodded, and finally let her go. Ezra stood and turned away to wash his hands at the sink. Rachel was still looking askance at the two of them and Edie just wanted to be somewhere – anywhere – else.

'I'd better go,' she said, and was at the door before Ezra had turned back from the sink.

'Thanks for the help,' he called after her, and if Rachel hadn't been there, perhaps Edie would have turned and said that it was nothing, which was true, or perhaps she would have said thank you, which would have been for the unexpected thoughtfulness of him building his goat a pen. Instead she kept going, until she was out of his sight and back on her own territory, safe again from the ongoing peculiarity of this sudden, unwanted and infuriating equilibrium between them.

Thirty-Nine

The information of which Alan Crosswick had got wind was that there were finally plans to replace the much-vaunted A96 with a motorway that would provide a faster connection between Aberdeen and Inverness. The mooted new road would cut much closer to the northern edge of the Cairngorms National Park, which, though sure to be controversial, would mean a straight run onto the A9, instead of the slow, faintly circuitous route currently in use and constantly complained about, particularly by business travellers. This new road would pass within half a mile of Great Dunbar. It would take just one more road to make Dora McCreedy's parcel of land in Newton Dunbar a lot more attractive than it was now. A road that would have no option but to run straight over the hill on which the lighthouse currently stood.

The plans were still in the very early stages, but it was clear that certain people had been given, or had somehow gained, early access to the planner's data. Even before he'd looked more closely, Toby was willing to bet that Dora McCreedy was one of those people, a conviction compounded when, during his latest lesson with Gilly, the girl complained about the developer hanging around outside the lighthouse.

'She's acting like she owns the place,' Gilly grumbled. 'She was here again earlier, wandering about with that weird guy with the porn film equipment.'

'I'm sorry, what?' Toby asked. 'The *what* equipment?'

'It's a tripod with this weird thing on top like a waterproof camera. It's the same guy I saw the day she destroyed my tent, and I'm pretty sure he was there the night she caught me in Edie's garden, too.'

Toby thought for a moment and then googled images of surveying equipment, turning the screen around so that Gilly could see it. 'Something like this?'

'Yes!' Gilly said. 'I swear, if that woman ends up owning the lighthouse, I'll ... I'll ...'

'You'll be away at college,' Toby told her, 'and you'll have too much to occupy your time to think about doing anything daft back here.'

Gilly's face creased into a perplexed frown. 'I'm not going anywhere,' she said. 'I'll still be living here, even if I do get in.'

'There's no "if" about it,' Toby said, 'or at least there won't be if you stop worrying about stuff best left to other people and concentrate on this.'

They continued the lesson, but neither was paying proper attention. For his part, Toby was thinking back to those bookmarks he had made whenever the name Dora

McCreedy had popped up during his searches of the newspaper archives, the elusive elements of a story he had known was there somewhere beginning to slide into place.

Gilly seemed to be preoccupied by something else entirely, but Toby only gathered an inkling of what when she said, 'I don't have to live near the college, though, do I? It's not like ... a rule or anything?'

'No, you don't have to,' Toby agreed. 'But practically speaking, I think you'll need to live somewhere closer. I don't think the transport links to any of the campuses are good enough from Newton Dunbar. At least,' he added, somewhat ruefully, 'they're not at the moment, and won't be for years. You don't want to spend all your time travelling to and from lessons. You'll want that time to study and hang out with friends. Don't worry about that now, though. We'll cross that bridge when we come to it.'

Gilly nodded absently, but clearly wasn't going to get anything more out of this lesson. Toby couldn't blame her. His mind was elsewhere too.

'Let's call it a day, shall we?' he said eventually. 'I know we've still got half an hour to go but—'

'Great,' Gilly said quickly, standing up and gathering up her things. 'Thanks. See you tomorrow?'

She was gone before Toby had had a chance to reply. He returned to his research instead and somehow, as dark and devious as the path he found himself on was, he wasn't surprised by where it led.

Two days later, Toby was sitting in a coffee shop in

Aberdeen, waiting for the writer whose byline had appeared beneath the article about Rachel. A young man in his twenties, Russell Linley was exactly as Toby had expected: suit way over the limits of his paycheque, slick hair, flash car. Toby could have picked him out from a mile away and indeed did, watching the younger man walk towards the cafe through its large glass window. Toby wondered if he'd ever swaggered like that when he'd been a new young reporter. Probably. Before Soumanwolo, at least.

They ordered coffee – Toby a basic filter, Linley some complicated concoction that required far too many capital letters in its name – and then found a table in the corner.

'So,' Linley said, after they'd exchanged the usual niceties. 'You said you'd read a piece of mine you wanted to talk about? Tipped you off to something big, have I?'

'Something like that,' Toby said drily.

'Well,' Linley said, leaning back in his chair with the air of one who thinks he has the upper hand. 'Then I think we need to set some ground rules, don't we?'

'Ground rules?'

'If you're going to use something I've done the work on as the foundation for a piece in a national, I want to make sure I'm going to get the credit.'

'Ahh,' said Toby. 'You think that's how it works, do you?'

The journalist gave an unctuous smile. 'It's going to be how it works for me. I'm not planning to spend my life working for the local rag. If whatever you've seen of mine is good enough to bring the great Toby Hollingwood to my

313

door, it's obviously good enough for the nationals. You're not stealing that from me. I want it myself. So, come on. Which piece was it that caught your eye? Let's talk.'

'All right,' Toby said, taking out the folded cutting he'd kept from the paper and spreading it out on the table in front of them both. 'Let's do that.'

Linley glanced at the article, then leaned forward with a frown on his face. 'What the hell is this?'

'It's the article I want to talk to you about.'

'That? Some spat about a shitty local landmark? That's nothing. What do you care about that?'

'Have you ever visited Newton Dunbar? Been to the lighthouse?'

The younger man shifted back on his chair. 'I did a lot of research.'

'But you never actually visited?'

'I didn't need to.'

'For a front-page article, you didn't even need to visit the subject? That's a pretty astonishing statement, isn't it?'

'Look—'

'There are serious allegations in this piece. Tell me how you went about verifying them.'

'I don't think I like your tone.'

'How about if I added a "please"?' Toby asked. 'That make it better for you?'

Linley sighed, then put down his coffee mug and leaned toward Toby with a conspiratorial air. 'Look,' he said. 'You know how this game works. Local papers – they're a thing of the past. Give it a couple more years, this' – here he tapped the clipping – 'won't even exist. Our physical sales are down to low double figures some weeks. The only way to keep sales up is to give the people something interesting to read. That's what I try to do.'

'Even if everything you write is a straight lie?'

'Hey,' Linley pointed a finger at Toby. 'You can't say that.'

'Sure I can,' Toby told him, 'because it is. You didn't do the work to verify a single statement in this fairy tale, and if you had bothered to investigate even slightly, you'd know as well as I do that there isn't an element of truth to any of this.'

'I haven't libelled anyone,' said Linley. 'I make it clear that all the statements are alleged. I make no concrete claims.'

'No, you quote only one source – who was that, by the way?'

'You of all people should know that I can't tell you that,' said the supercilious little punk. 'You should know better than to ask.'

'That's okay,' Toby said. 'I don't need you to tell me because I already know. It was a woman called Dora McCreedy.' At the flicker that passed over Linley's face, he offered a thin smile. 'I would ask you how you came upon this story, since you've never visited Newton Dunbar. But I already know that, too, because I've done some digging of my own. Little tip for you there, Linley. When you go into an interview, you should already know 99 per cent of the answers to the questions you're going to ask.'

'Wait, what?' Linley suddenly looked less composed. 'What do you mean, an interview?'

'I told you I wanted to ask some questions about a piece you'd written. You agreed, and here we are, talking about it. What did you think this was, a date?'

Linley looked flabbergasted. 'But I thought – I thought you wanted to take a piece of mine to a wider audience. We're colleagues, I'm—'

'I absolutely do want to take a piece of yours to a wider audience, Linley, as part of an investigation I'm currently conducting into corrupt land development practices in the area. Would you like to know what I've learned so far? Perhaps you can confirm a few details on which I'm still a bit sketchy.' Toby reached into his pocket and pulled out a notebook, which he flicked open as he went on speaking. 'I think it started five years ago, which is when you received an extremely good deal on a flat in central Aberdeen—'

'Wait—'

'—for which you paid well below the market value. Looks like a nice penthouse with a lovely sea view – well done you. Anyway, that coincided with a front-page article you wrote "investigating" financial wrongdoing among the members of a board managing a charity who hoped to purchase land on the outskirts of the city that would provide a shelter for vulnerable women and children. I've got a scan of the article here, if you'd like to refresh your memory?'

'What does that have to—'

'It's okay, I can give you the gist. It's full of innuendo and veiled statements from an unidentified "source". No names, no specific allegations – well, you know the drill, don't you? Would you like to know the upshot of that article? Because as far as I can tell, you never followed up – there was never anything else mentioned in the paper, not about the subsequent investigation into the charity, or the fact that they were found to be completely above board, or that as a result of the investigation they lost the chance to buy that land. No, there's nothing about that. What there is though, six months later, is an article – front page, again – about a fabulous new shopping centre that is going to be built on that same site. There's even a quote from the developer, Dora McCreedy. Shall I read it to you?'

'I don't know what you're implying, but you're—'

'Implying? I'm not implying anything. I'm merely reminding you of some facts. Here's another: the developer of the block of flats where you now live, that lovely sea-view apartment you got for a steal – that was Dora McCreedy too, wasn't it?'

Linley was pale now, but still bullish. 'So what? That doesn't prove anything. She's the biggest developer around here. Most of what gets built is down to her. As for that article – you can take it to a lawyer. I didn't write anything illegal. No one at the charity sued. What does that tell you?'

Toby smiled, flicking to another scan. 'Oh, it tells me a lot, Linley. It tells me a lot about *you*. Anyway, moving on, a few months later, this article appeared – front page again. Just look at that screaming headline. It's very dramatic, isn't it? LOCAL FOOTBALL TEAM ACCUSED OF FRAUD. Shall we take a look at what happened to their pitch?'

'I've had enough of this. I'm going.'

'Really? You're not going to give me a comment for my article? Because from where I'm sitting, Linley, the truth writes itself.'

Linley looked away, chewing his lip, a frown knitting his brow. 'I don't get why you care about this. What are you even doing here? You could be anywhere in the world, writing about anything you want.'

'Well, right now, this is what I want to write about.' Toby tapped the article about the lighthouse. 'Because there's a pattern here as clear as day, and I'm not going to let McCreedy get her hands on the last of the MacDonald land because you were having a slow news day and you took a bribe.'

'That's slander.'

'Sue me. Let's see who'll win.'

Linley shook his head. 'This is ridiculous. Every copy of that newspaper is already in the bin. It doesn't mean anything. No one will remember it. It's just a crappy little story in a crappy little paper, about a crappy little corner of the world that no one who matters has even heard of.'

'That might be right for 95 per cent of the readership,' Toby said, 'but for 5 per cent, it's life-ruining. And here's another pro tip. It's the 5 per cent that any good journalist is interested in, not the 95 per cent. Most people don't know how to fight this kind of thing, but I do. And I'm telling you right now, I am going to. McCreedy's not getting that land. Not like this. Not ever, if I have anything to do with it. And believe me, I will. I know what she's got planned. I've even seen the sketches of the development. A nice, chic new housing estate, a leisure and shopping centre. It's perfect because she already owns most of the land. But none of it will happen if she can't get hold of the last of it, where the access road will go. That's a pretty big motive for dodgy dealing right there. I've already shown you how easy I found it to put the pieces together. How long do you think it's going to take me to make the latest connections between you and her?'

Linley visibly deflated, shrinking in his chair. 'All right. What do you want?'

'I want you to print a retraction. It will be in next week's edition. It will occupy exactly the same position and space as the original piece.'

Linley snorted a laugh. 'That's not going to happen.'

'It will happen, Linley. Shall I tell you why? Because I will use my extremely extensive contact list to distribute every piece of information I've gathered on this subject – and your part in it – to every desk editor and journalist I know. Then, using the cachet my name has garnered over the last two decades, I will also send it to every desk editor and journalist I *don't* know.'

'That's blackmail.'

'No, it really isn't. It's a promise. This is a good story I've got here. You said it yourself, everyone has a slow news day now and then, don't they? You know that better than anyone, as you've just told me, clear as the words on this page. Someone, somewhere in the world, is going to want to go with it. They'll do some more investigating, put together an even more complete picture. It won't be difficult, and it's going to involve some very interesting people. I mean, local government must have a few fingers in this pie somewhere along the line. You're small fry, Linley, but there must be some pretty bloated whales out there. It's all there for anyone who actually wants to join the dots, and the big picture is very, very big indeed. Anyway, you wanted to put your name out there, didn't you? I'd say this should do it, don't you think?'

Linley stood up, his lips set in a thin line, his face white.

'Another thing,' Toby added, before the younger man could walk away. 'Watch your inbox. I'm going to write the copy for you. Believe me when I say I'll be checking to make sure that not a word has been changed for print. Don't worry, I know how to write to fit. You can put your byline on it, Russell. It'll be the best thing you ever write.'

Forty

Ezra knew Gilly was supposed to be working, and the light-house door was open. She should definitely be here and he'd told her he was going to come by at some point this afternoon to discuss their next lesson topic. Yet the bookshop was empty.

'Hello?' he called, looking around as he crossed to the abandoned counter. Answer came there none, but there was a steaming mug of tea beside the cake stand, which meant the girl couldn't be far away.

Bukowski appeared, wagging his tail as he leaned against Ezra's leg, looking up at him hopefully, as if he thought Ezra might be carrying treats somewhere about his person.

'Hey, old boy,' Ezra said, rubbing the dog's ears. 'Is Ron here too, or did he leave you here with Gilly?'

There came the faint sound of murmuring from some-where above his head, on the mezzanine. Ezra gave Bukowski one last pat and then made his way to the stairs. The mumbling continued, the pitches marking out two different voices, although Ezra couldn't make out any words. Or at least, he couldn't until—

'But you *can't tell Ezra*!' It was Gilly's voice, rising sharply and then dropping again amid another few hurried murmurs.

Ezra stopped dead, listening intently. He looked down to where Bukowski was sitting at the bottom of the stairs with his ears pricked. Was it Ron up there with Gilly? What could they possibly be discussing that involved him?

'Well, I think he has a right to know!' Now it was Ron's voice that was raised. 'He *should* know!'

'No!' Gilly insisted, louder now. 'He'd be awful about it. He hates Edie, you know that.'

There was the sound of footsteps coming closer and then stopping. Ezra ducked, turning on the stairs and squashing himself against the wall. He risked a look up, but though he thought Gilly and Ron were probably standing near the mezzanine's balcony rail, he couldn't see them. He also couldn't move, not unless he wanted them to see him.

'I don't think he would be. He's not as hard-hearted as all that,' Ron pointed out. 'Who knows – maybe, if he knew she felt that way about him, it would change things between them.'

'It wouldn't,' Gilly said, with utter conviction. 'It'd be one more thing he can wind her up about. Can you think of a single time that you've seen them together that Ezra hasn't found *some* way to get at her about something?'

'Hmm,' said Ron. 'You've got a point there. But I still think . . .'

'Nope,' Gilly said. 'Trust me, I know I'm right. It'd be a *disaster* if he found out.'

'All right, all right,' Ron said. 'I think it's a shame, that's all. She's a lovely lady really. It's sad that she's all on her own, pining over a man who doesn't want her.'

'I know,' Gilly sighed. 'Underneath all that fake toughness she's really hurting. Edie's been so good to me and I wish I could do something to help. Which is why I'm swearing you to secrecy. Ezra would only humiliate her if he knew, so he mustn't ever find out. She'd rather die than let him know that she's in love with him. Then I'd be homeless again, wouldn't I, and it'd be all your fault. So – no telling Ezra, all right? *Ever.* I'm serious, Ron.'

Ezra didn't hear what Ron said next. His ears had disconnected from his brain and for a moment were buzzing on a frequency his mind couldn't accommodate. When he tuned back in, Gilly and Ron were moving again. For an awful moment he thought they were coming towards the stairs.

'Come on,' Gilly said. 'Let's get these on the shelves before Rachel gets back.'

'All right,' Ron answered, 'give some of 'em here. You're going to have to tell me where they all go, mind . . .'

Their voices dropped as they headed towards the recesses of the upper level, and Ezra saw his chance to escape. He slipped back down the stairs as quietly as he could, dodged Bukowski, and made for the door. Outside, he stood for a minute, looking up into the afternoon sunlight and breathing in a fresh breeze, trying to make sense of what he'd overheard. It all had to be complete nonsense, didn't it? There was no way that Edie Strang felt that way about him. It was absurd, completely absurd.

Completely.

She hated him, didn't she? Always had.

He started walking, trying to calm his spinning mind.

But the thing was . . .

Ezra headed for home, thinking about the last time he'd seen Edie. It had been a few days earlier, when Rachel had walked in on him sorting out that splinter his neighbour had got from Georgette's pen. She'd run out of his place as if he'd come at her with a branding iron, and he'd seen neither hide nor hair of her since. In truth, Ezra had been trying to put the encounter out of his mind, but he'd not quite been able to let go of that moment. It had unsettled him, though he wasn't entirely sure why.

Sitting there, with Edie's hand in his, with her so close, watching her in profile as she had turned her head to look around the strange country of his kitchen, he had been reminded of the first moment he'd seen her so many years before. She'd opened the front door of the Corner Cottage as he'd been carrying boxes into his new home. The load he'd had in his arms at that moment had been heavy, a box full of books, but one glance at Edie Strang had thrown off his step. She was arrestingly beautiful, this new neighbour of his, with her hair already turning silver, with her high cheekbones, with the piercing green of her eyes and her wide, easy smile. She'd welcomed him to Newton Dunbar, asked if he needed any help, and when he'd said no, invited him to knock at her door later for a drink.

Somewhere, over the course of the past fifteen years of recrimination and mutual insults, he'd forgotten how they had started – as friends, but always, surely, with the distinct possibility of something more. When things had turned sour back then, he'd been forced to assume that he'd been wrong about that, that Edie had never seen him through anything more than her slightly snobbish artist's eye, a curiosity, perhaps, an oddity for distant observation. Recently, though – and he wasn't sure when it had happened, or even quite *what* had happened, this assumption of his had been challenged somewhat. And now, with what he'd just overheard . . .

But no, it was ridiculous to even think it. Ron and Gilly were mistaken.

Ezra unlocked his front door and made his way into the kitchen, reaching for the kettle as he thought over the subtle change that seemed to have begun between them over the past few weeks.

That night that Gilly had made them sit together, for example. Edie had almost jumped out of her skin when he'd taken her hand, looking at him straight in the eyes in a way he couldn't ever remember her doing before. They'd looked at each other, really looked, unable and perhaps, just perhaps, unwilling to turn away.

And then there was that weird encounter a few days ago, when they'd ended up in his kitchen. She'd come through the gate and stared at him for a full minute – stared as if she'd never seen him before – and there had been a second there when Ezra had been sure she'd been blushing, though he couldn't imagine why. And then there was the two of them, sitting so close together, her hand in his and the two of them at peace for once. There had been a second, right before Rachel had interrupted, when—

'Dammit,' Ezra said, slamming shut the door of the fridge without taking out the milk he'd been seeking for his tea. His eyes landed on the magnetic quotations he'd put there, and he remembered Edie staring straight at him from a foot away, her hand in his.

Everybody deserves a second chance.

'Dammit,' he said again, and walked out of the kitchen. Ezra stalked along his hallway and out of his front door without even pausing to pull it shut behind him. He didn't stop moving until he was ringing Edie's bell.

She opened the door, her eyes widening as she saw who it was on her step. 'Ezra?'

'Can I come in?'

'Well—'

'It won't take long.'

Edie stepped back and he passed her, taking a few steps to the end of her short hallway, where he stopped at the bottom of the stairs.

'I'm waiting for Gilly,' Edie said. 'She—'

'What would have happened,' he cut her off, 'if Rachel hadn't interrupted us?'

'What?' Edie shut the door. 'I don't – what do you mean?'

'The other day, in my kitchen. What would have happened,' he asked again, softer this time, 'if it had only been us?'

She turned to look at him and her gaze flickered to his lips, just for a second, then up to meet his eye. The hallway seemed so narrow, suddenly, the air growing thin, as if there wasn't enough of it to share between them.

'Edie,' he said, his heart pounding heavier than an industrial hammer drill. 'We've spent fifteen years at war and neither of us has come close to winning. Maybe it's time to start over.'

'Start over?'

'We can, if we decide to. Try something new.'

He saw her try to breathe, as if to do so was suddenly difficult. 'Like . . . what?'

Ezra took two steps towards her and held out his hand. 'Please. Just come here.'

Edie stared at him and now she didn't seem to be breathing at all. He thought she was going to turn away, to tell him to leave, to stop being such a damned fool. But instead she raised her hand and slipped it across his palm, her gaze still fastened on his. He closed his fingers over hers, tugging her towards him, until they stood toe to toe. There wasn't really very far for her to go at all, in the end.

'Ezra,' she whispered. 'I don't—'

'It's all right,' he whispered back. 'Neither do I, but *Edie*—'

He touched his fingers to her jaw. He slipped his hand into her silver hair, leaned down, and kissed her.

Up the hill in the bookshop, Gilly and Ron finished reshelving the pile of books and then stood back to admire their handiwork.

'Has his nibs gone?' Ron asked, in a whisper.

'Yup,' Gilly said, raising her hand in a high-five gesture. Ron slapped his palm against hers. 'Perfect. Thanks, Shakespeare, for showing me how to set up daft old people. Turns out you are useful after all! Right, I think we've earned ourselves a biscuit.'

From downstairs, there came an enthusiastic 'Woof' of agreement.

Forty-One

'Rachel?'

It was Ezra, knocking at his guest room door. Rachel was still in bed. For a second she thought she'd overslept and turned over in confusion to look at the alarm clock on the bedside table, but no. It was still early enough that the light had yet to push its way in around the curtains of her borrowed bedroom.

'Yes?' she called, sitting up quickly. 'Is everything all right?'

'I think there's something you should see.'

'I'll be right down.'

When she came into the kitchen, Ezra turned with a smile and indicated the table, which was covered with newspapers.

'What's this?'

'Toby dropped them off a few minutes ago. Said you should look at that one first.'

He pointed at a copy of the *Aberdeenshire Herald*. Rachel looked at him as she picked it up, unfolding it so she could

329

see the whole front page. She caught her breath. Ezra pulled out a chair beside her and tapped her on the shoulder. She sank into it, still reading. It was a full and damning retraction of the piece that had sought to destroy Rachel's reputation and position at the lighthouse. It was unstinting, in fact, in its correction of the story.

'Toby,' Rachel said, when she found her voice. 'Toby must have done this.'

'Yes,' Ezra said. 'He's been hard at work, by the looks of it.'

Rachel blinked, surveying the other papers spread out in front of her. 'But what are all the rest of these for?'

Ezra smiled and reached over to pick up the *Guardian*. He turned a few pages and then flipped the paper around and laid it in front of her.

ABERDEENSHIRE PROPERTY MAGNATE UNDER INVESTIGATION FOR CORRUPTION

Rachel read the article, feeling slightly stunned. The piece even included a small artist's sketch of the development that Dora McCreedy had planned – the one that would mean the lighthouse had to go. It apparently wasn't the first time McCreedy and her firm had used dirty tricks to secure the property they wanted, and there were details of this history, too, as well as the names of prominent local figures caught up in what was clearly going to be a national scandal.

'It's echoed throughout the others,' Ezra told her.

Rachel felt numb. She nodded and then stood up, reaching

for the local paper that had started it all and tucking it beneath one arm. 'I think,' she said, 'that I should go and see him.'

Ezra smiled. 'Good idea.'

Toby looked as if he'd been up for hours when he opened the door to her knock, or perhaps as if he hadn't been to bed at all.

'Hi,' he said, something unsettled in his face.

'I've seen the papers,' she told him, holding up the *Herald*. 'All of them.'

He hesitated for a moment, frowning, then pushed the door open wider. 'Come in. I've just put the kettle on.'

'Thank you,' Rachel said, as she followed him into the kitchen. 'For what you've done. For making them set the record straight.'

Toby wasn't quite looking at her as he handed Rachel a mug. She stood by the window, but he backed away and leaned against one of the worktops, as if deliberately keeping some space between them.

'It was nothing,' he said quietly.

'Toby,' she said. 'It wasn't nothing. It must have been a lot of work. You went to so much effort.'

He smiled, but still wasn't looking at her. 'It's what I do. I'd have done it for anyone.'

'I know,' she said. 'But this time you did it for me.'

'I didn't want it hanging over you.'

She smiled. 'And now it won't.'

'No,' he said quietly. 'It won't.'

'Are you all right?' Rachel asked, confused by his reticence, which was so at odds with her own sheer relief. 'Has something else happened? You seem . . . I don't know. Pensive.'

Toby looked away. 'I think I'm going to go back to London in the next day or so.'

Whatever she'd expected, it hadn't been that. Her heart gave a strange and painful pulse. 'Oh. I thought you had at least another month on the lease for this place?'

'I do, but . . . I've decided that trying to write this memoir is a fool's errand. It's just not me. I need to find some other form of work. And in fact,' he shifted uncomfortably, 'the work I did on the Dora McCreedy investigation has unexpectedly opened a couple of doors.'

'Oh?'

'One of the papers has offered me a contributing editor position.'

'Right. Well – that's good. Isn't it?'

'Yes.'

There was a moment of silence. 'You don't . . . Toby, if you don't mind me saying so . . . you don't seem particularly happy about going.'

He looked at her, right at her, for the first time since they'd started their conversation. 'I'm not. I like it here. A lot.'

'And we like having you here,' Rachel said, and for a moment thought about saying more. But still, all she said was, 'Gilly will miss her lessons with you.'

'I'll still do those,' he said. 'We can do them online. I'm not going to just drop her.'

'No,' Rachel said. 'Of course not. I know you wouldn't.'

The silence was deeper this time, sharper, a chasm that she didn't understand.

'Well,' she said. 'Maybe we could have dinner. Before you go?'

He smiled again, a slightly more genuine one this time. 'Sure. I want to say a proper goodbye to everyone. And you deserve to walk into the Fretted Goose with your chin held high.'

'No,' Rachel said, her heart beating to an uncomfortable rhythm. 'I meant *we* could have dinner. You and me.' She had no idea how to say, *A date, Toby, I'm talking about a date, but I don't know how to ask.*

He stared at her for a second as if he'd heard her unspoken thought, and then shut his eyes, a frown creasing lines in his forehead.

'Rachel,' he said, with slow deliberation, 'there's something I have to tell you.'

He opened his eyes and looked at her silently for a moment. A heavy weight settled across Rachel's shoulders.

'It's probably going to make you angry,' he said quietly. 'At first I thought I could just not tell you, but that doesn't feel right. I feel awful every time I see you, every time I think about you. I didn't want to dredge up – I don't want to make things—'

'Toby,' she said. 'Whatever it is – come out and *say* it.'

'I know why you never talk about your past,' he said. 'I know why you were on the road for so long, why you kept moving. Why you were running, and who you are still hiding from.'

He let the silence drift for a moment. Rachel said nothing, but his short statement instantly unravelled all the hope that had existed for her in the previous moments of the morning.

'I wasn't prying,' he tried. 'I . . . I saw a letter, that night I stayed late at the lighthouse. I was looking for a teaspoon, and there it was, in one of the drawers. It was addressed to Mrs Rachel Harry.'

It was as if Rachel had taken a breath and found herself to be drowning. In her mind she was no longer here. She had already absented herself: from this conversation, from Newton Dunbar, from this calm, quiet life that had been hers for five years but actually had never really been hers at all. She must have looked like a statue, standing there, staring at him. In her ears a siren was blaring; her blood, pulsing, pulsing.

'I tried to forget it,' Toby went on, as if talking would fill the void between them rather than making it worse. 'I knew it was none of my business. It still isn't. I *know* that. But when I was trying to work out who would have wanted that article written and why, I wondered whether it was someone who had something against you personally. Someone from your past. I searched the archives to see if there had ever been any newspaper reports involving a Mrs Rachel Harry. And . . . there were.'

He paused, as if expecting her to interject with some sort of explanation. She didn't. She truly hated him in that moment. Then she just felt numb.

'You're a missing person,' he said quietly.

'No,' Rachel said, and her voice sounded strange, as if someone else were speaking through her hoarse throat. 'No. I *was* a missing person. I'm not anymore. Now I'm me.'

He nodded. She could tell that there were questions he wanted to ask. She knew how difficult it must be for him, whose entire adult life had been built around reconstructing the whole truth of a fragmented story. But she was the opposite. Her life – this brief part of her life, the only part that had actually been hers to live as she pleased – had been entirely dependent on being hidden. She turned for the door. He didn't try to stop her.

'Rachel—'

'It took so much for me to get away,' she said. 'I was so afraid, for so long. I wanted to leave it behind, for ever. I didn't want it to follow me here. Not *here*. Not to *this* place. I didn't want anyone here to know.'

'I understand,' Toby said. 'And I'm sorry. I am.'

'I thought I could trust you.'

'I'm sorry,' he said, again, because what else could he say?

She reached the end of the hallway and opened the door. Outside the new day was mild, though for some reason she had expected to find herself stepping out into a maelstrom.

'Does he know where I am?' she asked.

'No, of course not. I didn't even try to contact him. I would never do that. I—'

'He'll kill me,' she said. 'If he ever finds me. Do you understand that?'

'He won't,' Toby said. 'He won't find you.'

'How can you possibly say that?' she asked him. 'What the hell do you know?'

'Rachel—'

'Don't come and see me before you go,' she said. 'This is enough of a goodbye.'

Toby said nothing, but from the corner of her eye she saw him give a single, slow nod, as if she was simply confirming something he'd expected to hear. Something he *deserved* to hear. He'd known this was coming. Even in this, he was ahead of her.

She left him standing in the doorway of his rented cottage and walked away without looking back. Ahead of her she could see the lighthouse, rising on the hill. She imagined Eveline MacDonald, two hundred years and several lifetimes away, up there in that tiny dome, hidden away from everyone down here, watching life at a safe remove, untouchable in her tower, and Rachel thought she could understand how that would be appealing to someone for whom life had dealt one terrible blow after another. Yes, she could understand that very well indeed.

Rachel didn't want to go straight back to Ezra's place. She didn't want to talk to anyone, she didn't want to have to *explain*. Instead she went up the hill to the lighthouse, hoping that the quiet emptiness of the place would allow her to gather her thoughts. It was still early, barely six o'clock. She could have time to herself before she had to open the bookshop. She might even go up into the camera obscura, stand there in the quiet and imagine herself untouchable, no more than a cloud drifting in the warming dawn air. Rachel made her way up the narrow road that cut beside the gatehouse, looking up at the tower, rising to pierce the sky.

A movement caught her eye as she reached the top of the hill. A small group of people were standing on the far side of the tower. They had their backs to her, facing the forest and the peaks beyond. As Rachel stopped to watch, one of them swung an arm towards the trees and then turned, arm swinging like a pendulum back the other way towards Rachel, as if indicating an invisible route that led straight from the forest to the lighthouse and on down to the gatehouse. Rachel saw that the figure was Dora McCreedy.

For a moment Rachel stood still, entirely numb, trying to work it out. Under her arm was a newspaper – just one of many – detailing all the malpractices this woman had performed in order to get her way, over and over again. Yet here she was, in front of Rachel, apparently preparing to harvest the fruit of one such action as if nothing was troubling her at all. That couldn't really be the case, could it? The lighthouse couldn't go to McCreedy, not after Toby's efforts to show the damage she had been prepared to inflict in order to get it? Where was the justice in that?

Anger bubbled in Rachel's gut. She stalked up the hill towards the little knot of people, her eyes fixed on her nemesis.

'What are you doing here?' Rachel demanded. 'You're trespassing, all of you. Leave, or I'll call the police.'

Dora regarded her with an amused look. 'Good luck with that,' she said, her tone entirely nonchalant. 'They probably want to talk to you anyway. Or have they done that already? Got bail somehow, did you?'

Rachel felt her new certainties slipping away from her. She had thought Toby's work would change things, set them right, but—

'In any case,' Dora went on, 'let's see what the actual owner of this place thinks about whether I'm trespassing or not, shall we? I'll give Trudy Goodwin a call, ask which of us she thinks ought to be here. Who do you suppose she'll think has the right – the person about to hand her a fortune for this property? Or the woman who – *allegedly* – had a hand in Cullen's death?'

Rachel felt sick. She stared as McCreedy reached into her pocket for her phone. It obviously wasn't there, or in the bag she carried.

'My assistant has my phone,' McCreedy said, with a faint curse, 'but in any case I don't think it takes a genius to work out what the answer will be, do you? Have you packed yet? Because believe me, the minute the deal's signed, I want you as far away from this place as you can run.'

Rachel swallowed, her mouth dry. The two women stared at each other. The silence was disturbed by the raucous tone of a phone ringing. One of the suited men behind Dora reached into his pocket. Then another phone rang, and another. Texts began to bleep, too, a cacophony of noise as the gaggle of businessmen received simultaneous calls. Dora frowned, turning, as one of them held his phone to his ear. He listened for a moment, frowned, looked up at Dora—

'Something's happening,' he said. 'I'm being told to check the news sites.'

'And me,' said another.

A shout came from below them. Rachel turned and saw Dora's assistant struggling to run up the hill in heels. She had a phone one hand.

'Ms McCreedy,' she called, puffing with effort. 'Ms McCreedy, you need to see this—'

By now the group of businessmen surrounding Dora were all on their phones, either talking or frantically scrolling. None of them looked happy.

'What on earth is going on?' Dora asked, fractious.

'Ms McCreedy,' her assistant wheezed, reaching them. 'The press ... There are stories – there are stories in the press—'

'What?' McCreedy demanded. 'Spit it out, girl, for good-ness' sake!'

Rachel took the *Herald* from beneath her arm and shook it out, letting the front page unfurl in front of McCreedy's eyes so that she could see the headline.

'I think she means this, Dora,' Rachel said quietly, and saw the woman's eyes widen. 'It's in the nationals, too. All of them. It'll be all over the Internet as well.'

The colour bled from McCreedy's face as she reached out to snatch the paper. The men she'd been showing her fabled site were already leaving, every one of them hurrying down the hill and away.

'Wait,' she called after them. 'This is all a misunderstanding. Let me explain. *Wait*!'

None of them paused, or even looked back at her.

'Shall I call Trudy Goodwin now?' Rachel asked, into the dawn hush. 'See what *she* thinks about all this?'

Dora stared at her.

'If you don't leave, right now, I'll call the police,' Rachel said. 'I can't imagine that'll go too well for you at the moment, will it? Go, Dora. You don't have any power here. You don't have any power anywhere, not anymore. The next time I hear about you, it'll be reading about how long you're going away for. You're finished. *Leave*.'

Forty-Two

Once Rachel had gone, Toby went back to the kitchen and stood staring out of the window into the garden until his tea was cold. He imagined what Sylvie would say about the latest mess he'd made of his life, and decided that was a thought he could do without having in his head. It was time for him to get back to work, because if nothing else, he had proven that he still had something to offer in that department, and besides, what else was he going to do?

His phone rang and when he pulled it from his pocket, he didn't recognize the number. He frowned at the screen for a moment, wondering if it was another paper following up on the Dora McCreedy story. He was in no fit mood to talk to anyone, but he answered anyway.

'Hello?'

'Mr Hollingwood?'

The voice was young, female and Scottish. Toby didn't recognize it. 'Yes?'

'It's Stephanie. Stephanie Warren. From the Great Dunbar Historical Society?'

'Oh,' he said, and thought he could feel her sudden awkwardness across the phone line. 'Stephanie. Yes.'

'I'm sorry to bother you,' she said in a rush, 'but it's about the Braecoille papers.'

'Right,' Toby said, rubbing one hand over his eyes. 'Well, look, that's not really—'

'I kind of carried on looking through them, you see,' she went on, and he could hear the nerves in her voice. 'I found them so fascinating that day that you came over and, well – once I started I didn't want to stop. The very idea that I'm looking at something so old, that someone actually handled – and yes, it might be mundane, but it was part of someone's day, like me unlocking the door to this place or filling in the visitor log, or—'

'Stephanie,' Toby interrupted gently. 'I'm sure it really is interesting, but the thing is, what I was researching – I've finished with it. I've ... moved on to something else. I'm leaving Newton Dunbar very shortly.'

'Oh,' said the voice on the phone, in a tone of disappointment.

'Sorry,' he said, feeling the need to apologize. 'It's—'

'No, I understand,' she said in a rush. 'It's just strange, that's all. I can't work it out, and so I thought you might be interested, but you must be so busy with a million other things, and I was having to re-file anyway, so ...' she trailed off.

'What is it?' he asked. 'This strange thing that you found?'

'It's an order for candles.'

Toby drew a blank. 'Candles?' He transferred his phone from one ear to the other. It occurred to him that perhaps Stephanie had contrived this as a reason to call him, and then wondered how, without being a complete arse, he could make sure she never did that again. 'They must have used candles at Braecoille all the time, surely?'

'Oh yes,' the young woman agreed. 'The estate had a standing order for them that was delivered every three months, it looks like.'

'Right. So—'

'This order was on top of that. And it was for a lot of candles. I mean, a *lot*. So many, in fact, that their usual supplier couldn't provide them all. That's why I noticed, you see. There were five different orders for candles in the same month.'

'How many candles are we talking?'

'Altogether, one hundred and fifty thousand.'

'*How* many?'

'One hundred and fifty thousand,' Stephanie repeated, 'and that's on top of the usual standing order.'

Toby tried to work it out. 'That's ... Well, that's certainly strange.'

'Could it have anything to do with what you were researching?' she asked.

'I don't know,' he said honestly. It was certainly a puzzle, but perhaps there was something obvious he hadn't thought of. 'What would anyone need that number of candles for, Stephanie? Any idea?'

'Not really,' the young woman said. 'I've been racking my brains and not coming up with much. I thought that they had maybe been hosting a big party for Christmas and they needed them for outdoors – like, maybe they were having a ball and wanted it to be held outside after dark, so they needed to light the place for the event? But the only unusual purchase in that month was the candles. There was nothing for anything that you'd associate with a big party – food and drink or music, temporary extra help, anything like that.'

'Can you tell who made the orders?'

'It was the housekeeper, as usual. Ahh,' Stephanie said, 'I see what you're thinking.'

Toby drummed his fingers on his mug. 'What am I thinking?'

'Oh,' Stephanie said, awkward now. 'Sorry, I didn't mean – I was being presumptuous there, I—'

'Stephanie,' he said, 'I'm genuinely asking. There's something there. I'm not seeing it clearly, but there's *something*. Bouncing it off you might shake it loose. What did you think I was thinking?'

'Well,' she said, 'if the candles had been ordered by Mrs MacDonald, there'd be a link between them and the house burning down, wouldn't there? I mean, I'm not sure what that link is exactly, but it's too much of a coincidence, isn't it? You only buy candles to set fire to them. And a hundred and fifty thousand—'

'When did the candles arrive?'

'Um—' there came the rustle of papers from the other end

of the line. 'All the orders had been delivered by the end of December 1815.'

Toby leaned against the counter, staring out at the garden but not seeing it. Braecoille had burned down in January 1816.

'Mr Hollingwood?' Stephanie Warren said, after a minute of dead air down the line. 'Are you still there?'

'Yes, sorry,' he said. 'Just thinking. Have you got a scanner there? Could you scan the candle receipts and email them to me?'

'Sure,' she said. 'I can do that.'

Forty-Three

'I don't understand,' Edie said, 'Gilly, you're so close. You're going to sit these exams and you're going to pass with flying colours. I know you are. Ezra knows you are. *You* know you are. The deadline for college applications is coming up fast, so please, please tell me why you *still* haven't filled in the forms?'

It was early evening and they were standing in the print room, Edie watching as Gilly cleaned the block she'd been working with until she'd come in to talk to her. The girl was turned away from her, shoulders hunched as she bent over the sink, as if they could provide a barrier between her and the rest of the world, or more specifically at this moment, Edie. Edie would be willing to bet that if she could see her face, Gilly's mouth would be set into a tight, thin line, her forehead creased in a scowl.

'I've changed my mind,' Gilly said, over her shoulder. 'I thought I wanted to go to college, but ... I don't anymore, that's all. I'm sorry.'

'But why? Is it the personal statement you're having trouble with? If it is, I can help you with that. Or one of the others can. Whomever you feel comfortable talking about it with.'

Gilly said nothing. *If she scrubs that block any harder,* Edie thought, *she'll knock chunks out of it.*

'Gilly,' Edie said. 'I think I've earned the right to at least get a straight answer out of you.'

Gilly spun around. 'I've given you one! I don't want to go to college,' she said. 'Isn't that enough?'

'Of course it's not!' Edie told her. 'This is what we've all been working towards!'

'I can't do it, all right?' Gilly said, shortly. 'I thought I could, I thought—' she broke off.

'You thought what?'

'Nothing. It doesn't matter.'

'Gilly—'

'Edie – please drop it, all right?' Gilly said, her anger rising.

'I can't drop it,' Edie told her. 'This is your future, Gilly!'

'Oh, give it a rest, for God's sake!'

Gilly stormed past her, heading for the back door. Edie watched her go, feeling weighted by defeat. She'd thought they were getting somewhere. The future looked good in so many ways, for all of them. But Gilly absolutely refused to fill in the college application. They'd all asked her about it, to no avail. It seemed she'd changed her mind about wanting to go to college, and that was that. Edie just couldn't work out why.

Ezra appeared in the print room window. Edie heard him call after Gilly as she crashed through the garden gate, but the girl didn't stop. He watched her go and then opened the door to the print room.

'What's all that about?' he asked as he came in.

Edie shook her head. 'I was trying to get to the bottom of why she's suddenly decided she doesn't want to go to college, but she won't tell me. She's going to miss out on this huge opportunity, Ezra, and she may never get another.'

Ezra came close enough to run the backs of his fingers down her arm, and Edie's heart stuttered both at the touch and the implication of care behind it. It was still so new, this closeness between them. She felt it as a fragile thing, a breakable thing. Was that how Gilly felt about the future they had all been urging her towards? Something so delicate that even reaching out to take it could cause it to shatter, so that it was better not to try at all? Edie didn't know how to ask her that, or even if she could help, were this true.

'Maybe we should go ahead and fill it in for her ourselves?' Ezra suggested, and Edie loved the deep rumble of his voice so close to her. Not that she'd tell him that, obviously. He was already spending enough time grinning at her like a fool. 'Have you got spare copies of the forms?'

'I can print them out,' Edie said. 'I'm not sure how ethical that would be, though. We'd have to answer for her and that doesn't feel right.'

'I thought you said she had actually started filling in the first lot you got her?' Ezra asked, as he followed her through the living room and into the kitchen. It was surprising, she thought, how comfortable they had become in each other's company, and so quickly. The thought made her anxious, as if she were leaving herself open to something.

'She did,' Edie told him, opening the fridge and taking out the bottle of wine they hadn't finished the evening before. She reached for two glasses, and swallowed the little pulse of anxiety that sparked through her as her fingers struggled with the grip. She stepped in front of Ezra, hoping he hadn't seen her hesitation. 'I saw her working on it for a few days before she suddenly decided she wasn't going to go through with it. This is what I don't understand.'

'What did she do with that form, then?' Ezra asked. 'The one she'd partially filled in? If we can find it, we can use the parts she did fill in to work out how to fill in the rest.'

Edie passed him a glass. 'That's not a bad idea.'

He grinned. 'I'm full of them, you know.'

Edie shook her head and took a mouthful of wine. 'You, Ezra Jones,' she said, 'are nowhere near as clever as you think you are.'

He put down his wine glass and pulled her toward him. 'Clever enough to know what's good for me,' he said, bending down to kiss her, which turned into another, and then another.

A little later, Ezra said, 'We really should find those forms before she comes back.'

'They'll be long gone by now. Ripped up and thrown out, I should think.'

Ezra shrugged. 'We can at least try the bin in her room, can't we?'

Edie picked up her glass. 'I can't go poking through her things, Ezra. That would be a terrible thing to do.'

'Then don't,' he said. 'All you need to do is walk in there, pick up the bin, and walk out again. You can say you wanted to empty it before rubbish day. That won't be a lie either, will it,' he pointed out, 'as that's tomorrow.'

Edie hesitated, but only for a moment. After all, she *did* need to empty the bins.

'Wait here,' she ordered Ezra. She went quickly upstairs and retrieved the small waste-paper basket from beneath Gilly's neatly kept desk.

'It might not even be in there,' she said, arriving back in the kitchen and holding the basket out to Ezra.

A second later, Ezra picked a crumpled ball of paper out of the detritus. 'But it is.'

Edie grabbed the bin. 'Fine. I'll put this back.'

By the time she returned to the kitchen, Ezra was frowning over the forms, which he'd smoothed out and laid on the worktop.

'I don't understand this at all,' he said. 'It's ready to go. She's filled it in.'

Ezra was right. Every single space asking for information had been filled in with Gilly's small, studiously neat handwriting. Edie picked up each sheet in turn, wondering if she was missing something, but there were no crossings out, no mistakes, nothing to indicate why the application had been discarded. Edie read through the personal statement, which was a perfectly legible and cogently put argument that would surely have convinced any assessor of Gilly's right to a place in higher education.

'All she had to do was sign it,' Edie said, utterly mystified.

Ezra shook his head, equally at a loss. 'I thought she must have been having some issue with filling in the form,' he said. 'But that obviously wasn't the problem.'

'Well, what then?' Edie asked, frustrated. She picked up the final sheet and glared at the blank signature box, as if that one element of absence might reveal all. 'Why the hell didn't the girl sign the damn thing?'

Then she noticed that there were actually two blank signature boxes. Edie had assumed that one of them was for the intake assessor, but as she looked closer, she realized that she'd been mistaken. The second box was for a parent or guardian. There was an instruction printed in smaller type over the second box.

If the applicant is under the age of sixteen at the time of application, the signature of a parent or other legal guardian must be supplied.

'I know exactly why she hasn't signed it,' Edie said.

'What?' Ezra asked. 'What is it you've seen?'

Edie was silent for a moment, going back to the first page of the forms, where Gilly had filled in her personal details. Her home address was listed as Edie's, but that wasn't the whole story, was it?

'Leave it with me for a few days, all right?' Edie said,

folding the forms away. 'I'm going to get this sorted before I talk to her again. That girl is going to college, Ezra, if it's the last useful thing I do in my life.'

Forty-Four

In the wake of the settled scandal, the bookshop became busy. The news cycle rumbled on, and although the lighthouse and Cullen's death was no longer the direct focus, there continued to be both local and national stories about Dora McCreedy and her dubious empire. Other complainants beyond those that Toby had identified began to come forward. On a local level, the developer's plans for her plot of land in Newton Dunbar had emerged, not to mention a few individuals who now most definitely wished they had not put their fingers anywhere near that particular pie. Political futures had been compromised by association with the name Dora McCreedy. Her company – what was left of it – had withdrawn its offer for the lighthouse and surrounding land, although Alan Crosswick told Rachel that even if they hadn't, their firm would have strongly advised Trudy Goodwin to reject it in the light of the court cases in which McCreedy was likely to be embroiled. As a result, they were preparing to put Cullen's estate on the open market, although it had been decided that they would delay this for a few weeks in the hope that the furore would die down.

'No estate agent wants to deal with time-wasters hoping for a private nose around,' the solicitor pointed out.

Rachel, having thought that with the gatehouse almost clear she would no longer be able to justify Gilly's employment, found that it took two pairs of hands to get through the day. Visitors were coming from far and wide to see the tower, the bookshop, and – to her bemusement and horror – occasionally even Rachel herself.

It made her nervous, especially when some of those people asked her for photographs. Thus far none of the newspaper articles had used her image, and the only name that had appeared in association with her was Rachel Talbot, a surname she had plucked out of the air when she'd fled her old life. It had no connection to her past life at all, so even if Steven happened to see the story unfolding in the press, there would be no reason at all for him to associate it with his errant wife. If, however, her face started to show up alongside it, who knew what would happen?

'But why?' she asked, the first time a young woman had held up her phone. 'I don't own the place – I just work here.'

'It's for Instagram,' the girl said, as if that explained everything.

'No, I'd rather not. Ask Gilly instead,' Rachel had said, backing away. 'She's far more photogenic anyway.'

She couldn't complain about the increase in trade, especially since any books leaving the premises meant fewer would need to be packed up and removed when another buyer was found.

When a new candidate did come forward, it was informally, and Rachel met him first. Glancing over as she rang in another customer's purchase, she at first dismissed the young man who had caught her eye as another tourist, here to see the lighthouse but nothing more. He couldn't have been more than thirty, and was tall, with broad shoulders and long, shaggy blond hair that made him look as if he should be carrying a surfboard under one arm. He walked into the bookshop and stood still a minute or two, looking around with a sunny smile on his face. Rachel went on serving the line that had gathered at the counter, and the next time she looked he was making his way up the stairs. He didn't seem to be looking for books, although he reappeared at the counter half an hour later with several under one arm.

'This place is great,' he said, putting down his finds in front of the till. 'I can't believe anyone would even consider knocking it down.'

Rachel smiled and saw that he'd chosen four volumes on traditional brewing techniques.

'You're Rachel, right?' he asked, as she began to ring in his purchases. 'The manager?'

Rachel tried to give a genuine smile, although she still wasn't comfortable with strangers knowing who she was. 'That's right.'

To her surprise he stuck out a hand and, as she shook it, said, 'I'm Bernie Stuart. I own Stu's Brews, up in Fraserburgh?'

Rachel had seen the colourfully printed cans in the supermarket, beers with flavours like coffee and dark chocolate, sour lychee, mango lassie, peach melba.

'Oh, hi,' she said. 'I like your whisky cask bitter.'

'Ahh – the classic! That was the first beer I ever made, and I did it all in my dad's shed,' Bernie laughed. 'Now we're expanding so much, our current premises can't handle our output. We're looking for a new place. I'm kind of thinking that this would be perfect, actually.'

Rachel stopped bagging his books and looked up at him. 'The lighthouse?'

'Yeah,' he said, his enthusiasm clear. 'I mean, think about it. A brewery in a lighthouse? That's worth its weight in publicity on its own. And we'd make sure to keep it as untouched as we possibly could, too. We'd need to put a few additional buildings in, but I've had a walk around the site and we could put the warehouse and bottling plant on the far side of the hill. The offices can go in the gatehouse. It's perfect, really. No one in the village would even know the difference.'

'Right,' Rachel said, trying to imagine what this place would look like with a microbrewery in it.

'Sorry,' Bernie laughed. 'I tend to get a bit carried away when I have an idea.'

Rachel smiled back and this time it wasn't forced. 'I'm guessing you wouldn't be as successful as you are, Mr Stuart, if you didn't.'

'Do you know when it's going to go on the market? I looked but it doesn't seem to be up yet.'

'Next week, I think. The photographer is supposed to be coming today,' Rachel told him. 'But I can give you the solicitor's details now, if you like.'

Bernie Stuart smiled. 'That would be great.'

She wrote Alan Crosswick's number on a scrap of paper and handed it to him along with his bag of books.

'Brilliant, cheers. I hate to think of turfing you out of this place, though,' he added. 'I read the papers, I know you live here. Maybe, if this comes off, I could at least find you a job with us? We should talk, anyway.'

'Thank you,' Rachel said, surprised. 'That's a kind thought.'

Gilly appeared beside her as Bernie Stuart walked away.

'What did Point Break want?' she asked.

'His name's Bernie,' Rachel said. 'I think he might end up making an offer on the place. And actually, as new owners go, the tower could probably do a lot worse.'

Forty-Five

Gilly was in Edie's print room, working on the central piece of her Art Higher portfolio. She had laid down the first two layers of colour, but planned for it to have six in total. It was by far the most complicated print that Gilly had attempted, and was ambitious by any artist's standards, particularly since she'd decided to produce the piece at A3. Gilly had started out trying for an edition of ten, knowing that she would lose some to misprints. She already knew that two weren't good enough, which left only six, with four layers still to print. It was nerve-racking. She had to have at least one perfect print to show for all this hard work.

Edie had yet to see the piece because Gilly had insisted on working in secrecy. She wanted the finished artwork to be a surprise. She hadn't realized what a problem this would be in terms of space while each layer of ink was drying, but Edie hadn't complained at all. In fact, in the last two weeks, Edie had left the print room entirely to Gilly.

If Gilly hadn't been worried that Edie's reluctance to use the space herself was due to a deeper problem than her friend was willing to admit, she would have put this down to the fact that her Edie-and-Ezra plan had worked with resounding success. They were now an actual, honest-to-God couple. Gilly had been flabbergasted when she'd come home one evening to find the two of them in Edie's little kitchen, laughing, joking, and generally behaving as if they'd both somehow lost fifty years in the wash. Edie had tried to school her face into its usual sour resting bitch expression when she'd realized they'd been caught. This, however, had dissolved completely in the wake of Ezra putting an arm around her shoulders and hugging Edie to him with a smile on his face bright enough to be the absent light at the top of the James MacDonald Tower.

'Well,' Gilly had said, somehow stopping herself from shouting 'I KNEW IT!' at the top of her lungs. 'It's about time.'

'Not another word,' Edie warned her.

'Wouldn't dream of it,' Gilly had said.

An unexpected upside to their new relationship was that Edie had given up bugging Gilly about her college application. In fact, she seemed to have some other project on the go that had required her to make several mysterious unexplained day-trips. Whatever she was up to, Edie had seemed distinctly cheerful after each return, and as long as she still wanted her around and wasn't going on about college anymore, that was fine by Gilly.

Which was why Gilly was taken by surprise when, as she put away the last layer of the new print into the drying cabinet, Edie knocked at the print room door.

'Can I come in?'

'Er – sure,' Gilly called. 'Just ... give me a sec ...' She rolled down the cover of the drying rack to hide the prints from view. 'Okay!'

Gilly carried the block to the sink for cleaning as Edie came in. When she turned around, the artist was standing at the workbench, on which she had spread two sheets of paper that looked suspiciously official and, moreover, as if they needed filling in. Gilly's stomach dropped.

'What's that?'

'Something I want to talk to you about.'

'Edie,' Gilly said, over the sound of the running tap, 'I thought we were past this? I told you, I'll sit the Highers, but I'm not going to college.'

'These aren't for college.'

Gilly turned off the tap and reached for a towel as she turned around, frowning. 'What are they, then?'

Edie made a slight face, looking away from her and out at the garden. There was a pause. 'I know why you didn't fill in the college application.'

'What do you mean?'

Edie looked back at her. 'I know you're only fifteen, Gilly. You couldn't sign the paperwork because you're not old enough.'

Gilly's heart juddered. 'What—' she began, but her throat

had closed up so much that the words came out like a rasp and she had to start over. She looked at the papers with a gathering sense of dread. 'What have you done?'

'I went to find out where you're supposed to be.'

Gilly looked instinctively at the back door, the one that led out into the garden. She could make a run for it, she thought, she could get away, right now. Except that all her stuff was upstairs, including the jacket Ezra had given her and her wallet, and *this was why you didn't let yourself get too comfortable, this was why . . .*

'Are they coming for me?' Gilly asked, her voice still hoarse.

'Are who coming for you?'

'Social Services. If they know where I am they'll take me back into care.'

'They're not going to do that, Gilly,' Edie said calmly.

'They will,' Gilly said, horrified to find that she was right on the verge of tears. She'd thought she was actually getting somewhere. She'd thought she was going to have a life. Just how stupid was she? 'I'm underage. They'll make me go into a home or a hostel. Plus I stole money from the last foster home I was in when I ran away. Fifty quid. They'll probably want the police involved for that.'

'They won't,' Edie said. 'I've paid the money back and had a word.'

Gilly wasn't sure she understood what Edie had said. 'You . . . *had a word*?'

'Yes,' Edie said. 'I've spoken to Social Services and the

last foster parents you were with. That's what the forms are about. I've applied to be your legal guardian.'

Gilly blinked. 'What?'

'If you agree it's something you want, Social Services will come and do a site visit. They'll want to talk to you, obviously, and make sure everything here is as it should be. I've already gone through all the background checks they needed to do on me. Once they give final approval – and I really can't see why they wouldn't, as long as you're in agreement yourself – then the courts will make it official,' Edie told her. 'It'll mean I'm responsible for you until you turn eighteen. This will be your official home address. And I'll be able to sign the college papers for you.'

Gilly couldn't believe what she was hearing. 'You want to *adopt* me?'

'It's not an adoption,' Edie said. 'I know how independent you are, how capable. I want to make sure that there's someone looking out for you, that's all. That you have somewhere safe to live, and that you can go to college.'

Gilly's heart, which had begun to settle, plummeted. 'I keep telling you. I *can't* go to college.'

'You can if we do this,' Edie said. 'As your legal guardian, I'll be able to sign the papers. That's what you were worried about, isn't it?'

Gilly felt tears in her eyes and couldn't blink them away. 'I do want you to be my guardian,' she said. 'I do, Edie. But I'm still not going to college. I'm just not.'

*

'Leave it with me,' Ezra said later, once Edie had told him what had happened. 'I'll talk to her.'

'I cannot for the life of me understand her,' she said. 'Are all kids this difficult?'

Ezra smiled. 'No. I think we can pretty much guarantee that she's one of the easier ones.'

'What if I'm not what she needs, Ezra?' Edie asked. 'What if I can't—'

'You're here, and you care,' Ezra told her. 'That's what she needs. Everything else we can deal with.'

Ezra made his way up the narrow stairs and knocked on the door to Gilly's room. 'Hey,' he called through the door. 'Gilly. You in there?'

'I'm not talking about it, Ezra,' Gilly said, her voice muffled, as if perhaps her face was pressed against her pillow.

'Come on,' he said. 'Give me one minute.'

There was a pause. Ezra thought she was going to ignore him, but then there came a rustling and the sound of sluggish footsteps from inside and the door opened. Gilly's jaw was clenched, her chin jutting in defiance.

'Hey, kid,' he said gently. 'What's all this, now? What's going on?'

'Nothing,' she said, looking behind him as if to check whether Edie was there too. 'I don't want to go to college, that's all.'

'Okay,' he said.

She blinked. 'Okay?'

He shrugged. 'Sure. If it's not what you want, that's fine.

But we're going to have to work out what you're going to do instead, so why don't you and me sit down and have a chat about that, all right?'

Gilly frowned, as if she had been prepared for a fight and now that she wasn't going to get one she wasn't sure what to do. After a moment she stepped back and let him in, sitting on the edge of her bed while he arranged himself at her desk.

'Come on then. What's your plan?' he asked, leaning forward on the small chair and clasping his hands between his knees.

Gilly sniffed. 'I thought I could get a job at the Co-op. If I pass my Highers—'

'You will.'

'If I pass them, that should be enough.'

Ezra nodded. 'What if there aren't any jobs going at the Co-op?'

Gilly shrugged. 'There's the filling station on the main road. They're always looking for people to work overnight.'

'Well, that does sound like fun.'

'Or there's the pub.'

'You're going to go and work for someone who sacked you once?'

'He didn't sack me,' Gilly said. 'I was never really working there, not officially. And maybe he'll feel like he owes me another chance, especially now all the stuff about that McCreedy cow has come out. Anyway, if none of those places need me, I can find something in Great Dunbar, can't

I? They're building that new shopping centre out by the industrial estate, there'll be loads of jobs going there.'

'All right. What about your art?'

'I can still do that. I'll be working proper hours so I can pay rent and buy my own materials. I can work and I can carry on learning with Edie. Then maybe when I've got better at it, I can sell my work online, the way she does.' She looked pleased with herself. 'I've thought this out, Ezra. I know what I'm doing.'

'I can see that,' Ezra agreed. 'But something's changed, Gilly, and Edie and I don't understand what. You and I, only a few weeks ago, had a chat about all the different techniques you were looking forward to learning when you went to college. Back then you were still planning to go. What happened to change that?'

Gilly's face darkened and she looked away. 'Nothing. I just don't want to.'

Ezra raised his hands. 'And that's fine. It's your decision. No one's going to make you do something you really don't want to do. But equally, I don't want you *not* to do something you *want* to do because of some problem we don't know about. Talk to me. What changed?'

Gilly was quiet for a long time. 'I didn't think about how I'd have to live somewhere else,' she said eventually. 'I mean ... At first it seemed so unlikely that it was even going to actually happen ...'

Ezra shifted in his chair, trying to understand. 'I see.'

'And then I thought – it's stupid, because I knew I'd have to at least either go to Aberdeen or Fraserburgh – but I thought I'd still be able to find a way to live here and still go to lessons. But I can't. The trains take too long and don't run at the right times. I'd miss lessons in the morning and I'd get home really late and anyway, it'd cost a fortune. So that's it. I can't go.'

'But Edie's friend in Aberdeen offered you a room in her house while you study, didn't she?'

'Yeah. And it's really kind of her.'

'If you don't want to live there because it'd cramp your style, I'm sure we can find other student accommodation.'

Gilly laughed. 'How would I afford that? I'm not asking Edie to pay for it. Or you. Anyway, that's not why.'

Ezra pricked up his ears. 'There is another reason, then. What is it?'

The girl's face fell. 'No, there's not – I don't want to go, that's all.'

'Gilly,' Ezra pushed, sure that he was getting close to the crux of the matter. 'You've admitted that you would have gone to college if you could have stayed here. Which means it's not that you don't want to go to college, it's that you don't want to leave Newton Dunbar. But why? We'll all still be here whenever you need us. You can come back at weekends if you want to. Hell, I'll get you a BatPhone and put my number on speed dial – all you'd have to do is punch it, any time, day or night, and I'll drive right over and get you. If you're worried about making friends—'

'I'm not,' Gilly said. 'It's not any of that. I'd be leaving Edie alone.'

Ezra stared at her for a moment. 'Edie? You mean the Edie downstairs who could slay a dragon with her tongue? *That* Edie?'

Gilly didn't laugh. She stared at her hands instead. The silence hung on, tenacious, and in it Ezra grew cold.

'What is it?' Ezra asked quietly. 'What don't I know?'

The girl let go a breath, as if she'd been holding it for weeks. 'It's her hands. They don't work as well as they used to. I've watched her trying to carve and ... and she finds it really difficult. She drops things, too. Once she knocked over a candle and—' Gilly stopped. 'It's arthritis, I think. Something like that. I don't know if she's been to a doctor about it. But it's not going to get better. It's just going to keep getting worse. And I don't want to leave her on her own. If I'm not here—'

Ezra reached out and grasped Gilly's hand. 'Hey,' he said, trying to lighten the tone. 'What am I, chopped liver?'

'I know you'll look out for her. But you don't live here, Ezra. You live next door. That's not the same and you know it. Besides, what happens if you two have a fight and break up?'

Ezra thought for a moment. Then he stood and pulled Gilly to her feet with him. 'Come on,' he said, heading for the door.

'What? You can't tell her what I told you!'

'I won't, I promise.'

'Then what are you doing?'

'You'll see,' he said, already halfway down the stairs. He

didn't let go of Gilly's hand until he reached the bottom step. 'Edie? Where are you?'

'Ezra!' Gilly hissed. 'You *promised*!'

'I know,' he said, 'don't worry.'

'I'm here,' Edie called from the living room. 'What are you caterwauling about? Have you got her to see sense yet?'

Ezra stopped in the doorway. 'Come here a minute,' he said.

Edie didn't move from where she sat on the sofa. 'Why?' she said suspiciously. 'What's going on?'

Ezra put his hands on his hips, suddenly wondering if he was completely insane and thinking that there was probably a good chance that yes, he really was. 'Please,' he said, softer now. 'It'll only take a minute.'

Edie stared at him silently for another moment and then got up and walked towards him. She stopped when they were a few paces apart. Ezra took a breath, his heart suddenly pumping in his chest as if he were running a marathon. There was a second of stillness between them. Edie's green eyes widened a fraction, as if maybe she'd read his mind like the witch she really was.

'I was going to wait a while longer to do this,' he said. 'But there's no time like the present, is there?'

He got down on one knee and heard, as if in Surround Sound, two sharp intakes of breath.

'Edie Strang,' Ezra said. 'We've known each other for a lot of years, and I am fairly sure now that I've loved you for all of them. Will you marry me?'

'Oh. My. *God*!' Gilly said, behind him, sounding almost as shocked as Edie looked.

Edie stared at him, open-mouthed. 'Are you *mad*?'

'Probably,' Ezra said. 'But that doesn't change what I'm asking.'

'Why?'

'Was that not covered by the *I love you* bit of a moment ago?'

'I mean – why *now*? Why right this minute? *Why*?'

'If you marry me, Gilly will go to college,' Ezra said. 'Can we speed this along a little? My knee is beginning to—'

'You told him to *marry* me?' Edie said to Gilly.

'No! I didn't know he was going to – for Christ's *sake*, Edie,' Gilly said, throwing up her hands, 'bloody well say *yes*!'

'That would be good,' Ezra said, still on the floor. 'Because if I stay down here much longer, I'm afraid—'

'Oh, for God's sake.' Edie dragged him to his feet but didn't let go of his hands. 'I was married before. You know that.'

'So was I.'

'Didn't go so well for either of us, did it?'

Ezra shrugged. 'We're older now. Wiser.'

She snorted at that. 'Yeah, right. I'm not easy to live with.'

'You are!' Gilly interjected. 'Don't believe her, Ezra.'

Edie peered past him to glare daggers at her ward.

'Hey,' he said quietly, waiting until she looked up at him. 'I want to be with you, Edie Strang. Properly. If you don't want to get married, that's fine. But I'm setting out my stall, here. You're where I want to be for the rest of my life, so whether we get married or not, I want to knock a hole through that wall that stands between our lives – literally as well as metaphorically. And if that's what you want too ... Well, then we have an accord, wouldn't you say?'

Edie blinked. Ezra didn't think he was imagining the mist in her eyes. He could almost hear Gilly holding her breath.

'You just don't want to have to ask to use the garden gate any more, do you?' Edie said finally, and he knew it was as close to a 'yes' as he'd ever get. 'You want to take that fence down and let that bloody goat—'

He kissed her, the last of her words stopped by his lips, and behind them Gilly gave an extremely loud wolf whistle.

Forty-Six

'They're *what*?' Ron exclaimed, almost dropping the sugar bowl he was holding.

'They're getting married,' Rachel laughed.

'They're not! I don't believe it.'

'It's true. They want to have the wedding in the bookshop. Well, the reception, anyway – I think they're planning to have the actual ceremony at the register office in Great Dunbar. Edie is being a bit hazy on the details, but then I suppose it's very new.'

'Well, blow me down with a feather.'

'I know,' Rachel shook her head, taking the delicate bowl and beginning to wrap it in brown paper. 'It turns out that Gilly was right all along.'

'Aye, well, I'm not surprised from that point of view,' Ron admitted. 'I always thought there was a touch of "methinks the lord and lady doth protest too much" about their little spats. But to actually tie the knot . . .'

Rachel smiled. 'I'm really happy for them.'

Ron nodded, though he had a thoughtful look on his face as they went on adding more of Cullen's belongings to the box between them. By unspoken agreement they had left clearing the kitchen until last, probably because they had both known how it would feel to put away this part of their beloved friend's life. Every time Rachel picked up a wooden spoon or packed a baking tray, she had the sense that Cullen was not very far away at all. He'd used all of these items regularly, he loved them, he loved what he made with them and he loved the people he made for. Each well-used item was a potent reminder of the person who was no longer there.

Rachel looked up a few minutes later to find Ron frozen in place, holding a set of tin biscuit-cutters, that thoughtful look still on his expressive face.

'Penny for them?' Rachel offered, when Ron remained quiet.

'Hm?' He looked up at her. 'Oh, sorry, lass. Just … thinking about all that time they've missed out on, being at each other's throats. What would have happened, if one of them had died before they'd got their act together? That would have been terrible, wouldn't it? Especially for the one left behind. Thinking that they should have said something, done something, while they had the chance. Wondering whether—'

He broke off, still staring at the cutters, and then just as abruptly looked up at her with a too-bright smile.

'Well,' he said. 'Good job they came to their senses when they did, in't it?'

Rachel didn't know what to say, so she stepped around the box and pulled Ron into a hug instead.

'Now, now, lass,' he rumbled with a chuckle. 'If you're not careful, you'll have people gossiping about a double wedding. And what would young Toby have to say about us canoodling?'

'Young Toby,' she said, 'can think whatever he likes.'

She went to pull away, but Ron held onto her, his lined face turning serious.

'I know it's not my place,' he said, 'so you'll be within your rights to tell me to buzz off and do one for sticking my nose in like this, but ... I know he cares about you. And it seems to me you care about him, too, or were beginning to. Whatever's happened – whatever he said, or did ... isn't it worth trying again?'

Rachel gently extricated herself from his grip. She knew he meant well, but there was no way she could simply forget about the line that Toby had crossed in prying into her past. It still made her feel sick to think about it. Since that last conversation with Toby, she'd looked up every time the lighthouse door opened, and every single time she had wondered if it would be *him*, having found her at last. She knew that was unlikely, and even if it happened, she was a stronger person now than when she'd been married to Steven Harry. She'd never let anyone treat her that way again, least of all him. But trauma attaches to other trauma, and Toby bringing her buried past into the light of her present had put Rachel right back there, back to those days when she'd felt as if she had no future, no self, nothing at all to call her own. It was taking Rachel time to get over it, to regain the equilibrium she had fought so very hard and long to find. It wasn't fair that she had to do this. It wasn't fair that the man who had already taken up so much of her life was again dominating her waking thoughts and darker dreams. Though he hadn't meant to, it was Toby who had done that, in the pursuit of something that had provided *him*, ironically, with a rosier future as a result. Rachel was angry, pure and simple. That Toby had also found a way to clear her name did not negate that, and if there was one thing that he'd been right about, it was that Rachel had every right to feel that rage.

'I can't, Ron,' she said. 'Some things just can't be got over.'

Ron nodded as if he understood. Then he shocked her by saying, 'He found out something about your past, didn't he? We've all wondered, Rachel, but he looked and found something, the same way he did with Dora McCreedy.'

'No,' Rachel said, shocked. 'I'm *nothing* like that woman!'

'Sorry. Of course you're not. All I meant was that it's in his nature to uncover things. And I'm guessing that's what he did with you. I'm sorry if he hurt you. I imagine he is, too.'

She glanced away and found herself looking at the boxes of Cullen's wrapped belongings. Suddenly there seemed too few to encapsulate the life that was signified by the items within.

'It's too complicated to explain, Ron,' she said quietly. 'Don't ask me to.'

'I'm not, lass.' Ron touched her hand and she looked back

to find him smiling sadly. 'Just don't make the same mistakes that I did. That Ezra and Edie nearly did. That's all.'

Ron moved away and picked out another item from Cullen's last drawer. It was a narrow, aged cardboard box, and he opened it to reveal an antique cake slice. Intricate furls of silver decoration curled around its handle. Rachel remembered the last time she'd seen it – back in summer, when Cullen had made an opulently layered sponge confection of strawberries and cream. She remembered the laughter, the way the lighthouse doors had been as wide open as the blue sky overhead. She remembered Ron standing in the doorway, throwing a stick for Bukowski as far as it could go, over and over. The afternoon had stretched on into evening, as had the laughter, until all the cake had gone and the daylight finally faded away, leaving only stars.

'All I would say,' Ron said quietly, 'is that secrets are rarely good for anyone, in the end.' He closed the box and held it up. 'I gave Cullen this. Found it in an antiques place in Portsoy one summer. Do you think—'

'Keep it,' Rachel said immediately. 'You must.'

Ron nodded and slid the box into the inside pocket of his tweed jacket.

'Rachel.'

She looked up to see Toby Hollingwood standing at the bookshop counter, a slight frown on his face. Rachel turned away, looking for Gilly, whom she'd dispatched to reshelve True Crime.

'Please,' he said quietly. 'I know you don't want to talk to me. I'm not here to force a conversation. But there's something I need to tell you before I leave Newton Dunbar.'

Rachel looked back at him. He had dark circles under his eyes, as if he hadn't been sleeping. His night terrors, perhaps, coming back with a vengeance. She didn't want to care, but somehow there was part of her that did.

'It's about Eveline,' he added, as if to make it clear that he knew the only other subject between them was off-limits. 'About the fire.'

Rachel was surprised. She'd thought he'd left the lighthouse and its history behind. 'All right,' she said. 'Wait outside and I'll get Gilly to cover the counter.'

He nodded, turning back for the door without another word. She watched him walk away for a second, watched his distinctive limp, the way his satchel snicked against his hip with each step. She remembered the first time he'd walked into the bookshop, which seemed so long ago now, and yet also as if it were only yesterday.

When she stepped outside it took Rachel a while to work out where he'd gone. He waved at her from the fence beside the forest, and she made her way across the wet grass until she could lean beside him, looking into the trees. The sound of dripping water was soothing, a symphonic fall of spent rain.

'I think I know what happened,' Toby said, without preamble. 'With the fire. Or at least, I think I know *how* it happened.'

'Okay,' Rachel said slowly.

'It's not a happy story,' he said.

'I can't imagine how it would be.'

'Do you want to hear about it?'

'Of course I do.'

'All right.' Toby took a breath, as if working out how to begin. 'Do you remember the first time you showed me the camera obscura room?'

'Yes, after Cullen's funeral.'

'I asked you if you could show me how the device worked. But the sun had set, and you told me it wouldn't work after dark.'

'That's right. There's not enough light for the lens to be able to make anything out.'

'You said that I'd maybe be able to see the glow of the street lamps in the village, but that was it.'

'Yes. It's a pity, really.'

Toby smiled slightly. 'Eveline thought so too.'

'What do you mean?'

'I've been going back through some of her diaries, and there are notes here and there – her thoughts about the build's progress, working out the details, kinks in the plans, that sort of thing. We didn't pay them any attention when we were first looking through the papers, as they're just little asides, and in a lot of cases the handwriting is tiny, barely legible, even zoomed in.'

'Right,' Rachel said, wondering where this was going.

'Anyway, I started to look at them more closely. The idea

of seeing Braecoille after dark and how Eveline could do that was a recurring theme. One note said something like, "I wish I could see Braecoille at night. James thought the full moon might help but, alas, it made no difference. We could see nothing. We surmise it would take a far stronger, more concentrated light."'

'That's funny,' Rachel said with a frown, looking back at the tower. 'Whenever I think of Eveline at the camera obscura, I think of her alone. I hadn't considered that James might have gone up there with her, but of course it makes sense that he did. *He* knew what secret that space held.'

'I know,' Toby said. 'The same thought struck me. And it's clear to me from that note that it was a problem they discussed between them – how it might be possible to render the house visible to the camera obscura after dark. And that's it, Rachel. That's the key to what happened the night that Braecoille burned.'

'What do you mean?'

'If we were going to light the exterior of a house after dark now, what would we use?'

'Floodlights, I suppose, angled to beam against the building. Like the ones that illuminate Edinburgh Castle at night.'

'Right,' Toby agreed. 'But this is pre-electricity, so what would have been the equivalent in 1816?'

Rachel thought. 'Oil lamps?'

'Maybe, but Braecoille was a really big place. It would have taken a lot of lamps to create a glow big enough to light the exterior of the place up at night. That would have been expensive even before factoring in the cost of the oil, if they could even find enough lamps to purchase and then store.'

'True,' Rachel acknowledged. 'Well then, the alternative would have been ...' She paused, and could see, suddenly, where this was going. 'Candles. Oh. *God*. Is that what happened?'

Toby nodded. 'I think there's a good chance that, if Eveline wanted to see the house by night, James would have done everything in his power to make that happen. Even if it meant lighting naked flames on every external surface of their house, including the roof. Stephanie Warren called me. She found evidence that in late 1815, someone at the estate ordered 150,000 candles. That had to have been a phenomenal number in anyone's book, and was certainly far more than the estate had ever ordered in one go before. No one would ever need that many candles at once, would they? Unless, perhaps, they were trying to light something huge. Like the entire roof and every accessible ledge of a stately home.'

Rachel contemplated this in silence for a few minutes, looking up at the tower with a creeping sense of horror. 'What if they saw it?' she said. 'What if they were both up there, looking at the house through the camera obscura, when one of those candles fell—'

'It's unlikely we'll ever be able to prove that's what happened for certain,' Toby said. 'But the newspaper reports of the time say that James MacDonald rushed into the burning building to try to save a trapped servant, so he wasn't in the house when the fire started, but was close enough to try to assist. He could certainly have been here at the lighthouse – in fact, it's probable, isn't it?'

'But that doesn't explain why Eveline would be the only one to get the blame, if that's what happened,' Rachel said.

Toby shrugged. 'Maybe she was the one who instructed the housekeeper to order the candles? To light them, even. She almost certainly would have blamed herself anyway, even if it was James's idea, and perhaps she voiced that sentiment in the wake of the tragedy, which could easily have been misconstrued over time. Even if she wasn't mentally ill, her grief and guilt must have been immense. If, in the throes of that, she said it was her fault . . . Think of the build-up. You said yourself she'd become a recluse. In the midst of that she'd built this ridiculous tower and then when it was finished she must have spent hours inside it. No one except James knew why, or what she was doing. There was probably some order that meant no servant was allowed into the upper levels of the lighthouse, because otherwise someone would have seen the hatch up into the camera obscura.'

'Right,' Rachel said faintly. 'So as far as they were concerned, she was shutting herself away from the world. Like a madwoman in the attic.'

'The request to order so many candles in the first place and then to light them on the roof – that would have seemed like pure madness, wouldn't it, especially on top of all that? None of the servants would have known what

James and Eveline were trying to do. And to be honest, let's face it – it's not the most sensible thing to do under any circumstances, is it?'

Rachel took this in. It was true that they'd probably never be able to prove Toby's theory. But it fit, didn't it?

'Poor Eveline,' she whispered. 'Imagine watching your house go up in flames. Imagine watching your husband run inside and not come out, knowing that if not for you—' She stopped, her throat closing up without warning.

'Think of the story,' Toby added. 'That James MacDonald's wife danced on the lawn as the house burned.'

'She wasn't *dancing*,' Rachel said. 'She was beside herself. She—'

They were silent for a moment.

'I guess that clears up why she would have wanted the camera obscura to be sealed up and never spoken of,' Rachel said, once she'd recovered her voice. 'Every time she thought about it, she must have been reminded of that night. She couldn't knock it down, her magnificent monument to her lost son. But she couldn't bear to think about it, either. She didn't want anyone to *know*.'

They were quiet for a while, both contemplating the lighthouse before them, the tragedy to which it stood monolith.

Rachel thought again about Trudy Goodwin. Even if she couldn't set right what the world had thought about Eveline MacDonald for so long, she could at least make sure her only surviving ancestor knew the truth, or at least a better measure of it.

'Anyway,' Toby told her. 'I wanted you to know. Before I leave.'

Rachel nodded. 'Thank you.'

Forty-Seven

This time when Rachel called, Trudy didn't have to rush off and they didn't get interrupted by her bleeper. Rachel told her everything – about the camera obscura room and how Cullen had kept it secret from everyone, about Eveline MacDonald and her tragic story. Trudy listened so silently that a couple of times Rachel had to check she was still on the line.

'I'm here,' Trudy said quietly. 'Just ... taking it in. Processing, you know. Carry on.'

Rachel detailed Eveline's fascination with lighthouses and how the building of this one had helped her through the trauma of losing her only child. When she'd got to the end of all she knew – to what she and Toby surmised about how the fire happened – there was a long silence from the other end of the world.

'Trudy? Are you all right?'

'Yes,' came the reply. 'Sorry, it's just ... that poor woman. That poor *family*.'

Rachel smiled slightly. 'Yes. Although – they were *your* family.'

There was a pause and then Trudy gave a strange, slightly strangled laugh. 'You're right. This is so strange. This whole thing has been strange.'

'I know it has,' Rachel told her, with genuine sympathy. 'And I understand that this is yet more to take in on top of everything else. But I thought you should know.'

'I'm glad you told me,' Trudy said. 'I am, really. And now . . . I guess I have to work out what to do about it. I don't think you know this yet, but this afternoon Bernie Stuart made an official offer, and . . . well, I'm 99 per cent sure I'm going to take it.'

'I completely understand,' Rachel said, though her heart sank. 'I was expecting that, to be honest.'

There was another pause and then Trudy said, 'Look, I'm going to have to go. I think I need to spend some time with all this for a while, you know?'

'Of course,' Rachel said. 'And listen, anything you want to talk through, I'm here any time.'

'Thanks. I know how tough all this must be on you.'

Rachel looked around the bookshop. 'It's all right,' she said. 'All good things must come to an end.'

'Must they, though?' Trudy asked. 'People say that, but they never explain why.'

Once they had ended the call, Rachel stood in the quiet of the empty bookshop, thinking about Eveline MacDonald and the story she and Toby had pieced together. They'd never really know the absolute truth, only what they had been able to glean from the fragments she'd left behind, but if not for the camera obscura, for the secret locked in that attic room, they wouldn't even know that much. All that would have been left of her was the lurid and incorrect story told by someone else, in which she didn't even warrant a name.

Toby felt a bit better in the wake of his conversation with Rachel, despite the substance of what he'd had to tell her. At least now when he thought about the last time he'd seen her, it wouldn't be that terrible moment in the hallway of his rental cottage, when she'd looked at him as if she'd never seen him before, and moreover as if she never wanted to see him again.

He was packing up the car when the phone rang. He expected it to be Sylvie on the line, asking if he'd left yet, but it wasn't.

'Rachel,' he said, flummoxed. She was the last person he expected to hear from.

'Hi,' she said, sounding awkward, so that he was reminded of Stephanie Warren and her disconcerting blushing. 'I hope I'm not interrupting?'

'No, not at all. I was getting ready to leave.'

There was a pause and for a second he thought she was going to hang up, pretend that she'd never called him. 'I owe you an apology,' she said.

'You don't owe me anything at all,' he told her.

'I do. After everything you did for me, how I reacted, it wasn't . . .' she trailed off with a sigh.

'Rachel,' he said softly. 'You have nothing to apologize for.'

'It's . . . what I left behind back there . . . I thought I'd finally reached a point where I never had to think about it.'

'You don't have to explain,' Toby said. 'Really, you don't. I felt bad the moment I searched for your name. I completely understand that I crossed a line and you can't forgive that.'

There was another brief silence and he wondered if this was really it – the last time they would ever talk to each other. The last time they would ever be connected, even if it was only by an open phone line.

'It's not a long story,' she said, then. 'Or a complicated one, or even an uncommon one. But it's mine and if you're going to know it, I want you to hear it from me. Not what he told those papers. Not *his* version of it. Mine. That's important to me, Toby. Do you understand?'

He smiled, though she couldn't see him and it wouldn't have looked like a happy expression even if she could. 'Yes,' Toby said. 'I do.'

He went up to the bookshop because by then it was after hours and there was no way he'd make her do this either amid the noise of the pub or the white quiet of his cottage where his fateful revelation had taken place. They sat at the chess table, she in Cullen's chair and he in Ron's, and Toby found himself wondering what would happen to this furniture, so perfectly at home where it was at that moment. Would it end up in a skip? That was such a terrible, lonely thought.

Rachel was right, it wasn't a long story, mainly because her life had barely begun when it started, and then there he was.

'They'd call it grooming now,' Rachel said, her nails scraping against the tattered arms of Cullen's chair. 'Every time I hear that word it makes me feel sick. He started waiting around for me after school, outside the school gates. I guess I was fifteen, sixteen? Gilly's age, as it turns out. I've no idea how he chose me, except they can always tell, can't they, that kind of man? How to pick the most vulnerable of us. The ones with no one to care.'

Rachel had been in and out of foster placements and group homes since her mother had died when she was six. Her father had never been around and by then her grandfather was dead and her grandmother was in a care home, slowly losing her mind to dementia.

'It's a difficult age to place,' Rachel said, with a matter-of-factness that made Toby's heart invert itself. 'And I was a difficult child anyway, or at least so I was told. There was home after home, placement after placement, but no adoption and no permanence. When Steven turned up, when he actually showed me attention and listened to me – or made it seem as if he was, anyway – well, I didn't have a chance, really. He wanted to marry me, he said, and that was the clincher, obviously. Because no man would want to get married unless it actually meant something, would they? Especially not a man like that – older, so sure of himself, so smart. He wasn't a loner, or a weirdo, or anything like that. He was a builder, he made good money and knew how to handle himself. He obviously didn't *need* me, so he must *want* me, and it had been a long time since I'd been wanted by anyone. We got married as soon as it was legal. And then I found out that I hadn't escaped anything at all, I'd just run from one mess straight into another.'

Her husband hadn't needed to try very hard to isolate her because she didn't have any friends anyway. Rachel had turned eighteen, so the authorities no longer had a responsibility towards her. There was no one to notice when she dropped off the radar.

'He didn't want me to learn to drive. He didn't want me to work,' Rachel said. 'At first I thought it was because he wanted to be the one to look after me. But he didn't like me to read, either, because *he* didn't like to read, so as far as he was concerned, it was a waste of time. "You've enough to do keeping the house," was his reasoning. That's when I argued, and that's when he started to use his fists. "After everything I've done for you . . ." that kind of reasoning, you know. He didn't let me have a phone and we didn't have a landline. He didn't introduce me to his friends or bring them home. I thought he was ashamed of me. After a while I gave up because he was right, wasn't he? He had done everything for me. I was nothing. Without him I had nothing. I had no one else. I had no money, I had nowhere to go. What was I going to do?'

Eustace appeared and she bent down to lift the cat onto her lap, stroking him absently. Toby watched her, and wondered how their lives would correlate if each event were laid out side by side, like two reels of old filmstock unspooling in slow motion. Where had he been the first time Steven Harry had pulled up outside that school and seen Rachel leaving it? Why hadn't Toby been there then, or later? What would he have done if he *had* been there – what *could* he have done? Nothing. *Something.*

'Then this new couple moved in next door. I heard them talking to Steven one morning, but he didn't introduce me. A few weeks later I was walking back in the rain from the supermarket with the shopping and the wife pulled up in her car to offer me a lift. She said, "Do you split your time with your mum and your dad?" and the look on her face when I said, "He's not my dad" . . .' Rachel shook her head. 'Anyway, after that she used to pop round when he was at work. Her name was Amanda. She must have only been in her late twenties, but to me it seemed as if she knew everything in the world there was to know. She paid for me to learn to drive and arranged the lessons so Steven never knew. And then one day, after she'd come to say hello and seen me limping – he was always careful not to go near my face – she said, "I've got a camper van. It's at my dad's. It's the most clapped-out thing you've ever seen, but it's kitted out and it still goes. I want you to have it. I want you to get away, Rachel, before he kills you. Just go, and don't come back." It took her six months to persuade me. But I did it.'

Rachel looked at Toby and shrugged. 'I saw one of his television appeals, where he was going on about me being mentally ill and vulnerable. It wasn't true. I mean, I was depressed and yes, I was certainly vulnerable, but that was why he'd picked me in the first place, wasn't it? But he was the one with the voice. I was just the one being spoken about. It took me a long time to stop looking over my shoulder. I thought I'd finally stopped, but when you brought it all up—' Rachel looked away. 'Now I know I probably never will. It'll always be there. *He'll* always be there, taking up space he never deserved.'

They were silent for a while. Really, what could Toby say?

'You should stay,' Rachel said eventually. 'In Newton Dunbar, I mean. Don't leave because of me, because of *this*.'

Toby took a breath. He wondered what the chances of them being able to really move past this were if he could do just that. An hour ago he would have said zero, but now . . .

'I've said yes to the job I told you about,' he said, regretting it for the first time since he'd accepted the position. 'I start on Monday.'

Rachel nodded slowly. 'Well. I'm glad you'll be working again.'

He smiled a little. 'Me too.'

'Will you be able to come back for the wedding, at least?'

'Wedding?' Toby frowned. 'What wedding?'

Forty-Eight

'The dress,' Gilly said. 'We're less than a month away and I haven't heard you talk about what you're going to wear. Have you even thought about it?'

'I'm sixty-seven, for goodness's sake,' Edie said. 'I'm getting married in a council register office and the reception is in a bookshop. It's not going to be lace and ruffles, is it? I've probably got something in my wardrobe that'll do.'

'Edie, you *can't*!' Gilly said, appalled by this suggestion. 'It doesn't have to be white, but it's got to be *special*!'

Edie might have agreed to the wedding, but she seemed rather less excited about having to actually do anything for it, or for the marriage that would follow. She would not, for example, be changing her name ('No, of course I'm not. I did that once and it was a stupid thing to do. Never again. Besides, all my customers know me as Strang.'). Ezra was not bothered by this in the slightest, but Rachel had been surprised to find that Gilly was. Gilly was also disturbed by Edie's complete lack of 'putting in an effort' (her phrase)

391

for the wedding, which was why the three women were currently gathered around the table in the print room with snacks and drinks. The evening had been convened by Gilly, who was using it as a sort of intervention.

'It might be nice to find something new, Edie,' Rachel suggested. 'It doesn't have to be a wedding dress.'

'It *won't* be a wedding dress,' Edie said firmly. 'And – *ugh* – I can't bear the idea of having to traipse around shops. You know how much I hate clothes shopping.'

'I didn't, actually,' Rachel said, honestly surprised. 'You always look so well put together. I've always thought of you as a bit of a fashion fiend.'

'Me?' Edie laughed. 'Why do you think I always wear black? Never goes out of fashion and everything matches everything else.' She gulped a mouthful of wine and pointed one finger at Gilly. 'What about that black silk shirt dress I wore when Ezra came around for that ridiculous sitting you had us do? He liked that – I could tell.'

'You can't wear black at your wedding,' Gilly grumbled. 'You're not a bloody goth.'

'Oi, watch your language.'

'Anyway, he's seen that dress already,' Gilly pointed out. 'Come on, don't you want to knock his socks off when you walk into the room?'

Edie sniffed as she poured herself more wine. 'I was under the impression I'd already done that without having to undergo some ridiculous male fantasy ritual. What do you want me to do, show all my wrinkled old lady cleavage?'

Gilly threw up her hands, exasperated, and looked to Rachel for help.

'It's Edie's wedding, Gilly,' Rachel reminded her gently. 'She can wear whatever she likes, and she'll look gorgeous in it, whatever it is.'

Gilly looked a little chastened, but still disappointed. At the look on the girl's face, Edie relented.

'This is really important to you, isn't it?' the artist said. 'The whole day, I mean.'

Gilly shrugged. 'I still want to believe it's special, I suppose. When you find the right person for you, even if you've known them for years and they've been sitting under your nose for all that time. Even if you've done it all before and realize that nothing's perfect. Because nothing ever *is* perfect, is it? There are no happy endings, not really, we all know that. So maybe it's important to really celebrate the happy middles, the happy minutes? But Rachel's right, it's your wedding. You should do whatever you like.'

There was a moment of silence, in which Rachel and Edie glanced at each other, and Rachel could tell they were both thinking the same thing: that Gilly, once again, had shown herself to be surprisingly wise for someone so young.

Edie took another mouthful of wine before she answered. 'You're absolutely right,' she said. 'And I'm sorry that I've been treating this as a nuisance that I just have to get through.' She was quiet for a moment, contemplating her wine. 'Thing is ... I don't really expect him to go through with it.'

'*What?*' Gilly said.

'What do you mean?' Rachel asked.

Edie shrugged. 'I think, on the day – when he actually has to put his money where his mouth is – he'll probably get cold feet and not turn up.'

'Ezra wouldn't do that,' Gilly said, shocked.

Edie gave Gilly a look that made Rachel think there was quite a lot behind it that she wasn't vocalising. 'Well, we'll see. But forgive me if I don't go all out on the wedding rubbish only to be humiliated on the day – and then stuck with the inevitably enormous bill.'

'Edie,' Rachel said. 'Gilly's right – Ezra wouldn't do something like that.'

'He loves you,' Gilly said. 'He really does. It's written all over his face every time he looks at you.'

'He doesn't know me,' Edie said.

'Of course he does!'

'All the bad bits, maybe,' Edie said. 'That doesn't bode well, does it?'

'It does,' Gilly said. 'That's even *better*. It's like Benedick said to Beatrice, isn't it? *"You and I are too wise to woo peaceably."* You've spent fifteen years getting to know all the bad bits of each other. Now you can have fun learning all the good bits.'

Rachel and Edie looked at each other. 'She's not wrong,' Rachel pointed out.

'Too right I'm not,' Gilly declared, and then made a face. 'And I'd better pass these exams because God knows I don't want to be around for *that* any longer than I have to be.'

Edie smiled a little, but to Rachel's eyes it was far more reserved than it should be with the wedding in view. It made her wonder if there was a story was behind it. That, in turn, made her think about Toby – whether he would think the same and how he would go about discovering the underlying truth if he did. Quite a lot of things these days made her think about Toby, which made Rachel suspect that if she hadn't quite forgiven him yet, she was at least on the way to doing so. Not that it would make a difference if she did, of course. He'd already moved on, and she wished him well.

For the first time in a few weeks, Rachel started the following day in the bookshop. She and Ron had finished boxing up all of Cullen's possessions and the gatehouse was ready to clear. Rachel thought she was going to get a breathing space to settle and think about what she was going to do next with her own life, something she really needed to get in order. That was not to be, however. No sooner had she opened the bookshop doors and stepped back behind the counter than she was greeted by the now-familiar voice of Alan Crosswick.

'Morning, Rachel,' he said, in a cheerful tone that still managed to hold an edge of reserve. 'Sorry to spring on you unawares.'

Rachel smiled back, although in her heart she already knew why he was here. 'That's all right. Is there something I can help you with? The gatehouse is cleared, if you want to do an inspection?'

'No, it's nothing like that. I – have some news. Probably not particularly good news for you, as it happens. Trudy has decided that she is going to accept Mr Stuart's offer.'

Rachel's heart sank, though she tried to disguise her reaction. 'She said she probably would. I'm not surprised.'

Crosswick looked sympathetic. 'I'm sorry,' he said. 'She did think about turning him down, but she can't afford to. It's as simple as that.'

'I understand,' Rachel said. 'And really – you didn't need to come all this way personally to tell me.'

The solicitor glanced around in a comically clandestine fashion and then leaned closer. 'Well – there's something else that Trudy and I have discussed that we'd like to run by you.'

At that moment Gilly appeared through the door, her cheeks flushed as if she'd run up the hill from home. 'Rachel!' she said, and then, seeing the solicitor, 'Oh – sorry.'

'It's fine, Gilly – I'm glad you're here. Could you hold the fort for a while? Mr Crosswick and I need to have a chat.'

Rachel took him down to the gatehouse, because he needed to see it anyway.

'It's about the camera obscura,' Crosswick said, once they stood in Cullen's empty living room. 'She and I have been talking through alternatives.'

'Alternatives?'

Crosswick nodded, considering his words. 'This is why I wanted to keep its existence on the down-low. So that we had options. Here's the thing, Rachel. My priority is to do the best for my clients, and to perhaps see things from an angle they hadn't considered. In this case, now that we've reached this juncture, and with the lighthouse about to pass out of the hands of the MacDonald family, I feel it incumbent upon me to offer a suggestion that will allow Trudy Goodwin her full inheritance while also allowing Eveline MacDonald's final wish to be observed even after the sale of the lighthouse.'

Rachel blinked. 'Really? How?'

'We dismantle it.'

'What?' Rachel asked, shocked. 'The lighthouse?'

'The camera obscura,' Crosswick clarified. 'The papers can be transferred to a secure storage facility where they can be preserved, also in secrecy, or they can be added to the archives held in Great Dunbar. No one – save us of course – need ever know it was there. Mrs MacDonald's secret will be safe and Trudy Goodwin can realize the full value of her inheritance in a sale that won't be hampered by complications if we reveal its existence.'

'But—' Rachel said, about to protest that they couldn't possibly do that, that Eveline MacDonald wouldn't want that at all. Then she stopped.

She thought about the note that had started them all on this quest in the first place. *It must stay standing, for both of them.*

'It was the tower that needed to remain,' Rachel realized. 'That way the names of both her husband and her son would be remembered. But that doesn't mean that the camera obscura has to stay there.'

Crosswick nodded, pleased. 'Quite. My argument exactly, in fact.'

'She couldn't physically remove it herself,' Rachel said, thinking aloud, 'but she didn't want anyone to know about it. Maybe she would have destroyed it herself if she'd been able to.'

'We can have it written into the deeds that the name of The James MacDonald Tower cannot be changed in perpetuity,' Crosswick said. 'The camera obscura will not be mentioned. To all intents and purposes, the building will be the same as it was when it was first built. Eveline MacDonald's secret will be preserved and Trudy Goodwin gets her inheritance.'

Rachel turned this over in her mind, testing for weaknesses.

'The camera obscura is of historical importance,' she pointed out. 'Do we have the right to dismantle it?'

'No one knows about it,' said Crosswick. 'No one has ever known about it. If they did then yes, it would probably push the tower's listing status as a building of historic importance to the highest level and we wouldn't be able to touch a thing. But as it stands, it is not at that level, and we will be legally free and clear to do as I've proposed. The papers will still exist and we will preserve them. If at some point in the future the status quo changes, they will still be available. As it is, I don't see that dismantling the camera obscura now is any different than if Eveline MacDonald herself had decided to do the same in the wake of her husband's death.'

Rachel nodded. 'I see.'

'Anyway, this is what Trudy wanted me to speak to you about.'

'Why?' Rachel frowned. 'It's none of my business really, is it? Neither of you owe me an explanation or need my agreement in any decision.'

'True,' Crosswick agreed. 'But as I've said before – I think Trudy Goodwin is a decent sort. She's trying to do the right thing by everyone involved. Which,' he added, 'I think is also worth thinking about. There's also the matter that you and Toby Hollingwood are the only other two people who know about the camera obscura. This plan would rely on the discretion of you both.'

'I don't think that will be a problem,' Rachel said. It wasn't hard for her to imagine that Toby would understand and appreciate this point of view too. 'I'll talk to Toby.'

They were both quiet for a moment.

'Well,' said the solicitor, with the air of one who has completed a task he set out to accomplish, 'I have to say, it'll be sad to see the lighthouse pass out of the MacDonald line. But I think we've done the best we can in the circumstances.'

'How long will it be until the sale goes through?' Rachel asked. 'It's just ... it's going to take a lot to empty the place and the bookshop is supposed to be hosting the wedding of two of the regulars in a month's time. It'd be a pity to start stripping everything out before then, but—'

Crosswick nodded. 'We haven't formally accepted the offer yet and I can delay the exchange until after the wedding. Perhaps, though, it would be useful for that event to mark an end point. Keep the bookshop open until then, but afterwards close for good. Perhaps you could put feelers out to other dealers who might want to take bulk stock. I'll talk to Trudy about hiring extra help to clear the place out – you'll never manage it on your own. The camera obscura, though ...'

'I'll take out as much as I can myself,' Rachel said. 'Although I'll need help to break down the plinth and take out the mirror and lens.'

Alan Crosswick nodded. 'And you, Rachel,' he said. 'May I ask what you're going to do? Will you stay in Newton Dunbar?'

'I'm not sure. Bernie Stuart did say something about finding me a job at the brewery. Perhaps I'll see if he's serious about that.'

The solicitor smiled. 'That sounds like a good outcome. If you find you need a reference, do let me know. I have very much appreciated having you to rely on. I'd like to help you in any way I can.'

They locked up the empty gatehouse and said goodbye at the bottom of the hill. Rachel walked back to the lighthouse alone, thinking about the task ahead and how it would feel to clear out the bookshop. She thought about the camera obscura room and how it would look with nothing inside it. An empty dome, an attic with no ulterior motives. A blank space that could tell nothing of the secrets it had held, because they had all been erased. She wondered what Eveline MacDonald would have made of this alternative, and thought that actually, two hundred years later, with her own self forgotten so successfully, she would probably think it the best of all possible outcomes.

Rachel wished she could do the same with her own past – wipe it clean, remove all trace of what she had been and where she had come from so that no one could discover it unexpectedly to dredge up bad things best left far behind. Yes, she could see that being a perfect solution.

Forty-Nine

'Shall we check in at the deli?' Edie asked, as she and Ezra strolled together along the banks of the Dun in Great Dunbar. 'Make sure the plans for the picnic don't need any last-minute adjustments?'

Given how little time they'd had to arrange the wedding, and the fact that she really didn't want a huge fuss, Edie had come up with the idea of an indoor picnic for the catering. She'd asked one of the delicatessens in Great Dunbar to provide a hamper for each table, full of pies, cheeses, cold meats, salads and pickles for the guests to share. Dessert would be a buffet table of cakes and patisserie, crowned by a small tower of macarons that would stand in for the traditional wedding cake.

'Great idea, but we should have lunch first,' Ezra said. 'All this dashing about like a youngster is making me hungry.'

They had reached the centre of the bridge that crossed the Dun, looking downstream as the sun glinted on water. Spread along the bank below them was the Wheelhouse Inn, its terrace and upstairs balcony already half-full with patrons enjoying the warmth of the season. Edie hadn't been inside the place for years – not since an awful night many years before when the man who now stood beside her had left her to sit, alone, at a table in candlelight, while all around her, couples murmured. For a long time Edie hadn't even been able to look at the place. Now, though, she wondered if it were finally time to set her demons to rest. After all, if not now, a week before her wedding – *their* wedding – then when?

'What about the Wheelhouse?' she said, and was proud of herself for being able to say the name without even a residual sting of bitter memory. 'It'd be lovely to sit outside by the river, don't you think?'

She turned to Ezra, who had slipped his arm from around her and was also looking down at the pub. His buoyant mood of a moment before seemed to have dissipated.

'What's the matter?' Edie asked.

Ezra glanced at her and then away. 'I haven't set foot in that place since the night you stood me up all those years ago,' he said. 'I'm still not sure I can, to be honest.'

For a second, Edie thought she'd misheard. 'I – *What?*'

'Don't tell me you don't even remember it,' he said, with a short laugh, 'when it's haunted me for years.'

Edie took a step back. 'But – I didn't stand you up. You stood *me* up! I sat there for an hour, all alone, looking like a complete idiot because it was so obvious that I'd made an effort for someone who couldn't even be bothered to turn up!'

Ezra looked at her as if she were mad. 'What on earth are you talking about? *I* was the one here on my own, all dressed up in a bloody suit, looking like a numpty because you didn't even—'

'I was here!' Edie insisted. 'I bought a new dress, I put up my hair, I was wearing bloody *heels*, and—'

They both stopped, staring at each other.

'All right,' Ezra said, slowly. 'If I was here and you were here – what in the hell happened?'

'I don't know,' Edie said. 'All I know is that I was here, on the dot, 8 p.m. on the seventh of June—'

'No,' Ezra said, cutting her off. 'No, no, no, it was 7 p.m. on the eighth of June.'

'No,' Edie said. 'That's not right. At least . . .'

They both subsided into silence, trying to remember a hurried arrangement made somewhat shyly a decade and a half before.

'Oh, *God*,' Ezra said, his voice an echo of Edie's sentiments as the enormity of a single foolish mistake sank in. 'It doesn't really matter which it was, does it?'

They stood there in silence for a moment, equally stunned.

'How did we never once talk about this?' Ezra asked. 'Not once, in fifteen years?'

Edie shook her head. 'I thought I'd misunderstood, or that you'd changed your mind. I never wanted to have to face you again, and then every time I did—'

Ezra reached out to take her hand, squeezing it between his. 'I was as bad. I could have come to talk to you, asked you straight out, instead of being a stubborn idiot. I'm sorry. I never would have left you there alone. Never, in a million years. I was so happy that you'd said yes to the date. And then ... I thought I must have shown my hand too quickly, that I'd been too eager or something. I already knew I was punching above my weight with you. Why would someone like you want an overgrown brute of a rig rat like me anyway? So I ... let it go.'

'Except you didn't. Not really. Neither of us did,' Edie said. 'Did we?'

'No.'

Edie's head was ringing with shock, as if someone had whacked her around the skull with a cricket bat. 'Fifteen years, Ezra, over one stupid misunderstanding ...'

Ezra pulled her closer. 'Don't think about it.'

'If only we'd been adults about it,' she said. 'If only we'd talked, properly. How could we have been so stupid?'

Ezra kissed her and then grasped her other hand too, looking down at them with a slight frown. 'You're right,' he said. 'We should have talked. From now on we should always talk, about everything, so that nothing like that ever happens again.' He paused for a moment. 'And so here's something you need to know. The day that I asked you to marry me, Gilly told me about your hands.'

'My – *hands*?' Edie glanced down at where theirs were joined. 'What do you mean?'

'She's noticed that you're beginning to find certain things difficult,' he said. 'That your mobility might not be what it once was. That's why she didn't want to go to college. She didn't want you to be on your own if it's going to continue to get worse.'

Edie took this in. 'Then that's why – when you came down those stairs in such a flurry, when you said that if I married you, Gilly would go—'

Ezra pulled her closer. 'No,' he said firmly. 'That's not why I asked you to marry me, Edie Strang. It was why I asked you *then*, but it's not why I *asked* you. Edie, I'm pretty sure that if we hadn't been such insecure idiots fifteen years ago, I would have wanted to ask you a long time ago. I don't want any more misunderstandings. I love you, I want to marry you, and if I could turn back the clock ten years and do it then, I would. All right?'

Edie looked at him for a moment, and she believed him. She really did. 'Yes,' she said. 'All right.'

Ezra pulled Edie against him, tucking her head under his chin and wrapping his arms around her. 'Good. Now let's go and lay a ghost that's been haunting us both for fifteen years.'

Gilly still wouldn't let Edie see her final art piece, even as the girl packaged it up with her portfolio, ready to deliver it for assessment.

'But why?' Edie asked. 'I already know that I'm in it. And what if I can help? Another pair of eyes is always useful, Gilly, didn't I teach you that?'

Gilly, resolute, shook her head. 'You've taught me that seeing with my own eyes is what gives me my unique perspective as an artist,' she pointed out. 'This is *my* exam, Edie, isn't it?'

Edie sighed. 'Fine. But will I ever get to see it? Because, I'll remind you, I did actually have to sit for the damn thing. I am in it. Or at least, you said I was.' A thought occurred to her and she said, suddenly suspicious, 'Wait, is that why you don't want me to see it? You changed your mind and cut me out? Is it just of Ezra now?'

Gilly shook her head. 'You are such a child. No, it's not just of Ezra, yes, you are still in it, and the answer to the first question is maybe, if you behave yourself and stop pestering. All right?' She finished securing her portfolio and took a deep breath. 'Well, that's it. I'm ready to go.'

Despite her mild ire, Edie felt her heart expand. 'Don't be nervous,' she said. 'You're going to pass with flying colours.'

Gilly snorted a derisive laugh. 'How would you know? Didn't we just get through discussing the fact that you haven't seen it?'

Edie stopped Gilly with a hand on her arm as she went to pass her by. 'Hey,' she said. 'I know, because there's no way you can fail. Gilly, you're a fantastic artist, and the way you've progressed over the past months has been extraordinary. This is the start of a fantastic new chapter for you. I know it is.'

Gilly blinked and for a moment Edie thought she was about to cry. Then the girl sniffed. 'You,' she said, 'are getting soft in your old age.'

Once they'd dropped off the portfolio in Great Dunbar, they decided to go somewhere for lunch. Rachel had told Gilly to take the whole day off and so they found a parking spot on the outskirts and walked into town. Edie found her spirits soaring. For the first time in her life, she felt as if everything were finally coming together. *It's about time,* she thought.

'What?' Gilly asked, giving her a strange look.

'What do you mean, what?'

'You're grinning to yourself like a loon.'

'Would you prefer I walk around with a face like a slapped arse?'

'No, I'm just surprised you're breaking the habit of a lifetime, that's all.'

'I'm happy,' Edie said simply. 'That's all. I'm . . . happy.'

Gilly smiled. 'Hey – since you're in such a good mood, why don't we pop into the bridal shop while we're here?'

Edie groaned, although it was mostly for show. Suddenly the idea of shopping for an actual wedding dress didn't seem like the worst thing on earth after all. 'Really? Do I have to?'

'Just a quick look, that's all,' Gilly promised. 'You never know – maybe the perfect dress is right here under your nose, waiting for you.'

Edie allowed herself to be led towards the town's single bridal shop, which rather than being on the high street was tucked down a narrow lane off the main drag. She wasn't particularly encouraged by the dress in the window, a wedding cake confection of tiered tuille and a stiff boned bodice that looked like something she might have worn in black in the 1960s, though without the skirt and definitely not for a wedding.

'Ugh,' she said, as Gilly headed for the door. 'I think I've changed my mind.'

'Nope,' Gilly said, grabbing her wrist. 'You're not wriggling out of it now.'

Inside, there was soft classical music playing amid fake Grecian columns and shades of cream. Edie knew instantly that she was far too old for anything in this place. She tried to turn back towards the door, but Gilly still had hold of her and tightened her grip. A woman appeared from the back room, exquisitely made up and with perfectly coiffed hair. She looked as if she was in her thirties and probably spent her time viciously taking apart the looks of every woman she passed in the street. Edie felt her back going into spasm.

'Hello,' the woman said, with a friendly smile. 'Can I help you?'

'No,' Edie said reflexively.

'Yes,' Gilly said. 'My mum is getting married and she'd like to look at some dresses, please.'

The woman turned to Edie with a thousand-watt smile. 'Congratulations! That's lovely news. Do you have any idea of what sort of style you might like to try?'

Edie was still getting over the blindside of Gilly introducing her as her mother. 'No,' she said abruptly. 'Except,' she stabbed a finger towards the dress in the window. 'Definitely not that.'

The woman didn't bat an eyelid at Edie's rudeness.

'Well then, let's see what I can come up with. I'm Annie, by the way. And you are?'

'Edie,' Edie said. Then she looked at Gilly. 'My daughter's name is Gilly.'

'It's lovely to meet you both,' Annie said, oblivious to the magnitude of the moment. 'Edie, I'm just going to—'

Annie reached up a hand and touched her fingers to Edie's chin, turning her face to centre. Then she stepped back and flicked her gaze over her from head to toe. Edie had the sudden sense that she was being sized up in exactly the same way that an art critic might appraise a piece of art.

'Would you be open to wearing a heel?' Annie asked.

'Yes,' Edie said, 'as long as they're not the sort that'll make me look as if I should be swinging around a pole.'

'Edie!' Gilly scolded.

'What?'

'Excuse me for one minute,' the shopkeeper said. 'I'll be right back.'

She disappeared into the recesses of the shop, leaving only the music and a strangely awkward moment behind her.

'We should go,' Edie muttered. 'There's no way she's going to have anything even vaguely appropriate for a woman of my age in here.'

'We can't just walk out,' Gilly said. 'Wait a minute. You never know.'

'I do,' Edie said firmly.

'Here we are,' Annie said, announcing her return. 'Edie, you are so beautiful and you have such exquisite bone structure that really, I agree with you – less will be so much more. This dress here is actually a sample from a new range that

I haven't even called in stock for yet. It's very simple, but I think it might be exactly what you're looking for. What do you think?'

Edie stared at the dress Annie held. It was cut from cream silk, a shirt-style top with short sleeves and a floor-length skirt, cinched at the waist with a wide belt of the same shade.

'You could wear flats with this, but I would recommend trying a small heel.' Annie went on, 'Because this is pure silk, it could be dyed after the wedding for further use. It would be simple to shorten, too. If you'd like to add some contrast, the belt can be customized, either in a different colour, or depending on timescale and budget, with embroidery.'

Edie glanced at Gilly, who was looking unrepentantly triumphant.

'See?' she said. 'I *told* you.'

When they finally left the shop an hour later, Edie felt a little dazed and, against all her expectations, genuinely excited about the prospect of wearing an actual wedding dress. Gilly's face hadn't lost its beaming smile since the moment Edie had put it on and walked out of the fitting room with her stomach inexplicably full of butterflies.

'Ezra is going to completely lose it when you walk in wearing that,' she said, with total confidence. 'He's going to cry, I know it.'

'He's not going to cry, don't be ridiculous,' Edie scoffed.

Secretly, though, she was rather taken with the idea. Ezra had always seemed to her to be an entirely untouchable rock, and the thought that anything she did might actually be able to move him seemed implausible in the extreme.

'I should look for something to wear too,' Gilly said. 'Can we have a quick look in the charity shops while we're here?'

'Of course,' Edie said, 'but wouldn't you like something new to wear as well? Since it is, as you keep pointing out, a special occasion.'

Edie watched as Gilly chewed her lip. She could almost see her calculating funds before the girl said, rather reluctantly, 'Nah. Better not. I'm sure I can find something that'll look all right without costing an arm and a leg.'

'Well, it's up to you, of course,' Edie said, reaching into her bag and pulling out a brown envelope. 'You must wear whatever you like. But just in case there's something else holding you back, this is for you.'

'What's this?' Gilly asked, taking the envelope with a frown and opening it. Inside was a sheaf of notes. She immediately thrust it back towards Edie. 'Oh no – I'm not taking your money, Edie, I've told you that before!'

'It's not my money,' Edie said. 'It's your money. It's everything you've given me in "rent" since you started living with me. I told you I'd rather you saved it, but since you insisted, I saved it for you instead. And if you're fool enough to still try to give it back, I swear I'll burn it, so you may as well accept it. That's not to say you need to spend it on clothes for the wedding, mind – it's yours, for you to spend on whatever you want.'

Gilly stared at the envelope in her hands for a moment,

perhaps weighing choices between necessities. Edie hoped that one day, the young woman in front of her wouldn't have to make the decision between having one thing she needed and doing without the rest.

'I want to go and visit my grandma's grave,' Gilly said suddenly. 'They wouldn't let me go to the funeral. They said I was too young. And then none of the foster homes I was in would take me to visit. It was always too far away and too much trouble for them. But now' – she held up the envelope – 'I can go myself. And I can take her flowers. She really loved flowers.'

Edie smiled. 'That sounds like a really lovely idea.'

'Will you come with me?' Gilly asked. 'I wish – I wish she could see me. Where I am now, I mean. Living with you, doing my exams ... I think it would have made her happy to know that I'm in a good place. That ... I've got someone who cares about me.'

Gilly took a breath and looked up at Edie. The look on her face was somewhere between hopeful and broken. It made Edie want to pull the girl into a hug. She thought that might be a little like trying to pet a cantankerous cat. But she did it anyway.

Fifty

Rachel, Gilly and Ron were in the bookshop, where chat had turned from the imminent sale of the tower to focus on setting up for the wedding, now less than a week away.

'I wish there was more space,' Gilly said, looking around the familiar ground floor. 'Do you really think we can fit five tables down here?'

'We'll have to move the chess table and chairs, and the turning bookcases,' Ron said, surveying the ground floor. 'It'll be snug, but yeah. We can make it work.'

'When are the tables arriving?' Rachel asked.

'They'll be here on Friday,' Gilly said. 'I thought we could set them up on Friday night, after the bookshop has closed?'

'That sounds like a good idea,' Rachel said, trying not to think about the fact that when she shut the doors last thing on Friday, the bookshop would effectively be closing for good. 'If we can get most of the set-up done the night before, it'll make Saturday morning a lot easier.'

'The flowers are coming on Friday too,' Gilly added, with

a fretful frown. 'They'll all turn up in boxes – I've bought them wholesale. It was so much cheaper than asking for a florist to do flowers for a wedding. I hope they'll be all right.'

'I'm sure whatever you've ordered will be beautiful,' Rachel told her. 'Besides, Edie doesn't really seem bothered about things like colour schemes, does she?'

'I know, right?' Gilly said. 'I had this argument with her when I ordered them. You don't think that's weird? I mean, she's an artist. You'd think she'd be a bit more particular, wouldn't you? I thought she was over her worries about Ezra, but maybe she's still got cold feet.'

Rachel smiled. 'I don't think that's it. I think she's got a very good reason for leaving it all to you.'

'Oh?' Gilly asked. 'What's that, then?'

'You're an artist too, Gilly,' Rachel pointed out, 'and Edie completely trusts your judgement.'

'Excuse me,' said an unfamiliar voice. 'I'm sorry to interrupt, but . . .'

The three of them turned to the bookshop door, where a young woman who seemed a little lost was looking around with slight trepidation.

'Hello,' Rachel said. 'Do you need some help? Is there something in particular you're looking for?'

The woman smiled nervously. 'Um, actually,' she said. 'I think what I'm looking for is you. Are you Rachel?'

'Yes,' Rachel said. The woman's accent held a Stateside twang and suddenly she knew exactly who this was. 'Yes, I am.'

The woman smiled nervously and stuck out a hand. 'Hi, Rachel. I'm Trudy. Trudy Goodwin.'

'Trudy,' Rachel said, completely blindsided. 'But I didn't – you're *here*?' She took the woman's hand. 'I'm sorry – welcome! I just didn't expect – Alan didn't say—'

Trudy laughed, a merry, tinkling sound still edged with nerves. 'It's fine. I'm sorry, I probably should have called ahead. I know this is a lot, for me to suddenly turn up like this. But honestly, I didn't know I was coming myself until I booked the ticket. I just . . . I *had* to.' She looked around. 'And it's as amazing as I thought it would be.'

Rachel looked at Gilly, who was staring at the woman with an expression somewhere between suspicion and hostility. 'Trudy, this is Gilly. She's been helping me out here for the last couple of months.'

'Oh!' Trudy said, with another, wider smile, and stuck her hand out. 'Alan told me about you, Gilly. He said you were doing a fantastic job. Thank you.'

Gilly shook Trudy's hand and, to Rachel's relief, her face softened.

'And this is Ron Forrester,' Rachel said. 'He was a great friend of . . .' She searched for the right term and couldn't find it. 'Cullen's. I'm sorry, I've just realized I don't actually know what relation Cullen was to you.'

'To be honest, I'm not sure either,' Trudy confided, reaching out a hand for Ron to shake, too. 'I think it's something about removed cousins, but I couldn't tell you by how many. I've been saying "distant uncle" to make things simpler. It's lovely to meet you, Ron. If you've got time, I'd love to hear more about Cullen. I really wish I had known him before he passed.'

Ron beamed. 'I'd love to. How about a coffee and a chinwag right now?'

Trudy smiled, glancing at Rachel. 'Maybe in a little while? I'd like to talk to Rachel about something for a few minutes first, if that's all right?'

'Of course! You need the guided tour,' Ron agreed. 'You go, Rachel. Gilly and I can hold the fort.'

'Really?' Rachel said.

'Sure!' Gilly said. 'Ron's spent enough time here scoffing biscuits and chugging coffee. It's about time he earned his keep.'

Rachel and Trudy left the pair's good-natured bickering behind them and did a circuit of the lower level before climbing the stairs to the mezzanine.

'It's so beautiful,' Trudy sighed wistfully. 'I knew it would be. I mean yes, I'd seen photographs, but that's not the same, is it?'

Rachel smiled. 'I'm glad you got to see it in person at least once. It would have been such a shame if you hadn't.'

'That's the conclusion I reached,' Trudy agreed. 'I'll now be living on ramen for Lord knows how long until the money from the sale comes through, but it's already worth it – and I haven't even seen upstairs yet.' She looked at Rachel. 'Would you let me see it? Upstairs? I know it's where you live and I don't want to intrude at all, but—'

'Trudy,' Rachel laughed, 'this is your building. You own it, and everything in it.'

'I know I do technically,' the young woman said, 'but I don't want to come in here and throw my weight around. That's not who I am.'

'I know that,' Rachel told her, still smiling, 'and I appreciate it. But of course you must see upstairs. I'll show you everything.' She looked over the mezzanine railing to check that Gilly and Ron were coping and then took the key to her living space out of her pocket. 'It looks as if things are quieting down. Let's go up now.'

Trudy looked around the living quarters with genuine interest, but they both knew it was the camera obscura room that she really wanted to see. Once in her bedroom, Rachel pulled down the ladder and turned on the storm lamp, holding it out to Trudy.

'You go up first,' she said. 'I'll give you a few minutes to look around and then I'll join you.'

Trudy hesitated for a second and then took the lamp.

'Thank you,' she said quietly, and began to climb.

It felt strange sending someone who didn't know the space up ahead of her. Rachel watched as Trudy climbed the ladder. How many people had been in the camera obscura since it was built? It couldn't be many. Fewer than ten. She waited until Trudy's footsteps stopped moving about overhead and then went up into the loft space to join her.

Trudy was standing with one hand poised against the smooth white marble surface of the camera obscura table, gazing up at the hatch overhead. When Rachel appeared beside her, Trudy looked at her with a dazed expression.

'It's a little overwhelming, isn't it?' Rachel agreed. 'For me, I think it's the atmosphere. Not that I'm suggesting the place is haunted, or anything like that, but as soon as I learned about Eveline, I knew that what I was feeling up here was her, somehow. This is so absolutely her space.'

Trudy nodded with a faint smile. When she spoke her voice was hushed. 'I think you're right.'

'Would you like to see the camera obscura at work?'

'Please!'

Rachel went to the wall and operated the hatch, turning to watch the image appear on the plinth top. Trudy issued an audible gasp when the village came into view.

'I had no idea it would be so clear,' she said. 'That's amazing.'

Rachel slowly rotated the lens to show her the 360-degree view that the tower afforded. Trudy kept shaking her head, as if she couldn't believe her eyes. Once the view had returned to where they had started, Rachel came to stand beside her and the two women regarded the view together.

'I can show you some of Eveline's papers, too, if you like,' Rachel said, after a while. 'Her notebooks and designs for the tower and this room. They're amazing to see.'

'I'd like that.'

Rachel closed the camera obscura hatch and got out a couple of the scrolls and one of the notebooks, explaining to Trudy what she was seeing and pointing out some of the notes Eveline had made in her tiny, tidy handwriting.

419

Trudy said nothing more, just pored over everything Rachel showed her as if she were a student of history and architecture rather than medicine. At length Trudy straightened up with a sigh.

'We can't do it, you know,' she said quietly.

Rachel frowned. 'We can't do what?'

Trudy stepped away from the plinth and turned slowly in a circle, taking in the small domed room.

'We can't take it apart,' she said. 'We can't destroy everything Eveline made here. It's too special, it's too ... important, for so many reasons. When Alan first suggested it, I thought it made perfect sense,' she went on. 'We'd still be preserving Eveline's secret, and we'd still have all her papers. But the more I thought about it ... the more it seemed wrong. There have been so many women in the world just like Eveline, who have had talents and accomplished amazing feats that have been forgotten, or ignored, or else the credit has been taken by whatever guy was closest to her at the time. And I know it was Eveline's wish that no one know the camera obscura, but she's been dead for two hundred years now. I think we owe it to her to set the record straight. More than that, I think we owe it to women now to say, "Look! Look what this amazing woman did! She was suffering and even though her life was tragic, she made this! It's still here and it still works and she should be remembered for that, not this other thing that probably wasn't even true."' Trudy turned to Rachel, her face shining in the shaft of sunlight descending from overhead. 'Don't you think so too? After all this time, doesn't she deserve to be celebrated for what she did here? For what she built? We have to tell people, Rachel. We have to make sure that it's properly protected.'

Fifty-One

The next few days were hectic with preparations for the wedding. Dawn of the actual day found Rachel, with Eustace, already downstairs in the bookshop, helping Gilly with decorations. The tables had been set up the night before, arranged around the bookshop counter as if around a spindle, and onto them Gilly and Rachel had laid all the flowers that had arrived the day before.

Gilly had ordered whatever late summer blooms were still available now that the year had turned towards September: blousy pastel roses, bright cerise cosmos, the sunset blush of calendula, vibrant cascades of sweet peas, dahlias the size of dinner plates. For foliage she had chosen long sprigs of variegated ivy and dusky silver-green eucalyptus. Between them they used cream-coloured grosgrain ribbon to bind these into loose sprays, Rachel following Gilly's directions. Gilly kept aside a variety of the best flowers and tied a smaller, slightly more formal bouquet for Edie to carry. She'd also found small glass vases to house an arrangement for each of the tables.

'I need to keep a few loose stems too,' she said. 'I've got an idea for how to do Edie's hair, if she'll let me.'

'You're a natural at this,' Rachel said, as they stood back to admire their handiwork. 'Everything here is beautiful.'

Gilly looked over at the clock. 'I'd better get on with dressing the tables. And the deli will be delivering the food any minute.'

'Let me worry about all that,' Rachel said. 'You get back down to the cottage and help Edie get ready.'

'But you can't do it all yourself!'

'Don't worry,' Rachel told her. 'Ezra and Ron will be here soon to help – they're bringing the chiller they've rented for the wine.'

'Okay then.' Gilly gave her a hug. 'Thank you so much. I'll see you later, at the register office? Make sure Ezra isn't late!'

'He won't be,' Rachel laughed. 'He'll probably be the first there.'

She heard a shout and the murmur of other voices as Gilly left the lighthouse and went to the door to see the girl passing the others coming the other way. A small van was slowly crunching up the gravel behind them, and as they moved aside to let it past, Rachel saw that it was from the deli in Great Dunbar.

'Good morning!' Rachel called, as the three men got closer. She kissed Ezra on the cheek. 'How's the bridegroom? Nerves not getting the better of you?'

'Nothing's going to get the better of me,' Ezra said cheerfully. 'Not today!'

'This is such a great idea,' Rachel said, as she and Ron helped carry the picnic baskets into the lighthouse.

'Don't look at me,' Ezra said, 'that was all Edie. She's the brains of this union.'

Once everything was unloaded, the team set about arranging the space. They shook out white tablecloths and laid the tables before arranging some of Gilly's flower displays as centrepieces and setting out the name cards that Edie and Gilly had designed and printed together. There was no top table – neither the bride nor the groom wanted anything so formal, and there would be no set speeches either. Instead, anyone who wanted to speak would stand in the centre of the room behind the counter – Rachel had cleared and polished the wooden surface the night before in preparation. Now she strung more of Gilly's bouquets from the edge, linking them with loops of the grosgrain ribbon. They repeated the bouquet motif around the room, tying them to the ends of bookcases and adding strings of tiny, glinting fairy lights. The end effect was simple but prettily bohemian.

'We've got candles to put on the tables for the evening,' Rachel said, as they all stood back to regard their work. 'Do you like it, Ezra?'

The bridegroom swung an arm around her shoulders and squeezed her slightly. Rachel didn't think he'd stopped grinning once all morning. 'I love it. And I know Edie will too – just be prepared for her not to actually say as much.'

Rachel laughed. 'Don't worry. I don't expect her to

have a complete change of character the minute you two get married.'

The marriage ceremony was due to take place at 2 p.m. By noon all the preparations at the lighthouse were in order. Outside, the sun was shining brightly out of a pure blue sky, as if someone had ordered up perfect wedding weather for the day. Rachel was grateful that inside the lighthouse's thick stone walls the temperature would remain cool and steady enough for the food and flowers not to spoil.

'Right,' said Ron, clapping his hands together. 'Ezra, I think it's time we got you back home and started getting ready, don't you?'

Ezra took a deep breath. 'All right then. Let's do this. Rachel – we'll see you there.'

Rachel smiled. 'Absolutely. I can't wait.'

Once they had left, Rachel closed the lighthouse doors and stood quietly for a moment, looking around the decorated bookshop. Eustace came to sit beside her feet, looking up at her with a dissatisfied miaow at all the disruption. *I don't like change*, he seemed to be saying. Rachel bent and picked him up, feeling him purr as he rubbed his old head beneath her chin.

'Come on, puss,' she said. 'Let's go and get changed. How do you feel about a ribbon for your collar? It's a special day.'

The bookshop phone rang as she was about to set foot on the stairs to the mezzanine. Rachel glanced at the clock, then put the cat down and went to answer it, thinking that it might be Gilly or Edie with some last-minute worry or request.

'Good morning, the Lighthouse Bookshop,' Rachel said, realizing with a jolt as the familiar words left her lips that they could well be the last time she ever said them. Once evening fell after the wedding celebration, the bookshop would not open its doors again.

It was neither Gilly nor Edie.

'Rachel,' said Liz McNally, of the Scottish National Trust, 'I'm sorry to call you on a Saturday.'

McNally had been one of two of the Trust's representatives who had visited the James MacDonald Tower earlier in the week, after Rachel had called them to explain the situation and to reveal the existence of the camera obscura.

'I've got good news, I've got bad news, and I've got some questions,' McNally said. 'Can you spare a few minutes?'

'A few,' Rachel said. 'I'm about to head off to a wedding, but go ahead.'

'I'll make this as quick as I can, then,' said McNally. 'Obviously the camera obscura and Eveline MacDonald's story has to be preserved, there's no question about that. Whatever happens, we'll be pushing for its listing status to be raised to the highest grade immediately, which would mean any sale would have to be with the proviso that the new owner agrees to its preservation. I'm glad to say that provisionally, though, it's a yes to the Scottish National Trust taking it on.'

Rachel's heart leapt. 'Oh,' she said, 'that's great!'

'The thing is,' McNally went on, 'the offer we'll make to take the estate will be far lower than the owner would get if it went to a private buyer.'

'The owner understands that,' Rachel said, thinking back to her conversation with Trudy Goodwin and Alan Crosswick, who had rushed over from Aberdeen when he'd heard his client had unexpectedly turned up in Scotland. To his credit, Alan hadn't seemed put out by Trudy's change of heart about the camera obscura. He'd simply detailed what she could expect, which included the likelihood that even if the Trust was willing to take on the MacDonald estate, it would probably be for a pittance compared to what Bernie Stuart was offering. Trudy, equally to her credit, had shrugged and pointed out that a few weeks ago she hadn't even known the place existed, let alone that she owned it, so anything she received would be a bonus she'd never expected anyway.

'Better that it be preserved by people who really know what they're doing rather than Eveline's legacy being lost,' had been her exact words, and Rachel had loved her for them.

'That's good,' McNally said, now. 'Because besides the preservation work, there's also additional work that will need to be done to the building to bring it up to Trust standards.'

'I see,' said Rachel, but didn't really. She looked around and realized that McNally was probably talking about the work that would be needed to remove the bookshop. 'Although, if you mean you intend to gut the bookshop, we were already expecting that. We're due to close down as a business this weekend – today, actually – after which the plan is to begin clearing the stock. I've been lining up bulk buyers from other bookshops.'

'Actually,' McNally said, 'if the Trust takes it on, that won't be necessary.'

Rachel's brain stalled. 'It won't?'

'No. According to what you told us, the lighthouse was originally built as a library, wasn't it? We don't think there would be a need to do away with the adjustments that Cullen MacDonald made, which seem to be minimal and largely in keeping with what we ourselves would make anyway. No, initially at least, we would plan to keep the book-shop running.'

'But that's – that's wonderful!' Rachel said. 'The regulars will be so happy to hear that.'

'It's upstairs that would need to change significantly.'

'Upstairs?'

There was a pause. 'Your living quarters, Rachel,' she said, somewhat gently. 'They're going to have to go, I'm afraid. There will need to be an information and learning space to tell Eveline's story.'

'Oh, I see,' Rachel said. 'Don't worry, I had expected that as well. I was already fully expecting to move on once the bookshop was cleared. Now that I don't need to do that, I suppose that means that one way or another, this weekend is my last in the lighthouse.'

Fifty-Two

Twenty-five people gathered at the Great Dunbar register office to see Ezra and Edie tie the knot. Ezra stood with Ron at the front of the room, his beaming smile so wide that it could probably be seen from space. When Edie came in, though, her silver hair rolled back from her face and pinned up with flowers, the cream silk of her simple and perfectly elegant dress rippling as she walked towards him, he didn't even attempt to hide his tears.

Rachel sat in the second row. They hadn't observed 'bride's side and groom's side' rules – another tradition the couple was not interested in perpetuating. Across the small room, Rachel could see Toby. He was in a smart dark grey suit and tie, a sharp look she'd never seen him in before. She'd spoken to him only once since he'd left Newton Dunbar, calling to talk to him about Alan Crosswick's suggestion of dismantling the camera obscura. Several times since, Rachel had found herself wondering how his new job was going. She was glad that he was here and that later, there would be time for her to find out. She must have looked his way long enough for him to feel her gaze on him because he turned in her direction, too quickly for her to pretend she'd been looking elsewhere. Toby smiled at her and Rachel found it easy to smile back. It was, after all, a day to be happy.

It took just fifteen minutes for the officiant to declare Ezra and Edie husband and wife. The couple kissed as those gathered cheered, though none of them were as loud as Gilly's ecstatic, piercing wolf whistle of pure delight.

'Right,' Edie said loudly, once Ezra had finally let her go. 'That's the official bit out of the way. I hear there's wine somewhere? Let's go!'

Back at the lighthouse, Edie stopped inside the door to look around. Gilly's flowers spilled from almost every surface, filling the circular room with scent and splashes of paintbox colour. The tables had been laid with gleaming white cloths, silver tableware and more flowers. The wicker hampers of food for their guests waited beside a table laden with beautiful desserts, in the centre of which was a tower of pastel-coloured macarons. Their friends had also found a way to organize waiting staff, who were even now coming towards them carrying large trays laden with flutes of champagne.

'What do you think?' Ezra asked, squeezing her hand with a smile.

'It's perfect,' Edie told him truthfully.

'I should write that down,' Ezra said, laughing and

then pulling her closer for another kiss. 'It really is a momentous day!'

Their little assembly of guests crowded into the bookshop, greeted by the couple at the door. Music started up, floating down from the mezzanine to wind between the happy chatter and clink of glasses. Edie caught hold of Gilly as she passed and pulled the girl into a tight hug.

'Thank you,' she said, into Gilly's ear. 'This is wonderful. You're wonderful. Everything is wonderful.'

'Oh my God, are you drunk already?' Gilly asked.

'No, just counting my blessings.' Edie realized that Gilly was carrying a large, flat rectangular parcel under one arm, wrapped in beautiful paper. 'What's that?'

Gilly looked down at it. 'A wedding gift, obviously.' She indicated over Edie's shoulder, and the bride turned to see that people were leaving presents on a small table that had evidently been set up for the purpose.

'Oh!' Edie said, astonished. 'I didn't expect people to bring us gifts!'

'Gilly,' Ezra said, pulling her into a hug. 'You really shouldn't have got us anything, you've got better things to spend your money on than us.'

'I didn't buy it,' Gilly said, suddenly awkward. 'I made it.'

'You—' Edie began, and then stopped. 'Is it your print of us? The one you did for your final piece?'

'Maybe,' the girl said shiftily. 'You'll have to wait and see. I'll put it over with the rest of the gifts, and then later—'

'Oh no, you don't,' Edie said, blocking the way before

Gilly could move. 'I've waited long enough. I want to see it now!'

Gilly looked around. 'You've got guests!'

'I don't care. I'm the bride, I can do what I want.' Edie raised her eyebrows and held out her hands for the parcel. 'Right?'

'You married this,' Gilly said, deadpan, to Ezra. 'It was your choice, no one to blame but yourself. Remember that.'

'Come on!' Edie said, with mock impatience. 'You're holding up the whole party!'

Gilly gave an elaborate sigh and shook her head. 'You are a *nightmare*.'

'And you're a horrible brat. We know both of these things already. Come on, give.'

Gilly handed over the gift, laughing, although Edie could also see a trace of genuine anxiety in her eyes. 'You might hate it.'

'We won't,' Ezra assured her, as together they carefully removed the paper.

The print had been expertly mounted and put into a beautiful pine frame. Edie looked at it, lost for words.

'Wow,' Ezra said softly.

Gilly had carved the two of them sitting as they had that night in Edie's front room, at the moment that Ezra had taken Edie's hand and she had found herself looking right into his eyes. The touch of Ezra's hand, the shock of finding him so close, the sudden intensity of his look – Edie had carried these things in her mind ever since that evening, and it seemed to her that Gilly had inscribed every emotion that moment had inspired into the multiple layers of delicate ink that depicted them both perfectly.

'Is that a quote?' Ezra asked, and it was only then that Edie realized that Gilly had incorporated words into the lines that made up the background of the image.

'"*I do love nothing in the world so well as you. Is not that strange?*"' Edie read, and laughed through sudden, happy tears. 'Yes, that's a quote. Benedick says it to Beatrice in *Much Ado About Nothing*.'

Ezra looped his arm around Edie's shoulders and kissed her hair. 'Could not have put it better myself.'

'Gilly,' Edie said, 'this is extraordinary. I can't even . . .' She shook her head. 'I can't explain how phenomenal this is for someone so new to the medium.'

'You like it, then?'

Edie brushed her fingers across Gilly's cheek. 'Darling, *like* is not a big enough word.'

'Right,' Ezra said, leaning forward to kiss Gilly on the forehead and then hefting her print between his hands. 'I'm going to go and put this in pride of place on the gift table. I want everyone to see it.'

They watched him walk away for a second before Edie turned to Gilly.

'So,' she said. 'Beatrice and Benedick, eh?'

Gilly's face took on a look of studied innocence that Edie didn't buy for a second. 'What?'

Edie shook her head. 'Nothing. Nothing at all. Come on. Let's get this party started.'

Fifty-Three

The bookshop was full of laughter and talk. Ezra and Edie flitted between tables, but rarely parted from each other for long. Rachel watched from where she sat beside Toby. She was absolutely certain that when she had laid this table, his name card had not been beside hers, and yet when they had both come to sit down, there they had been, side by side. No one would own up to switching the places. It could have been any one of their friends, or it could have been all of them, in it up to their necks together.

Rachel couldn't quite bring herself to be annoyed about it.

She had yet to tell anyone about the new status of the lighthouse. It would take such a monumental explanation, and there was no way she had any intention of overshadowing Ezra and Edie's day. She watched them from where she sat, marvelling at the pure joy that emanated from both of them – and from Gilly, too. The girl looked magnificent in a fitted grey suit with a matching waistcoat and crisp white shirt, and shiny black DM boots. She'd also had her hair done, so that instead of the thick, messy ponytail they had all known her with since she arrived, she sported a sleek pixie cut that perfectly framed the angles of her face. It was remarkable, the change Rachel had seen in her since she'd found her way to the Lighthouse Bookshop. But then, she knew first-hand how transformative this place could be to a life, didn't she?

Although of course it wasn't just the place, Rachel knew that. It was the people Gilly had met here, too.

At this thought Rachel found herself looking at the man next to her. Toby offered a smile and then leaned toward her to talk over the music.

'Penny for them?' he said. 'You look as if you're miles away.'

She leaned towards him, too, close enough to catch the scent of his aftershave as she spoke into his ear. 'Will you come for a walk with me?' she asked. 'There's something I want to tell you.'

Outside the lighthouse the evening was sliding towards sunset, shadows beginning to lengthen into the warmth of a late summer dusk. They started a slow circuit of the tower, music and laughter filtering from the open double doors to accompany them.

'At the risk of overstepping,' Toby said, into the quiet between them, 'you look beautiful.'

Rachel had chosen a plum-coloured calf-length tulip dress with an all-over botanical print that she thought would team well with a smart jacket for work purposes. She smiled.

'Thank you. You look pretty good yourself,' she observed,

and then, at his obvious surprise, added, 'First time I've seen you in a suit.'

He glanced down at himself with a wry twist of his lips. 'First time I've worn one for a while. Feels a little strange, to be honest. I've got used to being the kind of writer who sits at home all day in jeans and a sweater.'

'Not something you can get away with in your new position as contributing editor, then?'

He glanced at her with a smile. 'Not out in the field, at any rate.'

Rachel stopped and turned to look up at the tower. Toby came to a stop beside her, apparently happy to wait until she was ready to talk.

'I haven't told anyone else this yet,' she began, 'but The Scottish National Trust are going to take on the lighthouse. They want to preserve the camera obscura and Eveline MacDonald's legacy.' Rachel looked at him then, glad that he was the first one of the bookshop's inner circle to know the new fate of the James MacDonald Tower. 'Not only that, but they're going to keep the bookshop pretty much exactly as it is.'

'What? But that's – my God, that's *fantastic* news,' Toby said, and the look of genuine delight on his face made her smile.

'Isn't it? I'm so happy. I know Cullen would be, too. It's early days, and there's conservation work they need to do. Obviously, they're keen to make Eveline and the camera obscura the focus of that. But I'm so relieved, Toby, that's it's not just going to disappear. Thank you,' she added. 'Without all your help with the research there's a good chance that the lighthouse would have been sold and Eveline's story would never have come to light.'

Toby reached out and grasped her hand, and reflexively, Rachel squeezed his fingers.

'It was you that worked out it was Eveline,' he pointed out. 'You're the one who found the Austens, who pieced all of that together.'

Rachel glanced at their joined hands and Toby let her go. 'I'd say it was a pretty good team effort, wouldn't you?'

He smiled. 'I would.'

'Anyway, they say they will probably turn the two floors that are currently the living space into a permanent exhibition that will make use of Eveline's blueprints and scans to tell the story of how she designed and built it,' Rachel said. 'Trudy Goodwin is going to give them the Austens on long-term loan so that they can be used as the centrepiece, rather than selling them.'

Toby was quiet for a minute, a shadow settling in his eyes. 'I'm glad, really I am. But it's going to be at the expense of your home, Rachel. Cullen definitely wouldn't have wanted that. I can't imagine Eveline MacDonald would have wanted it either, come to that.'

'There was no way I was ever going to be able to stay in the lighthouse though, was there?' Rachel said. 'I always knew that. And actually, as it turns out, I've been very lucky.'

'Oh?'

Rachel took a breath. Since her rushed conversation with Liz McNally earlier in the day, she'd hardly had time to think about the substance of what she'd been offered. McNally had told her to take a few days, to think about it, and Rachel had agreed because today was about Ezra and Edie, not her. But really, there was nothing to consider, was there?

'They're going to need someone to manage the place when it reopens,' she said. 'They've asked me if I want the job. They say that I'm the closest thing they've got to an expert on both the lighthouse and Eveline MacDonald, and so it makes sense to trust it to me. They've offered me the gatehouse as accommodation. So I might not be living in the lighthouse, but I won't have to move very far at all.'

Toby stared at her for a moment, and then grabbed her in a hug that took her by surprise. Rachel laughed, her chin on his shoulder, her arms wrapping tightly around him.

'All right,' he said, into her ear, 'now I am genuinely happy. That's wonderful news. I'm so glad. I've been worried about you.'

'You don't need to worry about me.'

'No,' he agreed, as they separated. 'I know that. But when has that made a difference to the naturally anxious mind?'

Rachel watched his face, noting the dark circles under his eyes. 'How are the night terrors?' she asked. 'Any better?'

Toby looked away. 'I'm not sure that they're better, but they're different. I don't dream so much about war anymore.'

'Oh?' Rachel said. 'Then what do you dream about?'

'You, Rachel,' he said quietly. 'I dream about you, and the mess I made of what I think we could have had.'

They were quiet for a few minutes, listening to the sound of music and laughter echoing from inside the lighthouse to mix with the evensong of birds in the forest.

'The Trust wants me to work on a biography of both Eveline MacDonald and the lighthouse,' Rachel said then, into the hush. 'Part of the material will be used for the permanent exhibition, but they also want a full-length non-fiction book, too. I told them that I've never written anything before, but that I knew the perfect person to ask to co-write it.' She looked up at him. 'Someone needs to tell Eveline's story, Toby, and she deserves to have it told as well as possible. I can't think of anyone better to work on it with me than you. What do you think? Will you help me?'

He looked at her with a look in his eye that pierced something in her heart. 'Yes,' he said simply. 'Of course I will.'

They stood like that for a while. Then they completed the circuit of the lighthouse, with the last of the summer sun warm on their backs. When they got back to the open doors, Gilly was standing in the porch, as if waiting for them. She didn't seem at all surprised to find them together.

'*There* you both are!' she said. 'I thought you'd eloped or something. Come on – Ezra hired a karaoke machine, and you're about to miss Ron singing. Edie's threatening to stick forks in her ears but I think it's going to be *amazing*!'

She disappeared back inside, leaving the door open. Amid the general hubbub, Rachel could hear Ron warming up, laughter that sounded like Ezra and a voice full of mock exasperation that sounded like Edie. There was a fresh movement in the doorway and Eustace appeared to sit on the step, staring at her with disgruntled eyes. Bukowski emerged to sit beside him.

Rachel looked up at the lighthouse, imagining Eveline and James MacDonald together in their room among the clouds. She wished she could have known them. She wished she could have told Eveline that there was a life down here on the ground, to be lived and loved if only one were open to risking oneself to it, whatever tragedies one's life had previously contained.

I was here, and not here.

'Hey,' Toby said softly. 'Where have you gone?'

Rachel looked up at him and smiled. 'Nowhere,' she said. 'I'm right here.'

From inside the tower the first bars of 'Bat Out of Hell' began to play.

'Come on,' she said, slipping her arm through his. 'That's enough about the past for now. There's a future starting in there. That's where I want to be, don't you?'

Acknowledgements

As always, getting a book to the publishing stage takes a large and dedicated group of people, so I have many thanks to give. First of all, to my editors Clare Hey and Louise Davies, first for being interested in the idea of *The Lighthouse Bookshop* and then for providing the encouragement and expertise to shepherd it into this finished form. Thank you, as always, to my agent Ella Kahn: without your encouragement I wouldn't be writing adult fiction at all.

I wrote *The Lighthouse Bookshop* as Covid chaos continued to stymie our lives. It was a huge blessing to be able to escape to Newton Dunbar every day, so a massive thank you is due to Simon & Schuster for allowing me to do that. More specifically, besides my wonderful editors mentioned above, thank you to Pip Watkins for the beautiful cover, Sabah Khan for marketing, Sara-Jade Virtue for brand direction, Anne O'Brien for the copyedit, Maddie Allan and Kat Scott in sales, and production controller Francesca Sironi. Without you, this book would not exist.

Last but by no means least, huge thanks and love to my husband Adam Newell for your continued patience and unwavering love of bookshops. You are still the only person I know who opened one by mistake. Our life together revolves around books, and I love it.

Andaz London Liverpool Street is a 5 star lifestyle luxury hotel in the heart of vibrant East London.

Opened as the Great Eastern Hotel in 1884, the hotel is housed in Liverpool Streets station's beautiful redbrick Victorian building, designed by the architects of the Houses of Parliament, with interiors seamlessly blending modern and heritage designs by Conran + Partners.

Capturing the hotel's location and history, our 267 rooms and suites aim to be creative spaces where the traditionally conservative City meets the vibrant artistic vibe of East London with illustration tattoo art by local artist Sophie Mo and photography of the local area by Hoxton Mini Press' Martin Usborne.

For the foodies, there is something to suit all dining tastes at any of Andaz London Liverpool Street's 5 restaurants and bars, from specialty morning coffee and healthy breakfasts to fresh Japanese, brunches galore, traditional pub fare and perfectly grilled dishes.

To find out more visit andazlondonliverpoolstreet.com and follow @andazlondon